国家社科基金重大项目“东西方心灵哲学及其比较研究”
（项目批准号12&ZD120）研究成果

华大“韦卓民哲思”文丛

丛书主编/高新民　毛华兵

东西方心灵哲学及其比较研究

西方心灵哲学新发展研究

刘明海　费多益　高新民 等 /著

科学出版社
北京

内 容 简 介

本书在对西方心灵哲学作历时性和共时性整体把握的基础上，瞄准、聚焦其新发展，着力弄清心灵哲学的新走向，把握心灵哲学发展的轨迹、规律和未来发展趋势。本书的主要内容包括考察西方自我研究的来龙去脉，特别是最近诞生的各种自我论以及与此密切联系的关于自我意识和人格同一性问题的研究，在从共时态和历时态角度全面扫描物理主义的基础上，对物理主义的一些新形态，如实现物理主义、构成物理主义、主观物理主义、先验物理主义等作了深度解剖，对西方心灵哲学当前关注的热点问题，如心灵观、意向性、感受性质、人工智能的心灵哲学反思、天赋研究的心灵-认知转向、新兴的规范性走向等，以及围绕它们所形成的最新认知，作了跟踪性研究和思考。

本书适合哲学专业学生、从事哲学教学和研究的工作者阅读。

图书再版编目（CIP）数据

西方心灵哲学新发展研究/刘明海等著；—北京：科学出版社，2022.9
（华大“韦卓民哲思”文丛．“东西方心灵哲学及其比较研究”系列）
ISBN 978-7-03-072704-6

Ⅰ. ①西…　Ⅱ. ①刘…　Ⅲ. ①心灵学-研究-西方国家　Ⅳ. ①B846

中国版本图书馆 CIP 数据核字（2022）第 120224 号

丛书策划：刘　溪
责任编辑：邹　聪　刘红晋　张春贺 / 责任校对：韩　杨
责任印制：徐晓晨 / 封面设计：黄华斌

科学出版社出版
北京东黄城根北街 16 号
邮政编码：100717
http://www.sciencep.com

北京虎彩文化传播有限公司 印刷
科学出版社发行　各地新华书店经销
*
2022 年 9 月第　一　版　开本：720×1000　1/16
2022 年 9 月第一次印刷　印张：60 3/4
字数：920 000

定价：398.00 元

（如有印装质量问题，我社负责调换）

总　　序

“华大‘韦卓民哲思’文丛”是为纪念和发扬韦卓民科学精神、展现华中师范大学哲学一级学科原创性学术成果而组织策划的。

本丛书之所以以韦卓民先生的名字命名，是因为他用他的生命实践成功、生动地诠释了难得而又最为我们华中师范大学哲人、最为我们时代所需要的科学和学术精神。

韦卓民生于广东中山的一个茶商家庭，是我国现代著名的哲学家、翻译家、教育家和宗教学家，西方哲学史学科的奠基人之一，曾长期担任作为华中师范大学前身之一的华中大学的校长。曾留学于哈佛大学、伦敦大学等著名学府，获英国伦敦大学哲学博士学位。20世纪三四十年代，先生曾三次应邀赴美国耶鲁大学、芝加哥大学、哥伦比亚大学讲授哲学和伦理学。其所讲的关于中国文化的系列讲座不久在纽约以英文公开出版。

先生长期的哲学和逻辑研究折射出了一种只在少数知识分子身上才能看到的文化和精神现象，其内隐藏着与“李约瑟难题”“钱学森之问”有异曲同工之妙的“韦卓民难题”。他以自己的人生实践和元方法论层面上的科学哲学探讨对之做了别具一格的回答。反思这些用实践写成的答案有助于我们理解今日知识界的种种反常、异常、异化现象，破解杰出、创新人才培养的重大难题。他的学术实践所诠释的科学精神是，以科学本身为目的，为学术而学术，殚精竭虑地敬重、维护、创新科学文化这一最高的社会价值，不仅不像今天许多人那样把它当作谋取财富、地位、权力的手段，或只做有利可图的学问，而且只要学术需要就毫不犹豫地奉献自己的一切，生为学术而生，死为学术而死。最为突出的是，他以不可思议的意志和毅力，自己戴着“右派”“反动学术权威”“牛鬼蛇神”等一顶顶可怕的帽子，在经常上五七干校、下农村改造的艰难处境下，完成了令人瞠目的著述和译作。仅逝世前短短20年时间，他就写下了近千万字的文字，其中大多数是一笔一画誊正清晰的完整手稿。最为感人的是，许多作品是在国人对学术不仅不需要反倒嗤之以鼻的背景下写出来的。例如，他有两篇文章落款的时间、地点分别是“1972年1月12日政治系宿舍”“1972年1月4日政史连”，他关于黑格尔哲学的10多万字的英文稿，落款的时间也是1972年。1976年春天的一天，先生对一位同事说争取在最近把他十分看重的《黑格尔〈小逻辑〉评注》写完，可惜的是，没过几天，他因患感冒而悄然离开了人世。

我们将铭记和发扬先生所践行的学术精神，不断拿出无愧于时代的成果，并通过本文丛陆续推出。

高新民　毛华兵

2019年3月

目　录

导　　论

尽管西方现当代心灵哲学的一切内容包括对它的成就及评价都处在争论中，但它的活跃、活力和不断创新则是没有争议的。一致的看法是，它是哲学中“最富活力的研究领域”。加维（J. Garvey）说：“心灵哲学真的正经历着显而易见的、生龙活虎的变革。”它的创新也是有目共睹的。其主要表现是，不断有新的问题和论题，新的观点和论证，新的理论体系涌现出来。[①]丹尼特（D. C. Dennett）也说：“心灵哲学是当今哲学中最活跃的一个领域。过去 20 年，它经历了戏剧性变化，许多传统的、主流的课题和理论淡出了人们的视线，而隐约能看到的是这样的关切，它们在旧的传统中是完全看不到的。”[②]这意味着，心灵哲学的许多创新是前无古人的。

一、现当代西方心灵哲学的一般进程

一般认为，当代心灵哲学肇始于赖尔（G. Ryle）1949 年发表的《心的概念》以及维特根斯坦大约也在这个时间段出版的《哲学研究》等。它们不仅开创了语言分析的心灵哲学和逻辑行为主义，而且也标志着西方心灵哲学新的时代的开始。赖尔震古烁今地提出：常识和传统的心灵认识乃至心灵哲学都是错误的堆积，

① Garvey J (Ed.).*The Continuum Companion to Philosophy of Mind.* London: Continuum International Publishing Group, 2011: Introduction.

② Dennett D C. “Current issues in the philosophy of mind”. In Cole D J, Fetzer J H, Rankin T L (Eds.). *Philosophy, Mind, and Cognitive Inquiry: Reasons for Understanding Mental Processess.* Dordrecht: Kluwer Academic Publishers, 1990: 49.

其根源是把心与身并列看待的“范畴错误”；要让心灵哲学摆脱困境，唯一的出路就是分析日常心理语言。随着他的分析的推进，一种新的心灵哲学，即语言分析的、以逻辑行为主义表现出来的心灵哲学便应运而生了。语言分析心灵哲学尽管已成为历史，但其历史功绩不可小视。丹尼特说：“最重要的是，这一对于语词的新的分析方法确实摧毁了构筑心灵哲学理论的传统方法。”[①]它的淡出尽管与紧接着出现的自然主义有一定的关系，但更与它陷入琐碎的分析、充满着严重的错误和混乱有关。丹尼特说：“它的弱点随着它陷入琐碎而日益显露出来。”[②]尽管如此，它对作为一门独立的哲学分支的心灵哲学的建立是功不可没的，它倡导的方法、精神、原则不仅没有消失，而且还潜移默化地影响着后来的探索，并一直发挥着不可替代的作用。

当代心灵哲学的第二个发展阶段是开始于 20 世纪七八十年代一直绵延至今的自然化的心灵哲学。它肇始于澳大利亚的几位哲学家的工作，如普赖斯（Place）、斯马特（Smart）等，当然，美国哲学家蒯因更是功不可没。他们不同于传统哲学和语言分析心灵哲学的地方在于：强调心理学、脑科学、人工智能（artificial intelligence, AI）、语言学等具体科学在心灵哲学研究中的作用，认为应根据科学的原则和方法来说明心理现象。按这一思路和方法所建构的心灵哲学在很大程度上成了科学哲学的一个分支，或是与科学保持着连续性的事业，至少许多人有这样的追求和理念。自然化心灵哲学有许多表现形式，最早的形式是心身同一论，曾风靡一时。其衰落（当然最近有一些人试图复兴它）与克里普克的重要发现有关。1971 年，克里普克对同一论作了令人震惊的驳斥。当然，这只是他对必然性、同一性（identity）、指示符的“极有影响甚至是革命性的说明”的副产物。[③]他指出：一个“严格的指示符”是这样的表达式，它指的是所有可能世界中的相同的事物。所有专门的同一性陈述一定包含有严格的指示符，当它们为真时，它们

① Dennett D C. “Current issues in the philosophy of mind”. In Cole D J, Fetzer J H, Rankin T L (Eds.). *Philosophy, Mind, and Cognitive Inquiry: Reasons for Understanding Mental Processess*. Dordrecht: Kluwer Academic Publishers, 1990: 51.

② Dennett D C. “Current issues in the philosophy of mind”. In Cole D J, Fetzer J H, Rankin T L (Eds.). *Philosophy, Mind, and Cognitive Inquiry: Reasons for Understanding Mental Processess*. Dordrecht: Kluwer Academic Publishers, 1990: 51.

③ Dennett D C. “Current issues in the philosophy of mind”. In Cole D J, Fetzer J H, Rankin T L (Eds.). *Philosophy, Mind, and Cognitive Inquiry: Reasons for Understanding Mental Processess*. Dordrecht: Kluwer Academic Publishers, 1990: 59.

就必然为真，而非偶然为真。在心灵哲学中，“我头痛”和“我的某个大脑状态”在同一论中也是严格的指示符，但由它们构成的同一性陈述却没有必然的真。因此，以类型同一论形式表现出来的“澳大利亚唯物主义”便陷入了深刻的危机。第二种自然化形式是功能主义。其最大难题是没办法根据功能这一科学概念来对感受性质和心理内容作出令人满意的自然化或自然主义说明。尽管如此，功能主义所碰到的“麻烦”却为后来直至今日的心灵哲学奉献了两个难得的、极具学理价值的论题。换言之，当今心灵哲学最热门、最吸引智力和创造力，也最有成就的这两个领域都与功能主义及其所引起的争论有密切的关系。

21 世纪开始以来，西方心灵哲学的发展可以说是多管齐下，呈现出多元化发展的格局。在其全景图中，自然化的心灵哲学即使不是主角，至少仍是最有影响的生力军。除此之外，其他力量也享有一定的话语权，至少在强劲发展，如现象学传统的心灵哲学除了继续在欧洲大陆居于主导地位之外，在英美也逐渐在扩张其“市场份额”。这特别表现在英美一直十分活跃的感受性质和心理内容研究之中，最近的呈上升之势的“四 E”[embodied（具身）、embedded（镶嵌）、enacted（生成或行然[①]）、extended（延展）]研究也是现象学传统的心灵哲学持续升温的一个表现。在查默斯[②]（Chalmers）等著名的心灵哲学家发现“感受性质”之前，现象学即使包含有关于意识、意向性（intentionality）、表征（representation）的丰富而深刻的思想，也不被分析性心灵哲学家认可。自从感受性质成为心灵哲学的热点、焦点问题以后，英美心灵哲学出现了新的动向：一是重视对胡塞尔、梅洛-庞蒂等的思想研究；二是为胡塞尔等现象学作辩护，强调心灵哲学必须有现象学视角；三是许多分析哲学家倡导心灵哲学应进行现象学转向，如马巴赫（Marbach）以意向性研究为例作了论证；四是出现了按心灵哲学框架组织起来的现象学的心灵哲学。例如，麦卡洛克（G. McCulloch）、奥拉夫森（Olafson）、加拉格尔（Gallagher）、小斯特劳森（G. Strawson）等根据现象学解决心灵哲学问题，扎哈维（Zahavi）等还写出了《现

① 一般译为“生成”。笔者认为，之所以可译为“行然”，是因为该概念强调的是，心理过程不仅由中枢过程构成，而且还包括有机体所做的事情，即它们在某种程度上是由有机体作用于世界的方式以及世界反作用于有机体的方式促成的。

② 也译作查尔默斯。

象学的心灵》（*The Phenomenological Mind*）的专著。有理由说，现象学传统的心灵哲学正成为与分析性、自然化心灵哲学抗衡的一股主要力量。

二、现当代西方心灵哲学的基本走势与切入路径

在最近的西方心灵哲学中，除了分析传统和现象学传统这两大思潮或走势之外，还有融合的走势，即出现了融分析传统与现象学传统于一体的新趋势。其代表人物为皮科克（Peacocke）、吉勒特（G. Gillett）等。这里特别值得研究的问题是“四 E”。这一研究对心灵哲学极为重要，可为传统的意向性或内容难题找到可行的解答。值得注意的是，“四 E”研究还导致了一种新的心灵观的诞生。它认为，心灵不是传统哲学所说的单子性的实体或属性，而是一种弥散性存在。

从研究路径或切入心灵哲学的方式来说，除了仍有传统的实在论、语言分析的进路之外，还出现了从观念论的角度切入心灵哲学研究的进路。这一研究是传统心灵哲学本体论研究和语言分析的继续，但其意义是过去所有研究所不可比拟的。有关研究不直接涉及实在的问题，也不关心对心理语言的反思，而把重点放在了对人们心底里普遍拥有的关于心、关于人的概念图式的反思、解构之上。通过研究，人们吃惊地发现：心灵哲学问题之所以复杂难解，不是因为实在本身有多么复杂，而是因为我们大多数人有对心的先入为主的理解，有根深蒂固但又不为人觉察的关于心的种种构想，如把心理解为小人式的实在。这样的观念或构想就是通常所说的民间心理学（folk psychology，FP）。围绕 FP 所进行的观念论研究有许多前沿问题，如 FP 的起源、发生、发展和种类问题，FP 的实践和理论问题，内容和原则问题，实质、地位与命运问题，它与认知能力的关系问题，等等。围绕这些问题，自然主义、解释主义、取消主义等正展开激烈的争论。

最新的一个走势是，用西方心灵哲学的问题、视域和概念框架来反观中国、印度的心灵哲学，在重构中印心灵哲学的内容和体系的基础上，进行中印西心灵哲学的比较研究。如果说作为哲学分支的心灵哲学本身存在着分化的话，那么有理由说，心灵哲学这一学科是一个包含中国心灵哲学、印度心灵哲学、英美心灵哲学、比较心灵哲学等多个分支的“庞大”的学科体系。这些分支已不再是期许或计划，而是扎扎实实的行动，不仅取得了丰硕的成果，而且已初具规模。例如，从弗拉纳根（O. Flanagan）等所写的关于印度和比较心灵哲学的大量论著中，我

们不仅可以看到其名副其实的建树，而且从大量的参考文献中可以窥见西方有关领域令人称奇的成就、变化和走势。许多西方学者承认，中印不仅有西方式的求真性的心灵哲学，而且极富个性特点。例如，保尔（D. Paul）著的《中国六世纪的心识哲学》表明：中国心灵哲学有关于意义、意向性、内容、心理现象的范围与分类、有我与无我、可朽与不可朽等的独到理论。弗拉纳根的《菩萨的大脑——佛教的自然化》（“The Bodhisattva’s Brain: Buddhism Naturalized”）不仅承认佛教有丰富的求真性、价值性心灵哲学思想，而且强调这些思想堪与当今西方最时髦的自然主义相媲美。

还有一种新的倾向也值得一提，那就是二元论的方兴未艾。在西方 18 世纪法国唯物主义到 20 世纪 50 年代的心灵哲学发展历程中，二元论几近消沉，然而奇怪的是，随着唯物主义和有关科学的高歌猛进，二元论不仅复燃了，而且来势迅猛，出现了各种形式的、名副其实的“新”二元论。这种“新”表现在：观点新、论证新、样式新，如新的二元论形式多达几十种（谓词二元论、感受性质二元论、量子二元论、突现论二元论等）。与之相关的新趋势是，以前水火不相容的自然主义（唯物主义）与二元论居然结合在一起，形成了所谓的融二者于一体的新二元论，如查默斯等明确倡导的“自然主义二元论”。

思考心灵哲学的未来发展与走向是西方发展着的心灵哲学中值得我们重视和研究的现象。它关心和探讨的是心灵哲学的未来发展方向问题。有一种观点认为，未来的心灵哲学除了会继续重视形而上学问题之外，还将关注价值论问题、人生哲学问题、道德哲学问题等。其实，许多人的探讨中已显露了这样的苗头，如弗拉纳根认为，心灵哲学的真正困难的问题不是意识问题，而是人生的意义或价值问题。有人曾预言，自然主义最有前途，尤其是物理学将成为未来心灵哲学的基础和康庄大道。有的人认为，现象学或融合了自然主义的现象学最值得关注。有的人认为，语言哲学、计算机模型在心灵哲学中的地位将下降、式微，联结主义将受重视。还有人认为，当今正形成的进化论或生物学转向最有希望。

三、现当代西方心灵哲学的基本特点

当代发展着的心灵哲学除了有前面涉及的活跃、多元化、充满活力等特点之外，还有这样一些特点。

第一，其焦点、热点、问题经常变化，且正经历着变化。心灵哲学当前关注的常见问题是：①是否有有效的窄内容概念？②外在主义与人有到达自心的优越通道这一事实是否一致？或能否对之作出说明？③物理主义（physicalism）应该成为先验物理主义吗？④心理因果性问题真的不可解吗？⑤意识是从物理事物中突现出来的吗？⑥经验的现象特征和意向内容是同一的吗？⑦对心理行为的觉知是一种知觉意识吗？⑧物理主义的最好版本是什么？具言之，其最好的版本是还原物理主义，还是非还原物理主义，抑或取消式物理主义或别的形式的物理主义？[①]另一种观点认为，下述问题正成为新的学术思想的生长点，如：①心理现象的根本标志与特征问题；②心灵的内在主义与外在主义问题；③心灵的自然化与生物学转向问题；④意识与意向性的关系问题；⑤意向性对象的形而上学问题；⑥意识的"困难问题"与反唯物主义；⑦心灵哲学中的唯物主义发展问题；⑧分析传统与现象学传统的对峙与靠拢问题；⑨优越通道问题；⑩主观性与客观性问题；⑪视角与主观观点问题；⑫心理因果相关性与解释相关性问题；⑬宽内容与窄内容问题；⑭意向对象与非存在问题；⑮自我、主体、自主体（agent）、自我意识与人格同一性问题；⑯人工智能发展方向的心灵哲学把脉问题；⑰情绪与认知的关系问题；⑱行动与自由意志问题（有的认为，心灵哲学中包含着行动哲学这一分支）。

奥威尔（O'Hear）编的《心灵哲学的热点问题》（*Current Issues in Philosophy of Mind*）把心灵哲学当前关注的热点问题概括为如下方面：意识的神经关联物、具身性、FP、第一人称观点、意识、意向性、知觉、作为产生性规范的心灵、心与外界的联系、自由意志、行动，等等。每个领域都在强势推进，因此有理由说，"心灵哲学是当前哲学中最活跃、最富创新性的领域"。[②]

心身问题无疑仍然是当代心灵哲学的核心问题，但其子问题和探讨的方式已发生或正在发生新的变化。有的认为，心身问题必须探讨心理、物理的东西的可能性问题。这与当代形而上学特别关注模态问题密切相关。利兹（Leeds）说："心身问题是作为关于属性同一性的问题出现的，在讨论关于属性同一性的问题

---

① McLaughlin B, Cohen J (Eds.). *Contemporary Debates in Philosophy of Mind.* Oxford: Blackwell, 2007.
② O'Hear A.*Current Issues in Philosophy of Mind.* New York: Cambridge University Press, 1998: Introduction.

时不提出形而上学可能性的观点，就是不可想象的。”例如，如果我们想问：成为疼痛的属性是否同一于某种物理或功能属性，那么一般会先问这个问题，即我如果不经验 S，是否能够以这种特殊的方式获得这些神经元的激活。这里的“能够”就是形而上学的可能性。[①]有的认为，认知主义引发的新的心身问题有这样三方面：①现象学的心身问题，即大脑如何拥有经验？②计算的心身问题，即大脑如何实现推理？③心-心问题，即计算状态与经验是何关系？[②]就占主导地位的物理主义的心身问题研究而言，当前说明心身关系的理论主要是围绕下述一系列的关键词而展开的，如实现、随附、突现、还原、同一、构成、因果等。

尽管当代心灵哲学的每个领域都十分活跃，但热中有热。有的认为，“三 C”是当今心灵哲学最热门的“三大块”。“三 C”即下述以 c 开头的三个关键词：content（内容）、consciousness（意识）、causality（因果性）。它们包含了三大类问题：①心理状态怎样具有意向性？即心理状态为什么、怎样以其他状态所没有的方式，即非派生的形式，指涉或关于某事物？②心理状态怎样成为有现象学性质（phenomenological properties）的东西？它怎样以及为什么具有别的状态所没有的感觉起来之所是的特征？③心理状态为什么、怎样成为行为的适当的原因？它作为原因与物理原因、别的不可还原为物理状态的高阶状态是什么关系？

从重心的变迁看，20 世纪 50 年代以后，心灵哲学的重心处在不断变化之中。50～70 年代，心灵哲学的争论主要集中在讨论哪一种物理主义是最好的，70 年代以后到 90 年代初，人们关注的是三个相互关联的问题：①怎样看待取消主义，有何合理性？②怎样看待关于内容的外在主义与内在主义的争论？③即使物理主义是真的，该如何说明心理因果性？

第二，西方心灵哲学不同于非西方心灵哲学的显著特点是，与有关科学处在互动的交涉之中。这一特点在当今表现得更为突出，当然，其交涉的内容和方式有一些新的变化。有理由说，西方现当代心灵哲学尽管不能说是科学哲学的副产品，但与科学哲学的发展有极为密切的关联，特别是在英美居主导地位的自然化的心灵哲学更是如此。20 世纪末以来，科学哲学的侧重点从研究科学的一般性问

---

① Leeds S. “Possibility: physical and metaphysical”. In Gillett C, Loewer B (Eds.). *Physicalism and Its Discontents*. Cambridge: Cambridge University Press, 2001: 172.

② 瓦雷拉，汤普森，罗施.《具身心智：认知科学和人类经验》，李恒威，李恒熙，王球，等译，浙江大学出版社 2010 年版，第 43 页。

题转向了对专门学科的概念、理论、实践的反思。这一变化的结果是三门都与心灵有关的新的哲学分支的诞生，即认知科学哲学、神经科学哲学和心理学哲学。而这三个分支又与心灵哲学的格局有千丝万缕的联系。在与科学的互动中，西方心灵哲学出现了这样一个新的趋势，即心灵哲学与认知科学、神经科学联姻、结盟。由此所决定，心灵哲学的边界就极为模糊了。联姻的结果是，关于心灵问题的研究和争论异常活跃，新观点、新理论、新趋势、新转向如雨后春笋般涌现出来。就此而言，把当前的多学科的“认知与大脑”的如火如荼的研究称作“哲学与神经科学运动”，一点也不过分。[①]如果说当前的心灵哲学有焕然一新的面貌的话，那么这在很大程度上要归功于同样生气勃勃的对心灵的神经科学哲学研究，特别是里面的热心于解释鸿沟问题的神经生物学、神经现象学。后者其实是一种关于意识的神经科学研究纲领，目的是解决与解释鸿沟有关的问题。正像神经哲学根源于分析哲学一样，神经现象学则根源于现象学传统。就认知神经科学与心灵哲学的关系而言，前者关注的主要问题是，大脑中的什么产生了心理现象，或心理的神经关联物是什么？对此，主要有三种理论，即各种场论、单一神经元理论、网络理论。[②]看好这些成果的心灵哲学家以此为基础，纷纷建立各具特色的心灵观，如“心灵社会”、“单子式心灵观”、宽心灵观、分布式理论等。

与科学互动的一个方法论上的争论是，心灵哲学究竟应坚持孤立主义（isolationism），还是坚持交叉式相互作用主义？孤立主义强调的是，研究心灵是某个学科的特权，因而反对对心灵的多学科研究、跨文化研究。其有两种形式，①科学孤立主义主张：对心灵哲学的研究要么是幻觉，要么是科学心理学的特权。②哲学孤立主义则主张：心灵哲学研究能独立地进行，即与科学分道扬镳。有的人则强调：更有前途的态度是交叉主义（interactionism）。其基本观点是，心灵哲学可与科学心理学携手前进，相互作用，只有这样，才能为心灵提供整合的图景。[③]

---

① Thompson E, Lutz A, Cosmelli D. “Neurophenomenology: an introduction for neuroophilosophers”. In Brook A, Akins K (Eds.). *Cognition and the Brain: the Philosophy and Neuroscience Movement.* Cambridge: Cambridge University Press, 2005: 40.

② Uttal W R. *Neural Theories of Mind: Why the Mind-Brain Problem May Never Be Solved.* Mahwah: Lawrence Erlbaum, 2005.

③ Marraffa M, De Caro M, Ferretti F (Eds.). *Cartographies of the Mind: Philosophy and Psychology in Intersection.* Dordrecht: Springer, 2007: xv.

第三，自我是揭示心的本质、建立心灵观和心身理论时必须优先予以正视的对象，因此自我研究近年来在西方心灵哲学中呈现出回归和持续升温的态势。有些人认为，这得益于佛教自我论在西方的传播。[①]然而，过去的心身理论在抽象心理本质时常常无视它的存在。这一课题的困难在于，从经验上证明它的存在不难，但要从科学上实证它、解释它，从哲学上揭示其本质和机制，则十分困难。

当前自我研究繁荣的一个表现是诞生了数以百计的自我论。从总的倾向上看，不出三类，即有我论或自我实在论、无我论或自我虚幻论、折中理论。当然占主导地位的是第一类观点。其内部分歧在于：如何构想它？如何解释它？如何说明它的本质？对它的构想很多，一种概括认为有五种自我，即生态学的（ecological）自我、人际间的（interpersonal）自我、延展性自我、私人性自我、概念性自我。[②]而小斯特劳森则概括说，有 21 种关于自我的概念。[③]

问题是，该如何说明自我的根源和本质呢？有许多方案。詹姆斯认为，意识流中有一个要素，可称作自我，因为它是意识最深处的堡垒和堡垒的庇护所，是意识中的活跃成分，掌控着对各种感觉的感知，是努力和注意力的源泉，是发出和实施意愿的地方，可被感知到。就其根源和本质而言，它是由头部的或头脑与咽喉之间的特殊运动集合构成的。[④]持自然主义立场的科学家和哲学家则认为，自我是大脑建构的一种模型。布莱克莫尔认为，“我”是心灵的运作，而心灵又是由基因和环境构成的脑的运作，或者说，自我根源于大脑建构模型的能力。[⑤]约翰逊-莱尔德（Johnson-Laird）认为，心灵或大脑建构的关于自身的运行模型，使自我意识成为可能。他说：“我们的自我反思……依赖于……某种心理模型。”[⑥]一种新的认知科学和心灵哲学理论是把自我等同于整体的人。贝内特和哈克认为，自我就是人，就它与物质的关系来说，自我或人是由物质构成的，但不能由此说自我就是物质或物质的作用。他们说：任何由某种东西构成的事物

---

① 许多学者认为，亚洲哲学尤其是佛学西渐构成了西方文化史上的“第二次文化复兴”（参见瓦雷拉，汤普森，罗施. 《具身认知：认知科学和人类经验》，李恒威，李恒熙，王球，等译，浙江大学出版社 2010 年版，第 18 页）。

② Neisser U. “Five kinds of self-knowledge”.*Philosophical Psychology*, 1988, 1(1): 35-59.

③ Strawson G. “The self and the SESMET”. In Gallagher S, Shear J (Eds.). *Models of the Self.* Thorverton: Imprint Academic, 1999: 483-518.

④ James W. *The Principles of Psychology.* New York: Holt, 1890: 301.

⑤ Blakemore C. *The Mind Machine.* London: BBC Publications, 1988: 272-279.

⑥ Johnson-Laird P N. *The Computer and Mind: an Introduction to Cognitive Science.* London: Fontana, 1988: 361.

都是由物质构成的并不表明人在本体论上可以被还原为其神经系统，更不用说被还原为他们的心灵和脑的活动……我们是人，我们不是居住在我们的头颅里，而是居住在我们的居所里。我们由细胞构成，但我们并不只是细胞（神经元或其他）的集合。[①]

第四，与自我密切相关的更宏大的心理样式是自主体。作为一个研究课题，这是一个有深厚哲学渊源，近来由人工智能研究所促发的带有多学科性质的问题。“自主体”一词译自英文的agent。该词的本来意义是“施动者”“作用物”“可以产生作用或效应的东西”。在我国哲学和当今的人工智能研究中，还有很多异译，如“动原”“行动者”“主体”“代理”等。鉴于该概念强调的是一种独立自主地产生作用的东西，我们这里统一译为“自主体”，以与哲学中相近的概念“主体”（subject）区别开来。早在亚里士多德那里，它就成了一个重要的哲学难题。他发现，在人身上有两种行为，一是某种强制性的东西引起的行动，其特征是不自由的、非随意的，引起和决定它的东西不是行动者自己的意志，而是外在的力量。二是自由的、有意的行动，如想吃桃子时把手举起来去摘桃子。它不同于第一类行动的根本特征在于：它是行动者深思熟虑、谨慎选择的结果，其动力是愿望和引起运动的思想，过程包括思考、形成愿望、作出选择，最后做出身体的动作。两种行为无疑是有区别的，但是是什么把它们区别开来的呢？亚里士多德提出的、后来占主导地位的观点是，有意行动后面有它内在、自主的动力源泉，那就是意志的决定，而意志的决定又根源于人的理性的深思熟虑。因此，决定行动的施动者是一种理性的决定力量。基于此，“自主体”一词常与“理性”连用，即理性自主体，以至于到了现代还出现了这样的命题：“没有理性就没有自主体。”[②]

关于自主体所具有的能力和特性，人们从不同方面作了概括。综合地说，它具有这样一些特性，如自主性、学习性、协调性、社会性、反应性、智能性、动性、连续性、移动性、友好性。从能力上说，它有在环境中行动的能力，有与其他自主体直接通信的能力，有由倾向驱动的能力，有有限地感知环境的能力，

① 贝内特，哈克.《神经科学的哲学基础》，张立，高源厚，于爽，等译，浙江大学出版社2008年版，第379页。

② Cherniak C. “Rational agency”. In Wilson R, Keil F (Eds.). *The MIT Encyclopedia of the Cognitive Sciences*. Cambridge: The MIT Press, 1999: 698-699.

有提供服务的能力，以及自我复制的能力。而它要有上述能力，还必须有这样的知识，即必要的领域知识、通信知识、控制知识。另外，自主体还具有这样的本质因素，如信念、愿望、意图或意向（intention）、义务、情感等。[①]

自主体作为人工智能研究中一个重要而热门的研究领域，其主要任务是探讨如何建立关于人类自主体的模型，如何对之作形式化描述，自主体应由哪些模块组成，它们之间如何交换信息，所感知的信息怎样影响内部状态和行为，如何将这些模块用软件或硬件的方式组合起来进而形成有机的整体。用哲学术语说，这一工程的目的就是要让人造自主体系统具有人类智能所具有的智能及其意向性特征。人工智能建构了许多人工自主体。从构成元素上讲，这种自主体构造一般是一个五元组系统，即 agent=（ID，心智，规则，行动，交互性）。这里的 ID（identification）是指自主系统独有的标识符。心智指它所具有的像人一样的心理背景条件，如有感知、认知能力，有类似于信念、承诺、意志之类的东西。规则是指这样的运行、控制规则，如对用户请求的分解、对返回结果的综合等。交互性是指它与用户及别的自主体发生联系的接口。

人工智能研究与心灵哲学是相辅相成的，它要建构人工智能，就必须利用心灵哲学对人类心灵、智能认识的成果，或者独自进行对心灵的解剖，而它的理论探讨和实践又有反哺哲学认识的作用。已有的自主体理论探讨和建模实践告诉我们：人之所以为人，是因为其上有一特殊的心理构造（当然其中也有具身性的东西），这就是自主体。根据哲学和人工智能对人类自主体的解剖，它是人身的一个集自主性、学习性、协调性、反应性、能动性、移动性等因素于一体的心理系统。因此，从心灵哲学角度说，它是一个值得独立地予以关注的心理样式。既然如此，在我们形成关于心理本质的一般认识时，它无疑是必须好好予以研究的心理个例，至少，我们形成的关于心理本质的认识要能考虑到它的本质及特点。

第五，与上述研究密切相关的，当然也受到了“四 E”研究推动的一个新生的研究领域是心灵观的建构问题。这当然是心灵哲学义不容辞的、不可替代的研究领域。因为所谓心灵观是与心的本质理论紧密相关的部门，要建构的是关于心理现象的总的、根本的看法，形成关于它们的地理学、地貌学、地图学、结构论、

---

① Wooldridge M, Jennings N R. “Intelligent agents: theory and practice”. *The Knowledge Engineering Review*, 1995, 10(2): 115-152.

运动论、动力学。根据布拉登-米切尔（Braddon-Mitchell）等的梳理，心灵观有形而上学和反形而上学的心灵观之别。[①]笔者认为，前一类心灵观十分复杂，既有 FP 的、二元论的、以小人理论表现出来的单子主义的心灵观，又有各种物理主义的心灵观，如有的主张心有中心，有的主张心没有中心，有的主张心内是多主体，或像小社会一样，更有现象学的以最低限度自我论形式表现出来的心灵观。反形而上学的心灵观不关心心理状态是什么这样的问题：认为它们都是错误的问题，强调心灵哲学应回答这样的问题，把心理状态归属于一个主体在什么情况下、什么时候是正确的，换言之，正确归属的条件是什么？它们的基本结论是，只要归属是有用的时，只要有利于目的实现时，归属就是正确的。很显然，这是一种反实在论的、以归属主义或解释主义表现出来的心灵观。取消主义也有自己的心灵观，那就是认为命题态度（propositional attitude）是不存在的，存在的是联结主义网络。当然，对于感觉、知觉，取消论者一般坚持同一论，如认为，躯体感觉、知觉经验就是大脑状态。最新的心灵观是由内容外在论所倡导的所谓的宽心灵观和“四 E”理论的心灵观，其基本观点是，心不封闭于大脑之内，而弥散于全身，甚至主客体之间。

第六，再一个新型的研究领域是“天赋心灵”。天赋问题在过去是一个经典的认识论问题，关心的问题是，人有无生来就有的知识，真理性知识是根源于天赋的原则还是后天的经验等。随着认识的拓展和深化，天赋研究已发生了名副其实的“心灵-认识转向”。它关心的是一些带有心灵哲学性质的问题，如人最初的心是什么，里面包含有什么，其内在结构是什么，对后来发展有何作用，或与后来的发展是何关系等。很显然，新的天赋研究的范围大大拓展了。这方面的成果特别引人注目，真可谓汗牛充栋。这里特别值得一提的是，著名心灵认知哲学家卡鲁瑟斯（Carruthers）等花了近 10 年时间所完成的三卷本论文集：《天赋心灵》。他们把来自诸多领域的几十位一流学者组织起来，分工合作，从不同角度探讨天赋心灵，目的就是完成“天赋心灵”这一“冒险计划”。

---

① Braddon-Mitchell D, Jackson F. *Philosophy of Mind and Cognition: an Introduction*. Oxford: Blackwell, 2007: 154.

四、国内研究状况与本书的目的、基本内容

G. 麦克唐纳（MacDonald）等著名心灵哲学家一致认为，心灵哲学已获得了迅猛的发展和长足的进步，而国内学界尽管在跟踪研究这种发展，并对一些领域（意向性、意识等）作过较深入的研究，但仍存在着许多不足。第一，像FP、新解释主义、“意识哲学”、“突现、还原与随附性及其关系”、意向性与意识的关系、自主体的哲学研究等，我们的跟踪研究和原创性研究是远远不够的。第二，尽管对罗蒂（Rorty）、福多（Fodor）、普特南（Putnam）、戴维森（D. Davidson）等老一代心灵哲学家有一些研究，但对许多新生代心灵哲学家[麦金（McGinn）、卡鲁瑟斯、米利肯（Millikan）、博格丹（Bogdan）、吉勒特、博登（Boden）、西格尔（Seager）、斯托纳克尔（Stalnaker）、埃文斯（Evans）、洛尔（Loar）等]的研究则显然不够。第三，西方心灵哲学家不仅在关注和研究心灵哲学的新的走向，如各种形式的新二元论、二元论与自然主义在对抗的同时又表现出了靠拢乃至相互融合的趋势（出现了二元论的自然主义这样的混血儿）、生物学或进化论转向、对实证主义和行为主义原则的动摇甚至背叛等，而且在探讨心灵哲学的未来发展方面，已出版了许多论著，而我们在这方面的研究几近阙如。

鉴于这些问题，本书将围绕下述目标展开工作。第一，弄清前现代的西方心灵哲学发展的历史进程，并在此基础上重新思考整个西方哲学史的建构问题。因为对心灵及其与物质的关系的认识贯穿于西方哲学的始终，心灵哲学史至少是整个西方哲学史的有机组成部分（有的认为它是哲学史的中心或枢纽），因此有必要在西方心灵哲学史研究的基础上重新探讨整个西方哲学史的内容、结构和发展轨迹。第二，针对国内学界对西方新生代心灵哲学家研究不够的现状，笔者组织人力对20世纪50年代以后出生的心灵哲学家展开专题研究，以便将我国心灵哲学的研究引向纵深。第三，在研究西方心灵哲学最新发展的基础上，着力弄清心灵哲学的最新走向，把握心灵哲学发展的轨迹、规律和未来发展趋势，以掌握心灵哲学研究的主动权、话语权。第四，在全面深入研究和把握西方心灵哲学的历史、最新发展和未来走势的基础上，对心灵哲学的元问题（为什么需要心灵哲学？什么是心灵哲学？其主要问题及问题域是什么？与心理学、认知科学、脑科学等相关科学是何关系？）作出探讨和回答，为构建中国心灵哲学的科学体系、印度

心灵哲学的科学体系，进而为开展全面系统的东西方心灵哲学的比较研究作理论的铺垫。

正像对心灵的外在主义、“四 E”探讨引发和加剧了心理与非心理的标准问题一样，心灵哲学的整体的迅猛发展无疑也引出了许多新的理论难题，有些还带有元问题的性质。其中特别突出的是，心灵哲学与非心灵哲学的标准或划界问题。这是心灵哲学的众多元问题中的关键的一个。我们把它当作关键性问题的依据是，它是所有研究中国、印度乃至西方心灵哲学具体内容，试图建立关于它们的学科体系，进而对它们作比较研究的人必然要碰到的前提性问题。对它的理解不同，后面的操作就必然不同。通常有两种理解，一是宽泛的理解，即把人类思想史上一切关于心灵的认识都看作是心灵哲学，这一倾向在中国很常见，是关于心灵哲学的望文生义的、想当然的理解。在西方也有类似的泛化的理解，如雷文斯克罗夫特（Ravenscroft）认为，心灵哲学的主要问题或研究领域包括以下方面。①心灵的形而上学，即心与物的关系问题，如心身问题，它包括意识、表征、心理因果性等广泛问题。②认识论问题：我们怎样得到关于我们自己和他人的心灵的知识？这个知识的范围、种类是什么？发展心理学和进化生物学对此作出了巨大贡献。③行为和认知科学。它们也致力于心灵认识，包括这样一些分支，即计算机科学、神经科学、发展和认知心理学、进化生物学。④方法论问题：研究心理现象的正确方法是什么？能否作先验的研究？[①]换言之，心灵研究是否只是经验研究？这里的许多问题无疑是标准的心灵哲学问题，但同样没有疑义的是，这一理解有极严重的泛化或自由主义倾向。如果坚持这样宽泛的标准，那么由此出发而建构出来的中国、印度乃至西方心灵哲学必然与常识心理学，以及作为具体科学的心理学难以划清界限。二是紧缩的理解，即只承认分析传统的心灵哲学是真正意义的心灵哲学。据此，现象学传统、价值性心灵哲学等就都被排除在心灵哲学之外了。为了使东西心灵哲学及其比较研究规范地、健康地进行下去，我们必须探讨这一关键问题。

笔者认为，要解决心灵哲学的划界标准问题，必须全面深入了解西方心灵哲学家的理论界定和实际探讨，尤其是关于心灵哲学的元问题的探讨。因为心灵哲

① Ravenscroft I. “Problems, questions and concepts in the philosophy of mind”. In Garvey J(Ed.). *The Continuum Companion to Philosophy of Mind.* London: Continuum International Publishing Group, 2011: 1.

学这样的哲学分支毕竟是西方哲学家的创造，对于我们来说是舶来品，正像要进行东西方的本体论（ontology）比较研究，必须先弄清西方 ontology 的对象、内容与特点一样。基于此，我们选择了这样的研究思路和方法，即不以某一或少数几个权威的界定和实际研究为参照，而尽可能多地考察心灵哲学家的看法及实际的心灵哲学操作，然后从中抽象出心灵哲学的对象、问题、视域、方法及内容，据此重构西方心灵哲学的科学体系。换言之，我们不以某个人（即使是权威）的看法为根据，而努力通过考察大多数心灵哲学家的实际操作，辅之以大多数人的看法来引出答案。我们的初步想法是，心灵哲学区别于其他学科的本质特征，不在于从哲学上对心作了论述，而在于对常识心理学（根源于原始灵魂观念，通过生物和文化遗传积淀在每个人心灵中的，有解释和预言人的行为作用的关于心及其与身、世界的关系的常识理论）作了反思和超越。其反思和超越的具体表现是：有对“意识”“心”等心理概念的自觉分析，有对心的本体论地位的思考，有对心的本质或心理语言地位的思考，有对心的本质或心理语言所指的思考。有这样的反思和超越，就必然提出和思考下述问题，如心灵的本体论（存在论）地位问题、认识论问题（他心知和自我意识问题）、心理语言的语义学问题、具体的心理现象学问题（意志、思维、信念、意识等）、心理现象区别于非心理现象的特征问题（感受性质、意向性）。另外，心灵是不是白板？如果不是，它有什么样的天赋资源？如果承认它有对做人有用的资源，那么心灵哲学就自然有这样的派生领域，即研究人心与人生、幸福、道德行为的关系。这是西方心灵哲学的一种新的倾向，也可看作是对东方心灵哲学的“回归”。例如，著名心灵哲学家弗拉纳根等认为，心灵哲学既应研究自然获得的第一人性，又应研究通过文化而形成的第二人性，具体来讲，研究人的第一人性能否改变、转化，研究幸福与大脑的关系（大脑中是否有与幸福对应的东西或神经关联物），幸福有无本体论地位，通过沉思、禅定而形成的心理状态是一种什么样的现象，有无本体论地位，等等。正是这些问题以及回答所用的分析和思辨方法把心灵哲学与其他学科区别开来了。

本书的目的是在对西方心灵哲学作历时性和共时性整体把握的基础上，瞄准、聚焦其最新发展，特别是最近 20 年的发展，着力弄清心灵哲学的最新走向，把握心灵哲学发展的轨迹、规律和未来发展趋势，以掌握心灵哲学研究的主动权、话语权。侧重研究的主要问题：第一，自我是揭示心的本质、建立心灵观和心身理论时必须优先予以正视的对象，因此自我研究近年来在西方心灵哲学中呈现出回归和持续升温的态势，其表现是诞生了数以百计的自我论，与此密切连在一起的是对自我意识和人格同一性问题的研究，以及对与自我密切相关的更宏大的自主体的研究。本书将对这些领域的最新成果作出考察、梳理和思考。第二，心灵观研究是西方心灵哲学开辟的一个新的研究领域，涉及心灵的地理学、地貌学、结构论、动力学等复杂问题。本书将花较大篇幅于此。第三，在从共时态和历时态角度全面扫描物理主义的基础上，对物理主义的一些新形态，如实现物理主义、构成物理主义、主观物理主义、先验物理主义等作深度解剖，同时对类型同一论的戏剧性变化，特别是最近由辩护而诞生的新形式作新的探讨。西方心灵哲学当前关注的热点问题还有很多，如意向性、感受性质、人工智能的心灵哲学反思、天赋研究的心灵-认知转向、意识的神经关联物、“四 E”、FP、第一人称观点、自由意志、行动、新兴的规范性走向等，笔者将对它们的最新认知作跟踪性研究和思考。

上篇

心灵观与基本理论研究

第一章

心灵观：西方心灵哲学的新视域*

“心灵观”（view of mind）指的是心灵哲学中这样一种研究实践或理论，即对心灵的总的构成、结构、运作、动力的最一般的研究，主要工作是展开对心灵的地理学、地貌学、结构论、运动论、动力学和本质论的研究。任何心灵观的建构必然要触及这样的课题，即如果世界上有心灵的存在地位，那么它里面究竟有哪些成员，有一些什么样的存在样式？对这类问题的探讨可称作心理地理学或“人口普查”。另外，还要追问这样一些结构论问题，心中有没有作为认识主体、所有者、统一性或人格同一性根源的中心或自我？如果有，它究竟是什么？它与心灵的其他部分是什么关系？它们合在一起是一个什么样的构造？如果没有这个中心，它内部又是个什么样子？可见，心灵观问题与自我问题密切相关。最后，当然是追问动力学和本质论问题。西方现当代对心灵观的探讨的特点在于：围绕潜藏在一般人心灵中的心灵观（即FP）展开了激烈的争论，涌现出大量崭新的理论，真可谓百花齐放、百家争鸣。我们先来考察FP。

第一节　FP与“权威的”心灵观

西方最近心灵与认知研究的一项重要成果是在常人的心理生活中发现了起

* 高新民，陈帅.《心灵观：西方心灵哲学的新论域》，《哲学动态》2018第10期，第58-65页。

着经常性关键作用的FP。它隐藏在人的FP实践即对他人的行为作出解释和预言的实践后面，是使预言和解释得以可能的根据和资源，代表的是常人对心灵的总的看法。以前一般认为，它是常人的心灵理论，是错误的心理地理学、结构论和动力学，即常人的心灵观。新的一种看法是，它是人的认知结构的组成部分，无所谓错误、不错误。在西方心灵哲学家看来，它是所有人共有的。根据我们对东西方FP及其心灵观的研究，西方心灵哲学所发现和论及的FP只是他们从西方人的文化心理结构中抽象出来的东西，而不具有全人类性，因为我们在中国和印度的文化心理结构中分别发现了不同的FP。

西方的FP主要表现为一种小人理论，不同于中国FP的特点在于，它是以灵肉或心物二分为模型的。第一，西方的FP实则为人们的常识心理观或心理概念模式（pattern），如认为信念等心理状态、事件是一种实在，像物理事物一样存在着，只是看不见、摸不着，没有形体性。第二，信念等像外物一样有存在的空间，那就是在“心灵里面”，这个“里面”像外部空间一样是非充实的，里面有心理的事件，它们要么是并列的，要么是先后继起的，相互之间可以互为因果、相互作用。第三，心理事件从属于因果律，由外部刺激所引起，进而又可引起人的行为。第四，信念概念具有指向性，是“关于”某种事物的。第五，心理的主人就是自我，它是主体，有作为、有活动、有变化和作用，一定有其主体。但是他们没有关于这种活动主体的直接认识，因此只能凭借想象、推理来设想它。而设想的参照也只能是已有的那一点知识，即关于外部世界的存在方式、结构、关系的本体论、结构论、地形学、地貌学以及非常贫乏的物理知识。根据这些知识，他们首先排除了身体，接着他们使出浑身解数，构想出了关于灵魂这样的一幅拟人化、拟物化的结构图景：灵魂是不可捉摸的人的影像，像气、雾、阴影一样，是人的生命的原则，是人的过去、现在的意识、意志的主体，能离开肉体从一个地方到另一个地方，梦中那能飞檐走壁、上天入地的东西正好就是灵魂，在肉体死亡之后，它转移到另一个东西之上，它还能进入人的肉体、动植物的躯体之中。很显然，除了无形体之外，它就是一个小人，就是一个物体。不难看出，西方人的FP所代表的这幅心理图景是一幅关于人的概念图式，至少是常识世界的组成部分或基础。

西方FP的“理论升华”就是西方如赖尔所说的作为“权威学说”的二元论。说来十分奇怪，在哲学中，公开打出二元论旗帜的尽管只是少数人，但是大多数反二元论的哲学家，或在许多问题上都坚持唯物主义因而承认自己是唯物主义哲学家的人，其实并没有真正摆脱二元论的纠缠，在看待人及其心灵时，其实仍是二元论的。正是在这个意义上，著名哲学家赖尔、维特根斯坦和蒯因等认为，二元论是自古以来的“权威的学说”。赖尔说：“有一种关于心的本质和位置的学说，它在理论家乃至普通人中非常流行，可以称其为权威的学说。”[①]当然，二元论在现当代西方有东山再起之势，对此，笔者在《心灵与身体——心灵哲学中的新二元论探微》一书中作过详细考释，可参阅。[②]新二元论的特点是，一方面对它的话语体系中的问题作掘进性探索，另一方面针对批评、颠覆性论证作回应和辩护，包括对它坚持的小人式的心灵观作辩护和进一步阐发。这里略述一二。科赫（Koch）在《意识探秘——意识的神经生物学研究》一书中不这样认为，而乐意接受这样的称呼，强调：说自我是小人（中译者译为“微型人”，一般则译为“小人”）十分恰当，“有非常吸引人之处”，而且不是空穴来风，因为一方面，人们有关于我或小人的真实体验，另一方面，在额叶内的某处，会存在一个在各方面都非常类似“小人”的神经网络。这样的小人是无意识的，它接收来自后皮层的感觉输入，做决策，并将决策传到相应的运动处理单元，它的作用是“监视”后皮层。[③]现当代二元论旗手哈特（W. D. Hart）[④]不仅承认人有独立的心灵，还强调它可以离体。这心灵不仅组织了自己的特殊世界，而且有自己的动力学，因为心灵有自己的“心理能量”。以视觉为例，我们“必须设想视觉经验所获得的‘心理能量’……也存在于空间之中”。[⑤]这就是说，无体的心灵同样也存在于空间之中，只是没有固定的位置，就存在于它发生作用的地方，如眼睛看到对象，心灵就存在于感知光线的地方。

① 赖尔.《心的概念》，刘建荣译，上海译文出版社1988年版，第5页。
② 高新民.《心灵与身体——心灵哲学中的新二元论探微》，商务印书馆2012年版。
③ 科赫.《意识探秘——意识的神经生物学研究》，顾凡及，侯晓迪译，上海科学技术出版社2012年版，第416页。
④ 哈特单独出现时，均指W. D. Hart。
⑤ Hart W D. *The Engines of the Soul*. Cambridge: Cambridge University Press, 1988: 152.

第二节 外在主义、“四E”理论的宽心灵观

当代心灵哲学最重要的一个成果是看到了身体、行为、外在对象和环境因素等所谓情境因素对心的形成和构成的必不可少的作用，诞生了外在主义、“四E”理论等崭新的心灵理论。在心灵观上，它们掀起了一场具有革命性的转向，即从单子主义心灵观、小人心灵观转向了延展心灵观或宽心灵观。这里先来看伯奇（Burge）的反个体主义的宽心灵观。

伯奇的心灵观直接对立于上述“权威的”小人式的心灵观。通过对心理内容的独具慧眼的研究，他看到了心理现象的这样的本质特点，即由外在的社会和自然因素而个体化，渗透着社会的因素，如渗透着人们共同建立起来的交流原则、心理归属的准则等，因此其得出结论：人类的心灵是在人与外在世界打交道的过程中建立起来的，渗透着社会性、关系性的实在，而不是一种纯个体主义的东西。[①]正是在此意义上，伯奇不厌其烦地强调他的反个体主义不是一种知识论，也不是语言学中的一种纯粹的意义理论，更不是心理学中的一种纯意识论，而是一种形而上学的理论。可以毫不夸张地说，它是一种全新的形而上学心灵观。因为传统的心灵观，不管是常识的，还是科学的，不管是二元论的，还是一元论的，都几乎异口同声地断言，心灵如果存在的话，一定是一种单子性的东西、内在性（inwardness）的东西，至少是内在于大脑中的机能或属性。而伯奇则认为，心灵是非单子性的、非个体性的，更不可能是实体性的。心灵一旦现实地出现，不论是作为内容、表征，还是作为属性或机能，作为活动和过程，它一定以非单子性的、跨主体的、关系性的、弥散性的方式存在，它不内在于头脑之内，而弥漫在主客之间。显然，这种观点在以前是任何人都无法想象的。如果心灵是弥散性的、没有边界的现象，不是一个单个的实在，那么该怎样看待它事实上的自主性、主体性？它有没有中心、自我之类的结构？伯奇不否认心的自主性，不否认其内有作为主体的自我。他认为，他理解的自我是保存有许多先天资源的个体。它有自己的储藏结构，这结构比心理学所说的作为自我中心的心理结构更复杂。

① Burge T. “Individualism and the mental”. In Heil J(Ed.). *Philosophy of Mind: a Guide and Anthology*. Oxford: Oxford University Press, 2004: 477.

它拥有人发挥统一作用的先天条件、资源，如命题形式、命题交互联系等。他说："这些结构是作为我、思想者、推理者之构成要素的统一性资源。"有这种结构的个体就是自我，就是能作出自我评价的推理者。[①]

"四E"理论的心灵观与上述观点可谓不谋而合。"四E"中具身、镶嵌、生成或行然和延展，这四个概念代表的是一种思考心灵的新的方式，也可以说是一场概念革命。其基本精神是，试图超出心灵的单子性疆界，冲出单子性心灵的"象牙塔"，而为心灵建立新的栖所。根据这一方案，过去的心灵理论的特点是"狭隘"、封闭。"四E"理论即四种分别突出其中一个词所指的现象的四种理论。它们代表着认知科学的新的走向或转向，都突出头脑之外的情境因素对认知形成和构成的作用，因此也被称作认知科学的情境化运动。它们强调头脑之外的因素，即情境因素对心的形成和构成的作用，将心的定位扩展至头脑之外，因此是一种反传统的心灵观。当然四种理论分别有不同的侧重，如具身理论强调全部身体对心灵形成和构成的作用，延展理论强调身体以外的环境的作用，生成理论或行然理论强调行为的作用，镶嵌理论强调的是心嵌入了心以外的有关因素。

这里重点剖析一下A. 克拉克（Clark）的延展心灵观。他曾与著名心灵哲学家查默斯合作，对之作了进一步阐发，从而使其影响更加突出。在1997年的《在那里》一书中，A. 克拉克明确提出，要将身体、大脑与世界整合在一起。在后来的大量论著中，他进一步论证说：人的状况部分是由人用工具、人工产品和文化实践构造复杂环境的能力所决定的，而工具、文化实践等又自动地让我们的能力得到增强和提升。这就是说，我们的认知与我们的身体、行为以及环境是密不可分、相互塑造的。认知由非认知（non-cognitive）的东西所决定，而环境等非认知的东西又有由认知决定的一面，质言之，环境是由认知创造的。后来，由于查默斯的加入，他们的认知理论增添了更多的形而上学意趣，甚至演绎出了一种独特的心灵观。例如，它自觉思考这样的心灵观和世界观问题：心灵终止于哪里？世界开始于哪里？他们通过研究高度复杂且相互联系的系统而得出的就是一种反传统的宽心灵观结论。其要点是，世界的组成部分可以看作认知过程的组成部分，意为心灵延伸至环境，环境中被把握的特征成了心灵的组成部分。具言之，

① Burge T. *Cognition Through Understanding*. Oxford: Oxford University Press, 2013: 36.

心灵不局限于头脑之内，而超越于皮肤。心所认识的、与之发生关系的东西都是心的组成部分，甚至“我现在手上拿的iPhone也是我的心灵的部分”[①]。这是因为心灵在发生作用时离不开外部世界的有关部分。其关键词是延展性（extension），意为心既在大脑中，又延伸至大脑之外。根据传统的心灵观，心以人体为界，或以大脑为界，封闭于大脑之内，身体之外即为非心灵或外部世界。而他们的新心灵观认为，心灵延展至身体之外，具有外在主义所说的“宽”性质。故此，他们的心灵观被称为“能动的外在主义”或放射性的外在主义。根据这一理论，自主体所用的外部环境的特征，如笔、纸、书等，都有支撑、放大、提升认知功能的作用，因此也可看作是心灵的组成部分。

第三节 现象学传统的心灵观

现象学的心灵观除了有反传统、反常识的特点之外，还有对立于自然主义、素朴实在论的特点。它也想知道心是什么样子，如何构成，有什么内在奥妙，如胡塞尔的意识研究就是解剖意识的浩大工程，但它关心的心明显不同于分析心灵哲学所研究的心，因为它不关心自在的、静态存在的、作为潜在属性或状态的心，而着力探讨正在进行着的、活生生的、现实起着作用的、为主体经验着的、在意识的心。这种心不像由一个主宰或主体控制的空间性结构，而类似流水的一种流。

新生代现象学家扎哈维、加拉格尔等不承认心灵中有小人式的、实体性的自我或主宰，但又不绝对否认里面有起主体、所有者、自反性作用的自我。另外，他们反对说心内有层次差别、有主客的对立，反对把意向性和自我意识分别归于心内的不同机构，而强调每个正在发生的意识同时有意向性和第一人称所与性或明见性的本质特点。这个作为经验所有者或经历者的自我又是谁呢，或者说，是什么呢？扎哈维认为，这个我可称作经验的核心自我。因为只要对两个经验作出比较，比如说，只要把对一只乌鸦的知觉与对于暑假的回忆加以比较，那么不仅能注意到两者的差异，如它们各自的对象和呈现方式的差异，而且还能注意到二

① Clark A, Chalmers D. “The extended mind”. In Chalmers D(Ed.). *Philosophy of Mind: Classical and Contemporary Readings*. New York: Oxford University Press, 2002: 644.

者的相通之处，即二者都有第一人称的自我所与性。但这种自我不能独立于经验而存在，也不能简单还原为经验的总和或经验间的联系。因此，一种对于自我的翔实描述方式，就是将其描述为变化的经验中普遍存在的第一人称所与性维度。这种表述方式十分符合胡塞尔的看法，即自我不能简单等同于我们的经验，因为自我保持着它的同一性，而经验在意识流中有生有灭，在一种永恒的流变中相互交替。[①]同时又必须注意的是，虽然自我不同于它生活于其中并发挥着作用的经验，但自我不可能以任何方式独立于经验而存在。它是一种超越性，用胡塞尔的著名的术语说，此超越性是内在的超越性。[②]这显然是一种避免了小人论的新心灵观。根据这种图式，主体或自我不是经验之外的东西，它与经验尽管有占有关系，但不是外在的关系，不是站在意识流之外或之上的关系，而是它的结构的必然的组成部分。正是看到这一点，胡塞尔强调，我的经验是本原性给予我的。

这里似乎有这样的难题，即一般人所体验到的自我是持续存在的，贯穿于一个人的始终，但根据现象学的上述看法会得出这样的结论，当我们处于无意识和睡眠状态时，我们就没有第一人称视角的自我。扎哈维辩解说：自我的历时性统一性在这些情况下不会受到所谓意识流中断（无梦睡眠、昏迷等）的威胁，因为这里的自我的同一性是根据所与性而非根据时间连续性来定义的。两个时间上不同的经验是否属于我，取决于它们是否可以通过同一个第一人称自我所与性来描述，这不是它们是否是不间断的意识流的组成部分的问题。在此意义上，把我过去的经验与我现在的经验的关系比作同一条珍珠项链上的两颗不同珍珠的关系就是一个范畴错误，因为只有当两颗珠子事实上被一个不间断的链条串在一起时，它们才是相同项链的组成部分。

现象学也试图揭示意识的结构，认为前反思自我意识的微观结构就是意识的时间结构。加拉格尔等强调：对内时间意识结构（前展—原初印象—保留）的分析实际上是对意识、前反思自我意识微观结构的分析。它之所以被称作内时间意识，是因为它属于行为本身的最内在的结构，是前反思自我意识，而前反思自我意识就是意识的基本构成。自我不能理解为所有人都分有的普遍原则。确切地说，

---

① Zahavi D. "Unity of consciousness and the problem of self". In Gallagher S(Ed.). *The Oxford Handbook of the Self.* Oxford:Oxford University Press, 2011: 327-328.

② Zahavi D."Unity of consciousness and the problem of self". In Gallagher S(Ed.). *The Oxford Handbook of the Self.* Oxford:Oxford University Press, 2011: 328.

它是一个具有个别特征和个别变化、发展的个体。这个体表现有某些基本的结构，如内时间性结构、意向性结构等。但应注意，这些结构又不是活生生经验流之外独立存在的东西。相反，经验的基本结构只在这种流中表现自己。有理由说，前反思自我意识这种微妙的构造是现象学心灵观的标杆。它让现象学既超越于常识和传统的心灵观，又让它有别于取消论、怀疑论和无政府主义的心灵观。

丹顿（Dainton）“简单心灵观”在本质上是现象学的，但有自己的发展，这表现在，他强调这种心灵观所看到的心灵是简单的。[①]这种心灵观是相对于传统的二阶心灵观而言的。如果说后者是复杂的，那么前者就是简单的。后者认为，觉知是意识的共时性、统一性的基础，甚至是自我的基础。根据这一模型，意识或心灵中有两个层次的东西：一是正在发生与某物有关的心理过程，二是对它的觉知。根据简单心灵观，现象内容是内在有意识的事项。要把它转化为经验，用不着再增加觉知之类的东西。觉知是多余的。因此，他在用奥卡姆剃刀剔除了觉知之后，便使经验或意识的构成得到了简化。它有两个要点，第一，自我即经验本身。它说的是：“现象属性的所有例示都是十足的有意识经验。”根据他的现象学的简化的心灵观，现象内容本身是“自告知的”或“自显明的”或“自照的”。“如果现象事项就是经验本身，那么可以说，它们是自显示的；为了意识到它们，没有必要通过另一分离的觉知机能来予以把握。”[②]第二，意识或经验以言说的方式自构成（self-constituting）。这意思不是说，自我只是经验的集合，而是说“成为自我感觉起来所是的东西，完全可以根据意识内容的现象特征来加以说明，附加的觉知或把握层次是多此一举。”[③]

第四节　无政府主义的心灵观

这种心灵观的特点是，不认为心灵可以超越头脑或弥散于身体之外，承认它有复杂的构成，但不认为里面有居于中心和统治地的主体。即使承认其中有主体或自我，但要么认为它没有绝对的主宰作用，要么认为它本身是变化的或不止一

① Dainton B. *The Phenomenal Self*. Oxford: Oxford University Press, 2008: 187.
② Dainton B. *The Phenomenal Self*. Oxford: Oxford University Press, 2008: 47.
③ Dainton B. *The Phenomenal Self*. Oxford: Oxford University Press, 2008: 47.

个。这一心灵观有不同的表现形式。

先看叙事论心灵观。叙事研究在西方学界已吸引了广泛的注意。作为一研究课题，它不仅是叙事学的主题，而且还成了社会学、心理学、认知心理学、心理分析、文学等的课题。许多人基于叙事研究的成果阐述了所谓的叙事自我论及其心灵观。其基本观点是："我们的生活像故事一样。"即使其内部有许多理论形式，但有这样一个共识，即"自我在形式上是故事"[①]。其开创者是丹尼特，后在哲学和心理学中受到了许多人的论证。关于叙事自我的绵延的、分布式的模型最清楚地体现了无政府主义心灵观的特点。它所说的自我没有一般人所理解自我的那类统一性功能，也不像丹尼特所说的有一个抽象中心，更不是没有存在地位的、完全虚构的东西。它有特殊的存在地位，但又不是一个点式的或单子性、小人性的东西，而是一个绵延的、去中心的、分布式的自我。这种自我是关于自我的故事的总和，包括可以在人的生活中得到表述的所有矛盾、冲突、一致、斗争、隐信息等。它的心灵图景也是一个分布式的、没有中心的结构，如图 1-1 所示。

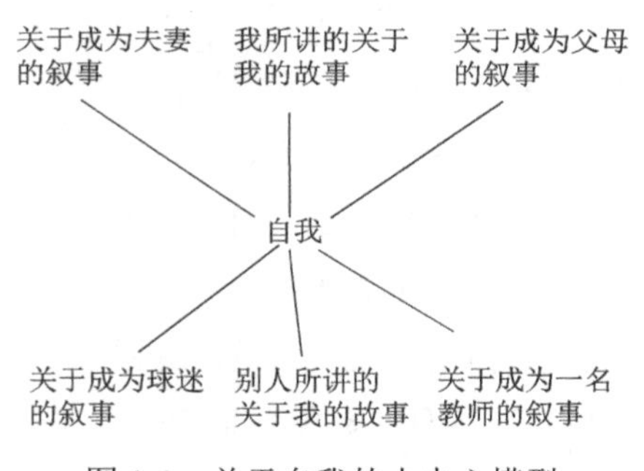

图 1-1　关于自我的去中心模型

根据这一模型，人可以且必然会像其他自我模型所说的那样，围绕自己编造和讲述许多故事，进行各种形式的叙事，如关于成为夫妻、父母、球迷等的故事，但如图 1-1 所示，这些故事所围绕的自我不是一个统一的实在，而是一个没有中心的、分布式的甚至混沌的状态。如果说它们是围绕自我而编造和叙述的，那么这里的自我不是统一的，可能是这样的情况，即一个故事是围绕这个我而建立的，

① Schechtman M."The narrative self". In Gallagher S(Ed.). *The Oxford Handbook of the Self.* Oxford: Oxford University Press, 2011: 394.

另一个故事是围绕另一个我而建立的，甚至两个故事围绕的自我有交叉，等等。这些我不是整齐划一的，也没规律可循，但不完全是虚构的。

再看联结主义。它在工程学上的目的是建构人工神经网络（ANN）模型。要如此，无疑必须对人类心智的地理学、地貌学、结构论、运动论、动力学作出形式描述和理论建模，即必须形成作为它的基础的心灵观，然后在此基础上建构人工神经网络。按这一理路，联结主义试图根据实际的生物大脑结构建模抽象的人工神经网络，因此它也被称作人工神经网络学派。其心灵观的基本观点是，心灵不像通常所设想的那样，有一个小人式的心或主体或自我在心中主动积极地进行“来料加工”，如同搅拌机加工混凝土一般。在人们说有心理发生的背后，真实的情况是，大量的神经元被激活了，形成了一定的联结模式，如果说里面有加工发生的话，那么也只有平行分布式的加工，里面既没主体，也没操作手，有的只是神经元的激活和联结。

“心灵社会”这一代表着一种具有革命意义的心灵观的概念最先是由明斯基（Minsky）等所提出的。它隐含的心灵观接近于前述的联结主义心灵观和别的无我论心灵观。其基本主张是：心灵或认知是一种拼合结构。[①]具言之，心灵由许多自主体构成，里面没有绝对居于中心和统治地位的自我或自主体，只有各自为政的自主体。每个自主体的能力都受环境的限制，因为每个自主体都有个体性，都只在局部世界起作用，或只能解决特定的问题，由所完成的任务所决定，在其特定范围内起作用的自主体又会组成更大的系统或自主体，这些自主体由更大的任务所决定，又会结合为更高阶的系统。正是以这样的方式，作为一种小社会的心灵便出现了。应当看到的是，这种心灵模型尽管受到观察大脑的启发，用了“社会”这样的比喻词，但并不是大脑或社会的模型。准确地说，它是基于对神经细节的抽象而形成的关于认知结构的模型。在这里，自主体和代理不是实在或物质过程，它们只是抽象的过程或功能。

第五节 心灵是有内嵌等级的系统

这是一种由范伯格（Feinberg）创立的，以神经科学为基础而建立起来的心

① Minsky M. *The Society of Mind.* New York: Simon and Schuster, 1986: 4-7.

灵观。他根据神经科学强调：大脑中不存在这样的中心位置，它是大脑中物理东西聚合的地方；也没有这样的地方，大脑的无限多样性在这里结合在一起形成了统一的自我。[①]由于有这样的认识，他认为，如果有自我和心灵存在的话，那么它们一定表现为一种等级系统，对此，有两种设想。一是把它设想为像金字塔一样的系统。根据这一观点，对自我之形成有作用的许多大脑部分构成了这个系统的基础，就像金字塔的基底一样。这些部分结合、组织在一起，进而导致高一层次的出现。在其顶部，统一的自我突现出来。这是他不赞成的设想。二是他自己的设想。他强调：大脑不像金字塔，而像一个活的有机体。在这里，所有活的东西按层次、等级组织在一起，但这个等级系统没有像金字塔那样的顶部和底部。因为活的事物代表的就是各个内嵌的等级。在一个活的事物的内嵌等级中，所有的部分都对那有机体的生活和活动发挥着作用。在自我的内嵌等级中，活的大脑的许多部分又对自我产生和存在功不可没。他说："神经生物学自我可以理解为一个有意义和目的的内嵌等级。"[②]

这种心灵观不仅承认自我在其中的存在，而且赋予它以中心地位。其表现是，人的认识和人格的统一性都是由它完成的。但它既不是物理的实在，也不是生来就有的心灵实在，而是人在意义的生成过程中由低阶系统突现出来的。例如，在通过视觉知觉对象时，人会形成关于对象的不同层次的意义。这些意义经过整合，会形成具有更大统一性的意义，直至最高的意义，这种意义就是人的自我感。范伯格说："正是意义让心灵整合在一起，最后形成关于自我的'内在的我（I）'。"[③]要说明自我的统一性及其作用，必须到大脑中去寻找根源。他通过分析正常和异常心理得出的结论是：既然大脑受损伤之后，自我的统一性便解体了，因此可以说，心理的统一性依赖于大脑的物理的整体性。在大脑的整体性中，脑胼胝体的功劳是不可低估的，因为它是维持心理统一性的居主导地位的结构。他自认为，他如此建构起来的自我论有三个关键词：①突现。他赞成金在权等对突现的界定，认为它指的是事物的复杂性达到一定的程度之后产生出的新的、不可预言的属性或特征。②约束。指等级性系统中，高阶突现属性对低阶事物、属性所施加的控制、

① Feinberg T E. *Altered Egos: How the Brain Creates the Self.* Oxford: Oxford University Press, 2001: 8.
② Feinberg T E. *Altered Egos: How the Brain Creates the Self.* Oxford: Oxford University Press, 2001: 7.
③ Feinberg T E. *Altered Egos: How the Brain Creates the Self.* Oxford: Oxford University Press, 2001: 131-132.

限制作用。它与突现的方向是相反的。③不可还原性。意思是：突现系统所造就的整体属性不可能由它的构成部分的属性来解释。

范伯格认为，有两种突现的等级系统。①非内嵌的等级系统。斯佩里认为，突现心理现象的是非内嵌的等级系统。之所以是非内嵌的，是因为该等级系统的连续的层次相互作用时，每个层次在物理上都独立于它的高一级和低一级的层次。意为每个高级层次突现出来后，都有其独立性，而不是内嵌于别的层次之中的。②内嵌或构成性等级系统。它之所以是内嵌的，是因为低级层次中的因素为了产生整体的突现特性，会结合到高级层次之中，或镶嵌于高级层次之内。因此，这种等级系统与前一系统的区别是由等级系统中的不同层次的关系决定的。如果每个层次独立，高级的层次中不包含低级层次中的因素，那么就是非内嵌的。它有明确的顶部和底部，等级系统是由顶部控制的；反之，即为内嵌。这种系统没有顶部和底部，其控制或约束作用具体化于整个系统之内。例如，所有有机体都属于这一类等级系统。在其内，低阶因素，如细胞，结合在一起就会形成像器官这样的高阶的要素。由此所决定，高阶实在都由低阶因素所构成。即使这种系统中的高阶层次表现的突现特性不会出现在低阶层次之中，但低阶层次中的所有实在都对生命和整个有机体的运作有其作用。他强调，他的突现论心灵观也承认等级结构，但不是非内嵌的，而是内嵌的。

第六节　心灵观建构中的异端

应当承认的是，西方的心灵观建构也有异端思潮，如取消主义、怀疑论和解释主义。取消主义的观点比较简单，它认为，相信有信念之类的心理状态、造出“信念”之类的语词本来就是历史的误会，再要去建构什么心灵的结构图景，那当然是多此一举。这里主要考察后两种理论。对怀疑论心灵观的考察将主要以阿尔巴哈里（Albahari）的无我心灵观为个案。

大多数心灵观都主张自我是心理世界的主人。近来，受东方思想的影响，许多人认识到，相信心中有一个通常所说的小人式的我既无逻辑根据，也找不到科学上的证明。但他们又不否认心灵有自己的地理学和结构论，于是便出现了无我论的心灵观。例如，阿尔巴哈里依据来自神经科学以及佛教的文献，当然又借鉴了现象学的思想，论证了一种反二元论的但又承认心灵有其中心、主体的心灵观。其有两个要点，第一，传统和常识心灵观所说的那个统一的、寻求幸福的、连续存在的、本体论上特殊的有意识主体，那个经验的所有者、思想的思想者、行动的自主体，是幻觉。第二，人的心理生活是有序的、统一的，其根源是它内部有一种特殊的意识，它具有过去赋予自我的那三个特征，即统一性、连续性和不变性。[①]从比较上说，尽管这一理论对意识的、像流水一样的本质和结构的看法有近于现象学和佛教的地方，但其不同之处也是显而易见的，如它连特定意义的自我或主体也不承认，强调自我是幻觉。

解释主义的思想比较曲折，它不一概否定心理现象，但对如何建构心灵观持有谨慎而独出心裁的见解。这里重点分析一下丹尼特的思想。尽管他主张批判、否定传统的心灵观，但是他并没有滑向取消论的极端，而是试图在取消主义、还原论、同一论与二元论、神秘论这两极之间保持必要的张力。他说：“从本体论上来说，根本就不存在信念、愿望和别的意向现象。但是意向习语‘在实践中’又是不可缺少的。”[②]为了论证这一观点，他诉诸解释主义，认为人们实践上的一个特点就是从事解释。而要解释一定要有观点或态度。人类解释实践所依据的观点不外乎三种：意向态度、设计态度和物理态度。观点不同，面前对象表现出来的相状、意义就不同，如意向态度就是在解释人或计算机等对象时从心理学角度加以描述和解释的。如果这样做了，那么该对象就可被称作“相信者”或“意向系统”，可认为其内有心理的东西。[②]如果从设计立场去解释，人们看到的就是对象上面的种种功能作用；如果从物理的立场去解释，那么看到的就是物理的细节和结构。丹尼特还基于他的叙事研究提出了一种关于心灵的叙事引力中心模型。根据这种心灵模型，心是一个有中心的构造，只是这个中心类似于地球的抽象引力中心。不管是中心，还是围绕中心所发生的东西，在本质上又都根源于人们的叙事或关于人所讲的故事，如图 1-2 所示。

---

① Albahari M. *Analytical Buddhism: the Two-Tiered Illusion of Self.* New York: Palgrave Macmillan, 2006: 3.
② Dennett D C. *The Intentional Stance.* Cambridge: The MIT Press, 1987: 342.

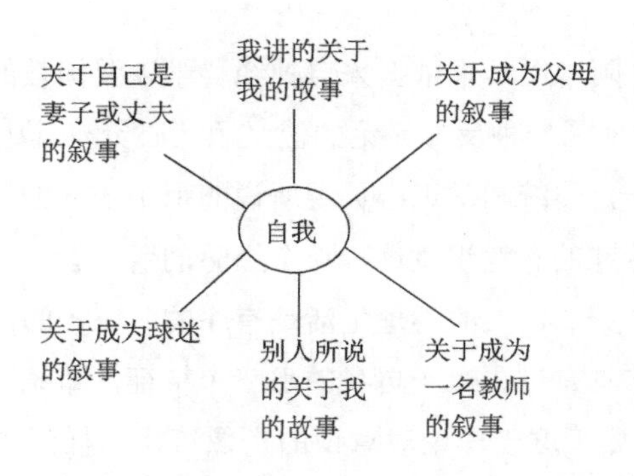

图 1-2 关于自我的引力中心模型

须知，这里的自我不是真实的存在，而是人们为解释人的行为而强加或归属于人的，就像地球上没有引力中心，我们为了解释的需要而说它有这种引力中心一样。丹尼特说："我们的故事是编出来的，但在多数情况下，不是我们编故事，而是故事编我们。我们人的意识，我们的故事性自我正是它们的产物，而不是它们的源泉。"[①]同样，说人有信念、愿望之类，说人在心里想了什么、做了什么，都不过是一种工具主义的解释，换言之，意向立场上的信念、欲望的归属只具有工具的意义，并非对大脑内部真实状态的描述。

第七节 启迪与思考

应客观承认的是，西方心灵观的探讨尽管时间不长，但已取得了丰硕的成果，值得认真总结和思考。例如，在揭示心的依赖条件时，在构想心的图景时，不仅强调具身性、行然性、镶嵌性，而且强调延展性、社会性，有的甚至由强调心依赖于自然环境和社会环境，过渡到把它们作为心的组成部分。尽管这里存在着极端化倾向，但包含有构建新的心灵观时值得批判吸收的积极思想，如强调心的复杂性离不开它所依赖的东西的复杂性，看到了心的构成论、地理学、结构论、运动学和动力学复杂性与身体、所依环境的复杂性密不可分，主张抛弃过去对心的单子主义、线性理解。另外，新的探讨还有这样的成果，即认识到心之所以有它

① Dennett D C. *Consciousness Explained.* Boston: Back Bay, 1991: 418.

特定的地理学、地图学、结构论、动力学，在很大程度上是由新近天赋研究所发现的“天赋心灵”或原初心性所决定的，因为它有决定后来一切可能和不可能的范围与程度的作用。

西方心灵观研究还有这样的体认，即如果从心理学角度而非从神经生理学、解剖学角度去描述和构想心，那么心一定有其层次或深浅结构。这样的成果不仅体现在较早的弗洛伊德的理论（意识—前意识—潜意识）和詹姆斯的理论（物理自我、心理自我、灵性）之中，而且最近麦金不仅强调心有意识、无意识这样的结构层次，还大胆提出，其后还有隐结构、隐自我、泛心原等。另外，最近对自我的刨根究底的研究也从一个侧面深化了有关认识。例如，一种带有综合性的倾向认为，如果说有自我的话，它一定是一个系统，如著名热衷心灵研究的脑科学家达马西奥（Damasio）认为，有三重自我，即原始自我、核心自我、延展自我。

我们认为，要建构科学的心灵观，当务之急是做祛魅工作。因为常识和传统占主导地位的心灵观，潜藏在包括许多科学家和哲学家心中根深蒂固、天经地义的心灵观，或如赖尔所说的“权威的学说”，是一种根本错误的心理地理学、地貌学、结构论、动力学。例如，常识的或民间的心理学乃至传统哲学和科学由于未批判地审视原始的灵魂观念，把人之内存在着一个居于中心和主导地位的心或我作为毋庸置疑的预设接受过来，进而按设想物理实在的方式类推出心的空间（常说的“心里”或“心内”“内心深处”）、心的时间以及心的运作方式。比如，将外来的材料加以转化，然后像搅拌机一样将它们结合在一起，此即综合；或像切割机一样对之划分，此即分析。其他的说法，如心的比较、抽象、推演、回忆、追溯、兴奋、愤怒等都带有拟人或拟物的色彩，至少是隐喻，而非科学的精确的概念。它们让人想到的是有一个小人式的心在它自己的空间中做某种事情。这样设想心在以前是“不得已而为之”。在今天看来，这类以类比和隐喻为基础、根据物体和人体运作模式设想心灵及其意向性的方式，以及由之而来的关于心理图景的构想，肯定是错误的，是必须予以解构的。要如此，又必须进行方法论的变革，如从过去以隐喻、类推为特点的间接方法过渡到像无创伤大脑观察方法那样的直接方法。不可否认，作为对象的心灵是特殊而复杂的，如它既是主体又是对象，作为对象，它隐藏太深，因此现在不仅难以用科学的手段直接予以观察（前述脑科学的方法直接把握的是大脑，而远非心灵本身），就是借助现象学方法它也会表现出规避的特点，如当你想对当下发生的心理活动进行观察时，它便已成了过去，消失得无踪影。在现有的条件下，最好的方法似乎只能是现象学方法与科学的直接观察方法的结合，如一方面通过现象学将能体验到的一切心理现象弄清楚，然后像诺贝尔生理学或医学奖获得者克里克（F. Crick）所倡导的那样，在人报告有心理现象发生时，借助现有的科学手段观察大脑在做什么，观察巨大数目的神经元是如何并行地一起工作的。他认为，只有从神经元的角度考虑问题，考察它们的内部成分以及它们之间复杂的、出人意料的相互作用的方式，这才是问题的本质。[①]尽管现在对心灵的直接观察难以完全做到，即使做了也难以取得预期的效果，但它毕竟是建构科学心灵观的一条必由之路。

① 克里克.《惊人的假说：灵魂的科学探索》，汪云九，齐翔林，吴新年，等译，湖南科学技术出版社 2001 年版。

第二章

是什么把心与非心区别开来？

——西方心灵哲学的心理标准探索*

心理标准问题是一个与心的本质问题密切联系在一起的著名哲学难题。单一属性论认为，尽管心理样式多且性质各异，但又具有相对的统一性，因此所有心理样式具有一个只为它们具有而不为非心所具有的属性，当然对于这属性是什么，其内部又见仁见智。多标准论认为，心没有统一性，因此它们的标志性特征就不一样，其判断标准只能是多。系统观认为，作为整体或系统的心理与它里面的个别的心理状态的标志性特征是完全不一样的。心理标准的怀疑论在当今也有一定的市场。要化解有关难题，既要用类似于人口普查的方式研究心理的一切样式及范围，又要用唯物辩证法和具体科学方法去研究它们的差异性和同一性。

心与非心肯定或事实上存在着不同，正常的人将它们区别开来也易如反掌。亚当斯（Adams）等说："在有心的生物系统与无心的生物系统之间存在着自然的分界。如果这不是幻觉，那么就可能找到造成这种区别的东西。"[①]的确有这样的可能性，因为两事物如果有区别，那么一定是有某种东西造成了这种区别。问题是，由于心是世界上最复杂的对象，当人们从元哲学的层面去寻找这种区别

---

* 高新民，郭丽琴.《是什么把心与非心区别开来：西方心灵哲学的心理标准探索》，《社会科学研究》，2017年第2期，第128-134页。

① Adams F, Beighley S. "The mark of the mental". In Garvey J (Ed.). *The Continuum Companion to Philosophy of Mind.* London: Continuum International Publishing Group, 2011: 54.

的表现特别是根源时都无一例外地陷入了捉襟见肘的窘境。很显然，这里碰到的就是哲学中的心理标准这一著名的难题，而这又是一个与心是什么的问题（本质问题）密切联系在一起的问题。因为找到了心理的标志性特征，等于既找到了心理的共同本质，又找到了只为心所具有、别的非心所没有的独有的本质特点。这个问题的现实的重要性在于：它既是重要的理论问题，又是重要的工程技术学实践问题。就后者来说，如不解决这一问题，人工智能就没有前进的方向，因为关于心理标准的理论是人工智能的基础性、前提性的理论。对它的回答不同，人工智能构建的具体的方向、思路、工程技术实践就不同。①

第一节 怀疑论与问题梳理

鉴于问题本身的复杂性，有些人陷入了怀疑论或悲观主义，如金在权认为，不可能形成关于心灵的统一的概念，因而就没法找到把心与非心区分开来的标准。因为它多种多样，即心理现象有不同的样式，既然如此，就没法在它们中找到共同的属性。例如，疼痛和信念有什么共同性？有什么共同的属性，让感觉状态和意向状态都被称作是心理的？例如，我们的疼痛和信念有什么共同之处，由于它，它们被归属为心理现象这个类别？换言之，不同心理状态的同一性的根源是什么？他强调，我们至今没有找到关于这一问题的令人满意的答案。他认为，尽管我们习惯上把一些事物、一些状态称作心理的，但我们并没有找到关于心理的统一的概念。它具有多样性，“而缺乏统一性”。②找不到统一概念或标准的原因在于：感受性质和意向状态这两类心理现象之间没有共同的东西。因此他对寻找统一的心理标准持悲观主义立场。

应看到的是，多数人对心理标准问题的解决持乐观主义态度。其根据如亚当斯等所述的那样，既然心与非心有区别，那么就一定有造成这种区别的东西，它一定是客观存在的。如果是这样，原则上就有把它揭示出来的可能性。当然，在持乐观主义的人中，其看法又大相径庭，如有些人认为，心的标准因人而异。

① Adams F, Beighley S. “The mark of the mental”. In Garvey J (Ed.). *The Continuum Companion to Philosophy of Mind*. London: Continuum International Publishing Group, 2011: 54.

② Kim J. *Philosophy of Mind*. 3rd. ed. Boulder: Westview Press, 2011: 26-27.

麻烦还在于：当今心灵哲学中盛行的延展心灵观、“四E”理论、外在主义及其宽心灵观加剧了标准问题的难度和复杂性。因为心灵如果像延展论、外在主义所主张的那样，具有延展性，不在头脑中，那么过去关于心灵的局域性理论就都要重新予以思考，过去基于心存在于大脑之内的天经地义的原则所设想的各种标准就都不攻自破了。如果宽心灵观是对的，那么心理的标准问题就比过去的复杂得多，因为根据这类观点，仅像过去那样着眼于大脑内部去探寻标准将是无济于事的。

尽管问题困难重重、复杂难解，但西方哲学特别是现当代心灵哲学不仅没有放松对它们的研究，而且研究有持续升温之势。另外，它在西方既被当作重要的理论问题来对待，又被当作重要的实践问题来处置。从比较上说，尽管东方哲学在古代有不俗的表现，但在现当代则大大落伍，很难看到正面的、原创性的探讨。

要探讨心理标准问题，无疑要对问题作清晰而准确的梳理，而要如此，又必须找到问题的出发点。这个出发点只能是这样的事实，即心与非心肯定或事实上存在着不同。任何正常的人在面对任何一个现象时都可轻而易举地判断它是不是心理现象。心理标准理论要探讨的恰恰是，这不同究竟是什么？什么把心与非心区别开来？如果心与非心的区别不是幻觉，那么能找到把它们区别开来的东西吗？这些显然与心是什么的问题（本质问题）连在一起的问题。[①]如果能，它们是一还是多？换言之，有没有所有心理共有的、非心理现象所没有的属性？如果有，这属性是一还是多？如果对第一个问题作肯定回答，即为乐观主义；作否定回答，即为悲观主义。如果对第二个问题说一，即为“单一属性观”。如果强调：把心与非心区别开来、为心所共有的属性是多或是一组属性，则为“多属性论”。最后，有一种理论，可称作“单一系统论”。它认为，有一组属性是所有心灵必有的，但是作为心灵系统的组成部分的某一个状态或某一种心理样式不一定具有这些属性。该状态可能对整个系统的属性有因果作用，因此成了这个心灵系统的组成部分。[②]尽管西方现当代心灵哲学对心理标准问题的探讨多而乱，但只要细心分析和梳理，就不难从中找到解决上述问题的逻辑思路。

---

① Adams F, Beighley S. “The mark of the mental”. In Garvey J (Ed.). *The Continuum Companion to Philosophy of Mind*. London: Continuum International Publishing Group, 2011: 54.

② Kim J. *Philosophy of Mind*. 3rd. ed. Boulder:Westview Press, 2011: 56.

第二节 单一属性论

单一属性论的最典型的形式是布伦塔诺（Brentano）的意向性理论。在他看来，心理现象既然自成一类，就应该能找到所有心理现象共同的、独有的标志。这标志是唯一的，由于它，这些现象就成了心理的。在他看来，意向性就是所有心理现象共有而非心理现象所没有的属性，因此它是心理的标准。他的标准探讨也是从心理现象的范围入手的。在他看来，过去的心理学关注的范围相对狭小，如遗漏了呈现于心中的物理现象。他说：心理现象的概念必须相应地扩展而非收缩，因为除了那些为我们在前面明确定义了的心理现象而外，现在的心理现象概念至少还须包括在想象中呈现出来的物理现象。此外，所有那些呈现于感觉中的现象也不应完全被排斥在感觉理论之外。[①]他同时注意到：在确定心理现象的范围时，有一个前提性的问题，即心理现象的独特特征问题必须予以回答。这就是，心理现象的标志是什么？与物理现象的区别何在？他说："迄今为止，关于这两个领域的界限有许多不同的看法，而且界限的划分也不完全明确。这就使得我们越发有必要对二者加以严格的区别。"[②]两者的区别没有分清，于是便导致了概念上的混乱不堪，进而导致了许多不必要的、没有价值的争论。要想进至或产生明晰性[③]，就要真正找到心理现象的独特标志。怎样才能实现这一目标呢？

布伦塔诺认为，揭示心理现象独特本质的方法只能是：先列举明白无误、谁都会承认的心理现象、物理现象的"实例"，然后从中分析和抽象。他说：每一呈现在感觉中和想象中的表象都是心理现象的一个实例。此外，每一判断，每一回忆，每一期望……每一疑虑，都是一种心理现象。而且每一种情感，包括欣喜……惊奇、轻蔑等等，也都是这样的一种现象。至于物理现象，其"实例"有：我所看到的一种颜色、一种形状和一种景观……我所感觉到热、冷和气味。[④]接

---

① 布伦塔诺. 《心理现象与物理现象的区别》，陈维纲，林国文译//倪梁康. 《面对实事本身：现象学经典文选》，东方出版社 2000 年版，第 63 页。

② 布伦塔诺. 《心理现象与物理现象的区别》，陈维纲，林国文译//倪梁康. 《面对实事本身：现象学经典文选》，东方出版社 2000 年版，第 37 页。

③ 布伦塔诺. 《心理现象与物理现象的区别》，陈维纲，林国文译//倪梁康. 《面对实事本身：现象学经典文选》，东方出版社 2000 年版，第 38 页。

④ 布伦塔诺. 《心理现象与物理现象的区别》，陈维纲，林国文译//倪梁康. 《面对实事本身：现象学经典文选》，东方出版社 2000 年版，第 39 页。

着，布伦塔诺便着手揭示其本质特征。他认为，心理现象之所以不同于物理现象，是因为它不是一个东西，而是关于某东西、某活动的表象，或关于表象的表象。他说：我在这里再次所指的表象不是被表象的东西，而是对这种东西的表象。这种表象不仅构成判断的基础，而且构成欲求和每一其他心理活动的基础。我们不能判断任何东西，除非这些被判断、被欲求、被希望或被害怕的东西事先被表象出来。[1]

什么是表象呢？表象是被感知的外物在心中的呈现。布伦塔诺说：上面所列举的每一种东西都具有相同的特点，那就是它们的呈现，而呈现状态就是我们所说的被表象状态……只要某东西呈现于意识中，不管它是被恨也好，被爱也好……那么，它就处于被表象的状态中。他还认为，“被表象”与“呈现”是同义的。[2]总之，在布伦塔诺看来，心理现象的共同特点在于：它们以表象为基础，或者说总是与某种心中的呈现有关的过程或活动，都预设了表象。因此，心理现象不是表象便是（在上面所解释过的意义上）立足于表象之上的东西[3]。他还认为，心理现象可定义为表象以及建立在表象基础上的现象[4]。这一思想对后来胡塞尔说明意向性的本质有重要的启迪作用。他在《逻辑研究》一书中经常述及上述观点。

值得注意的是，尽管布伦塔诺承认心理现象有许多特征，如无广延、具有意识的统一性、为内知觉所知等，但他认为，心理现象区别于物理现象的根本的、独有的特征只有一个。当然在表述这个特征时，他的表述方式经常变换。比如，除了说“表象”之外，还经常说“内在的对象性或对象的内在存在性”“对内容的指涉”“对对象的指向”“内在的客体性”及“意向性”等。内在的对象性，即指心理现象一旦发生，总有其内在的对象显现于心中。他说：这种意向性的内在是为心理现象所专有的，没有任何物理现象能表现出类似的性质。所以我们完全能够为心理现象下这样一个定义，即它们都意向性地把对象包容于自身之中。[5]他

---

① 布伦塔诺.《心理现象与物理现象的区别》，陈维纲，林国文译//倪梁康.《面对实事本身：现象学经典文选》，东方出版社 2000 年版，第 40 页。

② 布伦塔诺.《心理现象与物理现象的区别》，陈维纲，林国文译//倪梁康.《面对实事本身：现象学经典文选》，东方出版社 2000 年版，第 41 页。

③ 布伦塔诺.《心理现象与物理现象的区别》，陈维纲，林国文译//倪梁康.《面对实事本身：现象学经典文选》，东方出版社 2000 年版，第 41 页。

④ 布伦塔诺.《心理现象与物理现象的区别》，陈维纲，林国文译//倪梁康.《面对实事本身：现象学经典文选》，东方出版社 2000 年版，第 60 页。

⑤ 布伦塔诺.《心理现象与物理现象的区别》，陈维纲，林国文译//倪梁康.《面对实事本身：现象学经典文选》，东方出版社 2000 年版，第 50 页。

还说：对象的意向性的内存在乃是心理现象的普遍的、独具的特征，正是它把心理现象与物理现象区分开来。所有心理现象的一个进一步的普遍特性乃是：它们在内意识被知觉，与此相反，物理现象只有通过外知觉而被知觉。[①]而内知觉有内在的对象性、直接性、不可错误性和自明性等特点。由此说来，心理现象是一种能被真正知觉到的现象，因此我们还可以进一步说，它们也是唯一一种既能意向性地存在又能实际地存在的现象[②]。

布伦塔诺说得最多的是意向性。他不承认无意识，因此在他那里，心理现象都是有意识的心理现象，而心理现象同时有两个特点：一是指向某对象，二是有呈现性，意即所有心理现象是“自呈现的”，亦即能被觉知到。而能被觉知或意识到实质上是心理现状能指向自身。因此，可被意识实即意向性的一种特殊形式。这样一来，心理现象便只有一个特征，即意向性。他说：“每一种心理现象的特征，就是中世纪经院哲学家称之为对内容的指向、对对象（我们不应把对象理解为实在）的指向或者内在的对象性的那种东西，尽管这些术语并不是完全清楚明白的。每种心理现象都包含把自身之内的某东西作为对象，尽管方式各不相同。在表象中，有某种东西被表象了；在判断中，有某种东西被肯定了或被否定了……在愿望中，有某东西被期望，等等。意向的这种内在存在性是心理现象独有的特征。任何物理现象都没有表现出类似的特征。因此，我们可以这样给心理现象下定义，即心理现象是那种在自身中以意向的方式涉及对象的现象。”[③]

根据上述关于意向性的经典论述，结合他的其他论述，我们不难发现布伦塔诺关于意向性的下述思想。第一，心理现象是一种不同于物理现象的独特的现象，而意向性是把心理现象与非心理现象区别开来的标准。有理由说，探讨心理现象的独特特征，布伦塔诺不是第一人。但他是第一个把意向性当作是心理现象区别于物理现象的根本标志的人。根据这一思路，对心理现象、意识的研究便有了方向，那就是进一步研究意向性。这无疑是心理的科学和哲学研究中的一种新的转向。第二，意向性是一种属性。作为属性，意向性不是依赖于“不灭的心灵实体”

① 布伦塔诺.《心理现象与物理现象的区别》，陈维纲，林国文译//倪梁康.《面对实事本身：现象学经典文选》，东方出版社 2000 年版，第 52 页。

② 布伦塔诺.《心理现象与物理现象的区别》，陈维纲，林国文译//倪梁康.《面对实事本身：现象学经典文选》，东方出版社 2000 年版，第 54 页。

③ Brentano F. *Psychology from an Empirical Standpoint*. New York: Routledge, 1995: 89.

的东西，因为他否定有这种实体。第三，意向性是心理活动或状态对一定对象的指向性。也就是说，任何心理活动都不是纯粹的活动，总涉及、指向着一定的对象，这种对对象的指向构成了心理现象的独特本质。第四，意识所指向的对象不是外在的实在，而是内在存在的对象（inexistence of object），不具有外在的客观性，只具有内在的客观性（immanent objectivity）。第五，意向对象有存在和非存在之别，前者有对应的实在的对象，后者无对应实在，如想到的方的圆等。它们的共同点在于，都有对意识的依赖性。尽管布伦塔诺承认有些意向对象之后还可能有自在的、作为现象的超验原因的外部事物（形而上学的假设、物理学所要研究的）,但认为这是意向性研究之外的东西。第六，意向性也可指向意识活动自身。也就是说，意识可以以自身为意向的对象。

当代论证过这一标准的人还有很多，如福多、德雷斯基（F. Dretske）等。纽厄尔（Newell）、西蒙（Simon）也坚持单一标准论，但认为这个标准只能是认知标准，即物理符号系统对心智既是充分的，又是必要的。具言之，一种现象是否是心理或认知现象，主要看它里面有没有符号以及对符号的加工或转换。有符号及其过程，是心智或认知的既必要又充分的条件。反之，没有的话，即是非心理现象。这种观点其实是各种计算主义（computationalism）对心理标准的共同看法。

罗蒂也讨论过单一属性论，但主要是为了批判。他认为，为心所具有的作为其区分标志的单一属性不是意向性，而是心的不可错性（incorrigibility）。[①]这里的不可错性指的是人对自己心理状态的报告的这样的特点，即它比行为之类的其他根据更可靠。简言之，关于思想、感觉的第一人称的自我报告具有不可错性。他说："使一实在成为心的东西不是它是否能成为解释行为的某物。……使一实在或属性成为心理现象的唯一的东西就是：关于它的存在或发生的某些报告有不可错的特殊地位。"[②]这种标准理论是建立在他对同一论的拒绝之上的。根据阿姆斯特朗（Armstrong）等的同一论，心就是脑，心理状态就是大脑状态，正像水就是 H_2O 一样。罗蒂认为，同一论否认心与物的概念区别是完全错误的。因为心与物作为范畴是有逻辑上或概念上的差异的，如它们是不同类的陈述、断言、报告方式。物理报告有这样的属性，即能被推翻，而心理报告不能被推翻，不能由

① Rorty R." Incorrigibility as the mark of the mental". *The Journal of Philosophy,* 1970, 67(12): 399-422.
② Rorty R." Incorrigibility as the mark of the mental". *The Journal of Philosophy,* 1970, 67(12): 414.

第三人称的物理行为报告来矫正。但值得注意的是，罗蒂由此引出的结论是取消论或“消失观”：即使人的生活仍会像现在一样继续，如果这是它们的标志，那么心理事件最终会“消失”。[①]

第三节 多属性观

与单一属性论相反的观点可称作“多属性观”。它认为，把心与非心区别开来的东西，心所共有的属性，是多。塞尔（Searle）认为，把心与物区别开来的不是单一的属性，而是一系列的属性。因此，他否认单一属性论，而倾向于系统观。最明显的是，他提出了“背景论”。他说：“意指、理解、解释、信念、愿望和经验等意向现象只有在一组背景能力中才有其功能作用。这些能力本身不是有意向的。……所有表征，不管是不是语言、思想或经验中的，都只有基于一系列非表征能力才能完成表征。”[②]为心理现象所具有的属性必须是从大脑的神经化学属性中产生出来的结构性属性，如不同的感受形式、统一性、主观感受性等。他之所以否认意向性是心的标准，是因为他认为许多感觉状态是心理状态，但没有意向性。在决定一个事件是心理事件的多因素中，意识最为重要，即它是把心与非心区别开来的关键的东西。因为有意识的意向状态肯定有意识，无意识的也是这样，它们至少潜在地是有意识的，即有可能为意识所通达。[③]

罗森塔尔（Rosenthal）为揭示心理的标准，构筑了一幅所谓的“新图画”。其特点是强调：心理现象没有统一性，因此找不到统一的、单一的标准，只能具体情况具体分析，或为不同类的心理现象确立不同的标准。例如，心理现象可分为命题态度和非命题态度，它们分别有自己的标准。它强调不止一个标准，因此也可算作多属性论。在他为破除意识的神秘性而提出的新战略中，他吸收弗洛伊德及当代哲学中的有关成果，对传统的意识与心理关系的理论进行了系统的清算，为两者的关系绘制了一幅新的图画。在这幅图画中，他肯定了人们对于心理和意识

---

① Rorty R.“ Incorrigibility as the mark of the mental”. *The Journal of Philosophy,* 1970, 67(12): 414.
② Searle J. *The Rediscovery of the Mind.* Cambridge: The MIT Press, 1992: 178.
③ Searle J. *The Rediscovery of the Mind.* Cambridge: The MIT Press, 1992: 155.

的直觉，即心理和意识是我们每一个经历了这类现象的人可以体验到的、直觉到的经验事实。但是如果根据两者的表面联系，认为它们是不可分割的，则又是错误的。在他看来，心理状态并不必然是有意识的，意识不是心理状态的根本标志，不是使一种状态成为心理状态的决定因素。因为许多心理状态，如信念、愿望、期待、不同的情感及有争议的身体感觉等，在我们不知道它们、没有注意到它们时，它们也存在于我们内部。那么是什么使一种状态成为心理状态的呢？他认为是感受理性和意向性两种性质中的一种。也就是说，这两种性质是心理状态的根本标志。[①]如果一种状态具备其中一种性质或同时具备这两种性质，那么便可称之为心理状态，反之则不是心理状态。这样一来，意识在心理状态中处于什么地位呢？他认为意识只是一部分心理状态的外在特征。也就是说，有些心理状态是有意识的。他说："意识是许多心理状态的一个特征。但是根据这幅图画，意识对于一种状态成为一种心理状态并不是必要的。意识对心理是关键的，仅仅是因为它是我们知道自己心理状态的基础。"[②]对于我们知道别人的无意识的心理状态（如思想、情感）来说，它就不是关键的了，我们只能通过观察知道它们。

第四节　单一系统论

这是一种带有折中性质但又有复杂内容的理论：一方面有多因素论的色彩，如认为，有一组属性是所有心灵组成的系统必有的；另一方面又强调，作为心灵系统的组成部分的某一个状态不一定具有这些属性。为了回答具体的状态是不是心理状态这一问题，该理论又提出了这样的判据，即只要一种状态对整个心灵系统的属性有因果作用，那么就可认为它是心灵系统的组成部分，进而判断其为心理状态。[③]其倡导者主要有亚当斯等。

他们说："心理系统中的每一心理状态不一定具有别的核心心理状态所具有

---

① Rosenthal D."Two concepts of consciousness". In Rosenthal D (Ed.). *The Nature of Mind*. Oxford: Oxford University Press, 1991: 463-464.

② Rosenthal D."Two concepts of consciousness". In Rosenthal D (Ed.). *The Nature of Mind*. Oxford: Oxford University Press, 1991: 472-475.

③ Adams F, Beighley S. "The mark of the mental". In Garvey J(Ed.). *The Continuum Companion to Philosophy of Mind*. London: Continuum International Publishing Group, 2011: 54-72.

的一个单一属性。有些心理状态对一系统具有一个或多个心理属性有贡献，正是这些属性，它们尽管不具有核心属性，但却使该系统成了心理系统。”在这里，他们作了这样的区分，即标准问题有两方面，一是判断一个系统是否是心理的标准，二是判断一个系统中的某个心理是否是心理的标准。前者主要应看，该系统是否具有一系列的心理属性。这就是说，把作为系统的心与非心区别开来的是一系列的属性，而非某单个的属性。他们说：“存在着一系列的核心属性，它们是某物得以成为心理系统的充分且必要的条件。”这个属性系列包括：①心理系统具有非派生的意义。所谓“非派生”指的是此内容不来自别的心理状态。只要是内在的结构，就一定会获得对有机体有意义的内容，因此有机体凭自身就能解释世界。正是这一个特点，把心灵与计算机区别开来。后者只有派生的内容，因为它们加工的内容是由设计人员或工程师授予的。这内容只对人才有意义，对机器本身并没有意义。总之，是否能形成非派生的内容是区别心与非心的根本性标准。②心理系统具有能到达二阶意向性的状态。③心理系统能作出错误表征。④心理系统能表现出能由系统的表征内容来解释的意向基础行为，如感受状态可根据质的感受来解释行为，概念状态可通过语义内容来解释行为。[①]

构成心灵系统的状态的判断方法略有不同。要判断一种状态是否是心理状态，有两种判断方法：一是看它们是否具有上述属性；二是，即使没有，只要对一系统成为心理系统有作用，那么也可认定其为心理状态。这就是说，判断一种状态是否是心理的，主要不应看它是否具有别的核心心理状态所具有的属性，而应看它在一系统成为心理系统的过程中有无作用。[②]他们说，“要说心是什么，不能不说心为了什么”，即是说，心之为心，主要在于它有其特定的作用。例如，它让有机体追踪环境中的变化，并对不同变化作出不同的反应。心之所以有追踪变化的作用，是因为它能加工信息，而这又离不开内外感受机制组成的网络。人的心有高级的信息加工能力，如上升到了意义或语义性的层次，能让内在状态意指某物，就像关于烟的思想意指的是烟一样。就此而言，心的一个必要条件是达

① Adams F, Beighley S. “The mark of the mental”. In Garvey J(Ed.). *The Continuum Companion to Philosophy of Mind*. London: Continuum International Publishing Group, 2011: 71-72.
② Adams F, Beighley S. “The mark of the mental”. In Garvey J(Ed.). *The Continuum Companion to Philosophy of Mind*. London: Continuum International Publishing Group, 2011: 66.

到了意义层次。阿米巴之所以没心，是因为它不具有这个条件。①

从比较上看，他们的思想有相同于福多、德雷斯基等思想的地方，如他们也承认心理系统不同于非心系统。但到达这一个结论的途径不同。他们认为，这种不同，或把心与非心区别开来的东西就是心有意指能力。纯感觉系统也不例外。他们说："自然界出现的纯感觉系统之所以能做有利于它们的事情，是因为它们感觉到了什么东西。如果它们这样做了，那么这些系统就有概念，以及有需要、愿望，有满足它们的手段。"因此可以说，感受系统与有概念的意向系统是连在一起的。②当然，感受系统只有初级的意向性，其表现是，能进行简单的信息加工，即使所有 Fs 是 Gs，但它们只知道 t 是 F，却不知道 t 是 G。具有概念的系统则有高级的意向性，能对信息作精确区分和加工。

第五节　宽心灵观及其心理标准探索

宽心灵观现在已成了一种思潮、运动，有的人准确把它称作"情境化运动"。因为它一反过去将心灵封闭于头脑之内的窄心灵观，强调头脑之外的身体、外部世界中的情境对心的生成和构成都有不可或缺的作用。它有许多不同的走向或理论，如各种形式的内容外在主义、"四 E"理论，特别是其中的延展心灵观，等等。这里我们重点关注罗兰兹（Rowlands）所阐发的延展心灵观。

如前所述，延展心灵观所面对的标准问题无疑更加棘手。因为要承认心灵的延展性，就必然要对传统哲学所制定的心灵标准作出回应。如果坚持传统的标准，那么就必然否认延展心灵是心理现象，如果坚持认为它们是心理现象，那么就必须重新建立标准。罗兰兹选择了为心灵建立新标准这一种方案。

他首先强调，坚持延展心灵观是心灵科学的一种新变化。其"新"的表现是：它提出了关于心灵的新的概念框架（图式）。新的概念图式根本有别于传统的图式。根据传统的看法，心灵及其所包含的具体的心理现象都存在于大脑之中。经

---

① Adams F, Beighley S. "The mark of the mental". In Garvey J(Ed.). *The Continuum Companion to Philosophy of Mind*. London: Continuum International Publishing Group, 2011: 67.

② Adams F, Beighley S. "The mark of the mental". In Garvey J(Ed.). *The Continuum Companion to Philosophy of Mind*. London: Continuum International Publishing Group, 2011: 66.

典认知科学也坚持这一概念框架，认为心理过程及计算过程，是由大脑所实现的。这样的认知科学并未从根本上超越笛卡儿主义，因此可称作笛卡儿主义的认知科学。[①]心灵科学的新还表现在其技术术语上，如具身、镶嵌、延展、生成或行然（enacted）。加拉格尔把它们统称为关于心灵的“四 E”图式。[②]就其关心的问题而言，它们不问心从哪里开始，终止于何处，而试图回答心是什么这样的问题，特别是心理过程、状态是什么。从本质上说，它们是“非笛卡儿主义的”，即对立于一切主张心灵与大脑有关的笛卡儿主义。罗兰兹说：“认知任务一般不是只需要在头脑中完成的或由大脑所完成的事情。”质言之，认知任务是与环境有关的任务，其完成也离不开环境。“环境携带着与需要我们完成的任务有关的信息。运用这种结构，或以正确方式作用于它，我们进而就能在完成任务时得到和运用这种信息。”[③]其在新心灵观上的主要观点是：①外在结构携带着完成认知任务所需的信息。这类信息出现在这些结构中。②只要以适当方式运用这些结构，我们就能对它们包含的信息作出转化。③如此得到和利用的信息就是只需要我们分辨的信息，而不是需要我们构成或储存的信息。④对信息的分辨比储存或构成信息更加廉价。⑤作用于外部结构的行为因而就是认知的组成部分。[④]

罗兰兹认为，要解决这里的标准问题，就要回答标准的元问题，如在确定标准时，为心提供的是必要条件还是充分条件？换言之，此标准是心的充分条件还是必要条件？标准的标准是什么？是充分条件，还是必要条件？在他看来，使一种现象成为认知或心理现象的充分条件才是判断它的标准，而充分条件是这样的，它“能说明一个过程何时开始作为认知的标准。能起这种作用的标准，能对一过程被看作是认知过程提供充分条件”[⑤]。从反面说，一个标准也可对一个过程何时不被看作认知提供说明。可见，以充分条件作为标准比以必要条件作为标准要苛刻得多，换言之，作为必要条件的标准要宽松得多。他所说的认知有两种，

---

① Rowlands M. *The New Science of the Mind: from Extended Mind to Embodied Phenomenology.* Cambridge:The MIT Press, 2010: 1-2.
② Rowlands M. *The New Science of the Mind: from Extended Mind to Embodied Phenomenology.* Cambridge:The MIT Press, 2010: 3.
③ Rowlands M. *The New Science of the Mind: from Extended Mind to Embodied Phenomenology.* Cambridge:The MIT Press, 2010: 16.
④ Rowlands M. *The New Science of the Mind: from Extended Mind to Embodied Phenomenology.* Cambridge:The MIT Press, 2010: 18.
⑤ Rowlands M. *The New Science of the Mind: from Extended Mind to Embodied Phenomenology.* Cambridge:The MIT Press, 2010: 108.

一是大写的“C”，指的是知觉之后的认知过程、现象；二是小写的“c”，指的是包括知觉在内的一切认知现象。

罗兰兹追求的不是作为必要条件的标准，而是作为充分条件的标准。因为在他看来，寻求一个对象、一个过程的区分标准，就是寻求这个对象、这个过程得以成立的充分条件。具言之，一个过程具备了这些条件，那么就属于认知或心理过程。他说：“如果一个过程符合这些条件，那么这个过程作为认知就是足够的。”“充分条件合在一起就成了标准。”[①]他的看法是，使一个过程P成为认知过程的充分条件有多种：①P包含有信息加工，即对携带信息的结构作出了处理和转换。②这个信息加工有这样的严格的功能，即要么可为主体所利用，要么可为随后的加工过程所利用。③这信息是由产生的方式而成为可用的，如由产生的方式而在P的主体中、在表征状态的主体中被利用。④P是属于有那种表征状态的主体的过程。他说：“一个过程满足这四个条件，就属认知过程。”[②]

他还认识到，在回答标准问题时，还必然要面对宽心灵观所碰到的所有者问题、膨胀（bloat）问题（“本体论人口爆炸问题”，它增加了心理世界中的成员）。对于所有者问题，他的回应是：上述第四个条件可回答这个问题。根据他的标准理论，认知一定有其主体或所有者，否则就不是认知过程。他说：“如果一个过程要有资格作为认知过程，它就必须从属于一个主体，或为其所拥有。不存在无主体的认知过程。”[③]什么是主体呢？他认为，这里的“主体”是宽泛的，既包括个体，又包括群体。当然，这又不是任意的，不是什么事物都能成为主体。他认为，“并不是任何形式的主体都能拥有认知过程，这里的主体一定是能认知的主体”，因为“我所谓的‘认知主体’指的是这样的有机体，它满足四个认知条件”。[④]至于膨胀问题，他认为，这是A. 克拉克和查默斯的延展理论所陷入的问题，而不是他的理论的问题。因为根据A. 克拉克等的理论，某人的认知延伸到了他的笔记本，因此他的笔记本及其所包含的信息也成了认知。比如，当它与他

---

① Rowlands M. *The New Science of the Mind: from Extended Mind to Embodied Phenomenology*. Cambridge:The MIT Press, 2010: 109.

② Rowlands M. *The New Science of the Mind: from Extended Mind to Embodied Phenomenology*. Cambridge:The MIT Press, 2010: 110.

③ Rowlands M. *The New Science of the Mind: from Extended Mind to Embodied Phenomenology*. Cambridge:The MIT Press, 2010: 135.

④ Rowlands M. *The New Science of the Mind: from Extended Mind to Embodied Phenomenology*. Cambridge:The MIT Press, 2010: 110.

所完成的中枢过程结合在一起时，就成了他的信念的子集。①罗兰兹自认为，他不会受这个问题的威胁，因为他否认笔记本中的东西属于信念。

第六节 小结与初步思考

西方的许多论者，如布伦塔诺等都认识到，心理标准的探讨以对心理范围及其所包括的心理样式的全面而准确的认识为前提条件。因为对范围的认识不同，对标准的认识自然大相径庭。但问题是，心理的样式太多太多，怎样对之概括和梳理进而去揭示心理现象所独有的标志性特征呢？不同的人用的方法不一样，如有的人认为，应先列举明白无误、谁都会承认的心理现象的“实例”，然后从中分析和抽象。

西方心灵哲学还有这样的共识，即要使对心理标准的探讨不偏离正确的航道，不仅要对心理样式及范围有足够全面而充分的认识，而且要弄清它们有无统一性，即诸多个别心理样式有没有共性，有没有共同本质，或者说，个体或整体的心理世界是不是一个统一体。如果有统一性，就有望形成统一标准；如果没有，就必须改变揭示和概括心理标准的方法。如前所述，有的人认为有统一性，因此得出结论说，所有心理样式具有一个只为它们具有而不为非心具有的属性。这就是单一属性论的观点。有的人认为，心没有统一性，如命题态度就不同于躯体感觉之类的心理状态，因此它们的标志性特征就不一样，如前者是意向性，而后者是感受性质。系统观的看法更烦琐，即认为作为整体或系统的心理与它里面的个别的心理状态的标志性特征是完全不一样的。

从比较研究中我们不难发现，心理标准问题探讨有两大难题十分重要而又亟待化解，不然就没法进一步往前深入。一是心理样式究竟有多少，范围究竟有多大；二是它们有无统一性。

对于前一个问题，我们的看法是，当务之急且今后相当长的一段时间内的一项重要工作是，对心理个例、样式及其性质作尽可能全面的描述现象学研究，

---

① Rowlands M. *The New Science of the Mind: from Extended Mind to Embodied Phenomenology*. Cambridge:The MIT Press, 2010: 136.

尽量不遗漏心理样式和个例，尤其是典型样式，否则在抽象心的一般本质和揭示心理的标志性特点时就会犯以偏概全的错误。这里可从四方面开展工作：一是运用描述现象学方法或类似于地理大发现的方法，对共时存在的一切心理样式及其性质进行心理个例的“普查”，尽可能全面弄清心的表现形式，乃至建立关于一切心理个例的库存清单，至少查明典型的心理样式。二是对表层心理后的深层心理作进一步的勘探和挖掘。根据麦金等的最新研究和佛教心灵哲学的认识，无意识心理还不是心理世界的底层，其后还有隐结构和更深的自我等，如有七、八、九、十识，有识精和真心等。三是关注长期尘封的东方心灵哲学宝藏。随着心灵认识的深入和比较心灵哲学研究的推进，包括西方学者在内的许多有识之士都认识到，仅靠西方心灵哲学是不足以解决心灵哲学的全部问题的。就心理个例和范围的描述性研究来说，东方心灵哲学在这一领域确实做了大量足以弥补西方之不足的工作。四是在综合东西方心灵哲学成果和现代有关科技成果的基础上，对心理现象的共性作出科学的抽象。

对于第二个问题，我们的看法是，如果心理现象只有差异性，只表现为没有连贯性、统一性的千差万别的心理样式，那么就只能像一些哲学家、神经科学家那样在心理标准问题上陷入悲观主义。尽管我们承认心理样式的多样性和心理性质的差异性乃至异质性，但我们并不绝对认为心理只有这一个特点。我们认为，心有无统一性、有无共同本质不能一概而论，要依具体的条件和语境而定。说它们没有统一性，是就不同心理样式的比较来说的，意在强调各种心理样式在表现形式、存在程度和作用方式等方面的区别，是要纠以往理论只强调其单一性和统一性之偏。但就其全体来说，心理现象具有边界模糊而硬核清晰的特点。正像我们在分析一个矛盾统一体时，既可以而且必须强调它的部分质上的区别（对立）又可以而且必须承认矛盾双方的同一性一样，说心理现象内部既有特定意义的异质性又有统一性和共同本质，这既不违反逻辑，也符合客观实际。就作为矛盾统一体或作为多种多样的心理样式之矛盾集合的心的区别于非心的本质特点来说，尽管我们反对简单地说“心是功能”“心是精神实体”等，不赞成以是否具有形体性、广延性作为心与非心区分的标准（因为有许多非心的物理事物也有这类特性），但我们认为，只要对心理样式、个例作出扎实的研究，是可以找到心理区别于非心理的独有的本质特点的。当然，这是一个值得花大力气加以探讨的问题。

第三章

物理主义及其最新发展

在当代心灵哲学中，尽管学说、理论不计其数，但占据着主导地位的仍然是物理主义，即大多数哲学家都相信心理是物理的。[①]因此有人说：“就心灵哲学来看，20 世纪已经是物理主义的世纪。”[②]近 30 年来，心灵哲学中物理主义与反物理主义进行了激烈的争论，参与的哲学家越来越多，争论的问题十分庞杂，其中主要的问题有：心灵哲学所要找到的物理主义是哪种类型，物理主义有什么问题、如何予以证伪，如何予以辩护，心灵哲学中的物理主义适用什么样的范围，有什么样的界限，等等。在与反物理主义交战的过程中，物理主义逐渐由极端同一论走向了温和的构成论，由单纯的重视后验分析走向先验与后验分析并重，由客观的物理主义走向多元的物理主义。有学者甚至宣称物理主义已经由原来的经验或科学的纲领进入了“后分析的物理主义时代”[③]。

---

① 在过去约 60 年里，物理主义确实成为出现频率较多、争鸣较为激烈的哲学流派。在《唯物主义的衰落》（*The Waning of Materialism* 的引言中，作者共列举了罗素以来到今天活跃在哲学舞台上或坚持物理主义或反对物理主义的哲学家共计约 50 名。可参见刘明海.《心理与物理：心灵哲学中的物理主义探究》，科学出版社 2015 年版.

② Walter S, Heckmann H D (Eds.). *Physicalism and Mental Causation: the Metaphysics of Mind and Action*. Thorverton: Imprint Academic, 2003: v.

③ 霍根（Horgan）称为“后分析物理主义”，即通过概念分析探讨物理主义。（可参见 *A Companion to the Philosophy of Mind*）蒙特罗（Montero）称为“后物理主义”，即把心理性本质上是不是物理的问题变成心理性如何是物理的问题，或者说心理性是不是世界的根本特征的问题。可参见 Montero B. “Post-Physicalism”. *Journal of Consciousness Studies*, 2001, 8(2): 61-80.

第一节　物理主义的溯源与随附物理主义的难题

物理主义的基本观点是，世界上的一切都是物理的。对于这个命题，有些学者坚持认为，这只是一种经验或科学的纲领，因为按照20世纪30年代最早提出"物理主义"这个概念的纽拉特和卡尔纳普的观点，物理学的语言是科学的普遍语言，具有客观性和主体间性，能够"满足这个特定种类概念系统的条件，因此，人们把这种理论称为'物理主义'"[①]。不过，这种科学纲领式的物理主义是一种方法论的唯物论。因为，接下来的问题是：如果物理学是描述所有学科的基础语言，那么物理学描述的世界就是我们的真实世界吗？其他自然科学如心理学与物理学之间是什么关系？这就是著名的"多学科问题"。多学科问题需要物理主义回答基本的形而上学问题：物理学描述的实在与其他学科描述的实在之间是什么关系？例如，心理学描述的实在与物理学描述的实在之间是什么关系？

这种方法论上的物理主义很快就随着卡尔纳普移民到美国以及维也纳学派所提出的科学统一于物理学的目标遥遥无期而逐渐式微。物理主义成为20世纪后半叶哲学舞台上大放异彩的理论，主要源于一种日渐完善的物理因果闭合论证。[②]这个论证于20世纪50年代由斯马特、普赖斯、阿姆斯特朗等"澳大利亚异端"提出，经由刘易斯（D. Lewis）、戴维森发展，后由金在权系统地阐释而逐渐为哲学家广泛关注。物理因果闭合论证的意义在于，使物理主义成了一种形而上学理论，随之，方法论的物理主义也转向了形而上的物理主义，它强调所有的事物与物理之间的关系并不是一种偶然的关联，而是形而上的关联。

当然，对于形而上的关系，不同的哲学家又有不同的描述。20世纪50年代，以斯马特为首的澳大利亚哲学家开始探讨心身问题，把这种关联理解成一种同一关系，从此物理主义开始在心灵哲学中生根发芽。同一论中所包含的还原主义精神符合物理主义的这样的原则或理想，即物理的东西在本体论上和解释上都具有优先性，因此也被称为还原物理主义。不过，这也成了后来哲学家的众矢之的，

① 克拉夫特.《维也纳学派——新证实主义的起源》，李步楼，陈维杭译，商务印书馆1999年版，第142页。
② Papineau D. "The rise of physicalism". In Gillett C, Loewer B (Eds.). *Physicalism and Its Discontents*. Cambridge: Cambridge University Press, 2001: 4.

普特南[①]、福多[②]和戴维森各自以不同的方式提出了反还原论的论证，如“多样可实现性问题”或“异常一元论”。在这些反还原论证的刺激下，物理主义选择了二元论和还原论的中间道路，如随附物理主义逐渐取代了还原物理主义，成了20世纪90年代至今的稳固“非还原物理主义阵营”[布洛克（Block）语]。

随附物理主义认为心理与物理之间的关联是一种依赖性的关联，这既坚持了物理的东西的本体论上的优先性，又不至于堕落到同一论或还原论，因而成为当代物理主义的主要类型。它认为，所有的事物包括心理的都是随附于物理的。然而，这种随附物理主义并没有使物理主义走上阳光大道，反而陷入内忧外患之中。内忧主要有来自三个方面的压力：一是保守派，即还原物理主义对随附物理主义非还原物理主义的反攻倒算，重新回到还原主义的怀抱；二是革命派，即用突现性、构成性、实现性来取代随附性概念，以此发展非还原物理主义；三是神秘派，即根据人类智力结构的有限性或认知结构封闭性，坚持物理主义是非还原的。外患主要是借助思维实验或者对当代科学成果的解读，企图推翻物理主义，包括非还原物理主义或随附物理主义，重新在心灵哲学中恢复二元论、多元论、怀疑论昔日的荣光。

随附物理主义的内部压力主要源于金在权所提出的“随附性论证”（supervenience argument）（金在权又称为“笛卡儿复仇”“排他性论证”）。这种论证主要是针对随附物理主义所强调的心理因果有效性问题。在还原物理主义或者同一论那里，心理因果性坚持心理同一于物理，因而没有太大的论证上的麻烦。但是在随附物理主义这里，心理因果性无法还原或同一于物理因果性，所以这就面临着两难选择：要么是随附性成立，心理因果性无法理解；要么是随附性不成立，心理因果性更无法理解。根据金在权的详细论证，笔者把“随附性论证”总结如下。

（1）**心理因果性**（mental causation）：假如心理属性M的一个例示引起了另一个心理属性M^*的一个例示。

（2）**心身随附性**（mind-body supervenience）：根据随附物理主义，心理属性

---

① Capitan W , Merrill D D(Eds.). *Art Mind, and Religion*.Pittsburgh: University of Pittsburgh Press, 1967: 1-223.
② Fodor J. “Special sciences (or: The disunity of science as a working hypothesis)”. *Synthese*, 1974, 28(2): 97-115.

随附于物理属性，因此心理属性 M^*的例示是其所随附的物理属性 P^*所例示的。

（3）**因果多元决定**（causal overdetermination）：由（1）（2）得出心理属性 M^*例示有两个原因，一个是心理属性 M，另一个是物理属性是 P^*。

（4）**因果排他性原则**（principle of causal exclusion）：假如一个事件或属性例示是由另一个事件或属性因果地决定或产生的，那么它就不能由不同于后者的事件或属性所决定或产生，因此心理属性的 M^*只能有一个原因。

（5）由（2）和（4）只能得出：心理属性 M 是通过 M^*的随附物理属性 P^*引起 M^*。

（6）根据（2），心理属性 M 又有自己的随附物理属性 P。

（7）**物理因果闭合原则**（causal closure of the physical domain，CCP；亦称物理学完备性原则）：假如一个物理事件有一个原因，它只能是一个物理原因，因此物理属性 P^*应当是由 P 引起的。

（8）由（5）和（7）得出：M 引起 P^* ，P 引起 P^*。

（9）**心物属性二元论**：随附物理主义认为心理不能还原到物理，所以 M 和 P 是两个不同的属性。

（10）M 不能作为 P^*的原因，因为这违背了（7）物理因果闭合原则，所以只能是 P 引起 P^*。

（11）M 不能引起 M^*。

（12）心理因果性是有问题的。①

因此，金在权直接宣称，随附物理主义无法拯救它们当初许诺的下向心理因果性，与其说它是一种非还原的物理主义，倒不如说是一种突现论。由于随附性论证的打击，坚持非还原物理主义的哲学家开始重新寻找其他哲学概念，以描述心理与物理的关联，如实现性、构成性、突现性。

随附物理主义的外部压力主要源于二元论的思维实验论证，包括大家津津乐道的托马斯·内格尔（Nagel）②的“蝙蝠论证”（成为一个蝙蝠感觉起来是什么样子）、杰克逊（Jackson）的“黑白玛丽”等知识论证和查默斯的“僵尸论证”等模态论证，等等。这些论证主要针对的是随附物理主义的模态力，认为随附物

① Kim J. *Physicalism, or Something Near Enough*. Princeton: Princeton University Press, 2005.
② 内格尔单独出现时均指托马斯·内格尔。

理主义只是一个偶然的命题，并不具有必然性。具体论证可以概述如下。

（1）根据随附物理主义，所有的事实 S 都随附于物理事实 S^*。如果是这样，那么由物理事实出发必然推导出所有的事实，即必然 $S^* \rightarrow S$。

（2）然而，物理事实推导不出心理现象事实，如主观性、感受理性等，即有些事实并不随附于物理事实，因此无法保证 $S^* \rightarrow S$。

或者，

（3）在某些可能世界，虽然存在着像我们日常世界里的物理事实，但心理现象事实并不存在。

（4）由（2）和（3）可以推出：（1）是不成立的，随附物理主义命题并不具有必然性。

反物理主义者认为随附物理主义并不必然为真，因此他们要么走向怀疑论，要么倾向于副现象论，或者是泛心论，其最终结论就是，在物理世界中存在着不同于物理的心理世界这样的二元性现象。为了反驳二元论，物理主义者可谓绞尽脑汁，提出了许多方案，其中最著名的就是“现象概念策略”。在现象概念策略中，物理主义者提出了一种概念二元论式的物理主义。总的来看，非还原物理主义已经从当初的强势逆袭而逐渐退居到守势地位。

第二节 实现物理主义

非还原物理主义阵营的形成主要起源于多样可实现性的论证。一般都认为，多样可实现性是世界的较普遍的现象，如心理是由物理实现的，但实现的方式不是唯一的，而是多种多样。埃罗宁（Eronen）说：“无论是捍卫还是反对多样可实现性论证的人，普遍认为实现概念是不证自明和没有问题的，鲜有人去努力讲清楚或阐释它。”[①]然而，随着随附物理主义所遭受的广泛质疑，一些物理主义者又不愿意重新投到还原论的怀抱，于是对多样可实现性的“实现”概念的研究便开始升温，以寻找非还原物理主义的替代类型。

自 20 世纪 60 年代普特南把实现（realization）概念引入心灵哲学中，最初的

① Eronen M I. *Reduction in Philosophy of Mind: a Pluralistic Account*.Berlin: Walter de Gruyter, 2011: 69.

实现概念像随附性概念一样，都是作为哲学上的修辞术语，并没有明确的定义。普特南只是用实现描述心理与物理的关系。后来，当戴维森引入了随附性概念来定义物理主义的时候，心理由物理实现的命题就被作为背景或预设前提，实现概念的哲学内涵被随附性所遮盖。事实上，也不是没有人提出以实现来定义物理主义的想法。1980 年，波义德（R. Boyd）就提出过这样的问题：没有还原论的物理主义会走向何方？他认为，关于心理的物理主义并不是坚持心理现象（无论是类型的，还是标记的）都同一于物理现象，而是强调在日常世界中，所有心理现象都是由物理实现的，也就是说，要借助物理实现而不是同一来表述物理主义。梅尼克（A. Melnyk）把这一种尝试称作关于物理主义的基于实现的构想（realization-based formulation of physicalism），其基本原则是，任何存在的事件要么同一于物理，要么由物理所实现。

一、梅尼克的“标记实现观”

梅尼克认为要阐释物理主义，需要回答三个问题：①物理主义所提到的“所有存在的事物”是指什么？②物理主义的“物理”概念是指什么？③所有事物与物理之间的关系是什么？对于①②，梅尼克坚持，所有存在的事物都是个例或标记，而不是类型，后者是由前者构成的；而“物理的”是指在窄意义上所说的当代物理学所描述的现象。对于③，梅尼克则认为用“实现”表述更为恰当，因为从物理主义的表述来看，“任何事物都是物理的”这一表述是从特定空间关系来说的，所以概括这种空间关系既不能用“同一”也不能用“随附”。[①]众所周知，对于物理主义的表述中所提到的“是”（is）有四种用法：一是构成（constitution）的意思，二是存在（existence）的意思，三是述谓（predication）的意思，四是同一（identity）的意思。“构成”虽然较其他三者更接近物理主义的陈述，但是表述不太明确，“实现”应当可以看作是对“构成”的恰当分析的候选者。

在功能主义那里，包括概念分析功能主义（常识心理学功能主义）和心理功能主义（科学心理学功能主义）也提出了实现观，它们是这样定义实现的：实现

---

① Melnyk A.*A Physicalist Manifesto: Thoroughly Modern Materialism*. New York: Cambridge University Press, 2003: 20.

就是完成某种因果角色。例如，一个神经属性实现疼痛就是指神经属性具有或充当那种构成疼痛的因果角色，因此刘易斯认为神经属性同一或还原于疼痛。梅尼克把实现关系作为两种不同类型的例示或标记之间的关系，而不是类型之间的关系。具体来说：标记 y 是由标记 x 实现的，仅当，①y 是某些功能类型 F 的一个标记（如我的头痛证明是一种功能事件状态或者满足一定条件 C 的类型的例示），并且②x 是事实上满足 C 的某些类型的一个例示（如我的大脑神经状态），再加上③由于满足条件②而得以逻辑上保证存在的 F 标记只有 y。由于标记存在着属性、对象类和事件类三种形式，以实现为基础的物理主义就可以表述为：

（R）任何属性例示（对象、事件）要么是一个物理属性（一个物理类的一个对象、一个物理类的一个事件）的一个例示，要么是一个物理属性（一个物理类的一个对象，一个物理类的一个事件）所实现的某些功能属性（一个功能对象类的一个对象，一个功能事件类的一个事件）的例示。[①]

这个物理主义的定义具有五个特征：①实现物理主义是一个有条件的命题，即它在物理的或物理实现的标记所构成的世界中为真，但在既不是物理的也不是物理实现的标记构成的世界中则为假。当然，梅尼克认为，实现物理主义为真不是单纯条件性的，而是有着强烈的条件性的，只有满足特定条件才是为真的。②实现物理主义并不需要被实现者是由原子构成的，也不需要还原到原子，因为被实现者具有的属性是单纯的原子所没有的。③实现物理主义表示实现者与被实现者不是微观与宏观的关系，而是一种层内的关系；物理主义不应当是微观物理主义。④实现物理主义不需要物理类型的标记是相同的本体论范畴，它可能是属性，可能是对象类，也可能是事件类。比如，生命体是由物理过程的属性所实现的，而不是由物理对象所实现的。⑤实现物理主义可以推导出，对于任何满足实现关系的非物理标记，都存在着一个物理条件以保证必然非物理标记存在。

对于⑤，梅尼克作了深入分析，他发现实现性可以推导出整体随附性主张，即任何与日常世界在物理上不可分辨的实现的世界与日常世界绝对是不可分辨的。但是，尽管实现性可以推导出整体随附性，并不是说整体随附性可以理解为物理实在与具体科学实在之间的形而上学关系，恰恰相反，只有实现性才能够阐

① Melnyk A. *A Physicalist Manifesto: Thoroughly Modern Materialism*. New York: Cambridge University Press, 2003: 22.

释这种关系。另外，因为实现性可以推导出整体随附性，即它能为整体随附性为何为真提供解释，故此整体随附性所表明的随附性不需要建构成一个原初的模态事实，或者说不需要建构成一个无法言表的跨世界的共变性。最后，如果整体随附性所表明的模态主张可以由实现性所推导和解释，那么它的必然性本质也可以由实现物理主义所推导和解释。既然如此，实现性要比整体随附性更具有包容性。梅尼克强调，整体随附性无法满足物理主义的条件。按照上述整体随附性的模态主张，日常世界包含着物理标记和非物理标记，它们有着实现的关系，但是在另外一个可能世界，有些非物理标记并不是由物理通常所实现的功能类型的标记。这样说就会碰到“副现象的灵媒质问题”。假如物理主义是正确的，那么所有可能的世界都必然因为日常世界的物理分布为真而必然为真，这样一来，就不存在副现象的灵媒质问题，非物理的事物完全是由物理所构成的。

能够满足非物理的事物是由物理构成的这个命题的，只有实现物理主义。梅尼克认为，这种实现物理主义实质上就是一种还原主义。这主要是因为，实现物理主义在原则上可以从物理事实及必然事实的两个命题中推导出来：①日常具体科学所描述的是标记实在，②在具体科学所描述的标记实在之间存在规则性。然而，如果实现物理主义是一种还原主义，心理因果性就只能成为一种幻觉；如果它不是幻觉，那么实现物理主义如何保证心理因果性的独立性地位呢？梅尼克认为，要解决这一问题，必须从“因果相关性”概念出发。在传统的因果观中，因果相关性被认为是一种法则学相关性，遵循着一种因果定律。由于这个定律不能必然保证前件与后件的必然关联性，梅尼克提出了反事实因果相关性的概念。反事实因果相关性概念表明，原因与结果之间是一种解释性的关联。因此实现物理主义应当是一种解释性还原主义，而不是理论性还原主义。在这个意义上，实现物理主义并不是把心理因果性副现象化，其表现是：①实现物理主义不反对具体科学的标记可以单独作为原因，它作为事件可以引起一定的结果；②如果具体科学的标记归属一定的功能类型，那么它也就是我们通常所说的因果相关的类型。具体科学的标记或类型都可以作为因果关联项得到解释，因此可以存在着多种解释，这些解释并不是多元决定性的表现，也不是多样可实现性的例证。

尽管如此，实现物理主义还是会遇到很多困难，如关于心理的感受理性、主观性是如何实现的。对于这些问题，梅尼克认为这并不能构成对实现物理主义的直接攻击，因为实现物理主义是一个后验必然性命题，目前被认为无法解决的难题可能随着科学经验证据的增加而被解决。第一，实现具有传递性，这与我们科学的积累是一致的。传递性可这样研究，如先研究心理的感受理性由大脑神经活动实现的状况，然后研究大脑神经活动由构成大脑的神经递质或触突实现的状况，等等。第二，最佳解释推导策略，也就是说，科学发现为这种推导提供了经验基础，由此可推导出：具体科学所描述的实在都是由物理实现的。第三，枚举归纳法，即随着对同类现象研究的深入，科学家得出了相似的结论，它可以证明实现物理主义。

二、休梅克“子集实现说”

休梅克（S. Shoemaker）这位美国哲学家一直关注心理因果性问题，他说：“对于物理主义或唯物主义者的心灵观来说，解决心理因果性问题的关键在于寻求心理如何在物理中实现的满意理解。近来的物理主义主要强调随附性观念，而我则主张：这种重心应当转移到实现观念上来。”[①]因为以随附性为基础的物理主义不但蕴含着属性二元论的结论，即非物理的心理属性例示是由随附的物理属性例示所引起的，但是前者不能还原到后者而具有独立性，而且也可能暗含着副现象论，即心理属性虽然是由物理属性所引起的，但是并不对后者起因果作用。

那么如何避开随附物理主义所碰到的心理因果性难题呢？休梅克开始重新审查随附物理主义所产生的主要原因，也就是多样可实现性。多样可实现性表明，相同的属性可以由不同的物理实现者所实现。对于这里的“实现”，随附物理主义坚持把实现看成个例或标记之间的关系。例如，戴维森提出的个例同一论就是如此。由于标记本身是类型的实现，标记的本体论或形而上学地位又引起了争论，因此为属性二元论或副现象论留下了空间。休梅克直接把实现当成属性的实现，属性的实现就是“实现的实现者是一个属性的例示”。[②]对于物理主义来说，属性的实现就是微观事态的属性如何实现宏观事态的属性例示，即微观物理实现（microphysical realization）。休梅克是这样解释的：一般来说，X 实现 Y 仅当 X 的存在是 Y 存在的构成性充分条件，或者说，Y 的存在情况“只是”X 的存在；

① Shoemaker S.“Realization and mental causation”. In Gillett C, Loewer B(Eds.). *Physicalism and Its Discontents.* Cambridge: Cambridge University Press, 2001: 74.

② Shoemaker S.*Physical Realization.* Oxford: Oxford University Press, 2007: 3.

在微观实现情况中，一个属性的例示存在的构成性充分条件就是一个微观的事态。[1]接下来，休梅克为了证明他的属性实现观不会面临随附物理主义的问题，即既能避免断言物理属性在因果性方面优先于心理属性，同时也能避免断言心理属性与物理属性同时具有因果性而产生的多元决定问题，因此提出了一种关于实现论的“子集说明”（subset account）。

不同的哲学家对属性的理解不同，因此在说明属性实现时，有些人认为，高阶或二阶属性是由发挥着特定因果作用的低阶或一阶属性所实现的，但是高阶或二阶属性并不具有独立发挥因果作用的地位。它们的因果作用实际上是由它们的实现者所占有的。休梅克认为，无论实现者属性还是被实现者属性都具有因果性，“属性是由因果方面所个体化的”[2]。属性的因果方面由两类因果特征构成，一类是前瞻性的因果特征（属性的例示如何造成不同的结果），另一类是后溯性的因果特征（哪类事态能引起属性的例示）。所谓一个高阶属性就是由拥有满足一定条件的一个低阶属性的属性所实现的，这个实现条件就是低阶实现者属性的前瞻性因果特性是包含被实现属性的前瞻性因果特征的这个子集，并且它的后溯性因果特性是被实现属性的后溯性因果特性。[3]例如，西班牙斗牛士的披风因为有红色这样的低阶属性而具有刺激公牛的高阶属性。刺激性属性具有引起公牛发怒的前瞻性因果力，它是作为红色属性的因果力的一个子集。相反，作为刺激性的后溯性因果特性则包含作为红性的后溯性因果特性，因为披风的刺激性也可以由粉红色或橘黄色来实现，当然后面这些替代者有着不同于红色的因果力。这种把属性实现作为一种因果力的子集的实现，就是休梅克的子集说。

根据随附物理主义的策略，一个高阶属性是由它可能的实现者这样的析取项逻辑建构的，因此，这类属性不能遵循因果定律，也没有因果有效性。休梅克不同意这种观点，而坚持认为属性都具有因果方面，被实现属性的前瞻性特性是它的实现者属性的前瞻性因果特性的一个子集，而且被实现属性的后溯性特性是作为实现者属性的后溯性特性的一个子集。既然一个属性的因果力是另外一个属性

① Shoemaker S. *Physical Realization*. Oxford: Oxford University Press, 2007: 4.
② Shoemaker S. *Physical Realization*. Oxford: Oxford University Press, 2007: 11-12.
③ Shoemaker S. *Physical Realization*. Oxford: Oxford University Press, 2007: 12.

的因果力的子集，这两个属性就不是同一的，高阶属性有着它自己独特的因果方面，而并不能为它的实现者属性所优先占有。

如果高阶属性具有独特的因果力，那么如何避免多元决定论呢？休梅克认为上面所说的属性实现都是限定于宏观对象的属性实现，而没有看到宏观对象属性例示是由微观物理事态所实现的。事实上，很难这样设想：一个刹车系统是由一个机械系统实现的，但是后者没有微观的实现者。也就是说，属性实现不能总是限定于“平面”（flat）或水平的实现观说明，而应当转向“维度”（dimensioned）或垂直的实现观阐释。因此，休梅克就要从属性实现转向微观实现，即给出微观实在和其他宏观对象的构成部分的属性以定位说明。众所周知，相同的微观物理事态实现的不只是一个属性。例如，同样的身体组成部分实现了我们的身高与腰围。如果我们从垂直维度来看，相关的微观实在的分布实现的就是身高；如果从水平维度来看，相关的微观实在分布实现的就是腰围。这些相关的微观实在构成一个微观事态，它是特定属性的“核心”实现者。当微观事态群中的成员所共有的因果方面同构于一个对象所例示的特定属性因果方向时，我们就可以把这些特定属性与这些微观事态群匹配起来。根据休梅克的子集实现观，这些特定属性与对应的微观事态在因果方面是互为子集的关系。虽然被实现属性所拥有的因果力是它的实现者微观事态的一个子集，但是它并不是多重决定或多元决定的部分。休梅克举了一个例子，行刑队同时向一个死刑犯射击，从逻辑上讲只有一颗子弹是致命的，但是其他子弹也被认为是造成死刑犯死亡的原因。①

按照休梅克对心理属性的定义，当说它具有独立的因果性时，我们很容易把它当成一种真实的突现属性；当说它是由微观物理事态实现的时，我们又倾向于把它当成一种虚假的属性（phony property）。休梅克采取了混合的观点：这种实现属性不但具有临时性的因果构成，而且也具有本质上的因果构成。从不同的实现维度来看，我们可能会就某些方面而轻易断定它是突现属性或是功能属性，但这都是我们在概念上所犯的错误。一个属性可以由功能概念所分辨，也可以由一个非功能概念所分辨。休梅克称此概念为“区域性概念”（parochial concept）。当我们用功能概念描述时，它指向的是不同实现者所构成的析取项，

① Shoemaker S. *Physical Realization*. Oxford: Oxford University Press, 2007: 53.

这个析取项并不是真实的属性；当我们用非功能概念或者心理概念描述时，它指向真实的因果构成。当心理属性由不同的微观事态所实现时，就单个的微观事态来说，与心理属性有关的一个因果构成同一于这个微观事态，但是它缺乏自己的因果构成。

现在，如果实现物理主义是正确的，那么它应当能解释心灵哲学中的其他难题。第一，人格同一性问题，即微观的物理事态能够构成人格同一性的基础吗？（这类似于一尊雕像与一块汉白玉的偶合性问题）休梅克认识到，把微观物理属性作为实现心理属性及作为人格持续性条件太弱了，所以他认为所构成的微观物理事态中，即在身体构成部分中，还存在着一种类属性（sortal property）。类属性是指不同时间或不同阶段的微观物理事态中所存在的一种共同的属性，它与物理属性两者实现了人格的属性。休梅克打了一个比方，如果把人格同一性当成一条由不同路段构成的道路，那么这些路段就类似于构成人格的微观物理事态；从这些不同的路段可以推出存在着空间延展事态。正是它们构成了一条路。同样，也可说人格中不同的微观事实构成了人格的持续的存在。休梅克称此人格持续性是由微观层次上的复杂因果作用模式所实现的。[①]第二，感受质问题。按照休梅克的实现物理主义，感受质作为内在的属性也应当由微观物理事态所实现，而且也具有因果有效性。当然，由于感受质所实现的微观物理事态涉及的因果构成较为复杂，它无法进行功能性定义。同时，一个人内部的主体性经验间有着质上的差异和相似性，这导致各自有着不同的辨识或认知行为。对经验间的差异可以进行功能性的定义，而作为经验上的质的感受理性也可以从因果上归结为这些不同的行为。因此，正是依据主体性经验的感受质，人的经验才发挥着它的因果作用。

三、实现物理主义能否避开随附性论证的责难

从上面的论述可以看出，无论是梅尼克还是休梅克都试图用实现性来揭示心理与物理的关系，澄清心理因果性问题，避开随附物理主义的“笛卡儿复仇”。就实现性的形而上学意义来看，它比同一性关系弱一些，因此它能较好抓住心理

---

① Shoemaker S. *Physical Realization*. Oxford: Oxford University Press, 2007: 114.

对物理的依赖性或潜在物理状态的决定性本质，进而能在维护心理学自主性、心理因果独立性和心理定律存在的前提下发展物理主义。然而，当再进一步研究实现性的时候，我们发现实现论的问题并不比随附论少。[①]正如金在权所说，实现性可以推出随附性，因此难以避免随附物理主义的问题。

我们下面来考察一下，梅尼克和休梅克能否避开金在权的指责。就梅尼克的实现观来看，它是描述标记之间的关系，即一种类型的标记必然是由另一种类型的标记在满足一定条件下实现的。傅善廷（R. Francescotti）认为，这类似于具有一定密度的物体，它是由一定的材料的质量和体积所实现的，但是这种实现并没有必然的关系，因为密度也会反过来影响质量与体积。同样，梅尼克的实现物理主义离不开心理事件是由物理事件必然化的，但是心理事件也可能实现物理事件，"这似乎是这样的情况，无论什么心理性是依据物理现象所得到的，都不能简单地说前者是由后者实现的。现在，由物理所实现的心理性不能充分保证心理是依赖于物理的，因而也无法抓住物理主义的直觉。"[②]甚至可以从梅尼克的实现物理主义推出这样的世界：与日常世界在物理上无法区分，但是任何事情最终都是心理的。虽然梅尼克为了避免这个结论又加上了物理必然性，即这样的世界的标记是日常世界在物理标记分布的逻辑结果的同时又遵循着物理定律。然而根据傅善廷的分析，这实际上是一种随附性关系，因此梅尼克又回到了原来的老路。我们认为，梅尼克的失误在于他的实现物理主义建立在水平或"平面"层次观之上，被实现标记与实现标记都处在同一层次，只不过是前者是由后者构成的，或者是一种整体与部分的关系。梅尼克也承认，他所说的实现性可以推出整体随附性，虽然反过来不能成立。不过，就其实质而言，梅尼克毫不讳言，实现物理主义就是一种还原主义。

休梅克吸取梅尼克的教训，不但考虑到水平层次间的关系，而且强调了垂直层次间的关系，因此把实现关系定位于属性之间的关系，提出了子集实现观。这种子集实现观表明，属性实现是被实现属性与实现属性之间的前瞻性因果特性与后溯性因果特性之间的关系，这两个方面是子集关系，因此这一理论事实上避免

① 傅善廷认为在实现观念背后，不但允许物理实现心理的东西，而且也允许心理实现物理的东西，这种实现甚至出现在了梅尼克严格的实现定义中（Francescotti R. *Physicalism and the Mind*. Berlin: Springer, 2014: 68）。

② Francescotti R. *Physicalism and the Mind*. Berlin: Springer, 2014: 56-57.

了随附性结论。以休梅克的“属性因果论”为例，假如物理属性 M 实现了心理属性 P，那么 M 的前瞻性因果特性是 P 的前瞻性因果特性的一个子集，而 P 的后溯性因果特性是 M 的后溯性因果特性的一个子集。“作为有关因果特性的事实，这些子集事实将保持不变而且因果定律也保持不变。因此，假如 P 实现 M，那么无论何时 P 被例示，M 就被实现，这是法则学上必然的。”[①]但是这种法则学必然性能否推出物理事实形而上必然化为心理事实呢？傅善廷表示怀疑，因为法则学的可能性无法从形而上学方面保证相同的物理事实就有相同的心理事实。麦克劳林（McLaughlin）[②]在书评中说，子集实现蕴含着这样的可能世界，即 P 例示出来了，但是没有任何 M 的例示出现。这显然违背了物理主义的实质。“除非属性的因果论为真，否则不同一于物理属性的心理属性，并不能以物理主义所要求的方式阻止物理事实必然化心理事实。”[③]我们认为，休梅克的子集实现观虽然比梅尼克的标记实现观更具有解释力，但是其在层次观上主要强调垂直或维度观[④]，主观划定了实现者与被实现者之间的属性对立，因此难免陷入原有的形而上学的困境。

我们认为，在研究作为揭示心物关系之基础的实现概念时，应当注意理解实现概念的三个维度。第一是分解性实现与综合性维度。分解性实现指的是整体与部分或者宏观与微观之间的关系。金在权反对这种划分，他认为这实际上是一种部分学的关系，它无法表达事物的复杂关系，更不要说解释复杂的心理现象。第二是构成性或内在性实现（constitutive or intrinsic realization）与关系性实现。内在性实现就是被实现者由实现者内在的部分或活动机制所实现。这种观点为当代心灵哲学家广泛接受，然而像心理意向性、规范性这些关系属性如何用构成或内在机制解释呢？第三是共时性实现（synchronic realization）与历时性实现。大部分人认为实现是一种共时性的实现，类似机器功能主义所主张的心理功能是由大脑状态所实现的。但是我们还知道，作为一种生物功能，它是经过自然演化而选择下来的，是环境、社会、神经共同作用的产物，因此实现也具有历时性。考虑

---

① Francescotti R. *Physicalism and the Mind*. Berlin:Springer, 2014: 62.
② McLaughlin B. “Consciousness, type physicalism and inference to the best explanation”. *Philosophical Issues*, 2010, 20(1): 266-304.
③ Francescotti R. *Physicalism and the Mind*. Berlin: Springer, 2014: 63.
④ 我们不赞成 C. 吉勒特把休梅克的思想简单归结为平面实现观，因为休梅克区分了实现 1 和实现 2。

到这三种维度，就能明白，非还原物理主义如果把解决物理主义问题的希望全部寄托在实现概念之上，那么这个概念会因承载太多而叫苦不迭。

第三节 构成物理主义

从对实现物理主义的分析中，我们发现实现性也具有“构成性”的意义。C. 吉勒特认为，休梅克、金在权等对实现的理解是一种平面实现观，无法解决心理因果性等形而上学问题，因为事实上实现是一种因果构成性。[①]不过，构成性这个概念并不是由 C. 吉勒特最先引入心灵哲学中的，它在澳大利亚哲学家普赖斯那里就被提出来了。在普赖斯看来，同一分成定义式同一和构成性同一。例如，单身汉是没有结婚的男人，水是 H_2O。前者是定义式的同一，后者是构成性的同一。普赖斯把构成性同一当成一种后验的同一，心脑同一论也是一种构成性的同一。这种看法是比较容易引起误解的，鉴于此，后来的波义德便把同一与构成明确地区分开来了。波义德认为，构成的物质在个体结构与个体间排列上不同，相同的物质构成却不一定构成相同的对象，因为构成不同于同一。一些非还原物理主义哲学家在审视和借鉴这一思想的基础上，提出了构成物理主义的新形态，可表述为：所有的事物都是由物理构成的。

一、贝克的“属性构成”观

贝克（L. R. Baker）从一开始就宣称，她相信日常现象都是实在，任何日常事物包括心理现象都有本体论地位。她把自己的世界观称为“实践本体论”，认为与这个本体论相对应的就是非还原物理主义。在她看来，非还原物理主义是我们理解所遇到的世界的最有希望的形而上学观点，因为只有非还原物理主义才能解释我们这个世界中的日常现象和事物。

众所周知，非还原物理主义面临的最大问题是金在权的随附性论证。因此，贝克要想论证自己的构成论，就必须回应随附性论证提出的问题。她认为，随附

① Gillett C. “The dimensions of realization: a critique of the standard view”. *Analysis*, 2002, 62(4): 322.

性论证包含着两个错误的形而上学前提：第一，以微观为基础的宏观属性是宏观对象的属性，它可以根据微观结构进行概括，如 P 是一个以微观为基础属性以至于 P 是一个完全可分解为不重叠属性的部分（a_1，$a_2 \cdots a_n$）属性，以至于 P_1（a_1）、P_2（a_2）$\cdots P_n$（a_n）和 R（a_1，$a_2 \cdots a_n$）。[①]第二，心理属性和它们的实现者都处于同一个层次。一个单独的产生者的所有属性都处在同一个层次。心理与物理的冲突也是层内的冲突，如信念属性和神经属性都是同一个层次。根据这两个前提，贝克认为，心理属性只能还原为物理属性，它本身不具有因果性地位，因而是虚假的属性。事实上，我们有一些意向依赖的属性。例如，一个人欠债就具有因果有效性，它可以让你作出还债的举动。因此，如果否认心理因果性，那么我们无法对人类的活动给出描述，也无法理解人类的活动背后的原因与动物有什么区别，最终必然得出这样的结论，我们只是“无意识”的僵尸。

那么，我们如何来描述这个日常世界呢？贝克反对金在权将其归为同一的关系，而强调构成关系。她认为，构成关系是世界中一种非常普遍的关系，是空间上偶合的不同类事件之间的基本关系。当然，构成关系不是一种同一关系，它是一种统一关系。在一定构成条件下，所有在我们身处的世界中发现的对象都是构成性对象。有时，一个日常对象是由另一个日常对象构成的，但最终所有日常物质对象是由亚原子微粒集合体所构成统一的。为什么说构成不是一种同一关系？贝克认为同一性的观点源自传统的部分学观点，世界是由不同的层次构成的，低一层次构成了高一层次，或者说高一层次作为一个整体是由部分构成的。贝克认为，事物不是部分与整体的关系，任何事物都是一种原初类，“当一个原初类的事物处在特定环境下，另外一个原初类的事物，即一个具有新的持存条件和因果力的事物会产生”[②]。一个对象在没有它的原初类属性情况下不可能存在，每个对象都有它的原初类属性。例如，你本身的原初类是人，你身体的原初类是一个动物。当然，归入原初类有两种方式：作为本质上的那种类；作为由本质上那种类事物构成之间的偶然关联的类。因此，原初类具有派生性属性和非派生性属性两种属性。非派生性属性间的关系是部分学的关系，派生性属性间的关系是一种

---

① Kim J. *Mind in a Physical World: an Essay on the Mind-Body Problem and Mental Causation*. Cambridge: The MIT Press, 1998: 84.

② Baker L R. *The Metaphysics of Everyday Life: an Essay in Practical Realism*. Cambridge: Cambridge University Press, 2007: 23.

构成关系。“虽然构成不是同一，但它是真正统一的关系。并且因为构成是一个真正统一的关系，假如 x 在 t 时构成了 y，x 可以在 t 时从 y 借得属性，y 可以在 t 时从 x 借得属性。”[①]就是说，假如 x 在 t 时是由 y 构成的，那么某些 x 的属性在 t 时在 y 中有它们的起源，某些 y 的属性在 t 时在 x 中有它们的起源。假如 x 在 t 时是由 y 构成的，那么可以推导 x 在 t 时是 F，y 在 t 时非推导性是 F，或反之亦然，并没有存在着两个 F。

贝克重点研究的是派生性属性之间的构成关系，认为它是世界统一的基础。对于构成关系，在波义德那里有着两种理解：一个是组合性构成，另一个是结构性构成。贝克认为，在一些情况下，一个属性是由它相应的部分组合而成的，也就是部分学的构成，但是大多数情况下，构成是比较复杂的，有着不同的结构或关系背景因素。比如，我举起手，在一些情况下是手臂肌肉收缩构成的上举，但在公众场合或者在会场，投票或发言构成了上举。为了理解这种构成，贝克引入了“有利于属性 G 的环境”（G-favorable circumstances）这个概念，指的是作为对 G 属性有利的环境。他的这种观点也被称为“属性构成”（property-constitution）观。

（PC）x在t时拥有F构成了x在t时拥有G，可以定义为：

（1）x在t时拥有F并且x在t时有G，并且

（2）x在t时处在支持G的环境中，

（3）必然有：∀z[（z在t时有F且z在t时处于支持G的环境中）→z在t时有G]；且

（4）可能是：x在t时有F且x在t时缺少G。[②]

贝克属性构成观的核心概念是“G 的有利环境”。例如，当 F 和 G 是原初类，F 在 t 时构成一个 G，那么 F 是处在支持 G 的环境或对 G 有利的环境中。也就是说，只有在特定定律和有效的习俗的环境下，一片塑料才可以成为护照。只有在有机环境和可能进化史中，细胞团才能成为构成人类心脏的东西。G 的有利的环境是一个恰当的 F 构成它存在的条件，以至于没有这个条件，就无法构成 G。

① Baker L R. *The Metaphysics of Everyday Life: an Essay in Practical Realism*. Cambridge: Cambridge University Press, 2007: 37.

② Baker L R.“ Non-reductive materialism”. In McLaughlin B, Beckermann A, Walter S (Eds.). *The Oxford Handbook of Philosophy of Mind*. Oxford: Oxford University Press, 2009: 109-125.

在贝克看来，属性构成不同于其他构成甚至其他关系的特点在于：①在这里，构成对象是绝对的时空一致的。②保证没有什么事物能够同时构成相同类的两个不同事物；不可能一个部分构成了两个不同的事物，却是相同的类。这不同于下述部分学观点，即两个事物有相同的部分，如桌子与椅子都是由相同的部分构成。③不同的原因是因为存在着支持性条件，它们是一种原初类存在的充分条件。④这里的构成是非对称的。⑤构成是非反身性的和偶然的。⑥构成具有传递性，物质的东西总是与物质的东西相联，不可能与非物质的东西相联。

贝克认为，这种对属性构成的规定能够很好地解释心理因果有效性。她认为，一个属性例示具有独立的因果性需要具备以下条件：①它应当有它自己的结果，即便它的构成属性实例有不同，并且②它能赋予因果力，这个因果力不能被它单独的构成属性实例所赋予。心理因果性虽然最终是由微观物理属性所构成的，但是并不能还原到微观物理属性。例如，MP 是某人愿意举起手臂的微观物理构成者，而 MP*是某人举起手臂的微观构成者。就属性构成观来看，MP 不是 MP*的完备原因。因果完备原则只需要 MP*有一个完备微观物理原因，而不是 MP 作为 MP*的完备物理原因。MP 是一个较大微观属性集合体的适当部分，是 MP*的律则充分条件。根据属性构成观，某人愿意举起手臂引起了他举起手臂，他愿意举起手臂是由 MP 构成的，他举起他手臂是由 MP*构成的，但是 MP 不能引起 MP*。假如引起他愿意举起手臂的微观物理状态引起了他举起手臂的状态，那么并不违背因果闭合原则。因此，尽管属性构成观并不需要 MP 作为 MP*的充分条件，然而并不违背因果闭合原则。因此，我们可以看到，心理属性是由物理属性构成的，它并没有超出物理的世界。至于说它具有因果独立性，这在于说心理属性本身作为物理属性构成的复合体，也可以引起其他属性的结果。但是，就其本体意义而言，心理属性与物理属性没有区别，只是描述方式不同。

不过，许多哲学家还是认为贝克无法拯救非还原物理主义。一部分人集中质疑贝克所主张的构成复合体有本体论地位这一观点。蒙蒂切利（Monticelli）相信贝克内在秉持着“统一性传统”，虽然她不承认柏拉图所强调的共相统一，但是继承了亚里士多德的形式统一。所谓形式统一就是一种结构性或构成性的统一。“构成性是一个单独的广泛的形而上学关系，它把实在的不同层次项目统一成一个我们日常生活中经验到的对象，这些对象不能还原到构成它们的微粒集合体。”[①]那么这个构成性的复合体的本体论地位是什么呢？显然，贝克不能把它当成部分之和，因为如果如此看，便是将它还原到部分，这便倒向了还原主义。贝克只能回到胡塞尔的统一，即“现在，即使‘根源于事物的本质’（由已定义的 A 和 B 的类谓词所表征），本体论依赖明显可能存在于不是由包含关系所关联的事物之间，例如上帝和世界”[②]。这样一来，贝克所说的结构复合体就成了突现论所说的神秘存在的属性。另外，一部分人则怀疑“构成”本身的形而上学意义。比如，塞德尔（T. Sider）说，构成关系两边是两个不同的事物，为什么它们会偶合在一起呢？也就是说，“数量上不同的事物却具有空间的一致性？”齐默尔曼（D. Zimmerman）干脆说，构成根本无法完成统一的任务，两个不同的事物如何具有不可分离性，这是构成论无法解释的。[③]

二、佩雷布姆的“鲁棒性非还原物理主义”

佩雷布姆（D. Pereboom）清醒地认识到，非还原物理主义的核心主张不断受到来自反方的论证压力，如反对非还原心理因果力的“因果排他性论证”、反对随附性的“突现性论证”。为化解这些压力，保证心理对物理的依赖，同时又避免将心理还原为物理，佩雷布姆重新转向了波义德对实现的构成性理解。佩雷布姆坚决反对心理因果力的类型或个例同一于基本层次上的物理类型或因果力，同时又主张心理自身有因果性，因此他的理论被称为“鲁棒性的非还原物理主义”（RNP）。它认为所有世界的事实都必然有相关物理实在或微观物理实在这样的事实作为基础。值得注意的是，这里所说的“必然”不能用同一性而只能用构成性来解释。

首先，避免受到金在权所提出的因果排他性论证的冲击，彻底贯彻非还原物理主义，是佩雷布姆的主要目标之一。在因果性上，佩雷布姆坚持因果性是实在的特性，属性例示就是因果地产生出来的，因果力就是属性例示。如果假定心理因果性是存在的，那么有可能得出金在权所说的多元决定论或副现象论这类结

① Monticelli R D. “Constitution and unity: Lynne Baker and the unitarian tradition”. *The Monist*, 2013, 96(1): 4.
② Monticelli R D. “Constitution and unity: Lynne Baker and the unitarian tradition”. *The Monist*, 2013, 96(1): 15.
③ Zimmerman D. “The constitution of persons by bodies:a critique of Lynne Rudder Baker’s theory of material constitution”. *Philosophical Topics*, 2002, 30(1): 327.

论。佩雷布姆不同意金在权的“因果继承原则”的解决办法，即把心理类型的标记或个例因果性沉淀到物理类型的标记或个例的因果性，因为这等于说真实的因果力就是微观层次的因果力，心理因果力就是神经或微观物理因果力。许多哲学上的案例表明，高阶的属性并不同一于实现它们的低阶的物理属性。例如，特修斯之船就不同于它的船板，船板可以在维修过程中更换，然而特修斯之船没有变。那么是什么让特修斯之船能够保持同一性呢？佩雷布姆接受莫伊（M. Moyer）和贝克的“相似性”（sameness）概念认为，这种同一性实际就是一种相似性，它是从微观物理属性中抽取出来的。同样，心理属性也是从实现它的神经微观物理属性中抽取出来的。如果是这样，心理属性与微观物理属性之间是什么关系呢？佩雷布姆认为，这是一种不需要同一的实现关系。不过，他不同意休梅克提出的子集实现观，即虽然心理是由微观神经基础所实现，但是不能还原到后者，这主要是因为前者的前瞻性因果力是后者前瞻性因果力的一个子集。佩雷布姆分析道：这等于说与高层属性相关的一系列前瞻性条件因果力就是低层属性的一系列前瞻性条件因果力，它仍然无法避免心理因果力同一于微观物理因果力这一结论。因此，“假如心理因果力本质上是由物理的东西实现的，那么任何一个心理因果力的个例与它的物理实现基础之间的关系应当不是同一，而是实现或构成”①。

在具体说明构成时，佩雷布姆吸收了贝克的思想，但也有自己的发展。他的看法是，①构成关系应当是在特定的背景或条件下存在的，他说：“P 的存在必定是 M 的存在，仅当是处在特定的关系背景下，或者至少适用于某些构成模式。”在这里，他同时又借鉴了 C. 吉勒特的“维度”观和休梅克的“子集观”中的思想，因而有：②构成关系应当是由相关的、微观的物理事态所实现的，最终两者形成一种“构成（made up of）关系”。强调构成关系是佩雷布姆不同于贝克、休梅克等的地方，他认为，它是比基本微观物理层次上的状态更高的状态，是由微观物理事态相关之间的关系与结构而形成的抽象的状态。“构成关系”不能被分析成由基本的关系所组成的关系，或者部分学的关系，因为它具有非对称性和非反身性，如雕像是由大理石构成的，但大理石不是由雕像构成的。因此，按照构成关系的方向

① Pereboom D. *Consciousness and the Prospects of Physicalism*. Oxford: Oxford University Press, 2011: 135.

性，它最终指向更基本的关系，是我们世界中原初本体的存在。用佩雷布姆的表述说，这并不是突现论所认为的“自然的馈赠”，而是世界本来的样式。故而，当我们说雕像是由大理石构成的时，并不是说由一块大理石构成的，而是由构成一块大理石的微观部分的相互关系构成的。所以，构成关系不等于将高层属性还原到基本微观属性，而是前者必然以后者为基础。

佩雷布姆把构成关系看成一种具体物理实在之间的关系，包括状态、事件、属性例示或因果力之间的关系，因此他把这种构成关系称为“从物质上构成（materially constituted）的关系”。那么如何概述这个构成关系呢？佩雷布姆是这样描述的：

（MC）x 在 t 时物质构成了 y，当且仅当：

（a）y 在 t 时由 x 构成，并且在物质上与 x 一致；

（b）假如 x 在 t 时存在并且处在 D 中（注：D 是贝克所说的 y 的支持环境，或者作为 y 所需要的关系背景），那么必然地，y 在 t 时存在并且在 t 时由 x 构成，与 x 在物质上一致；

（c）有可能，y 在 t 时存在，并且没有这种情况：y 在 t 时由处于 D 中的 x 构成并且在物质上一致（注：多样可实现性）。[①]

按照这个构成定义，如果说心理属性例示是由某时的一定系统中的物理实现基础所例示的，那么心理因果力也是由物理实现基础的例示或者物理因果力所构成的。进一步的问题是，它是不是传统功能主义所说的：心理属性就是感觉输入、行为输出与其他心理关系之间的因果关系或构成关系呢？在佩雷布姆看来，心理属性包括现象属性，其并不是由它们的因果角色来定义的，它本身就是物理构成属性，或者说“内在的结构特性”，因此不是一种外在的功能属性。

这种对心理属性的结构理解可以解释心理因果性。佩雷布姆说：“我坚持把心理属性作为多样实现中抽象的构成属性，它提供了回答这个问题的模式。”[②]佩雷布姆把心理因果性作为一种内在的结构属性，又加上它是由微观物理构成的，因此，这种内在的结构属性与微观物理构成属性具有一定的关联，即它们既有着不同的模式属性，也有着相同的模式属性。在相同的模式属性内，心理属性与微

① Pereboom D. *Consciousness and the Prospects of Physicalism*. Oxford: Oxford University Press, 2011: 140.
② Pereboom D. *Consciousness and the Prospects of Physicalism*. Oxford: Oxford University Press, 2011: 57.

观物理属性是结构上相关的，因此心理属性会引起物理属性，即前者对后者有因果作用。

我们最后看一看，佩雷布姆的鲁棒性非还原物理主义能否达到它的目标。这里主要分析一下他对构成的定义。佩雷布姆认为，构成的定义是，（a）物质上一致，这个一致是一种部分学的概念吗？如果是，就等于任何事物都可以分解成物理的，或者说，“物质上一致的部分学概念就是还原的”。[①]如果是这样，那么就违反了非还原主义的精神。假如不是，佩雷布姆就需要把多样可实现性作为构成一个条件（c）。例如，有一个碳原子的晶状结构 A 在 t 时构成了钻石 D，但是根据（c）可能存在着 D 在 t 时存在却不是由 A 构成的情况。贝克认为，这是不真实的，因为任何不同的碳原子晶状结构将构成不同的钻石，后者不会因为前者不存在而不存在，“这似乎表明，构成应当允许但不是需要多样可实现性”[②]。最后，构成关系是一种必然关系吗？或者说，（b）能保证物理主义的形而上的依赖性吗？从（b）来看，无论是同质构成还是异质构成都需要一定的背景条件，这个背景条件是什么呢？如果它存在，构成者能必然地促成被构成者，但是它不存在的话，构成者能否必然让被构成者不存在呢？这恐怕不一定。梅尼克认为，从构成性中推不出随附性。总之，构成条件并不能充分保证非还原物理主义，因而不能成为为后者辩护的基础。

三、构成物理主义的前景

客观地说，构成物理主义要比实现物理主义或随附物理主义具有更大的解释力，构成关系是比实现关系或随附关系更为紧凑的形而上学关系。就随附性关系来说，它可能是先天偶然的关联，或者是时紧时松的依赖，如果是这样，它便无法说明心理的本体论地位，更不要说因果地位。然而，构成关系强调被实现者以实现者为必然条件，以相关的实现者构成为基础，同时又承认世界的多样性与复杂性，这符合物理主义所描述的图景。因此，就其精神实质来说，

---

① Baker L R. “Pereboom’s robust nonreductive physicalism”. *Philosophy and Phenomenological Research*, 2013, 86(3): 738.

② Baker L R. “Pereboom’s robust nonreductive physicalism”. *Philosophy and Phenomenological Research*, 2013, 86(3): 740.

构成物理主义既坚持了物理主义，又包含有本体论的多元论因素，这是它有更强解释力的一个原因。

问题是，构成物理主义真的如其倡导者所期望的那样，能为非还原物理主义辩护和为其发展带来希望吗？这是有疑问的，甚至在批评者看来是不可能的。因为它要成立，必须解决下面的问题，而它并未如愿以偿。这些问题有：①构成者与被构成者是两个事物，那么它们是如何从空间上偶合或"在物质上偶合"的呢？是什么力量让它们恰巧相遇呢？（佛教上说到这种关联时，总是采用"因缘和合"或"因缘俱足"来表述）是上帝或神仙，抑或必然规律？②假如构成者构成了被构成者，它们应当在性质上不同，具有不同的实在或属性，因为不能是自身构成自身。那么接下来，被构成者是不是可以脱离构成者而独立存在呢？如果是，这就违背了物理因果闭合原则；如果不是，它们就要存在着严密的依赖关系。然而③，若被构成者依赖于构成者，则这种关系是非对称的，若构成者并不依赖于被构成者，我们说这种关系是松散的。最为严峻的问题在于④，有些属性并不是由微观物理属性直接构成的，而是间接的，或者说是相关条件结合起来才构成的，那么被构成者的属性是内在还是外在的呢？如果是内在的属性，那么塞尔就会提出句法如何产生出语义的问题；如果是外在的属性，那么这种外在属性会延展到何处呢？

对于这些问题，我们认为，构成物理主义实际上既想坚持物理主义，又想承认世界的复杂性和多元性，因此被构成者就像心理属性一样，只能是一种由构成者相互之间的关系或结构形成的高阶属性。如果再继续探讨其本体论地位问题，我们就不得不投入突现论的理论怀抱，这样一来，便有这样的进一步的麻烦：突现论这个被认为是二元论的成员（至少有些形式在本质上是这样）能否与物理主义走到一起呢？

第四节　物理主义的突现论转向与 E-物理主义

从哲学史上看，实现性和构成性最初都是技术的术语，尽管它们被用来表述非还原物理主义的"非还原性"并被赋予了许多哲学含义，但是作为心灵哲学的范畴流行时间较短，要被接受，尚需时日。然而，在此期间有人提出：应通过复苏传统的“突现性”概念来表述或深化非还原性的义理。金在权在分析非还原物理主义的核心内容的基础上，直接宣称非还原性的实质就是突现性，突现论可以成为非还原物理主义的实质性的表述，特别是“伴随着还原物理主义的颓势，突现论显出强烈的复兴信号，我们现在看到，无论是在严肃的哲学文献中，还是在心理学、认知科学、系统论等类似著述中，传统突现论意义上所采用的诸如‘突现’‘突现属性’‘突现现象’等术语在不断地增加并且未加分析地被使用”。①

事实上，如果我们把目光投向 20 世纪二三十年代，那么我们会看到：传统的英国突现论就具有当代非还原物理主义的色彩。布罗德（Broad）坚持高阶属性依赖于低阶属性，后者无法推导出前者，因此是一种突现关系。同时，布罗德还提出了数学天使论证，类似于后来反还原物理主义的知识论证。然而，这种传统突现论在逻辑经验主义和科学发展所追求的科学统一的目标下，到 20 世纪 30 年代便逐渐衰微，直到后来在心灵哲学中复苏。突现论在物理主义中的复苏与心理因果性问题有关。我们前面说过，非还原物理主义如果承认心理属性是不可还原的并且具有因果有效性，那么它就具有下向因果性，而这个下向因果性若不违背物理因果闭合原则，只能导致还原论或者副现象论；如果不想回到这个结论，同时满足心理不同于但是依赖于物理属性的内容，无疑突现论是最好的选择。“无论怎样，反还原论共识巩固的一个直接后果就是已经显出突现论的复苏——即使不是回到 20 世纪 20 年代和 30 年代的传统突现论所流行的信条，至少也用到了它的专有术语和口号。”②

一、C. 吉勒特“拼接物理主义”

令人惊奇的是，C. 吉勒特发现，尽管金在权批评非还原物理主义的实质是突现论，竭力要避开突现论，但是他仍然深受突现论的影响。比如，在金在权有关心理因果性的研究中，他明显宣称赞成亚历山大（S. Alexander）的名言“凡是

---

① Kim J. *Mind in a Physical World: an Essay on the Mind-Body Problem and Mental Causation.* Cambridge: The MIT Press, 1998: 7-8.

② Kim J. *Mind in a Physical World: an Essay on the Mind-Body Problem and Mental Causation.* Cambridge: The MIT Press, 1998:8.

实在的都是有因果性的”。因此，在金在权的随附性论证中，就有这样的思想，即属性的存在可以个体化为因果力。如果从这个前提出发，被实现的属性应当也有因果有效性。C. 吉勒特把它称作高阶因果有效性（high causal efficacy，HCE），它构成了个体因果力的一方面。

不过，金在权对于这个高阶因果有效性的独立性地位有着更为彻底的看法。众所周知，非还原物理主义的基本原则是，所有的个体都是由微观个体构成或者是相同一的，所有的属性都是由微观属性构成的，或者是相同一的。[①]因此，假如心理因果性是真实的，那么它只能还原到微观物理实现者的因果有效性。但是，按照 C. 吉勒特的说法，这种把实现的属性还原到实现者的属性，等于说实现的属性并不是真实存在的，而只是虚假的。为什么会造成这样的令人尴尬的结论呢？C. 吉勒特认为，金在权的观念中存在着两个致命的问题：①金在权坚持的是一种平面的实现观，它把所有的实现者与实现的属性作为在同一个个体上的例示。②它们在对个体的影响力方面是重叠交叉的。因此，金在权的平面观无法解释实现者的属性如何实现被实现者的属性，因为被实现者的属性不能在同一个个体上例示。例如，金刚石的硬度就不能按照金在权的功能还原模式功能化为有关黏合与矩阵的属性，后者与前者并没有共同的属性。

相对于这种平面的实现观，C. 吉勒特提出一种“维度”的实现观。所谓维度实现观，是指被实现者的属性是由以一定结构或次序构成的实现者的属性所触发的，被实现者与实现者属性并没有共同的影响力。根据这种实现观，任何被实现的属性都可以功能化，并且不依赖向实现者的还原，因此它强调的实现是“非还原的实现”。这种非还原的实现可以追溯到英国突现论者亚历山大的“突现属性或性质”概念。根据这一概念，具有突现性质的复合体的部分通常会产生某些不同于它们的“高阶的存在”，但是它们本身并不会改变。C. 吉勒特认为这具有当代哲学意义，因为亚历山大的观念中包含着这样的思想：实现者具有某些有条件的力（conditional powers），它能引起其他属性。所以，C. 吉勒特提出，基本的微观实现者属性在具体条件下会引起特定的有因果力的东西。

这个特定条件下的因果力是什么呢？C. 吉勒特认为，它是源于微观属性或

---

① Gillett C. “The dimensions of realization: a critique of the standard view”, *Analysis,* 2002, 62(4): 316-323.

关系的力，但是是由实现的属性所例示的，也就是说，实现的属性决定着实现者或微观属性的因果力贡献。不过，C. 吉勒特认为，这种决定性不是一种因果决定性，而是一种部分的、非因果决定性。例如，我的疼痛决定着神经活动区域的大小、关联程度，但这并不是说我的疼痛引起了神经活动区域的大小变化、关联紧密程度的变化。由此，C. 吉勒特提出了一种“放宽的形而上学方案”：假如一个实现的属性是部分和非因果地决定着某些源于它的基本微观实现者的力，那么实现的属性会通过这些微观实现者和它们的力的贡献而具有有效性。在这样的情况下，物理主义一直为真，非因果决定性的属性一直是实现的，并且完全是功能化的，但是我们必须承认实现的属性的因果有效性无法还原到基本物理属性。这种实现的属性，C. 吉勒特称为强突现的属性。所谓强突现，是指在一个个体 S 中，一个属性例示 x 是强突现的，当仅仅当（i）x 是由其他属性或关系所实现的，并且（ii）x 部分地、非因果地决定着至少是一个基本属性或关系在实现 x 时的所提供的因果力。

C. 吉勒特的强突现观是否与物理主义相冲突呢？回答这个问题的关键在于弄清强突现的实现属性是否违背物理学的完备性原则，因为后者是物理主义的主要核心原则和基础。首先，物理完备性定律告诉我们，所有微观物理事件都是由先在的微观事件和物理学定律所决定的。但是，强突现的实现属性表明，并不是所有的微观事件都是由先前的微观事件单独决定的，因为强突现属性是这些事件的部分决定性因素。其次，C. 吉勒特进一步分析称：当金在权物理完备性定律表明实现属性与实现者例示之间是能力或力的传递关系时，还存在着一类不同的决定性关系，即非因果的或本体论上的决定性，“非因果决定性是不涉及整体上的不同实在的例示，明显不涉及能量的传递和（或者）力的媒介”[①]。这表明，物理完备性定律是错误的，它也无法成为物理主义的前提或充分条件。

C. 吉勒特大胆地提出，我们可以在抛弃物理完备性原则的同时坚持和发展物理主义，如阐发一种强突现的实现属性的物理主义，即“拼接物理主义”（patchwork physicalism）。[②]“拼接”这个术语源自卡特赖特（N. Cartwright）在阐释多元论形而上学时提出的“拼接定律”。卡特赖特认为，世界是由不同领域

① Gillett C. “The dimensions of realization: a critique of the standard view”. *Analysis,* 2002, 62(4): 316-323.
② Gillett C. “The dimensions of realization: a critique of the standard view”. *Analysis,* 2002, 62(4): 316-323.

内不同定律所控制的，它们并不是按照系统或统一的方式彼此关联的。当然这种多元论对立于传统哲学的本质主义[①]，同样，C. 吉勒特的拼接物理主义也拒绝还原物理主义所强调的一维世界。在还原物理主义那里，世界只有一个真实的实在，即基本的物理实在，因此是一个一维世界，这个世界只有微观物理属性和个体，至于区分的层次也只是理论或概念图式的描述。拼接物理主义拒绝这样的彻底本体论结论，它把世界描述成一个由不同的领域拼成的世界，是通过实现关系而拼接高层与低层属性所形成的世界，个体的层次例示着这些不同的属性。“因此，拼接物理主义通过因果有效属性的拼接而保留着一个分层的世界。”[②]在不同的世界观下，还原物理主义主张所有的属性都可以通过微观实现和功能化进行同一，物理定律是唯一的基本定律。然而，拼接物理主义认为，基本定律还包括以强突现属性为基础的高层定律，物理定律和高层定律拼接共同构成基本定律。这种“拼接”的比喻很好地抓住了源于强突现属性的决定性实在的本质。C. 吉勒特认为，他的拼接物理主义与福多所提出的“物理学的普遍性”是一致的。在福多看来，所有归入具体科学的定律下的事件都是可归入物理定律的事件。强突现实现的属性也是具体科学描述定律描述的事件，因此也是物理定律描述的事件。至于因果有效性，当还原物理主义认为只有在微观物理学中才有一系列的基本决定性并具有因果有效性的实在时，拼接物理主义提出一个基本决定性并具有因果有效性实在的嵌合体，它们不仅是微观物理属性，而且也是强突现实现的属性，其与微观物理属性共有基本因果力的决定性。

C. 吉勒特的拼接物理主义不同于传统非还原物理主义的地方在于层次观的创新。当传统非还原物理主义把世界看成一个由高到低的蛋糕式的分层世界时，拼接物理主义没有人为地去把世界切割，而是通过一个实现关系或突现关系把世界拼接起来，以至于形成了一个相互结合的世界。在这个世界观上面，物理主义不会在坚持物理学完备性原则的基础上，为怎样说明心理因果有效性而犯愁。然而，旧的问题没有了，新的问题又来了，我们可以问：这个物理世界是通过什么拼接起来的？有没有什么自然之“胶”去黏合？心理属性非因果地决定着微观物

---

① Cartwright N. “Fundamentalism vs. the patchwork of laws”. *Proceedings of the Aristotelian Society*, 1994, 94(1): 279-292.

② Gillett C. “The dimensions of realization: a critique of the standard view”. *Analysis*, 2002, 62(4): 316-323.

理属性而且是同时地决定，这在经验科学上如何予以验证？或者是否只是一个为了解决问题而提出的缓兵之计呢？

二、维拉斯克斯"E-物理主义"

除了心理因果性问题给非还原物理主义带来了较大的麻烦之外，心理现象的感受理性或主观性，这个 20 世纪 70 年代被内格尔称为"成为 X 感觉起来是什么样子"的主观经验特性，也成了当代物理主义挥之不去的阴影。面对这个心理现象的重要特征，物理主义者如果不想接受内格尔的不可知论或怀疑论，或者不愿回到二元论或副现象论，那么就需要重新说明心理的本质及与物理的关系。

维拉斯克斯（R. J. Velásquez）把这种心理现象的主观性称为"现象属性"，即一个作为现象意识的主体的属性就是那种对于主体来说存在着感觉起来是什么样子（what-it-is-like）的属性。对于这个属性的本质，当代心灵哲学有极端和温和两种说明模式：一种是取消主义，它把现象属性视为前科学中的现象，像燃素一样并不存在，因此应当剥夺它的本体论地位；另一种是其他形式的物理主义，它们把现象属性看作是同一或随附于物理属性的东西。维拉斯克斯反对取消主义，坚持现象属性的实在论，然而他既不赞成还原物理主义把现象属性同一于物理属性，也不赞成现象属性随附于物理属性。因为，还原物理主义实际上不承认现象属性的存在地位，而非还原物理主义则把现象属性当成一种关系属性。事实上，现象属性是一种内在属性，是世界中的原初事实存在。[①]这种原初事实不能用自然科学的方式进行研究，也无法用自然科学来解释。那么这种现象属性如何存在于物理世界中呢？

维拉斯克斯相信物理主义的合理性，相信现象属性是由物理系统实现的，但是这里所说的实现不是一种随附性。在物理主义框架内，假如意识的现象属性是一个随附属性，那么现象属性就可由物理属性从形而上必然地推导出来。[②]这种形而上的必然性只能意指随附属性从原初基础属性在"本体论上推导"出来，因此可以得出结论：物理随附基础本身没有意识现象属性，构成部分也不能例示意识现象属性，否则意识现象属性就是一个物理属性，而不是一个随附属性。"假

① Velásquez R J. *E-Physicalism: a Physicalist Theory of Phenomenal Consciousness*. Berlin: De Gruyter, 2012: 18.

② Velásquez R J. *E-Physicalism: a Physicalist Theory of Phenomenal Consciousness*. Berlin: De Gruyter, 2012: 108.

如意识是一个随附属性，一方面我们应当有些随附实在，作为它们存在着感受类的东西；另一方面，我们应当有相应的随附基础，它不包含这样的物理身体，作为它存在着感受类的东西。然而，这是不可理解的。”[①]维拉斯克斯进一步推出，假如现象属性随附于物理属性，那么现象属性没有原初的因果力，而只有从构成随附基础物理实在的因果力推导出的因果力。如果现象属性没有自己的因果力，它就不是独立的实在，这又与随附性物理主义的基本思想不一致。总之，随附性关系太弱，无法保证现象属性从原初物理属性中例示出来，同时，它使得现象属性没有原初的因果力。因此，现象属性应当是一种内在的属性。

当然，维拉斯克斯不同意泛心论把这个现象属性看作是基本物理实在的一种内在属性，而是看成一种物理复杂系统的高层属性。那么这个高阶属性的本体论地位如何呢？按照维拉斯克斯的说法，高层属性是由作为整体的物理复杂系统产生的。例如，固体性、温度、传导性等可以归为高层属性，这些属性在基本的物理构成中无法找到。因此，传统的物理主义把所有的高层属性、事件和过程还原到微观的、基本的物理属性、事件和过程，实质是一种取消主义。维拉斯克斯把这种观点称为微观物理主义。为了保护高层属性的“本体论上的新奇性”，维拉斯克斯引入了突现物理主义（emergence physicalism，简称 E-物理主义）。

E-物理主义不同于随附物理主义的地方在于，①它提出了一个三维层次（3D level）观。层次观最早是由传统的英国突现论者提出来的，即每个层次都是一个具体自然科学所描述的对象，从基本的物理学依次经化学、生物学到心理学。但是，他们认为，每个层次都有独特的属性或现象，并且不是由低层的属性或现象推导出来的，因此高层属性的出现具有“神秘性”的特点。后来，随附物理主义或非还原物理主义者也接受了这种层次观，不过，为了避免陷入神秘性，他们加上一个随附性概念，以“黏合”各个层次间的关系。不过，随附性太强则会导致还原主义，太弱则会出现副现象论。维拉斯克斯认为，这是一种两维的层次观，它构成了问题的根源。也就是说，它只是从逻辑或共时的角度去考虑实在之间的关系，而没有注意到垂直的空间的立体性维度。在这个维度下，世界是由基本实在和复杂的实在构成的，后者具有本体论上的新奇性。在这些层次之间，存在着紧密的

① Vellásquez R J. *E-Physicalism: a Physicalist Theory of Phenomenal Consciousness*. Berlin: De Gruyter, 2012: 116.

关系。②E-物理主义把这种关系称为“法则学必然性”。所谓法则学必然性是指自然定律下的必然性。自然定律是指决定着物理实在相互关联的时空结构和规则的定律。法则学必然性是一种形而上的偶然性，即在一些形而上的可能世界中，除了遵循日常世界的自然定律以外，还存在着另外一些自然定律。例如，我们可以设想，在这些世界中存在具有高层属性的实在，它们遵循着另外的自然定律。这种律则必然性可以理解为“突现性”。维拉斯克斯说，这可以从汉弗莱斯（P. Humphreys）的历时突出性定义中推导出来。他认为，一种物理上的法则学过程（他称为“融合算子”）可以从低层或基本层次的实在中产生出一个具有新的原初因果力的、新“融合”性的实在。这个融合算子的存在表明具体物理律则过程的存在。

那么E-物理主义如何解释意识的主观性或现象性，以及回应各种反物理主义的责难呢？首先，维拉斯克斯认为，意识由经验者的基本物理构成、基本定律和边界条件共同构成并且突现出来。经验者或感受者（experiencer）是指例示意识的最小物理系统，主要指身体构成部分和结构。当这些物理系统具有某些动力状态时，它们就例示出有意识属性，因而变成感受者。这些动力状态就是维拉斯克斯所说的“有意识状态”，它蕴含着许多亚状态和不同层次的状态，而且具有特定的关联，因而形成了“意识突现定律”。显然，作为产生意识状态的身体并不是孤立的系统，它还以一定的律则关联于其他系统，如外界环境、社会等系统，这些系统因素也通过身体构成而影响着有意识的状态。接下去，我们可以设想：在一个可能世界，按照上述物理条件进行了复制，但是并没有出现意识。这就是查默斯的反物理主义的“可设想性论证”或“僵尸论证”。维拉斯克斯认为，查默斯预设了物理主义是微观物理主义，即所有高层属性可以还原到微观物理属性，因此尽管复制了所有的微观物理属性，仍然没有出现意识或现象属性。对于E-物理主义来说，复制所有日常世界的物理构成，就不可能是一个僵尸世界，因为在这个可能世界中，意识凭借前面所说的“意识定律”这个自然定律从基本物理事项中突现出来。如果在这个可能世界中，缺乏“意识定律”这个自然定律，那么这个可能世界就不是日常世界的物理复制品，也就不存在无意识的僵尸。

然而，由于E-物理主义还是坚持意识属性具有因果力，它将面临金在权的随附性论证或因果性闭合论证中所得出的意识属性并没有因果力的威胁。维拉斯克斯认为，金在权的论证包含着“爱德华格言”（Edward dictum）：在垂直决定性与水平因果性之间存在着张力，事实上，垂直决定性排斥了水平因果性。如果我们接受爱德华格言，我们就不得不把心理因果性沉淀到基本物理层次，从而拒绝E-物理主义。但是，维拉斯克斯认为，因果性涉及许多层次，无论是垂直层次上，还是水平层次上，它们都有着法则学的关系，因此也有着不同的因果关系。意识属性的因果性并不排除水平上的物理因果性。

因此，E-物理主义把意识的感受理性或主观性也看成一种物理属性，并且定义为现象意识的一个要素内容。这个感受质虽然是现象内容的一部分，但是并不能用命题与概念进行表达，自然也谈不上杰克逊所讲的知识论证所提到的现象知识问题。而且，意识这种感受质或主观性有着一定的生物功能，是经过自然选择而留下来的，所以它是一种历史长河中突现的属性。

相比C. 吉勒特的拼接物理主义，维拉斯克斯的E-物理主义也是一种强突现的物理主义，他们都强调本体论上的新奇性。正是基于这一点，维拉斯克斯总是解释说，意识或现象属性是由物理属性所实现的，本质上是物理主义的东西，并没有超出物理世界的界限。然而，维拉斯克斯认为，物理主义教义的核心是强调所有事物都具有物理的本质，那么在这个突现的属性中如何安放物理的本质呢？我们认为，从他们的表述来看，突现的属性是由物质结构与关联所形成的，因此它应当是一种结构或形式的存在。作为一种结构或形式，它是实在的还是非实在的呢？如果是实在的，怎样理解这种实在？它与构成的部分有何关系？有无具有优先性的实在？这都是突现物理主义所面临的共同问题。

三、霍根最低限度的突现物理主义

霍根曾经把唯物主义分成前理论化的唯物主义与理论化的唯物主义。理论化的唯物主义就是物理主义。在理论化过程中，物理主义的形而上学内容逐渐被清晰地表达出来，其中最为典型和明确的物理主义表述是最低限度的物理主义（minimal physicalism）。最低限度的物理主义最早是由刘易斯提出来的。他认为，①日常世界都是由最低限度的物理事物构成的；②如果任何由复制最低限度物理事物所构成的可能世界与日常世界在物理方面是内在相似的，则在所有的方面都是相似的；③不存在连接物理个例或属性与非物理个例或属性的法则学必然性或形而上必然性这样的原初层间关系。[①]霍根认为，前面①②基本表达了物理主义的随附性精神，即不存在在物理方面有着差异而在心理方面没有差异的可能世界，但是③需要进一步阐释。因为③是强调只有基本物理学定律或法则学关系才是形而上优先的，高层定律或者高层与低层间的定律或关系者应当是从物理学的定律或关系而非本体论上推导出来的；如果是这样，像意识等内在属性是如何从基本的物理属性中推导出来的呢？

霍根认为要表达物理主义的形而上学的立场，只能有两种选择：①法则学的最低限度的突现主义；②摩尔（G. Moore）[②]最低限度的突现主义。所谓法则学的最低限度的突现主义是这样的理论，它断言，“在特定物理属性和形而上原初的非物理属性之间有着无法解释的、形而上原初的层间必然关系；它承认，这些层间的必然性关系的模态力是法则学的”[③]。这样，物理主义就要承认在日常世界中存在着物理属性与特定的非物理属性之间的原初的、层间的必然的法则学关联。不过，众所周知，这个法则学最低限度的突现主义只限定于日常世界，并不具有逻辑上或形而上的必然性。因此霍根又提出了摩尔的最低限度的突现主义。这种突现主义认为：“特定的形而上的原初层间随附性关系是从形而上必然性得出来的，而不是单纯的法则学必然性。”[④]物理主义承认的关系是，“存在着关联物理属性与特定非物理属性的原初、层间的形而上的必然关系”。[⑤]这种物理主义表明，当在物理属性与突现属性存在着原初的、形而上的必然、随附性关系时，那种形而上基本的突现属性也被例示了。

尽管霍根提出的最低限度的突现主义看起来很美，但是要让它成为物理主义的一个合适类型，他必须说明它与传统突现论有何区别，它与物理主义如何圆满地结合在一起。霍根认为，传统突现主义存在着两个基本的原则，物理学的法则学开放性（nomological openness of physics）和突现力的产生，两者相互支持。霍

---

① Horgan T. “Materialism, minimal emergentism, and the hard problem of consciousness”. In Koons R C, Bealer G(Eds.). *The Waning of Materialism*. Oxford: Oxford University Press, 2010: 310.

② 摩尔单独出现时指G. 摩尔。

③ Horgan T. “Materialism, minimal emergentism, and the hard problem of consciousness”. In Koons R C, Bealer G(Eds.). *The Waning of Materialism*. Oxford: Oxford University Press, 2010: 311.

④ Horgan T. “Materialism, minimal emergentism, and the hard problem of consciousness”. In Koons R C, Bealer G(Eds.). *The Waning of Materialism*. Oxford: Oxford University Press, 2010: 313.

⑤ Horgan T. “Materialism, minimal emergentism, and the hard problem of consciousness”. In Koons R C, Bealer G(Eds.). *The Waning of Materialism*. Oxford: Oxford University Press, 2010: 314.

根反对这两个原则，认为根本不存在什么突现力，既然没有突现力，也就不存在物理学的法则学开放性，这都是可以从经验科学角度加以证实的。因此，他提出的最低限度的突现主义不是基于这两个原则，相反它是基于“物理学是法则学闭合的假说，进而也与下面的假说一致：自然界中的唯一基本力是物理的力”。[①]而两个原则，即闭合原则和只存在物理力的原则，恰好是物理主义的基本原则，因此，这个最低限度的突现主义是与物理主义相一致的。

那么霍根为什么把这种最低限度的突现主义阐释为物理主义的替代性选择呢？霍根说，现象意识或感受质是心灵哲学中的难题，是许多物理主义类型、功能主义和还原主义（包括高阶表征主义、外在表征主义和内在表征主义）所无法解释的，因为它们都无法避开刘易斯所说的解释鸿沟问题。刘易斯认为，过去20年来，无论是把感受质作为内在属性还是作为关系属性，都不可避免地陷入这样一个悖论中：“作为内在属性的感受质不能整合到自然主义框架中，但是把它们作为关系属性的建议似乎根本不吸引人。”[②]这些理论都无法用物理学或其他自然科学解释：一个正在发生的大脑过程或者例示的物理实现的功能属性怎么可能具有一种特定的现象特征，而不是其他现象特征？解释鸿沟的具体案例就是感受质颠倒现象、僵尸可设想性，它们均表明感受质是无法用物理主义框架加以说明的，因此物理主义是错误的。对于解释鸿沟，霍根也有这样温和的认可：我们不能不顾客观事实而想当然地去加以填平，而应当认识到，解释鸿沟作为认识论上的现象反映了潜在的形而上的鸿沟，即在特定的物理或功能属性与现象属性之间存在着一种形而上的原初的必然关系。最低限度的突现主义认为，它们是世界上的原初形而上的事实，所以无法用基本的物理学定律去解释。不过，仍有些物理主义者，像希尔（Hill）、洛尔、麦克劳林等试图通过阐发新型的物理主义，化解有关难题，强调解释鸿沟源于概念鸿沟，因而不是真正的现象意识问题。他们认为，现象属性有可能被证明就是物理属性，但是表示现象属性的概念并不能建构成表示物理属性的概念，因为现象概念独立或不同于物理概念。例如，有物理主义者认为，现象概念是一种重识（recognitional）概念。按照人类认知的经济学

① Horgan T. “Materialism, minimal emergentism, and the hard problem of consciousness”. In Koons R C, Bealer G(Eds.). *The Waning of Materialism*. Oxford: Oxford University Press, 2010: 315.

② Lewis D. “Causation as influence”. In Collins Hall J, N, Paul L(Eds.). *Causation and Counterfactuals*. Cambridge: The MIT Press, 2004: 93.

原则，可把经历的状态归属于一种特定的内在状态，相应地，可把现象概念看作是对经验的内在状态的某种呈现模式的描述。如果是这样，现象概念就不是认知上空洞的概念。但是，霍根认为，这种新潮物理主义（new wave physicalism）的问题仍很明显，并提出了这样的解构性论证：①当一个现象属性在一个现象概念下被设想时，这个属性就可以被设想为物理功能属性之外的属性；②当一个现象属性在一个现象概念下被设想时，这个属性可以直接设想为它自身；③无论是哪种情况，这个现象属性不是一个物理功能属性。如果解构性论证是有效的，那么就表明现象属性可能是一个原初的、形而上的属性。

另外，最低限度的突现唯物主义能否反驳因果闭合性论证呢？众所周知，金在权曾断言，心理因果性只能还原为基础物理属性的因果性。霍根认为，心理因果性不是基础层次的因果性，因为现象属性的例示必然是由基本物理属性例示的，这个必然性涉及现象属性与物理属性之间的层间随附关系，所以现象属性因果相关于物理属性，而这个因果相关性是基于物理与现象属性的必然关系。如果是这样，这个必然关系又分成两种：一种是法则性的必然关系，另一种是摩尔所说的随附性关系或者说形而上的随附关系。按照法则性突现主义的说法，心理因果性就是一种法则上关联的原初的心理与物理的因果关系；按照摩尔的形而上的突现主义，心理因果性就是一种形而上关系的原初心理与物理的因果关系。

总之，最低限度的突现主义强调，存在着一种原初的必然性的层间关联，尽管人们对这种必然性的关联存在着不同的看法，但是它既与物理主义的因果闭合原则、真实的力只有物理的力的假设是一致的，因此可以称得上是一种突现物理主义。不过，霍根这种物理主义在说明心理与物理的必然关联时，显然仍会面临斯马特所说的“法则学摇摆”（nomological danglers）问题，即如何用一个整体的理论去概括两个明显不同的现象。

第五节 二元论物理主义

当代物理主义所遇到的最大难题是难以用自己坚持的原则说明现象意识或感受质的地位问题。反物理主义用各种奇思妙想的思维实验，如黑白玛丽、蝙蝠论证、僵尸实验等，竭力证明心理现象的感受质无法同化为物理的东西，因此得出结论说，它们只能是非物理的，如果是这样，已有的物理主义就是错误的。面对这个被视为无法同化的“意识的困难问题”，有些物理主义者开始作出一定的妥协，尝试把二元论引入物理主义框架中，提出了概念二元论的物理主义，有的甚至倡导本体论上的二元论物理主义。

一、概念二元论的物理主义

面对当代反物理主义者构造的知识论证这样精致的二元论论证，物理主义从单纯依靠经验或科学论证转向了对现象概念的分析，以此来同化反物理主义难题。斯图尔加（Stoljar）把这一物理主义路径称为“现象概念策略运动”，而这种物理主义被查默斯称为“B 类物理主义”，霍根和廷森（J. Tienson）则把它称作“新潮唯物主义”（new wave materialism）。

反物理主义认为，①物理主义如果是正确的，那么，它所坚持的命题就是一个必然的形而上学命题，即心理事物在本体论上或形而上同一于或随附于物理事物。②物理知识无法先验地推导出现象知识，或者可以设想没有现象知识的物理知识。③物理主义为假，二元论是可能的。以上论证关键在于②，即物理主义如果为真，我们通过内省所形成的现象知识应当可以从物理知识推导出来，然而基于现象概念的现象知识无法先验地加以推导，因此只能得出二元论的结论。因此，物理主义与反物理主义争论的焦点在于：如何看待表述心理现象或状态的概念与表述物理现象或状态的概念之间的关系。所以，反思心理或现象概念已经成了捍卫物理主义的人的首要任务。巴洛格（K. Balog）指出：“现象概念在近来的心灵哲学中引起了越来越多的关注，这源于它们经常出现在二元论论证和物理主义反对二元论的论辩中。”[①]帕皮诺（D. Papineau）也说：现象概念几乎成了所有研究意识的当代哲学家的通用货币。

自 20 世纪 90 年代以来，以希尔、洛尔、麦克劳林为代表的哲学家一直强调，现象概念不同于其他概念，但不能据此像反物理主义者那样得出二元论的结论。麦

① Balog K. “Phenomenal concepts”. In McLaughlin B, Beckermann A, Walter S(Eds.). *The Oxford Handbook of Philosophy of Mind.* Oxford: Oxford University Press, 2009: 293.

克劳林认为，反物理主义论证需要说明关于现象概念和物理概念的特定事实，而不是像常识心理学那样为现象概念设定一个实在。洛尔则指出，应着力揭示现象概念背后的直觉，看到现象概念是内省的和不可还原的，但又应当利用当代脑科学成果把现象概念的指称展示出来。按照这一思路展开研究，就形成了斯图尔加所说的“现象概念策略运动”，相应地，新的物理主义形态即“新潮物理主义”应运而生。它的主要任务是：①解释为什么存在解释鸿沟？它是一个本体论问题，还是一个认识论问题？②如果是认识论问题，现象概念在其中充当了什么角色？它与物理概念之间有何区别与联系？③如何保证物理主义命题的必然性？

现象概念在反物理主义论证中具有重要作用。按照霍根和廷森对反物理主义的概括，反物理主义基于现象概念所作的推论可表述为：①当以一个现象概念设想一个现象属性时，这个现象属性被认为是一个与物理功能不同的属性；②当以一个现象概念设想一个现象属性时，这个现象属性被认为是它自身；③如果以一个概念 C 设想的一个属性 P 是一个与物理功能不同的属性，而以概念 C 设想它是它自身，那么，P 就不是一个物理功能属性；④现象属性是一个非物理功能属性。如果是这样，世界就不是一元的，而是二元的。

面对这个基于现象概念的反物理主义论证，物理主义必须回答的显然是，什么是现象概念，它与物理概念有什么区别。新潮物理主义就是在回答这类问题的过程中产生出来的。它承认，①②具有有效性，即相信存在着认识上的鸿沟，但否认由此可以推出本体论上的鸿沟。在它看来，现象概念和物理概念分属两种不同的概念系统，它们以不同的模式来指称属性，因而在认知中扮演着不同的因果角色。换言之，不同的概念影响我们对心理与物理关系的看法。托马斯·内格尔在他著名的论文《成为一只蝙蝠感觉起来是什么样子？》中明确地提出，以感知想象和以移情想象方式所使用的概念系统是不同的，这种不同还会影响我们对其后所描述事实的判断。

新潮物理主义的代表性人物洛尔在内格尔的基础上推进了这一思路。在他看来，我们确实有两套不同的概念系统：一种是第三人称的物理概念，它是用理论语词来表述的；另一种是第一人称的现象概念，它是用理论语词来表述的。因此，现象概念具有与理论语词不同的概念角色，这种概念角色使得现象概念直接指称对象，而无须固定的高阶指称对象。洛尔说：“识别概念和理论概念通常在概念上是相互独立的……这两类概念具有完全不同的概念角色。毫不奇怪，对一个物理属性的识别概念应当可以分辨出它，而无须用科学术语进行分析。”[①]这就是说，现象概念的概念角色是识别对象，不同于物理概念的概念角色。麦克劳林说：“这是因为它们的概念角色如此不同，以至于我们能同时在与感觉状态没有关联的物理-功能状态下来想象和设想感觉状态，反之亦然。”“就广泛的经验基础来看，涉及感觉和物理-功能概念共同运用的想象和可设想性活动能可靠地引导出可能性。”[②]麦克劳林认为，属性有一个神经本质或功能本质，它不能被人在内省中用现象概念揭示出来。其原因在于：现象概念既不是神经的也不是功能的概念，它不具有物理概念的角色或作用，然而，现象概念可以通过现象的表征模式，指向物理属性的类的方面。帕皮诺认为，现象概念具有目的论语义学功能，它会把部分对于整个的语义学价值的贡献视为依赖于系统的贡献。

为了说明现象概念的因果角色，我们必须了解现象概念与现象经验之间的关系。巴洛格认为，现象概念有下述九个特征。①亲知性。现象概念是通过亲知而非推论地从现象经验中获得的，这给了我们对现象经验本质、直接、无中介的认识。②非对称性认识。我们可以直接了解到我们的意识状态或现象状态，但其他人却无法知道我们的意识状态或现象状态。③不会出错的直觉。在直觉上我们对涉及现象概念的判断是不会出错的，我们是唯一的裁定者。④透明性。即当某人关注于他自身的意识或现象经验时，他就了解到此感知对象的特征。⑤经验命题。只有经历过或至少当下经历过的经验主体才能获得相关的经验。⑥细微性。经历具有细微性，它不能被经验主体所拥有的概念完全捕捉，甚至于也不能被思维中使用的概念所捕捉。⑦语义稳定性。现象概念可以独立于日常语境而指向相同的属性，即它的外延可以独立于经验观察而被确定。相反，物理概念则是依赖于日常语境的。由此，会有这样的结果：⑧僵尸的可设想性。这是因为在以物理概念所形成的认知无论如何也不能从逻辑上排除这种可设想的僵尸。⑨解释鸿沟。现象概念具有独立性，与物理概念没有先验的关联性，因而两者就不存在推理上的关系。[③]当然，对于现象概念的因果角色，不同的物理主义者有着不同的看法。

---

① Loar B. “Phenomenal states”. *Philosophical Perspectives*, 1990, 4: 81-108.

② McLaughlin B. “In defense of new wave materialism: a response to Horgan and Tienson”. In Gillett C, Loewer B(Eds.). *Physicalism and Its Discontents*. Cambridge: Cambridge University Press, 2001: 320.

③ Balog K. “Phenomenal concepts”. In McLaughlin B, Beckermann A, Walter S (Eds.). *The Oxford Handbook of Philosophy of Mind*. Oxford: Oxford University Press, 2009: 294-295.

有人认为是标识概念，即某人思考意识状态时用来标记此状态的概念；有人认为这是指示性或说明性概念，即在具体条件下能够证明其有适用性的概念；有人认为是索引概念，类似于“我”和“现在”；有人认为是条件概念，即现象概念表述的是非物理的现象性质还是物理性质，这完全取决于我们的现实世界究竟是怎样的；有人认为是这样的概念，它不能完全表明“我知道不是什么”，但是在特定的条件下能够展示意识状态；有人认为是用于以“感觉概念”为基础的认知结构的概念，它继承了感觉概念的表征简单性。①

这里，我们不妨具体考察一下以洛尔为代表的哲学家对现象概念不同于物理概念的因果角色的论述。洛尔认为，现象概念和物理概念的区别在于：一个是识别概念（recognitional concept），另一个是理论概念。理论概念是自我指称的，指称由我们指称的分辨能力所分辨的属性，如长度、宽度、质量等，而现象概念不是一个自我指称的概念，它不能还原为自我指称的识别概念。有着自我指称的概念并没有现象性质，如盲视病人，他们虽然感知不到面前的物体，然而却能准确地“猜出”面前的物体。洛尔说：“据我们所知，现象概念并不能通过偶然的表征模式而设想为它们的指称。因此，它们可以被直接视为可设想的现象性质。称这是对本质的理解，对我来说是正确的，因为现象概念不能通过它们偶然的属性而设想为它们的指称。”②因此，现象概念是一个识别概念。所谓识别概念，就是一种类型说明性概念。洛尔说：“现象概念属于我称为识别概念这一广义类别的概念。它们有一个这样的形式：‘X 是那类中的一个’；它们是一种类型说明性的概念。这些类型说明性是基于归类的倾向性，即通过感知区分特定的对象、事件、情境……这些倾向性典型地关联于形成图式的能力，其概念角色似乎侧重于关于一个在缺少当前可感知的例子中的可以确定类的思维。”它具有以下特征：①原初识别性，即不需要专业术语和知识来理解事物，而只需要原初的概念；②无具体指称性，只需要判断为某些类型中的一个；③格式塔分析，不依赖于部分的分析；④透视性，即根据不同的观察角度而得出的概念。作为识别概念的现象概念，它与物理概念在概念角色上是独立的，“这两类概念有完全不同的概念角色。毫不奇怪，一个物理属性的一个识别概念应当能够识别它而无须用

① Sundström P. “Phenomenal concepts”. *Philosophy Compass*, 2011, 6(4): 267-281.
② Loar B. “Phenomenal states”. *Philosophical Perspectives*, 1990, 4: 81.

科学术语进行分析”[①]。而现象概念不同于物理概念，其表现是，它是从理论上设想它们的指称的，且具有一种标记的表征模式，进而能够辨识出现象性质。“在给定了关于认知能力的正常背景下，有了特定的识别或辨识倾向就有了某个识别概念，这就是说，它就有了基于那些特定的识别倾向来作出判断的能力。这类简单的判断具有这样的形式：该对象（事件、情形）a 是某类型中的一个。对其中谓词 a 的支撑认知正是一个识别倾向，它是统一地归于对象的倾向，它常常（但并非一定）与特定的想象能力联在一起，识别倾向足以产生出有着特定概念角色的心理谓词，并以这样的方式产生认知内容。这是一个有关我们认知构造的基本事实。”[②]

洛尔认为，知识论证中玛丽所缺乏的知识就是一种在现象或经验描述下识别的物理功能类的概念。因此当玛丽看到红色时，她并不知道这是一种新的类，而只是将其当作一种已经为她所知的新的设想方式。洛尔认为，我们的问题就是如何理解玛丽在走出黑白房间之后得到的描述和表征模式的新奇性。这种表征模式的不同可以解释为特定概念的属性表达之间的差异。比如，CH_3CH_2OH 和酒精，它们都指向相同的类，然而它们表达的属性是不同的。前者表达的是作为构成 CH_3CH_2OH 分子的属性，然而后者表达的是作为酒类中易醉成分的属性。所以，假如你知道这个瓶子中包含着 CH_3CH_2OH，并且你知道了瓶子中是酒精，你的信息中增加了一种关于 CH_3CH_2OH 的新属性，即这是各种酒中的易醉的成分。这个例子说明两个独立的概念的差异是表达方式和概念角色的差异。

总之，新潮物理主义认为，现象概念与物理概念是两种不同的概念。第一，现象概念与物理概念不存在推理的关系，即从推理上说是相互隔离的（inferentially isolated），如从单纯物理特征不能推导出现象特征，依据分析现象概念的因果指称也无法推出物理概念，因而存在着“解释鸿沟”。第二，现象概念是经验上独立的，即为了拥有某种意识状态的现象概念，必须要亲自有那种经验。假如现象概念是经验上独立的，那么就可以解释：尽管一个缺乏经验的主体有所有物理知识但却不知道（因为缺乏相关的概念）看到红色时感觉起来像什么。这就是说，新潮物理主义坚持的是本体论上的一元论、概念上的二元论。

新的问题在于：如果相信概念二元论，那么它如何保证现象或心理的就是物

---

① Loar B. “Phenomenal states”. *Philosophical Perspectives*, 1990, 4: 82.
② Loar B. “Phenomenal states”. *Philosophical Perspectives*, 1990, 4: 87.

理的呢？前面我们说过，物理主义求助于先验必然性时会遇到解释鸿沟问题，于是有的人选择第二种必然性，即克里普克所说的后验必然性。克里普克否认“凡是先验都是必然的，凡是必然都是先验的”的认识。他说：我们已经断定，当名称之间的同一性陈述确实是真时，它就必然为真，即使人们可能不是先验地知道它的。[①]这个断定来自科学的验证，以科学研究的结果为前提，因而是后验必然的。例如，长庚星就是启明星，这个同一性陈述就是基于科学研究而都指向金星。克里普克表明：虽然两个严格指示词之间的等同关系是后验建立起来的，但这种等同实际上意味着对象自身等同的逻辑必然关系。这种后验必然性要求同一性陈述两边的术语是严格的指示词或自然类，但是，表达心理的概念并不是这样的概念，因而具有偶然性。问题在于，作为一个后验必然的句子如何通过经验活动和认知来达到必然性呢？这类似于罗素的下述问题：“我们如何通过经验来否定世界不是五分钟之前存在的呢？”[②]因为经验证据具有偶然性，我们理解这些句子无须知道它们为真的条件，而只需进行先验性的推导。

为化解这类偶然现象问题，新潮物理主义继续对现象概念的指称能力作了分析。他们认为，导致反物理主义二元论直觉的根源在于，除了现象概念的特别角色之外，还有现象概念的指称问题。现象概念并不是直接指称某种属性，它是通过经验自身的呈现模式来指向物理属性。巴洛格认为，现象概念并不直接与指称相关联，我们可以设想在疼痛不在场的情况下，疼痛概念仍有所指，即某人的内在标记。洛尔认为，现象概念不是直接指称经验，而是以呈现模式指向经验的。帕皮诺认为，因为呈现模式，我们不会有一个相关描述能描述我们已想过的东西，并用来指向一个具有描述所归属的属性的实在。帕皮诺认为，现象概念是由具有加前缀的“经验_____”这样的感知经验所形成的。卡鲁瑟斯虽然也承认现象概念没有任何描述的呈现模式，但是他仍认为类似呈现模式引导现象概念指向它的指称，即一种经验的高阶经验引导现象概念指向它的指称，这是因为他认为现象概念的说明应当有我们这样的感觉，即我们直接了解现象概念应用的基础，以便于不涉及与非现象概念的先验关联。这个高阶经验是建立在我们一阶经验的基础上的，当一阶经验被心灵阅读能力所经验到时，它们自身获得了高阶的类似内容，

① 克里普克.《命名与必然性》，梅文译，上海译文出版社 1988 年版，第 110 页。
② Jackson F. *From Metaphysics to Ethics: a Defence of Conceptual Analysis*. Oxford: Clarendon Press, 1998: 71.

如一个红色感觉的内容的表征状态也就是类似红色感觉的经验内容表征。[①]还有人认为，现象概念是由它们指称的现象经验所构成的。此即构成性说明。它强调的是，用于当前的任何概念的讨论都是由标记现象经验所构成的。现象概念与经验关系比与因果关系更为紧密。就它与物理概念的区别而言，后者不是由概念所指称的东西构成的。

因此，新潮物理主义坚持本体论上的一元论。洛尔认为，“这里我要捍卫的观点是：现象概念是一个识别概念，它拣出特定的内在属性；它们是大脑的物理功能属性。它们是我们在现象反思时采用的概念，没有充足的哲学理由去拒绝下面的说法：即使它看上去合理，这些现象概念揭示的属性仍是物理功能属性——当然不是物理功能描述下……它作为拥有特定的经验像什么的属性，只不过是大脑特定的物理功能属性”。[②]洛尔继续说：“要说明在什么样的抽象条件下，现象概念会在认知上独立于物理或功能概念，同时由前者引入的属性却完全是物理或功能属性，这一点并不难。下述图式能够对此作出说明，（a）关于大脑状态的物理功能概念所指称的东西恰好也是物理学理论语词所指的事物，并且（b）现象概念是独立于‘理论’语词的不同的概念角色。这种概念角色使现象概念能直接指称，从而无需高阶的指称确定方式，虽然它们的概念角色是被设想为独立的，也就是说，即使通过物理功能语词所形成的知识也不能使一个人处于那种运用特定的现象概念为他带来的认知处境中，或者反之亦然。现象概念直接指称的那种属性，恰恰是那些通过物理功能理论语词来把握的属性。”[③]因此，现象概念和物理概念都直接指向了物理功能属性，当然，它们从不同方面反映了物理功能属性类的不同或本质属性。

洛尔认为，由两个直接指称共外延的概念所表达的属性必然是同一的。我们假定一类 P 有两个本质不同的 F 和 G 属性，那么在 F 和 G 之间必定存在着必然关联。因为，假如 F 和 G 的关系是偶然的，那么 P 可能是 F 而不是 G，这意味着 P 将不会必然作为 G；或 P 可能是 G 而不是 F，这意味着 P 可能不必然是 F。假如我们假定 F 和 G 是两个不同的属性，就难以明白 F 和 G 之间的关系可能是必

① Carruthers P. “Phenomenal concepts and higher-order experiences”. *Philosophy and Phenomenological Research*, 2004, 68(2): 316-336.
② Loar B. “Phenomenal states”. *Philosophical Perspectives*, 1990, 4: 84.
③ Loar B. “Phenomenal states”. *Philosophical Perspectives*, 1990, 4: 84.

然的。在这个意义上，洛尔认为属性并不是由概念构成的，也不能从概念上的独立性推导出形而上的独立性，即属性的独立，所以概念上的鸿沟不可能反映被表达的属性的鸿沟。概念的独立性是概念现象，我们应当能够解释它，因为它们是概念层次上的不同及概念功能的不同，而并不表达属性层次上的不同。布洛克说："一个现象概念是从基本的用法方面而被个体化的，即涉及日常现象属性的出现。在这些基本用法方面，一个通常出现的经验被用于思考那种相应的经验。没有人能够有一个这样的现象概念，即假如它们不在某些方面关联于这种基本用法的概念，其中对象通常具有一个现象性质的例示。"[①]他们否认现象经验指向某种类型的经验，而坚持现象概念适用于对象的经验属性。例如，现象概念"红"指向成熟的西红柿的属性，而不指向由这些对象所引起的经验的属性。

新潮物理主义承认，不是先验不一定意味着不同一，也不必然导致二元论或反唯物主义主张。例如，帕皮诺认为，现象概念和物理概念是两类不同的概念，但均指向同一属性，即大脑特性，原因有两点：①在近年的神经生物学研究中，并没有发现可以还原为基础物理力之外的其他特殊力，而且通常我们认为，像疼痛这样的意识经验对我们的躯体有因果作用，所以疼痛这样的意识经验的现象属性同一于物理属性；②如果科学的发现证明现象属性就是大脑物理属性，那它就是一个原初事实。按照克里普克的后验必然性条件，假定 a 和 b 是两个严格的指示词，它们在一切可能世界都指称同一个对象，也就是说，a=b 在一切可能的世界里都是真的，因此"a 存在着和 b 存在着都蕴含着 a=b"这个命题在一切可能的世界里都是真的，因而这是一个必然真理。例如，温度等于分子的平均动能是一个后验必然命题，因为通过科学研究发现：事实上，温度等于分子的平均动能，而且"温度"和"分子平均动能"又是严格的指示词。所以，我们可以得出：①现象属性同一于物理或功能属性。②现象概念是一种识别概念，它通过完全说明的方式而指向物理或功能类的本质。因而现象概念独立于共指称的物理概念，这表明它在人类思维中有不同的概念角色。③现象概念和物理概念的独立性，反映了现象概念和物理概念的同一陈述是一个后验的陈述。

---

① Block N. "Max Black's objection to mind-body identity". In Alter T, Walter S (Eds.). *Phenomenal Concepts and Phenomenal Knowledge: New Essays on Consciousness and Physicalism*. Oxford: Oxford University Press, 2006: 127.

当然，新潮物理主义认为，概念具有独立性，因而把现象属性和物理功能属性区分开来是可以合理地加以设想的。例如，可以合理地设想物理功能属性在没有心理属性例示的情况下被例示，尽管物理功能属性等于心理属性。同样，也可以设想存在着与我们物理上相似的生物，而且环境也相似，但它们的内在状态是现象状态，与我们的经验的现象特征是完全相反的（颠倒感受性质）；也可以设想存在着这样的生物复制品，环境也是我们世界的复制，但是它们却根本没有现象特征。不过，现象概念和相关的物理功能概念是严格的，它们不但在日常世界而且在可能世界都有共同指称。这样分离的背景就是形而上的不可能，尽管它们可以设想，尽管事实上的相关的心理物理同一是后验的。可设想性不能推出可能性。[①]洛尔认为，我们能够解释也确实解释了一个特定现象概念如何能够完成识别一个具体的物理功能属性而没有剩余物：这个概念分辨出属性，不是通过一个偶然表征模式分辨出的。看到这一点，就可消解现象和物理之间的解释鸿沟。例如，据此我们能理解，“如此这般的现象性质”如何能识别出物理属性 P，尽管“如此这般的现象性质=P”并不能用物理术语提供一个（先验）解释，即为什么一个给定的现象性质感觉到它是如此。既然当我们归纳时前者应当推导出关于现象性质的物理主义是真的，而且我们理解这两个事物，因而我们就能理解物理主义如何为真的。总之：①现象概念直接指向现象属性，②现象概念并不是物理功能概念，③现象属性同一于物理功能属性，这三个命题是一致的。[②]

新潮物理主义一经提出就得到众多物理主义的支持和赞同。这首先是因为，新潮物理主义的论证为物理主义的合理性提供了坚实的基础。客观地讲，当代心灵哲学的反物理主义论证对物理主义构成了强大的冲击。这些论证不断质疑物理主义命题的条件和完备性问题，直接威胁到物理主义的地位和作用。如果物理主义再采用以前的直觉和信念论证，它就难以对反物理主义作出强有力的反驳。新潮物理主义没有回避困难，它借用反物理主义所擅长的概念分析，围绕必然与先验的关系，提出了后验物理主义主张。它认为那些任何试图用可设想论证来证明可能性的推论都将涉及现象概念的采用与拥有，如疼痛、痒感等，

---

① Horgan T, Tienson J.“Deconstructing new wave materialism”. In Gillett C, Loewer B(Eds.). *Physicalism and Its Discontents*. Cambridge: Cambridge University Press, 2001: 307.

② McLaughlin B. “In defense of new wave materialism: a response to Horgan and Tienson”. In Gillett C, Loewer B(Eds.). *Physicalism and Its Discontents*. Cambridge: Cambridge University Press, 2001: 328-329.

但这些概念有着具体的特征，当这些特征被充分注意到时就可以证明这些论证是错误的。其次，新潮物理主义区分了认识上的物理主义和形而上的物理主义，并认为前者更具包容性。现象概念与物理概念在认知中的因果角色不同，造成了我们认识上的不可通约性，但这并不能成为否定物理主义的依据。物理主义作为一种世界观已经被当代哲学家所广泛承认，当然应承认，如果坚持我们原来的概念图式，那么它便难以在认识上贯彻到底。当我们接受了概念二元论和本体上一元论的时候，就会承认现象知识和现象事实的存在，唯物主义就具有更强的包容性。最后，新潮物理主义对心身问题提出了新的解释策略。新潮物理主义认为，心身是同一的，但不是先验的同一，而是后验的同一。对这种后验的本质的解释“不在于世界这一面，而在于心灵的另一面，即根据不同方式思考或想象，或根据不同的概念去解释”[①]。据此，新潮物理主义认为，只存在着一种属性，即一种大脑过程，它同一于心理过程，但是我们可以用两种不同的概念，即现象和理论概念去设想它。由于这些概念是不同的类型，我们不可能先验地知道它们指向相同属性，只能后验地加以认识。在这个意义上，新潮物理主义承认心理现象的特殊性，但是这个特殊性在于我们所采用的理解概念图式不一样。所以，心理现象并不神秘，如果有神秘性，也是概念的不同解释的结果。

尽管新潮物理主义澄清了许多问题，化解了物理主义的一些麻烦，但并非无懈可击。其突出的问题是，它在面对二元论反击时作出了妥协与退让，如承认现象概念的认识论上的独立的地位，因而就有这样的问题，如果是这样，它就必定有不同于物理概念的指称，这个指称是什么呢？如果它就是物理属性，那么为什么用指称物理属性的物理概念就无法思考呢？因此，新潮物理主义接下来就必须对现象概念的语义作更进一步的详细分析。我们比较赞同克里普克的因果历史指称论，即现象概念除了表达内在物理属性之外，它还表示一种关系性属性，如社会、文化背景下所实现的高层次的事件、状态、过程和属性。这促使唯物主义不但要重视语义学考察，还要吸取自然科学成果。

① Horgan T, Tienson J. “Deconstructing new wave materialism”. In Gillett C, Loewer B(Eds.). *Physicalism and Its Discontents*. Cambridge: Cambridge University Press, 2001: 307.

二、属性二元论的物理主义

如果概念二元论式的物理主义还算温和的话，那么有些物理主义哲学家在回击反物理主义的过程中开始剑走偏锋，非要把实体二元论、属性二元论与物理主义黏合起来。像朱比恩（M. Jubien）、阿尔莫格（J. Almog）就是要人们抛弃传统的成见，把物理主义与二元论融于一体。他们把如此构建的物理主义称为“二元化的唯物主义”，或者说“二元性的唯物主义”。

各类二元论的物理主义的产生有着不同的背景或诱因。朱比恩认为，传统的哲学思想受到柏拉图主义的本质主义影响，认为物理主义与二元论是无法相容的，因为心理与物理既然有着不同，其后就肯定存在着本质属性的不同。然而这种看法使得物理主义的命题存在着前后矛盾。众所周知，个例同一论被认为是当代物理主义的最佳选择，戴维森的随附物理主义就是这样的同一论，只不过他把个例同一称为状态或事态的同一。那么什么是状态或事态呢？它包括对象、过程和属性，后来金在权把它们合在一起称为三元匹配的属性理论，即在某时的对象的属性例示就是状态或事态。因此，个例同一要么预设不同的构成对象所构成的状态是同一的，要么预设不同的构成属性所构成的状态是同一的，然而，我们知道，状态同一只有当它的所有构成，如对象、属性和时间是同一的时候才有可能。但是，众所周知，劳伦兹·哈特（Lorenz Hart，他的经典情歌是《蓝色月亮》）想到月亮的心理状态是不同一于他例示这种心理状态的大脑状态的，因为劳伦兹·哈特想到月亮是一种意向状态，然而大脑状态不是一种意向状态，或者是一种纯粹的物理状态。塞尔的中文屋论证尖锐地提出：一个句法机如何产生语义呢？按照克里普克的说法，长庚星与启明星虽然都指金星，但是意义是不同的。这样一来，个例同一论就陷入了这样的困境，如当采用意义与指称分析策略时，将会出现下面两个命题同时为真：①“想到月亮”的意义≠“拥有例示生理化学属性的大脑”的意义；②“想到月亮”的指称=“拥有例示生理化学属性的大脑”的指称。然而，假设语句的意义是属性，那么这两个意义的属性是什么呢？自然，我们可以声称，③“想到月亮”的意义是想到月亮的属性，而④“拥有例示生理化学属性的大脑”的意义是拥有例示生理化学属性的大脑的属性。但是基于上面的论述，我们可以根据①③④推导出：⑤“想到月亮≠拥有例示生理化学属性的大脑”。但是从②③④可以推出：⑥“想到月亮=拥有例示生理化学属性的大脑”。因此，我们不能接受③④，想到月亮的属性与生理化学属性是不同的。既然如此，我们为什么还要接受同一论的物理主义呢？

朱比恩回答说，在日常生活中我们发现它们事实上也是同一的，并没有分开，你无法想象这个人没有了头脑还在思考，不过问题在于我们是同一于身体或大脑，还是同一于劳伦兹·哈特本人。假如当我们选择的是劳伦兹·哈特时，那么我们就有足够的理由坚持两个直觉状态的对象不是物理对象。即使我们选择劳伦兹·哈特的大脑，那么直觉心理状态的属性构成明显是把人作为构成者，没有什么理论能推导出这个属性是由某些物理东西例示出来的。因此，无论我们选择哪一个，都有着笛卡儿二元论的影子。接下来，要避免笛卡儿二元论的问题，我们需要对同一命题进行修正：①某些物理对象同时例示作为想到月亮的劳伦兹·哈特和例示了拥有例示 P 的大脑；②想到月亮和拥有例示 P 的大脑是同一的。但是，在这里我们似乎发现另外一种非物理的属性，它和其他直觉上作为心理的属性是相似的。这就是常说的“属性二元论”。

大部分哲学家认为，属性二元论与实体二元论一样是站不住脚的。朱比恩不赞成这种反驳，主张“我们有像思考月亮这样的属性”，而不是取消这种属性。“假如拒绝主张这样的属性同一于纯粹的物理属性，那么属性二元论对那些认为人类是复杂物理实在的人来说是一个最好的选择。”[①]塞尔也说，我们不能摆脱把属性称作心理实在这样的预设，我们一直在预设非物理的心理事物。比如，像四边形，或者质量都是非物理的实在，它们不是定位于时空中，或者不是由物质构成的。“我们似乎认为在思考月亮这样的属性是‘心理’的、是需要意指的时候，不过是说，它无法为物理学的语言所表述。”[①]所以，心理属性像纯粹的物理属性一样，完全是自然的属性，只不过它是由复杂物理对象所例示的。

但是有些哲学家认为，这等于说心理属性是神秘的属性。朱比恩认为，他们预设了心理属性就是非物理或物质的实在，无法为物理学语言所描述。我们为什么要认为任何物理对象都应当由物理学语言所描述呢？从物理学的历史来看，早期的物理学是描述物体运动的理论，因此用当时的物理语言是无法描述磁场、电

① Jubien M. “Dualizing materialism”. In Koons R C, Bealer G(Eds.). *The Waning of Materialism*. Oxford: Oxford University Press, 2010: 342.

子或量子的；即使后来出现的广义相对论，也无法表述一些物理现象。但是，原来被视为神秘的东西可能后来证明并不是神秘的，随着物理学的发展它们可以用未来的物理学术语描述。朱比恩说："属性二元论坚持认为物理学最终包括关于心理的理论。当然我们所说的心理属性不是纯物理的，但它也不是在物理科学的正常对象之外的。"[①]所谓物理科学，是一种研究以法则学方式关联于纯粹物理属性的那些物理属性的理论，因此与纯粹物理属性有法则学关联的属性都是物理的，而不是说它们不在纯粹物理属性之中。我们称为心理的属性就是与纯粹物理属性有关联的属性，"假如我们把心理属性看作是物理实在的例示，那么我们应当想到最终的物理科学将会包含着对心理的解释"[②]。由此，我们可以把心理属性看作当初被视为电荷、磁力等神秘属性的属性。它们最终会享有物理属性的地位，进而被将来的物理学术语言所描述。

不过，这种属性二元论的物理主义如何说明心理因果性呢？它试图避免多元决定论，而要如此，就不得不回到金在权所提出的因果性闭合论证。朱比恩先从因果性概念分析入手，指出物理主义的因果闭合原则是建立在常识物理学概念之上的，并不能成为论证的可靠基础。因为从物理学历史来看，第一，因果性并不是指物体之间的相互作用；第二，物理学远非关心因果性的，因果性是非正式的说法；第三，因果性概念只是一种日常概念。如果我们采用常识物理学概念，我们就会把心理作为与物理共同存在的原因，但是如果他又不同意多元决定论，那么就会得出心理与物理同一的结论，从而拒绝属性二元论。朱比恩接受了罗素主义的观点，即因果性本质上是常识概念，在正常的物理学中根本没有什么作用。按照常识因果性概念，所谓因果性就是法则学因果性，一个物理属性之所以产生是由在先的物理属性经由演绎律则定律所关联而决定的结果。但是，这个在先的物理属性是什么呢？它是由当前的物理学语言所描述的吗？如果不是，那么如何出现在所提到的演绎律则关联之中呢？也就是说，原来无法出现在牛顿力学中的物理属性可能出现在后来的相对论中。如果它可以用后来理想的物理学语言来描述，那么就会形成一个新的演绎律则关联，它可以把物理属性包含在内。

① Jubien M. "Dualizing materialism". In Koons R C, Bealer G(Eds.). *The Waning of Materialism*. Oxford: Oxford University Press, 2010: 343.
② Jubien M. "Dualizing materialism". In Koons R C, Bealer G(Eds.). *The Waning of Materialism*. Oxford: Oxford University Press, 2010: 344.

因此，朱比恩声称，那些把自己称为物理主义者或唯物主义者的哲学家可能从内心排斥这种属性二元论的物理主义，这主要是因为他们对“二元论”字眼特别敏感，他们认为二元论是不可能的。但是对朱比恩来说，这个理论要比任何其他有关心理的标准唯物主义理论更为合理，而且它与更多发展着的唯物主义类型是一致的。客观地说，我们认为，朱比恩实际上向我们表明，属性二元论最终会走向物理主义，因为心理属性只是暂时无法用物理学理论加以说明，因而暂时是异类的，但是随着成熟物理学的发展，它最终会被解释。不过，按照神经科学家和哲学家帕特里夏·丘奇兰德（P. S. Churchland）的说法，（属性二元论）的基本观念是：虽然这里没有超出物理大脑的实体要处理，但是大脑却有着一些特别的属性，这些属性是其他物理对象所无法拥有的。这些特别的属性不是物理的，因此这种观点被称为属性二元论……这些属性具有有意识智力的特性。它们被认为在某种意义上是非物理的，不能用熟悉的物理科学概念纯粹地加以解释或还原。要充分理解它们，就需要整体新颖而自主的科学，即“心理现象科学”。[①]

三、实体二元论式的物理主义

相对于朱比恩的属性二元论式物理主义，阿尔莫格走得更远，直接回到他所谓的前哲学化时代，把实体二元论与物理主义融为一体了。他在分析当代二元论与物理主义的关系时说：“唯物主义没有没落，二元论也没有没落。可以大胆地预测，它们都在积极发展，并且是共同发展。”[②]在当代哲学中，已经出现了这样的可能，即由原来的相互排斥走向了相互支持，进而形成了民众性的（市井）二元论和唯物主义。它们的主要特征不是独立和相互排斥的，而是共生共存的。

过去人们为什么认为物理主义与二元论是水火不容的呢？阿尔莫格认为，这是我们对常识或民众物理主义与二元论观念的哲学化、激进化所导致的结果。我们对物理主义与二元论的关系的常识观念在笛卡儿写给伊丽莎白公主的信中可见其端倪：从我们的生活与日常对话中，我们经过思考与研究学会了如何设想一个身与心的统一，这种统一是指人类是身体与思维的统一体，而思维可以与身体

① 转引自 Bickle J. *Psychoneural Reduction:the New Wave*. Cambridge: The MIT Press, 1998: 8.
② Almog J. “Dualistic materialism”. In Koons R C, Bealer G(Eds.). *The Waning of Materialism*. Oxford: Oxford University Press, 2010: 349.

分开，并且感受到它们是偶然统一的，我们每个人都整合成了一个单个的人，这是人们从生活中总结出来的，而非哲学化的结论。阿尔莫格称之为“二合一整合公理”。①但是哲学家介入后，就成了：我们不能设想心与身是不同的，同时它们又是统一的，因为这等于说一方面说它们是一个，另一方面又说它们是两个，显然这是矛盾的，这就是阿尔莫格的“非一即二的悖论”。要予以避免，就必须在唯物主义与二元论之间痛苦地作出选择。这也是过去唯物主义与二元论长期分道扬镳的原因。

在哲学史上，唯物主义与二元论是哲学理论的术语，它们是在反思常识概念的基础上进行激进思维的结果。哲学的反思让我们接受了更为“意识形态化”和拮抗性形式的二元论，它排斥唯物主义，而唯物主义也反对二元论。历史上著名的例子就是笛卡儿的实体二元论与“真正差异”论证、克里普克反对斯马特-刘易斯的同一论论证。首先，我们先看一下笛卡儿的论证。我们知道笛卡儿的实体二元论的基本思想是，心灵与身体是两个不同性质的实体，它们在没有对方的情况下可以存在。这里的“实体”是指不依赖其他东西而能够存在。但是“能够存在”可以有两种不同理解：模态性和本质性。模态性是就真实的可能性方面而言的，而本质性则是就逻辑一致性来说的。现在我们看看模态的理解：对于心灵来说，它可能自己存在，但却不需要身体。假如我们把它们的结构性关联理解为在可能世界中的模态必然性关联，那么我们就必须放弃后者，因为在日常世界中只有模态上的偶然性关联。就本质理解来看：心灵存在而身体不存在这在本质上是一致的，也就是说它们在本质上是没有关联的。但是，无论哪一种理解，我们都会把二元论当作一种本质上无法关联的观点，其结果是，身体与思维关联的二合一整合公理本质上必定要抛弃。因此，我们进入了这样的境地：我们不能同时坚持①二元性直觉，心灵与身体是数值上不同的两个东西，本质上也是两个不同的东西；②结构性关联的直觉，在心灵与身体之间的基本必然性与本质性捆缚。对于这个境地，二元论坚持二元性直觉而放弃了结构性关联的直觉，并把它们作为一个纯粹的偶然的关联。按照克里普克的说法，这是一种偶然命题。而唯物主义则坚持结构性关联的直觉，认为人必然成为一个单个实体，这个关联会导致同一。

① Almog J. “Dualistic materialism”. In Koons R C, Bealer G(Eds.). *The Waning of Materialism*. Oxford: Oxford University Press, 2010: 350.

这两种看法都存在着问题：首先，如果二元论强调二元性，则心与身过于独立从而威胁到人类是一个真实的存在的现实。如果像唯物主义那样过于强调结构性关联，则威胁到大脑是一个真实存在或心灵是一个真实存在。其次，我们看一下克里普克的疼痛感觉的纯粹质论证。克里普克论证认为：疼痛与C纤维激活的同一没有对称性，因为没有对方它们都可以存在。在疼痛与C纤维激活之间是可以分离的，因为疼痛感觉的本质是纯粹的质的感觉。从模态上理解：它们二者并没有必然性的关联，而只是偶然的关联；就其本质来说，它们二者有着本质上的独立性。那么我们同样陷入这样的境地：在二元性直觉上，它们是数值上和本质上不同的两个实在，但是它们却又在结构上捆绑在一起。为了避免这样的问题，二元论只能强调数值和本质上不同，进而威胁到它们如何统一到大脑中；而唯物主义则强调它们是结构上统一的，进而只剩下神经活动。

阿尔莫格提出，为避免上述难题，我们应当回到常识的二元论与唯物主义的看法，回到前哲学化的观念，把二元论与唯物主义关联起来，这就是“二元性的唯物主义”。二元性的唯物主义试图包括四个内容（我们可以以疼痛与C纤维激活之间的关系来进行说明）。①数值差异性：疼痛与C纤维激活是两个在数值上不同类型的现象。②本质差异性：疼痛与C纤维激活是本质上不同的现象。③必然关联：疼痛与C纤维激活是相互依赖的，如果没有一方则没有另一方。④本质关联：疼痛与C纤维激活本质上是相互依赖的，存在着结构性关系。前两个是二元论的内容，后两个是唯物主义内容。

要把它们关联起来，首先我们必须先回到前哲学的二合一的整合公理。阿尔莫格把它比喻成一个数值不同的现象二重奏的二元论，至于是否承认两个实在或属性则是逻辑语法的理论看法。前哲学时代的二元论（常识二元论）是这样的：疼痛与C纤维激活不但在数值上是不同的，而且它们在本质上也是不同的；本质差异性并不是强调它们互相独立，而是强调与它们相互依赖而存在。这里有一个当代哲学家一直喋喋不休且惴惴不安的问题，即本质上的差异性不就是本质上独立吗？阿尔莫格认为，我们应当区分本质上的差异与本质上的独立性两个概念。本质上的差异性是指它们虽然有着区别，但是还存在着相互的关联，即关联性协同（correlative co-ordinated）。这种协同性的关联关系提醒我们：在宇宙中存在着协同合作以产生相互依赖的事项。这类现象在自然界中普遍存在。例如，小尺度的基本微粒的结构，不同自然的匹配本质上是相互依赖的，电子对湮没会导致电子对的产生，氢原子中质子与电子的关系，狗的身体与大脑的共生关系，地球的南北极，等等；还有数学中的自然数，如 1、2、3、4 等，它们都有自己的本质，但是它们是相互依赖的，有着关联性的本质。按照亚里士多德的本体论，这些协同性关系表明，世界上并不是只有一种质料因存在，还存在着形式因。阿尔莫格说："根据目前的内在宇宙学理解，一个真实的对象不能是因为它满足单纯条件而是其所是。它只能由一个涉及其他宇宙中的对象的生成过程而是其所是。就此看来，它只能是一个对象 x 的存在，这个 x 提供了对象 {x} 存在，其他没有什么能做到。这个 {x} 的本质涉及存在性依赖于 x 是下列事实的结果：x 的存在正好包含着和产生了那个 {x}。"[①]例如，一个老虎的存在只是它由其他个体的老虎所提供的，因为它必须作为这种物种的一员而存在。所以，首先，我们不能从本质差异推出本质的独立性，本质的独立性源于原子论或事物的"孤岛主义"（islandist）概念，好像它们的关联是由事后加上去的。阿尔莫格提出："我们可以把事件的天然相互依赖看成本质上赐予它们真实的存在，它们的真实存在本质关联于其他自然的事项，当然后者也是自然的部分，这只是因为它们在本质上是嵌套的。已知真实事项的自然差异性依赖于它们与其他自然事项的不同的关系，这也是产生它们的自然方式。"[②]总之，我们应从自然的抽象主义和孤立主义观念回到常识二元论。"二元论不应当是心身舞台所需要的理论，就像它不应当在宇宙的其他领域存在一样，本质不同的事项是本质上相互依赖的。"[③]阿尔莫格认为，心身是数值上不同的，而且本质上也是不同的，但是它们本质上也是相互依赖的，一方的产生是由另一方所提供的，就像没有南极也就没有北极一样。

其次，我们应当回到常识唯物主义观念。阿尔莫格说，常识唯物主义的第一个前理论思想是，我们周围的自然是唯一的存在域，存在的就是作为物质宇宙的一部分而存在的。当然，也有哲学家说，存在着心理领域，或者抽象的领域。不过，常识唯物主义坚持物质的宇宙，由因果关系所塑造的时空是所有存在的存在。

---

① Almog J. "Dualistic materialism". In Koons R C, Bealer G(Eds.). *The Waning of Materialism*. Oxford: Oxford University Press, 2010: 358.

② Almog J. "Dualistic materialism". In Koons R C, Bealer G(Eds.). *The Waning of Materialism*. Oxford: Oxford University Press, 2010: 359.

③ Almog J. "Dualistic materialism". In Koons R C, Bealer G(Eds.). *The Waning of Materialism*. Oxford: Oxford University Press, 2010: 359.

一切存在都是物质宇宙的一部分。“假如它真正存在，它必定是自然中的部分或在存在之中，它由生成性关系而关联于其他宇宙事项。”[①]也就是说，没有外在于物质宇宙的存在，也没有外在于宇宙的过程。因此，对于心理现象如疼痛来说，我们必须把它们放置到宇宙之网中，它们是由历史中的因果过程所产生而成为真实的现象。例如，人类身体与心灵存在着本质上的关联，感觉与大脑过程存在着本质上的关联。从根本上说，它们的存在由其他事物所决定。但是，我们又不能由此把心理现象取消掉或还原到物理方面，因为同样可以说，大脑神经活动是纯粹的物质活动，它有着特定复杂分子活动或反应的本质，进而产生了感觉。不过，有人会说这是不是说有种额外的东西产生了有感觉的东西？阿尔莫格否认这种看法，坚持宇宙的物理结构只要达到特定的复杂程度，并且蕴含着一定的生态区位，就可以突现出某种现象。例如，当分子足够多并且蕴含生态区位时，它们就成了活生生的系统；当它们嵌套大脑并以 C 神经纤维布线时，它们就是一个感觉系统。感觉必定是由大脑中的复杂分子所提供的，而不是纯粹的物理事实，不是纯粹的分子集合。

最后，阿尔莫格提出，哲学激进化运动使我们陷入了焦虑，打破了我们日常生活中的平静，特别是物理主义的还原主义和二元论中的分离主义让我们食不甘味。我们应当提醒自己，我们毕竟要依赖于生活与日常交流，我们要从沉思和想象中去理解，我们要学会设想心与身的统一，而这种统一就是我们的基础，我们每个人都是身体与思维的统一体或单个的人，当然，它可以让我们的思维离开身体，并且感受到相互之间的偶然性。这并不是一个哲学问题，而是一个生活的问题。

四、物理主义与二元论的关系

从表面上看，物理主义与二元论的区别在于一元论与二元论的区别，物理主义的二元化只是表明物理主义在本质上不仅是一元论的，它也可以是二元论的。在我们看来，无论是概念二元论，还是属性或本体论二元论，它们能否与物理主

① Almog J. “Dualistic materialism”. In Koons R C, Bealer G(Eds.). *The Waning of Materialism*. Oxford: Oxford University Press, 2010: 360.

义相统一，一个关键的决定因素是，如何看待划分一元论与二元论的标准，即是说，这里牵涉的是形而上学的问题。

如果按照巴门尼德的存在主义、柏拉图主义等西方哲学中存在的本质主义和客观主义传统，那么世界真实存在的只有一个，要么是抽象的物质，要么是抽象的理念。因此，这里的“元”就是真实不变的存在。物理主义是物质一元论，二元论就是物质与心理二元论，它们是不能融合的。但是，如果根据后来亚里士多德的形而上学思想，世界真实存在的不只是质料因，还有形式因，形式因包括结构性、关系性的存在。后来弗雷格还宣称世界存在着物理域、心理域、抽象存在的域；迈农还把非存在也称为存在。显然，这里的元就是“凡是具有本质属性的就都是存在的”。如果这些本质属性都是依赖或随附于物理的，那么我们为什么不能说物理主义也是多元论的呢？当然，有哲学家会坚持奥卡姆剃刀原则，即“如无必要，勿增实体”，进而要求将物理主义贯彻到底。但是，如阿尔莫格所说，这又是一种传统的还原主义表现，是本质主义的延续。这种哲学化的追思不能阻挡我们坚持这样的观点，即心理与物理实在事实上就存在于我们的身体中，它们并没有什么分割，而且相处也十分和谐。

造成物理主义与二元论对立的根源还有一个，那就是物理与心理概念上的对立。我们的民众与许多哲学家都认为物理就是非心理的，而心理就是非物理的。事实上这是一种常识物理学的看法，或者说是一种常识心理学的观念。从常识物理学来看，所谓物理都是有空间的并且可以具有因果作用，而心理，则被视为没有空间但是又具有因果地位。这样我们就陷入了一个自己所设计的陷阱：一方面我们用物理的观念来定义心理，另一方面我们又把它排除在外。因此，一些哲学家认为，心理与物理的对立受我们概念思维框架的影响。试想有一天，我们的物理学发展到一定程度，也可能会把心理现象与概念包含到物理学之内。到那时，我们还能说心理与物理是对立的吗？

因此，物理主义与二元论是否融合的问题的提出，实际上触及我们传统哲学背后的本质主义、客观主义等深刻的哲学问题。我们还要反思西方这种哲学化能否解决心理现象的本质等根本性问题，为什么我们不能超越西方的形而上学思考而回归到东方的哲学方式？

第六节　物理主义的"还原论回归"

尽管非还原物理主义者想尽各种办法来拯救物理主义，但是仍然避免不了与二元论的妥协，而这也是物理主义的基本原则无法容忍的。为了阻止这种让步，有些哲学家认为，物理主义的本质是还原主义，只有复兴还原主义，才是物理主义发展的应有之义。当然，物理主义复兴还原主义并不是回到原来的起点，而是一种重新发展。较为典型的案例就是比克尔（Bickle）把科学哲学中的新潮还原主义与物理主义相结合而形成的"修正的物理主义"（revisionary physicalism），金在权把形而上学的还原主义与物理主义相结合所形成的"还原物理主义"（或者称为"近乎完美的物理主义"），以及麦克劳林等的新类型同一论。

一、修正的物理主义

比克尔是密西西比州立大学的科学哲学家，长期致力于认知科学与神经科学的关系的研究。在研究过程中，他发现当代心灵哲学家与认知科学家普遍承认：心理属性包括内容属性是不能同一于神经生理或其他物理属性的，即反对还原主义。但是，这种对还原主义的拒斥并没有导致大部分科学家与哲学家走向二元论，因为他们相信科学特别是物理学所告诉我们的关于世界的真理，于是选择了一种非还原的物理主义。比克尔说："目前普遍的观念是心理对物理的单向依赖。许多心理属性、事件、过程、状态、句子、事实等均被认为随附、被决定或实现于物理的属性、状态，等等。"[①]虽然哲学家们基于依赖关系说明不同形式的非还原物理主义似有其合理性，但是非还原物理主义还是受到了许多人的严峻的质疑。比克尔认为，非还原物理主义坚持：①物理学的优先性，所有存在的对象都有物理属性；②心理与物理的关系是单向的依赖性，这种依赖性在本体论上弱于同一性，因此可以归为"既是实在或实体一元论又是属性或事件二元论"。[②]问题是，这个混合能否导致物理主义呢？比克尔回答："显然，它不能。"他赞成波斯特（Post）、金在权和麦克拉姆罗克（McClamrock）的看法，认为当代非还

① Bickle J. *Psychoneural Reduction: the New Wave*. Cambridge: The MIT Press, 1998: 2.
② Bickle J. *Psychoneural Reduction: the New Wave*. Cambridge: The MIT Press, 1998: 7.

原物理主义就是一种属性二元论，而属性二元论是二元论的一种形式，“它不相信成熟的物理科学能彻底解释心理的本质问题”，[①]因此非还原物理主义不是物理主义。这种非还原物理主义的尴尬处境可以追溯到自然主义伦理学的“自然主义假谬”（naturalistic fallacy），即一个规范属性随附于一个自然属性，本身却不是自然属性。后来，金在权鉴于非还原物理主义的属性二元论实质而干脆称其为突现主义。

不过，戴维森则把非还原物理主义发展为个例物理主义或个例同一论，认为它避免了属性二元论。特劳特（J. D. Trout）认为，我们可以把高层状态的个例同一于物理状态的个例，而不需要借助什么顺利的等同，这样就可以在放弃还原主义的情况下成为一个好的物理主义者。[①]但是，个例物理主义能不能把物理主义从属性二元论困境中解救出来呢？比克尔认为，由于心理与物理的个例同一的关系并不稳定，它仍然存在着“属性例证”（property exemplification）所说明的问题。按照金在权的事件理论，所谓事件就是某个对象在一定时间所例证的属性，因此心理事件与物理事件的同一就是在同一时间的相同对象所例示的相同的属性。“根据金在权的理论，否认心理与物理的同一就意味着一个心理事件的个例m（即在t时对象x对一个心理属性M的例示）不会同一于一个物理（如神经）事件的个例（在t时对象x例证的一个神经属性）。”[②]基于以上原因，比克尔认为：非还原物理主义难以做到让物理主义与非还原性两全其美，而只能回到还原主义的道路上，因此还原主义才是物理主义的本质。

对于物理主义所凭借的还原主义，比克尔表示：①理论还原仍然是还原主义的主要形式，因为我们的心身问题主要源自，“当我们关注于本体论时（当我们对存在的东西进行理论化时），对于一系列现象（行为）存在着不同层次的理论与解释”。[③]例如，如果意向心理学解释仍然是我们目前最好的理论，那么我们就得承认这个解释所承认的实在或属性的独立性，相反，当我们逐渐发展出的神经科学能够解释意向心理学所解释的现象时，我们就可以把神经科学所提供的实在或属性作为基础的实在或属性。因此，要解决心身问题，我们需要重构心理学

---

① Trout J D. “Reductionism and the unity of science”. In Boyd R, Gasper P, Trout J D(Eds.). *The Philosophy of Science*. Cambridge: The MIT Press, 1991: 390.
② Bickle J. *Psychoneural Reduction: the New Wave*. Cambridge: The MIT Press, 1998: 13.
③ Bickle J. *Psychoneural Reduction: the New Wave*. Cambridge: The MIT Press, 1998: 17.

解释或理论与神经科学解释或理论之间的理论还原关系。②物理主义要建立在一种“新潮还原主义”之上。所谓新潮还原主义，是科学哲学家沙夫纳（Schaffner）、胡克（Hooker）、比克尔等在对经典的内格尔理论还原的重新阐释的基础上所发展的一种还原主义。它“既不否认心理的这些特征，也不否认传统还原论的失误”。[①]这种新潮还原主义有一个重要特征，即强调本体论结果依赖于理论还原关系，它们相互影响、相互促进，进而形成本体论序列和理论还原序列。具体来说，在理论还原上存在着从一个极端顺利还原到另一个极端困难还原的序列，即从“同一”还原经“修正”还原到“取代”还原的序列，它分别对应着本体论序列上的本体论“保留”经本体论“修正”到本体论“取消”这个序列。本体论序列两个端点对应着类型物理主义和取消唯物主义。由于这两种物理主义过于极端，比克尔便选择了中间的物理主义。这种中间的物理主义依赖于被还原理论在还原过程中概念变化或修正的程度，因此，这种物理主义被称作“修正的物理主义”。

比克尔的修正物理主义吸收了塞尔的概念分析诊断方法，认为阻碍我们物理主义发展或者说坚持二元论的根源在于我们日常接受了一套暗含笛卡儿式的术语或概念，因此我们需要修正我们原有的心理术语或概念。这也是理论还原序列中修正还原的任务。根据修正还原的关系，①绝对的还原是没有的，只有一种近似的还原，任何跨理论的同一只是在一定条件或界限内才会出现的，故而，物理主义不能是类型物理主义。②被还原理论概念碎片化为还原理论概念之中，这是还原得以进行的基础。然而，由于概念的碎片化，被还原理论与还原理论的概念无法一一对应，不能进行先验的推导，所以物理主义只能是后验的物理主义。③被还原理论与还原理论交互反馈，理论都在不断发展，而且发展程度也不同，它们会相互影响、相互促进，纠正对方的概念与术语，克服还原的阻碍，深化对物理世界本质的认识。比克尔认为，从科学史上著名的还原例子来看，很少有彻底的取消，也很少有极端的保留，它们都是部分取消或者保留，这就是“概念变化”。

从这些特点来看，比克尔的修正物理主义是介于类型物理主义与取消唯物主

① Bickle J. *Psychoneural Reduction: the New Wave*. Cambridge: The MIT Press, 1998: 5.

义之间的温和的物理主义。对常识心理学地位的看法是最能体现比克尔修正物理主义价值及意义的一个方面。比克尔认为，常识心理学不能像类型物理主义那样同一于神经科学，也不能像取消唯物主义那样因为虚假而被赶出去。以常识心理学的意向性命题为例，意向性状态是指向具体对象或外在事态的指向性，它也对应于神经生物状态。当代认知科学研究发现，特定突触改变了有关意向对象的密码。首先，我们不能把常识心理学的意向性状态完全充分匹配于相应的神经生物学状态，再加上当代的神经生物学也是一种粗粒度的认识，因此意向性只是近似于神经生物学中的认知动力学，二者虽有近似性，但是不能顺利从前者还原到后者。其次，我们还发现，常识心理学的命题态度尽管与各种相关的但不同的神经属性有关，如根据改变突触强度与关联度可以把常识心理学所说的“惊奇 P”状态细化为许多不同的神经生物的相应集合，这些集合共享相似粗粒度的功能侧面，但在神经科学精粒度分析上，两种现象的因果力是不同的。最后，常识心理学与神经生物学交互反馈，互相促进，互相启发。由于认知或心理状态近似于神经生物学，神经生物学为常识心理学理论应用提供了坚实的基础，并且可以渗透到常识心理学概念之中。反之，常识心理学的概念也为神经生物学发展提供了一种启示，能促进神经生物学的发展。因此，从本体论上讲，修正物理主义表明常识心理学与神经科学存在着本体论上的同一，但是常识心理学概念有些可以取消，有些可以保留，并且对神经科学发展有着启示作用。他说：“这确实是历史修正还原的本体论结果。狭义相对论一直采用质量、长度、速度概念，但并不是狭义上的传统质量、长度、速度概念。确实有明显的概念变化，严格的跨理论实在和属性同一是没有的，整体的燃素取消也是不存在的。”[①]

二、类型物理主义的“东山再起”

同一论被作为心灵哲学中的物理主义形式可以追溯到卢克莱修和霍布斯，但是星光四耀则源于 20 世纪 50 年代澳大利亚哲学家的推捧，如普赖斯（1956 年）、费格尔（1958 年）、斯马特（1959 年）。在经过 20 年短暂的沉寂以后，类型同一论又于近来开始复苏，重获哲学家的青睐，如希尔、洛尔、帕皮诺、麦克劳林

---

① Bickle J. *Psychoneural Reduction: the New Wave*. Cambridge: The MIT Press, 1998: 210.

和波尔哥（Polger）等对之作了新的辩护。戈渣诺（Gozzano）等概括说："许多学者批判性地重新审视所列出的反对同一论的论证，进而发现同一论有发展为更全面的物理主义形而上学的资源。而且神经科学与认知科学发展的结果也点燃了人们对心理类型与物理类型之间关系的兴趣。"[①]当代哲学家开始重新研究同一论的恰当表述、规定界限、发展基础、辩护论证，以及哲学和科学价值。

在心灵哲学中，同一论分为类型同一论和个例同一论。个例同一论强调的是具体事件或者局部性的同一；类型同一论强调的是属性的同一。它们主要是指心理与物理的同一，因此也被称作物理主义，而类型同一论就是类型物理主义，个例同一论就是个例物理主义。在早期，类型同一论以其较强的同一性，表现为本体论上的节俭性、解释性上的简单性和理论上的系统性，深受哲学家欢迎。但是自反还原论的可多样实现性论证提出后，类型同一论便被个例同一论取代了，原来的还原物理主义也转向了非还原物理主义。不过，个例同一论太弱，它所被认为的优点可能是幻觉（金在权语），因而无法满足物理主义的较强的要求，于是人们又想起了类型同一论。特别是心灵哲学家在研究意识的困难问题，即心理现象的主观性或感受质的本质时，更加关注类型物理主义或者类型同一论。不仅如此，神经科学哲学家也对类型同一论产生广泛兴趣，他们发现认知现象、过程和事件与神经现象、过程和事件有着紧密的联系，于是他们大胆提出了类型同一论的元科学预设。洛尔（Loar）这位最早提出新类型物理主义的哲学家说："在我看来，我们可以同时达到两个目的。我们可以接受现象直觉的表面价值，承认内省概念和它们的概念不可还原性，同时，我们可以接受现象性质同一于由当代脑科学所设想的那类物理功能属性。依我之见，不存在令人信服的清晰哲学反对论证。"[②]类型物理主义之所以复苏，主要源于四个方面的哲学选择。

第一，本体论简单性论证。根据奥卡姆剃刀原则，如无必要，勿增实体，因此类型物理主义要比属性二元论更符合这个原则。在类型物理主义的本体论清单上，表面上存在两个，但事实上只有一个属性范畴。斯马特说："假如人们认为没有强有力的论证迫使我们接受二元论，并且假如大脑过程理论和二元论同样与

---

① Gozzano S, Hill C S(Eds.). *New Perspectives on Type Identity: the Mental and the Physical*. Cambridge: Cambridge University Press, 2012: 1.

② Loar B. "Phenomenal states". *Philosophical Perspectives*, 1990, 4: 108.

事实相一致，那么节俭性原则和简单性使我断然决定支持大脑过程理论。”[①]不过，与其说奥卡姆剃刀像一个认识论原则，倒不如说像一个美学原则。蒯因就曾说，所谓简单性原则只是对于荒漠景观的偏爱。希尔也说，必然会把简单性想象成与美有关联，而不是想象成与事实有关联的东西。对此，布洛克和斯托纳克尔则提出了解释论证[②]，贝克尔曼（A. Beckermann）和麦克劳林也表达了类似的看法。

第二，最佳解释推导论证。不像其他解释会造成解释恶性循环，类型物理主义把心理现象还原到神经属性，从而实现彻底的解释而具有强大的解释力。这个论证有两种类型。其一，希尔与麦克劳林式的最佳解释论证，可表述如下，①关联命题，在心理状态与特定的神经状态之间存在着强烈的关联性，如法则学必然性或形而上必然性。但是这个关联性并不能充分解决心身问题，因为它与副现象论、双面论和突现论是相一致的。只有，②类型同一命题，任何心理状态都同一于一类物理状态。这个类型同一命题对心理与物理关联性提供了最佳解释方法，即我们相信一个理论，是因为这个理论提供了所有与之相关的现象的最佳解释。③我们有理由相信类型物理主义是正确的。其二，布洛克和斯托纳克尔的普遍规则论证，它的论证如下。①关联命题：在心理状态与其他物理现象之间存在着规则关联，如疼痛与肌肉神经弧收缩之间的普遍规则。②接受类型同一命题假设，就可以很好地解释这个规则性。因为“同一允许解释和因果力的传递，而单纯的关联没有这个特点……因此，我们通过最佳解释推导原则，可以推出这些同一是真实的。”[③]③我们最好接受类型同一论的假设。

但是，类型物理主义的解释论证还是遇到了批驳。我们以最佳解释推导论证为例。首先，金在权就指出，通过关联项是同一而解释这个关联性是错误的，因为假如关联项是相同的，它们就不存在关联；假如这两个关联是不同的，它们就不是同一的。其次，最佳解释性推导应当是归纳性推导，如果是这样，是什么理由让我们接受这个最佳解释性推导出的类型物理主义的结论？事实上，我们倾向于类型物理主义在于它比其他竞争理论更具解释力，但是这个最佳推导解释性原

---

① Smart J J C. “Sensations and brain processes”, *The Philosophical Review*, 1959, 68(2): 156.

② Block N, Stalnaker R. “Conceptual analysis, dualism, and the explanatory gap”. *The Philosophical Review*, 1999, 108(1): 10.

③ Block N, Stalnaker R. “Conceptual analysis, dualism, and the explanatory gap”. *The Philosophical Review*, 1999, 108(1): 23-24.

则如何证实呢？由于这个原则是归纳性推导，它就面临着“罗素火鸡”问题，以及内格尔的“成为蝙蝠感觉起来是什么样子”、杰克逊的“现象知识”、查默斯的“僵尸”问题。然后，我们再看看普遍规则论证。布洛克与斯托纳克尔把关联性作为一种普遍规则性关联，而解释这种关联性的最好办法就是接受克里普克的后验必然性同一命题，如疼痛=C-纤维激活。这种后验必然性同一命题的典型例子就是科学中的同一性命题，那么证实这种命题则需要用科学方法去研究。但是，这种科学方法与哲学问题有没有必然关联呢？也就是说，科学方法证明的同一性能否推出形而上的必然性呢？

第三，心理因果性论证。任何理论都应当保证心理状态的因果性地位，否则就会违背我们日常生活实践中的直觉。最早根据心理因果性来捍卫类型物理主义的是金在权。金在权的心理因果性建立在他的属性理论之上，他把心理事件理解为属性的例示。假设不可还原心理事件就是某时 t 的个体所例示的属性 M（心理事件）引起 t 时的个体所例示的物理属性 P（物理事件）。这种心理因果性应当遵守物理因果闭合原则，假如一个物理事件 P 有一个原因，那么这个原因就是物理事件 C。至此，导致这个物理事件的结果就有两个原因：一个是心理事件 M，另一个是物理事件 C。如果我们不想回到多元决定论，我们就只能把心理事件同一于物理事件，把心理因果性沉淀到物理事件之中而保留下来。

但是，奈伊（Ney）认为，金在权依赖于他所坚持的因果性的产生观，并且反对因果多元决定论，如果对这些原则进行质疑的话，他的论证就面临问题了。例如，奈伊说，金在权混淆了日常的因果性和物理学的因果性，把因果性概念当成一种产生或生成性的因果性概念，所以他得出一个物理事件不可能由包括心理事件在内的两个原因决定的反多元决定论，进而威胁到物理因果闭合原则。然而，如果我们有着不同的因果性的形而上理解，就不会得出这样的结论。甚至像洛瓦尔（Loewer）所说，在基本物理学中根本没有什么因果观。

第四，因果角色分析论证。它最早起源于刘易斯的论证。刘易斯对常识心理概念作了语义分析，认为常识心理概念为真的条件就是仅当它具有一定的因果角色（causal role）。这种因果角色是指在因果相关集群中所占的角色，如疼痛就是组织破坏所引起的，并且会引起呻吟或肌肉收缩，等等，具体论证如下。①先验分析：疼痛=占据某种因果角色 R 的状态。②后验分析：大脑状态 B=事实上占据因果角色 R 的状态。③结论：疼痛=大脑状态 B。刘易斯的论证主要是从心理与物理的类型状态来分析的，后来的杰克逊基于对心理与物理个例的分析也得出一种类型物理主义。

杰克逊认为，当代的非还原物理主义承诺了一种个例物理主义，而这种物理主义是一种较弱的物理主义，因为它认为，心理与物理只是一种偶然的同一。杰克逊赞同心理状态实在论，并认为心理状态个例也具有特定的因果角色。例如，我相信一只狼出现在我面前，这会引起我逃跑的行为或倾向。这些心理状态个例是不是我行为的原因呢？或者说，按照刘易斯的因果概念分析，它先验地具有某种促使我作出逃跑举动等行动的因果作用吗？显然，我们并不能先验地得出结论说，因为具有某种因果角色涉及心理状态及其相应物理状态是什么，以及如何关联的问题。杰克逊举了一个个例同一的例子：在 t 时仪表盘指针指向 2/3 的标记=说明油箱在 t 时还有 2/3 汽油状态的标记。这个标记同一并不是说明两边标记项有着因果关联或因果共变性，它们之所以有联系，皆是因为它们所归属的类之间的关联。具体来说，我们要先从类型状态入手，①分析每个心理状态的因果角色，这个因果角色涉及心理状态之间、心理状态与对象所处的世界之间及对象反应与世界之间的关系；然后，寻找②每个因果角色是由相应类型的大脑状态所拥有的；确定③要怎样才能成为在 t 时的心理状态 M，即处在具有在 t 时的心理状态 M 的角色的状态，并进而将处在相应类型的大脑状态。杰克逊认为，我们只有先确定类型状态之间的关系，才能确定个例状态之间的关系，即一个对象是否处在 t 时的心理状态 M 中，仅当这个对象个例状态具有 t 时的心理状态 M 角色。因此，我们可以从个例物理主义推导出类型物理主义。

众所周知，当初的类型物理主义就是由于多样可实现性论证或异常一元论而被打入冷宫的，现在虽然重回舞台，但是它如何面对这些昔日的对手呢？支持类型物理主义的哲学家认为，多样可实现性论证显然夸大了各类事物的差异性，而没有关注到事件之间的相似性或者相同的机制。例如，当代神经科学主导的研究方法就是建立在各种生物物种潜在的神经机制具有一致性的基础上的，并且在此方法引导下取得了重大的科学成果。假如自然界中动物的神经机制表征的是一种多样可实现性，根本不具有一致性、连续性，那么为什么我们要用猕猴视觉意识研究代替人类视觉意识研究？为什么正电子发射断层照相术等技术对不同的人的研究能揭示人的心理活动、过程的一般区域和机制？金在权认为，事实证明，心理功能是不能彻底地多样可实现的，即使神经可塑性也是系统有序的，只要损伤了神经内部就会影响到功能的实现。保罗·丘奇兰德甚至主张，我们可以回溯到低层神经生物学直到非平衡热力学层次去描述相应的功能，寻找大脑状态和心理状态类型相同的还原同一体。事实上，这种方法自1990年开始就被广泛应用起来，它给还原论的主张增加了经验上的可信性。比克尔要求我们正确认识到，假如我们停留在系统层次神经科学的说明上，心理的多样可实现似乎是明显的，但神经科学并未停留在系统层次上；当它进入细胞生理学和神经组织分子生物学时，就会发现许多分子机制（如神经引导传递和可塑性）在从无脊柱动物到有脊柱动物直到哺乳动物身上在类型上都是相同的，并且在这些层次上会不断发现认知的相同神经机制。尽管如此，多样可实现性仍然出现，贝克特尔（Bechtel）和蒙德尔（Mundale）这样分析道："对于是什么让多样可实现性主张自它出现以来就作为合理的，诊断发现是研究者在区分心理状态与大脑状态时采用了不同的分析度，他们用粗粒度区分心理状态，用精粒度描述区分大脑状态。由于涉及不同的精细度，很容易就得出可多样实现性的结论。但是假如分析精粒度保持稳定，那么心理状态事实上是可多样实现的这一主张看上去的合理性就会减少。一个人接受的东西要么是精粒度，要么是粗粒度的，但是只要用到一个大脑与心灵方面两边可以比较的精粒度，那么它们之间的映射将会是对应系统之间的映射。"[①]

三、金在权的"条件还原主义"

金在权是相信物理主义的，认为所有事物都是物理的，但是当代的非还原物理主义在面对我们直觉的心理因果性时，是无法解决这个问题的。"心理因果性对于我们的心性概念是根本的，对于我们自身作为认知者和自主体来说也是根本的；任何不能容纳心理因果性的心灵理论必定被认为是不充分的或者是不完备的。"[②]为了解决心理因果性问题，物理主义最好的选择就是还原主义。然而，

① Bechtel W, Mundale J. "Multiple realizability revisited: linking cognitive and neural states". *Philosophy of Science*, 1999, 66(2): 202.
② Kim J. *Physicalism, or Something Near Enough*. Princeton: Princeton University Press, 2005: 153.

这是否意味着我们承认了还原主义是物理主义的必然结果呢？金在权的答案是否定的，他认为，只有当心性被认为在物理世界中具有因果性时，它才必须是物理上还原的，也就是说，物理主义是否导致还原主义只是一个假言条件性命题，即他并不绝对主张还原主义，而只是强调心理因果性需要还原，任何相信心理因果性的人必须准备好承认心身还原。如果说这是还原主义，那么只能说它是“条件还原主义”。像前面提到的类型物理主义都是有成功希望的还原，但是没有一个人敢确定还原主义是绝对合理的，因此“希望只是希望，它并不能使还原性为真或还原主义为真”。[①]金在权提出了这样的问题：物理主义处在一个十字路口，“我们可以用物理还原心灵吗？心性能用物理术语加以还原吗？”[②]

金在权实际上提出了一个判断物理主义范围或界限的标准：如果把心灵或其他事物还原到物理，那么它就在物理范围之内；如果心灵或其他事物不能还原到物理，那么它就不在物理范围之内。金在权主张，大部分心理区域是可以物理化的，但是并不是全部都可以物理化，像心理的感受质就被当代哲学家认为是不可还原的，但是普遍承认其他心理现象是可以还原的。在这一点上，金在权认为，他和刘易斯、查默斯等哲学家的思想是相近的，因为刘易斯和查默斯都强调有意向的心理状态和现象状态的不同。例如，前者是可以还原的，而后者是不可以还原的。不过，接下来的问题就是，什么是还原？金在权反对把还原作为理论还原，而认为它是一种功能还原。功能还原主要分三步：①对被还原的属性进行功能化概念分析，把其作为一个功能属性；②用科学去寻找这个功能属性的实现者，或者说，寻找通常完成具体因果工作的机制或属性；③建立一个低层或还原层次的解释以说明这些机制或属性如何完成指定的因果工作。由此，金在权认为，当我们宣布一个属性被还原时，我们需要做的就是对其作功能化分析，以及识别出它的物理实现者。

金在权发现，对于意向或认知属性，我们有充分的理由相信“这样的心理属性是可以根据它们在行为因果性中的角色来定义和解释的”[③]，所以它们是可以被还原为物理的，因此处在物理主义范围之中。然而，像感觉等现象状态，它们

---

① Kim J. *Physicalism, or Something Near Enough*. Princeton: Princeton University Press, 2005: 161.
② Kim J. *Physicalism, or Something Near Enough*. Princeton: Princeton University Press, 2005: 161.
③ Kim J. *Physicalism, or Something Near Enough*. Princeton: Princeton University Press, 2005: 166.

不能被功能化来定义，不能物理地解释，属于“不能容纳到物理域之中的心理剩余”。在这个基础上，金在权提出了“整体物理主义是不可靠的。不能说所有的世界现象都是物理现象，也不是说物理事实蕴含着所有的事实。有这样的可能世界：它与我们的世界在所有方面都相似，但是在感受质方面分布却不同”[①]。

不过，这很容易让人得出反物理主义的结论，甚至是二元论的结果。金在权认为，这并不会导致这样的结果。第一，感受质所在区域与认知或意识状态所在区域没有冲突，它们共同构成了我们的认知和行为的情境；第二，日常感受概念除了质的特征之外，还有着行为的方面，而这些行为方面是可以给出因果说明的；第三，条件还原主义表明，假如某对象对物理域施加了因果力，那么它必定是物理域中的部分，或者可以还原到它，也就是说，如果它没有施加因果力，它可能是副现象，或者说还没有在世界因果结构中占据因果角色。金在权说：“感受理性的内在质的方面是不能功能化的，因而不能还原，进而是因果无效的。它们处在物理域外面，但是不能得出因果性区分，以至于我们会忘掉它们。相反，感受理性的特别重要的关系事实，尤其是它们的相似性和差异性是可观察的和功能化的，可以像许多物理世界中成员一样享有因果力。”[②]面对感受理性的内在特征，它龟缩在里面，物理主义目前无法拓展到这个领域。金在权不无遗憾地说，物理主义是稍有缺憾的，它“不能完全如愿，但其问题也不是太大”。[③]金在权相信，除了物理主义之外，目前还没有更可信的理论可以取代物理主义去说明或解释我们的世界。“物理主义不是所有事实，但是接近所有的事实，接近应当也是最好的。”[④]

四、分析与思考

总的来看，尽管有的哲学家认为物理主义只是一个经验命题，但是大部分哲学家认为心灵哲学中的物理主义是一个形而上学的命题，即所有的事物都是物理的。对于这个形而上学的命题，不同的哲学家有着不同的理解，如提出了还原性、随附性、实现性、突现性、构成性等各种类型的物理主义。确实，这些物理主义

---

① Kim J. *Physicalism, or Something Near Enough*. Princeton: Princeton University Press, 2005: 170.
② Kim J. *Physicalism, or Something Near Enough*. Princeton: Princeton University Press, 2005: 173.
③ Kim J. *Physicalism, or Something Near Enough*. Princeton: Princeton University Press, 2005: 174.
④ Kim J. *Physicalism, or Something Near Enough*. Princeton: Princeton University Press, 2005: 174.

从不同的角度对物理主义形而上学内容进行了展示，但是它们仍然遭到了如蝙蝠论证、黑白玛丽论证、僵尸论证等反物理主义论证的反击，直接质疑物理主义命题的必然性。为了回应这些反物理主义论证，物理主义日益分化成先验物理主义和后验物理主义。先验物理主义仍然采用概念分析，寻找心理与物理的关联。然而，后验物理主义则从描述心理现象状态的现象概念分析出发，认识到现象概念是一种不同于物理概念的概念，从而发展出概念二元论的物理主义。这种概念二元论的物理主义的温和性不但没有使物理主义者达成共识，反而促使物理主义阵营内部分化成激进派和温和派。物理主义温和派试图把物理主义与二元论或多元论结合起来，以此消除物理主义与反物理主义者的对立，如“拼接物理主义”“二元性物理主义”等；物理主义激进派试图把物理主义重新阐释为还原主义，提出只有类型物理主义才是物理主义的最佳选择。

根据心灵哲学中的物理主义发展轨迹可以发现，物理主义已经由原来的模糊的表达逐渐变得清晰，同时围绕物理主义争论的问题也更加突出，如物理主义的形式表述、范围界限、哲学意义等。我们相信争论还在继续，但是有一点要明确：作为物理主义，它有着一种基本的观念。我们赞同金在权对物理主义的概述，“当代物理主义的核心观念是：所有世界中存在的事物只是物质和由这些物质聚积而成的结构，它们所有的活动都遵循着物理学定律，假如世界中任何现象可以被完全解释的话，它们都是物理上可以解释的。当物理主义被看作一个基本的框架时，有关心灵的最重要的形而上学问题就是我们的心灵和心性适合待在物理世界中的什么地方，确切地说，心灵是否在物理世界中占有一席之地。”①

基于上述考察，我们认为，物理主义要深入发展，必须重视下述问题的研究。

（1）物理主义的表述问题。截至目前，心灵哲学中物理主义出现了很多类型，包括还原物理主义、随附物理主义、实现物理主义、构成物理主义等，它们都试图引入一个形而上学概念来表述物理主义的主要内容。但是，我们认为，这些形而上学概念本身都和其他形而上学概念相联，当它们需要对物理主义进行精确阐述时，自然就会把原来的哲学观念也带进来。例如，“随附性”本身就是英国突现论者使用的概念，它与“层次”概念有关，结果，随附性就成了突现性的另一

① Kim J. *Physicalism, or Something Near Enough*. Princeton:Princeton University Press, 2005: 150.

种表述。另外，按照斯图尔加的说法，物理主义表述有很多需要讨论的地方，如物理主义的解释问题和真值问题，而真值问题又分成完备性问题和条件问题，如此说来，物理主义表述应当侧重哪一方面呢？基于此，我们提出一种最为简单，也最易为物理主义所接受的表述：物理主义强调的是所有的事物本质上是物理的。那么如何理解这个“本质”呢？我们这里所讲的“本质”不是西方哲学中传统本质主义所提到的背后不变的东西或事物（如客观性），而是指本来如是、原本如此。它们以实在、过程、属性、机制等形式存在。至于“物理”的概念，我们不赞成说其内有“亨佩尔难题”。亨佩尔难题认为，物理不能用物理学来判定，因为物理学本身在发展，尚未完善。确实，当前或未来的物理学可能会不完善，但是物理学事实上在拓展我们对世界的认识，它打破了我们的日常物理学概念，深化了我们对事物的认识，还没有其他学科能够取代它的地位。即便心理概念将来会被物理学整合到物理概念之中，但那恰是证明了物理主义是真的。

（2）碎片化与整体性问题。在对世界的认识上，无论是还原物理主义、随附物理主义还是突现物理主义，均承诺了这个世界是从低到高分层的世界，所以它们在探讨事物之间的关系的时候采用“逻辑分析”这把刀进行解剖，分割得支离破碎后，却又无法复原。我们赞同贝克提出的实践本体论，即从日常实践中去看待事物，而不是在头脑中分割。事实上，世界上存在的事物多种多样，它们均处在时空中，但是又无法剥离，因为我们一旦去解剖，就会陷入“薛定谔的两个桌子”。不过，我们不同意贝克的环境或背景构成观，它把事物按照部分进行组合构成，这实际是由垂直层次观变成了平面层次观。我们认为，世界是构成的，但不是像树的年轮那样一圈一圈构成的，而是立体式或者说整体式构成的，它像太极中的阴阳图一样，你中有我，我中有你，相互蕴含和嵌套。

（3）单一视角与多视角问题。既然世界是这样相互嵌套构成的物理世界，我们无法像剥洋葱一样去进行研究，我们的认知能力也无法达到对事物的充分认识。然而，我们不同意麦金的神秘主义的物理主义，把物理世界推到了宇宙大爆炸之前，我们还是相信大爆炸之后的世界。对于这个已经演进到今天的世界，我们只能认识到它的物理世界的一面。我们认识世界有多种方法，包括第一人称的内省、第三人称的观察研究，它们都反映出物理世界的一维或多维。当我们产生某种感受理性或者主观性时，它并不是无中生有，或者被视为主观性而加以抛弃，或者被视为非物理的存在，而是对物理世界特征的一种反映。按照神经科学家科赫的说法，这些感受理性是我们人类在长期进化历史中有利于人类生存而遗传下来的功能。我们可以把盲人摸象的例子改造一下，如假设第一人称和第三人称都是摸象的盲人，它们摸到的都是大象的不同部位，当然，把它们的看法拼接起来有可能形成关于整个大象的效果图。对于这种世界图景，可以从历时与共时的角度进行分析。从历时的角度来看，我们的世界是由原来一个物质的奇点爆炸而成，物质在时空中经过重新组合分化，形成各种各样的事物，甚至产生了此前所没有的功能状态、属性样式，并且经过演化而选择下来。从共时的角度来看，呈现给我们的是经历漫长时间所形成的世界的静态画面，有高层次，也有低层次，相互嵌套而构成。因此，我们认为，要说明世界的“横看成岭侧成峰，远近高低各不同”的特点，特别是心理现象复杂多变的特点，物理主义应该坚持多视角的观点。

第四章
自然主义及其当代“弱化”走向

20世纪下半叶以来，一度沉寂的自然主义重新走到了西方哲学特别是英美哲学舞台的中心，甚至有人说当代哲学的一个趋势是发生了“自然主义转向”。[①]究其根源，主要是三个方面：一是人们普遍接受了“物理王国的因果封闭性原则”，即认为物理世界在因果上是封闭的，任何结果都不可能有非物理的原因；二是人们想对实在及其运行作出清晰而可靠的说明；三是自然科学的发展及其解释力的不断增强，坚定了人们用自然科学的成果和方法解释一切的信心。[②]在这场“转向”中，自然主义逐渐成了一种“占主导地位的世界观”，成了“哲学界的一种意识形态”，或者说成了各派哲学家区别“敌我”的一个“口令”，成了一个“公认的信条”或时尚风潮，正如帕皮诺所说：“如今几乎每个人都想成为‘自然主义者’。”[③]金在权也认为，当今多数哲学家都把自然主义作为一个基本承诺，而

---

① Kitcher P. “The naturalists return”. *The Philosophical Review*, 1992, 101(1): 53-114； Stroud B. “The charm of naturalism”. In De Caro M, MacArthur D(Eds.). *Naturalism in Question*. Cambridge: Harvard University Press, 2004: 21.

② Papineau D. “The causal closure of the physical and naturalism”. In McLaughlin B, Beckermann A, Walter S(Eds.). *The Oxford Handbook of Philosophy of Mind*. Oxford: Oxford University Press, 2009: 53.

③ Baker L R. *Naturalism and the First-Person Perspective*. Oxford: Oxford University Press, 2013: 3; Horst S. *Beyond Reduction: Philosophy of Mind and Post-Reductionist Philosophy of Science*. Oxford: Oxford University Press, 2007: 12； Craig W L, Moreland J P(Eds.). *Naturalism: a Critical Analysis*. London and New York: Routledge, 2000:xi; Ritchie J. *Understanding Naturalism*. Stocksfield: Acumen, 2008: 1; Papineau D. *Philosophical Naturalism*.Oxford: Blackwell, 1993: 1.

且这种承诺还充满了帝国主义色彩，企图独霸一切。[①]可以说，在当代心灵哲学中，尽管各派学说之间存在巨大分歧，但是不仅还原论者、信息论者、非还原物理主义者、功能主义者、进化论者说自己是自然主义者，甚至连一些属性二元论者也声称自己的理论是自然主义理论。在这种风潮的影响下，“自然化”成为一场哲学浪潮，“认识论的自然化”“语义学的自然化”“信念的自然化”“意向性的自然化”尤其是“心灵的自然化”都成了哲学中的时髦话题。当代的自然主义转向，具有重要的意义。德·卡罗（Caro）等认为，这种转向“代表着哲学关于自身以及哲学与科学关系方面的一个重要转向，即使人们对怎样理解这一转向的本质尚未达成一致意见”，分析哲学的命运在很大程度上就与当代科学自然主义的命运息息相关。[②]詹姆斯·马登（Madden）指出，我们不但很难将最近有关心灵的哲学讨论与各种版本的自然主义分开，而且“如果自然主义是正确的，它对于心灵有何意义”这一问题恰恰给很多当代心灵哲学家提供了最大推动力。[③]汤姆·克拉克（T. Clark）则认为：关于我们自身的自然主义观点对于人际间的态度和社会政策具有先进的、人道的意义。世界观的自然主义由于强调我们与宇宙以及与我们当前环境的全部关系而为通向个人的、社会的和存在的、关切的有效途径奠定了基础。

第一节 “自然主义”的概念辨析

当代的自然主义转向中存在一种矛盾现象：一方面几乎所有人都高举自然主义的大旗，宣称自己的理论是自然主义理论；但另一方面人们却没有对“自然主义”的词义和用法作出清晰的辨析。事实上，“自然主义”一词具有很大的歧义性，在不同的哲学家那里往往有不同的甚至截然相反的意义。虽然自然主义是哲学圈里的人普遍作出的一个承诺，但人们并未对其基本假设作出系统的考察和论证，流行的自然主义意识形态掩盖了很多具体的看法。斯特劳德（B. Stroud）也

---

① Kim J. “Mental causation and two concepts of the mental”. Unpublished paper delivered at the American Philosophical Association Eastern Division Meeting, Atlanta, Georgia, 1993: 22-23.

② De Caro M, MacArthur D(Eds.). *Naturalism in Question*. Cambridge: Harvard University Press, 2004: 1-2, 13.

③ Madden J D. *Mind, Matter*, and *Nature: a Thomistic Proposal for the Philosophy of Mind*. Washington, D. C.: The Catholic University of America Press, 2013: 1.

指出，“自然主义”在某些方面与“世界和平”有点类似，即尽管每个人都发誓要献身世界和平，但对于做什么合适、做什么是可以接受的，却存在广泛的争议。他说：“就像世界和平一样，一旦你着手具体说明它究竟包含什么、如何实现它，达到并维持一种前后一致的、唯一的‘自然主义’就会变得越来越困难。”[①]这一现象出现的原因，主要有三个方面。

首先，由于自然科学在解释和预言实践中取得了巨大成功，人们以为“自然主义”或“自然主义纲领”的意义一目了然，毋庸赘言，其动机和正确性也显而易见，因此很少对“自然主义”的意义作出规定和解释，从而无形中忽视了掩藏于其“光鲜”表面背后的巨大分歧。

其次，“自然主义”如今是一个好词，几乎没有人愿意被别人称作非自然主义者，但由于不同哲学家的具体主张存在差异，他们为了将自己归入自然主义阵营，通常会对自然主义作出于己有利的解释，如自然主义承诺较弱的哲学家会对“自然主义”的标准设得低一点、宽松一些，而持强自然主义立场的哲学家则对“自然主义”设置了更高、更严格的标准，因此尽管人们都使用了“自然主义”这个词，但对它的解释却千差万别。

最后，从构词法上看，“naturalism”是由“natural”和“-ism”组成的，因此对“naturalism”的理解主要取决于对“natural”（“自然的”）作何理解，但恰恰在这个问题上人们的认识悬殊。有的哲学家认为，“natural”与“normative”（“规范的”）相对，其本质是描述性的，因此意向的、伦理的、美学的实在因其具有规范性特征而不是“自然的”。有的则认为，“natural”与“artificial”（“人工的”“人造的”“人为的”）相对，指的是“天然的”“自发的”“未经人类干预或加工的”。人们日常所说的“纯天然食品”表达的就是这种意义。科学哲学家法恩（A. Fine）在阐明其自然的本体论态度时就说：这种态度就是“尽量按其自身的情况来看待科学，尽量不给科学增加东西”。[②]数学哲学家玛迪（P. Maddy）也认为：“哲学不是根据数学之外的理由来批评数学并对数学的改革提出建议”，“从数学之外的任何观点来判断数学方法，在我看来似乎都违背了自然

① Stroud B. “The charm of naturalism”. In De Caro M, MacArthur D(Eds.). *Naturalism in Question*. Cambridge: Harvard University Press, 2004: 22.

② Fine A. *The Shaky Game:Einstein, Realism and the Quantum Theory*. 2nd ed. Chicago: University of Chicago Press, 1996: 149.

主义的精神，即相信成功的事业……应当根据其自身的情况来理解和评价”。[1]还有的哲学家认为，“natural”与“supernatural”（“超自然的”）相对，但对于什么是超自然的又有不同的认识。例如，有的哲学家说非物质的东西就是超自然的东西，据此共相、数、集合、命题等抽象实在和信念、愿望等意向实在都是超自然的；有的哲学家认为只有神、灵魂、幽灵等虚无缥缈的东西才是超自然的，抽象实在、意向实在等尽管不是物质的，但也不是超自然的；还有的哲学家则认为一切超出科学范围、不能作出自然解释的东西都是超自然的。例如，在贝克看来，“自然的”至少有两种用法：一种用法指任何不是超自然的东西或者不是处于自然领域之外的东西，另一种用法是指与科学相联系的东西。尽管这两种用法都坚持自然的东西必须与自然规律一致，但第二种用法还强调自然的东西必定派生于自然规律或者受自然规律制约。简单地说，一种用法是指没有超自然因素的东西，另一种用法是指受科学限制的东西。[2]不过，对于以什么样的科学为解释自然的标准，哲学家之间又存在着分歧，有的哲学家说只能以物理学为解释的标准，有的哲学家则承认其他科学及其解释的自主性。麦克阿瑟（MacArthur）就根据对科学的不同理解而将自然主义分为三类：第一类是极端的自然主义，认为所说的科学就是物理学；第二类是狭义的自然主义，承认其他自然科学不能还原为物理学，但同时主张所说的科学仅限于自然科学；第三类是广义的自然主义，认为科学既包括自然科学，也包括人文社会科学。[3]因此，正如斯特劳德所说，在当代关于自然主义的讨论中，“人们所争执的通常不是要不要成为‘自然主义者’，而是什么该、什么不该被包括在一个人的‘自然’概念中。这是真正的问题，而且这导致了深层次的意见分歧”[4]。

从词源学上看，“自然主义”（naturalism）一词出现在 17 世纪初，最初表示“基于自然本能的行动”，1750 年之后它开始表示一种关于世界及人性与世界关系的哲学观点，1850 年之后又指文学艺术领域的一种潮流。一般认为，当代自然主义的灵魂和核心精神体现在威尔弗里德·塞拉斯（W. Sellars）的这句口号中，

① Maddy P. *Naturalism in Mathematics*. Oxford: Clarendon Press, 1997: 171, 184.

② Baker L R. *Naturalism and the First-Person Perspective*. Oxford: Oxford University Press, 2013: 14.

③ MacArthur D. “Taking the human sciences seriously”. In De Caro M, MacArthur D(Eds.). *Naturalism and Normativity*. New York: Columbia University Press, 2010: 126.

④ Stroud B. “The charm of naturalism”. In De Caro M, MacArthur D(Eds.). *Naturalism in Question*. Cambridge: Harvard University Press, 2004: 22.

即“科学是一切事物的尺度：是存在的东西存在的尺度，也是不存在的东西不存在的尺度”[①]。但哲学家们没有对这句口号的意义作出准确的、没有争议的解释。迈克尔·雷（M. Rea）指出：“在某种意义上，对于自然主义该如何考虑普通的物质对象的问题，实际上还没有一种清晰的回答，这是因为（迄今为止）尚未对成为一个自然主义者是什么意思作出一种清晰的回答。”[②]约瑟夫·金（J. C. King）也说，自然主义概念在当代明显缺乏精确的定义，你问多少个哲学家自然主义是什么，你就会得到多少种不同的回答。[③]而根据弗拉纳根的概括，“自然主义”一词的词义多达 14 种。[④]由于相关的概念缺乏清晰明确的说明，“自然主义”其实是一个混杂的，包含多种含义的概念，在不同的领域有不同的意义和用法。例如，在有关宗教的文献中，就有两种宗教自然主义，一种表示根据自然主义解释宗教的倾向，如斯宾诺莎、爱因斯坦等就持有这样的思想，认为神就是自然，还有一种（通常被称作“自然宗教”）反对用启示来解释宗教信仰，认为信仰源于纯粹理性。在伦理学中，自然主义指的是根据适用于自然现象的概念来分析伦理学概念的理论，根据这种自然主义，道德谓词与自然科学或经验科学的谓词描述的是相同的东西。在哲学其他部门中，自然主义也被用于指称原子论、经验论、唯物论、物理主义等各种不同的学说。在相关文献中，对“自然主义”最常见的理解是认为它是“超自然主义”的对立面，即表示否定神、灵魂、幽灵等超自然实在的学说，从肯定的方面说，自然主义是指这样一种观念或信念，即认为世界上存在和起作用的只有自然的规律和力量，除了自然事物之外不存在别的东西。简言之，存在的只有自然界。还有一种理解是认为“自然主义”表示对有争议的实在或概念（如规范属性、意向属性、抽象概念等）进行自然化的学说。当然，不同的哲学家在具体的解释方面又有很大的差异。例如，有的哲学家认为，自然主义表示一种本体论的或形而上学的观点，有的哲学家认为它指一种认识论的或方法论的观点，有的哲学家则认为它不是一种统一的立场，而是指由各种不同的观

---

① Sellars W. “Empiricism and the philosophy of mind”. *Minnesota Studies in the Philosophy of Science*, 1956,1: 253-329.

② Rea M. “Naturalism and material objects”. In Craig W L, Moreland J P(Eds.). *Naturalism:a Critical Analysis*. London: Routledge, 2000: 110.

③ King J C. “Can propositions be naturalistically acceptable?”. *Midwest Studies in Philosophy*, 1994, 19(1): 53-75.

④ Flanagan O. “Varieties of naturalism”. In Clayton P, Simpson Z(Eds.). *The Oxford Handbook of Religion and Science*. Oxford: Oxford University Press, 2006: 430-452.

点所构成的松散集合体；有的哲学家认为，自然主义的本体论只接纳物质对象，有的哲学家认为抽象对象、意向对象等也能包括于其中，而有的哲学家甚至认为自然主义与上帝、灵魂等非自然的或超自然的东西也是相容的；有的哲学家认为，自然主义与物理主义或唯物主义是一回事，有的则否认它等同于任何特定的本体论。罗伊·塞拉斯早在20世纪初就指出，自然主义是一种含糊不清的学说，“与其说它是承认一种得到了清晰陈述的学说，不如说它是承认一种方向”[①]。吉尔（Giere）也认为，哲学中的自然主义“更多指的是一种关于研究对象的总的进路而不是具体的学说。在哲学中，只有通过最一般的本体论或认识论的原理，进而更多的是通过它所反对而不是赞同的东西才能对自然主义的特征进行刻画”。[②]迈克尔·雷则认为，自然主义根本不是一种哲学立场，而是“一种研究纲领”，即一项以特殊的方式从事研究的计划，而构成自然主义纲领的主要是这样一项计划，即在发展哲学理论时使用且只使用自然科学的方法。[③]

尽管不同的人所说的“自然主义”不尽相同，但这些说法也包含共同的思想。贝克指出，自然主义作为科学的哲学伴侣，是一种在英美占支配地位的世界观，它有很多种类，但各种自然主义至少有两点共同的承诺：①都承认科学是关于实际上存在什么的标准，以及我们如何认识它、认识是否正确的裁判；②都否认任何具有超自然意味的东西。[④]帕皮诺认为，“自然主义”一词当前的用法主要来自20世纪上半叶美国哲学的争论。在美国自然主义哲学家看来，自然是唯一的实在，不存在“超自然的”东西；科学方法应当被用于研究包括“人的精神”在内的一切实在领域。在他看来，当代绝大多数哲学家都接受了这样的自然主义，“他们都既反对‘超自然的’实在，又承认科学是获得关于‘人的精神’的重要真理的一条可能路径（即使不一定是唯一的路径）”[⑤]。莫里斯（Morris）在说明自然主义时认为，它可以概括为这样的观点：“唯一真实的事实是自然科学的事实，或者说只有自然科学的陈述是真实的陈述。”换言之，自然主义就是这样的主张：“世界就是由自然对象和自然现象组成的世界，这些对象的唯一属性是自然属性，它

---

① Sellars R. *Evolutionary Naturalism*. Chicago: Open Court, 1922: vii.
② 牛顿-史密斯.《科学哲学指南》，成素梅，殷杰译，上海科技教育出版社2006年版，第370页。
③ Rea M. “Naturalism and material objects”. In Craig W L, Moreland J P(Eds.). *Naturalism: a Critical Analysis*. London: Routledge, 2000: 110-111.
④ Baker L R. *Naturalism and the First-Person Perspective*. Oxford: Oxford University Press, 2013: 3.
⑤ Papineau D. “Naturalism”. *Stanford Encyclopedia of Philosophy*, 2007.

们之间的关系是自然关系。简言之，只存在自然事实、自然科学真理。”[①]在C. S.刘易斯看来，自然主义的基本主张是：自然是自行运转的；自然在解释上是自足的。也就是说，自然的实在和过程给我们提供了解释一切可解释之物的丰富资源。[②]舍费尔斯曼（Schafersman）在对各种自然主义解释进行综合后指出，自然主义主要包含如下主张：“①自然就是存在的一切，任何存在或发生的东西都是自然的；②自然（世界或宇宙）只是由自然因素即时空性的物质因素——物质和能量构成的，而非物质因素——心灵、观念、价值、逻辑关系等要么是与人脑联系在一起的，要么是不依赖于大脑而存在的，因而是以某种方式内在于宇宙的结构之中的；③自然的运行是借助于遵循自然规律的自然过程，一切事物原则上都可以由科学和哲学作出解释和理解；④超自然的东西是不存在的，也就是说，只有自然是真实的，因而超自然的东西是不真实的。因此，自然主义是一种与超自然主义对立的形而上学立场。……此外，自然主义是形而上学实在论的一个子集。”[③]麦克阿瑟将当代各种自然主义立场的共同承诺称作“基本自然主义”（basic naturalism），认为它主要包含以下三点：①反对超自然主义，反对任何超自然的东西，无论是超自然的实在还是超自然的心灵能力；②人是自然的一部分，可以由科学作出恰当的研究；③自然主义者尊重自然科学的结论。[④]

总之，根据自然主义，我们在进行解释和预言时只能利用自然的因素、规律、力量和方法，简言之，哲学探讨与科学研究具有连续性。这实际上是强调自然主义也是一种理解和研究方法。就自然主义的本体论和认识论结论来说，两者是密切相关的，因为“你对自然界是什么样子的认识，对于你怎样研究其中的事物及你所认为的理解它们的最好方法是有影响的”。[⑤]具体来说，本体论的方面支配着认识论的方面，因为只有对自然界中存在什么或者自然界是什么样子作出了说明，认识论方面才有具体的、实质性的内容。

需要注意的是，当代的自然主义更多的不是在与超自然主义相对立的意义上

① Morris M. “Mind, world and value”. In O’Hear A(Ed.).*Current Issues in Philosophy of Mind*. Cambridge: Cambridge University Press, 1998: 303.

② Lewis C S. *Miracles*. New York: Harper Collins, 2001: 7-8.

③ Schafersman S D. “Naturalism is today an essential part of science”. 2006. http://humanism.net/~schafesd/naturalism.html, accessed Mayzb, 1999.

④ MacArthur D. “Taking the human sciences seriously”. In De Caro M, MacArthur D(Eds.). *Naturalism and Normativity*. New York: Columbia University Press, 2010: 124-125.

⑤ Stroud B. “The charm of naturalism”. In De Caro M, MacArthur D(Eds.). *Naturalism in Question*. Cambridge: Harvard University Press, 2004: 22.

来理解的。斯特劳德指出，要认清当代自然主义转向的意义，先要弄清楚当代自然主义反对什么，所谓的“自然主义转向”要摆脱或否定什么。他认为，在自然主义与超自然主义相对立的意义上，哲学中是没有发生最近的自然主义转向的，因为至少在过去的100年间，大多数哲学家都认为，任何关于人的信念和知识何以可能的令人满意的解释都只涉及自然界的过程和事件，而不会诉诸超自然的因素，也就是说，在非超自然主义的意义上，大多数哲学家都是自然主义者，这是件好事，但不是新闻。[①]德·卡罗也认为，哲学中关于超自然物的观念是与神学和笛卡儿二元论联系在一起的，但这种观念对于理解当代的自然主义是没有帮助的，因为尽管以前的自然主义是根据对上帝或非物质灵魂的拒斥来理解的，但现在关于自然主义的主要问题出现在哲学而非神学领域，大多数心灵哲学家早就抛弃了笛卡儿二元论。在他看来，“‘自然主义’一词除了被用于指称否定上帝的存在或表示反对心身二元论之外，通常还被用于表示一个人接受了一种科学哲学，或者表示对一些据说引起争议的实在或概念‘进行自然化’的努力”[②]。格滕普兰（Guttenplan）更是直截了当地指出，从历史上看，“自然的”与“超自然的”相对，而当代心灵哲学争论的聚焦点是能否将心理现象解释为自然秩序的一部分，在此语境下，与“自然的”相对的概念不是“超自然的”而是“非自然的”。[③]当代自然主义者的目标是心灵、动因（agency）、规范性等的自然化，即将它们纳入自然秩序之中，尽管反对自然主义的人认为这样的目标难以实现，但他们并不承诺任何超自然的东西。质言之，与传统自然主义相比，当代自然主义之“新”不在于它反对超自然主义，而在于它重新勘定了哲学与科学的关系，抛弃了“第一哲学”的神话，将科学作为判定事物真实存在的最后仲裁者，将科学作为认识自然、获取知识的最好方法，并努力在自然秩序中为心灵、动因、规范性等找到一个位置，或者说对它们进行“自然化”。泰伊（Tye）说：“很多当代哲学家都认为，极其重要的一个构想是提出一种令人满意的自然主义心灵理论。人们担心如果没有这样一种理论，心理现象就将永远是一个谜。”[④]田平也指出：“当代

---

① Stroud B. “The charm of naturalism”. In De Caro M, MacArthur D(Eds.). *Naturalism in Question*. Cambridge: Harvard University Press, 2004: 22-23.
② De Caro M, MacArthur D(Eds.). *Naturalism in Question*. Cambridge: Harvard University Press, 2004: 2-3.
③ Guttenplan S(Ed.). *A Companion to the Philosophy of Mind*. Oxford: Blackwell, 1994: 449.
④ Tye M. “Naturalism and the mental”. *Mind*, 1992, 101(403): 421.

心灵哲学的一个重要特点就在于它的将心灵自然化的目标与视角。”而将心灵自然化就是将心灵纳入自然的秩序之中，并对心灵的本质和作用等作出一种与自然科学相一致的解释。[①]可以说，“自然化”是当代西方哲学中盛行的自然主义的研究纲领和操作方法，它主张：从最基本的层面来说，世界是物理的、自然的，我们的科学本体论、心理学本体论乃至形而上学本体论都是关于自然事物及其属性的本体论。而自然事物及其属性有基本与非基本之别。前者因得到了物理学等基本科学的研究和认可，因此其存在是确定无疑的，而后者则需要说明，说明的方法就是分析它们与基本事物和属性的关系。如果它们能同一于基本事物和属性，或者能从科学上说明它们随附于基本属性，或者是由基本属性实现的，它们就得到了自然化，被纳入了自然秩序，从而就是存在的，否则就不存在。因此，能否被自然化是判断对象是否存在的本体论标准，自然化也是当代自然主义转向所关注的核心问题。[②]

第二节 自然主义的起源与演进过程

“自然主义”一词出现得比较晚，但自然主义思想却历史悠久。斯特劳德认为，在整个人类思想史上，与“自然”“自然的”对象或关系及“自然主义”研究方式有关的观念，比其他任何观念都运用得广泛，可以说不同的时代、不同的地方、出于不同的目的都有运用。[③]一般认为，自然主义的观念可以追溯到古希腊早期的自然哲学。在传统印度哲学中，自然主义是印度教六个正统学派中的胜论派、正理派和非正统学派查伐伽（Carvaka）的基础。中国古代的“气论”则是具有鲜明中国特色的自然主义思想。大体来说，西方自然主义思想主要经历了以下几个发展阶段或者说有以下几种类型。

一是古典的自然主义阶段。这是自然主义的萌芽期，代表性的哲学家有泰勒斯、德谟克利特等前苏格拉底自然哲学家，以及亚里士多德、伊壁鸠鲁、卢克莱

---

① 田平.《自然化的心灵》，湖南教育出版社 2000 年版，第 4、13 页。

② 高新民.《意向性理论的当代发展》，中国社会科学出版社 2008 年版，第 454 页。

③ Stroud B. “The charm of naturalism”. In De Caro M, MacArthur D(Eds.). *Naturalism in Question*. Cambridge: Harvard University Press, 2004: 21.

修等。希腊人最初同其他民族一样是以神话的世界观来看待周围的世界的，自然界在他们眼中常常是混乱的、神秘的、变化无常的，人在自然面前只能听从命运的摆布。古希腊哲学的一大进步是逐步摆脱了这种神话世界观，认为自然是非人格的本原，虽然自然有时被等同于神，但它其实是统摄世界的最高抽象原则，而不是与人同形同性的神；自然作为本原是运动变化的自因，事物的存在和运动具有内在的必然原因，而不受外在的神的支配；秩序和原则都能借助经验观察和理性思辨被发现。[①]简而言之，古希腊哲学对世界形成了一种不同于神话而又系统的理性自然观，它把自然作为一个独立于人的东西加以整体地看待，把自然界看成一个有内在规律的，其规律可以被人们把握的对象，同时还发展了复杂精致的数学工具，用以把握自然界的规律。[②]这种看待世界、思考世界的原因和秩序的新看法标志着人类思想的一大进步，为自然主义奠定了坚实的基础。

二是近代机械论自然主义阶段。这是自然主义的形成期，主要代表人物有斯宾诺莎、霍布斯、休谟、斯宾塞、赫胥黎（Huxley）、海克尔（Haeckel）等。这个阶段的自然主义起源于启蒙时代兴起的对宗教的批判，尤其是对宗教所主张的超自然力量和神学世界观的批判，最初主要表现为一种社会和思想解放理论，但随着发展其矛头也指向了与宗教世界观紧密相连的唯心主义、唯灵论等哲学体系。近代自然主义的主要动力来自科学，尤其是牛顿力学和达尔文进化论的发展及其不断增长的解释力，可以说近代自然主义是以自然科学为范式而建立起来的，如斯宾诺莎按照几何学模式建立了“伦理学”，休谟以牛顿物理学为榜样建立了“人性科学”，海克尔依据达尔文进化论建立了“一元论哲学”。近代自然主义作为一种世界观，一种关于人与世界关系的总观点，因受到近代科学关于世界的机械论图式的影响，具有鲜明的机械论特征[③]，如有些自然主义者将人的精神活动归结为感官活动，并最终还原为机械运动，得出了“人是机器”“心灵是物质”的结论。当然，尽管不同哲学家的具体看法存在差异，但他们都主张包括人

① 赵敦华.《西方哲学简史》，北京大学出版社 2001 年版，第 4 页。
② 吴国盛.《科学的历程》，北京大学出版社 2002 年版，第 61 页。
③ 赵敦华先生指出，机械论不仅是近代唯物主义的特征，而且是近代哲学的普遍特征，当时的各哲学派别都受到自然科学的影响而有机械论的倾向，吴国盛先生则将近代机械论的世界观概括为四个方面：第一，人与自然相分离；第二，自然界的数学设计；第三，物理世界的还原论说明；第四，自然界与机器的类比。这些都可看作是近代自然主义发展的重要理论背景。参阅赵敦华.《西方哲学简史》，北京大学出版社 2001 年版，第 171-173 页；吴国盛.《科学的历程》，北京大学出版社 2002 年版，第 239-240 页。

在内的一切现象都可以用纯自然的术语来解释，而无须诉诸超自然的力量，正如舍费尔斯曼所说，近代自然主义者中的“每一个都想通过发现纯自然的规律来解释自然的过程和对象，以此成为他那个时代及科学的牛顿”。①

三是实用主义的自然主义阶段。它主要流行于美国，在19世纪末20世纪初逐渐形成，20世纪三四十年代达到了巅峰，第二次世界大战后随着主要倡导者的离世，特别是逻辑实证主义和分析哲学对美国哲学的影响而走向衰落，其主要代表人物有桑塔亚那（Santyanna）、科恩（Cohen）、伍德布里奇（Woodbridge）、杜威（Dewey）等。实用主义的自然主义既反对唯物主义本身，又反对心灵与自然、超自然的与自然的等一切形式的二元论，认为它们是最终导致唯心主义的柏拉图-笛卡儿图画的残余，为了克服这些二元论，就要强调统一的自然秩序。实用主义的自然主义主要有两大派别：一派是“纽约自然主义”（New York naturalism）或经验主义的自然主义，本质上是方法论的自然主义，它不强调构成自然的“材料”，而是强调自然及其多层次的统一——传统的心-身、自然的-超自然的、个人的-社会的、事实-价值等二元性，都通过诉诸动态的自然过程而非还原为物质的基础，而得到克服。这个起统一作用的因素是普遍的经验主义方法论，而不是还原的形而上学。②这一派主要包括伍德布里奇的“古典自然主义”、科恩的“科学自然主义”和杜威的“实验自然主义”等。另一派是以桑塔亚那为代表的“唯物主义自然主义”，实质上是本体论的自然主义。他们和上一派一样，也拒斥二元论，也以承认物理对象的相互作用为基础，并把科学当作我们理解这些相互作用的根本途径，但他们认为杜威等所坚持的自然主义是“半心半意、精疲气短的”自然主义。在他们看来，自然只是整个物质过程的系统，物质过程具有完全不依赖于我们的设计的自在自为的本体论地位，它们在任何经验出现以前很久就开始了，在经验消失以后很久仍将继续存在，因而我们不应仅仅工具主义地看待科学理论，还应对科学理论持实在论的观点，认为它为我们世界的根本的东西和结构提供了最好的说明。③

四是语言的或逻辑的自然主义阶段。这种自然主义盛行于20世纪中叶，是自然主义在语言分析哲学中的继续，其代表人物主要有维特根斯坦以及石里克

① Schafersman S D. “Naturalism is today an essential part of science and critical inquiry”. 2006. http://www.humanism.net/~schafesd/ naturalism.html, accessed May 26, 1999.

② 鲍德温.《剑桥哲学史（1870－1945）（上）》，周晓亮，等译，中国社会科学出版社2011年版，第524页。

③ 鲍德温.《剑桥哲学史（1870—1945）（上）》，周晓亮, 等译，中国社会科学出版社2011年版，第526-528页。

（Schlick）、卡尔纳普（Carnap）、亨普尔（Hempel）等逻辑实证主义者。这种自然主义的一个主要动力是维特根斯坦的意义理论。维特根斯坦在《逻辑哲学论》中表达了这样的自然主义思想：能说的东西就是能用自然科学命题表达的东西。他从其独特的批判哲学出发，根据其关于语言和意义的观点，断然否认存在非自然的实在、存在非自然的知识，认为形而上学语言都是胡说。在此意义上，也可以将他的自然主义称作批判的自然主义。[①]石里克等逻辑实证主义者受维特根斯坦的自然主义观点及其早期思想的逻辑-语言形式的影响，进一步指出：以为自然科学的经验方法所能到达的因果链之外还有东西存在，是应给予否定的观点。在他们看来，认识和解释自然是科学家的任务，哲学家的工作是要弄清楚在我们想认识事物时，这种认识的概念和逻辑条件是什么。哲学关注的对象主要是语言，哲学研究的是命题的意义，其任务不是要建立科学理论，而是说明命题有没有意义，是分别明确的思想与含混的思想，发挥语言的作用与限制语言的乱用，确定有意义的命题与无意义的命题，辨别真的问题与假的问题，以及创立一种精确而普遍的“科学语言”[②]。换言之，他们认为哲学的目标是对科学进行语言分析，而语言分析的基本方法就是证实原则。对心理语言进行这种分析的结果，导致了对心灵的这样一种理解：一方面将心理学纳入自然科学的框架之中，另一方面将传统的心灵哲学问题作为没有意义的问题而排斥于关于心灵的科学研究之外。

五是科学自然主义阶段。科学自然主义是20世纪下半叶以来英美哲学中“正统的”或占主导地位的自然主义，其代表人物主要有蒯因、帕皮诺、阿姆斯特朗（Armstrong）、罗森伯格（Rosenberg）等。科学自然主义的兴起与蒯因的自然主义思想密切相关。如有的学者指出，蒯因的自然主义思想主要包括三个要点：第一，它要抛弃第一哲学或传统认识论；第二，它认为哲学是指向自身、反思自身的自然科学，它必须在自然科学内部，并使用自然科学方法，利用自然科学的发现说明我们如何在贫乏的感觉刺激的基础上得到了关于世界的丰富而正确的理论；第三，它认为哲学或认识论的主要研究方法是发生学方法，即对认识发生发展的过程作经验的研究和描述。[③]在蒯因自然主义思想的影响下，尽管科学自然

① 高新民.《意向性理论的当代发展》，中国社会科学出版社2008年版，第452-453页。
② 洪谦.《维也纳学派哲学》，商务印书馆1989年版，第5页。
③ 陈波.《奎因哲学研究：从逻辑和语言的观点看》，生活•读书•新知三联书店1998年版，第337-338页。

主义者具体的主张不同，但有两个方面的共识。一方面，都赞成一种哲学观或研究哲学的态度，即认为哲学与科学是连续的，正如蒯因所说：“我不把哲学看作是科学之先的预备性课程或基础性工作，而是把它看作是与科学连续的……哲学和科学处于同一条船上。”[①]帕皮诺也指出，尽管哲学和科学之间有一些差别，如哲学的普遍性更大，两者收集数据的方法不同，哲学问题倾向于产生某种理论混乱等，但“哲学和科学本质上从事的是相同的事业，它们追求相似的目的、使用相似的方法”。[②]另一方面，科学自然主义者都赞成一种世界观，认为描述世界的最好的概念系统是物理科学，世界和自然是同一个东西，其内的一切都属于相同的本体论类型。阿姆斯特朗认为，自然主义就是这种学说，即实在不过是一个包罗万象的时空系统，而这个系统只包含物理学所承认的实体。[③]斯泰斯（Stace）认为，自然主义是这样的信念：“世界是一个由事物或事件构成的系统，其中的每一事物或事件都是在一个关系和规律网中与其他事物或事件相联系的……在这个‘自然秩序’之外什么也没有。”[④]泰伊也指出，“根据自然主义观点，世界不包括任何超自然的东西……在最底层存在着受微观物理学规律支配的微观物理现象，而在高层存在这样的现象：它们不仅参与了可以用科学规律描述的因果作用，而且与微观物理项目具有一般本体关系，它与用这些高层次规律进行量化和指称的实在的本体关系相同”[⑤]。当代科学自然主义不仅试图对意义、真、价值、认识等作自然主义的说明，即将它们自然化，而且还将自然化模式推广到了更广泛的领域，从而在当代形成了真正的“自然化转向”。例如，它试图把关于因果性的哲学问题变成量子力学的问题，把关于真和必然性的问题变成建构主义数学的问题，把关于心灵本质的哲学问题变成认知科学中的计算机模拟问题，把哲学中关于有无抽象对象存在的问题变成纯语言学的问题，等等。科学自然主义有两个突出的特征：一个是科学主义，表现为对科学的无根据的尊崇和信任。科学自然主义者主张，要真正解决哲学问题必须诉诸科学，要理解世界和我们自

① Quine W V. *Ontological Relativity and other Essays*. New York: Columbia University Press, 1969: 126-127.
② Papineau D. “Naturalism”. *Stanford Encyclopedia of Philosophy*, 2007.
③ Armstrong D M. “Naturalism, materialism and first philosophy”. In Moser P K, Trout J(Eds.). *Contemporary Materialism: a Reader*. New York: Routledge, 1995: 35.
④ Stace W. “Naturalism and religion”. *Proceedings and Addresses of the American Philosophical Associatio*n 1949, 23: 22.
⑤ Tye M. “Naturalism and the problem of intentionality”. *Midwest Studies in Philosophy,* 1994, 19(1): 129.

己，必须以自然科学为根据和准绳，因为自然科学在我们当前的信念体系中占据着核心位置，它具有比常识或社会科学更大程度的合理性，自然科学成果在进一步的理性研究中比与之冲突的信念更占优势。[①]从与传统自然主义相比较的角度看，传统自然主义旨在反对超自然主义，因而是温和的，而科学自然主义是极端的，从理论基础来说，自然主义的基础是科学主义，即相信科学是基础、标准、权威。它假定世界有实在性，坚信只有在时空中有其地位的东西才是存在的。[②]另一个是其一元论立场。杜普雷（Dupré）在阐述其多元论自然主义时就指出，科学自然主义者承诺了一种有问题的形而上学一元论，它包含如下内容：所有自然科学都能还原为物理学，物理世界的因果封闭性原则，非物理属性都能还原为或至少随附于物理的属性。[③]正是由于坚持这样的一元论立场，科学自然主义者才将科学所认可的对象和所采用的方法看作是评判哲学中的形而上学和认识论是否货真价实的唯一标准。

六是新自然主义阶段。这是近年来出现的一种“为自然主义松绑”或者说弱化科学自然主义立场的倾向。新自然主义的倡导者很多，如普特南、彼得·斯特劳森（P. Strawson）[④]、查默斯、德·卡罗、杜普雷、斯特劳德、霍恩斯比（Hornsby）等。当然，并非所有新自然主义者都用“自然主义”来称呼自己的主张。新自然主义的名称也多种多样，如有“自由自然主义”（liberal naturalism）、“松散的自然主义”（relaxed naturalism）、“宽容的自然主义”（catholic naturalism）、“第二自然的自然主义”（naturalism of second nature）、“软自然主义”（soft naturalism）、“弱自然主义”（weak naturalism）、“近似自然主义”（near naturalism）、“广义的科学自然主义”（broad scientific naturalism）、多元论的自然主义（pluralistic naturalism）、“更开放或开阔的（more open minded or expansive naturalism）自然主义”等不同的形式。从本质上说，新自然主义处于科学自然主义与超自然主义之间的概念空间中。一方面，它和科学自然主义一样，认可“当代自然主义的构成性主张”（the constitutive claim of contemporary naturalism），即这一命题：

---

① Kim J, Sosa E, Rosenkrantz G S(Eds.). *A Companion to Metaphysics*. 2nd ed. Oxford: Blackwell, 2009: 435.

② 高新民.《意向性理论的当代发展》，中国社会科学出版社 2008 年版，第 596 页。

③ Dupré J. “How to be naturalistic without being simplistic in the study of human nature”. In De Caro M, MacArthur D(Eds.). *Naturalism and Normativity*. New York: Columbia University Press, 2010: 289-303.

④ 小斯特劳森是其子。

“就我们对它们的认识而言，其存在或真理性与自然规律相违背的实在或解释，都不应当被接受。”[①]它坚决否认存在超自然的实体（如神、精神、隐德来希或笛卡儿式的心灵）、事件或认识能力，从而与超自然主义划清了界线。另一方面，它又基于其对“自然的”“超自然的”不同理解，弱化了科学自然主义的本体论和认识论要求，具体体现在“三个多样性”：首先，它坚持科学的多样性，认为科学是存在和知识问题的重要裁决者而非唯一的裁决者，化学、生物学等自然科学及哲学和其他社会科学都具有相对于科学的自主性。其次，它坚持理解方式和研究方法的多样性，认为自然科学方法不是获取知识和理解的唯一方法，概念分析、想象性的推测或内省等也是认识和理解不可或缺的方法，但它们既不能还原为科学的方法也不是超自然的理解形式。最后，它坚持存在对象的多样性，认为既存在物理实在或物质性实在，又存在抽象对象、心理现象等非物理的存在。尽管有些实在既不能还原为物理的实在，也不是在本体论上依赖于能作出科学说明的基本实在，又不能被取消，但它们也不是超自然的，因为它们既不违反科学所研究的世界的规律，也不是用反科学的方法掌握的，因而不能把它们看作是虚构、幻觉或解不开的谜，而应把它们当成自然的东西。综上所述，新自然主义在科学的范围、理解的形式和实在的种类方面都具有鲜明的多元论特征。

第三节　自然主义的基本观点

我们这里要考释的“自然主义的基本观点”主要指当代“正统的”自然主义，即科学自然主义的观点，而不涉及方兴未艾的新自然主义思想。

科学自然主义有一个基本原则，即威尔弗里德·塞拉斯所说的“科学是一切事物的尺度：是存在的东西存在的尺度，也是不存在的东西不存在的尺度”。[②]换言之，科学自然主义强调自然科学的绝对权威性，认为自然科学是事物的本体论地位和知识的唯一仲裁者。丹托（Danto）指出，自然主义作为一种哲学一元论，

① De Caro M, Voltolini A. “Is liberal naturalism possible?” In De Caro M, MacArthur D(Eds.). *Naturalism and Normativity*. New York: Columbia University Press, 2010: 71.

② Sellars W. “Empiricism and the philosophy of mind”. *Minnesota Studies in the Philosophy of Science*, 1956, 1: 253-329.

认为存在或发生的一切都是自然的，意思是说它们都有可能用自然科学方法来解释。[①]莱西（Lacey）认为，根据自然主义，"万物都是自然的，即是说存在的一切都属于自然世界，因而可以用适用于这个世界的方法来研究，而明显的例外可以设法予以消解"[②]。库尔茨（Kurtz）也认为，自然主义这场哲学运动"希望用科学、证据和理性的方法来理解自然及人类在其中的位置"，它"怀疑关于自然之外的超验领域的假定，怀疑关于自然无需使用理性和证据方法就能得到理解的主张"。[③]詹姆斯·马登则指出，自然主义代表着一种方向，其基本主张是："对自然中能够被解释的一切都可以作出一种物理的（或科学的）解释，构成自然的事件、实体和过程就是我们能合理地相信存在的一切。"[④]在自然主义哲学家看来，高阶的事物和理论必须通过自然化来说明其存在地位和合法性。

然而，不同的人对自然化的目的、任务和方法的理解不同，其自然主义主张也存在巨大差异，因而科学自然主义其实是一个"大杂烩"，我们很难对之作出整齐划一的概括。要考释自然主义的基本观点，最好的办法是对不同哲学家的具体看法进行分析，以此来呈现科学自然主义的基本特征及其复杂面貌。

莫兰德（Moreland）认为，自然主义作为一个否定性的命题至少暗示着有神论是错误的，它大体上指这样的看法：由物理科学研究的实在所构成的时空宇宙就是存在的一切。从肯定的方面看，自然主义包括三方面的内容：①自然主义的认识态度，即拒斥所谓的"第一哲学"，接受或强或弱的科学主义立场；②关于所有实在的因果解释，即无论我们被告知的实在是什么，只要它们是用自然科学术语所描述的关于一个事件的因果故事即可，而在这种因果解释中起核心作用的是物质原子论和进化生物学；③普遍的本体论，其中只有与标准的物理学所认可的实在相似的实在才被承认。[⑤]对于大多数自然主义者来说，这三个组成部分的顺序很重要：通常，自然主义的认识态度可用于辩护自然主义的因果论，而后者反过来又有助于为自然主义的本体论承诺作辩护。此外，自然主义还要求这三个

---

① Danto A. "Naturalism". In Edwards P(Ed.). *Encyclopedia of Philosophy*. New York: Macmillan, 1967: 448.

② Lacey A R. "Naturalism". In Honderich T(Ed.). *The Oxford Companion to Philosophy*. Oxford: Oxford University Press, 1995: 604.

③ Kurtz P. *Philosophical Essays in Pragmatic Naturalism*. New York: Prometheus Books, 1990: 7, 12.

④ Madden J D. *Mind, Matter, and Nature: a Thomistic Proposal for the Philosophy of Mind*. Washington, D. C.: The Catholic University of America Press, 2013: 7.

⑤ Moreland J P. "Naturalism and the ontological status of properties". In Craig W L, Moreland J P(Eds.). *Naturalism: a Critical Analysis*. London: Routledge, 2000: 73.

方面保持一致。例如，第三人称的科学认识方式，关于我们的感觉和认知过程如何形成的物理的、进化的解释，以及关于这些过程本身的本体论分析之间应当是一致的。任何被看作是存在的实在都应当与我们最好的物理理论所描述的实在具有相似性，它们的形成也应当能根据自然主义的因果解释来理解，它们也应当能用科学的方法来认识。根据这种对自然主义的认识，要成为一个坚定的自然主义者，就要承认一切存在的实在必须满足两个条件：一是它们只处于自然主义的本体论中，也就是说，它们的存在和行为与物理学中的典型的自然实在相似；二是如果能解释的话，它们至少原则上能被作出一种自然主义的因果论解释。

贝克指出，自然主义是一种关于实在及我们关于它的知识之本质的哲学观点。自然主义有强弱两种形式，其中强自然主义主张科学是实在和知识的唯一仲裁者，此即科学自然主义。具体来说，它包含以下几个主张：一是本体论自然主义，认为本体论（指关于实在的完备的库存清单）被科学理论所调用的实在和属性穷尽了；二是认识论自然主义，认为认识论问题[如我们能知道什么或者知识或证成（justification）的本质是什么]必须由关于我们的认知能力的科学解释来作出经验的研究；三是方法论自然主义，认为哲学的方法应当限于科学方法；四是解释自然主义，这是方法论自然主义的一个推论，认为所有真正的解释都是科学解释。[①]

德・卡罗的看法与贝克有相似之处。他认为，科学自然主义是一种元哲学观点，对它的内涵、范围和视角可以根据以下几个主张来理解。该主张可称作“自然主义的构成性命题”（the constitutive thesis of naturalism）[②]，即坚决地否定非自然主义或超自然主义，因为存在的只有自然的东西，即只存在自然的殊相和自然的属性，或者说自然就是存在的一切，所有基本真理都是关于自然的真理。但这个命题是包括批判科学自然主义的人在内的大多数自然主义哲学家都认可的，为了与其他自然主义相区别，科学自然主义者对它作了一些限制，将它具体化为下面两个命题。

一个是本体论命题，认为我们的本体论应当而且只应当由科学来塑造，因而完备的自然科学原则上能够说明实在的一切可以解释的方面。这一主张实际上承诺

① Baker L R. *Naturalism and the First-Person Perspective*. Oxford: Oxford University Press, 2013: 5.
② De Caro M. “Varieties of naturalism”. In Koons R C, Bealer G(Eds.). *The Waning of Materialism*. Oxford: Oxford University Press, 2010: 367.

了一种科学主义，即认为自然科学提供了关于世界的唯一真实的图画。而诉诸非科学的实体、事件、过程或属性的话语必须作出相应的处理，要么根据自然科学的假定进行还原或重构，要么被当成有用的虚构，要么被认为起着非指称的或非事实的语言学作用，要么是被当成“前科学”思维的错觉性表现形式而彻底取消。

另一个是方法论命题，此即蒯因所说的“哲学与自然科学是连续的”[①]。人们对这一个方法论主张有不同的理解。最温和的理解是认为它只是主张哲学观点应与最好的科学理论保持一致，正如杜威所说“自然主义者就是尊重自然科学的结论的人”[②]。但这种理解实际上只是说哲学不应该诉诸非自然的或超自然的实体或属性，可见它只是重述了上述的自然主义的构成性命题。科学自然主义者对它的理解更严格，主要包括以下几个方面：①抛弃第一哲学，即哲学不应再被当成一种超级学科，试图凌驾于科学之上，站在科学之外或在科学之前，对科学所研究的外部世界提供某种说明，并对科学本身的合理性提供某种辩护。②哲学家们不应该再追求古典的基础认识论计划，试图找到先天的、基础的和自明的信念来证明其他的信念。③如果哲学家所处理的问题科学已经作出了解释，那么哲学应当服从科学的权威，就像普里斯（Price）所说的那样，“成为一个哲学自然主义者，就是要相信哲学绝不是与科学不同的事业，而且在这两者共同的关注点上，哲学应完全服从科学”[③]。④科学的经验方法也适合于处理真正的哲学问题，哲学应当采取自然科学的方法，哲学研究“最好在我们关于世界的经验知识的框架内进行”[④]，哲学理论实质上就是“关于自然世界的综合理论，它们最终应接受经验信息的裁决”[⑤]。甚至有人认为，哲学并没有什么特殊的方法，经验方法是哲学研究的唯一合法途径，过去那些所谓的专属于哲学的方法，如分析方法、先验概念分析、思想实验等，要么应予取缔，要么可以承认其中一些是合法的，但这不过是因为它们包含了关于世界的相关经验信息，所以可以被当成广义的科学方法。[⑥]

---

① Quine W V. “Naturalism; or, living within one’s means”. *Dialectica*, 2010,49(2-4): 251-263.
② Dewey J. “Antinaturalism in extremis”. In Krikorian Y H (Ed.). *Naturalism and the Human Spirit*. New York: Columbia University Press, 1944: 2.
③ Price H. “Naturalism without representationalism”. In De Caro M, MacArthur D(Eds.). *Naturalism in Question*. Cambridge: Harvard University Press, 2004: 71.
④ Papineau D. *Philosophical Naturalism*. Oxford: Blackwell, 1993: 5.
⑤ Papineau D. “Naturalism”. *Stanford Encyclopedia of Philosophy*, 2007.
⑥ De Caro M. “Varieties of naturalism”. In Koons R C , Bealer G(Eds.). *The Waning of Materialism*. Oxford: Oxford University Press, 2010: 370.

德·卡罗认为，科学自然主义有三种常见的形式，第一种是本体论的科学自然主义，认为科学是判定存在与非存在的标准。它有强弱两个版本，强的版本主张真正存在的实在就是科学解释所假设的实在，而弱的版本只是主张科学的假设是唯一没有问题的实在。第二种是方法论或认识论的自然主义。它也有强弱两个版本，强的版本认为只有用自然科学的方法才能得到真正的知识，而弱的版本认为自然科学方法是唯一没有问题的研究方法，这意味着它在某种宽松或实践的意义上可以有条件地承认非科学知识。第三种是语义学的科学自然主义。它同样有强弱两个版本，强的版本认为自然科学所用的概念是我们所拥有的唯一真实的概念，其他概念只有在我们能根据科学概念对之作出解释时才能保留，而弱的版本只认为自然科学所用的概念是我们所拥有的唯一没有问题的概念。科学自然主义是想成为一种囊括一切的学说，它有这样的预设，即自然科学能够认识一切现象，能对之作出完全无遗漏的解释。这就涉及“先天”（a priori）问题。科学自然主义反对传统的先天概念，而承认经过修改的先天概念，认为概念分析是可能的，只要关于意义的先天论断容许从经验上验证就行。[①]

莫泽（Moser）和严德尔（Yandell）也赞成将自然主义分为本体论自然主义和方法论自然主义两个方面，但认为这两个方面还包含更具体的形式。他们认为，本体论自然主义的核心论点是，“每个真正的实在都是由假设是完善的经验科学所认可的对象（自然本体论的对象）组成的，或者是以某种方式以这些对象为基础的”[②]。它有三种形式：第一种是取消的本体论自然主义，认为每个真正的实在都可以由假设是完备的经验科学的本体论捕捉到，而与这些科学无关联的语言可以从话语中取消而不会有任何认知的损失。第二种是非取消的还原的本体论自然主义，认为每个真正的实在要么能由假设是完备的经验科学的本体论捕捉到，要么可还原为能由该本体论捕捉到的某种东西。第三种是非取消非还原的本体论自然主义，认为有些真正的实在既不能被假设是完备的经验科学的本体论捕捉到，又不能还原为任何能由该本体论捕捉到的东西，但所有这些实在都随附于能由该本体论捕捉到的实在。方法论自然主义的核心论点是，“每种获取知识的合

① De Caro M, MacArthur D(Eds.). *Naturalism in Question*. Cambridge: Harvard University Press, 2004: 7-8.
② Moser P K, Yandell D. “Farewell to philosophical naturalism”. In Craig W L, Moreland J P(Eds.). *Naturalism: a Critical Analysis*. London: Routledge, 2000: 4.

理方法都是由完善的经验科学方法（即自然的方法）组成的，或者是以这些方法为基础的”[①]。它也有三种具体的形式：第一种是取消的方法论自然主义，认为获取知识的合理方法所使用的一切用语，包括经验上存在争议的用语（如规范性的用语和意向的用语），都可以毫无认知损失地被假设是完备的经验科学方法所使用的用语取代。第二种是非取消的还原的方法论自然主义，认为获取知识的合理方法所使用的一切用语，包括经验上存在争议的用语，要么可以毫无认知损失地被假设是完备的经验科学方法所使用的用语取代，要么可以被还原为那些方法所使用的用语。第三种是非取消非还原的方法论自然主义，认为获取知识的合理方法所使用的有些经验上存在争议的用语，既不能被假设是完备的经验科学方法所使用的用语取代，也不能被还原为那些用语，但这些用语的指称对象随附于假设是完备的经验科学方法所使用的用语的指称对象。

就本体论自然主义与方法论自然主义之间的关系来说，多数哲学家认为它们不必然联系在一起，不能将之混为一谈。德·卡罗指出，自然主义的本体论命题和方法论命题原则上是可以分开的，就是说本体论的科学自然主义者不一定赞成方法论命题，而方法论的自然主义者则很可能赞成本体论命题，因为科学研究具有本体论的预设和含意。[②]K. 坎贝尔（Campbell）指出，自然主义有时是一种关于方法的规则，而不是一种形而上学学说，它是通过揭示自然的因果过程来解释和理解世界的。所有真正的知识都是这种自然的、实验性的知识。人自身是自然秩序的一部分，没有特殊的直觉或洞察力能够提供更直接的获取知识的途径。如果自然主义就是这样的研究方法，那么自然界就是由自然科学方法揭示的世界，这本身并未对世界是什么样子或者什么能够存在构成限制。也就是说，你不可能预先说明科学方法能够揭示什么：它不仅能揭示鞋子、船舶等常见的东西，还有可能揭示喷火的巨龙、不老泉或魔法石等。因此，作为一种方法的自然主义主张，本体论应当后验地发展，即科学所证实的一切都可以接受，而未被科学证实的东西则都不能认可。[③]彭诺克（Pennock）则认为，方法论自然主义是科学的一条基

① Moser P K, Yandell D. “Farewell to philosophical naturalism”. In Craig W L, Moreland J P(Eds.). *Naturalism: a Critical Analysis*. London: Routledge, 2000: 9.

② De Caro M, MacArthur D(Eds.). *Naturalism in Question*. Cambridge: Harvard University Press, 2004: 6-7.

③ Campbell K. “Naturalism”. In Borchert D M(Ed.). *Encyclopedia of Philosophy*. Farmington Hills: Thomson Gale, 2006: 492.

本原则，是一种科学范式，它不以武断的形而上学（或本体论）的自然主义为基础。根据定义，超自然的东西是处于自然界及其主体、力量的范围之外的，也不受自然规律的约束，只有逻辑的不可能性限制着超自然的主体不能做什么。他说：如果我们能把自然知识用于理解超自然的力量，那么根据定义它们就不是超自然的。超自然的东西是我们难以理解的，因此它们不可能为判断科学的模型提供基础，实验要求观察和控制变量……但根据定义我们不能控制超自然的实体或力量。就此而言，方法论的自然主义并未述及超自然的东西存在还是不存在，因为根据定义这是无法进行自然检验的，它只是基于实践方面的考虑而反对超自然的解释，也就是说，反对超自然的解释只是一种实用主义的考虑，这就意味着本体论的超自然主义者赞成并实践方法论自然主义是可能的，事实上也确实有很多科学家既信仰上帝又秉承方法论的自然主义。斯科特（Scott）也认为，赞成方法论的自然主义不一定要赞成本体论的自然主义。她认为，科学地采纳了方法论的自然主义而不是本体论的自然主义，它既不否认也不反对超自然的东西，但出于方法论的考虑忽略了超自然的东西，因此将本体论的自然主义与方法论的自然主义分开在逻辑上是可能的，而且有宗教信仰的科学家实际上一直都是这样做的。[①]约翰逊（Johnson）进一步指出：“方法论的自然主义——科学只能研究那些能为其工具和技术了解的东西是没有问题的。当然，科学只能研究科学所能研究的东西。只有在科学的限度被认为是实在方面的限制时，方法论自然主义才会变成形而上学的自然主义。”[②]对此，舍费尔斯曼提出了针锋相对的主张。在他看来，实践或接受方法论的自然主义蕴含着一种关于本体论自然主义的逻辑的和道德的信念，因此它们是不能逻辑地分开的，当然仍可以从实践上将它们分开，或实用主义地将它们分开。大多数科学家在科学中实践自然主义可能是由于他们相信自然主义是一种本体论，而持有神论立场的科学家只是假设而非真信方法论的自然主义，因为他们实际上是超自然主义者。他说：“尽管科学作为一个过程只要求方法论的自然主义，但我想由科学家和其他人所作出的方法论自然主义假设在逻辑上和道德上都蕴含着本体论的自然主义。尽管我承认将方法论自然主义与本体论自然主

---

① Scott E C. “Darwin prosecuted. review of Darwin on trial. creation”.*Evolution*, 1993,13(2): 43; Scott E C. “Creationism, ideology, and science”. *Annals of the New York Academy of Sciences*, 1995, 775(1): 514-515.

② Johnson P. “Darwinism’s rules of reasoning”. In Buell J, Hearn V(Eds.). *Darwinism: Science or Philosophy*. Dallas: Foundation for Thought and Ethics, 1994: 15.

义分开的可能性和可行性，但我相信仅仅为了从事或相信科学而假设自然主义是正确的，这是一种逻辑的和道德的错误。”[①]

霍斯特（Horst）通过概括“自然主义的一般性图式”说明了当代自然主义的共识与分歧。他指出，尽管当代心灵哲学中的各种自然主义理论之间分歧很大，但也可以梳理出几个在各个理论中发挥着重要作用的命题。第一个是形而上学的命题，即自然界就是世界的全部。第二个是认识论的、分析的或解释的命题，即表面上看不是自然界组成部分的事物（如心灵和规范），实际上却可根据自然现象来说明。上述两个命题又隐含着两个附带的假定：一个是“自然的”被理解为自然科学尤其是物理学的定义域，另一个是对于自然主义来说，存在一个对立的类别，它们是诉诸超自然的或精神的规律和力量来说明的。基于这些命题，我们可以将各种自然主义的共同之处概括为这样一个“一般性图式”：“关于领域 D 的自然主义主张，D 的所有特征都应纳入自然科学所理解的自然的构架之内。”[②]相应地，心灵哲学中的自然主义就是这种看法：所有心理现象都应纳入自然科学所理解的自然的架构之内。伦理学中的自然主义、认识论中的自然主义等也可如此类推。

上述一般性图式体现了各种自然主义的一致性，但它只是一种理论图式（theory-schema），而非一种共享的理论，因为上述概括中的一些要素具有歧义性，不同的自然主义对它们的看法不同。在霍斯特看来，除了什么领域应当被自然化（如是心灵还是伦理学）的问题之外，这个图式至少在下列三个维度上是有歧义的，它们是区别不同的自然主义的轴线，决定着各种自然主义之间的差异性：①所说的“纳入”（accommodation）是一种解释还是一项形而上学的决定；②应如何理解“自然科学所理解的自然的架构”；③这个一般性图式应被理解成一个肯定性的主张（即心灵能被如此纳入），还是一个规范性的主张（即它必须被这样纳入，否则就会导致一些可怕的结论）。[③]具体来说，首先，在探讨自然主义时，人们经常将关于心灵的特征（如意识和意义）能否由自然科学解释的讨论与关于形而

① Schafersman S D. “Naturalism is today an essential part of science and critical inquiry”. 2006. http://www.humanism.net/~schafesd/ naturalism.html, accessed May 26, 1999.

② Horst S. *Beyond Reduction: Philosophy of Mind and Post-Reductionist Philosophy of Science*. Oxford: Oxford University Press, 2007: 13.

③ Horst S. *Beyond Reduction: Philosophy of Mind and Post-Reductionist Philosophy of Science*. Oxford: Oxford University Press, 2007: 14.

上学问题（如心理状态是否随附于大脑状态）的讨论混为一谈。尽管有些类型的解释与特定类型的形而上学决定密切相关，但形而上学问题与解释问题是不同的。一方面，有些形式的解释（如统计学解释）并没有形而上学的结果；另一方面，有些形而上学必然性是认知不透明的（epistemically opaque），即是说，它们必然为真，但我们的心灵却不能理解它们为何必定如此，因此并没有相关的解释形式能保证它们的必然的特征。例如，很多非还原的物理主义者和神秘论主义者都相信心理现象随附于大脑的事实，但却不能由它们作出还原的解释。因此，在考察特定的自然主义主张时，确定它是一个关于解释的主张还是一个关于形而上学的主张抑或是与两者都有关的主张，是非常重要的。其次，就自然科学所理解的自然架构来说，自然主义图式所表达的意思在很大程度上取决于我们认为什么对于自然科学的运作方式及它们表征自然世界的方式很重要，也就是说，依赖于你在解释的本质及科学的形而上学承诺等问题上持什么样的看法。从历史上看，不同的人对这些问题有不同的看法：有些人接受伽利略的分解综合法，因而持还原论立场；有些人则像牛顿那样反对还原论的科学模式，而转向探索描述可观察现象的数学规律，就心灵来说，他们关心的是心身之间或心理状态之间的似规律关系；还有些人想用达尔文的方法，即用生物学术语、进化论或社会生物学的资源来理解心灵。这些不同的方案反映了关于科学解释及自然架构的不同看法。最后，自然主义主张有时是一种肯定性的陈述，即关于事物实际上如何的一种二阶的经验性主张，它们可以进行检验并证明是对还是错，如心灵的有些特征（如意识）能否被自然化最终是可以证明的。但有些自然主义者所坚持的并不是经验性的或肯定性的主张，而是规范性的主张，他们实质上是主张心灵必然被自然化，否则就会得出不合适的结论，如心理状态除非随附于物理状态，否则就不存在。我们评价肯定性的陈述和规范性陈述的方法是不同的，因此应当确定我们处理的是哪一种主张。[①]

除此之外，还要注意：人们对将某种现象纳入自然科学所理解的自然架构之内的意思有不同的看法，因此上述图式还有可能容纳非自然主义的观点。例如，如果将自然的东西等同于具有因果关系的东西，那么创造世界的上帝以及笛卡儿

① Horst S. *Beyond Reduction: Philosophy of Mind and Post-Reductionist Philosophy of Science*. Oxford: Oxford University Press, 2007: 14—20.

所说的与身体具有因果关系的非物质灵魂就属于“自然的”对象。但是，如果这样宽泛地理解自然主义，自然主义与非自然主义之间的区别就会模糊，因此我们应该对上述图式增加两点限制，或者说我们可以从否定的方面来理解自然主义，即自然主义理论不能是这样的理论：①假定存在超自然的实在（如上帝、天使或非物质的灵魂）；②采取了这样一种形而上学立场，认为自然科学的本体论不具有根本性（如先验唯心论、实用主义）。[①]

自然主义与物理主义、唯物主义、科学主义等的关系十分密切，但相互之间又存在差别。格滕普兰就曾指出，尽管“自然主义”经常与“物理主义”“唯物主义”互换使用，但它们的意义并不完全相同，“‘物理主义’表明在自然科学中物理学尤其具有基础性的地位，而‘唯物主义’的有些含义要追溯到 18 和 19 世纪的世界观，即世界实质上是由物质粒子构成的，它们的行为对于解释其他的一切是基础性的”。另外，物理主义和唯物主义一般都承诺了还原论，而自然主义没有这样的承诺。[②]因此，考释自然主义的基本观点，应对它们作出细致的辨析。

就自然主义与物理主义的关系来说，常识的看法是“自然主义”和“物理主义”是可以互换的概念，有人说物理主义是自然主义的最早的版本，是极端的自然主义[③]，是自然主义一个特别严格的版本。[④]小斯特劳森指出，如今大多数心灵哲学家都赞成自然主义和物理主义，并认为“自然主义”与“物理主义”可以相互替换，因此在他看来，自然主义就是物理主义，因为它在对非基本属性进行自然化时坚持了“一切都是物理的”这一基本原则。[⑤]帕皮诺认为，自然主义承诺了物理学的完备性，主张关于世界的纯物理说明加上物理规律就足以对所发生的事情作出解释，因此它需要严格的物理主义，即这样的看法：一切个体、事件、属性、关系等都完全是物理实在。[⑥]

然而，也有不少哲学家反对将自然主义等同于物理主义。德·卡罗指出，人

① Horst S. *Beyond Reduction: Philosophy of Mind and Post-Reductionist Philosophy of Science*. Oxford: Oxford University Press, 2007: 200.
② Guttenplan S (Ed.). *A Companion to the Philosophy of Mind*. Oxford: Blackwell, 1994: 449.
③ Bunge M. *Matter and Mind: a Philosophical Inquiry*. New York: Springer, 2010: 104.
④ Campbell K. “Naturalism”. In Borchert D M (Ed.). *Encyclopedia of Philosophy*. Farmington Hills: Thomson Gale, 2006: 492.
⑤ Strawson G. “Intentionality and experience: terminological preliminaries”. In Smith D W, Thomasson A(Eds.). *Phenomenology and Philosophy of Mind*. Oxford: Clarendon Press, 2005: 42.
⑥ Papineau D. *Philosophical Naturalism*. Oxford: Blackwell, 1993: 30.

们之所以认为自然主义就是物理主义，是因为现代科学取得的巨大成功为物理主义一元论（这一命题：世界只包含物理学所认可的实在）提供了基础，而这又与下述两种观念密切相关：一是科学的统一，二是认为物理学是自然科学的典范。但是，人们对科学自然主义本身的认识还不一致，甚至在科学自然主义者中对于科学的统一性及其范围也存在争议，因此科学自然主义并不等同于物理主义，科学的自然主义是比物理主义更宽广的元哲学概念。物理主义以下述命题为基础，即物理学具有绝对的认识论的和本体论的优越性，而科学自然主义尽管与这一命题相容，但并未承诺这一命题。更准确地说，“科学自然主义主张作为整体的自然科学具有绝对的本体论的和认识论的优越性，不管其他自然科学能否还原为物理学”①。根据关于科学的多元论概念，科学自然主义者所承认的一些实在（如酸、猎食者或音素）既不是也不能还原为物理实在，因此化学解释、生物学解释等原则上不能还原为物理学解释。在此意义上，我们就可以说，尽管物理主义者都承诺了科学自然主义，但并非所有科学自然主义者都是物理主义者。②

对于自然主义与唯物主义的关系，流行的看法也是认为两者是等同的，很多唯物主义者也都称自己是“自然主义者”。这是有原因的，因为从历史上看自然主义者一般都是唯物主义者。库尔茨指出，自然主义的哲学来源是形而上学中的唯物主义和认识论中的经验论及怀疑主义，因此自然最好参照物质的原则来说明，这些原则包括质量、能量及其他为科学共同体所接受的物理和化学属性。③但也有很多哲学家指出自然主义与唯物主义存在巨大差别。詹姆斯·马登认为，自然主义和唯物主义确实有密切的联系，但在严格意义上两者是有差别的。唯物主义是一种本体论的一元论（ontological monism），主张只有一种基本存在即物质性的存在，自然主义则是一种解释的一元论（explanatory monism），主张从根本上说只存在一种解释即物理解释，而不管有多少种存在。成为自然主义者的最简洁的方式就是成为唯物主义者，但有些自然主义者并不赞成唯物主义，因为他们既认为对心灵或灵魂最终能作出物理解释（即坚持自然主义），又认为它是非物质的（即不支持唯物主义）。当然，尽管自然主义没有直接提出形而上学的主张，但它对

① De Caro M. “Varieties of naturalism”. In Koons R C, Bealer G(Eds.). *The Waning of Materialism*. Oxford: Oxford University Press, 2010: 366.
② De Caro M, MacArthur D(Eds.). *Naturalism in Question*. Cambridge: Harvard University Press, 2004: 5.
③ Kurtz P. “Darwin re-crucified: why are so many afraid of naturalism?”. *Free Inquiry*. 1998, 18 (2): 15-17.

本体论是有暗示的。[①]

邦格（Bunge）认为，尽管自然主义是唯物主义的近亲，两者也共享了很多关键的命题，甚至可以说“自然主义是羞答答的唯物主义”[②]，但两者的差异也很明显：唯物主义所说的“物质”的外延比“自然”要大，它不仅包括物质性存在，还包含社会、文化、思维等。具体来说，“唯物主义”一词具有歧义性。一方面，它可以表示一种道德学说，此即伦理学唯物主义，在此意义上它与“快乐主义”（hedonism）是同义词，主张快乐就在于追求物质财富。另一方面，它也表示一种哲学世界观，此即哲学唯物主义，主张一切真实的东西都是物质的。哲学唯物主义与自然主义有很大的重合之处，如两者都反对超自然主义，都承认世界或实在只是由具体事物构成的，但它们对物质的理解不同：自然主义涉及的是物理学、化学和生物学所研究的物质，而否认思维的、社会的、人工的物质。因此，自然主义不如唯物主义全面，有的自然主义者不一定是唯物主义者，有的唯物主义者也不一定是自然主义者。例如，有的人认为实在的构成要素不是物质的东西，而是事实（维特根斯坦）、事态（阿姆斯特朗）、过程（怀特海），这些概念显然都有反对将世界物质化的倾向。有的人则承认社会现象和人造物也是物质的样态，这些显然都超出了自然科学所关注的范围。因此，“自然主义和唯物主义是局部重叠而非相互包含的关系”[③]。他还根据其所倡导的科学唯物主义指出，唯物主义是一个学说大家族，包含着从最温和的唯物主义（即自然主义）到最强硬的主义（即物理主义或取消式唯物主义）等不同的类型，“自然主义和无神论一样，是一种否定性的看法，即认为自然之外无物存在，但它没有说明自然内部有什么。而唯物主义不仅主张超自然的东西是神话，而且还阐述了宇宙的本质”[④]。

舍费尔斯曼也认为自然主义不一定承诺唯物主义，后者虽然承认存在非物质因素，但认为它们是由物质因素产生的或者与物质因素相联系，如果物质因素不存在，非物质因素也不会存在，而自然主义则与唯心主义或二元论是相容的，如有些早期的实证主义者就是现象论者，而现象论就是一种唯心主义。因此，“自

---

① Madden J D. *Mind, Matter, and Nature: a Thomistic Proposal for the Philosophy of Mind*. Washington, D. C.: The Catholic University of America Press, 2013: 5-7.
② Bunge M. *Matter and Mind: a Philosophical Inquiry*. New York: Springer, 2010: 96.
③ Bunge M. *Matter and Mind: a Philosophical Inquiry*. New York: Springer, 2010: 121-122.
④ Bunge M. *Matter and Mind: a Philosophical Inquiry*. New York: Springer, 2010: 139.

然主义的范围比唯物主义要宽广，可以容纳各种各样的形而上学立场，如唯心主义或唯物主义、一元论或二元论、无神论甚至有神论，因为自然的神性可以被看作是宇宙中固有的（泛神论）或者是包含在自我之中的，因此唯心主义、二元论和有神论都是自然主义内部的合法立场”[①]。

再看自然主义与科学主义的关系。一般认为，自然主义承诺了科学主义，即认为自然科学提供的自然图景是唯一真实的图景。例如，蒯因就极力推动哲学的自然科学化，认为自然科学特别是精确科学是哲学的最高典范，自然科学的一般方法（如观察实验法、归纳法、类比法、逻辑和数学方法等）也是哲学研究的主要方法。正如陈波所说：“在他看来，本体论与自然科学处于同等地位；认识论则是心理学的一章，因而是自然科学的一章。整个哲学与科学共处于一个知识连续体之中，而这个知识整体则接受经验的证实或证伪。”[②]德·卡罗等指出，科学自然主义不仅承诺尊重自然科学的成果，而且还承诺了更强的主张，即科学在方法、知识、本体论或语义学问题上是也应当是唯一的、真正的或没有问题的标准。[③]贝克也认为，科学自然主义是受科学引导或派生于科学的，它与科学完全一致。[④]然而，在詹姆斯·马登看来，自然主义与科学主义不同。科学主义是这样的主张，即科学方法是获取知识的唯一途径。同时，它也暗示着对一切实在都可作出物理的解释。因此，自然主义有时是根据科学主义来定义的，即表示否定这样的观点：存在或可能存在原则上超出了科学解释范畴的实体或事件。质言之，科学主义和自然主义是描述下述观点的两种方式：一切事物都是科学所涉及的这种实体的集合，一切真理最终都是由与这些基本的科学实体有关的真理决定的。[⑤]舍费尔斯曼认为科学与自然主义之间关系很密切，自然主义的存在很大程度上要归功于科学的发展。例如，科学家首先发现了心灵之外的宇宙是无意义、无目的的，之后自然主义哲学才确认了这一事实。但自然主义与科学不同：科学不是形而上学，而是一种认识方式或一种有效的方法，它以独特而系统的方式揭示了自然的秘

---

① Schafersman S D. “Naturalism is today an essential part of science and critical inquiry”. 2006. http://www.humanism.net/~schafesd/ naturalism.html, accessed May 26, 1999.

② 陈波. 《奎因哲学研究：从逻辑和语言的观点看》，生活·读书·新知三联书店 1998 年版，第 336-337 页。

③ De Caro M, MacArthur D(Eds.). *Naturalism in Question*. Cambridge: Harvard University Press, 2004: 9.

④ Baker L R. *Naturalism and the First-Person Perspective*. Oxford: Oxford University Press, 2013: 26.

⑤ Madden J D. *Mind, Matter, and Nature: a Thomistic Proposal for the Philosophy of Mind*. Washington, D. C.: The Catholic University of America Press, 2013: 4-5.

密，而自然主义是一种哲学、一种形而上学或本体论，它假设了一幅关于实在、存在物和存在的特殊图画，这幅图画排除了超自然的东西。[①]邦格则认为，自然主义不一定都坚持科学至上的原则，只有科学自然主义坚持科学主义。[②]

此外，人们还讨论了自然主义与还原论、思维经济原则以及与唯灵论、宗教的关系。就与还原论的关系来说，有的人认为自然主义肯定要坚持还原论，有的则认为自然主义不一定是还原的。就与思维经济原则的关系来说，有的人认为自然主义就是经济主义，或者说经济主义要遵循方法论的自然主义。就与唯灵论、宗教的关系来看，一般认为自然主义是与超自然主义相对立的，如邦格就认为自然主义不否认心理现象和精神性的东西，但反对各种形式的唯灵论。[③]不过，也有人认为即使超自然主义应予以克服，但这并不必然意味着要否弃唯灵论和宗教，因为很多拒斥超自然主义的人并不否认存在多种形式的具体精神，如佛教就是如此。[④]

第四节 自然主义的分类

当代自然主义作为一种“研究纲领”、“研究取向”或“学说大家族”，包含不同的样态和种类。

第一，根据所涉及的领域，自然主义可分为宗教自然主义、哲学自然主义、科学自然主义、语言学自然主义、伦理学自然主义、法学自然主义、价值论自然主义等。例如，语言学自然主义也称生物语言学，认为语言是自然的、本能的，因此语言学从根本上说是一门自然科学，人们天生就有一种普遍语法，即所有具体语法的语法交集。例如，乔姆斯基（Chomsky）和平克（Pinker）就认为，语言不是文化的产物，而是人的一种本能，人们懂得如何说话，就如同蜘蛛懂得如何结网；语言能力的获得不同于一般的学习模式，语言是人类大脑组织中的一个独特构件，我们每个人头脑中都装有一部“心理词典”和一套“心理语法”，语言就是用语法规则组合起来的词语。这种自然主义特别重视从物理学、生物学、

---

① Schafersman S D. “Naturalism is today an essential part of science and critical inquiry”. 2006. http://www.humanism.net/~schafesd/ naturalism.html, accessed May 26, 1999.

② Bunge M. *Matter and Mind: a Philosophical Inquiry*. New York: Springer, 2010: 101.

③ Bunge M. *Matter and Mind: a Philosophical Inquiry*. New York: Springer, 2010: 94-95.

④ Flanagan O. *The Really Hard Problem: Meaning in a Material World*. Cambridge: The MIT Press, 2007: 63.

神经科学的角度研究语言。[①]价值论自然主义认为，我们的基本价值是自然的而非约定俗成的，是主体间的而非主观性的，因为人们有大致相同的基本需要，而这又是由人们共同的生物构造决定的。[②]伦理学自然主义分为两种：一种可称作朴素的伦理学自然主义，主要代表人物有古希腊斯多葛派的芝诺，以及休谟、逻辑实证主义者，他们都倡导“遵循自然”，认为道德规范是自然的。这种伦理学自然主义在最近的灵长类动物学和行为经济学研究中已得到了部分证实。另一种可称作精致的伦理学自然主义（sophisticated ethical naturalism），它试图将道德规范还原为自然科学特别是人的生物学[③]，如索伯（Sober）等在对道德规范进行自然化时就借助了进化生物学理论。[④]上述自然主义总的思想是将人性科学还原为自然科学尤其是神经科学，有人将这种自然化倾向戏称为“神经帝国主义”（neuro-imperialism），它试图用神经科学语言解释人的所有行为，近年来它还分化出很多分支，如神经经济学、神经历史学、神经法学、神经伦理学、神经市场学、神经诗学等。[⑤]

哲学自然主义有形而上学自然主义、逻辑自然主义、语义学自然主义、认识论自然主义、方法论自然主义等多种形式或分支。形而上学自然主义认为，宇宙与自然是重合的，不存在超自然的事物。它依据强度不同又可分为两类：一类否认心理现象尤其是意识和自由意志的存在，因此常被称作激进的或取消的自然主义。例如，神经科学家利纳斯（Llinás）主张，自我只是作为运算实体而存在的一种构造，即“一种复杂的特征（自我）向量”。[⑥]帕特里夏·丘奇兰德和谢诺夫斯基（Sejnowski）也认为，大脑基本上是一个计算机，因而是没有好奇心、自我知识（意识）、创造力和自由意志的。[⑦]另一类是温和的自然主义，它承认存在具有创造力的心灵。这两类自然主义都低估了社会、环境对心灵的影响，因而不太重视发展心理学和社会心理学。逻辑自然主义也有强弱两种形式。一般认为，

---

① 平克.《语言本能：人类语言进化的奥秘》，欧阳明亮译，浙江人民出版社 2015 年版。
② Bunge M. *Matter and Mind: a Philosophical Inquiry*. New York: Springer, 2010: 113.
③ Edel A. “Naturalism and ethical theory”. In Krikorian Y H (Ed.). *Naturalism and the Human Spirit*. New York: Columbia University Press, 1944: 65-95.
④ Sober E, Wilson D S. *Unto Others: the Evolution and Psychology of Unselfish Behavior*. Cambridge: Harvard University Press, 1998.
⑤ Bunge M. *Matter and Mind: a Philosophical Inquiry*. New York: Springer, 2010: 116-118.
⑥ Llinás R. *I of the Vortex: from Neurons to Self*. Cambridge: The MIT Press, 2001: 128.
⑦ Churchland P S, Sejnowski T J. *The Computational Brain*. Cambridge: The MIT Press, 1993.

是亚里士多德首先提出了强逻辑自然主义思想。根据这种自然主义，逻辑是普遍的本体论，包含所有对象（真实的和想象的）的最一般规律。有的人还将逻辑看成任意对象的物理学。人们普遍认为这种自然主义是不正确的，因为逻辑是主题中立的，而科学规律则适用于物质事物。弱逻辑自然主义认为，逻辑规律就是思维规律，进而是心理学（或神经科学）规律。杜威就是这样的自然主义者，因为他认为逻辑是一种生物学的产物，是进化的顶点。[①]逻辑自然主义有时也表现为数学自然主义，认为数学对象的存在方式与原子和星辰的一样，因而它其实是一种泛化的柏拉图主义。[②]语义学自然主义认为，意义、真等语义学的关键概念都应当以自然主义的方式来说明。例如，布伦塔诺就把指称等同于意向性，认为心理现象的独特性就在于其对一个对象的指涉，而不在于所说的现象。[③]塞尔也将意向或意向性（心理学范畴）与指称或关于性（语义学范畴）合为一体。[④]杜威则主张，意向不是一个心理对象，而是一种行为属性，即词语能引发外显行为倾向。[⑤]认识论自然主义认为，认知是一个自然过程，因而是科学研究的主题。据此，柏拉图的理念王国是编造的，知识的理念本身也是如此。强认识论自然主义进一步指出，认识论已丧失了自主性，应被认知科学取代。但人们一般认为，人的发展和进化具有生物社会学性质而非纯生物学的，因而如果没有社会认识论（也称社会认知神经科学）的帮助，认知科学并不能解决所有重要的问题，对于进化尤其如此。[⑥]方法论自然主义强调这种不言而喻的实践原则，即依据一定的程序和方法将测量工具设计、制造和操作中的超自然的、异常的现象排除掉。它也有三种形式：一是弱方法论自然主义，认为哲学应该运用自然科学的方法和成果来处理一切问题；二是强方法论自然主义，也被称作科学主义的自然主义，认为科学方法适用于包括人文社会科学在内的一切研究领域；三是极强方法论自然主义，主张将人文社会科学还原为自然科学，有一部分社会生物学就是其典范。[⑦]

第二，根据与科学的不同关系，自然主义可分为科学自然主义和非科学自然

---

① Dewey J. *Logic: the Theory of Inquiry*. New York: H. Holt, 1938.
② Bunge M. *Matter and Mind: a Philosophical Inquiry*. New York: Springer, 2010: 99.
③ 倪梁康.《面对实事本身：现象学经典文选》，东方出版社 2000 年版，第 49-50 页。
④ Searle J. *Freedom & Neurobiology: Reflections on Free Will, Language, and Political Power*. New York: Columbia University Press, 2007: 6.
⑤ Dewey J. *Experience and nature*. La Salle: Open Court, 1958.
⑥ Bunge M. *Matter and Mind: a Philosophical Inquiry*. New York: Springer, 2010: 101.
⑦ Bunge M. *Matter and Mind: a Philosophical Inquiry*. New York: Springer, 2010: 101-102.

主义。前者主张：“所有现象都受制于自然规律，而且自然科学方法可用于所有研究领域。”[①]它承认科学至高无上的地位，认为科学尤其是物理学在本体论和认识论上具有绝对的优先性。物理主义是一种典型的科学自然主义，它主张真正的、不可还原的自然科学只有物理学，真正的实在只有物理实在，真正的解释、知识只有物理的解释或知识，其他实在、解释或知识要有存在地位，必须能根据自然科学尤其是物理学进行自然化（要么能还原为物理的东西，要么可以被当成有用的虚构，再要么具有非指称、非事实的语言学作用），否则就不存在。例如，阿姆斯特朗就认为，实在不过是一个包罗万象的时空系统，这个系统只包含物理学所认可的实体。不可还原的目的或目的论在这个系统中没有位置，因为它蕴含着意向性，而不可还原的意向性暗示着自然主义是错误的。他认为，在分析这个包罗万象的时空系统时，“如果所涉及的原则与当前的物理学原则截然不同，特别是如果它们诉诸目标之类的心理实在的话，那么我们就可以将这种分析当成对自然主义的证伪”[②]。帕皮诺也说自己的自然主义就是物理主义，它不仅反对二元论、认识论的内在主义，主张哲学与经验科学是连续的，而且还主张一切自然现象（包括化学、生物学、心理学、社会学等专门科学所研究的现象）归根结底都是物理的。就心灵来说，不仅心理之物由物理之物决定，而且两者在某种意义上就是同一种东西。[③]科学自然主义者也常把自己称为“科学实在论者”，因为对他们来说科学就是第一哲学。

非科学自然主义的代表人物有普特南、戴维森、罗蒂等。它否认自然科学尤其是物理学的霸权地位，反对科学主义、实证主义，而具有鲜明的多元论色彩，认为其他科学以及所涉及的实在、属性、解释、陈述等具有自主性。普特南指出，科学自然主义的吸引力是以对非基本实在（如意向的、规范的属性和陈述等）的恐惧为基础的，担心如果承认了它们就会陷入超自然主义。但是，反对科学自然主义并不等于承认超自然的或神秘的解释，而是否认“任何一种语言游戏能适合于我们所有的认知目标”，即赞成概念多元论。意向的话语、伦理学的陈述及关于意义和指称的陈述等尽管只是蒯因所说的“二级概念系统”（second-class conceptual system）而非“一级概念系统”（first-class conceptual system），但它

---

① Boyd R , Gasper P, Trout J D(Eds.). *The Philosophy of Science*. Cambridge: The MIT Press, 1991: “glossary”.
② Armstrong D M. “Naturalism, materialism and first philosophy”. In Moser P K, Trout J(Eds.). *Contemporary Materialism: a Reader*. New York: Routledge, 1995: 36.
③ Papineau D. *Philosophical Naturalism*. Oxford: Blackwell, 1993: 1, 9-11.

们也是一种具有自己适用范围的语言游戏，因而是真实的陈述，也和其他陈述一样完全受真值和有效性规范的控制。[①]在戴维森看来，科学自然主义通常包含这样的主张，即有关人的思想的研究可以模仿自然科学或者被纳入自然科学，其中模仿说明这种研究应当是经验性的、描述性的，方法论上是准确的，而纳入则意味着要还原为自然科学。[②]但在基础逻辑学、决策论和形式语义学中，这两个方面是可以分开的。根据他的异常一元论，心理现象与物理现象之间没有严格的似规律关系，但它们之间是个例同一的，即“心理事件等同于物理事件”。[③]换言之，从本体论上说，只存在一种实在，即“一切事件都是物理的”[④]，但对一个事件可以有多种描述方式，如果一个事件可用纯物理的词汇来描述，它便是物理的；如果它可用心理的词汇来描述，它便是心理的。[⑤]关于心理现象、合理性、意向状态等的理论在我们日常理解、解释和预言人的思想与行动中是必不可少的，它们不能从法则上被还原为自然科学，但却都是描述性的，在方法论上也是准确的。就心理现象来说，它们具有整体论、外在论和规范性的特征，这些特征对获得严肃的心理学科学构成了障碍，但由此并不能判定就不能存在一种科学心理学，因为能否得出这一结论取决于你如何理解“科学”的含义，取决于心理的这些特征是否对它构成障碍。事实上，我们由此只能推出心理学既不能被还原为物理学，也不能被还原为其他自然科学。倘若如此，那么除非能被还原为自然科学是成为科学的一个必要条件，否则无法被还原本身并不表明不能作这样还原的理论就没有成为科学的资格。[⑥]

第三，根据对物理学与其他科学关系的不同态度，自然主义可分为还原论自然主义和非还原论自然主义。既然自然主义把科学作为本体论上的存在与否和认识论上的认知对错的标准，那么接下来自然会有这样的问题：什么是科学？事实上，如何界定科学是将各种自然主义区别开的一个重要特征。对此，人们既有一致的看法，如都认为科学就是要发现自然规律，作出成功的解释和预言，也有不

① Putnam H. “The content and appeal of ‘naturalism’”. In De Caro M, MacArthur D(Eds.). *Naturalism in Question*. Cambridge: Harvard University Press, 2004: 61-70.
② Davidson D. “Could there be a science of rationality?”. In De Caro M, MacArthur D(Eds.). *Naturalism in Question* .Cambridge: Harvard University Press, 2004: 167-168.
③ 戴维森.《真理、意义与方法：戴维森哲学文选》，商务印书馆 2008 年版，第 438 页。
④ 戴维森.《真理、意义与方法：戴维森哲学文选》，商务印书馆 2008 年版，第 443 页。
⑤ 戴维森.《真理、意义与方法：戴维森哲学文选》，商务印书馆 2008 年版，第 438 页。
⑥ Davidson D. “Could there be a science of rationality?”. In De Caro M, MacArthur D(Eds.). *Naturalism in Question*. Cambridge: Harvard University Press, 2004: 157.

少分歧，如对下述问题就莫衷一是：有没有多种多样的自主科学？各门科学与物理学是什么关系？物理学能否对一切都作出说明？其他科学是否有必要还原为物理学？根据对这些问题的不同回答，自然主义可分为还原论自然主义和非还原论自然主义两大阵营。前者认为，本体论是由物理学或者从物理学逻辑地产生的科学决定的，一切科学都可还原为物理学。换言之，只存在一个本体论层次，即物理学的层次，生物学、心理学、社会学等各门科学仅就其能被还原为物理学而言才具有科学的合法性。各种形式的还原都瞄着物理学的方向，都是将高阶的东西（理论、属性、规律或词语）还原为低阶的东西，而低阶的东西因更靠近物理学而具有优越性。例如，热就是分子运动，这里热这种属性就被还原为了分子运动这种属性，而后者就是一种奠基于物理学的属性。当然，人们对还原的本质有不同理解。第一种理解也是传统的理解来自欧内斯特·内格尔，认为还原就是借助桥梁法则将高阶理论从物理学推导出来。[①]第二种理解认为还原就是一种解释关系：如果一种属性能根据基础属性作出还原的解释，它就被还原了。[②]第三种理解认为一种属性能否还原取决于能否根据它与其他属性的因果的或法则学的关系来对它作出阐释。[③]第四种理解认为还原是一种决定关系，即低阶事实决定高阶事实的关系。[④]还原论自然主义的核心主张是不存在多个本体论层次，因此它要求还原要一直进行到微观物理学，其目标也是要把所有层次都还原为最低层次。贝克认为，还原论自然主义有一个通用的形式，以属性 P 为例。属性 P 得到还原，当且仅当有属性 Q_1、$Q_2 \cdots Q_n$ 在成功的微观物理学理论中被提到了，以至于 Q_1、$Q_2 \cdots Q_n$：①是局部的；②P 强随附于（supervene）Q_1、$Q_2 \cdots Q_n$。因此，还原论自然主义为真，当且仅当所有属性 P 都能还原为某些微观属性 Q_1、$Q_2 \cdots Q_n$。[⑤]

非还原论自然主义认为，本体论是由所有科学共同决定的，生物学、心理学、社会学、历史学等是处于不同的本体论层次的研究领域，它们不能还原为物理学。

---

① 内格尔.《科学的结构：科学说明的逻辑问题》，徐向东译，上海译文出版社 2002 年版，第 11 章“理论的还原”。

② Kim J. *Supervenience and Mind: Selected Philosophical Essays*. Cambridge: Cambridge University Press, 1993: 10.

③ Kim J. *Mind in a Physical World: an Essay on the Mind-Body Problem and Mental Causation*. Cambridge: The MIT Press, 2000: 24-27.

④ Chalmers D. *The Conscious Mind: in Search of a Theory of Conscious Experience*. New York: Oxford University Press, 1996: 107.

⑤ Baker L R. *Naturalism and the First-Person Perspective*. Oxford: Oxford University Press, 2013: 8.

贝克指出，非还原论自然主义就是这种主张：“存在一些真实的属性，它们不是强随附于局域的微观物理属性。”[①]“局域的”这一研究限定在这里很重要，因为非还原论者认为真实的属性整体地随附于微观物理属性，而整体随附性显然是非局域的，因此对非还原论自然主义的限定只是，存在一些真实的属性，它们不是强随附于局域的微观物理属性。例如，非还原论自然主义者认为，具有认为湖里有水这一思想并不强随附于局域的微观属性，但却是一种真实的属性。就心灵主义词语来说，它们被用于成功的解释和预言之中，而且不能从成功的心理学理论中取消。科恩布利斯（H. Kornblith）指出，这些让我们有充分理由相信“这些词语真的具有指称。这是一个人主张心理状态和过程真实存在的全部证据”。[②]因此，如果非还原论自然主义是正确的，那么心理状态及人们在这些状态下所例示的属性就是不可还原的。此外，非还原论者也否认解释还原论，认为各种非物理科学的解释都是存在的，但它们不能还原为用物理学词汇所作的解释。非还原论者仍是唯物主义者，认为一切具体对象最终都是由微观物理粒子构成的，但世界上除了存在最终的微观构成成分之外，还存在具有因果力的不可还原的宏观对象，因此，“虽然非还原论者在具体对象的最终构成成分上是一元论者，但他们根本不是关于本体论的一元论者……总之，非还原论自然主义者对有关科学（进而有关本体论）的多元论持开放态度”[③]。

第四，根据自然化基础的差异，自然主义可分为朴素自然主义（naive naturalism）和精致自然主义（sophisticated naturalism）。前者认为，一切可取之物都是自然地产生的，即都是人性的一部分，要么是天赋的，要么是大脑中固有的（hard-wired）。例如，自私自利、进取精神或公正都是我们基因中有的，理性和科学也不过是常识的延伸，一切自然的东西都优于人工的东西。浪漫主义者的口号“回归自然”“感觉胜过理性”就体现了朴素自然主义的精神。精致自然主义认为，人类虽然很复杂，但仍然是动物，因此应当照顾他们的生物学需要，并将各种人性科学建立在生物学的基础之上。它还特别强调应对社会科学、伦理学、认识论等进行“自然化”。精致自然主义包括人文主义的自然主义（如斯宾

① Baker L R. *Naturalism and the First-Person Perspective*. Oxford: Oxford University Press, 2013: 10-11.
② Kornblith H. “Naturalism: both metaphysical and epistemological”. *Midwest Studies in Philosophy*, 1994, 19(1): 41.
③ Baker L R. *Naturalism and the First-Person Perspective*. Oxford: Oxford University Press, 2013: 11.

诺莎的自然主义）、生机论的自然主义（如尼采的自然主义）和实用主义的自然主义（如杜威、詹姆斯等的自然主义）等不同类型。人文主义的自然主义主张实在与自然、自然与神是同一的，它强调人类的神圣性，其核心精神就是康德所说的“所有人都应被当成目的而不是工具来对待”。生机论的自然主义主张，我们的一切观念和行动都应服务于个体的生存。实用主义的自然主义与生机论自然主义关系密切，两者都坚持人类中心论，尤其是自我中心论，但前者以行动为导向，也希望利用科技来改善人类的状况，后者则完全排斥理性和科学。[①]

第五，根据所持本体论标准的强弱，自然主义可分为强自然主义和弱自然主义。弱自然主义只是主张不存在超自然的实在，而强自然主义不仅同意这个观点，而且还主张科学是实在和知识的唯一主宰。具体来说，强自然主义包含下述两个主张：①从根本上说，实在只不过是自然科学所谈论的东西；②我们的信念最终只能由科学方法证明。可见，强自然主义是由本体论和认识论两方面的论断组成的，其本体论论断还有一个推论，即实在完全可以用“科学语言”，即不包含时态或索引词的语言来描述。[②]总之，根据强自然主义，实在就是科学所知的一切，科学所知的就是存在的一切。

第六，根据自然主义的不同反应，自然主义可分为祛魅的自然主义（disenchanted naturalism）和乐观的自然主义（optimistic naturalism）。[③]前者主张，物理学能对世界是什么样子的作出全面的解释，我们所关心的价值、意义等其实都是幻觉。罗森伯格说：“世界实际上是什么样子？它就是费米子和玻色子及能由它们构成的一切，没有什么东西是不能由它们构成的。与费米子和玻色子有关的一切事实决定或‘确定’着关于实在的其他事实以及这个宇宙或其他宇宙中存在的东西。”“所有其他事实——化学的、生物的、心理的、社会的、经济的、政治的、文化的事实都随附于物理的事实并最终都能由它们来解释。如果物理学原则上不能确定一个推定的事实，那么它就根本不是事实。”[④]因此，一旦我们理

---

① Bunge M. *Matter and Mind: a Philosophical Inquiry*. New York: Springer, 2010: 93-94.

② Baker L R. *Naturalism and the First-Person Perspective*. Oxford: Oxford University Press, 2013: xvi.

③ 对这两种自然主义有不同的认识：罗森伯格是把它们作为不同的自然主义种类，祛魅的自然主义主张将目的、意义等处于物理学范围之外的东西取消掉，而乐观的自然主义者实际上是还原论者，认为通过自然化可以保留它们；而贝克认为这两种自然主义不是不同的自然主义种类，而是对自然主义所持的不同态度。参阅 Baker L R. *Naturalism and the First-Person Perspective*. Oxford: Oxford University Press, 2013: 17, n.13.

④ Rosenberg A. “Disenchanted naturalism”. In Bashour B, Muller H(Eds.). *Contemporary Philosophical Naturalism and Its Implications*. New York: Routledge, 2014: 19.

解了基础物理学的范围和意义，有关价值、意义、爱和目的等的问题就能从科学中读取到简单答案。从本体论上说，祛魅的自然主义只承认微观物理学所认可的规律和实在，认为意义、爱、价值和目的等都是幻觉，物理学已经把它们排除了，因此它留给我们的是普遍的虚无主义，如罗森伯格所说，科学对伦理学和道德持虚无主义态度，不存在道德事实或正确的道德，只有适应；心灵也不过是神经科学（它又可还原为物理学）所发现的东西。①乐观的自然主义重视价值、意义等问题，认为它们是真实的，并且还试图对它们作出与自然主义相一致的回答。例如，托马斯·内格尔就认为，宗教气质就是由追求完满的愿望、与实在整体相联系的愿望、“对与整个宇宙融洽和谐的渴望”所描述的东西。②凯切尔（P. Kitcher）认为，伦理判断和伦理实践完全可以按自然主义方式来理解，伦理实践是以人的基本欲望为基础的，而生活的目的是我们自己的创造，是人类评价实践的组成部分，因此说没有上帝生活就会失去目的和意义是无稽之谈。③总体来说，所有祛魅的自然主义者都是还原论者，而乐观的自然主义者都是非还原论者，但并非所有还原论者都是祛魅的自然主义者。非祛魅的还原论者就是金在权所说的“保守还原论者”而非取消论者④，他们认为有关意义、目的、道德等的言论是合法的或有用的，但它们没有本体论意义，丹尼特（Dennett）、D. 刘易斯和金在权等就是这类非祛魅的自然主义者。贝克认为，还原与取消之间的不同是概念的而非本体论的，因此祛魅的自然主义者与非祛魅的自然主义者之间的差异只是态度问题。⑤

第五节　当代自然主义的“弱化”走向

20 世纪下半叶以来，科学自然主义一路高歌猛进，在英美哲学中独占鳌头，成为一种“正统”主张，正如德·卡罗等所指出的：“似乎可以公正地说，分析哲学

① Rosenberg A. “Disenchanted naturalism”. In Bashour B, Muller H(Eds.). *Contemporary Philosophical Naturalism and Its Implications*. New York: Routledge, 2014: 22.

② Nagel T. *Secular Philosophy and the Religious Temperament: Essays 2002-2008*. Oxford: Oxford University Press, 2010: 6.

③ Kitcher P. “Challenges for secularism”. In Levine G (Ed.). *The Joy of Secularism: //Essays for How We Live Now*. Princeton: Princeton University Press, 2011: 23-32.

④ Kim J. *Physicalism, or Something Near Enough*. Princeton: Princeton University Press, 2005: 160.

⑤ Baker L R. *Naturalism and the First-Person Perspective*. Oxford: Oxford University Press, 2013: 25.

的命运如今在很大程度上是与科学自然主义的命运联系在一起的。这种推测产生于这一事实，即20世纪后期到21世纪初越来越多的分析哲学家都倒向了还原论（有人可能说好战的）形式的科学自然主义——它们依赖于非常严格的自然科学和（科学的）自然概念。”[①]然而，近来形势开始变化，出现了一种新的走向，即科学自然主义越来越受到质疑，人们开始对其本体论和认识论标准作“弱化”处理，从而提出了各种新的自然主义形式。究其原因，首先，解释多元论在大多数科学部门中成了没有例外的规则，而解释之所以是多元的，原因就在于本体论的多元性。凯切尔和杜普雷以生物分类为例指出，不同的分类法反映了物种的多样性，它们之间不是对与错的竞争关系，每种可行的分类法都挑选了自然中的合法种类。杜普雷说：“我不否认基本粒子物理学最终有可能为我们提供关于某种东西——构成世界的终极材料的本质的全部真理。我不相信除了物理学家的理论化所涉及的东西之外还存在非物质的心灵或神灵。然而，我相信存在无穷多的其他种类的事物：原子、分子、细菌、大象、人及其心灵，以及大象群、桥牌俱乐部、工会和文化。就这些事物最终是由物理学家所谈论的实在构成的而言，我和物理主义者意见一致。我的不同在于我对这种最低限制的构成物理主义的结果的评价。在我看来，关于物理材料的真理绝不会成为关于一切事物的真理。”[②]解释和本体论的多元论无疑对坚持一元论和还原论的科学自然主义构成了威胁。其次，量子力学和复杂进化系统理论的发展进一步暴露了科学自然主义的局限性。例如，量子系统和复杂系统的轨迹不是决定性的和可准确计算出来的。这与坚持决定论的科学自然主义不相符合。最后，科学自然主义自身还有很多没有得到很好解决的问题，如科学自然主义的自洽性问题。科学自然主义依赖于严格的自然概念，而这又依赖于严格的科学概念，但科学自然主义对科学的理解是有问题的。斯特劳德认为，科学自然主义者想还原或取消颜色、价值、意义等事物，但要这样做他们就要理解我们关于颜色、价值和意义的信念的内容，而这是严格的自然概念所不允许的。杜普雷指出，科学自然主义认可物理主义的一元论和还原论，“自然主义是根据反对超自然主义来解释的，而后者又是依据唯物主义来兑现的；物理科学所提出的全新的物质概念使唯物主义变成了物理主

---

① De Caro M, MacArthur D(Eds.). *Naturalism in Question*. Cambridge: Harvard University Press, 2004: 9.
② Dupré J. *Human Nature and the Limits of Science*. Oxford: Oxford University Press, 2001: 5.

义，而物理主义常被认为需要一元论”[①]。一元论是以科学的统一和物理学的完备性为基础的，但这两者本身就是超自然的神话。他说：“相信任何一种科学的统一至少是不太有理由的。审视一下科学中所使用的各种方法就能看出，以方法为基础的统一性观念将无法存活。内容的统一性观念——以物理学的完备性为基础似乎也缺乏让人信服的理由，而且更重要的是其缺乏经验的支撑。”[②]因此，“一元论及当代一元论所依赖的科学统一学说……是一种新的神话的构成要素。一元论确实不是以经验论为基础的”[③]。再如心灵的自然化问题。科学自然主义承诺了物理世界的因果封闭性原则，但意向状态、理性和动因等都具有规范性的特征，因而似乎难以用这一原则来解释。麦克阿瑟指出，科学自然主义承诺了“因果的经验模型”（a causal model of experience），它在心灵与世界之间造成了一条因果鸿沟，并最终导致了科学自然主义难以回答的怀疑论问题。他说：“自然主义者既不能回答也不能消除自然主义世界观所导致的怀疑论威胁。关于自然主义与怀疑论关系的常识观念与事实的情况截然相反。自然主义不是对怀疑论的治疗，而是其原因。”[④]比尔格拉米（A. Bilgrami）认为，意向状态本质上是规范的，它们不能还原为物理状态，而且意向状态也不是科学自然主义者所说的“倾向”（dispositions），而是“承诺”（commitments）。他认为，“意向状态是内部的应当或承诺”，“不可能被自然主义还原为倾向”[⑤]。一个人可以有思考某事的承诺，却不一定有这样的倾向，这与科学自然主义关于意向状态随附于物理状态的命题是矛盾的，因而这个命题只是一种自然主义的偏见。另外，科学自然主义对动因及伦理学的和美学的规范性等也难以作出满意的解释。

新自然主义者与科学自然主义者还围绕一些核心论题展开了激烈的争论。比如，科学自然主义者认为“自然”和“自然的”等词语只指称自然科学本体论中的东西，而新自然主义者认为这个本体论命题过于严格，我们不能说不能被自然

---

① Dupré J.“The miracle of monism”. In De Caro M, MacArthur D(Eds.). *Naturalism in Question*. Cambridge: Harvard University Press, 2004: 39.
② Dupré J.“The Miracle of monism”. In De Caro M, MacArthur D(Eds.). *Naturalism in Question*. Cambridge: Harvard University Press, 2004: 51.
③ Dupré J.“The Miracle of monism”. In De Caro M, MacArthur D(Eds.). *Naturalism in Question*. Cambridge: Harvard University Press, 2004: 55.
④ MacArthur D. “Naturalism and skepticism”. In De Caro M, MacArthur D(Eds.). *Naturalism in Question*. Cambridge: Harvard University Press, 2004: 108.
⑤ Bilgrami A. “Intentionality and norms”. In De Caro M, MacArthur D (Eds.). *Naturalism in Question*. Cambridge: Harvard University Press, 2004: 140,142.

化的东西就是非自然的或超自然的，就要被当成虚构或幻觉。麦克道威尔（J. McDowell）指出，思想概念、规范性概念等所属的“理由的逻辑空间”是自成一格的，它不能被纳入科学规律，即不能归入自然科学在其中起作用的“自然的逻辑空间”，但这并不意味着理由空间中的概念就是非自然的或超自然的。事实上，我们是自然的一部分，只不过由于我们通过参与理由空间而与其他人共享了一种文化，从而获得了“第二自然”，但第二自然仍然是自然。①再如，就科学自然主义的认识论命题来说，新自然主义者认为即使放弃“第一哲学”，哲学与科学也不是连续的，传统的哲学方法不仅完全合法，而且在定义哲学事业中还是必不可少的。

总体而言，新自然主义和科学自然主义都反对超自然主义，两者的分歧主要集中在两大问题上，其他分歧都与此有关。一个是哲学与科学的关系问题。科学自然主义者认为哲学依赖于科学，它没有真正的独立性或自主性，新自然主义者则认为哲学的看法只要与当时最好的科学理论相容就行了，而无须从哲学中借用主题、目的和方法。另一个是如何处理科学的观点与自主体观点（agential perspective）之间关系的问题。科学自然主义者认为后者要么还原为前者，由前者接管、吸纳，要么被取消，而新自然主义者认为，自主体观点是不可还原、不可取消的，而且在理智上也很宝贵。双方争论的一个焦点是规范性问题：科学自然主义者否认规范性，如麦奇（Mackie）基于其“错误理论”（error theory）指出：“如果存在客观的价值，那么它们将是一种非常怪异的实在，与宇宙中的其他一切都迥然不同。”②在他看来，世界上不会有这类怪异之物的空间，因此规范性判断只是自称是客观的，其实是完全虚假的。普特南指出，这种反规范论是科学自然主义的意识形态标志，其吸引力来自对规范性的恐惧，但这种恐惧只有在科学主义的形而上学的语境下才说得通。③考斯佳（Korsgaard）则对麦奇作出了针锋相对的反驳，他说：“它们的确是怪异的实在，而且认识它们也不像认识其他东西。但这并不意味着它们不存在……因为与人的生活有关的最熟悉的事实是，世界包含着这样的实在，它们能告诉我们做什么，并能教会我们怎样做。这

---

① McDowell J. *Mind and World*. Cambridge: Harvard University Press, 1994: “Lecture Ⅳ”.

② Mackie J L. *Ethics: Inventing Right and Wrong*. New York: Penguin, 1977: 36.

③ Putnam H. “The content and appeal of ‘naturalism’”. In De Caro M, MacArthur D(Eds.). *Naturalism in Question*. Cambridge: Harvard University Press, 2004: 70.

就是人和其他动物的区别。”[①]考斯佳实际上预设了由康德等所倡导的观点，即对人可以从两种观点来看待：从客观的科学观点我们只能看到所生之事（happenings），而从主观的自主体观点我们只能看到所行之事（doings）。只有采用后一种观点，即把我们看成自主体，我们对规范和价值的反应才可以理解，规范和价值才不会看起来是怪异的东西。德·卡罗认为，两种观点的关系问题对于科学自然主义者和新自然主义者都至关重要。科学自然主义者的目标是证明自主体观点所涉及的概念要么能还原为自然主义的概念，要么是虚假的，如果他们成功了，自主体观点就被证明是错误的。而新自然主义者是要证明这些概念是合法的、不可还原的、不可取消的，如果他们成功了，就证实了自主体观点的合法性和自主性。因此双方的争论是一场“零和游戏”，哪一方若失利了，其所持的主张也将被否定。[②]

各种新自然主义尽管在理论的重点和细节方面存在差异，但都共有四个特征：第一，哲学的关注点开始从非人的自然转向人性（human nature），认为后者是偶然的力量在一定历史条件下的产物。第二，普遍对规范性持非还原的态度。如普特南所说，科学自然主义的主要动机来自对规范性的恐惧，因此它往往将自成一格的规范性当成超自然的东西，认为它亟须自然化。但新自然主义认为，自成一格的规范不能被理解为超自然的、神秘的、怪异的东西，相反它们是自然的真正的方面。例如，针对科学自然主义取消传统认识论课题的企图，金在权指出，如果证成从认识论中消失了，知识本身也就会从认识论中消失，因为知识概念与证成概念不可分割，而知识概念本身就是一个规范性概念。[③]第三，都强调应在科学自然主义之后重塑哲学自身的形象。新自然主义承认应拒斥第一哲学，但否认哲学与科学是连续的，认为哲学有自己的自主性和独立性，有不同于科学方法的方法。此外，尽管科学发现能为哲学反思提供推动力，甚至有助于否定具体的哲学结论，但哲学的结果和权威性并不依赖于具体的科学发现的支持。第四，都坚持关于科学的多元论。它不仅否认化学和生物学能还原为物理学，而且认为科

① Korsgaard C M. *The Sources of Normativity*. Cambridge: Cambridge University Press, 1996: 166.
② De Caro M. “Varieties of naturalism”. In Koons R C, Bealer G(Eds.). *The Waning of Materialism*. Oxford: Oxford University Press, 2010: 374.
③ Kim J. *Supervenience and Mind: Selected Philosophical Essays*. Cambridge: Cambridge University Press, 1993: 224-225.

学统一的理想是一场尚未实现也不可能实现的白日梦，不仅没有能被称作科学方法的方法，而且也没有清晰的、有用的、没有争议的科学定义。另外，多元论也对科学自然主义的自然化方案持怀疑态度，认为他们根本没有认识到意向性、动因、意义等在我们的生活和经验中的重要意义。

当代自然主义的探讨不仅有助于解决许多理论的纷争，而且对哲学自身的发展也是有意义的。由于有不同的自然主义，人们对如何建设哲学便有了不同的看法。因此，可以说面对自然主义，“哲学站在了一个重要的十字路口”。根据强自然主义，哲学应通过自然化操作不断纯化，抛弃原有的错误和混杂，让哲学的方法、知识、本体论和概念与科学保持连续性。经过这样的纯化，哲学就变成了科学。而在科学自然主义之后，新的哲学方向在两个方面坚持了自然主义：“一方面，将自然概念延伸到科学的自然之外，以便将人性的各个方面和规范性维度全部包含在内，另一方面，重新解释对哲学的基础主义抱负及其传统的对权威性的要求的否定。一个人可以不接受存在第一哲学，但仍可以肯定哲学具有自主性。”[①]

第六节　新自然主义形态举要

在新自然主义发展过程中，新的理论形态不断涌现，令人目不暇接、眼花缭乱。这里仅就其中讨论较多、影响较大的形式作简要考释。

一、德·卡罗等的自由自然主义

德·卡罗和麦克阿瑟认为，自由自然主义“不是一个有准确定义的信条，而是最好被看成一系列陈述一种新自然主义形式的尝试，它想公正地对待包括社会和人文科学在内的科学的范围和多样性……公正地对待包括非科学的、非超自然的理解形式在内的理解形式的多样性……此外，有些人还想承认非科学、非超自然的实在的可能性”[②]。自由自然主义既反对超自然主义，也反对科学自然主义，它想占据两者之间的概念空间。它与超自然主义的区别在于，它赞成自然主义的

① De Caro M, MacArthur D(Eds.). *Naturalism in Question*. Cambridge: Harvard University Press, 2004: 17.
② De Caro M , MacArthur D. “Introduction: science, naturalism, and the problem of normativity”. In De Caro M, MacArthur D(Eds.). *Naturalism and Normativity*. New York: Columbia University Press, 2010: 9.

构成性命题，认为“就我们对它们的认识而言，其存在或真理性与自然规律相违背的实在或解释，都不应当被接受”[①]。而超自然主义承认“自然之外”还有实在存在，因而认为存在违反自然规律的实在。例如，根据有神论的超自然主义，自然之外还存在上帝，自然的存在依赖于上帝，自然的规律性会被上帝打断，而且上帝的干预是无法作出自然的预言和解释的。自由自然主义与科学自然主义的区别，在于它持有更宽广的本体论和认识论态度，“对有争议的实在（如道德实在、抽象实在、现象学实在、模态实在或意向实在）的认识论和本体论持有比科学自然主义者更开放的态度”[③]，想以此为非科学但也非超自然的实在类型留下空间。也就是说，两者都认可自然主义的构成性命题，但自由自然主义对它作了弱化的解释，这体现在它增加了两个附加条件：一个是认识论条件，主张即使有些有争议的实在能实际地还原为科学实在，或者被证明在本体论上依赖于科学实在，但要充分说明这些实在的特征，仍须求助于这样的理解形式，它们既不能还原为科学的理解也不是超自然的，如概念分析、想象性推测或内省等。另一个是本体论条件，认为可能有些实在（如数）既没有也不能对科学所研究的世界有因果影响，而且它们既不能还原为能由科学说明的实在，又不在本体论上依赖于它们，但也不是超自然的，因为它们没有违反自然规律。[②]换言之，从本体论上说，自由自然主义拓展了自然的范围，它不仅包含科学自然主义所认可的实在，而且还包含没有因果作用的实在，这样这些实在就没有违反世界的因果封闭性原则，因而不会违反任何科学规律。德·卡罗说：“在自由自然主义者看来，这一事实即一类有争议的实在没有因果力，绝不是一个问题，反倒是把它作为真实的东西加以接受的一个必要条件（即使不是充分条件）。然而，这种实在的存在与自然科学的主张是完全相容的，因为它们的存在并不意味着违背了自然世界的因果封闭性。因此，自由自然主义者不会由于接受了这些实在的可能性而被推向超自然主义。”[③]从认识论上说，自由自然主义拓展了理解模式的范围，理解能用非科学方法解释的属性也不要求任何与理性理解相矛盾

---

① De Caro M, Voltolini A. “Is liberal naturalism possible?” In De Caro M, MacArthur D(Eds.). *Naturalism and Normativity*. New York: Columbia University Press, 2010: 71.

② De Caro M, Voltolini A. “Is liberal naturalism possible?” In De Caro M, MacArthur D(Eds.). *Naturalism and Normativity*. New York: Columbia University Press, 2010: 75.

③ De Caro M, Voltolini A. “Is liberal naturalism possible?” In De Caro M, MacArthur D(Eds.). *Naturalism and Normativity*. New York: Columbia University Press, 2010: 78.

的特殊的理解模式。总之，根据自由自然主义，有些实在不能从科学上作出解释或消解，但也不是超自然的，因为它们不违反科学所研究的世界规律，也不是用反科学的方法理解的。德·卡罗说：“非因果属性（如模态属性）可能存在，它们不能从本体论中取消，也不能还原为能作出科学解释的属性，并且在本体论上也不依赖于这些属性；它们没有因果效力，因此它们没有也不可能违反任何科学规律；它们可以用既与科学的理解不同又不与之冲突的方式来说明。这些本体论的和认识论的观点展示了自由自然主义何以能既不同于科学自然主义，又不会成为一种伪装的超自然主义。”[①]

二、霍恩斯比的朴素自然主义

霍恩斯比认为，心灵哲学的核心问题是解决心灵在自然中的位置问题，这个问题可以分为三个子问题。一是本体论问题，即世界上除了其他事物之外还存在具有心理生活的人，那么我们关于存在什么的总体构想对于我们理解这一点有怎样的影响？二是人的动因问题，即人能对依据自然规律运行的世界施加影响，使之发生变化，那么人的行动是怎样与世界相协调、怎样适应世界的？三是日常的心理解释问题，即人的相互理解是基于这样的假设：我们都是经验的主体，都有思想、信念、愿望、希望、恐惧等，那么人的相互理解是怎样完成的？使用的是什么样的理解形式？当然，“心灵在自然中的位置”这个总问题中隐含着有害的二元论的本体论假设，为了避免这些假设，心灵哲学的核心的形而上学问题已经从过去的“心身关系问题”转换成了“常识心理学的地位问题”。在回答这个问题时，他选择的立场是朴素自然主义。第一，它是一种“自然主义”，认为“心灵存在于自然之中，有意识、有目的的主体不过是自然界的构成要素”[②]，从而与笛卡儿的二元论划清了界线，因为后者主张心灵是非自然的实体，有意识、有目的的主体根本不是自然界的一部分。第二，它又是“朴素的”，这是为了与流行的科学自然主义相区别。如前所述，任何一种自然主义形式对于自然或自然界

① De Caro M, Voltolini A. “Is liberal naturalism possible?” In De Caro M, MacArthur D(Eds.). *Naturalism and Normativity*. New York: Columbia University Press, 2010: 82.

② Hornsby J. *Simple Mindedness: in Defense of Naive Naturalism in the Philosophy of Mind*. Cambridge: Harvard University Press, 1997: 2.

都有其独特的假设，这是它区别于其他自然主义形式的标志。科学自然主义关于自然的假设是：世界是没有规范的世界，是科学家所描述的世界。那么，要支持这种自然主义就要对常识心理学的题材进行自然化，即要么证明对心理归属可作出科学的处理，要么证明使用心理学词汇的日常解释与科学解释之间有某种联系。霍恩斯比认为，这种关于自然的假设并不是必须接受的，因为“并非自然中的一切都能从自然化者所持的观点中看到，我们可以把自己看作是自然界的居民，却无须认为我们关于自己的谈论必须被给予了特殊的处理才能使之可能。马克思说‘人不仅是自然的存在，而且是人化的自然的存在’。可能存在一种人性不与之抵触的‘自然’概念。这——用我的话说就是朴素的自然”。[①]也就是说，自然既包含非人的（impersonal）自然，也包含与人性一致的自然；既包含“自在自然”，也包含“人化自然”。他说：“只有采取了朴素自然概念，心灵哲学中的自然主义才站得住脚。”[②]不难看出，朴素自然主义也是科学自然主义的对立面：后者一般轻视乃至否定常识心理学，认为我们就应当对人采取常识心理学的观点，因为它所作出的解释没有希望，应根据科学进行改造和重构，而朴素自然主义认为，尽管常识心理学不能全盘被接受，但也应当得到尊重，“常识心理学应被认为是可以信赖的，这不是因为它会通向科学理论或者以它们的真理为基础，而是因为它坚持我们关于自然界的一切信念，没有它，这些信念将不复存在”[③]。第三，它也不同于其他唯物主义和物理主义，因为它既避免了二元论，又没有提出任何唯物主义、物理主义或其他已知的自然主义主张，“朴素自然主义者所承认的包含心灵的世界是朴素自然的，它包含我们看到的并对之发挥作用的对象，获取有关它的知识并不需要特殊的科学方法”。[④]第四，各门科学在描述、解释事件时会使用不同的语言和方法，而在描述和解释人及其心灵时通常会把两个层面的解释区别开，即人的层面（personal level）的解释和亚人层面（subpersonal level）的解释。朴素自然主义认为，在人的解释层面必然要提及人，而且常识

---

① Hornsby J. *Simple Mindedness: in Defense of Naive Naturalism in the Philosophy of Mind*. Cambridge: Harvard University Press, 1997: 7-8.

② Hornsby J. *Simple Mindedness: in Defense of Naive Naturalism in the Philosophy of Mind*. Cambridge: Harvard University Press, 1997: 8.

③ Hornsby J. *Simple Mindedness: in Defense of Naive Naturalism in the Philosophy of Mind*. Cambridge: Harvard University Press, 1997: 8-9.

④ Hornsby J. *Simple Mindedness: in Defense of Naive Naturalism in the Philosophy of Mind*. Cambridge: Harvard University Press, 1997: 12.

心理学解释也是这个层面所固有的。而亚人层面的解释与人的层面的解释有某种关系，但在某种意义上又是非人的，因为要知道人们说了什么，用不着诉诸人的理智、理性、动机等。[①]另外，亚人层面的解释比较强调人的专门部分，而人的层面的解释关注的是整个人，因此两者还是部分与整体的关系。第五，对于心理状态的地位，朴素自然主义反对非实在论，赞成实在论，认为实在论有其优越性。[②]

三、贝克的近似自然主义

自近代笛卡儿以来，“我是什么”一直是心灵哲学研究的一个焦点问题。各派哲学家一般都赞成笛卡儿的看法，即认为人是能思维的东西，但对于“能思维的东西是什么”却有不同的看法，如持唯心主义和二元论的哲学家通常认为它是非物质的心灵，而有些唯物主义哲学家则认为它是大脑，并致力于探究特定的神经状态何以能是思维所涉及的心理状态。贝克认为，信念、愿望等心理状态首先不是大脑状态，而是整个人的状态，因为思维者既不是非物质的心灵，也不是物质的大脑，大脑只是思维的器官，真正的思维者只能是人。这样一来，心灵哲学的核心问题就既不是传统的心身问题，也不是当代的心脑问题，而应该是人与身体问题（person/body problem）。人与身体问题包含“人是什么”和“人与其身体是什么关系”两个子问题。贝克对这些问题的回答包含两个因素，即“构成观”（constitution view）和关于第一人称观点的思想。她认为，人是由人的身体构成的，但又不等同于身体，区别人与非人的存在的一个标志是第一人称观点。她认为，将人与世界上的其他东西区别开的标志是“人有一种复杂的心理属性，即第一人称观点，它能使人将身体和心理状态看作是自己的。我们人是动物，这是因为我们是由动物构成的，但由于具有第一人称观点，我们又不‘只是动物’，我们还是人”。“某物成为人，是由于具有一种我称作‘第一人称观点’的能力。某物成为人，是由于成为一个由作为某种机体的身体——人形动物（human

① Hornsby J. *Simple Mindedness: in Defense of Naive Naturalism in the Philosophy of Mind.* Cambridge: Harvard University Press, 1997: 161.
② Hornsby J. *Simple Mindedness: in Defense of Naive Naturalism in the Philosophy of Mind.* Cambridge: Harvard University Press, 1997: 168.

animal）[1]构成的。”[2]因此，将人与其他事物区别开的并非如传统所说的是心灵，因为很多动物也有心理状态，人有心理或意识状态这一事实并不能在人与非人之间划出清晰的界线。根据构成观，“我”从根本上说是一个人，是由人的身体构成的，是一种具有第一人称观点的存在，如果第一人称观点没有被例示，我就不再存在，因此我的持续存在依赖于我的第一人称观点的持续存在。当然，构成关系在世界上是普遍存在的，而人与身体的关系与其他构成关系的区别在于人有内在的方面，即人能把自己当成自己来思维、推理和反思。贝克认为，这个内在方面是人的定义性特征，而“其基础就是第一人称观点”。[3]总之，“人是具有第一人称观点的物质性存在”[4]。第一人称观点是“形成人的（person-making）属性，它能让人成为由人的身体构成的人”。[5]在贝克看来，第一人称观点是一定会出现在基本本体论中的一种倾向属性，其表现要经过两个阶段：一是初级阶段，表现为从特定位置有意识、有意向地与环境发生相互作用的能力；二是稳健阶段，这个阶段只有人能达到，表现为以第一人称方式将自己看作是自己的能力。第二阶段可看作是第一阶段的加强版，起作用的因素是自然语言及与之相随的能力，因此第二个稳健阶段包含第一阶段。[6]第一人称观点既不能由科学解释，也不能被消解；既不能被取消，也不能被还原为其他非观点或非第一人称观点的东西。因此，世界上确实存在一种不可取消的人的因素，显然这是科学自然主义无法容纳和说明的，因为科学自然主义认为世界是非人的，它只承认能由科学说明的自然实在存在。既然科学自然主义不能容纳第一人称观点，它就是不完备的，那么为了容纳和说明第一人称观点，我们就要对科学自然主义作出修改，基于此贝克提出了“近似自然主义”。近似自然主义不仅承认第一人称观点存在，而且认为

---

① 贝克在行文中提到“人”时使用了各种不同的词语，如“person”“human person”“human being”“human animal”“man”“people”等，它们一般都可翻译为“人”，但贝克所说的“person”“human person”是其构成观视角下的人，即由身体构成的具有第一人称观点的人，我们将之翻译为“人”，而“human being”“man”更具有生物学意味，我们将之翻译为“生物人”，而“human animal”主要突出人的动物本性，姑且译为“人形动物”，“people”多表示集体的人，所以可译为“人们”。需要强调的是，我们做这样的处理只是为了叙述的方便，而未必完全符合贝克本人的想法。参阅 Baker L R. *Persons and Bodies: a Constitution View*. Cambridge: Cambridge University Press, 2000: 7-11.

② Baker L R. *Persons and Bodies: a Constitution View*. Cambridge: Cambridge University Press, 2000: 4.

③ Baker L R. *Persons and Bodies: a Constitution View*. Cambridge: Cambridge University Press, 2000: 21.

④ Baker L R. *Persons and Bodies: a Constitution View*. Cambridge: Cambridge University Press, 2000: 6.

⑤ Baker L R. *Persons and Bodies: a Constitution View*. Cambridge: Cambridge University Press, 2000: 11.

⑥ Baker L R. *Naturalism and First-Person Perspective*. Oxford: Oxford University Press, 2013: 170.

它对实在具有不可替代的贡献。当然，近似自然主义仍是一种自然主义，只不过是一种非常弱的自然主义或弱的非还原论，“尽管它与已知的自然规律是一致的，但它并不受科学牵制或不是从科学中产生的。尽管它为研究超自然的实在留下了空间，但它并不诉诸任何超自然的东西。近似自然主义所描绘的世界明显是仁慈的和宽广的”[①]。也就是说，近似自然主义不承认超自然的力量或实在的存在，因此是一种自然主义，但它在很多方面又超越了科学自然主义，因此有“近似”的特点。大体来说，近似自然主义与科学自然主义的区别主要表现在四个方面。第一，它与科学自然主义所承认的实在范围有一致之处，如都承认自然实在的存在，但区别在于：科学自然主义对自然实在坚持封闭性原则，而近似自然主义拒斥这一原则，它不仅对超验的东西保持沉默，而且对自然实在是否仅局限于现存的东西持开放态度，认为自然界具有生成性，会有新的实在诞生。第二，近似自然主义认为，第一人称观点既不能取消也不能还原，它是基本实在的组成部分，是本体论中的一种倾向属性。从起源上说，它既不是神授，也不是非物质灵魂的作用，而是进化的产物。贝克说：“拥有第一人称观点的能力就像拥有掌握一种语言的能力一样，是自然选择的产物。”[②]随着第一人称观点的发展还产生了一种新的实在，尽管不是一种新的生物实在，但是一种新的心理实在，因此，除了生物学意义之外，第一人称观点还具有重要的本体论意义，因为“人与没有第一人称观点的有机体之间的不同是一种本体论的不同”[③]。第三，近似自然主义是实践实在论（practical realism）的一种形式。实践实在论认为，中等大小的实在（如人、动物、人造物等）所构成的世界是基本实在的世界，这些实在像电子一样真实。因此，实践实在论就像现象学的生活世界论一样，比较关注这个常识世界。也就是说，虽然近似自然主义接受科学，但并不认为科学是实在的唯一主宰，它的目标是成为常识世界的形而上学。[④]第四，近似自然主义是一种本体论的多元论，认为世界上存在很多种类的事物，而这种多元论的框架是宽泛的唯物主义，即主张自然界中没有任何东西是由非物理的材料构成的。简言之，这是一种非还原的唯物主义立场。[⑤]

① Baker L R. *Naturalism and the First-Person Perspective*. Oxford: Oxford University Press, 2013: 233.
② Baker L R. *Persons and Bodies: a Constitution View*. Cambridge: Cambridge University Press, 2000: 22.
③ Baker L R. *Persons and Bodies: a Constitution View*. Cambridge: Cambridge University Press, 2000: 18.
④ Baker L R. *Naturalism and the First-Person Perspective*. Oxford: Oxford University Press, 2013: 208.
⑤ Baker L R. *Persons and Bodies: a Constitution View*. Cambridge: Cambridge University Press, 2000: 25.

四、查默斯等的自然主义二元论

近年来，随着物理主义的衰落和先验形而上学的复兴，二元论开始“东山再起”。[①]在与各种新二元论论争、较量的过程中，当代自然主义发展出了一种新的趋势或特点，即有些自然主义理论在吸收有关科学和对立理论成果的基础上逐渐具有了“混血儿”性质。也就是说，它们既坚持了自然主义基本原则，又吸收和融合了二元论的一些要素，从而表现为自然主义二元论这种独特的理论形态。总体而言，自然主义二元论赞成关于心灵的科学方案，认为心灵就像石头、棍子等一样是自然秩序的组成部分，科学能对心灵如何运作提供重要的信息，但同时认为“二元论并没有被经验证据铲除，因为经验证据只是提示了相互关联，而二元论能接受基于这种相互关联所作的因果解释”[②]。自然主义二元论有不同的类型，如查默斯的“泛原心论”（panprotopsychism）或“F 类一元论”就是一种自然主义二元论。查默斯认为，意识本质上包含不能还原的东西，因此要解释意识特别是其现象属性必须修改我们的自然概念，拓展或重新设想物理本体论。他说：意识是由基本物理实体的内在属性构成的，也就是说，是由基本物理倾向的范畴基础构成的。现象或者原现象的属性位于基础的物理实在层次之上，它们在某种意义上是物理实在本身的基础。[③]自然就是由具有内在的（原）现象属性的实在构成的，这些实在有多方面的因果关系，物理学就是从这些实在之间的各种关系中产生的，意识是从它们的内在本质中产生的。在查默斯看来，泛原心论与微观物理的因果封闭性，以及现有的物理规律都是一致的，它保留了物理理论已有的结构，只不过为这种结构增加了一种内在的本质。它承认意识在物理世界中是因果作用的，即（原）现象属性是所有物理因果关系的最终的范畴基础。查默斯认为，F 类一元论包含着唯物主义和二元论两方面的因素。从一个角度看，它可以被看成是一种唯物主义。如果一个人认为物理术语不是指称倾向属性而是指称基本的内在属性，那么这些原现象属性就能被看作是物理属性，从而能支持一种唯物主义。从另一个角度，它可以被看作是一种二元论。这种观点承认现象或原现

① 高新民.《心灵与身体——心灵哲学中的新二元论探微》，商务印书馆 2012 年版。

② Gertler B. “In defense of mind-body dualism”. In Alter T, Howell R J(Eds.). *Consciousness and the Mind-Body Problem: a Reader*. Oxford: Oxford University Press, 2012: 34, 45.

③ 斯蒂克，沃菲尔德.《心灵哲学》，高新民，刘占峰，陈丽，等译，中国人民大学出版社 2014 年版，第 148 页。

象的属性从本体论上说是基本的，它支持结构-倾向属性（物理理论中被直接描述的属性）与内在的原现象属性（对意识负责的属性）之间有一种基本的二元性。有人可能指出，虽然这种观点符合唯物主义的形式，但它却也暗含了反唯物主义的精神。[①]他认为，F 类一元论承诺了一种非常综合和得体的自然观，能为将来的研究奠定坚实的基础，并最终在自然界中为物理的东西和现象提供最好的综合。[②]麦金的“超验自然主义”也是一种自然主义二元论。他说：“哲学的困惑发生在我们身上，是由于我们的认知能力有明显的、固有的局限性，而不是由于哲学问题所涉及的实体或事实是内在的、成问题的、奇特的或可疑的。……实在本身在任何地方都完全是自然的，但由于我们的认知限制，我们无法落实这条一般的本体论原则。我们的认识结构阻碍了对客观世界之真正本质的认识。我将这个命题称作超验自然主义。”[③]也就是说，从本体论上说世界上的一切都是自然的，但从认识论上说，我们的认知能力存在固有的缺陷，因此难以洞察有些事物的真正本质。就意识来说，它作为一种实际存在的客观现象，一定有其产生和存在的条件和根据，而这些条件和根据只能是自然的，这就意味着大自然已经解决了意识的产生问题和具身问题，那么要破解意识之谜，我们必须到自然中去探寻这些条件和根据，但我们的认知能力和概念工具有固有的缺陷，难以完成这项任务。麦金认为，意识“只是看起来是奇迹，因为我们没有掌握解释它的东西；它只是看起来不可还原，因为我们找不到正确的解释；物理主义只是看起来是唯一可能的自然主义理论，因为这就是我们所受到的概念方面的限度；它也只是看起来会被取消，因为我们从我们的概念图式找不到对它的解释”[④]。麦金反复强调，不能把实在本身和我们对实在的认识混为一谈，意识的神秘性是由于我们缺乏相应的概念框架，即它是源于我们自身而非源于世界。[⑤]从客观上说，意识并不神秘，是大脑的某种属性导致了意识的产生，只是我们无法认识这种属性罢了，但我们不能把不认识当成不存在或当成奇迹。不难看出，麦金的超验自然主义是一种特殊的

---

① 斯蒂克，沃菲尔德.《心灵哲学》，高新民，刘占峰，陈丽，等译，中国人民大学出版社 2014 年版，第 149 页。
② 斯蒂克，沃菲尔德.《心灵哲学》，高新民，刘占峰，陈丽，等译，中国人民大学出版社 2014 年版，第 151 页。
③ McGinn C. *Problems in Philosophy: the Limits of Inquiry*. Oxford: Blackwell,1993: 2-3.
④ McGinn C. *Consciousness and Its Objects*. Oxford: Clarendon Press, 2004: 64.
⑤ McGinn C. *The Mysterious Flame: Conscious Minds in a Material World*. New York: Basic Books,1999: 61-62.

自然主义。一方面，他与一般的二元论者一样承认心灵有独立的存在地位，有不同于物质的特征（如有非空间性，是可以内省的，是不可错的等），意识与大脑在起源和存在方式上有根本的差别，甚至还说意识“有一种隐秘结构、一种秘密的底层、一种隐蔽的本质”[①]。另一方面，他的二元论或多元论又是以自然主义为前提的，宣称坚持了“绝对的自然主义”立场，不承认上帝、非物质灵魂和精神世界的存在，也反对诉诸超自然原因来解释意识的神秘性。[②]他认为，“我赞成的方案是自然主义的方案……尽管我们没办法说明大脑中的什么东西产生了意识，但我敢肯定：不管意识是什么，它也没有什么内在的神秘性”[③]。总之，“承认意识来自自然现象，本身就是自然现象，因而他的意识理论在本质上仍属自然主义，当然是一种比一般自然主义有更多本体论承诺的特殊的自然主义。他强调意识有不同一于一般自然事物的特殊根源，因而他的自然主义又带有明显的二元论倾向。毋宁说，他的意识理论是自然主义与二元论的奇妙嫁接”[④]。戴维森的解释主义或异常一元论在某种意义上也被看作是一种自然主义二元论，因为它承认从本体论上说世界上只有一种实在即物理事件，这坚持了自然主义或唯物主义的基本原则，但又认为对一个事件可以作出不同的描述或解释，不同的描述会导致不同的事件：用纯物理的词汇来描述，它就是物理事件；用纯心理的词汇来描述，它便是心理事件。这说明它又包含二元论——“描述（解释）二元论”或者“概念图式二元论”的因素。

五、弗拉纳根的“幸福学”

如前所述，科学自然主义的最大难题是难以对规范性作出令人满意的说明，而意义又是规范性中的最大难题。另外，在已有的意义研究中，自然主义几乎没有触及“生活和存在的意义”，特别是“幸福”这一种“有意义、有价值的”生存状态。鉴于此，弗拉纳根将意义看成比意识更难的问题。他认为，解释意识在物质世界上何以可能是“困难问题”，而解释意义在物质世界上何以可能要“更加困难”，因为“意义不像意识，它不只是有关事物看起来怎样的一种令人困惑

① McGinn C. *The Mysterious Flame: Conscious Minds in a Material World*. New York: Basic Books,1999: 140.
② McGinn C. *The Mysterious Flame: Conscious Minds in a Material World*. New York: Basic Books,1999: 77.
③ McGinn C. *The Problem of Consciousness: Essays towards a Resolution*. Oxford: Blackwell, 1991: 2.
④ 高新民.《心灵与身体——心灵哲学中的新二元论探微》，商务印书馆 2012 年版，第 532 页。

的特征。是否或能否存在意义这样的东西，是一个比存在什么更复杂的问题。与意识不同，意义不是关于什么存在、什么不存在的问题。如果有意义这种东西，它所包含的东西就比存在的东西要多。它最起码包含对有限的人的总体生活状态的事实性评价”[①]。弗拉纳根这里所说的意义主要指人的生活和生命的意义。他认为，如果承认人应寻求有意义的生活，那么自然主义者就有将其自然化的任务，就应该说明“生活的意义和神奇、神秘之处”[②]。但怎样理解生活的意义是最困难的问题，心灵科学和进化论生物学不仅没能回答这个问题，其反倒成了问题的一部分，因此要处理这个真正的难题，必须扩展研究中所涉及的学科的范围，不仅应包括一切心灵科学和进化论生物学，而且还应包含东西方哲学、政治理论、宗教史、积极心理学及人类学、社会学和经济学。[③]为此，他提出了“幸福科学”（eduaimonistic scientia）或“幸福学”（eduaimonics）的设想。其中希腊语的“eduaimonistic”是指“幸福的”“兴旺发达的”（flourishing），而拉丁语的“scientia”表示“知识”。第一，幸福学是基于 2000 多年来关于人的研究成果，对幸福的本质、原因和条件进行经验的、规范性的研究，其“目标是人的幸福（包括其他有情存在的幸福）及一切产生幸福的可靠方法”。[④]第二，幸福学是自然主义的。弗拉纳根说：“如果一个人采用哲学自然主义的观点，进而对我们的本质和前途作出实在论的经验性评价，那么我们就有机会了解什么方法能可靠地促进人的幸福，这就是幸福学。”[⑤]幸福学是想为思考人的幸福提供一个经验的框架，因此可看作是对关于意义的超自然主义的一种自然主义回击。他说：“幸福学是经验的，或者最好说是在认识论上可靠的——所有关于幸福的本质、原因和条件的主张，都是以对关于什么是幸福（包括其种类）及它的原因和成分是什么的历史的和当代的证据的反思为基础的。尽管幸福学本身不是现代意义的科学，但它所包含的系统的哲学理论与科学具有连续性，因而重视科学所建立的关于人的图景。”[⑥]他认为自己回答幸福学问题使用了经验的、生态学的方法，这种回答与新达尔文主义和最流行的心灵科学关于人的图景是一致的，“根据这一图景，我们完全是具

① Flanagan O. *The Really Hard Problem: Meaning in a Material World.* Cambridge: The MIT Press, 2007: xi.
② Flanagan O. *The Really Hard Problem: Meaning in a Material World.* Cambridge: The MIT Press, 2007: xii.
③ Flanagan O. *The Really Hard Problem: Meaning in a Material World.* Cambridge: The MIT Press, 2007: xii.
④ Flanagan O. *The Really Hard Problem: Meaning in a Material World.* Cambridge: The MIT Press, 2007: 1.
⑤ Flanagan O. *The Really Hard Problem: Meaning in a Material World.* Cambridge: The MIT Press, 2007: 4.
⑥ Flanagan O. *The Really Hard Problem: Meaning in a Material World.* Cambridge: The MIT Press, 2007: 2.

身的、能思想、有情感的动物，我们在完全是自然的世界上生活并获得了意义。我们都是自主体，能自由地行动。但我们不具有任何容许违反自然规律的非自然的自由意志能力。在我们离世时，我们作为有意识的存在的生涯也随之终结”①。第三，幸福学是跨学科的。弗拉纳根认为，幸福涉及的因素很多，必须同时探究基因、胎儿发展、养育、教育、道德及精神承诺、社会世界方面的原因、条件与幸福的各种大脑因素有关，这也决定了幸福学是一种跨学科性质的研究。它“为以统一的方式思考哲学心理学、道德和政治哲学、神经伦理学、积极心理学及源于非有神论精神传统（如佛教、亚里士多德主义和斯多噶主义）的转换正念的实践提供了一个框架”②。这些学科、研究和精神实践都试图理解幸福的本质、原因和成分，并致力于增进人的福祉，因此都是工程幸福学的组成部分，而幸福学就是系统地收集在幸福的这三种成分方面的认识成果并尽可能增进幸福的活动。第四，幸福具有整体论特征。弗拉纳根认为，我们是有意识的具身性存在，能完成高度复杂的心理-诗意的行为，“我们生活的品质——确切地说，我们生活是否有意义在很大程度上取决于我们怎样（用柏拉图的话说）分有艺术、科学、技术、伦理、政治和精神的空间。这六个空间是我称作意义空间的古德曼集的成员”③。此外，意义空间是动态的。上述的每一个成员空间都是由理论和实践组成的复合体，每个都有层次，都是嵌套的，自身也都包含多种成员，并不断进化，因此也都是完整的集合，而且每个空间还以多种多样的方式与自身、与其他空间发生相互作用。第五，幸福或意义问题具有经验性质。弗拉纳根认为，要找到生活的意义，必须问两个问题：一个是寻求幸福者所寻求的东西中有无深层的结构特征，另一个是有无能够帮助人对所获得的幸福作出评价的深层结构特征。他对此的回答都是肯定的，而且依据的是经验材料。在他看来，幸福或意义问题即使如传统所说是规范问题，也必须用经验的方法来解决，否则就不能解决。就此而言，规范问题也可以成为经验问题。④另外，意义、幸福在世界上是有其位置和源泉的，即源于意义空间，这样“幸福在哪里”等问题就有了经验的性质。再者，意义空间的本质、形态、内容都有偶然性，这也说明意义问题有经验性质。

---

① Flanagan O. *The Really Hard Problem: Meaning in a Material World*. Cambridge: The MIT Press, 2007: 61.
② Flanagan O. *The Really Hard Problem: Meaning in a Material World*. Cambridge: The MIT Press, 2007: 4.
③ Flanagan O. *The Really Hard Problem: Meaning in a Material World*. Cambridge: The MIT Press, 2007: 37.
④ Flanagan O. *The Really Hard Problem: Meaning in a Material World*. Cambridge: The MIT Press, 2007: 38.

六、人文主义的或宗教的自然主义

在与科学自然主义论争的过程中，许多人提出了一些富有弹性的自然主义形式，其基本特点是，在坚持反对超自然主义基本立场的同时，不再只强调物理学等自然科学的存在和解释方面的基础地位，而认为因果性具有开放性，世界可能会充满奇迹，有些因果作用有可能成为新的组织层次突现的条件，因此我们对自然化的标准和基础应持开放的、宽松的态度。这类自然主义一般都带有浓厚的人文主义色彩甚至是宗教情怀，因而具有更大的包容性和自由性。例如，有一种宗教自然主义试图调和科学与宗教的关系，认为关于自然与超自然、自然与神的二分法是没有道理的，因为传统宗教并没有这样的划分，把神看作是超自然的只是后来的发明，事实上神并不是超自然的，而是在自然之中的。在它看来，自然本身是神圣的，即使不存在传统所说的自知、自动的神，我们也有理由追问自然的这样的根源，它超越自身、进到了有情识（sentience）的造物身上，因此即使没有人格化的神性，也有理由说自我超越性具有根本的存在价值。这种宗教自然主义一般有三种表现形式：一是“表述主义”的有神论，认为神是表述自然的谓词；二是基于存在的有神论，认为神是所有存在物中的自动呈现者或者说是自我馈赠的礼物；三是基于无限性的有神论，认为神是充满在宇宙生物进化中的爱的本质。[①]再如，在一定意义上，中国古代的气自然主义也是一种弱自然主义，因为它没有在物质与非物质之间划出界线，因此，“即使气宇宙论的整个传统超出了当代自然科学的范围，但它是关于自然的、合理的、连贯的、可以接受的观点”，作为一种弱自然主义形式，它“可以与未来或成熟的科学和睦共处”[②]。

七、霍斯特的认知多元论

当代的哲学多元论主要有两种类型，一种是杜普雷的“混杂实在论”（promiscuous realism）和凯切尔的“多元论的实在论”。这是一种实在论的多元论，认为世界是由多元的、不可还原的种类和属性组成的；另一种是霍斯特的认

① Gregersen N H. “Varieties of naturalism and religious reflection”. *Philosophy, Theology and the Sciences*, 2014(1): 5-8.

② Liu J. “Chinese qi-naturalism and liberal naturalism”. *Philosophy, Theology and the Sciences*, 2014(1): 83-84.

知多元论，可以看作是关于科学哲学和形而上学的认知主义、唯物主义或实用主义方案的延伸。首先，就认知多元论的本质来说，它是一种认知主义。它把我们对世界的理解力的特征归结为我们的认知结构的特征，即归结为关于我们的心灵如何模拟世界的特征的经验事实。霍斯特指出，认知多元论最初是一个科学哲学命题，用于回答“各门科学为何没有统一性或为何不能还原为基础物理学”的问题，但它又不只是一个关于科学的命题，而是适用于一般的心理模型和人类的认知结构。它作为一种认知主义立场，既与康德和胡塞尔的先验观念论有相似之处，又与利用认知心理学和生物心理学思想来说明知识和理解问题的自然主义认识论具有连续性。在他看来，心灵理解世界是通过具有特殊目的的理想化模型，这是人类认知结构的一个普遍特征，其中每一个模型都针对世界和我们自己的局域性特征，因而是局域性的、片断的，这是人类认知结构摆脱不了的一种深层次的设计原则，也是科学和知识不具有统一性的根本原因。他说：“人类认知结构方面的经验事实限制着我们能够想象、理解和利用的模型的类型，科学内部存在的不统一性是我们认知结构的产物。……科学建模的特征不过是人类认知结构的一般原则的一个特例。”①认知多元论也是一种实用主义立场。它不满足于将科学、常识或实在论哲学形而上学的“库存清单本体论”当成形而上学的根基，而是想根据有关认知的事实（如心灵所使用的表征结构）或物质的和社会的实践（如实验室规程和语言）来说明“对象”之类的概念，也就是说，它认为“我们的解释兴趣和我们与世界相互作用的本质都在决定科学及其外部的模型方面发挥着作用”②。另外，它当然还是一种多元论立场，认为我们与世界的联系是通过多元的具有特殊目的的模型，这些模型是不可还原的，即不能还原为一种共同特征或被统一到一个公理系统。其次，就认知多元论的本体论承诺来说，它认为随着后还原论科学哲学的成功，传统关于心理事物与自然事物之间的区别就不能够再成立，自然事物作为可作出科学研究的东西，不仅会将心灵包含其中，而且从根本上说，“物理、化学和生物过程并不比心灵‘更根本’，因为我们由这些领域组成的构造依赖于（人的）心灵的认知结构”。因此，世界的构成不只是自然界，

---

① Horst S. *Beyond Reduction: Philosophy of Mind and Post-Reductionist Philosophy of Science*. Oxford: Oxford University Press, 2007: 128-129.
② Horst S. *Beyond Reduction: Philosophy of Mind and Post-Reductionist Philosophy of Science*. Oxford: Oxford University Press, 2007: 127.

除了自然存在物之外，可能还有其他不能由自然科学解释的实在。霍斯特说：“认知多元论不要求我们假设笛卡儿的灵魂之类的非物质存在，但它也不阻止我们作这样的假设。它尽管根本没有讨论上帝、天使、超验道德原则等其他的‘超自然’实在，但我认为这些至少与认知多元论是相容的。”[①]最后，就认知多元论与自然主义的关系来说，它既包含自然主义因素，又有超越正统自然主义的一面。它认为科学解释有其重要作用，但也有其局限性，因而不能对世界作出完备的解释，霍斯特说：“我的说明从认识论上说是‘自然主义的’，即它利用科学解释（包括直接的认知科学之外的解释）来解释有关心灵的东西，但这些只是部分解释。我否认这些解释对所有心理现象作出了完备的说明，因此不赞成这样的形而上学结论，即心灵不过是自然科学所研究的那些过程的集合。”[②]他还根据自然主义的一般性图式作了进一步解释。根据这个一般性图式，关于领域 D 的自然主义主张 D 的所有特征都应纳入自然科学所理解的自然的构架之内。那么，心理现象能否“纳入自然科学所理解的自然框架之内”呢？认知多元论对此的回答是否定的，其理由有二：一个是直接的理由，即它和其他非还原论一样不承认有关心灵的一切都能用非心理的词语来理解；另一个是间接的理由，即它是一种多元论理论，因此对存在“自然科学所理解的自然构架”这种单一的、统一的东西持怀疑态度，霍斯特说：“如果‘这种构架’意味着有一个统一的囊括一切的模型，那么我否认存在这样的东西。”[③]他强调，认知多元论是不是一种自然主义，取决于我们如何理解“自然主义”的意义。如果我们认为它表示否定先验的方法论而支持与科学有连续性的方法，那么认知多元论就是一种自然主义，而如果我们认为它指的是这种看法，即认为自然事实占据优越地位，其他事实都依赖于它们并从它们中产生，那么认知多元论就是对自然主义的否定，在此意义上，认知多元论就像唯心主义和实用主义一样，是一种典型的非自然主义观点，而他自己就是一个“反自然主义者”。[④]

---

① Horst S. *Beyond Reduction: Philosophy of Mind and Post-Reductionist Philosophy of Science*. Oxford: Oxford University Press, 2007: 201.
② Horst S. *Beyond Reduction: Philosophy of Mind and Post-Reductionist Philosophy of Science*. Oxford: Oxford University Press, 2007: 201.
③ Horst S. *Beyond Reduction: Philosophy of Mind and Post-Reductionist Philosophy of Science*. Oxford: Oxford University Press, 2007: 200.
④ Horst S. *Beyond Reduction: Philosophy of Mind and Post-Reductionist Philosophy of Science*. Oxford: Oxford University Press, 2007: 199.

八、卡胡恩的多元论自然主义

卡胡恩（Cahoone）认为，现代哲学中占支配地位的是这样一种信念，即实在至少是由物理的和心理的这两类实体或属性构成的，他称之为“两极失调症”（bipolar disorder）。它是唯心主义、二元论及物理主义、唯物主义等各个流派共同具有的，而且由于受它的控制，已有的形而上学体系没有一种被证明是合理的，已有的自然主义理论也没有一种能对心灵、意义、文化和神等作出合适的解释。为了摆脱困境，他提出了其多元论自然主义的构想。多元论自然主义作为一种系统的一般形而上学，其目标不是要达到某种确定性或者为其他研究奠基，即它“不是终极性的或是研究的终结，而是为进一步研究提供一些适当的、可以纠正的概念”。这种自然主义能容纳物理的东西，但又不是物理主义；承认还原解释与非还原解释是互补的，哲学研究与诸科学的研究是一致的，因此它“是科学的又是多元论的”。[①]首先，多元论自然主义是局域性的，它不要求所有存在都是自然的或都是自然的一部分，只要求自然是所做、所有和所存在的一切事物最易获得的因素。而且一切存在或属性是不是自然的，并不能先天地决定，而要经过科学的研究。卡胡恩认为，多元论自然主义“所理解的形而上学是可错论的（fallibilist）和后验的（a posteriori），它反对形而上学和方法论的总体论（globalism）……因此，它回避一切关于整体或基础的言论，而接受一种彻底的多元论语言。这是我们作为背景的形而上学语言。这样，自然主义就被假设成最有力的理论，用以说明在这种多元论中辨认出来的一切东西。也就是说，局域论的形而上学方案使我们可以在多元论内或在多元论的基础上采用一种自然主义观点，进而产生一种多元论自然主义形式，它能够利用多门科学的成果，同时又化解传统的批评”[②]。其次，它所设想的自然是多元的，即自然包含无限多的实体、结构、过程和属性，卡胡恩说：“自然是复数的，有多种实体、属性、结构和过程，这意味着我们没有假设自然是物理的或物质的。自然肯定包含物理的东西，但我们没有先验地假设物理的实体、属性或过程在自然中是普遍存在的。认为自然原则上等于所有物理的或物质的东西，或者认为自然的事件或属性都是由物理的或物质的东西决定

① Cahoone L. *The Orders of Nature*. Albany: State University of New York Press, 2013: 3.
② Cahoone L. *The Orders of Nature*. Albany: State University of New York Press, 2013: 15.

的，这是物理主义者或唯物主义者的看法，而非自然主义者的。”[①]各种各样的实在至少可以划分为五个相互依赖又渐次复杂的等级：物理等级、物质等级、生物等级、心理等级和文化等级。但究竟有什么种类，有多少种类，以及哪些种类由哪些构成或决定，要由我们的解释实践来回答，而不能先验地解答。他认为，这种自然主义“并不认为现在、过去或将来存在的一切都是自然的，我们的任务是描述那些自然的复合物。我们不先验地假定自然穷尽了一切复合物，它可能穷尽了，但不假设它一定穷尽了。我们能否辨认出不能被纳入各种自然等级中的复合物，是一个需要探讨的问题”[②]。最后，它的基础是多门科学而不只是物理学，因此其研究方法是跨学科的，需要综合运用多种视角和方法，使用多门科学的知识。总之，要成为多元论的自然主义者，至少必须满足三个条件。①承认自然是一个具有时间连续性的整体，其成员之间至少存在间接的因果作用，因为自然的成员原则上不是因果孤立的。②所说的“自然”至少应包含物理的东西、物质的东西、生物的东西、心理的东西和文化的东西。当然，这并不是所有实体、事件和属性的完整清单。事实上自然主义者不仅应把物理学和物质科学、生物科学的对象当作自然的或者当作自然的一部分，还应把心灵、意向性、意义、交流、社会、艺术作品等看作是自然的或者当作自然的一部分。尽管它们被纳入自然的方式不同，但一个人要成为自然主义者就必须把它们包含于其中。③自然科学的结论对关于自然的形而上学一定具有重要意义。但这不是说要否认有其他的知识来源，或者说对自然科学所说的一切要照单全收，而是说一个人若在形而上学方面不尊重自然科学，他就不会成为一个自然主义者。[③]

① Cahoone L. *The Orders of Nature*. Albany: State University of New York Press, 2013: 27.
② Cahoone L. *The Orders of Nature*. Albany: State University of New York Press, 2013: 26-27.
③ Cahoone L. *The Orders of Nature*. Albany: State University of New York Press, 2013: 26.

第五章

解释主义的最新辩护与发展

英美最近流行的解释主义既是一种解释学，同时又是一种具有革命和叛逆意义的心灵哲学理论。作为一种解释学，它有与欧洲大陆解释学一致的地方，如探讨文本理解所以可能的条件，但在解释的对象、旨趣和哲学的性质特征等方面都有自己的独特看法。就拿戴维森的投射性解释主义来说，它关心的解释对象不是书籍、绘画之类的文本，而是人的话语和别的躯体行为；它要揭示的解释所以可能的条件主要是非语言的条件；更重要的是，它是带有整体论性质的哲学理论，由此所决定，他的解释主义便有学科多态性的特点，即同时是解释学、意义理论、认识论、本体论、语言哲学和心灵哲学。作为一种心灵哲学理论，解释主义独辟蹊径，为解决传统的心身问题提供了一种全新的、耐人寻味的思路。它不直接思考心灵是什么，有什么结构和功能，其物理机制和基础是什么，与物理过程是什么关系，在自然界中有什么地位，而把回答理解和解释人的言语行为如何可能这一问题作为它的出发点，将心理状态的"具有"问题（详后）作为核心问题，经过对解释条件、根据的丝丝入扣的探讨，最终形成了一种全新的心灵哲学理论。其基本观点是，人本无心灵，本无意向状态，它们是我们的解释性投射的产物，换言之，是我们为了解释人的行为而强加给人或归属给（attribute to）人的。质言之，精神或心灵不是像自古以来人们天经地义地认识的那样是实在地进化出来的，而是人为解释的需要而设定的。对此，丹尼特作了精辟的概括："人的心灵本身是人们在重构人脑时为了方便而创造出来的一种人工制品。”[①]不过，按照丹尼特的划分，经典的解释主义有投射主义（projectivism）和规范主义（normativism）两种形式。前者由戴维森所倡导，后者的代表人物是他自己。[②]在解释主义的后来发展中，不仅戴维森和丹尼特对自己创立的解释主义有改进，而且有些人对之作出了新的辩护、论证和发展，还有一些人在阐释的基础上建构出了解释主义的新的理论形态。

根据新的阐释，解释主义可理解为关于心灵的规范图景或规范理论。布鲁克（Brook）指出：要断言一有机体或实在有心灵，这实在就必须满足某些规范。由此所决定，心灵即便是自然系统，但也根本有别于别的自然系统，甚至不同于大脑和认知功能系统。[③]另外，也有人这样加以概括：有机体要具有心灵，其行为就必须符合某些规则。我们先简述戴维森和丹尼特的解释主义以及他们所作的自我发展，然后再来考察它后来的发展。

第一节 戴维森的解释主义及其发展

戴维森的新奇得有点怪异的思想是怎样形成的呢？既然基本思想与丹尼特的十分接近，是否受到了后者的影响？对这些问题，丹尼特有一个客观的表述，他认为，他与戴维森在许多年中“都从事着极其相似但各自又有着极大独立性的工作”[④]。这就是说，两人之间没有思想的相互交锋与影响。另据对两人的文本的考证，丹尼特在自己的全部文字中只有两处提及戴维森，而戴维森从未谈及丹尼特，更未引用过他的成果。

戴维森的创新思想除了得益于自己富于创新的思维品质之外，也与自己的学术经历和所受教育有关。他受教于哈佛，而对许多美国哲学家产生了深远影响的著名哲学巨匠蒯因这时恰好也在这里。后者提出的许多问题都成了前者思想的出发点，而且后者的许多概念、原则也成了前者立论的准则和依据。其中，后者的

---

① Dahlbom B (Ed.). *Dennett and His Critics: Demystifying Mind*. Oxford: Blackwell, 1993: 13.
② Dennett D C. *The Intentional Stance*. Cambridge: The MIT Press,1987: 342.
③ Bailey A(Ed.). *Philosophy of Mind: the Key Thinkers*. London: Bloomsbury, 2014: 189.
④ Dennett D C. *The Intentional Stance*. Cambridge: The MIT Press,1987: 348.

“心理语词是戏剧性习惯”的著名命题以及“彻底的翻译”“翻译不确定性”等概念都成了前者思想的圭臬。根据这些思想，心理语词在实际生活中有不可或缺的作用，但在心灵的科学研究中却没有用。另外，维特根斯坦的下述思想也深深启发了戴维森：心理学解释是一种特殊形式的解释，可疑但很有力量。对他有影响的哲学家还有罗伊·塞拉斯、安斯科姆（Anscombe）等，他的心灵哲学之所以被称作解释主义，是因为他对解释有特殊的感情和解释，以至解释成了他的哲学的真正的轴心。他认为，许多传统的问题实质上是解释问题，或可转化为这个问题。例如，“什么是意义”的问题，可转化为：解释者要理解一种异邦的语言，必须知道什么？他怎么可能知道这些东西？质言之，从零开始理解一种语言的充分条件是什么？由于重视解释，可以说戴维森是分析世界的解释哲学家，就像说伽达默尔是大陆哲学中解释哲学家一样。就此而言，可以说戴维森的哲学是一种专门的解释哲学或“专门研究解释的哲学”。[①]

戴维森对心灵的解释始终与对语言尤其是解释者不理解的言语的解释连在一起。受蒯因“彻底的翻译”的启发，他看到了这样的事实，即在观察人际交流时，人们能相互理解对方的言语和行为，每个人既是说者、被解释者，又是听者、解释者。不仅如此，人们还能对自己完全不熟悉的人及其言语作出解释，如理解外国人及其言语行为。这样的解释就是戴维森所谓的彻底或从零开始的解释。这也就是说，彻底的理解是可能的。现在的问题是，理解、解释他人的话语和行为是如何可能的呢？换言之，要得到这种解释，需要什么样的条件或知识？这一问题就是戴维森的解释理论的出发点。他说：“解释理论是要由语言学家、心理学家和哲学家协力完成的一项工作。它的研究课题是一个或多个说话者的语言行为，它告诉我们这个或这些说话者的某些表达式的含意是什么。最后，解释理论能被用来描述每一个解释者所具备的知识。”[②]这里的解释问题有经验问题与哲学问题两方面，所谓经验问题即我们实际上是怎样理解说者的，所谓哲学问题即这样一种理解的必要和充分条件是什么。这一条件是一般人不知道的。在戴维森看来，这个不为人知道的东西主要是解释所依赖的非语言的条件，因为一个人能

① De Caro M. “Davidson in focus”. In De Caro M (Ed.). *Interpretations and Causes: New Pespectives on Donald Davidson's Philosophy.* Dordrecht: Kluwer Academic Publishers, 1999: 1.
② 戴维森.《真理、意义、行动与事件：戴维森哲学文选》，牟博编译，商务印书馆 1993 年版，第 82 页。

对一个外国人的言语行为形成理解足以说明：有一些非语言的知识资源。

经过对这种非语言条件的地毯式的、掘地三尺的搜索，戴维森如愿以偿了，如发现宽容原则、真值条件能力都是必要条件，其中最重要的是人们心底里蕴藏的 FP 资源。由于有它，人们在解释他人言语时就把信念等归属于他人，从而获得对他人的解释。但这又必然导致解释不确定性问题。他认为，“因为存在着许多不同但同样可接受的解释行为主体的方法，因此如果愿意的话，我们便可以说：解释或翻译是不确定的，或者说，对于某人用他的词语意指什么这一问题，不存在客观的事实。同样，我们也能说重量或温度的不确定性。”[①]

正是从解释不确定性这一命题中，戴维森引出了重要的心灵哲学结论，即关于心灵的投射（projects）理论。他一反传统的实在论的、镜式的心灵观，认为我们关于心灵、信念、思想等命题态度的观念，不是关于客观存在的心理状态、属性、过程的反映，因为在他看来，根本就不存在信念之类的心灵状态。在这里，戴维森发起了一场名副其实的“哥白尼式转变”，即心灵观念不是对人的认识、反映的结果，而是人为了解释的需要而虚构出来，然后强加或归属于人的。戴维森主要借助与测量图式的类比说明了这一点。他强调，在解释中，对命题态度所作的归属，类似于对温度、长度或位置所作的归属。在后一类归属中，我们利用的是简单的公理系统中得到有序组织的数量属性，如“28℃”“5 米长”等。比如说地球有经度、纬度，这都是我们加之于地球的。

同样，把命题态度归之于人，或说人有信念，这完全取决于我们对之所作的解释，而解释之所以出现，首先又是因为我们每个正常人都有一种“解释理论”。有这种理论，就意味着知道怎样把说者所说的与特定的意义和真值条件联系起来，就知道在什么情况下把某一信念、愿望归属于要解释的对象，就知道怎样解释预言他人的行为。因此，可以说某人有信念之类的心理状态与我们所用的解释理论密不可分。其次，如果人真的有信念之类的内部状态，那么我们只能有唯一一种正确的描述和解释方法，而事实上，我们对人及其行为有多种多样的描述、解释方法，如设计的、功能的、物理的、机械的等。FP 又是从哪里来的呢？戴维森认为，它们是错误的概念化的产物。根据已有科学的观点，真实存在的东西是

---

① Rosenthal D W (Ed.). *The Nature of Mind*. Oxford: Oxford University Press, 1991: 161.

物理事物及其属性，如力、倾向性等，它们是产生运动变化的原因。就人来说，人的行为也是由人身上的力、行为倾向产生的。因此，对行为的合理的科学解释应是诉诸这些实在及其力的解释。但是创立 FP 及其概念（信念等）体系的古人不知道这一点，当看到人作出这样那样的行为时，在寻找原因对之作出解释时，不知道人身上存在的客观的力和行为倾向，便发挥想象和推理的作用，设想行为后面有一类特殊的存在，并用“意图”“信念”“愿望”等词语加以表示。不仅如此，在构设关于世界的概念体系的过程中，他们还把它们提升为自然类型概念，以为心灵享有与身体一样的地位，信念享有与物理事物同等的地位，并相互具有因果关系。

不过，这里还有这样一个问题，即在有些测量中，尽管测量所用的图式是不确定的、可变的，但也有不变的东西，如在用米、英尺、市尺测量对象时，对象有长度这样的量的客观不变的规定性。正是有了它，不同的标准才能相互转换。态度归属中有这样的不变的基础结构吗？戴维森的回答是，这里没有不变的东西，如一种图式下的信念 p，在另一图式之下可能是信念 q。另外，一种图式中的命题态度也没有必要映射为另一图式中的命题态度。例如，在一种解释中，行为 B 被解释为“发信号”，而在另一解释中，它可被解释为“手的一抓”。再进一步，前者要用命题态度来解释，后者则没有这样的必要。如果非要追问不变的东西，那么充其量只会追溯到言语行为的倾向上。

综上所述，戴维森的解释有两个独特的要点。①心理学解释，即诉诸人做事的理由（如信念、愿望）对行为的解释，具有整体论特征。这里所谓整体论是指，只有将包含动机、愿望和信念等的复杂状态归属于行为主体，才能对他的行为作出心理学解释。这种解释尽管不同于碰碰球式的因果解释，但仍可看作是一种因果解释。②信念等多半是或一定是精确的（accurate），因此多半具有一致性（consistency）。这两个论断隐含着一种独特的心灵哲学思想。它们强调：用来解释行为的信念等在约束和构成因素上不同于大脑和认知系统。如果是这样，就没有办法用任何系统的方法把心理学所说的信念等事件、状态、功能等与各种大脑状态关联起来。如果解释主义是对的，那么类型同一论、还原物理主义、功能主义就都是错的。尽管戴维森是认知科学的倡导者，至少是拥护者，但他认为，被称作心灵的东西必须符合合理性和准确性或连贯性两个规范标准，因此心理学话语就不可能系统地关联于关于信息加工的话语，那么认知科学即关于心灵的科学将是不可能的。

解释主义显然是对立于常识和传统的实在论哲学的。这也是它一直受诟病的原因。人们有种种信念和愿望不是再真实不过的事实吗？这也是一直困扰戴维森的问题。根据他后来的看法，在诉诸信念等对行为的解释中，客观上存在着“构成性原则”。它是人们将心理状态归属于被解释者必须依据的原则，简言之，是制约心理状态归属的原则，不同于制约别的话语的原则。此原则有两方面：一是合理性、连贯性和一致性。合理性、连贯性强调的是，正是解释者归属于某人的信念和激励因素使被解释的行为成了合理的。所谓一致性指的是，在归属信念时，解释者除了在极少的情况下，是不会把相互矛盾的信念归属于被解释者的。二是信念等必然引起别的信念，即信念具有传递性。这些原则表明，被归属于人的信念等是归属的，因此就不是实在的，而是借助合理性和一致性的条件所构成的，质言之，是人为构造而成的。

这种解释理论与他倡导的异常一元论或个例同一论是什么关系呢？它们之间似乎存在着不可调和的矛盾。其实，这里的矛盾只是一种假象，因为他的解释理论与他的异常一元论是同一种心灵理论的不同的表述方式。异常一元论突出的是一种事件一元论和概念二元论。根据这种理论，这个世界是事件的集合。而事件都是个别的、存在于空间中的、有生灭变异的、标有时间的实在。但是对它们可用不同方式来描述和解释，如对一些事件既可以用物理语言又可以用心理语言来加以描述。这样一来，事件既可以表现为物理事件，又可以表现为心理事件。质言之，事件本身并无物理和心理之别。因为所谓“心理事件”，只有在被描述时，才是心理的。“物理的”也是如此。从心理上描述的状态仍是物质的、自然的世界的组成部分。正是在此意义上，戴维森提出了一切心理事件都是物理事件的同一论命题。很显然，这一理论排除了命题态度作为心理状态实在存在的可能性。因此是一种彻底的一元论。但它又是异常的。因为他的解释主义强调心理类型不能还原为大脑类型或认知类型。

既然承认了心理事件和物理事件，那么该怎样证明它们之间的关系呢？在说明两者的关系时，戴维森提出了三个原则。①所有心理事件在因果上都关联于物理事件，此即心理与物理的相互作用原则。②如果两个事件作为原因和结果关联起来，那么就有它们所从属的严格的规律。这意思是说，原因和结果有例示严格规律的描述，此即因果关系的法则学原则。③不存在严格的心理物理规律（把在心理描述之下的心理事件与在物理描述之下的物理事件同一或联结起来的规律）。既然是这样，心理事件就一定是“异常”的，即游离于决定论规律之外，不能据以解释和预言。此即心理事件的异常性原则。这三个原则从表面上看是矛盾的，但戴维森认为，它们不仅不矛盾，而且都是正确的，它们统一在一起，就是他的异常一元论的基本内容。而异常一元论则可以理解为下述交织着概念二元论的本体论结论：世界上只有一种实在，但可用心理概念和物理概念去描述和解释。心理实在是一种解释上的设想，因为说人有心理实在并没有增加世界的物理内容。既然如此，它也不能进入与物理事件的因果关系网络之中。如果说它有因果作用，那也是由它所随附的物理事件所行使的。

解释主义与戴维森坚持的个例同一论也不矛盾。因为他认为，某个用特定心理语言描述的心理事件可能是某个用特定物理语言描述的物理事件，但这里没有严格规律保证它们永远是这样，如这个心理事件在别的时间、地点对应的可能是用别的物理语言描述的事件。质言之，他坚持心理的可多样实现，因此一定会坚持个例同一论。

戴维森解释主义的实质和特点在于，它是典型的“第三条道路”。这有多方面的意义。第一，它是介于新维特根斯坦主义（新分析行为主义）和逻辑经验主义（奥地利唯物主义）之间的第三条道路。一方面，他不赞成赖尔和新维特根斯坦主义者的行动理论。他们认为，心理事件不是行动之前的事件，而是行为的组成部分，正如维特根斯坦所说：任何内在事件都有外在标志。[①]根据这一理论，主张心理事件与行动之间有因果关系就犯了范畴错误。戴维森明确主张，心理事件可作为原因起作用。另一方面，戴维森提出的行动理论还将矛头对准了逻辑经验主义关于因果性的休谟理论和方法论的一元论。[②]逻辑经验主义者认为，常用来解释行动的理由、意图等不是行动的原因。根据休谟对因果关系的看法，两事件要成为因果关系，原因必须在逻辑上独立于结果，而理由与行动之间不可能有

---

① 维特根斯坦.《哲学研究》，汤潮，范光棣译. 生活·读书·新知三联书店 1992 年版，第 580 节。

② Nannini S. “Physicalism and the anomalism of the mental”. In De Caro M(Ed.). *Interpretations and Causes: New Pespectives on Donald Davidson’s Philosophy.* Dordrecht: Kluwer Academic Publishers, 1999: 101.

这种联系，因此不能构成因果关系。戴维森针锋相对地提出：理由能成为行动的原因。[①]第二，如前所述，解释主义是实在的一元论和概念二元论之间的一种综合型的理论。第三，在心理事件和物理事件的关系问题上，解释主义一方面不同于法则学的一元论（唯物主义），另一方面不同于法则学二元论（平行论、相互作用论、副现象论）和异常二元论（笛卡儿主义），因为它表现为异常一元论。第四，它是介于自然主义与反自然主义之间的第三条道路。第五，它是介于实体二元论与类型物理主义之间的第三条道路。第六，它是介于决定论与意志自由论之间的第三条道路。因为戴维森一方面承认心理事件单个地看是物理事件，一切都是物理的；另一方面他又强调心理事件可以引起行动，且不受自然科学的决定。第七，它是介于取消主义与FP之间的第三条道路。

戴维森也作了发展解释主义的工作。这主要表现在对批评、质疑的回应和辩护之上。一个经常性的责难是，解释主义陷入了副现象论。根据一种分类，副现象论有两类。一是个例副现象论，其基本观点是物理事件能引起心理事件，但心理事件不能引起任何结果。二是类型副现象论，有两个要点：①一事件从属于物理类型因而能引起别的事件。②如果一事件从属于心理类型，那么就不会引起任何结果。有的批评者认为，戴维森否认了个例副现象论，但承认类型副现象论。有的认为，恰恰相反。不管他究竟陷入了哪种副现象论，他的确必须明确回答：根据他的解释主义，心理属性是不是副现象？在批评者看来，像他那样规定心理属性及事件，必然会得出这样的结论，心理属性就像炮弹的声音一样，在炸死人的过程中，是没有因果作用的。很显然，有声的炮弹能炸死人。在这里，声音对于结果的发生就是副现象。同样，在一个事件对另一个事件产生了因果作用时，它的心理属性就像炮弹的声音一样，是没有因果作用的。

戴维森认为，这样比喻并没有准确表达他的思想。因为这里有致命的混乱。例如，如果枪炮安上了消音器，以至成了无声的枪炮，在这种情况下，只要将炮弹射向人，就会将人杀死。但这样的枪炮与有声的枪炮不是同一杆枪炮，所射死的也不是同一个人。有声的枪炮是作为一个完整事件发挥原因作用的，它不同于无声的。如果是这样，声音在前一事件中也有原因作用。他说："声音像心理属

① Nannini S. "Physicalism and the anomalism of the mental". In De Caro M(Ed.). *Interpretations and Causes: New Pespectives on Donald Davidson's Philosophy*. Dordrecht: Kluwer Academic Publishers, 1999: 101-102.

性一样随附于基础的物理属性，因此对于一个有这属性的事件所引起的东西来说是有作用的。”①

还有人责难指出，戴维森对心理事件的一系列规定，都包含否认心理事件因果力的意义。例如，①既然他承认信念、愿望等只是理由，那么它们就不是原因。因为理由不是原因。②信念等心理状态的解释相关性来自它们的内容，而这些内容是抽象的，不是因果作用的候选者。③如果心理随附于物理，那么真的能解释行为的东西是决定命题态度的物理属性，不是命题态度本身。④既然没有把心理状态与物理状态联系起来的规律，那么这些状态就不是行动的真正的原因。②戴维森逐一作了回应。以第一个责难为例，他反击说，他的确承认信念等是理由，但并不绝对认为理由不是原因，因为有两种理由：一是理由状态，如需要、愿望、信念等，它是命题态度的抽象内容，不能看作是原因；二是在产生行动时起着驱动作用的心理因素，它们就可以成为原因。③

他的最基本的辩解是说，一事件是心理事件，只是一个描述问题，若换一种描述方式，它就是物理事件。而物理事件肯定有因果作用。他说：“如果用物理语言描述的事件有因果效力，加上它们同一于用心理语言描述的同一个事件，那么后者也一定是因果上有效的。”④这里之所以没有副现象论问题，是因为戴维森所说的心理事件其实就是物理事件，只是它被用心理语言描述了才被看作是心理的。这就是说，这个观点与戴维森关于因果关系的外延说有密切关系：一事件引起另一事件，不依赖于我们描述它时所用的属性。戴维森强调：只要理解了他所说的个例同一论就能明白上述道理。根据这一理论，一些物理状态的心理属性不能影响别的物理状态，但这些状态的物理属性能让它们与别的物理状态发生因果关系，这样一来，他便解决了心理因果性问题，而不致陷入副现象论。在批评者看来，他仍没有摆脱副现象论。因为他只说明了物理属性的因果作用，只是说明了与心理属性相互关联的物理属性有对物理世界的因果力，但还是没有说明心

① Davidson D. “Thinking causes”. In Heil J, Mele A (Eds.). *Mental Causation*. Oxford: Clarendon Press, 1993: 17.

② Audi R. “Mental causation: sustaining and dynamic”. In Heil J, Mele A (Eds.). *Mental Causation*. Oxford: Clarendon Press, 1993: 53-54.

③ Audi R. “Mental causation: sustaining and dynamic”. In Heil J, Mele A (Eds.). *Mental Causation*. Oxford: Clarendon Press, 1993: 54.

④ Davidson D. “Anomalous monism”. In Wilson R, Keil F (Eds.). *The MIT Encyclopedia of the Cognitive Science*. Cambridge: The MIT Press, 2001.

理属性怎样从因果上影响物理世界。心理属性在他那里只是纯粹依赖于物理属性的东西，因此他并未真正超越副现象论。

根据金在权的解读，戴维森坚持下述原则，即事件只有例示物理规律才能成为原因，因此必然有这样的结论：事件的心理属性没有因果作用。戴维森反驳说，金在权归于戴维森的观点，即“事件只有例示物理规律才能成为原因”，不是他的观点。①

戴维森留下的与副现象论争端有关的另一个解释上的难题是，怎样理解他所说的规律？怎样理解他的第三个原则——不存在心理物理规律？戴维森澄清说，规律是一个关于怎样描述事件的问题，或描述要遵循什么规则的问题，与事件的实际效力无关。他说：“一事件的效力不依赖于怎样被描述，而一事件能否被称作心理的，或能否被包含在一规律之下，完全依赖于该事件怎样被描述。”②这就是说，事件是心理的还是物理的，是否被置于一规律之下，这是一个描述的问题，而与事实无关，但一事件有何因果效力，这又与描述、规律无关，如一事件即使被描述成了心理事件，也不影响它有因果效力。从他对该词的实际运用情况来看也可验证这一点。如他说：“如果两事件作为原因与结果被关联起来了，那么便有一规律涵盖了这个事实。”③他强调说：这个语境下的“规律”即是“涵盖”（cover）。他总结说：“我在这个语境中所说的规律是人们在成熟的物理学中能够找到的某东西，即这样的普遍原则（或概括，generalization），它不仅是似规律的、真的，而且是决定论的，像自然中能发现的决定论一样，它不带有余者皆同的从句。”④

心理事件既然就是物理事件，为什么还要用心理语言将它描述为心理事件？这是因为事件中的有些方面用物理语言来描述，是没办法再现出来的，它们适合用心理语言来描述。换言之，一事件在用心理语言描述时，所呈现出来的东西是有特殊性的。但无论如何，它也没有超越物理主义。心理事件的特殊性在于，它有心理学联系、规则，有规范性特点，等等。伦纳迪（Leonardi）说：“心理学联系中独特的东西（即让它们不能还原为物理学规律的东西），不是它们没有严

① Davidson D. “Thinking causes”. In Heil J, Mele A (Eds.). *Mental Causation*. Oxford: Clarendon Press, 1993: 5.
② Davidson D. “Thinking causes”. In Heil J, Mele A (Eds.). *Mental Causation*. Oxford: Clarendon Press, 1993: 8.
③ Davidson D. “Thinking causes”. In Heil J, Mele A (Eds.). *Mental Causation*. Oxford: Clarendon Press, 1993: 8.
④ Davidson D. “Thinking causes”. In Heil J, Mele A (Eds.). *Mental Causation*. Oxford: Clarendon Press, 1993: 8.

格性，而是这样的事实，即它们以结果被关联于它们的原因的形式而发挥作用。”根据他的解读，心理的东西有两个特点：①心理事件能以不同的形式与别的事件发生关联；②人类不可能只以一种心理形式出现，且常常是这样。[①]

戴维森认为，心理事件的特殊性首先在于：尽管它实际上是物理事件，但由于是从整体上描述的，因此不同于用物理语言描述的物理事件。其次，当用心理语言描述事件时，人们同时对事件进行着不同于自然科学的解释，即根据信念、愿望的解释——合理化解释。而合理化有双重本质，即既是意向的，又是因果的。这种解释的解释力不在于它是对行动的因果解释，而在于它是对行动的合理性说明，即是说，对于任何行动来说，对它的合理化解释强调的是这样的理由，它们一致于心理状态的整体论的、理由上协调的系统。而这心理系统又是我们解释自主体时归属于人的。

还有这样的质疑，即根据解释主义，一事件在用心理语言描述时即为心理事件，如当我们用“思想”描述一个人的行为时，他身上便被认为发生了思想这样的事件。问题是，这样的描述、归属是否有限制？是否可以任意把“思想”一词用于任何事件？戴维森的回答是否定的，因为说一造物有思想，是有条件的。问题是我们怎样判断一造物是否在思考呢？他说：“回答是简单的，如果我们能在自然环境中与该造物就一些话题进行交流，那么就可认识到，它在思维。”质言之，语言、思想、交流等都具有整体论性质，因此只要它能参与交流，那么就可认定它有思想。[②]

在一些人看来，戴维森必碰到这样的难题，即如果心理事件就是物理事件，心理事件就是由物理规律决定的，那么它们怎么可能是自由的呢？怎么可能不能根据物理规律来预言？质言之，戴维森一方面把心理事件等同于物理事件，另一方面又认为它们不受物理规律的决定，这似乎是自相矛盾的。其他的物理主义者似乎没有戴维森的麻烦，因为他们要么否认心理事件是自由的，要么把自由解释为由于无知而来的幻觉。而戴维森既承认心理事件是物理事件（如果是这样，按一般的对物理事件的理解，它们是非自由的、被决定的），又承认它们是自由的。

---

① Leonardi P. “Anomalous monism”. In De Caro M(Ed.). *Interpretations and Causes: New Pespectives on Donald Davidson's Philosophy.* Dordrecht: Kluwer Academic Publishers, 1999: 117-123.

② Davidson D. “Interpretation: hard in theory, easy in practice”. In De Caro M(Ed.). *Interpretations and Causes: New Pespectives on Donald Davidson's Philosophy.* Dordrecht: Kluwer Academic Publishers, 1999: 43.

对此，戴维森的辩解是，如果能认识到，心理事件与物理事件的同一指的不是事件类型，而是单个的事件，那么上述所谓矛盾就不复存在了。在这里，他借用了康德的思想。康德认为，人有两重性，即一方面是自然存在物，另一方面是理性存在者，作为前者必然要受自然规律的制约，而作为后者，他则可以摆脱因果性规律，作为自由原因而行动。戴维森有对此的继承，但又有不同，这表现在，他不说现象与物自体的区别，而强调对同一事件可有两种不同的描述方式。由于有描述的不同，包括描述角度、层次等的不同，同一事件被两种描述抓住的方面一定是不同的。例如，用心理语词描述的事件即表现为不为规律所涵盖的事件。他说："对意向行为的说明是在一种远离物理规律的概念框架中完成的。"①

另外，他区分了两种因果关联性，即法则学的和解释上的因果关联性。他强调，心理事件与物理事件之间有因果联系，但不是内涵性的、法则学的，即是说这种联系内部不存在起关联作用的生物学规律，没有真实的引起和被引起的动力关系。换言之，它们的关联不是事实上的力对力的关联，而是解释上的关联，真实地引起行为发生的是物理事件。但心理随附于物理，因此心理事件对行为的发生有解释上的关联性。尽管有这种关联性，但又没有严格的规律性。因为心理王国内不存在严格的心理学规律和心理物理规律，只受常识原则的制约。没有严格的心理学规律是指，诸心理事件之间不存在科学的法则学的关系。其根源在于，心理事件不像物理事件是封闭系统。例如，许多心理事件是由物理事件所引起的。同样，尽管有心理、物理的事实上的相互作用，但也不存在严格的心理、物理规律。为什么？他说："这是因为心理图式和物理图式有各自完全不相关的承诺。"这就是说，心理事件和物理事件是分别用不同的谓词加以描述的，这些谓词不能相互替换，它们描述的是同一事件中的不同方面。②换言之，用不同语言描述，其实就像带着不同观点去看同一对象，它们从对象上截取的东西是不一样的，或对对象的组织方式是不一样的。故他认为，它们各"有不同的构成规律"③。质言之，具体的心理事件与物理事件尽管是同一事件，但用不同语言去描述，因此其构成、形式结构等是完全不一样的。两者没有质的可比性。就像一个人用常识观点看月亮，另一个人用宇宙学观点看月亮，两个人所看到的、所说出的月亮完全不同一样。

① Davidson D. *Essays on Actions and Events*. Oxford: Oxford University Press, 1980: 225.
② Davidson D. *Essays on Actions and Events*. Oxford: Oxford University Press, 1980: 218.
③ Davidson D. *Essays on Actions and Events*. Oxford: Oxford University Press, 1980: 218.

第二节 丹尼特的规范解释主义及其与戴维森思想的关系

丹尼特有时把自己的心灵哲学理论称作类型意向主义，有时称作意向策略、工具主义等。之所以如此称呼，是因为它们都对作为类型的意向状态之类的东西作了澄清、限定，发表了反常的看法，认为它们不是实在的性质或状态，而是类似于工具性的东西。既然如此，他有时甚至主张将它们予以取消、抛弃。[①]他不仅不反对人们把他与戴维森看作是解释主义的倡导者，而且强调自己的解释主义是不同于戴维森的投射解释主义的规范解释主义。根据他倡导的规范原则，人们“应该”或“应当”把信念归属于这样的造物，在特定条件下，应当有这样的信念。他的任务就是要约束、规范这个“应当”。他说：“我的基本观点是关于解释的约束的。”[②]也就是说，这种解释主义的任务不是说明心理现象的机制、基础，不是为其在自然界寻找本体论地位，而是为心理现象的解释或归属提供原则和约束性条件，为断言人们“具有”意向状态提供限制性条件。另外，丹尼特的解释主义从本体论来说带有“温和实在论”的情调，在方法论上带有现象学的印记。

丹尼特不到21岁，就进入哈佛攻读硕士学位，23岁即1965年就在牛津获博士学位。他最早的著作《内容与意识》完成于1967年，发表于1969年；《意向系统》作为讲演发表于1970年，作为论著发表于1971年。

丹尼特的出发点也是解释及其内在条件，只是他关注的条件是立场或观点（stance）。他发现，在日常生活中，面对一定的对象及其行为表现，人们都会情不自禁地选择自己所特有的态度、观点或策略，对之作出解释和预言。简言之，从事解释是人们实践上的一个特点。但要解释，一定要有观点或策略。人类对行为的解释实践所依据的观点不外乎三种形式，即意向观点（intentional stance）、设计观点（design stance）和物理观点（physical stance）。相应地，人类的解释也就有三种。

物理观点是人们所采取的一种诉诸因果自然律，从物理角度看待事物的态度。它根据对象的物理结构、环境来解释和预言其行为。这种观点主要用于自然

① Dennett D C. *Brainstorms: Philosophical Essays on Mind and Psychology*. Cambridge: The MIT Press, 1978: xix-xx.
② Dahlbom B(Ed.). *Dennett and His Critics: Demystifying Mind*. Oxford: Blackwell, 1993: 223.

科学领域对自然现象进行解释和预言。而设计的观点则忽略被解释对象的物理构造，根据设计时确定的功能和机制解释对象的行为、表现。因此，这种解释又可称作功能解释。这里的“设计”是广义的。人工产品的功能根源于人的设计，自然事物的功能、机制则根源于大自然的“设计”，如自然选择、事物之间客观形成的相互作用等。在简单的有机体中，我们可以省掉意向立场，而根据对它们的设计的分析去解释它们的行为，如果这样做了，那么就采取了设计的立场。对人工产品也是如此，如计算机程序设计者可根据计算机的程序去解释它的行为。信念、愿望不是设计立场所诉诸的机制中的组成部分，因此设计立场不会涉及它们。

忽略对象的具体物理细节，从功能的角度来解释和预言，设计观点往往比物理观点更为有效。例如，在对计算机、钟表、动物、植物以及人体器官进行解释时，我们无须知道它们的内部构造就可进行。对一些复杂的系统来说，意向观点往往比设计观点能更加有效地解释和预言。FP 的解释就属于依据意向观点所作的解释。

要理解丹尼特所说的意向观点，我们必须从“相信者”和“意向系统”两个概念入手。对这两个概念，通常的理解是实在论和反映论式的理解，即如果一对象有信念或客观表现意向的特征，那么我们就可以说它是“相信者”或“意向系统”。在这一点上，丹尼特像戴维森一样完成了所谓的哥白尼式转变。在丹尼特看来，一对象之所以被称作“相信者”或“意向系统”，不是因为它有信念之类的客观状态，而是因为我们解释的方便和需要。一旦人们把信念等意向状态归属于它们时，它们便成了相信者。可见，相信者就是可用意向策略预言和解释的对象，也就是说，能如此去解释的对象，即有意向状态的对象。他还说：“成为一个相信者不过是成为这样一个系统，其行为能用意向策略加以可靠地预言，因此说某某真实地、确定无疑地相信 P，不过是说它是这样的意向系统，P 作为最好的（最有预言力的）解释中的一个信念发生了。”[①]很显然，意向系统不是客观存在的，而是取决于人们所采取的态度。换言之，一个特定的事物只是当有了与某个想解释和预言它的行为的人的关系时，才是一个意向系统。如果有什么系统或对象，其行为能用这种意向策略加以预言，那么就可以称它为相信者。相应地，把要解释的对象当作有理性的行为主体，认为它有信念、愿望等意向状态，并据

① Dennett D C. *The Intentional Stance*. Cambridge: The MIT Press, 1987: 342.

此去解释和预言它的行为，这样的解释立场、观点和态度就是解释的意向策略。

意向策略是最常见的解释和预言策略，正常的人都会运用它。因此对它的运用是习惯性的、不费力气的。同时，它不仅适用于解释和预言人的行为，而且在高等动物，如大猩猩，以及其他动物，如鱼、鸟、昆虫等身上也可使用，甚至人工造物，如下棋计算机和温控开关乃至植物也可以使用意向策略。对于这些对象，用意向策略去解释和预言，有许多殊胜之处。首先，它给予我们以巨大的预言和解释的力量，这是别的方法所不具有的。例如，对于温控开关，即使是最精明的工程师也知道，如果没有意向策略或态度（把对象看作能问、能回答、能想、能回避的实在）的帮助，对它的解释就是不完整的，如看到它启动了，我们最好这样解释：它觉察到房间的温度达到多少了。其次，意向策略具有经济性，运用起来极为简便。只要适当地述及某些意向状态，如相信什么，期望什么，就可以对行为作出解释和预言。最后，对于某些系统，它的运用是必不可少的。假设有一火星人，他有高超的智慧和完备的物理知识，他能用物理的态度预言我们人的一切行为。尽管他可以这样做，但他在预言时还是会遗漏某些完全客观的东西，因为有些东西只能用意向的态度才能预言到。例如，有一个股票经纪人发一个买下500股的指令，火星人在面对这一行为时，如果只有关于他的物理知识，而不知道他在想什么，不知道他的信念、愿望等，他就无法作出解释，要预言他下一步要做什么，也是如此。原因在于，存在着这样的社会性枢纽，在这里，人们做什么取决于他们是否相信P、期望Q，而不取决于别的什么。总之，意向态度对于自己以及与自己相同的理智存在来说是不可避免的。

应特别注意的是，意向策略有时尽管能对行为主体作正确有效的解释和预言，但这不是因为它作出了正确的归属，如把信念等意向状态归于行为主体，而是因为凑巧是有用的、有效的。丹尼特说："这种态度是否成功，自然是从效用方面来加以确定的，而不涉及对象是否真的有信念、意图等。因此不管计算机是否有意识、思想或愿望，某些计算机无疑是意向系统，因为它们是这样的系统，其行为能通过采取意向的态度而加以预言，有时可作出最有效的预言。"[①]也就是说，选择这种预言策略只是一个决策问题，而不是要去发现什么，因此一系统

---

① Dennett D C. *Brainstorms: Philosophical Essays on Mind and Psychology*. Cambridge: The MIT Press, 1978: 238.

有根据意向策略而被归属的信念和别的态度，只是根源于它与别的某人的可能的预言策略的关系。根据丹尼特的看法，追问一个系统是否真的有信念，这是十分愚蠢的。因为说它有或说它无，那都取决于你的观点和你所作的归属，而使一种归属为真的东西既不是因为相信者有任何特殊的属性，也不是因为相信者以任何特殊的方式相关于它的物理环境，而是因为这样的事实，即该相信者服从这种观点或策略。质言之，对意向策略只适合于作有用、无用的评价，而不适合作真假评价，因为说某意向系统有信念，并不等于说它真的有信念，就像我们在解释、预言计算机的行为时常说它正在想什么，它打算做什么一样，尽管这种解释和预言常常是正确的，但不能由此说它真的有思想。因为这些东西并不真的存在于被解释的对象身上，而是我们为了解释的需要而加之于它们。有的人也许会问，诉诸不存在的东西为什么会作出正确的解释和预言呢？丹尼特认为，这一点也不奇怪，如地球上根本不存在引力中心、力的平行四边形法则之类的东西，但我们根据它们所作的解释和预言，如对地面上物体的重量、星球之间的关系的解释和预言，不也常常是正确的吗？

必须指出的是，丹尼特的意向观点有一个前提，这就是系统的合理性预设。它将对象看作是一个理性的行为者(FP 的解释就是将被解释对象看作是理性的行为者才得以成立的），强调对象与环境之间，对象的信念、欲望与行为之间存在着一种合乎理性的关系。

丹尼特认为，人们对意向系统的合理性预设得到了进化论的证明。在他看来，意向系统之所以有效，是因为在进化的过程中，人类已被进化为理性的存在，相信他们所应当相信的，欲望他们所欲望的，并根据他们的信念和欲望理性地行动。自然的选择保证了人类的这种行为模式是成功的。“对于为什么意向的立场有效的问题，一个首要的回答是，进化的过程已经将人类设计为有理性的……我们是长久的和有力的进化过程的产物的事实，确保了对于我们使用意向立场的可靠性。”[①]但是，丹尼特又指出，作为进化的产物，意向立场上的信念、欲望的归属只具有工具的意义，并非对大脑内部真实状态的描述。

丹尼特对意向策略的分析，具有重要的心灵哲学意蕴。他通过复杂的、迂回

① Dennett D C. *The Intentional Stance*. Cambridge: The MIT Press, 1987: 33.

曲折的分析路径最终达到了解构传统心灵观念、祛除心灵的神秘性的目的。下面的结论足以表明这一点，“人的心灵本身是人们在重构人脑时为了方便而创造出来的一种人工制品”[①]，即不是人身上客观存在的现象，不是人脑的高层次的状态或属性，而是人为解释的需要加给人、归属于人的。

下面，我们简要分析一下他与戴维森的解释主义的异同。尽管两人年龄相差25岁，但两种理论几乎诞生在同一时期，即20世纪六七十年代。如戴维森表达他的最初心灵哲学思想的论文《行动、理由与原则》发表于1963年，其较完整充分的表达则见于1970年发表的《心理事件》。而丹尼特最早的著作《内容与意识》完成于1967年，发表于1969年，《意向系统》作为讲演发表于1970年，作为论著发表于1971年。

两人尽管没有思想交锋，没有直接的相互影响，但两种解释主义的共同点是十分明显的。它们具体表现在：①都承认心理解释的重要性，甚至都认为，因为有心理解释才有心理现象，即是说心理现象不是实在的，而是解释的产物。②都强调心理解释具有整体论特征。③都主张心理解释具有不确定性。④都认为心理话语不能还原为任何别的话语。

这里不妨对他们的思想的整体论特征稍作分析。众所周知，戴维森的基本思想在20世纪60年代的论著中就已得到了展开，当然20世纪70年代的论著对之作了发展，尤其是《心理事件》一文。增加的内容主要有：①论证了关于内容的外在主义。②强调对言语行为的解释是一个复杂的、三合一的过程，这样便将原先的整体论具体化了。他原先认为，解释是整体论事业，在20世纪70年代，他强调整体论主要表现为一种三合一的过程。所谓三合一是指，解释者只要用信念等对说者的话语作出解释，就一定会进入一种带有整体论特点的状态，即进入解释者、说者、世界的三角关系之中。第一步，解释者与对象发生交互，从自己出发去进行投射，接着认识到对象是说者与解释者共有的，最后在某人自己的行为中，寻找作出关于某某对象和事件的大致相同的判断的模型。这一来，一种新的整体论就被引入了解释过程。丹尼特也赞成说：心理学解释具有整体论性质，一组状态要成为信念，首先必须是真的。

---

① Dahlbom B(Ed.). *Dennett and His Critics: Demystifying Mind*. Oxford: Blackwell, 1993: 12.

两人尽管在思想的出发点、聚焦点上有如此多的相同之处，但也有明显的不同。首先，戴维森对心灵的解释始终与对语言尤其是解释者不理解的言语的解释结合在一起，而丹尼特很少涉及语言。其次，尽管他们对心理状态的实在性、真实性（authenticity）都有祛魅、反传统的一面，但具体的看法还是有微妙的差异。根据丹尼特的说明，戴维森对于心理状态的存在坚持的是有“常规力度”的实在论，因为他承认心理事件有因果地位（这里可能有误读）。而他本人坚持的是“轻微的实在论”①。但他后来又说，把他看作一个轻微的实在论者是策略上的错误。②也就是说，两人对心理状态的存在程度的看法有量上的差别。学界的一种判释是，他们在心理现象的本体论地位上没有实际的差别。根据这种解读，他们坚持的都是实在论，因为他们都认为，从理性、一致性等约束上归之于人的心理属性有某种形式的真实地位，而且都不否认心理解释就是因果解释。而某物要成为原因，它就必须真实存在着。③就心理状态而言，它们一定是在不同的大脑与世界的相互作用中得到实现的。每种心理状态不管多么不确定，它一定是某种大脑状态。④当然，这里可提这样的问题，它怎样存在？心理状态本身当然没有原因作用，只有在它们被大脑执行时才能如此。由于被执行，它们借助大脑就能发挥其原因作用。心理状态尽管具有不确定性，但从说者在与世界发生着关系时完成的行为则能暴露行为中的真实的模式，而只有假定心理状态是这些模式的原因时，才能看到它们。丹尼特也认为，人接近他人心理状态的途径是观察他人的行为，而把行为与世界关联起来，则能表明行为中有真实的模式。这种行为是我们假定心理状态是其原因时能看到的东西。笔者认为，就他们把心理状态个例同一于物理状态而言，他们的确是实在论，但他们否定了 FP 赋予心理状态的那些指称，因此就他们对 FP 的态度而言，他们接近于取消论，或者说是特种形式的取消论。

两人的思想之所以有相同性，首先是因为所受的影响和哲学教育有相同性。如戴维森所说的“彻底的解释”就直接来自蒯因的“彻底的翻译”等。丹尼特也承认，蒯因 1960 年出版的《语词与对象》（*Word and Object*）的第六章对他影响极大。其

① Dennett D C. “Real patterns”. In Dennett D C(Ed.). *Brainchildren: Essays on Designing Minds*. Cambridge: The MIT Press, 1998: 98.
② Dennett D C. “Back from the drawing board”. In Dahlbom B(Ed.). *Dennett and His Critics: Demystifying Mind*. Oxford: Blackwell, 1993.
③ Bailey A (Ed.). *Philosophy of Mind: the Key Thinkers*. London: Bloomsbury, 2014: 200.
④ Bailey A (Ed.). *Philosophy of Mind: the Key Thinkers*. London: Bloomsbury, 2014: 200.

中有这样的思想：心理学话语是“戏剧性习语”，在实际生活中不可或缺，但对建立关于心灵的科学毫无用处。这一思想实际上是丹尼特的解释主义的一个基本原则，当然得到了他的创发性解释。其次，两人20世纪60年代在牛津时都曾致力于规范模型的研究。而规范性后来成了他们的解释主义区别于实在论的心灵观的一个重要特点。戴维森强调，要解释说者的话语的意义，首先要知道说者有何信念，接着再把意义归之于他的话语。基于此，他的规范理论提出：信念一定是真的，是前后一致的。否则，就不能解释，言语表达了什么信念。在丹尼特看来，信念的真、正确性是由进化保证的。因为人如果有错误的信念，那么在与世界打交道时就会在进化中遭淘汰。最后，两人还受维特根斯坦思想的影响，如强调心理学解释是一种有别于别的解释的解释，可疑但又有其力量。

第三节　解释主义的不同解读

解释主义无疑在解答心灵的本质问题时提出了一种革命性、建设性的思想。它引出的新的有意义的但过去被掩盖、遮蔽的问题是，人们关于心理现象的认识究竟是实在的反映，还是归属或解释的产物？换言之，心灵究竟是真实存在的，还是我们为了解释人的行为而加之于人的？在现实生活中，即使不说一切心理现象都是归属、投射的产物，但至少在许多情况下可看到这样的事实，即对象本没有心理现象，但为了解释的需要，我们真的把心理现象归属于他（它）们了。例如，在解释婴幼儿的许多让人忍俊不禁的行为时，我们常常会说他们有某某信念、愿望、想法等。很显然，他们不可能有这些东西。另外，在解释会话机器人、服侍机器人等有所谓智能的人工产品时，我们常常说它们有某某情感、想法、意图等。这些显然是强加的解释。因为解释主义有这样的解释力和合理性，因此一经诞生就赢得了许多粉丝。当然也应看到，它建立在关于合理性和无矛盾性的假定之上，因而又受到了许多质疑，如：①认知科学和神经科学已发现了大量还原的证据，因此解释主义否定还原是否面临着与科学的矛盾。②解释者对心理状态的归属可能成为解释者的任意投射，如果是这样，怎样判断一种归属比另一种归属更好？③意识是心理王国的重要组成部分，似乎不受不确定性的影响，他人的意识肯定不是我们在自己身上所经验的东西，因此不是解释主义所说的归属的产物，如此等等。正是这些问题，成了解释主义向前发展的动力源泉。

解释主义在当代发展的一个重要表现是，赞成或倾向解释主义的人纷纷提出自己的新的解读。解释主义面临的经常性的问题是，怎样理解、说明心理事件和物理事件？

一般认为，不外乎两种方式。一是用谓词来说明，如说：说一事件是物理的，等于说有一个物理描述，它足以正确地说明这个事件。换言之，如果用物理谓词去描述，一事件即为物理事件。同样，如果用心理谓词去说明，那么它就是心理事件。二是根据属性例示来说明，如说：如果一事件是物理属性的例示，那么它就是物理事件。同样，如果它是心理属性的例示，即为心理事件。很显然，戴维森用的是第一种说明方式。最近，有学者尝试用后一方式来加以说明。根据这一模式，心理事件同时有两种属性，一是心理属性，二是物理属性，即任何心理事件同时可成为两种属性的例示。如果是这样，那么异常一元论中的一元论就可看作是一种个例同一论，因为它不外乎是主张每一心理事件实即一物理事件。当然，不能倒过来说，每一物理事件都是一心理事件，因为有纯粹的物理事件，如飓风。另外，物理事件的特殊性还在于，它可以例示一个以上的属性，如一张桌子既可例示颜色、重量等属性，还可例示形体等属性。

由于有这样的观点，被重新阐释的异常一元论便能断言：一物理事件可同时例示这样的心理和物理属性，它既是一中枢现象，又能表现为诸如相信天要下雨这样的信念。换言之，这两个属性可同时属于同一个事件。这种一元论还承认：所有心理事件都能例示物理属性。这一观点强调的是，每一心理事件作为事件是可同一于物理事件的。

如此被重新阐释的异常一元论坚持这样的异常论，即否认存在着控制人的思想和行动的严格的、合规律的规则。它包括两方面的内容：一是关于心理的异常论，它否认有把心理状态与心理状态关联起来的规律，进而不承认有把 FP 整合到更大理论中的可能性；二是心理物理论，它否认有把心理事件与物理事件关联起来的规律，而且不承认有能够把 FP 还原为物理学的桥梁规则。

很显然，这一理论是特定意义上的物理主义，因为它承认心理事件还可还原式地同一于物理事件，即赞成个例同一论。但不赞成属性同一论。因为后者是类型同一论，即是强同一论。

由于坚持个例同一论，解释主义就能承认心理有因果作用。根据个例同一论，一心理事件的因果作用是根源于与它个例同一的物理事件。如此理解，戴维森的三个原则也就能自圆其说了。根据第三个原则，只有例示了物理属性的物理事件才有因果作用，才服从严格的决定论规律。根据第一个原则，心理事件可作为原因引起物理事件。之所以如此，是因为心理事件有物理属性，或例示了物理属性。

怎样理解严格规律？根据一种阐释，严格规律就是既能得到肯定事件确认，又能得到反事实支持的普遍原则。它不同于余者皆同的规律，后一规律是有例外的，因此会附带有余者皆同的从句，即它们只存在于一切别的方面都相同这样的条件之下。严格规律则不同。它是没有例外的，在起作用时，它是不依赖于有选择的条件的。另外，严格规律还有一个标志性特点，即它从属于基本的科学理论。所谓“基本”是指，它可作为解释别的一切自然现象的根据、基础。这也就是说，基础理论描述了一个封闭的、无所不包的系统。根据这一对严格规律的规定，不可能有严格的心理学规律。例如，FP 尽管有许多一般原则，如关于信念、愿望的原则等，它们尽管事实上制约着人们对思想和行为的解释，但在许多情况下，常常会有反例，或被违背。因此它们不是严格的规律。那么 FP 的原则能否被改造成严格的规律？根据关于严格规律的限定，即它一定是没有例外的，从属于封闭的、全面的理论，FP 的原则是不可能达到这一要求的，因为 FP 不可能是既封闭又全面的，不可能还原为前述理论。首先，它不是封闭的，因为非物理事件可引起心理事件，即心可超越于物理的东西；它也不能具有广泛的包容性，因为心理事件不能包含物理事件，同样，也不可能有严格的心理物理规律。

根据这一阐释，戴维森的非还原的唯物主义尽管也是一种个例物理主义，但同时又不同于一般的个例物理主义，因为后者在戴维森看来，没有抓住物理主义的基本精神，尤其是没有对心物关系作出令人满意的阐释，如它对心理属性与物理属性的关系态度暧昧。戴维森的个例物理主义的特点在于，它有自己的随附论。这种随附论要说的是心对物的依赖关系，即事物从心理上所表现出的样子恰好是从物理上表现出来的样子，因此只要能确定物理属性的分布，就能确定心理属性的分布。奥迪（Audi）认为：“说心理属性随附于物理属性，其实是这样断定了一种关系：①任何两个事物都不可能共有它们的物理属性，进而不能在它们的心理属性上（如果有的话）相互区别开来；②一个有心理属性的事物是由于有一个或更多的为它所具有的物理属性而具有那个属性的。”[①]随附性说的是两事物或属性间的依赖、决定、非等同的关系。例如，一团墨点与它的形状，再如做好事与美德属性显然是不同的，但前者又决定了后者，或后者依赖于前者。这里的关系项可以有不同的形式，如真理、事实、谓词、属性等。随附性有两种形式，一是法则学的，二是概念的。[②]戴维森所说的随附性主要是后者。

还有这样的解读，即主张物理事件和状态具有心理的属性。这种属性是外在于物理载体的，亦即对物理状态是什么没有影响的属性，就像一物体运动到另一物体左边的属性，即“靠左”的属性那样。很显然，如果这样理解异常一元论，那么它就成了副现象论。

新解释主义必须回答的一个问题是，如果心理事件依赖于解释者的解释，那么它是否有真实的存在地位？如果有，那么心理事件与物理事件究竟是什么关系？如果像戴维森有时所说的那样，一事件究竟是什么类型的事件，完全是由描述所决定的，这样一来，心理事件与物理事件不就成了双重语言论所说的是异名同实的关系吗？不就成了一个东西吗？但有时他又强调它们有因果关系。而如前所述，事件的因果关系是以有两个独立的存在为前提条件的。这里该作怎样的决断？

对于心理事件是否真实存在的问题，解释主义内部有两种说法。一种认为，心是解释者的投射，不是真实的存在。戴维森自己也有这样的表述：“拥有全部知识的解释者对于说者所说的意思必须知道的东西就是应学的一切，这也适用于说者所相信的东西。”[③]这里所说的解释者是从零开始的解释者。他要解释说者话语的意思以及说者有什么信念，他必须学习许多必学的东西，即必须具备解释所需的一切条件。可见，说者的意义和信念都依赖于解释者的解释。有新解释主义者在此基础上提出了这样激进的观点：被解释者的思想内容依赖于解释者所做的判断。“依于判断”（judgement-dependent）这个概念是由赖特（Wright）和约翰斯顿（Johnston）分别提出来的。他们认为，我们说某人有什么概念是依赖

---

① Audi R. “Mental causation: sustaining and dynamic”. In Heil J, Mele A(Eds.). *Mental Causation*. Oxford: Clarendon Press, 1993: 54.

② Audi R. “Mental causation: sustaining and dynamic”. In Heil J, Mele A(Eds.). *Mental Causation*. Oxford: Clarendon Press, 1993: 54.

③ Davidson D. “A coherence theory of truth and knowledge”. In LePore E(Ed.). *Truth and Interpretation*. Oxford: Blackwell, 1986: 315.

于判断的。例如，一事态 A 是道德上善良的，当且仅当公正的观察者倾向于判断 A 是道德上善良的。约翰斯顿说："关于意义或内容的事实不可能超出我们把握那个事实的理想的倾向。"[①]质言之，某人有某信念，是因为有解释者将此信念归属于他。用双条件句表示即是 X 相信 P，当且仅当一个有适当知识的理想解释者倾向于把此信念归属于 X。

另一种认为，心理事件尽管是用 FP 的语言归属于被解释者的，但它不是子虚乌有的，而是某种实在存在，这实在用物理语言描述，即为物理的东西。新解释主义者强调说，解释主义尽管承认两者的个例同一，但并不认为它们是一个东西。因为它们之间存在着不相容性或范畴差异。其具体表现是：①心理现象是由它的意向性决定的，可用命题态度来对之作出描述，而这种描述有内涵性。物理现象则不是这样。②如蒯因所强调的，意向语句的不可还原性类似于翻译的不确定性。简言之，不存在把语词刺激与意义关联起来的唯一的方法。戴维森认为，存在着与同一开放行为一致的许多心理事件。③心理事件与物理事件之间不存在一一对应的关系，因为心理事件只能用整体论的语词来描述。例如，一个人只有当能够预言别人的信念和愿望时，才能把信念和愿望归属于某人。④即使物理事件也可用整体论术语描述，但两种描述完全不同，因为信念和愿望是通过预设有信念和愿望的人是有理性的这一点来归属的。[②]

麦克道威尔和布兰顿（Brandom）的创发性解读认为，解释主义有两个关键的主张：①心理学解释，即根据人做事的理由的解释，此解释带有整体论特征。这里的"整体论"是指，一特定行为只能这样从心理学上予以解释，即把信念、动机、足以导致行为的充分理由之类的复杂状态归属于该行为主体。即使心理学解释是整体性的，不同于碰碰球式的因果解释，但戴维森、丹尼特仍坚持认为它是因果解释。②信念一定是精确的，因而是统一的。这两个命题的意义是：第一，如果它们是对的，那么还原论、功能主义就都是错的。因为大脑、认知系统各不相同，都有自己的特殊构成和限制，因此就不可能把用心理语言描述的状态、事件与大脑关联起来，进而就没法作出还原。第二，它的一元论一定既是异常的，

① Johnston M. "Objectivity refigured: pragmatism without verificationism". In Haldane J, Wright C (Eds.). *Reality, Representation, and Projection*. Oxford: Oxford University Press, 1993: 126.

② De Caro M. "Davidson in focus". In De Caro M(Ed.). *Interpretations and Causes: New Pespectives on Donald Davidson's Philosophy*. Dordrecht: Kluwer Academic Publishers, 1999: 12.

又是一元论的。之所以是异常的，是因为心理类型不能还原为大脑类型或认知类型。之所以是一元论，是因为它认为，从心理上描述的状态仍是物理世界的组成部分，只是它截取的是带有整体论性质的东西。第三，可描述为心灵的东西必须符合两个规范标准：①合理性，②确切性或一致性。其隐含的意义是，心理学话语不可能系统地关联于关于认知加工的话语，因此认知科学或关于心灵的科学是不能成立的。

第四节　副现象论难题的进一步破解

解释主义所受到的最常见、麻烦最大的责难是被认为陷入了副现象论，这是一个一直困扰着解释主义的难题。其创始人戴维森没能幸免，后继者在与批评者唇枪舌剑的争论中更要经常面对它。新解释主义者的看法并不统一，有的认为解释主义没有副现象论难题，有的则认为有。先看前一类新解释主义者对副现象论难题的化解。

批评者有这样的推论：异常一元论承认心理事件有因果作用，要么会陷入属性二元论，要么会陷入副现象论。因为如果坚持心理事件有因果作用这一原则，那么只能坚持这样的前提，即其后有心理属性在起作用。因为事件的因果作用是由于它例示了心理属性，如果是心理属性产生了因果作用，那么这等于承认了多元决定论，则陷入了属性二元论。很显然，这违背了因果作用的物理封闭性原则。根据后者，物理属性对一切事件的因果作用是充分的。如果是这样，转而承认心理属性没有因果作用，那么无异于倒向了属性副现象论。既然作为非还原的物理主义的异常一元论不承认自己属于二元论，那么一定陷入了属性副现象论。[①]

批评者还有这样的推论：解释主义一方面将心理事件还原为物理事件，另一方面又承认心理概念不同于物理概念，即拒绝概念还原。这主要体现在三个原则之中。①因果相互作用原则：至少有些心理事件与物理事件是因果相关的。②因果性的法则学特征原则：所有因果关系都受严格的规律的制约。③心理的东西的

① Gibb S. "Why Davidson is not a property epiphenomenalist". In Baghramian M(Ed.). *Donald Davidson: Life and Words*. London: Routledge, 2013: 254.

异常论原则：不存在严格的心理物理规律。根据第二个原则，只有为严格规律涵盖的事件才是因果关系项。可表述如下："两个事件是因果相关的，当且仅当它们为严格的规律所关联。"既然心理事件不能为规律所涵盖，因此就不能成为因果关系项，就只能是副现象。根据金在权等的看法，上述三个原则即使没有陷入个例副现象论，也一定陷入了属性副现象论。因为因果性的法则学原则和心理事件的异常论原则合在一起意味着：心理事件只有在例示了物理规律时才能成为原因，或者说，心理事件只有在那些属性得到了物理描述时才能成为原因。因此，心理事件只是由于物理事件的物理属性才有引起物理事件的原因作用。这样一来，心理事件就是副现象。

吉布（Gibb）认为，批评者对解释主义陷入副现象论的指责建立在误读的基础之上。例如，人们在解释异常一元论、心理因果性理论时，一般忘记了戴维森关于因果关系项的理论。由于这一失误，他的异常一元论就常被指责陷入了属性副现象论。一般而言，属性副现象论有两种形式：一是从本体论上理解属性，二是仅把属性看作语言层面的东西。如果注意并明确了戴维森的因果关系理论，那么这种指责便随之不攻自破，因为只要如实理解了戴维森的思想就会明白，第一种属性副现象论由于对立于戴维森的本体论，因此不能看作是他的思想，戴维森尽管有谓词副现象论的表象，但这不是他的思想的实质。[①]

在吉布看来，人们之所以认为戴维森陷入了副现象论，主要理由是，根据他对心理事件的规定，心理事件不能成为因果相关项，即没有作为原因和结果的资格。根据一般关于因果关系项的形而上学，只有当事件由于其属性而引起了结果的产生，才能被称作原因。因果关系是规律之间的关系，因此属性类型之间的关系是事件的因果关系的基础。但戴维森不是这样看的，他认为，原因不是因为属性而有引起结果的作用的，属性之间不存在本体论上的关系，因为属性是谓词。而把谓词关联起来的才是规律，规律即规律陈述。在他那里，心理事件之所以能成为因果关系项，是因为它作为个例本身就是物理事件，只是被从心理学角度作了不同的描述，进而从语言上说，它属于心理语词。

理解戴维森哲学的关键在于理解他的本体论，因为这是他的包括心理因果性

---

① Gibb S. "Why Davidson is not a property epiphenomenalist". In Baghramian M(Ed.). *Donald Davidson: Life and Words*. London: Routledge, 2013: 253.

思想在内的理论的基础。根据他的本体论，事件是真实存在的，但可作两种描述。物理事件的本体论地位自不待言，心理事件作为事件也有本体论地位，因为它实际上是用心理语言描述的物理事件。既然有本体论地位，就可进入因果链而成为有实际作用的因果关系项。可见，它们不是副现象，不是语言的虚构。吉布总结说："只要是事件，就都是因果关系项。"既然如此，就有因果作用。[①]事件之所以能成为原因，是因为它们例示了属性。

还有人认为，上述表述中有这样的说法：心理事件由于……而有因果作用。这里的"由于"有两种意义，因此对属性就有两种不同理解，进而属性副现象论便有两种形式。一是从本体论角度理解属性，此为实在论的属性副现象论。二是把属性看作谓词、纯语言形式，如此形成的副现象论是谓词副现象论。

吉布认为，两种副现象论都不适用于异常一元论，换言之，异常一元论不会导致它们中的任何一种。例如，第一种与戴维森的本体论完全不一致。谓词副现象论有一致于戴维森的思想的地方，但从根本上说，两者是有很大差别的。因为戴维森认为，心理谓词不是纯语言符号，而有其真实的指称，如指的是物理实在，当然是从整体论的、规范性的角度对实在的指称。就此而言，心理谓词不同于物理谓词。因此结论是，没有理由谴责说异常一元论陷入了属性副现象论，因为异常一元论与这两种形式的副现象论没有根本性的联系。[②]

金在权还有更加尖锐的批评：异常一元论在主张心理属性有因果效力时存在着严重问题，即使辅之以随附论也无济于事。在他看来，只要坚持异常一元论，就没办法论证心理属性有因果效力。[③]还有人更进一步指责说：以为事件在例示属性时便有因果作用也行不通。因为这不外乎是把因果效力的根源追溯到了属性，而属性没有这样的作用。马拉斯（Marras）说："属性（或类型）是抽象实在，抽象实在不能让时空世界中的事件发生变化。只有属性的具体体现才有这种作用。严格的因果关系……只发生在个例之间。"[④]如果如此把属性看作是类型，

---

① Gibb S. "Why Davidson is not a property epiphenomenalist". In Baghramian M(Ed.). *Donald Davidson: Life and Words*. London: Routledge, 2013: 254.

② Gibb S. "Why Davidson is not a property epiphenomenalist". In Baghramian M(Ed.). *Donald Davidson: Life and Words*.London: Routledge, 2013: 256.

③ Kim J. "Can superveninence and 'non-strict laws' save anomalous monism?" In Heil J, Mele A(Eds.). *Mental Causation*. Oxford: Clarendon Press, 1993: 20-21.

④ Marras A. "Nonreductive materialism and mental causation". *Canadian Journal of Philosophy*, 1994, 24(3): 470.

那么便出现了副现象论的又一种形式，即类型副现象论。由于属性作为类型是抽象的，因此对因果关系不会造成任何影响。心理属性作为类型也是这样，对物理事件不会产生任何因果作用。因此，解释主义的根据属性例示对心理事件因果作用的说明依然故我，只是所陷入的是类型副现象论。①

但在有些新解释主义者看来，类型副现象论并没有什么不对的，而且它还有拯救或完善异常一元论的作用。彼得·史密斯论证说，类型副现象论可以成为一种有希望的理论，当然需要这样来理解、规定，即把它理解为这样的论断：心理事件起作用的方式是这样的，即通过同一于物理事件的方式来起作用。而物理事件是物理属性的例示，后者有真正的因果作用。②莱波雷（LePore）等论证说，只要对因果关系的法则学原则作出修改，如承认因果关系不一定为严格规律所涵盖，那么类型副现象论就能帮助异常一元论化解难题。③

吉布认为，这些根据类型副现象论为异常一元论辩护的尝试都是错误的，也不可能成功，因为“它们没有认识到事件的心理属性是否是因果关系的本体论根据这一问题在戴维森那里完全是不妥的问题”④。根据他的解读，戴维森根本就不承认必然导致类型副现象论的下述三个前提。既然如此，他就没有承诺也不会陷入类型副现象论。这三个前提分别是：①事件都是因果关系项；②事件由于它们所例示的本体论类型（属性）而具有因果效力；③事件一定是因为它所例示的类型-属性而成为原因的。⑤

在吉布看来，人们之所以把戴氏理论归结为副现象论，是因为他们根据通常的关于事件与属性关系的理论，以为他也承认事件有属性或例示了属性。其实，在他看来，属性不是事物的客观方面，因此不能为事件客观拥有。例如，当他说事件是心理的或物理的时，他强调的是，这仅只是“如此加以描述而已”⑥，如用心理语言描述，事件即是心理的。换言之，有心理描述即为心理事件。这里不

① Gibb S. “Why Davidson is not a property epiphenomenalist”. In Baghramian M(Ed.). *Donald Davidson: Life and Words*. London: Routledge, 2013: 259.
② Smith P. “Bad news for anomalous monism”. *Analysis*, 1982, 42(4): 220-224.
③ LePore E, Loewer B. “Mind matters”. *The Journal of Philosophy*, 1987, 84(11): 630-642.
④ Gibb S. “Why Davidson is not a property epiphenomenalist”. In Baghramian M(Ed.). *Donald Davidson: Life and Words*. London: Routledge, 2013: 258.
⑤ Gibb S. “Why Davidson is not a property epiphenomenalist”. In Baghramian M(Ed.). *Donald Davidson: Life and Words*. London: Routledge, 2013: 258-259.
⑥ Davidson D (Ed.). *Essays on Actions and Events*. Oxford: Clarendon Press, 1980: 210.

存在使描述为真或为假的本体论事实。如果是这样，事件当然不是凭借属性而有原因作用的。因此，说他陷入副现象论就是建立在误解之上的。[①]

如果是这样，戴维森的理论的实质究竟是什么？是否可归结为物理主义？对此，吉布提出了与众不同的判释。吉布强调，戴维森的心灵哲学不能归结为物理主义，是故他自称为一元论。这是因为他认为，事件不过是中立的实在，究竟具体表现为物理的还是心理的，取决于对之所作的描述。再就他对还原论的态度来说，戴维森的确是否定类型同一论或还原论的，但不否定个例心理事件向物理事件的还原，当然否定这样的概念还原。吉布说："异常一元论实际上更接近于取消论。"[②]其特点在于：戴维森没有因为心理属性是心理的而否定心理属性的存在。当然，他也不承认有关于属性的本体论范畴。如果是这样，也就没有理由指责戴维森陷入了类型副现象论。[③]

这里最重要的是要弄清戴维森对"属性"的看法。吉布指出：戴维森所说的属性常被误解，以为他像通常的看法那样把它看作是事物的客观性质，其实，他对之有特殊的看法，即他认为，不能从本体论角度理解属性。因为谈论属性就是谈论谓项，这谓项是在事件有多种描述时可归属于事件的。因此他所理解的属性其实是描述所用的方式或依据的类型、范畴，仅只是个语言问题，并不涉及事物本身的性质。如果这样理解，他显然就没有承诺关于心理事件的副现象论，同时他也不会认为心理事件因为例示了属性而有因果作用。

"规律"也是戴维森常用的词，同时也被许多解读误读了。他赋予它的意义与一般的理解完全不同。一般的理解是，规律是实在的属性之间的关系，规律陈述是谓词之间的关系。尽管他承认要建立关于因果关系的本体论理论，但他并未在规律与规律陈述之间作出区分。戴维森所说的规律就是一种陈述，如他说规律是通过把谓词关联起来，而把事件关联起来。基于此，他有这样的观点："事件仅在以一种而非另一种方式描述之下才例示规律。"[④]由于心理谓词没办法还原为物理谓词（两者是描述事件的两种根本不同的方式，一个带有整体论、规范性

① Davidson D (Ed.). *Essays on Actions and Events*. Oxford: Clarendon Press, 1980: 260.
② Gibb S. "Why Davidson is not a property epiphenomenalism". In Baghramian M(Ed). *Donald Davidson: Life and words*. London: Routledge, 2013:258-259.
③ Davidson D (Ed.). *Essays on Actions and Events*. Oxford: Clarendon Press, 1980: 260.
④ Davidson D (Ed.). *Essays on Actions and Events*. Oxford: Clarendon Press, 1980: 6.

特点，另一个完全没有这样的特点），因此也就没有把分别用这两种方式描述的事件关联起来的规律。这样说显然没承诺心理事件是副现象的意思。

有的批评者认为，副现象论有多种形式，如①个例副现象论，②类型副现象论，③属性副现象论（近于②），④谓词副现象论。戴维森理论即使没有陷入其他形式的副现象论，也陷入了谓词副现象论。这种副现象论与本体论副现象论根本不同，后者说的是作为实在的属性没有因果效力。而前者强调的是，心理谓词在对物理事件的因果解释中没有因果相关性。主张戴维森异常一元论陷入了谓词副现象论的根据是，它有这样的结论：心理事件只有从属于物理描述而非从属于心理描述，才在物理范围内有因果解释的相关性，或可被用来解释物理事件，而从属于心理描述的心理事件是不能对物理事件作因果解释的。因此心理谓词在因果解释中是副现象。[①]

吉布认为，戴维森没有陷入副现象论，至少没有阐发这种理论的动机，充其量只表现出了与谓词副现象论的某些一致性，因此不能归结为这种副现象论。作此归结是误解的结果。因为戴维森只强调所有因果关系必须为严格的规律陈述所涵盖，而没有这样的看法，即心理解释为了在物理解释中成为有因果相关性的东西，它必须是把它们关联起来的严格的心理物理规律。更重要的是，异常一元论不承认有严格的心理物理规律陈述。但他并不否认对事件作出心理物理解释的可能性。在因果解释中，物理谓词肯定有相关性，即必须诉诸它来作出因果解释，但心理谓词有这种相关性吗？根据吉布的解读，戴氏承认心理谓词在对物理事件的因果解释中有相关性或有因果解释效力。他说："根据异常一元论，在有用心理语词对物理事件所作的因果解释的地方，一定有用物理语词对那事所作的因果解释……即使不承认解释实在论，也没有理由说，人们对同一事件不能作出两种完善的、独立的解释。总之，心理语词对物理事件的因果解释是有因果相关性的，因此戴氏理论没有陷入谓词副现象论。"[②]

对于戴维森是否陷入副现象论，解释主义内部其实是有不同看法的，即有的承认他确有这个问题，进而强调：对解释主义的发展不应隐讳这一问题，而应对之作出化解。为此，许勒尔（Schueler）等提出了"解释的解释"（interpretative

① Davidson D (Ed.). *Essays on Actions and Events*. Oxford: Clarendon Press, 1980: 262.
② Davidson D (Ed.). *Essays on Actions and Events*. Oxford: Clarendon Press, 1980: 263.

explanation）。这种新发展了的解释主义是关于行动的一种同时有别于关于行动的常识的目的论（诉诸信念等）解释和“科学”的物理解释的解释。许勒尔注意到，在解释行动时，人们常犯两种错误：一是对之作错误的解释，即为之找到的是错误的原因或理由，二是由对被解释的基础事实形成了错误认识而来的错误。究其原因，第一类错误根源于对意向状态作了错误的归类，第二类错误则与错误归属非意向状态有关。[①]戴维森也有对行动的解释，认为行动是由理由（信、愿）等所引起的运动或变化，可称作“标准观点”。它在本质上是一种唯物主义的形而上学，因为在他那里，作为行动理由的信念等实际上就是物理事件。从一定的意义上说，这种解释主义是对的，因为解释所诉诸的理由有其实在性，它们就是物理事物。[②]但这一观点无法说明理由怎样解释行动。再如，有时候，人们所说的话语也能引起行动，如老师在课堂上叫学生做眼保健操，学生会依之而行。问题是，这些话语的意义是否或怎样解释这些行为结果？标准的观点未能作出令人信服的说明。另外，它隐含着关于理由的副现象论。例如，“当我为得到啤酒而走向冰箱时，对我走向冰箱等身体运动的电子、化学、力学解释才是对我走向冰箱的解释。……这便让关于我走向冰箱的理由解释作用成了副现象”[③]。

为克服副现象论，许勒尔等阐发了这样的新观点：①人的行动不是纯物理的过程，里面还有心理的成分。如果是纯物理的，就只存在唯一正确的解释，即神经科学或物理学的解释，而诉诸信念等的心理学解释就属多余。②即使是对于行动，也有两类并行不悖的解释：一是心理学诉诸信念等的解释，二是诉诸自然力量的物理学或神经科学解释。两者的解释作用是不同的。著名心灵哲学德雷斯基也提出了相近的看法。他说：“神经科学家解释的是身体的运动，而理由以及给予我们理由的心理状态则有不同的解释作用。”[④]质言之，意向心理学对行为的解释不同于神经科学的解释。神经科学告诉我们的是，我们在完成行动时，我们的身体做了什么，起作用的方式是什么，而我们有时需要这样的解释：身体为什么这样运

① Schueler G F. “Interpretative explanation”. In Sandis C (Ed.). *New Essays on the Explanation of Action*. London: Palgrave Macmillan, 2009: 112-113.
② Dretske F. “What must actions be for reasons to explain them”. In Sandis C (Ed.). *New Essays on the Explanation of Action*. London: Palgrave Macmillan, 2009: 13.
③ Dretske F. “What must actions be for reasons to explain them”. In Sandis C (Ed.). *New Essays on the Explanation of Action*. London: Palgrave Macmillan, 2009: 15.
④ Dretske F. “What must actions be for reasons to explain them”. In Sandis C (Ed.). *New Essays on the Explanation of Action*. London: Palgrave Macmillan, 2009: 18.

动。很显然，只有诉诸信念等的理由解释才能满足这个需要。

诉诸信念等的理由解释之所以有因果解释的效力，是因为它们随附于神经生理属性。德雷斯基等还强调：在这个过程中，宽内容（意向状态的外在属性）也不是副现象，因为这些外在属性作为内在状态所指示的外在事态，随附于神经生理的“形态”。这些形态可以解释有内在属性的内在事件为什么具有它们实际所起的那些作用。[①]德雷斯基说：“能从因果上解释行为的恰恰是内在状态的外在属性，而非内在属性。”[②]

第五节 归属理论

下面，我们将具体考察几种有影响的解释主义的新形式。首先值得关注的是由莫尔德（Mölder）阐释的归属理论。它的特点是，将解释主义建构为反心理实在论，认为心不是真实的存在，而是解释者归属于行动者的，质言之，心是因归属而有的，是故倡导者开门见山地把自己新建立的解释主义称作归属理论。他们强调，解释主义尽管以言语行为的理解为出发点，但真实的动机和用意则是要回答这样的本体论问题：心在世界上是否真实存在？该怎样理解心灵和心理内容？对其的回答既具有本体论意义，又是一种特殊的语言哲学。就前者而言，它主张心没有存在地位，而是被归属的产物。莫尔德的书名写作《被归属的心灵：解释之阐释与辩护》，想表达的正是这个意思。就后者而言，它认为，心理语言，不管是语词还是句子，都没有外在真实的指称。就此而言，外在主义的指称理论不适用于心理术语。因为这种理论有这样的假定，有关术语是自然种类的术语，它的真实本质是科学能够发现的。而归属理论认为，大多数心理术语都不指称自然类型。因此，归属理论是实在论和真实指称理论的对立面。但归属理论又没有倒向取消论，因为它强调：理想的归属不是任意的，而有其客观的依据，这就是被解释者身上客观表现出来的东西，其中当然包括 FP 所说的信念、愿望之类。当

① Dretske F. “What must actions be for reasons to explain them”. In Sandis C (Ed.). *New Essays on the Explanation of Action*. London: Palgrave Macmillan, 2009: 20.

② Dretske F. “What must actions be for reasons to explain them”. In Sandis C (Ed.). *New Essays on the Explanation of Action*. London: Palgrave Macmillan, 2009: 21.

然，它们的本来面目需要重新刻画。

一、解释主义判释

对于解释主义有这样两种常见的解读方式。一是认识论或方法论的解读。根据这种解释，解释主义可看作是一种方法论或认识论。作为一种认识论说明，它可归结为这样一些准则和原则，其作用是帮助我们相互解释。也可这样说，根据这种理解，解释主义可归结为这样一种认识论理论，即它揭示了人们具有心理状态所依赖的认识论条件。二是形而上学解读。根据这种解读，解释主义可理解为一种形而上学理论，即一种关于具有心理状态的构成性条件的理论。当然，如此被理解的解释主义只是其最强的版本。因为它断言：我相信有如此这般的事情可为我详尽地加以说明，如可理解为对如此这般事情的相信。在揭示解释主义的实质时，有的人把它归结为证实主义和行为主义。莫尔德指出，这是误解，因为这两种理论恰恰是解释主义要避免的陷阱。[①]

莫尔德认为，要把握解释主义的精神实质，首先要认清它提出和关心的专门问题。尽管它也关心理解的条件、语言的意义、心理的本质等一般性、共同性问题，心理状态是否是自然类型的问题，心理语词是否指称自然类型的问题等，但它认为，过去人们忽视了一个至关重要的问题，即具有问题或归属问题（人因为什么而具有心理状态？是自在具有，还是因解释而有？），而将目光聚焦于心理本质问题之上。解释主义尽管有对心理本质问题的间接、附带的回答，但关心的主要的、核心的问题是具有问题，即人们为什么以及怎样拥有心理状态这一问题。[②]除此之外，它还有许多独特的问题，如解释中的理性与非理性问题，解释的根据问题，是否存在着解释所假定的意义概念，等等。由于有这些与解释密切联系在一起的问题，解释主义自然成了一种解释哲学。但如前所述，它是一种巧妙构建起来而同时具有学科多态性的理论，因此又是一种纯正的心理哲学理论。

根据莫尔德的判释，解释主义有新老之分。解释主义的创始人是戴维森、丹

① Mölder B. *Mind Ascribed: an Elaboration and Defence of Interpretivism*. Amsterdam: John Benjamins Publishing Company, 2010: 198.
② Mölder B. *Mind Ascribed: an Elaboration and Defence of Interpretivism*. Amsterdam: John Benjamins Publishing Company, 2010: 197.

尼特。在他看来，戴维森的解释主义是方法论或认识论类型的解释主义，不是形而上学的解释主义。因为他没有对命题态度作构成性说明。他强调，不存在自在的心理事件，只有当物理事件从心理上来描述或解释时，它们才成了心理事件。可见他不认为心理事件是从形而上学上被构成的。[①]这样的解读是建立在他对文本的考证之上的。如戴维森说："对于读者所说的东西，高明的解释者能知道的是一切应知道的东西，这也适用于说者所相信的东西。"[②]这句话的意思是，从解释者的观点出发，就可知道说者的信念和意义。有的人把戴维森的理论归结为投射主义，这也缺乏文本的根据，如戴维森说："异常一元论主张心理事件和状态并不是归属者向自主体的纯粹的投射，相反，它认为，心理事件像物理事件一样是真实的，并同一于物理事件，状态的归属是客观的。"[③]不难看出，他既承认归属的客观性，也承认被归属者的心理状态有客观性，而不认为，心理状态纯是投射、归属的产物。不过，他又没有倒向二元论，而坚持异常一元论，如认为心理状态不是物理状态之外的状态，而本身就是物理状态，由于用心理语言作了描述，或从心理上作了归属才成了心理状态。莫尔德坦陈：戴维森不承认心是归属的产物，因此他本人倡导的归属主义与戴维森的解释主义是有一些差异的。

莫尔德对丹尼特的解释主义的评判也独具匠心，认为丹尼特经历了从工具主义向温和实在论的转化，其表现是他后来承认人有意向模式。怎样看这种模式的形而上学地位？是物理的还是意向的？如果是意向的，那么是否意味着丹尼特承诺了属性二元论或反还原论？有的人认为，丹尼特在这里陷入了两难困境。如果意向模式不能从物理立场加以接近，那么丹尼特就等于放弃了物理主义；但是如果它们是形而上学方面不同于物理事物的东西，那么意向立场便是多余的。在第一种情况下，如果意向模式是非物理的，那么丹尼特就面临如何解释它们的本体论地位的难题。在第二种情况下，如果丹尼特想坚持物理主义，那么他就不能再坚持这样的主张：存在着不能从物理立场予以把握的真实模式。[④]

---

① Mölder B. *Mind Ascribed: an Elaboration and Defence of Interpretivism*. Amsterdam: John Benjamins Publishing Company, 2010: 85.

② Henrich D (Ed.). *Between Kant and Hegel*. Cambrige: Harvard University Press, 2008: 423-438.

③ Davidson D. "Indeterminism and antirealism". In Kulp C B (Ed.). *Realism/ Antirealism and Epistemology*. Lanham: Rowman & Littlefield Publishers, 1997: 109-122.

④ Mölder B. *Mind Ascribed: an Elaboration and Defence of Interpretivism*. Amsterdam: John Benjamins Publishing Company, 2010: 110.

尽管丹尼特的理论有种种问题，但莫尔德自认为他有对丹尼特的继承。如他像后者一样承认：归属给说者的意向状态是客观的。他说："丹尼特的主要观点是，即使意向立场只能从某种观点加以分辨，且有对认知的依赖性，但被分辨的东西不是不能成为客观的。这个基本观点也为归属论所认可。"[①]由于有这一继承，归属论才得以与取消论划清界限。

总之，尽管归属论属于解释主义阵营，有对戴维森和丹尼特思想的继承，但归属论是一种不同于他们的理论的理论。其表现是多方面的，就动机而言，其区别显而易见。戴维森的解释主义主要是为了解决意义理论的问题而提出的。丹尼特则侧重于说明 FP 的地位，认为不存在与 FP 原则相一致的、有因果效力的心理状态。而莫尔德则是要更具体深入地探讨心理解释、归属的内在秘密，同时回应解释主义所面临的一系列理论难题。由动机上的差异所决定，他们之间还有这样一些不同，首先，他们对心理的东西的真实性的看法是不一样的，戴维森在特定意义上承认心理状态有其真实性，因为它们就是物理状态。其次，对不确定性的看法不同。另外，戴维森坚持的是个例同一论，而丹尼特对此持否定立场。莫尔德在这些问题上都表达了不同的看法。就心理实在的本质而言，他一方面强调：通常所说的心理现象并不是真实存在的，而是归属的产物，或者说是心理语言运用的结果，因此所谓心理实在具有"赘述的"（pleonastic）特点。这意思是说，物理语言本来可以把它说清楚，但人们又习惯用心理语言去描述，这描述当然有点多余。解释主义的独到之处在于：澄清这个长期被模糊了的事实，即"说明具有这些赘述心理实在的条件和本质"。完成这一任务的方式就是分析心理语言的运用实践及意义，探讨心理语言被运用的条件。通过分析所得的结论是，一方面，人们具有心理属性其实是归属心理语言的产物，即由于人们把心理语言用于解释人们的行为，于是人们被归属了心理实在。[②]但另一方面，他的归属论又有一般解释主义所没有的下述观点：用心理语言所作的归属只要是有根据地作出的，就有其客观性。

莫尔德认为，解释主义创立后，由于得到了许多人的阐释和发展，的确诞生

① Mölder B. *Mind Ascribed: an Elaboration and Defence of Interpretivism*. Amsterdam: John Benjamins Publishing Company, 2010: 117.
② Mölder B. *Mind Ascribed: an Elaboration and Defence of Interpretivism*. Amsterdam: John Benjamins Publishing Company, 2010: 275.

了许多“新解释主义”的形态，概括说，主要有三种形式，即纯解释主义、暴露主义（revelationism）、莫尔德的归属理论或中间型解释主义。他说：“我倾向于中间型解释主义，因为纯解释主义过分强调解释者的观念，认为有心灵取决于这个观念。”这就是说，一个人有心理状态可这样加以完全的说明，他被解释了，或他是可被解释的。不难看出，“可解释性是一个人有心理状态的充要条件”，这种理论可称作纯归属主义。[①]因为它认为，人有无心理状态完全是一个解释或归属问题。在莫尔德看来，它的问题是让解释主义失去了客观的限制。而暴露主义要么过于神秘，要么不是一个严格的解释主义的形式。[②]暴露主义是解释主义中最靠近实在论的理论。它强调，意向模式的存在不依赖于他人的解释。换言之，尽管模式的意向性可根据解释来说明，但它的有与无不取决于解释，因为它有其客观的存在地位。它不同于别的解释主义的地方在于：不把解释当作是人具有心理状态的必要条件，不承认解释者的基础地位。总之，仅在方法论的意义上，它才被看作是解释主义。[③]

中间型解释主义或归属主义是不太激进的解释主义，基本主张是，心理状态的归属不仅是解释者的一种投射，而且展示了一种意向模式。当然，可解释性又是对这一模式的充分说明中不可或缺的东西。很显然，这一理论有两面性：一方面承认被解释的人有意向的形式，另一方面又承认这种形式离不开解释者的解释。就此而言，它是一种折中性的解释主义。当然由于它强调解释对于人拥有心理状态的必要性，这一理论才不是完全的心理实在论，而被归于解释主义阵营。应特别注意的是，尽管它承认意向模式的存在，但又认为这种意向模式是一种“脆弱的”（fragile）实在。这种实在的脆弱性特点，可用“赘述的”属性或事实这一概念来说明。莫尔德说：“仅仅在赘述的意义上，才能说存在着意向属性和事实。具有这样的意向属性，得到这样的意向事实应借助它们的归属条件来解释。一方面，归属意向模式不能独立于存在着的意向事实来回答；另一方面，归属受

① Mölder B. *Mind Ascribed: an Elaboration and Defence of Interpretivism*. Amsterdam: John Benjamins Publishing Company, 2010: 80-81.
② Mölder B. *Mind Ascribed: an Elaboration and Defence of Interpretivism*. Amsterdam: John Benjamins Publishing Company, 2010: 83.
③ Mölder B. *Mind Ascribed: an Elaboration and Defence of Interpretivism*. Amsterdam: John Benjamins Publishing Company, 2010: 82.

到了可得到的材料和解释原则的限制，因此归属不是任意的。”[①]

二、预备性说明

在阐发自己的归属主义之前，莫尔德认为，有必要对一些注意事项作“预备性说明”，如交代该理论的目的、出发点等。

他开诚布公地说，该理论的目的就是“说明具有心理状态意味着什么”。[②]从否定方面说，归属论不是要建构关于心理的经验或形而上学理论，也不是要建构一种现象学，更无意于对心灵阅读的实际机制作出任何经验承诺。他说：“归属论无意对 FP 的使用者的实际行为作经验的或现象学的说明，也未对心灵阅读的现实机制作任何经验承诺。”[③]另外，一般的解释主义者都认为，心灵哲学应关注“具有问题”，至少应在回答其他问题之前优先探讨这一问题，而非通常那样一开始就直奔心理的本质问题。他承认：这里必然会涉及语言意义、心理内容的问题。因为说某人具有某状态，必然会涉及某人是否具有心理内容，涉及某人的话语是否有意义。他承认这里有某种还原关系，如语言意义可还原为心理内容，心理内容可还原为心理属性。莫尔德认为，承认某人有心理状态就等于承认他的心理状态有内容，“而心理状态的内容可用日常语词的运用来加以说明”。例如，在归属“约翰相信存在着狗”这样的状态时，其内容已为那些日常语词的运用所说明了。[④]

另外，莫尔德认为，要建构和完善解释主义，首要的一步是建立可为解释主义利用的随附论。因为随附论是解释主义必不可少的一个理论基础。但是许多人认为，随附性不明确、不具体，不足以成为反还原论的根据，当然也不能成为解释主义的一个根据。众所周知，戴维森的解释主义是反还原论的一种形式，而当他把心物关系的还原论基础摧毁之后，又不得不为心物的非还原关系提供新的基

---

① Mölder B. *Mind Ascribed: an Elaboration and Defence of Interpretivism*. Amsterdam: John Benjamins Publishing Company, 2010: 82.
② Mölder B. *Mind Ascribed: an Elaboration and Defence of Interpretivism*. Amsterdam: John Benjamins Publishing Company, 2010: 151.
③ Mölder B. *Mind Ascribed: an Elaboration and Defence of Interpretivism*. Amsterdam: John Benjamins Publishing Company, 2010: 159.
④ Mölder B. *Mind Ascribed: an Elaboration and Defence of Interpretivism*. Amsterdam: John Benjamins Publishing Company, 2010: 151.

础。戴维森新发现的基础正是随附论。问题是，随附性概念以及随附论一出现，本身又成了众说纷纭的论题。由于它们是解释主义的基础，因此，新解释主义者要完善解释主义，当然必须优先讨论随附性问题。

根据新解释主义的梳理，对随附性可作不同的分类，如根据它们对还原的态度，可把它们分为还原论的随附性和反还原论的随附性。再则，根据随附性所关联的对象的特点，可把随附性分为这样两大类，即本体论随附性和归属性、描述性随附性。而前者又有弱随附性、强随附性和整体随附性之分。这一区分最先由克拉格（Klagge）于 1988 年提出[①]，后得到了包括莫尔德在内的众多的人的支持。本体论的随附性说的是实存属性之间的关系，而归属性随附性讲的是判断或描述之间的关系。例如，它强调：如果一类判断没有区别，那么另一类关于某对象的判断也没有区别。莫尔德认为，戴维森所主张的随附性是归属性的，而非本体论的。麦金沿着这一思路也强调：心理判断随附于行为判断。

莫尔德在这里也有自己的创新，如他对本体论随附性与归属性随附性之间的关系发表了新的看法，指出：如果本体论随附性强调的是赘述的属性之间的关系，那么它与归属性随附性就没有什么区别。另外，两者都承认：如果将物理谓词应用于一个对象时没有什么变化，那么将心理谓词应用于这个对象也是如此。但是也有一点不同，如后者不主张：关于物理状态的判断由于它们的意义而蕴涵着关于心理的判断。[②]

既然有不同形式的随附性，解释主义者在为解释主义寻找理论基础时就必须作出选择：该用哪种随附性作为基础？抑或是用所有的随附性作为基础？莫尔德认为，他的归属理论反对本体论随附性，而坚持并论证归属随附性。这种随附性的特点在于：它有不同于本体论随附性的基础。后者建立在实在的心身关系之上，即认为心与身是两个不同的实在，要么是两种属性，要么是两种实体。而归属随附性认为只有一种实在。心身之间尽管有关系，但只有概念或判断的关系。也就是说，它承认心身的随附性，但这种随附性不是实在之间的随附性，而是概念间的随附性。

---

① Klagge J. “Superveninence: ontological and ascriptive”. *Australasian Journal of Philosophy*, 1988 (4): 461-470.

② Mölder B. *Mind Ascribed: an Elaboration and Defence of Interpretivism*. Amsterdam: John Benjamins Publishing Company, 2010: 33.

在过去围绕随附性的争论中，批评者认为，随附论有两类反例或反常是必须予以同化的，不然的话，就意味着随附论应予放弃。很显然，新解释主义者要以随附论为基础，也必须对反常作出同化。第一个反例或反常是，有这样的情况，即有两个物理上相同的、不可区分的主体，但他们在心理上并不是相同的、不可区分的。质言之，他们在心理上是不同的。例如，外在主义所列举的事例，特别是孪生地球思想实验就足以证明这一点。第二个反例或反常是，两个主体在心理上相同，但在物理上却是不同的。

莫尔德赞成根据外在主义对本体论的随附论的否证。他认为，“外在因素制约着思想内容的个体化”[①]，因此心理状态及内容不一定随附于大脑状态。但他认为，解释主义以之为基础的归属性随附论不会受到外在主义的上述威胁。他说：“根据归属理论，具有心理属性（仍在赘述的意义上）并不意味着对自主体的内在的物理属性提出什么过分要求。一个人有哪些心理属性完全依赖于能把哪些心理谓词归属于那个人。而这又是由多种因素决定的，这些因素包括归属的根据以及将这些根据结合在一起所用的方式等。”[②]根据这一理论，物理属性不可能是人们具有心理属性的充分条件。这就是说，本体论的随附论不能回答外在主义的挑战：两个物理状态相同的人（孪生地球人）为什么有不同的心理状态及内容？要回答这一问题，就必须放宽随附性的基础，即承认心理的东西既以大脑的物理的东西为基础，又以外在环境为基础。质言之，心理内容既随附于大脑状态，又随附于环境。他说：“如果是这样，那么当心理方面出现差异时，就一定有某种物理上的差异，这差异如果不是大脑内的，就是环境中的。当我们作出这样的变化时，我们就等于迈出了通向解释主义的一步。因为解释主义包含这样的思想，即语境决定着内容。”[③]

就归属主义的理论基础而言，莫尔德强调：这基础主要是归属性随附论。因为归属主义主张的是，有无心理状态取决于解释，而解释具有客观性，不是任意所为。他说：“解释对于人具有心理状态是一个不可排除的因素，但解释不是任

① Mölder B. *Mind Ascribed: an Elaboration and Defence of Interpretivism*. Amsterdam: John Benjamins Publishing Company, 2010: 39-40.
② Mölder B. *Mind Ascribed: an Elaboration and Defence of Interpretivism*. Amsterdam: John Benjamins Publishing Company, 2010: 38-39.
③ Mölder B. *Mind Ascribed: an Elaboration and Defence of Interpretivism*. Amsterdam: John Benjamins Publishing Company, 2010: 40.

意的，一个解释的正确性或适当性是客观的。”这就是说，心理状态的归属受到了客观因素的制约。只有按照这种限制作出的归属，才是正确的归属，才能保证被归属者真的“具有”心理状态。质言之，心理状态的具有首先与可归属性关联在一起，其次，与归属时所依据的客观根据有关。因为要归属，一定要有归属的根据。这根据是多种多样的，既包括物理的属性和事实，又包括社会的事实，甚至还包括别的意向的、心理赘述的事实等。正是在此意义上，他认为他坚持的随附论一致于整体随附论。因为它像后者一样认为，“随附性的基础包括整个自然界”。由于强调这些因素，他的归属论也不同于常见的物理主义。①他说：“具有心理属性在构成上依赖于这个属性是否能归属于某个人。在此意义上，心理属性随附于可归属性。”②至此，他所说的随附论便露出庐山真面目了，它说的不过是，人们具有心理状态并不一定是自在的事实，而随附于解释，解释又随附于归属。质言之，只有当人们具有可归属性时，他们才有心理状态。最后，解释主义的建构和完善一开始就与 FP 息息相关，因此在他的预备说明中自然少不了对它的重构，自然要对其本质阐发看法。他说：“具有心理状态是一个归属问题，而心理状态是借助 FP 来理解的。”③“对解释主义的论证在很大程度上依赖于关于 FP 的某些观点，因为心理概念是由 FP 构造出来的。”④

首先，莫尔德承认，不管 FP 是不是错误的心灵观，但它客观存在于人身上，并事实上制约着人们对行为的解释和预言，且是人们相互理解的必要条件。FP 的不可或缺性表现在：人们即使没有关于大脑状态和别的亚人过程的知识，也能用心理词汇进行自我理解和对他人的理解。可见，理解心灵并不要求理解大脑。

其次，莫尔德认为，只要认真研究 FP，就可发现：心理状态的本质是由心理术语的意义决定的。因此，研究心理术语的本质就是研究心理状态的本质。而要研究心理术语，就必须研究 FP。在特定意义上可以说，研究 FP 就是认识心理的本质的一个途径。正如常识功能主义所说的，给予心理术语以意义的功能角色应

---

① Mölder B. *Mind Ascribed: an Elaboration and Defence of Interpretivism*. Amsterdam: John Benjamins Publishing Company, 2010: 42-43.
② Mölder B. *Mind Ascribed: an Elaboration and Defence of Interpretivism*. Amsterdam: John Benjamins Publishing Company, 2010: 42.
③ Mölder B. *Mind Ascribed: an Elaboration and Defence of Interpretivism*. Amsterdam: John Benjamins Publishing Company, 2010: 131.
④ Mölder B. *Mind Ascribed: an Elaboration and Defence of Interpretivism*. Amsterdam: John Benjamins Publishing Company, 2010: 131.

当根据 FP 来说明。所谓功能角色，即联系输入与输出的因果角色。据假定，每一个心理术语都可根据与别的术语的关系来定义。换言之，心理术语可通过输入、输出以及一个术语与别的术语之间的联系网络来定义。

既然如此，包括归属论在内，解释主义与 FP 就具有一种直接的关系。莫尔德说："FP 提供了在心理术语的应用中起着重要作用的原则和相互关系。这些术语有或多或少的固定的、非整体论的常识意义。"这直接的关系表现在：归属论是通过 FP 来接近心灵的，是通过分析 FP 概念及其前提来形成关于心理的本质的形而上学结论的。[①]这就是说，归属主义不仅不会像取消论那样抛弃 FP，反倒认为，它在归属论中是有用的。FP 的术语是归属论不可缺少的。另外，归属论还承认这样的观点，即常识心理的角色有助于说明心理语词的意义。如果是这样，那么当我们对心理状态作出归属（如说某人有某信念）时，我们就是把某角色或作用归于那个人。[②]而承认心理语词有意义，这恰恰是归属理论的一个出发点。

三、归属论的具体内容

在铺垫性说明之后对归属论作具体展开工作时，莫尔德认为，归属论包括这样一些要点：①归属概念及其与解释、可归属性、理想归属、任意归属等概念的关系问题；②归属的标准和被归属的心理状态的本体论地位问题；③归属的根据与归属的关联度、连贯性问题；④归属与心理事件的关系问题。

先看莫尔德对关键词"归属"以及相关概念作出的澄清和界定。所谓归属，指的是把心理状态放到需要解释的人身上，简言之，就是"归属心理状态"。他认为，所谓归属，"不过是把某主体与（具有某特定内容的）某心理状态关联在一起"[③]。它是人的认知能力中与"认识"有别的过程。一般而言，认识指的是对对象的认识，是一个从实在到观念、从客观到主观的过程。而归属则不同，它是一个从主观到客观的过程，如为了解释某行为，不管其后有无信念，人们常说

① Mölder B. *Mind Ascribed: an Elaboration and Defence of Interpretivism*. Amsterdam: John Benjamins Publishing Company, 2010: 139.
② Mölder B. *Mind Ascribed: an Elaboration and Defence of Interpretivism*. Amsterdam: John Benjamins Publishing Company, 2010: 145.
③ Mölder B. *Mind Ascribed: an Elaboration and Defence of Interpretivism*. Amsterdam: John Benjamins Publishing Company, 2010: 159.

行为者有某信念。在解释机器人的行为时，归属的性质体现得最充分和明显，机器人可能没有情感、愿望之类的东西，但为了解释的方便，人们常说它有这些东西。这里的“解释、说明”就是归属。

从关系上去考察，有助于说明归属的实质。就归属与可归属性（ascribability）的关系而言，莫尔德强调：这两个概念是不同的，前者指的是现实的归属，而后者指的是归属的可能性。从强弱上说，前者强，后者弱。他的归属理论所说的归属指的是后者。既然如此，根据可归属性对归属论的阐释是一种弱阐释，不同于强阐释，他认为强阐释是不合理的。[①]另外，“可归属性”与归属相比，有一些特殊的限制，如它应根据“可能世界”来加以说明。他说：“说 As 是可归属的，就等于说，至少有一个可能世界，在这里，As 是可归属的。”在别的世界，只要归属的根据相同于这里的根据，那么也可说，在那些世界，心理状态也是可归属的。总之，可归属性强调的是，“说 As 是可归属的，无异于说有一系列的可能世界 Wc，以致 As 在 Wc 被归属了”[②]。

从归属与解释的关系看，归属只是解释的一种形式。或者说，“可归属性是可解释性（interpretability）的一个种类”[③]，因为“解释”一词的含义更广泛，而归属指的只是解释中的这样的活动形式，即把某属性归属于一个主体。正是有某特定的归属，才决定了一主体是否有某一心理状态。

从归属与 FP 的关系看，归属是解释者为解释被解释者的行为所完成的一种行为。作为一种常见的行为，它与通常的实践行为有密切关联。联系最紧密的是 FP 的运用。每个人在与他人打交道时，都一定会动用 FP，如根据它对他人的行为作解释和预言。在归属实践中，解释者也一定会动用 FP，因为归属是根据 FP 所完成的活动。因此，莫尔德说：“FP 是我们理解心理状态时一定会依据的公共媒介。”[④]

从归属的种类说，它有理想归属和任意归属之别。后者是缺乏根据的归属，

---

① Mölder B. *Mind Ascribed: an Elaboration and Defence of Interpretivism*. Amsterdam: John Benjamins Publishing Company, 2010: 177.

② Mölder B. *Mind Ascribed: an Elaboration and Defence of Interpretivism*. Amsterdam: John Benjamins Publishing Company, 2010: 178.

③ Mölder B. *Mind Ascribed: an Elaboration and Defence of Interpretivism*. Amsterdam: John Benjamins Publishing Company, 2010: 80.

④ Mölder B. *Mind Ascribed: an Elaboration and Defence of Interpretivism*. Amsterdam: John Benjamins Publishing Company, 2010: 160.

如说某机器有信念；前者是由理想归属者所完成的归属。而“理想归属者是对归属的资源有全部知识，且能对信息的连贯一致性作出比别人更好评估的人”[①]。由此，他作的归属即是正确的、规范的、更符合标准的归属，亦即理想的归属。

归属的根据和标准问题是解释主义尤其是归属论的独有的问题。这是由它的动机和基本观点决定的。如前所述，归属论是中间型的解释主义。一方面，它强调，有无心理状态取决于解释；另一方面它又认为，解释具有客观性，不是任意所为。莫尔德说：“解释对人具有心理状态是一个不可排除的因素，但解释不是任意的。一个解释的正确性或适当性是客观的。”该论述有两个组成部分：①存在着一个一般的解释命题，它足以把心理状态的具有与可归属性关联在一起；②对于什么与归属有关，什么制约着归属以及归属怎样进行，存在着一个具体的说明。[②]这就是说，通过把某些心理状态归属于某人以获得关于他的行为的解释，有两种情况：一是任意归属，这样的归属是错误的，没有客观性；二是理想归属，它具有客观性，之所以如此，是因为这种归属是有条件、有根据的。他说：“X（某人）具有充满内容 P 的心理状态 S 的具有条件是，具有内容 P 的状态 S 可根据某些重要的条件归属于 X。”[③]由于归属是基于一些根据而完成的，它才有客观性，才被称作理想归属。而根据就是证明材料或资源。莫尔德说：“归属是基于各种证明资源而完成的，而且为其所引导。”“有关资源在决定一个人有哪些心理状态时起着重要作用。”[④]

什么是归属的资源（resource）？莫尔德认为，有四类资源引导着人们的归属。它们都是关于主体有什么心理状态的公共的、客观的根据，因此是自然主义的根据。第一类资源是，被解释者身上有别的可归属的、具有种种内容的心理状态，[⑤]即在归属的当下，解释者除了能接触到要被归属的心理状态（如相信 P）之外，还碰到了别的心理状态，如相信 P，希望 S 等。它们之所以是归属的根据，

① Mölder B. *Mind Ascribed: an Elaboration and Defence of Interpretivism*. Amsterdam: John Benjamins Publishing Company, 2010: 172.
② Mölder B. *Mind Ascribed: an Elaboration and Defence of Interpretivism*. Amsterdam: John Benjamins Publishing Company, 2010: 153.
③ Mölder B. *Mind Ascribed: an Elaboration and Defence of Interpretivism*. Amsterdam: John Benjamins Publishing Company, 2010: 159.
④ Mölder B. *Mind Ascribed: an Elaboration and Defence of Interpretivism*. Amsterdam: John Benjamins Publishing Company, 2010: 160.
⑤ Mölder B. *Mind Ascribed: an Elaboration and Defence of Interpretivism*. Amsterdam: John Benjamins Publishing Company, 2010: 161.

是因为人的心理状态带有整体论性质，正被归属的心理状态与别的心理状态是相互联系在一起的。因此，一个状态 A 出现了，必然同时还伴有别的状态。反之，发现有别的心理状态，也能据此肯定有 A。第二类资源是主体的行为。这是解释者能直接接触到的。尽管有的心理状态没有外显的行为，但一般来说，只要有行为出现，就一定能推断其后有心理状态。第三类资源是主体的环境，或对主体有影响的环境刺激。正是由于有环境因素，才有可能把相应的心理内容归属给主体的心理状态。因为根据外在主义，内容是由外在因素决定的。第四类资源是主体或被归属者的个人背景。它包括这样一些事实，如主体的个人历史、倾向、特点、语言共同体、语言理解、身体状态等。

此外，成功的客观的归属还离不开这样的条件，如归属者具有关于世界和逻辑的一般知识。逻辑的知识尽管不太重要，但也有引导归属的作用。例如，它告诉归属者：主体的思想来自他与对象或事态间的关系，因此当一事态 P 引起了事态 Q 时，归属者只要有根据把信念 P 归属于这个人，那么也能合乎逻辑地把信念 Q 归属于他。

问题在于上述的根据都是外在的，有的还是假象，如伪装的行为等，既然如此，它们怎么能成为正确归属的依据？怎样看待它们与正确归属的关联度？为回答这些问题，莫尔德引入了萨伽德（Thagard）的“连贯性”或“同调性”（coherence）概念。萨伽德认为，连贯性在包括社会认知在内的许多认知活动中有着重要作用。在他看来，连贯性是限制性条件。例如，有一个要素的集合，其内有一致和不一致的关系，如果两个要素一致，那么它们之间的关系就是肯定的限制关系，否则即为否定的限制关系。[①]意思是，结合在一起的因素由于内在的相互联系和作用会表现出齐一、同调、协变的特点。

莫尔德认为，上述连贯性概念也可应用于对他人行为的解释，因此可成为归属论的一个理论基础。在解释他人行为时，前述的“要素”在这里就表现为描述行为根据的命题，也可说是能解释这些根据的竞争性假说。归属理论的目的就是找到足以解释行为的命题，拒绝别的解释。如果一个要素或命题能解释另一个，那么它们之间就存在着肯定的限制关系，即存在着很高的关联度。如果两个命题

① Mölder B. *Mind Ascribed: an Elaboration and Defence of Interpretivism*. Amsterdam: John Benjamins Publishing Company, 2010: 165-166.

提供的是独立的、对立的解释，那么它们之间就存在着否定性限制关系，即存在着很低或为零的关联度。总之，莫尔德引进连贯性概念旨在说明行为之类的根据对于归属的关联度问题。他的结论是，关于根据的陈述与归属陈述之间存在着较强的肯定性限制关系。换句话说，对行为之类的根据的陈述足以让解释者作出关于主体的心理状态的陈述，即足以让解释者把心理状态归属给某人。质言之，“资源陈述与归属陈述之间存在着强烈的肯定性限制关系”[①]。

如果说前面的问题主要是解释主义所独有的话，那么接下来的问题则带有共同性，即属于心灵哲学的关键性问题。例如，如果一主体具有可归属性就表明他具有心理状态，那么解释主义所依据的那种归属的标准是什么？是否一切归属都能证明其后具有心理状态？质言之，具有心理状态的标准是什么？说一主体具有心理状态是否真的意味着他身上存在着心理状态？莫尔德的回答是，并非一切归属都与具有心理状态有关。如果是这样，就有必要找到与心理状态有关的归属的标准。这种标准在归属中起着归属论赋予它的那种“构成性作用”。这种作用的具体表现是，它能让被归属者拥有心理状态，是故被称作“构成性作用”。[②]

在莫尔德看来，对主体作了归属，并不等于就肯定他有心理状态。因为有两类归属，一是能让被归属者获得心理状态的归属。这种归属符合归属的标准，因此可称作标准的归属。二是非标准的、不会导致心理状态出现的归属。什么是标准的归属呢？莫尔德回答说：“如果心理状态被标准地归属于某人，那么他就拥有心理状态。”[③]这看起来是一个循环定义，其实不然。因为他强调，这个标准是区分正确和不正确归属的标准。所谓正确，即有充分根据的因而是客观的归属，亦是前述的理想归属者所作的归属。这个标准也可看作是心理现象的具有条件。具言之，如果一个人符合这个条件，那么就可说他有心理状态，就可对之作出归属。须知，具有条件是复杂的，且每类心理状态不存在唯一的具有条件。他说：“毋宁说，具有条件是能说明心理现象与它们具有的关系的一种图式。”假设 X 代表被归属的主体，F 代表心理状态，P 代表心理状态的内容。X 的有内容 P 的

① Mölder B. *Mind Ascribed: an Elaboration and Defence of Interpretivism*. Amsterdam: John Benjamins Publishing Company, 2010: 169.
② Mölder B. *Mind Ascribed: an Elaboration and Defence of Interpretivism*. Amsterdam: John Benjamins Publishing Company, 2010: 170.
③ Mölder B. *Mind Ascribed: an Elaboration and Defence of Interpretivism*. Amsterdam: John Benjamins Publishing Company, 2010: 170.

心理状态 F 的具有条件是，有 P 内容的 F 可规范地归属于 X。[①]莫尔德说：“规范的归属决定了一主体有一赘述的心理属性意味着什么。”[②]

如前所述，解释主义中的最激进的形态否认存在着作为客观事实的心理状态或事件，认为把心理状态归属于某人，其实是一种强加，一种纯粹的语言游戏。戴维森所说的不存在心理物理规律、“解释不确定性”，蒯因所说的“翻译不确定性”等都可这样解读。莫尔德承认人具有心理状态依赖于解释者的归属，同时还在“不确定性”原则的基础上提出了这样两个新概念，即“解释的非推导性”（uncodifiability）和“心理的非推导性”。非推导性这个词的反义是 codifiability，原义为编纂成法典，或使某物成为一个体系，或成为分类法中的一个恰当的类别。uncodifiability 在这里的转义则是指，不可从行为根据中推导或归纳出心理状态。质言之，根据行为资源把心理状态归属于行为者并无必然性，从一个推不出另一个。莫尔德认为，这个概念要说明的事实是，“不存在这样的一系列明确的、完善的原则，它们可以帮人将心理状态演绎出来”[③]。如果是这样，归属论就必须回答？归属论怎样看心理的不确定性和非推导性？非推导性是否是归属论的难题？

莫尔德首先承认：“不存在能据以演绎出主体的心理轮廓的固定原则集合，因此解释确实是非推导性的。”如果考虑到人客观具有的非理性事实，那么这种非推导性便更明显和突出。“即使人们建立了一系列理性原则，但它们在解释非理性主体时一点用也没有。”[④]莫尔德又认为，这些事实不妨碍解释主义的有效性。他说：“既然不能否认可解释性是具有心理状态的条件，那么解释主义就是正确的。”[⑤]他认为，这里的有效性是由规范性、理想的归属所保证的。例如，规范的归属尽管没有揭示和推导出行为与心理状态之间的必然联系，但可帮助解释者排除错误的、任意的解释，进而让人形成正确的解释。[⑥]

---

① Mölder B. *Mind Ascribed: an Elaboration and Defence of Interpretivism*. Amsterdam: John Benjamins Publishing Company, 2010: 171.
② Mölder B. *Mind Ascribed: an Elaboration and Defence of Interpretivism*. Amsterdam: John Benjamins Publishing Company, 2010: 172.
③ Mölder B. *Mind Ascribed: an Elaboration and Defence of Interpretivism*. Amsterdam: John Benjamins Publishing Company, 2010: 180.
④ Mölder B. *Mind Ascribed: an Elaboration and Defence of Interpretivism*. Amsterdam: John Benjamins Publishing Company, 2010: 179.
⑤ Mölder B. *Mind Ascribed: an Elaboration and Defence of Interpretivism*. Amsterdam: John Benjamins Publishing Company, 2010: 181.
⑥ Mölder B. *Mind Ascribed: an Elaboration and Defence of Interpretivism*. Amsterdam: John Benjamins Publishing Company, 2010: 182.

至此，莫尔德对归属与心理事件的关系的看法便被揭示出来了。首先，他不像激进的解释主义那样认为，心理事件的有与无完全取决于解释者的解释，或“依于观察者”。因为他认为，只要是正确的归属，被解释者身上就不可能没有相应的东西出现，可用 FP 术语描述为“心理的”。他辩解说，解释主义的确认为，别人理解心理状态的方式对确认一个人有什么心理状态是有关键作用的，但不能由此说，一个人具有心理状态就完全是由解释者决定的，因为具有心理状态既受行为根据的影响，又受规范性归属的影响。如果解释者的变化的、相互区别的标准不一致于规范解释者的标准，那么这些标准就不会影响人对心理状态的具有。另外，尽管心理状态的可归属性依赖于解释，但发生于人脑中的过程并不这样。这说明这些过程依赖于解释，但它们实在地发生了这一事实则不依赖于观察者。[①]

既然归属论强调心理状态既依赖于归属又有某种客观实在性，那么它就必须回答心与身或大脑的关系问题。根据其他的理论，心脑之间不外这样一些可能的关系，即实现、随附、还原、同一、副现象等。归属论是怎样看的呢？

首先，从否定方面说，它反对所有这些关系论。因为它们都承认心理状态依赖或随附于大脑状态。就还原论而言，它有很多形式，有的强调的是学科之间的说明关系，如说心理学可还原为神经科学，化学可还原为物理学；有的强调的是概念间的关系；有的强调的是实在之间的关系。在还原论中，同一论是本体论还原论最强的形式。归属论认为心不是纯自在的存在，而有对解释或归属的依赖性，因此它对立于一切还原论。如此类推，它也对立于一切承认心脑之间有实在的关系的心脑关系论。在归属论看来，被归属于人的心理状态与大脑没有直接的关系，质言之，大脑与归属无关。莫尔德说：“根据解释主义，一个人可以有不同的心理状态，而可以不考虑大脑中发生了什么。就此而言，大脑状态与归属无关。在通常情况下，它们不是归属的根据，因此对解释没有引导作用。”[②]心不是纯粹的实在，至少有人为的构造的因素。他说：“心理状态是从 FP 中所抽引出的构造。而 FP 的话语是没有本体论承诺的。”换言之，FP 的范畴都没有科学价值。解释主义的目的是，“根据心理语词在 FP 中的用法阐释心理状态”，因此解释主义

① Mölder B. *Mind Ascribed: an Elaboration and Defence of Interpretivism*. Amsterdam: John Benjamins Publishing Company, 2010: 196-197.

② Mölder B. *Mind Ascribed: an Elaboration and Defence of Interpretivism*. Amsterdam: John Benjamins Publishing Company, 2010: 70.

没有这样的要求，对心理状态的归属一定要根据基础性物理状态来加以验证。[①]

FP 的概念或心理构造有无真实所指？归属论承认的心理状态与大脑构造有无关系？归属论不排除这样的可能，即能在大脑中“找到足以支撑某些被编制的心理构造的基质”。莫尔德说：“这些基质总是存在于大脑中的。”正是有这样的事实，因此，“某些 FP 的区分为在大脑中寻找某些结构性、功能性差异提供了线索”。这样说是否与归属论所坚持的非实在论相矛盾呢？不矛盾。莫尔德说：“能找到基础结构的可能性不会威胁我关于心理的东西依赖于归属的观点，因为我的观点是，心理的东西是根据 FP 从构成上加以说明的，心理术语的日常运用并未对内在状态作出具体承诺。”[②]

总之，从肯定方面说，即使被归属的心与有此心的主体的大脑有关系，也只能说这种心脑关系是一种解释关系。质言之，用心理术语所作的描述不过是对大脑所作的一种解释，这种解释没有本体论承诺。因此，这里的解释关系不同于随附、实现之类的关系。莫尔德说：“这里的关系处在解释的层面，因此至少在两方面不同于实现关系。第一，即使后者有解释的元素，但……它是一种形而上学关系……。第二，这种关系不包含本原性的赘述的心理属性，只包含后续的属性。”[③]这就是说，被解释者身上不存在实在的心身关系，即不存在过去所发现的一切心身关系，如突现、随附、还原、同一、实现等。如果说有关系的话，这里只有解释关系。他认为，解释主义“旨在为寻找关于心身关系的替代说明提供间接支持”[④]。解释决定了一个人有什么样的心理状态，因此心与脑的关系只能是解释关系，或归属关系。

四、归属论的论证与辩驳

毫无疑问，解释主义提出了一种独特的甚至是“大逆不道”的心灵观，既对

---

① Mölder B. *Mind Ascribed: an Elaboration and Defence of Interpretivism*. Amsterdam: John Benjamins Publishing Company, 2010: 70.
② Mölder B. *Mind Ascribed: an Elaboration and Defence of Interpretivism*. Amsterdam: John Benjamins Publishing Company, 2010: 72.
③ Mölder B. *Mind Ascribed: an Elaboration and Defence of Interpretivism*. Amsterdam: John Benjamins Publishing Company, 2010: 72.
④ Mölder B. *Mind Ascribed: an Elaboration and Defence of Interpretivism*. Amsterdam: John Benjamins Publishing Company, 2010: 72.

立于二元论，又挑战占主导地位的维特根斯坦主义、逻辑经验主义。这显然面临着艰巨的论证重负。据莫尔德自述，他的归属论更加独特，因此其论证的压力至少同样艰巨。他在借鉴蔡尔德（Child）的解释主义论证的基础上作了自己的发挥。

蔡尔德的论证有四个方面。第一，蔡尔德强调：不存在笛卡儿所说的心理世界，因为人身上找不到他所说的那些隐私的实在。由此，蔡尔德进一步论证说，心理谓词能归属于他人，恰恰是心理谓词的一个特征。当然，从发生顺序说，心理语词最初是运用于自己的，因此是私人性的，如用于人自己的经验，然后，借助类比用于他人，而要如此，又必须诉诸行为根据。这就是说，心理语词的运用条件包括对行为资料的利用。可见，心理语词的运用与行为资料之间尽管不存在必然联系，但行为资料对这种运用有不可或缺的作用。①

第二，蔡尔德提出了基于意义公共性的论证。这种论证认为，意义和心理状态都有公共性。如戴维森认为，心理状态在解释语境下与意义是不可分割的，因此如果意义有公共性，那么心理状态就会从意义那里继承公共性。

莫尔德在此基础上提出了自己的新论证：基于可表现性（manifestability）原则的论证。可表现性原则可表述为，一切在原则上都是可表现出来的。这里的一切当然是指存在或真实的一切。而存在的东西要么可表现为原因，要么可表现为结果。不能表现出来的东西一定是没有因果作用的东西。反之，如果一实在有因果效力，那么这些力量一定会表现出来。这里的表现既指事物表现在观察面前，也指它表现在理论中。这一原则表达的是一种世界图景，在其中，一切事物都与别的事物因果地关联在一起，不存在孤立的事物。这一原则尽管不是一个解释主义的命题，但却是解释主义的一个理论基础，由此可引出解释主义结论。根据这一原则，可解释性不是孤立的，必然引出心理状态这样的表现。从这里我们可以看到解释主义的一个新的发现：某人所具有（被归属）的心理状态不是由他的大脑的心理、生理决定的，而是由解释者的解释决定的，即是说，这里的因果关系不存在于被解释者身上，而存在于解释者和被解释者之间。②

第三，来自FP的论证。蔡尔德认为，由于有FP，人们才有对行为的解释和

---

① Child W. *Causality, Interpretation and the Mind.* Oxford: Clarendon Press, 1994: 37.

② Mölder B. *Mind Ascribed: an Elaboration and Defence of Interpretivism.* Amsterdam: John Benjamins Publishing Company, 2010: 200-201.

预言，进而有心理状态的被归属。莫尔德补充说："FP 提供了必要的相互联系之网，正是它使心理语词的应用成为可能。"①

第四，根据依于立场（stance-dependent）的模式的论证。蔡尔德借鉴丹尼特的思想提出：人内部存在着某些意向模式，而这些模式不是客观的实在，因为如果没有相应的观点或不从特定立场出发，那么是看不到这些模式的，如只有有意向的观点，才能看到这些模式。可见意向状态是依赖于认知或解释的实在，是一种函数性质的东西。莫尔德对此的补充是，说意向状态依于解释，不等于说它们是不真实的，主观任意的。因为解释者不可能创造它们，他的归属受已存在的资料的限制。但同时必须承认：解释者的解释与被解释者拥有的心理状态确实有构成上的联系。他说："意向模式与从意向立场的解释有构成上的联系。"②

最后，莫尔德认为，可把各种论证结合起来，使之成为关于解释主义的统一的论证。他作了这样的尝试，其具体论证要点包括以下几个方面。①一切都是可表现出来的（可表现性原则）。②心理状态的具有是可表现的（根据前一个原则）。根据依于观点的模式的论证，可提出下述两个命题：其一，心理状态之具有是一个依于观点的意向模式。其二，依于观点的意向模式之具有在构成上与可归属性有关。从上述两个命题可得出结论：心理状态的具有在构成上与可归属性有关。最后，从心理语词运用的角度看，可提出下述命题。第一，一心理状态 S 为 X 所具有可推定：表述 S 的心理语词 s，可用于 X（通过 FP）。第二，"一心理状态 S 为 X 具有"可推定：通过运用心理语词 s，心理状态 S 可归属于 X（通过 FP）。第三，"心理状态 S 为 X 具有"从构成上关联于"心理状态 S 可归属于 X"。最终的结论：X 具有心理状态的构成性条件是，它们具有通过运用 FP 术语的向 X 的可归属性。③

归属理论既然提出了别具一格的理论，就难免有这样或那样的批评与反例。就主要方面而言，最有威胁的是三类责难。

一是基于心理因果性的责难。心理因果性是指，心理事件可与别的事件发生

① Mölder B. *Mind Ascribed: an Elaboration and Defence of Interpretivism*. Amsterdam: John Benjamins Publishing Company, 2010: 200.
② Mölder B. *Mind Ascribed: an Elaboration and Defence of Interpretivism*. Amsterdam: John Benjamins Publishing Company, 2010: 202.
③ Mölder B. *Mind Ascribed: an Elaboration and Defence of Interpretivism*. Amsterdam: John Benjamins Publishing Company, 2010: 202-204.

因果关系，如能与行为互为因果，就像心理事件内部存在着因果关系一样。问题是，既然归属论认为心理事件是归属的产物，因归属而有，那么它们怎么可能作为原因起作用？怎么可能接受别的事件的原因作用？莫尔德承认："在关于心灵的任何说明中，要找到心理实在的因果作用是很难的。"甚至，基于解释主义说明心理因果性的前景是更糟糕的。因为承认心有因果作用与解释主义对心的说明之间存在着明显的冲突。一方面，因果关系要求心理状态能产生行为；另一方面，又不清楚：被归属的心理状态怎么可能产生这种作用，因为对它们作归属，并未承诺它们存在，并未承诺它们有因果作用。莫尔德的回答是，"心理因果关系是与被赋予 FP 中的命题态度的解释角色密切相关的"。例如，为了解释某人的行为，可诉诸他的信念和愿望，这信念、愿望就被赋予了原因作用。[①]尽管说明心理的因果作用对解释主义来说确有困难，但否定它们有因果作用又显然是不对的，因而必须迎难而上。这里的任务是，调和这样的冲突，即相信心理状态有因果作用与难以说明这怎么可能之间的冲突。戴维森对此有解答，但莫尔德不予以赞成。他说："我将说明，我们为什么不能赞成戴维森的解答。"但他又承认："戴维森的说明又存在着某些值得保留的特征。"[②]戴维森的观点可这样概括。①因果关系是两个事件之间的关系。②因果关系是外延性的，即一种因果关系可用多种方式来描述，这些描述的真值并不依赖于我们描述这些因果相关的事件所用的方式。③因果关系具有法则学特征。例如，对于每一因果关系来说，一定存在着维持这种关系的规律。这里的规律是严格的、决定论性质的规律。规律不同于关系的地方在于，规律依赖于这样的描述，即述说由特定规律关联在一起的事件类型的描述。从语言上说，"c 引起 e"这样的单称因果陈述所描述的因果关系一定例示了一个规律。这一理论说明了被归属的心理事件 c 为什么有因果作用。因为事件 c 用心理术语描述即心理事件，用物理语言描述即为物理事件。物理事件的因果作用是没有疑义的。心理事件也是如此，因为它就是用心理术语描述的物理事件。莫尔德概括说："在因果关系中涉及的同一个事件可以同时用心理和物理谓词来述说，因而它既是物理的，又是心理的。换言之，既然心理事

① Mölder B. *Mind Ascribed: an Elaboration and Defence of Interpretivism*. Amsterdam: John Benjamins Publishing Company, 2010: 207.
② Mölder B. *Mind Ascribed: an Elaboration and Defence of Interpretivism*. Amsterdam: John Benjamins Publishing Company, 2010: 207.

件个例同一于在因果上关联于另一事件的事件，因此它也有因果作用。”[①]

莫尔德认为，戴维森的因果学说是令人不满意的。因为他没有说明一事件由于什么而引起了另一事件。一个最常见的责难是，他的因果学说陷入了副现象论。莫尔德认为，戴维森成功避免了个例副现象论，因为他强调：同一个例事件可同时有心理和物理的描述，这个个例事件不可能成为副现象。但是戴维森并没有摆脱类型副现象论。既然作为类型的心理事件与规律无关，因此它们就没有因果效力。[②]莫尔德认为，“戴维森的说明要么陷入了副现象论，要么使因果关系的本质变得神秘难解”，因此有必要探寻新的解决方案。[③]

在建立自己的解答时，莫尔德坦诚地说，这个问题是“极其难对付的”。因为难就难在它的这样的任务，即如何找到心理的东西在全部事物构成的世界中的原因作用。如一般承认信念、愿望等有决定行为的作用，但这种作用是什么，怎样产生出来，其内在机理、根据是什么，等等。莫尔德认为，应诉诸随附性来说明心理事件的因果作用。这当然不是他的首创，戴维森、金在权、福多等都作了自己的阐述。莫尔德的进一步的阐述是，“心理属性随附于物理属性，等于说，如果有些事件在心理属性方面是不同的，那么它们在物理属性上也一定是不同的。戴维森的思想大致是，如果心理属性所随附的那些物理属性在因果上有效，那么一事件的随附的心理属性中的差异就意味着，物理属性中一定存在着相关的差异。以这种间接的方式，心理属性也是因果相关的”[④]。但他不赞成，心理属性借助对物理属性的随附性而从后者那里继承了因果效力，因此“随附性是它根植于其上的某种更基本的关系的一个征兆，假如M和P是同一个属性，或者如果M的例示是由P的例示构成的，或者如果P的例示对M的例示是因果上有效的，那么我们就能看到M和P属性之间的随附性关系”[⑤]。从与别的关系来看，随附关系是不同于协变关系的。例如，在吃饭时，碗中的饭菜减少与嘴唇运动是协变的，

① Mölder B. *Mind Ascribed: an Elaboration and Defence of Interpretivism*. Amsterdam: John Benjamins Publishing Company, 2010: 210.
② Mölder B. *Mind Ascribed: an Elaboration and Defence of Interpretivism*. Amsterdam: John Benjamins Publishing Company, 2010: 211.
③ Mölder B. *Mind Ascribed: an Elaboration and Defence of Interpretivism*. Amsterdam: John Benjamins Publishing Company, 2010: 213.
④ Mölder B. *Mind Ascribed: an Elaboration and Defence of Interpretivism*. Amsterdam: John Benjamins Publishing Company, 2010: 214.
⑤ Mölder B. *Mind Ascribed: an Elaboration and Defence of Interpretivism*. Amsterdam: John Benjamins Publishing Company, 2010: 214.

讲话与嘴的运动是协变的。莫尔德依据金在权的排除性原则和物理封闭原则指出："这两个原则没有为随附属性的因果作用提供条件。这两个原则比试图根据随附性假定保护心理属性的因果性要合理得多。因此必须寻找理解心理因果关系的新的替代方案。"[①]

这新的方案是，对心理因果作用作归属主义论证。其基本观点是，只有根据归属论，才能解决这里的一直没很好解决的问题。莫尔德强调，要解决心理因果性的种种难题，首先要对因果解释和因果关系作出区分。其次，要把因果有效性（效力）与因果相关性区别开来，前者是后者的补充。他认为，这一方案可称作"各个击破或分而破之"。根据这一方案，只在划分的一方面存在着因果关系，在另一方面就没有。先从概念分析说起，就"原因"而言，莫尔德赞成斯特劳森的看法，认为那些引起了某物的过程即可称作"原因"。再看因果关系与因果解释，他认为，前者指实在之间存在的关系，不以我们的描述、解释为转移，而因果解释中所运用的规律的有效性则依赖于人们所用的语词。根据斯特劳森的看法，因果关系是自然的关系，而因果解释却是一种合理性关系。前者存在于自然界，发生于两事件之间，后者是"事实或真实"之间的一种解释关系。两者的差异在于：它们处在不同的位置上，它们的关系项有不同的本质。因果关系位于自然界，它关联起来的是个别事物，而解释关系存在于人心之中，由它关联起来的是事实。[②]另一个不同之处在于：它们涉及不同的问题。例如，关于因果关系，我们可提出这样的问题：原因为什么以及怎样产生结果？关于因果解释，应问的问题是，什么使一解释成为因果解释？什么使解释为真，或可接受？回答是，如果存在着与解释相一致的因果关系，那么这个解释就是真的，就是有解释力的。[③]

再看因果有效性和因果相关性。把有效性与相关性区别开来，不是莫尔德的首创，斯图尔德（Steward）在1997年就论述过这一区别。尽管两人的概念相同，但具体说明却不同。后者认为，相关性与有效性的不同表现的是事实与个别的不同；前者认为，相关性与有效性的区别表现的是赘述实在和自然实在之间的区别。

---

① Mölder B. *Mind Ascribed: an Elaboration and Defence of Interpretivism*. Amsterdam: John Benjamins Publishing Company, 2010: 217.

② Mölder B. *Mind Ascribed: an Elaboration and Defence of Interpretivism*. Amsterdam: John Benjamins Publishing Company, 2010: 221.

③ Mölder B. *Mind Ascribed: an Elaboration and Defence of Interpretivism*. Amsterdam: John Benjamins Publishing Company, 2010: 222.

两者也有联系，如事实之间的因果相关性从根本上决定了它们有某种因果效力。杰克逊和佩蒂特（Pettit）对此作了更详细的讨论。他们认为有两种属性，即功能属性和倾向属性（如玻璃易碎）。它们都属高阶属性，都有因果作用，即在引起结果的过程中都可发挥其作用。由于有因果作用，它们都可成为因果解释中的根据。如根据倾向属性所作的解释为过程解释。这一解释可说明哪些属性例示在产生结果时是因果有效的。根据功能属性所作的解释为程序解释。不过他们认为，倾向属性和功能属性即使例示了，也都不能成为因果上有效的东西，只能说它们是因果上有关的属性。这就是说，在根据高阶属性（倾向和功能属性）所作的解释中，这里所诉诸的属性是没有因果效力的，只有因果相关性。

莫尔德在借鉴上述思想的基础上指出，心理的东西的因果作用也是这样。如心理内容涉及的属性有两种，即内在属性和关系属性，因此内在属性的例示就有因果有效性，而关系属性的例示则只有因果相关性。就心理事件来说，它们的意向属性即它们的内容就是相关的、没有因果效力的属性。[①]莫尔德也承认因果有效性和因果相关性的不同。但问题是，是什么使一属性有因果上的有效性？他的回答是，在原因事件中，有两类实在：一是有引起作用的实在，此实在也可称作自然的实在；二是赘述的实在。原因中有因果效力的根源就是第一类实在。他认为，“这个根源是由有引起作用的实在构成的，只有它们有因果效力”，是因果力的携带者，进而能解释这种力量根源于什么。赘述的实在仅在扩展的意义上才是实在的，它们太抽象，因此在因果上无效力。[②]当然它们可能是因果上相关的。它们没有实际产生因果作用，因此不是因果关系的组成部分，只是在因果解释中进入了因果图式。

由于不存在真正意义上的、有引起作用的心理实在，心理的东西都没有因果有效性，而只有因果相关性。莫尔德认为，“所有心理实在都不过是赘述的东西”，因此结论是：“心理实在不具有因果有效性”。“既然不存在有引起作用的心理实在，那么就没有内在于心理东西的因果效力”。[③]当然，它们可有因果相关性。

---

① Mölder B. *Mind Ascribed: an Elaboration and Defence of Interpretivism*. Amsterdam: John Benjamins Publishing Company, 2010: 225-226.

② Mölder B. *Mind Ascribed: an Elaboration and Defence of Interpretivism*. Amsterdam: John Benjamins Publishing Company, 2010: 227.

③ Mölder B. *Mind Ascribed: an Elaboration and Defence of Interpretivism*. Amsterdam: John Benjamins Publishing Company, 2010: 228.

之所以这样，是因为下述主张具有广泛的有效性：FP用因果术语来构想心理实在。莫尔德说："既然FP主要是根据心理原因来解释行为，那么上述主张应是没有争议的。"准确地说，这样的行为解释不是因果解释，而是合理化说明，充其量是常识的因果解释，即根据信念等说明行为。在常识解释中，作为解释项的心理实在是有因果相关性的。他说："如果我们承认心理实在包含在了常识的因果解释之中，那么我们就能承认心理实在有因果相关性。"[1]心理实在有因果相关性，因此不是副现象。因为副现象是完全与因果关系无关的东西，而常识解释中所述及的心理实在与产生结果的原因是有关的，有时在解释中，述及这些实在比述及大脑中的事件更管用，更有利于解释。

总之，莫尔德在心理因果性问题上的观点可这样概括：能作为原因引起行为的只能是物理的或自然的实在。心理的实在只有因果相关性，因此它不是副现象。既然如此，就能根据心理实在或用心理术语作出因果解释。但"用心理术语所作的因果解释又没有必要预设个例同一论或别的类型的还原主义"[2]。莫尔德自认为，他这里表达的心理因果性学说是与归属论相一致的理论。之所以是这样，一方面，他没有赋予心理实在以自然的原因作用（这种作用只有物理实在有）；另一方面，他又避免了副现象论，否定了心理实在没有因果作用的观点。在莫尔德看来，因果作用有两种，一是因果有效性，二是因果相关性。他强调心理实在没有前一个作用，但有后一个作用。由此他把自己与其他解释主义者区别开来了。[3]

归属论面临的第二个难题是知觉的现象学性质。所谓现象学性质，即人在有知觉之类的心理状态时所经验到的感觉起来之所是的东西。它的特殊性在于，有对物理过程的依赖性，是其表现出的性质，但又有非物理的方面，如主观性、主观的观点、显现出的质的特点。它是一般物理主义的难题，更是归属论的难题。因为根据归属论，人有心理现象依赖于人们的解释、归属，而现象学性质显然有其实在性，如有此经验的人都有生动、逼真的质的显现，因而不是归属、解释的产物。

莫尔德通过分析知觉与信念的差异对上述难题作了自己的回应，指出：知觉

① Mölder B. *Mind Ascribed: an Elaboration and Defence of Interpretivism*. Amsterdam: John Benjamins Publishing Company, 2010: 228.
② Mölder B. *Mind Ascribed: an Elaboration and Defence of Interpretivism*. Amsterdam: John Benjamins Publishing Company, 2010: 230.
③ Mölder B. *Mind Ascribed: an Elaboration and Defence of Interpretivism*. Amsterdam: John Benjamins Publishing Company, 2010: 231.

之所以不同于信念，是因为它们有不同的归属条件。至于许多物理主义者难以说明的现象学性质、非概念内容、原内容等，他认为，都不能成为归属论的障碍。他说："这些直觉能受到尊重，解释主义者没有必要否认现象经验，或对之保持沉默。"[①]因为他的归属论并不绝对否认包括现象学性质在内的心理现象的客观性、实在性。当然，激进的解释主义强调心理状态依赖于解释，没有实在性，因此有说明上难以逾越的屏障。

一般解释主义的第三个难题是难以说明人们客观上具有的自知或自我觉知、自我意识。

批评者强调：自知或人有关于自己心理生活的大量知识，这是客观的事实。之所以如此，又是因为人有得到知识的"优越通道"。这通道是直接的，且具有权威性、隐私性、不可错性等特点。解释主义既然认为心理现象是解释、归属的产物，就不太好说明这类事实。

莫尔德在回应这一难题时强调：他所阐发的归属论可以容纳和解释上述反事实，能说明自知的一系列特征，如归属论可以对人们进入人的心理状态及内容的优越通道作出说明。他认为，要作出这样的说明，首先要弄清作出这种说明所依赖的充分条件。他借鉴有关成果认为，这类充分条件有两个，它们是一种理论的合格性的两个标志。第一，应能对第一人称和第三人称观点的差异作出合理的说明。第二，在说明第一人称通道为什么有权威性时应能保持概念的同一性，即保证用于自己和他人的心理术语有相同的意义。沿着这一思路，莫尔德对自知何以有权威性作出了自己的说明，进而，对亚人构造在自知产生时的作用作出了说明。一般认为，人的自知依赖于人内部的亚人层次的结构，如果是这样，解释主义该怎样予以说明呢？

莫尔德指出：已有的自知研究有一个缺点，就是没有关注这样的问题，即关于自己的知识与关于自己心理状态的信念有何不同？什么使自知成为知识？关于自知有两个方案。一是认为自知以及自知的对象在认知上有实在性。所谓自知，就是基于内在根据对自己所作的自我观察或自我推论，其预设是，人有客观的内在私人的心理状态，它们是自知的对象。人通过内在的扫描装置可把握这些对象。

① Mölder B. *Mind Ascribed: an Elaboration and Defence of Interpretivism*. Amsterdam: John Benjamins Publishing Company, 2010: 256.

这是二元论的基本观点。二是认为自知不具有实在性，否认第一人称判断是基于内省途径而形成的，这里又有多种方案，如行为主义认为，可通过观察行为形成关于自己的知识。维特根斯坦的非认知主义认为，人们关于自己心理状态的表达式是因为它们的“语法”而有权威性的，人关于自己内部状态的表白不是报告，不是断言或陈述，而是一种执行式的行为。就此而言，关于自我的知识不是知识，而是作出表白的非认知能力。[①]解释主义也有自己的说明，如在戴维森看来，第一人称的权威性其实是由解释者所赋予的。在赋予时，解释者并不是根据被解释者的内在状态，而是根据宽容原则。

莫尔德继承了戴维森的观点，但作了自己的发挥。他承认：人的自我归属的权威性根源于解释者。不过他同时强调，这里要区分两种一致关系：一是人的心理状态与行为的一致，二是人的自我归属与行为的一致。在第一种关系中，能被归属的心理状态是根据行为专门挑选出来的，因而它们一定一致于行为。在第二种情况下，由于解释的介入，就不会有主体的实际的自我归属行为与行为的不一致发生，换言之，人们关于自己心理状态的表白一般一致于他的行为。当然这种一致是需要解释的。如有这样的解释，即根据主体的内在亚人层次的机制加以解释，认为正是这种机制导致了人的自我归属。这一方案不外是说，自知是关于一阶状态的二阶状态，而二阶状态又可看作是一个可靠的过程的结果。而这个过程又是由人的内在机制决定的。莫尔德不赞成这种解释，认为它预设了不依赖于归属的心理状态及机制的存在，以为这种机制产生了二阶状态。当然如果加以修改，被修改的观点则是可以一致于归属论的。他的修改表现在，承认有这样的子人机制，它们又不会使解释成为多余的。这样的子人机制不是纯自在的，部分依赖于解释。他说：“人具有心理状态和对之作出计算的机制，这些都依赖于解释。”如果这样理解子人机制，那么承认存在着内在机制的观点就与解释主义保持了一致。

为了系统表达归属论在自知问题上的思想，莫尔德建构了一个关于自知的归属论模型。它有这样一些要点，即“不承认心理状态和内容能独立于归属而存在”，但又“尊重第一人称的操作主义原则，对子人机制中的某种基础提供规范的限

---

① Mölder B. *Mind Ascribed: an Elaboration and Defence of Interpretivism*. Amsterdam: John Benjamins Publishing Company, 2010: 259.

制”。[①]这里的归属既指他人的归属，又指自己所作的归属，因此归属者、解释者既是他人，又是自己。以对来自内外环境中的感性输入的子人加工为例，他强调人的子人加工也可触发自我归属。在这里，自我归属被触发了，它一致于所有有关的归属资源。例如，一个人有相信 P 的信念时，他就会作出自我归属。根据归属论，“如果信念 P 归属给了那个主体，那么他就有信念 P”[②]。这一模式也适用于错误的归属，如图 5-1 所示。

由图 5-1 可知，自我归属的行为是由子人加工过程触发的。这个加工过程可以是大脑过程，它能有效产生自我归属。顺着向下的线可看到，相同的状态是可以归属的。规范的归属是以 E 所描述的根据为基础的。自我归属不同于规范归属的地方在于，自我归属并不规范地依赖于那些归属资源。图 5-1 的右边描述的是

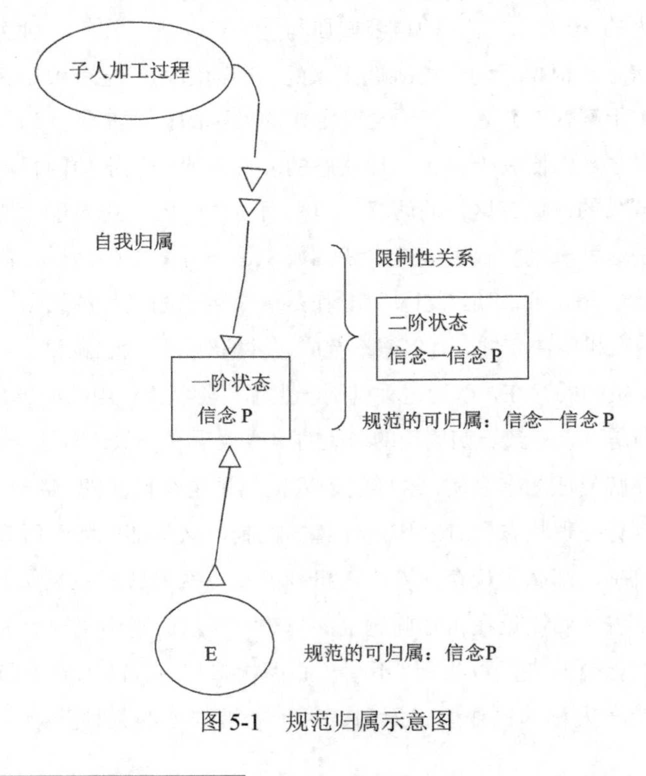

图 5-1 规范归属示意图

① Mölder B. *Mind Ascribed: an Elaboration and Defence of Interpretivism*. Amsterdam: John Benjamins Publishing Company, 2010: 268.

② Mölder B. *Mind Ascribed: an Elaboration and Defence of Interpretivism*. Amsterdam: John Benjamins Publishing Company, 2010: 269.

二阶状态，如相信信念P，或关于信念P的信念。在一阶状态中，具有哪个一阶状态是由规范的归属决定的，不是由自我归属决定的。不过，一个人作出的把关于信念P的信念归于自己这一事实，常常使一个人有二阶信念（相信他有信念P）成了规范的可归属的东西。[①]

根据这一模型，人的所谓的自知，或关于自己内容状态的知识（信念、判断等），并不是人内部真的有二元论所说的内部状态，也不是人自己作出了关于自己内部状态的判断，其实是在子人过程或大脑神经过程的触发下，完成了一种自我归属，这个自我归属是二阶归属，即在把内部状态归属于自己的同时，又把归于这个状态的判断或信念归属给自己了。

五、归属论的特点

归属论不仅是心灵哲学中的奇葩，特立独行，新论迭出，而且在解释主义阵营中也保持着自己的鲜明个性。它既提出了许多不同于其他解释主义形式的新颖的思想，对解释主义作了大刀阔斧的改革，又对之做了新的阐释和发展，如用“理想的归属”诠释解释主义的核心概念“解释”，并对解释主义所关注的一系列问题和所提的一系列观点做了新的诠释和发挥。在此基础上，其还对解释主义所面临的难题以及人们的批评作了回应，如对人们从心理因果性、现象学性质、自知等角度提出的问题和责难作了新的解答。

具体而言，就莫尔德与丹尼特和戴维森两位解释主义的开山鼻祖的关系来说，他既继承了他们的基本原则，又作了大胆的创新和突破。他说：“他们的方案在很大程度上影响了我。”[②]但在三个问题上，莫尔德又与他们分道扬镳了。这三个问题是解释中的理性与非理性问题，解释的根据问题，是否存在着解释所假定的意义概念。就关注的范围而言，他说：“我承认的是关于心理现象的解释主义，而丹尼特和戴维森似乎只从解释主义观点关注意向状态。”这就是说，前者关注的心理现象的范围大，即不只是意向状态，包括一切心理现象。[③]再者，

① Mölder B. *Mind Ascribed: an Elaboration and Defence of Interpretivism*. Amsterdam: John Benjamins Publishing Company, 2010: 270-271.

② Mölder B. *Mind Ascribed: an Elaboration and Defence of Interpretivism*. Amsterdam: John Benjamins Publishing Company, 2010: 127.

③ Mölder B. *Mind Ascribed: an Elaboration and Defence of Interpretivism*. Amsterdam: John Benjamins Publishing Company, 2010: 82.

丹尼特和戴维森解释主义是方法论或认识论类型的解释主义，不是形而上学的解释主义，因为他们没有对命题态度作构成性说明，而莫尔德的归属论有较浓厚的形而上学色彩，如对心理现象作了构成性说明。[①]他们的不同还有，第一，在说明人所具有的非理性特点（这是各种解释主义的共同难题）时，归属论与其他解释主义明显区别开来了。莫尔德说："我提倡的方案抛弃了丹尼特所说的归属中的'应当'（ought）（一个人基于那个根据，应当有如此这般的心理状态），同时对戴维森关于主体信念的一致性假定作了修改，如归属理论不把思想、理性的内在一致性加于主体，而根据关于主体的外在证据资源作出归属。"[②]第二，对解释所依据的证据资源的看法是不一样的。各种解释主义都承认，人们之所以把某心理状态归属于某主体，是因为人们有相应的证据资源。换言之，证据资源是解释或归属的必要条件。但不同解释主义对证据资源的形式、内容的看法是不同的。如戴维森承认的证据是主体的行为，主体与环境的相互作用，主体信以为真的句子等。丹尼特除了承认行为根据之外，还承认知觉能力、一个系统的传记资料等。而莫尔德承认的更多，更具整体性，且在论述时涉及心理状态的标准/归属的条件等复杂问题。第三，归属论不同于戴维森理论的根本之处是，它不是以意义理论的形式出现的。根据戴维森的观点，主体的信念和话语的意义都是通过解释而得到确定的，或因解释而有人的信念和话语意义。莫尔德认为，戴维森没有对意义提供完全的说明。莫尔德的不同还表现在他对真采取的是紧缩主义态度。另外，戴维森低估了表达式意义（expression-meaning）的重要性，而莫尔德则肯定它的重要性。[③]

就亲近程度而言，莫尔德与丹尼特的解释主义更密切一些。这主要表现在，尽管前者说的心理状态依赖于归属，但其是根据客观的资源或条件归属的，因此有一定的实在性。这有点类似于（resembles）后者所说的意向模式。尽管后者有动摇性，且思想暧昧，但毕竟都有这样的意思：归属给说者的意向状态有客观性。莫尔德说："丹尼特的主要观点是，即使意向立场只能从某种观点加以分辨，且

① Mölder B. *Mind Ascribed: an Elaboration and Defence of Interpretivism*. Amsterdam: John Benjamins Publishing Company, 2010: 85.
② Mölder B. *Mind Ascribed: an Elaboration and Defence of Interpretivism*. Amsterdam: John Benjamins Publishing Company, 2010: 121.
③ Mölder B. *Mind Ascribed: an Elaboration and Defence of Interpretivism*. Amsterdam: John Benjamins Publishing Company, 2010: 124.

有对认知的依赖性，但被分辨的东西不是不能成为客观的。这个基本观点也为归属论所认可。”[①]

归属论与其他解释主义形式的不同就更明显了。如前所述，解释主义还有暴露主义和近于取消论解释主义等形式。它们是解释主义中的两个极端，前者最靠近实在论，认为意向模式的存在不依赖于解释，只要一种状态与某种属性有某种关系就能暴露它的本质。而后者认为，心理状态没有实在的存在地位，完全是解释的产物。[②]归属论尽管在强调解释对心的作用方面与它们有一致之处，但在其他方面则泾渭分明。

就实质而言，归属论在特定意义上是一种物理主义，因为它承认“自然基础是物理的”[③]。当然，它又不赞成实体二元论，但不反对关于赘述或多余属性的二元论或多元论，因为正像有各种谓词一样，也存在着许多种类的多余属性。可见，它是一种真正的折中主义。

解释主义中，有的形态十分接近取消论，有的甚至是巧妙的取消论。这里，我们在考察归属论其他理论的关系时拟把重点放在对归属论与取消论的关系的考察之上。后者认为，人们的 FP 是根本错误的。根本就没有 FP 所相信存在的心理状态。心理状态不过是 FP 的理论构想。根据常见的阐释，取消论以指称理论为其前提，或是从中推论出来的。根据指称论，错误理论的术语是没有指称的，心理术语也没有指称，因此 FP 是错误的，是应予取消的。莫尔德认为，取消主义并不是依赖于指称理论的。他说：“取消主义没有必要被看作是依赖于指称理论的东西。”这也适用于包括归属论在内的解释主义。它们都没有必要诉诸指称理论，“指称的概念对于这种立场的阐述是没有必要的”[④]。

根据莫尔德的诠释，取消论有概念取消论和本体论取消论之别。前者比后者更激进，它不仅否认有心理实在，而且主张抛弃心理概念，进而主张用科学概念全面替换心理概念。这种理论没有为膨胀的心理实在论留任何地盘。他自认为，

① Mölder B. *Mind Ascribed: an Elaboration and Defence of Interpretivism*. Amsterdam: John Benjamins Publishing Company, 2010: 117.
② Mölder B. *Mind Ascribed: an Elaboration and Defence of Interpretivism*. Amsterdam: John Benjamins Publishing Company, 2010: 82.
③ Mölder B. *Mind Ascribed: an Elaboration and Defence of Interpretivism*. Amsterdam: John Benjamins Publishing Company, 2010: 33.
④ Mölder B. *Mind Ascribed: an Elaboration and Defence of Interpretivism*. Amsterdam: John Benjamins Publishing Company, 2010: 142.

归属论赞成取消论关于心理实在所作的部分论断，如认为 FP 所说的心理实在是不存在的，应予取消，但区别在于：一是不主张取消心理概念，二是承认 FP 是有用的。就此而言，他又认为，取消论是站不住脚的。[①]

另外，取消论像还原论、归属论、实在论等一样面临着一个共同问题，即心理状态是否是自然类型？这个问题又有两个方面：①心理状态是否是自然类型？②心理语词是否指称自然类型？两个问题的区别在于，承认心理状态是自然类型的人也会赞成说：心理语词可以指称自然类型，但在指称问题上不表态。取消论的看法是否定的，即不承认心理状态是自然类型，因此得出了取消论的结论。莫尔德强调，他这里只关注第一个问题，认为要回答这一问题，首先要弄清“自然类型”是什么？有的认为，具备下述三个条件的事物是自然类型。①客观的，它们不是相对于观察者而言的。②范畴，一个类型不会逐渐转化为某种别的类型，也不会从别的类型转化而来。例如，水就是水，水不会是火，对于它的类型-成员问题，总有一个确定的回答。③内在的，类型之间的差异源于它们的构成要素的内在特征。[②]根据这些条件，有的论证说，心理状态不是自然类型。丹尼特把主张心理状态是自然类型的观点称作“有病的实在论的堡垒”。[③]莫尔德尽管承认心理状态不是自然类型，但又不赞成取消论由此推出的取消论结论。

归属论不同于取消论的特点还在于：主张 FP 的术语是归属论不可缺少的，并且认为它们是有意义的。其意义可用常识心理的角色来说明。如果是这样，那么当我们对心理状态作出归属（如说某人有某信念）时，我们就是把某角色或作用归于那个人。[④]在归属论看来，心理语词有意义，这是最起码的事实，是没有争论的。例如，在出现了某心理语词的地方，该语词就会获得它的意义。说“S 相信 P”意味着这样的事情：S 有条件得到承诺 P 的知识。[⑤]

---

① Mölder B. *Mind Ascribed: an Elaboration and Defence of Interpretivism*. Amsterdam: John Benjamins Publishing Company, 2010: 142-143.
② Ellis B. *Scientific Essentialism*. Cambridge: Cambridge University Press, 2001: 19-21.
③ Dennett D C. “Get real”. *Philosophical Topics*, 1995, 164(28): 72-74.
④ Mölder B. *Mind Ascribed: an Elaboration and Defence of Interpretivism*. Amsterdam: John Benjamins Publishing Company, 2010: 145.
⑤ Ellis B. *Scientific Essentialism*. Cambridge: Cambridge University Press, 2001: 19-21.

第六节　新解释主义的其他形式

解释主义除了前述的归属主义和暴露主义等之外，还诞生了许多新形态，下面略作考释。

一、弱化的解释主义

这种解释主义是在回应批评者的责难时发展出来的。一种观点认为，解释主义对心灵的看法过于简单化。例如，相信者或被解释者表现出来的言行与内心的想法、心情是不一致的，有时根本相反，如他恨死某人，但却说爱某人，并有相应的行为表现。对于这类情况，解释主义就无法作出正确的归属。之所以如此，是因为它过于简单。另外，有时相信者的言行是虚伪的，并没有相应心理状态发生；有时有心理状态发生，却没有言行表现。还有这样的相信者，他有足够的能力和办法，在自己有信念时，却不让解释者知道他有信念。这些足以表明解释主义是错误的。

鉴于丹尼特和戴维森等解释主义的诸多难题，拜恩（Byrne）提出了弱化（weakened）解释主义这一新形式。首先，他认为解释主义表达的是这样一个先天的命题：x 相信 P，当且仅当存在着一个有适当知识的解释者，他倾向于把信念 P 归属给 x。[①]其次，他承认相信者有信念依赖于解释者的解释这一原则，但不赞成丹尼特和戴维森对解释者的规定。前者把解释者看作是普通的人，而后者把他规定为彻底的或从零开始的解释者。拜恩认为，解释者是一种“弱化的”解释者，即“有心理内容的第三人称的解释者”。这心理内容有其基础性，足以满足哲学的要求。可见这里的“弱化”有两个表现。一是强调被解释的人有心理内容，这心理内容有其基本的存在地位。这就是说，不管被解释者身上是否有心理现象，但可肯定的是，既然解释者能对他人做出第三人称解释，那么就可肯定他有心理内容。二是解释者是从第三人称角度对被解释信念做出解释的。再次，这种新解释主义不仅不隐讳旧解释主义的错误，而且还对之提出了批评。如旧解释主义认

① Byrne A. “Interpretationism”. In Casati R,Tappolet C(Eds.). *European Review of Philosophy, 3: Response-Dependence*. Palo Alto: Center for the Study of Language and Information Publications, 1998: 3.

为双条件句为被解释者相信 P 提供了必要条件，拜恩认为，这是不符合事实的，因为有这样的情况，相信者在被解释时可以设法掩盖自己，如有心理状态而表现出没有，没有心理状态却表现为有。在这种情况下，解释者的解释显然就不是被解释者有或没有心理状态的必要条件。换言之，解释者判断被解释者相信 P，对于被解释者相信 P 是不充分的。最后，对解释主义的弱化还表现在，不认为双条件句提供了必要条件，只承认它提供了充分条件。根据这一弱化，解释主义的基本原则应这样表述：x 相信 P，其条件是，下面的条件能成立，即如果存在着一个有适当知识的理想解释者，他倾向于把信念 P 归属给相信者。可见，这里的修改表现在把双条件句换成了一条件句。这一修改足以应对反对者所提出的种种驳难，如解释者常做错误的归属。这样一改就允许解释者在他关于相信者信念的报告中遗漏某些信念。

拜恩强调，尽管有这样的修改，但这种弱化理论仍属解释主义，因为它坚持认为，只要信念归属出现在了解释者的报告中，那么相信者就一定有此信念。

再看佩雷布姆的强硬（robust）非还原物理主义。根据他自己的判释，这是一种“关于特殊心理实在和解释的理论”。很显然，它是戴维森的个例或非还原物理主义的继续和向强硬方向的发展。其动因是要解决困扰非还原物理主义的副现象论难题。根据这一理论，心理实在有特殊的因果力。所谓因果力，即据以产生结果的东西。例如，某人要赶一趟火车的行为，只能用某些心理状态从心理上予以解释，心理状态之所以有此作用，是因为它们是某种心理属性的例示。[①]佩雷布姆不否认心理因果力有物理的实现，即前者为后者所承担或实现。但是它们毕竟不是同一个东西。他说：“同一性是一回事，没有同一性的实现或构成是另一回事，如果存在着这样的基本的心理因果力，它们有物理上的实现，那么任何这样的个例与微观物理实现基础的关系就不是同一关系，而是实现或构成关系。”强硬的非还原就体现在这上面。[②]

另外，解释主义还有一种泛化的形式，即将它的基本原则推广到社会学、文化学、认识论（真理观）、科学哲学等之中，以对广泛的问题作解释主义说明。它的宗旨是，根据解释主义说明知识和实在（社会、文化、自然等）；基本观点

---

① Pereboom D. *Consciousness and the Prospects of Physicalism*. Oxford: Oxford University Press, 2011: 127-128.
② Pereboom D. *Consciousness and the Prospects of Physicalism*. Oxford: Oxford University Press, 2011: 135.

是，实在不能与我们关于它们的认知、知识分离开，研究者、认知者的知识、价值观、世界观渗透到了全部研究过程及其结果之中，以至浸透在所认识的实在之中，真理是通过对话而完成的协商的产物。根据这一理论，认识论必须予以重建，即必须建立在解释主义的基础之上。如此重建的新认识论的基本结论是，我们无法把自己与我们所知的东西区分开来。研究者与其对象如此联结在一起，以至对我们是谁，我们怎样理解世界的回答，都成了我们怎样理解我们自己、他人以及世界的组成部分。

二、更具整体论性质的解释主义

下面再看克里格尔（Kriegel）的“更具整体论性质的解释主义”。他的出发点是丹尼特的解释主义。在丹尼特看来，人们之所以能对他人的行为作出解释，是因为他们有意向概念，如信念、愿望等组合在一起的网络。一旦人们用意向概念对人的行为作了解释，就等于对解释对象采取了意向立场。丹尼特说：“成为一个意向系统说的不外是，真实地、真正地相信 P，对于这系统来说，P 在最充分（最具预言性）的解释中作为一个信念出现了。”因此，人有无信念是一个解释问题，而非事实问题。[①]这种解释主义的基本倾向是自然主义，即不承认意向性是超自然现象，认为可根据更基本的物理属性来予以说明。就其相对于物理属性而言，现象性意向性又是派生性现象。[②]

克里格尔当然没照抄丹尼特的解释主义，而是作了自己的发展。他强调：即使是非派生性意向性，只要经过了解释，就一定有其派生性，即某人被解释有某意向状态及内容，来自解释者的意向状态及内容。因为“解释某人处在某意向状态中，本身就是（解释者的——笔者注）一种意向行为，这行为的内容是，某人（被解释者）处在某意向状态之中。因此丹尼特的解释主义意味着，每一意向状态的意向性都来自另外某个意向状态的意向性，即是说，来自有关的解释状态（他自己的内容大概又来自第二阶解释行为的内容）。总之，丹尼特观点的结论是，所有意向性都是派生性的”。与其说这个结论是丹尼特的，不如说是他自己的创

① Heath A F(Ed.). *Scientific Explanation*. Oxford: Oxford University Press, 1981: 72.
② Bayne T, Montague M(Eds.). *Cognitive Phenomenology*. Oxford: Oxford University Press, 2011: 82.

造性发挥。[①]克里格尔认为，这个结论面对的困难是会陷入无穷后退，即某人有意向性依赖于解释者的解释行为，这种解释行为作为有意向内容的意向行为又来自别的解释者，如此类推，以至无穷。能否跳出这个无穷后退呢？他的回答是肯定的，方法是，“假定存在着一类有特权的意向状态，例如①它们的意向性不来自解释，②它们有作为子集的解释行为”。这思想当然是他对丹尼特的超越，也可看作是他的新解释主义的突出表现。[②]但问题是，是否真的有这样的有特权的意向状态呢？他说：“可把现象性的有意识状态规定为这样的状态，它们具有作为必要子集的现象性的有意识解释行为。”“一旦它们这样做了，它们的一些行为成了解释的现象上的有意识行为，那么我们就能说明现象上的有意识状态的意向性是来自它们的解释。”他总结说：“采取意向立场就会导致一种解释，根据这个解释，那个事项获得了它所具有的意向内容。”[③]可见，要跳出无穷后退，关键是看到有这样一种解释，它本身不能有现象意识。因为只要它有这样的意识，就一定有别的解释，以至无穷。这样的解释就是特权解释。他说：“这样的解释没有必要是有意识的，但它们又必须是有意识解释所组成的解释链的组成部分。”[④]上述关于特权解释的思想可这样予以简化：“对于任何无意识事项 X 和意向内容 C 来说，X 有 C，当且仅当 X 是这样的，以至在某些条件下，理想解释者中出现了一种具有<X 有 C>这样内容的有意识意向状态[⑤]。”

究竟什么是解释、理想解释者、理想条件？克里格尔深知：在这里若不对它们作进一步阐释，再努力予以简化也是无济于事的。很显然，解释的本质问题是解释主义的首要问题。解释主义之所以有不同版本，是因为人们对解释的本质有不同的看法，大致有三种不同的理论。一是理论理论（the theory of theory, TT），即认为人们据以解释行为、完成意向归属的资源是一种心灵理论。二是模仿理论（the simulation theory，ST），它认为人们的解释资源不过是一种模仿能力。对

① Bayne T, Montague M(Eds.). *Cognitive Phenomenology*. Oxford: Oxford University Press, 2011: 82.
② Kriegel U. “Cognitive phenomenology as the basis of unconscious content”. In Bayne T, Montague M(Eds.). *Cognitive Phenomenology*. Oxford: Oxford University Press, 2011: 83.
③ Kriegel U. “Cognitive phenomenology as the basis of unconscious content”. In Bayne T, Montague M (Eds.). *Cognitive Phenomenology*. Oxford: Oxford University Press, 2011: 83-84.
④ Kriegel U. “Cognitive phenomenology as the basis of unconscious content”. In Bayne T, Montague M (Eds.). *Cognitive Phenomenology*. Oxford: Oxford University Press, 2011: 84.
⑤ Kriegel U. “Cognitive phenomenology as the basis of unconscious content”. In Bayne T, Montague M (Eds.). *Cognitive Phenomenology*. Oxford: Oxford University Press, 2011: 84.

意向的归属的根据是模仿被归属者内部发生的过程。三是合理性理论，这主要是戴维森的看法。他认为，意向归属以宽容原则为基础。根据这一原则，每个人都是有理性的，或者说，被解释、归属的目标都是理性自主体。

在三种对解释本质的说明中，克里格尔倾向于模仿理论，但他认为，要形成对解释的正确解释，还应借鉴别的方案的思想。他认为，解释包含理论机制和理性机制的共同作用。更具体地说，无意识意向状态的归属是分两步完成的：第一，向最好解释的推论可导致大量可能的归属，它们完全一致于解释项；第二，可借助宽容性原则在它们中选出一个归属，使之成为对待解释目标的最好的解释。他说："我的解释主义版本强调的是把作为解释要素的理论化和理性化结合为一体。"[①]

理解了解释，就不难理解理想解释者。克里格尔说："理想解释者是这样的解释者，他能在一切条件下完善地执行意向策略。"要这样，他必须有这样一些特点，首先，他作为解释者能成为进入解释状态的主体。所谓解释状态，即是把内容归属于某物的状态。其次，理想解释者还有认识上的优势，如有完善的知识，即有关于非意向事实和所有现象性意向事实的完善的知识，有能力作出每一有效的演绎推理和有根据的非演绎推理，有能力避免作出无效的演绎推理。具备这些条件，就是理想解释者。[②]理想解释者之所以是理想的，是因为他有最好的解释资源，如有 FP，有有意识的意向性和无意识的意向性。克里格尔说："由于有有意识意向性，解释者便能追踪意向性；由于有无意识意向性，解释者就能构造意向性。"[③]理想解释者之所以能恰到好处地作出意向状态及内容的归属，是因为他有无意识事项。由于有它，它就一定有这样的倾向性、潜力，即在解释者身上产生出恰到好处的解释。这具有认识论上的必然性。克里格尔说："对于无意识事项 X 和意向内容 C 来说，X 从认识论上说必然有 C，当且仅当有一可能的有意识事项 Y，且有一可能的理解者 N，可能的条件 K，以至①Y 有内容<X 有 C>，

① Kriegel U. "Cognitive phenomenology as the basis of unconscious content". In Bayne T, Montague M (Eds.). *Cognitive Phenomenology*. Oxford: Oxford University Press, 2011: 85.
② Kriegel U. "Cognitive phenomenology as the basis of unconscious content". In Bayne T, Montague M (Eds.). *Cognitive Phenomenology*. Oxford: Oxford University Press, 2011: 86.
③ Kriegel U. "Cognitive phenomenology as the basis of unconscious content". In Bayne T , Montague M (Eds.). *Cognitive Phenomenology*. Oxford: Oxford University Press, 2011: 87.

②X 在 K 条件下从 N 中引出 Y。”[①]

至于理想条件的本质，克里格尔认为可这样予以定义：一条件对于主体 S 和任务 T 来说是理想的，当且仅当在有内容 C 的情况下，S 尽其所能最好地完成了 T。这就是说，理想条件是相对于被解释者 S 和他所要完成的行为任务 T 而言的，指的是被解释者最好地完成其任务所依赖的条件。[②]

既然克里格尔坚持解释主义，那么他就无法回避这样的解释的不确定性问题：对于同一个作出了某行为的被解释者，一个解释者在解释时归属的是内容 C_1，而另一个解释者归属的却是内容 C_2。对此，克里格尔的看法是，这类不确定性极为罕见，即使出现也无妨，因为它没有什么害处，尤其是在标准的情况下，不会出现一种以上的最好解释。例如，理想解释者在理想条件下所作的最好解释只能是一种。既然是理想解释者，他就一定知道一切现象性意向事实，他就能对被解释者的意向状态中的认知的、推理的相互作用作出清楚把握。

最后我们来分析克里格尔的思想的特点。首先他自认为，相对丹尼特、戴维森等的理论而言，他为解释主义阵营奉献了一种“更标准、更具整体性的解释主义”。一般而言，解释主义常与整体论连在一起，如它认为，只有有办法将内容归属于整个群体时，才能把内容归属于其中的某一个人。这是因为，人的行为容许多种一贯的解释，在这些解释中，将内容归属于一个事项的变化会为将内容归属于另一事项的变化所抵消。这样的整体论体现的是行为解释的特点，因为解释主义必然会导致整体论。不过，克里格尔坚持的整体论有这样的特点，即强调存在着无意识的意向性和意向状态，因此他的整体论包含关于无意识内容的整体论。他说：“关于无意识意向性的解释主义必然导致关于无意识内容的整体论。”[③]与这种解释主义连在一起的是这样的观点，即归属中的重大错误和不合理性是先天不可能的。这是因为，当几个有一致性的解释出现时，在它们中的选择就会诉诸宽容原则。而这一原则与整体论相结合，就会阻止人们将错误的、不合理的内

① Kriegel U. “Cognitive phenomenology as the basis of unconscious content”. In Bayne T , Montague M (Eds.). *Cognitive Phenomenology*. Oxford: Oxford University Press, 2011: 87.

② Kriegel U. “Cognitive phenomenology as the basis of unconscious content”. In Bayne T , Montague M (Eds.). *Cognitive Phenomenology*. Oxford: Oxford University Press, 2011: 87.

③ Kriegel U. “Cognitive phenomenology as the basis of unconscious content”. In Bayne T, Montague M (Eds.). *Cognitive Phenomenology*. Oxford: Oxford University Press, 2011: 88.

容归属于某事项。[①]

其次，克里格尔的解释主义既坚持一般解释主义所坚持的关于意向性的非实在论或工具主义，同时，在无意识心理问题上，又有实在论倾向。非实在论的基本观点是，意向性是有用的虚构。这意思是说，它能帮人们对行为作出有用的解释和预言，但它并没有真实的存在地位，就像引力中心、经纬线一样。克里格尔的解释主义承认这一点，但他同时又强调：对无意识意向性的归属一方面有有用性，另一方面又有真实的存在地位，因此不是虚构，而且有用性和真实性必须结合在一起来理解。[②]他说："促使我提出这一观点的动机是，只有这样，才能对无意识意向性作出最好的说明。"其他的说明都行不通，主要有三种。第一，潜力论。如塞尔认为，无意识状态之所以有意向内容，是因为它潜在地包含现象特征。第二，推理论。霍根等认为，使无意识状态有意向内容的东西是，它从推理或功能上整合进这样的认知系统之中了，其中，有些意向状态是现象上有意识的。换言之，使它有某一特定意向内容的东西是它的特定的推理或功能作用。第三，取消论。基本观点是否认存在着无意识意向性的。这些说明的问题在于，几乎抹杀了无意识意向性的存在地位。取消论自然是直接否定，其他两种理论表面上承认了，但由于没有给予适当的说明，实质上等于取消了它的存在地位。[③]克里格尔的新解释主义强调：应回到解释主义这样的结论上来，即某种无意识状态有意向性。这是意向性的一个特例。相信这一点的根据有两方面，一是认知科学的成果，二是 FP 的信念。在认知科学看来，承认某种无意识状态有意向性，从解释上说是有利的，当然他承认，我们没有办法亲知无意识的意向状态，"我们相信它们的唯一理由是，相信它们存在，从第三人称观点看既有理论上的利益，又有解释上的好处。"[④]

---

① Kriegel U. "Cognitive phenomenology as the basis of unconscious content". In Bayne T, Montague M (Eds.). *Cognitive Phenomenology*. Oxford: Oxford University Press, 2011: 88.

② Kriegel U. "Cognitive phenomenology as the basis of unconscious content". In Bayne T, Montague M (Eds.). *Cognitive Phenomenology*. Oxford: Oxford University Press, 2011: 89.

③ Kriegel U. "Cognitive phenomenology as the basis of unconscious content". In Bayne T, Montague M (Eds.). *Cognitive Phenomenology*. Oxford: Oxford University Press, 2011: 89.

④ Kriegel U. "Cognitive phenomenology as the basis of unconscious content". In Bayne T, Montague M (Eds.). *Cognitive Phenomenology*. Oxford: Oxford University Press, 2011: 90.

第六章

二元论的东山再起

二元论作为一种理论、一种思维方式早就出现了，甚至在原始思维中就已萌芽，而其命名式却是在很晚才举行的。可考的资料表明，西文中的“二元论”（dualism）这一固定的名称，最先是由哈代（Hardy）所发明的。他在翻译波斯宗教的琐罗亚斯德教义中的一个富有个性的观点（即认为存在着行善之神和作恶之神这样两个对立神灵）时创造了这个新词。其词根 dual 源自拉丁文 duo。此词意义即“二”。与后缀合在一起所成的新词，最初指的是这样一种关系，即两个东西（如善和恶、善神和恶神）永远保持着对立关系。作为指称一种理论或认识的词，“二元论”指的是关于两个不同部分之间的关系的理论。由此所决定，在日常运用中，它的意义很多。如在哲学中，它最初指的是这样的理论，即认为两个根本对立的东西之间有一种非常特殊的关系，它们并存而又没有任何关联，不能相互影响。就二元论的最一般意义而言，它指的是这样的观点，即主张某个领域或范围内有两类根本不同的事物，或有两类根本不同的原则。相比较而言，一元论是一种只承认一种事物、原则或范畴的理论，而多元论（pluralism）是主张有多种不同事物类型、范畴和原则的理论。

在哲学中，宗教哲学、伦理学和心灵哲学都有自己的二元论理论。这些二元论的目的、内容迥然有别。就心灵哲学来说，标准的二元论有这样一些标志性的观点：①心身或心物在质上完全不同。②心身各有自己的独立的本体论地位。③心身各有自己的起源。④心身各有自己的规律。这里要研究的主要是这种意义上的二元论。当然，现实存在的二元论形态完全具备这些特点的不多，尤其是现当代的二元论更是如此。

在现当代西方心灵哲学中，唯物主义或物理主义获得了空前的发展，不仅内容较之以前大大地丰富、拓展和深化了，而且还诞生了数不胜数的令人耳目一新的唯物主义的新形式。同样值得关注的一个新的事实是，二元论虽然在 18 世纪法国唯物主义时期至 20 世纪 70 年代的 200 多年中一直一蹶不振，几乎淡出人们的视线，但在现当代西方心灵哲学中，二元论一反过去被动挨打、一蹶不振的历史，不仅奇迹般地复燃，重新成为物理主义的劲敌，而且自身也在不断发展。如果把二元论“发展”一词理解为由简单到复杂的不断深入过程，那么有可靠的理由说：现当代二元论确有自己的实实在在的发展，至少可以说它有自己的“进化”。现当代二元论在对心灵的认识中的确有自己的独到之处，看到了其他理论所看不到的东西，特别是发现了物理主义许多遗漏和缺陷。正是由于这一事实，二元论的支持者、辩护者也在与日俱增。布拉登-米切尔说：物理主义即使在专门的心灵哲学领域取得了几乎决定性的胜利，但二元论获得新的信徒也是司空见惯的事情。[①]其发展还表现在，不仅诞生了许多新颖别致的新二元论形态，而且出现了大量发人深思且具有挑战性的论证，形成了与唯物主义对抗和争夺话语权的态势。著名哲学家罗蒂恰到好处地把这种新生的二元论称作“新二元论”。[②]

第一节　新二元论的新形式

新二元论得到发展的一个重要表现是，出现了各种有自己宗旨和标识的二元论样式，而且新的形式还在诞生和酝酿。一方面，原有的各种实体二元论和属性二元论之内陆续派生出了许多新的形式，如新笛卡儿主义的二元论、非笛卡儿主义二元论、无体心灵论、谓词二元论等；另一方面，在传统样式之外又诞生了二元论的许多新生代，如具身性二元论、非具身性二元论、统一二元论、自然主义

① 罗蒂.《哲学和自然之镜》，李幼蒸译，生活·读书·新知三联书店 1987 年版，第 14-15 页。
② 罗蒂.《哲学和自然之境》，李幼蒸译，生活·读书·新知三联书店 1987 年版，第 14-15 页。

二元论、非自然主义二元论、硬二元论、软二元论、范畴二元论、关于质的事件的二元论、量子二元论、神秘主义二元论，等等。心灵哲学中经常被讨论的二元论版本至少有几十种。

新二元论的样式很多，因此自然就有分类的必要。事实上，已有许多分类的尝试。例如，通常的方法是把它分为实体二元论和属性二元论。现今流行的二元论大多属于后者。还有一种分类方法，就是根据对经典的、笛卡儿式二元论的态度把新二元论分为笛卡儿主义的二元论和非笛卡儿主义的二元论。笔者认为，可根据不同的标准对它们作出不同的分类。

第一，从语言的角度可把二元论分为实在层面的二元论和语言层面的二元论，如前述的实体和属性二元论就属前者，而双重语言论、谓词二元论则属后者。我们这里简要分析一下谓词二元论。谓词二元论是语言分析方法运用于心身问题而产生出的一种二元论理论。从基本精神上说，它既坚持了传统二元论的某些思想，如它从语言的角度强调：如果世界上的一切存在都能用物理语言予以描述，那么可以说世界是物理的，物理主义是正确的，二元论是错误的。但问题是，心理学或心理主义谓词，如“有意识的”“感觉到疼”等，对于对世界的全面描述来说是必不可少的。如果没有它们，对世界的描述和说明将不完满。因此，要完全描述和说明世界，两类语言必不可少。谓词二元论强调，由此并不能得出本体论二元论的结论，因为如果心理语词经过一定的方法和环节可还原为物理语言，那么就只能得出物理主义的结论。问题是两种语言究竟有无可还原的关系呢？谓词二元论的回答是，心理学谓词不能还原为物理学谓词。因为它们所描述的东西除了与它们的构成或结构有关之外，还与它们实际所做的事情有关。表述它们的名称是按它们的功能作用授予的，因而是功能词项，而非自然类型词项。福多从一般科学哲学的角度论证了高层次谓词不能还原为基础的物理学谓词，而戴维森则论证了心理学谓词的不可还原性，因此两人都倡导谓词二元论。[①]应特别注意的是，这些理论尽管披上了“二元论”的外衣，但一定不能将其等同于传统的二元论，因为它们只关心不同科学语境下事物由以被描述的方式及其关系，而不太考虑事物本身究竟有无不同，有什么不同，因此不同于传统二元论的地方在于：

---

① Fodor J. “Special sciences (or: The disunity of science as a working hypothesis)”. *Synthese*. 1974, 28(2): 97-115; Foster L, Swanson J W (Eds.). *Experience and Theory*. London: Duckworth, 1971: 79-101.

它们并没有明确承诺心理现象的独立的本体论地位。

第二，从心身能否相互作用的角度可把二元论分为交感论或相互作用论（承认两者可互为因果）的二元论、平行论（双方互无作用，各自绝对独立，自类相关、相联、相互作用）的二元论和副现象论（只承认从身到心的上向因果作用，否认有从心到身的下向因果作用）等不同形式。

第三，从激进程度可把二元论分为强硬的二元论和温和的二元论两种[1]，前者主张：心身二者不仅独立存在，各有自己的因果作用，而且还有各自独立、互不相关的本原。它既可表现为实体二元论，也可表现为属性二元论。后者承认心灵有独立的因果作用，并认为心灵产生出来后有自己相对的本体论地位，但在心灵的起源问题上，则有向唯物主义靠拢的一面，有的认为心灵起源于物质，有的认为，心灵既有对物质的一定程度的依赖性，又有自己的特殊本原。当代著名的二元论哲学家查默斯和麦金分别把这种本原称作“心原”（protopsyche）或“隐结构”。

第四，从心灵在心身关系中的地位划分，二元论可分为这样几种形式：一是认为心理和生理都只是属性，都依赖于肉体的二元论，如属性二元论、两方面论，查默斯和麦金等的自然主义的二元论就属这一类型。二是强调灵魂主导身体的二元论。三是构成性二元论。它又有多种形式，如其中一种形式认为，人的心理属性属灵魂所有，物理属性属身体所有。因此，人可等同于心物组成的组合体，现当代的笛卡儿主义式的二元论就是其典型。

第五，从灵魂在身体中的数量来分，二元论可分为如下几种。其一，一灵魂论。坚持实体二元论的大多数论者都可归入这一阵营，认为身体只有一个灵魂，即便它有多个部分或多重功能，灵魂也只会作为一个统一体出现和发挥作用。其二，二重灵魂论。它认为有两类灵魂，一是与肉体的功能连在一起的灵魂，它们会随肉体之消亡而消亡；二是不依赖肉体而运行的灵魂，如身体睡着了出去游玩的灵魂就是如此，因此是自由的灵魂。这种灵魂还可完全脱离肉体，甚至在肉体死亡后仍存在。其三，多重灵魂论。其认为，身体之中有三个以上的灵魂，这种二元论在原始和古代的灵魂观念中十分流行，现当代的一些神秘主义二元论仍在为之

---

① Swinburne R. *The Evolution of the Soul*. Rev. ed. Oxford: Clarendon Press, 1997: 10.

辩护。

第六，从理论的着眼点、侧重点来看，二元论又有这样的形式：一是突出理智、理性地位的二元论，认为人的理智是唯物主义无法说明的；二是当代最有影响的，以感受性质为基础的二元论，它强调感受性质是无法用物质说明的东西；三是重视意向性的二元论，如布伦塔诺和倾向于现象学传统的二元论就是如此。

第七，根据对笛卡儿的二元论的态度，可把二元论分为笛卡儿式二元论和非笛卡儿式二元论。

第八，根据到达二元论结论的方式、路径，可把二元论分为这样一些形式：感受性质二元论、意向性二元论、量子论二元论、神经科学二元论、突现论二元论、泛心论二元论、神秘主义二元论、自然主义二元论、笛卡儿式二元论和非笛卡儿式二元论。笔者认为，这种分类最为全面和合理，它既有最大的概括性，同时又揭示了二元论的当代走向，每一种新二元论代表的就是二元论的一种路径和走向。例如，量子论二元论、神经科学二元论和突现论二元论分别密切关注它们所青睐的科学的发展和所取得的新成果，并据以对二元论作出新的论证。二元论的自然主义走向也颇值得注意。它的倡导者主要是查默斯和麦金等，他们一方面坚持关于心灵的自然主义立场；另一方面又强调，要解释意识必须诉诸万物内部的泛心原或隐秘结构。

第二节　新二元论的新认识

新二元论的“新”还表现在：它们对传统的心灵哲学问题提出了许多新奇的、值得思考的看法或理论，对传统二元论难以回答的几个瓶颈问题的认识也有了一定的突破或超越。这不仅有重要的心灵哲学意义，而且还具有广泛的形而上学意义。

过去的二元论一直难以回应唯物主义这样的责难：世界上有可靠根据的存在样式，都是有形体、有广延的事物，没有广延或空间形式的存在是不可设想的，据此，无广延的心灵怎么可能有存在地位？新二元论根据量子力学的新成果争辩说：既然无广延的、非粒子性的场、信息、波函数等都有存在地位，因此存在的东西不一定要有广延性。如果是这样，无广延的心灵为什么就没有存在地位呢？

另外，世界的存在样式不仅无限多，而且还具有开放性，即当新的关系出现、新的条件具足时，还会出现新的存在样式，如像意义、心理内容这样的高阶存在就是如此。再者，一种合力系统中，只要一个要素发生变化，如多一个或少一个，其上的高阶存在就会变化。即使要素不变，组合方式稍加变化，也会如此。就心理现象而言，在具备一定条件的情况下，除了会出现简单的存在样式（如活动、过程等）之外，还会出现像事件、状态这样的复杂存在。例如，二元论热衷于讨论的现象学性质、经验就是一种高阶状态，其中最为特殊的是，它本身包含着观点及由观点出发的看法或体验。

二元论对形而上学的本体论也作出了巨大的贡献，如它对如何抽象存在的意义提出了建设性的意见，强调：要抽象出“存在”的意义，或找到一般性的“共有”，首先必须找到并研究更多的作为样本的存在者资料，而在研究存在者时，又不应只注意有形存在者、粒子存在者，同时还应关注抽象存在者、高阶存在者、无形存在者等。从形而上学角度所提出的关于共有的观点至少可看作是一家之言。这种辩护对本体论的深入发展无疑有积极作用，因为它将把对存在意义或标志的探讨引向纵深，同时也有这样的启示：存在的样式应该是多种多样的，存在肯定不只粒子性、广延性这一存在方式，还一定有别的许多不同的方式，而且存在方式一定还具有开放性，即今后还可能出现现在没有的存在方式。

二元论的进步还表现在，对物理主义的缺陷尤其是在认识上的疏漏作了有力的揭露。而这一点对物理主义乃至人类认识的进步所具有的意义和作用是物理主义本身都无法相比的。首先，在对心理现象的解释上，新二元论认为，唯物主义及其所诉诸的科学材料可以看作是全面解释心理现象的必要条件，但远不是充分条件，如有许多问题是它们无法解释的，其中主要有五大难题，如自我、自由、个人自主性、现象性质、意向性。要解释这些现象，必须诉诸非物理的属性。因此物理主义是错误的。其次，二元论从不同方面对物理主义的错误、难题、局限性作了全面的曝光，或者说作鸡蛋里挑骨头式的清算，以达到彻底否定物理主义的目的。赞成这种论证的人在物理主义中找到的瑕疵主要是：①人为扼杀了意识的本体论地位，犯了紧缩主义、沙文主义错误。②在因果作用问题上，缩小了因果作用的范围，人为扼杀了心灵的因果作用。③否认了人身上存在的意志自由，而这是有悖事实的，因为人可以不按自然规律的要求去说话办事。④完全无法说明人身上何以有在变中保持不变、在多中保持统一的自我，而这无异于人为地消灭了自我。⑤无法说明人为什么是价值主体，等等。最后，新二元论以自己所取得的“成果”为堡垒和武器，向占主导地位的唯物主义发起了一次次反攻和挑战。例如，在20世纪最后的30多年内，新二元论者基于他们发现的“感受性质”这一“新大陆”，向功能主义、同一论、取消论等各种形式的唯物主义发起了有力的批判。应承认的是，这些难题同样也是马克思主义在心物问题上所提出的“新唯物主义”的难题。但根据真理发展的辩证法，这些难题的出现并非绝对就是坏事，相反，它们也可能成为唯物主义实现自己向更高水平发展的契机和助推器。当然这有赖于唯物主义者积极的反应和冷静的研究。

新二元论依据新的科学成果对传统二元论一直难以说明的不具有物质质量、材料和能量的心灵如何可能有原因作用，怎样发挥原因作用，异质的心物怎么可发生联系和沟通等问题作了较之以前更丰富、更具体的说明，对意向性和意识这两大令唯物主义的自然化运动深感头疼的课题，作了深入、系统的研究，取得了大量可喜的成果，丰富了心灵哲学的认识。很多人指出，人类意识几乎是幸存下来的唯一的不解之谜。既然问题如此复杂，既然一时难以为之找到有确凿根据的答案，那么人们发挥自己的想象和思辨能力，以试错的方式去穷尽各种可能的答案就是再自然不过的事情，二元论在这种情况下中兴和发展不仅是必然的，而且是有益无害的。

除少数持顽固笛卡儿主义立场的二元论形态之外的大多数形式都放弃了心灵有自己独立本原的观点，不仅接受了唯物主义关于意识起源于、依赖于大脑的原则，而且作了颇有独到性的论证。但是由此出发对二元论的建构与发展及对二元论概念所作的新的理解，则令唯物主义极为难堪。根据它们对二元论的重新界定，二元论的独特之处在于，主张心灵或意识有自己不同于或高于物理实在的本体论地位，换言之，任何理论，只要不把意识等同于或还原于大脑过程，那么就都可看作是二元论理论。因此，二元论只对立于等同论或绝对的本体论还原论。如果是这样，等同论之外的大多数唯物主义形态，如各种形式的功能主义、随附论唯物论、异常一元论、承认自然现象有层次性的各种自然主义就都成了二元论家庭的成员。更麻烦的是，根据这一看法，大多数普通百姓也都成了二元论者。因为他们心底里都潜藏着FP。这种概念变化以及随之而来的哲学理论界限上的变化无疑给哲学研究尤其是唯物主义哲学提出了新的理论课题，如该如何看待哲学基本问题？如何看待哲学的党性问题以及唯物主义与二元论的对立问题？最为麻烦的是，近代以来随着科学的进步以及自然主义的发展，大多数哲学家都以克服和超越二元论为出发点，但最终却投入了二元论的怀抱。这是怎么回事呢？显然值得思考和研究。

最后，新二元论对意向性和意识这两大令唯物主义的自然化运动深感头疼的课题，作了深入、系统的研究，取得了大量可喜的成果，丰富了心灵哲学的认识。

下面，我们再考察几个较典型的二元论个案，看看它们里面所包含的新的思想。我们先看当代最著名的二元论者哈特的无体心灵论。他认为“我们的二元论版本是这样的命题：人（精神）的存在不依赖于他有一个身体。”[①]正是在此意义上，他强调心灵可以是“无体的”，意即离开身体而存在。哈特的最新、最有争论的结论是，无体的心之所以能作为原因存在，之所以有因果性，是因为它有自己的能量及量值。这种能量可称作精神能量（psychic energy）。如果不承认它的存在，就会留下解释的空缺。因为思维等认识活动的发生是一个事实。而在解释它们时，仅诉诸物理的作用显然是不够的，如果诉诸精神能量，则正好填补解释的空白。

在现当代，二元论更多地表现为属性二元论，但斯温伯恩（Swinburne）则对实体二元论作了辩护。在他看来，灵魂既是离体的（即对肉体没有依赖性的），又是不能离体的（必须依赖于大脑，寄居于其中）。当灵魂不活动、不产生作用时，它就是离体的，而它在发生认识作用，发生对外物的作用时，则一刻也不能离开身体。也正是在这个意义上，斯温伯恩才说：灵魂有对大脑的依赖性。斯温伯恩说：“我一直坚持认为，没有一个起作用的大脑，灵魂就不会有它的作用（即不会产生有意识的事件），灵魂也不会存在。”[②]但难道不能作这样的设想——灵魂在某一时刻没有功能作用但仍存在着？他认为，这是完全可能的，因为在物质实体中，存在与作用的分离十分明显，即有的事物存在着，但没有表现出任何作用。例如，时钟即使不报时，也可以存在，灵魂也是这样，如当人熟睡时，没有意识的经验发生，但灵魂仍存在着。

---

① Hart W D. *The Engines of the Soul*. Cambridge: Cambridge University Press, 1988: 23.
② Swinburne R.*The Evolution of the Soul*. Rev. ed. Oxford: Clarendon Press, 1997: 176.

传统二元论与唯物主义往往是势不两立的，然而有一种新二元论，即著名心灵哲学家查默斯和麦金的二元论则主动与唯物主义联姻，从而导致了自然主义二元论这样一种混血儿的诞生。以麦金的观点为例，他认为，在心身关系问题上，纯粹的唯物论、自然主义和二元论都是片面、不可取的。只有把它们结合起来，才是出路之所在。他说："必需的态度是这样的立场，即既承认二元论所主张的意识具有非空间性的观点，又赞成唯物论主张心灵来自物质的观点。"[①]他的理论既是一种二元论，又以自然主义为前提。他说："我关于宇宙的一贯立场是绝对的自然主义，因为没有严肃的理由支持有上帝、非物质灵魂和精神世界的存在。"[②]他尽管像一般自然主义一样强调应诉诸自然的力量去解释意识，但他承认的能解释意识的自然力量比一般的自然主义所承诺的要多得多。例如，他承诺的隐结构、非空间的性质等就是如此。他说："绝对的本体主义与其否认不可否认的东西，倒不如在超自然的东西中行进。"[③]这就是说，他承认超自然物的存在。例如，心身之所以能关联，靠的就可能是一种超自然的存在，即隐结构。

由于量子力学客观上存在着从哲学和科学上作多样解读的可能性，一些新二元论者不失时机地深入进去，努力挖掘其内对二元论发展有用的资源，于是便形成了发展二元论的量子力学路径。从大的方面看，以量子力学为基础的二元论论证主要有两种方式：一是形而上学的运思方式，特点是根据量子力学成果修改不利于二元论的形而上学原则；二是实证的运思方式，特点是根据对量子力学具体成果的特定的解读，或直接论证二元论的结论，或改进或充实二元论的论证方式。常识本体论和传统哲学中的物理主义本体论异口同声地说：只有有形体或有广延性的东西或粒子性实物才有存在地位。如果是这样，二元论尤其是实体二元论关于存在着无广延的精神实体的论断就是不能成立的。艾伯特（Albert）认为，量子力学改变了我们的本体论，迫使我们放弃只有粒子性事物才有存在地位的观点。他认为，面对量子力学，必须"改变关于世界的基本本体论。你应做的是，放弃认为物质世界由粒子构成的观点……而转向这样的看法，即它还由另外的某物所构成"。这就是说，根据这种新的理解，粒子性实在和非粒子性实在（如场、

① Swinburne R.*The Evolution of the Soul*. Rev. ed. Oxford: Clarendon Press, 1997: 118.
② Swinburne R.*The Evolution of the Soul*. Rev. ed. Oxford: Clarendon Press, 1997: 77.
③ McGinn C.*The Problem of Consciousness: Essays towards a Resolution*. Oxford: Blackwell, 1991: xii.

抽象的点、无限小的系统等）都有存在地位。如果是这样，那么二元论主张存在着无形体的心灵的观点不是名正言顺了吗？佐哈（Zohar）是一位兴趣广泛、多才多艺的思想家，受 20 世纪上半叶一些物理学家和哲学家所建构的关于意识的量子力学模型的启发，建立了自己关于意识、自我的新的量子力学模型。在她看来，亚原子粒子中的物质既是物质性的，但同时又“不那么物质”。她说：“心和物共同起源于量子实在。”[①]意识尽管是从量子世界中产生的，但产生出来后便有自己的独立身份，这身份即表现为自然过程的伙伴。电子是关系性实在，意识也是如此。人内部尽管分分合合，变动不居，但里面的确有一个同一的自我。由于它根源于量子的波函数特征，因此不妨将它称作量子自我。其特点是，它纯粹是一个变动不居的自我，在每一时刻都在变化和进化，一下分解为子自我，一下又重新统一为一个更大的自我。

新二元论还有神秘主义的走向。当然这里的神秘主义打上了新时代的烙印，其最明显的表现是吸收、改造有关科学成果，从而使之贴上了新科学的标签。其倡导者尽管许多是宗教神学家，但也不乏职业的、纯正的哲学家、心理学家和科学家，如泡利、薛定谔、沃尔夫（Wolf）、弗拉纳根等。[②]当代神秘主义灵魂观的倡导者、美国物理学家沃尔夫说：灵魂是神秘的，并非只限于人类肉体之中。[③]尽管它神秘，但可根据最新的量子力学等科学来认识。他本人就“成功地”做了这一项工作，建立起了“关于灵魂的新物理学”。再看诺贝尔物理学奖获得者薛定谔的有关思想。在传统的心物问题上，他强调：要解决意识周围缠绕的难题，只有向《奥义书》的古代智慧中去找，除此没有别的办法。[④]薛定谔对吠檀多派情有独钟，作过较深入的研究，经过借鉴、改造和整合，形成了这样的心灵观，即认为心灵是一，就像光一样，而每个人就像光照下的房子一样。每个人通过自己的窗户从唯一的光源中把光吸收进房间，从而使房内充满光。正是以此方式，每个人便有自己的心灵。这也就是说，世界上的心灵或意识实即一个，当它进入每个人之内，便表现为多。他还赞成灵魂不朽说，当然作了新的“科学”论证，他

① Zohar D.*The Quantum Self: Human Nature and Consciousness Defined by the New Physics*. New York: Quill/William Morrow, 1990: 101.
② Flanagan O.*Consciousness Reconsidered*. Cambridge: The MIT Press, 1992.
③ 沃尔夫.《精神的宇宙》，吕捷译，商务印书馆 2005 年版，第 6 页。
④ 赵晓春，徐楠.《薛定谔》，上海交通大学出版社 2009 年版，第 141 页。

说："一系列由遗传连接起来的个体，从一个到另一个的繁殖行为，实际上并不是肉体和精神生命的中断，而只是其紧缩的表现。"[①]因此不应有对"生命死亡的悲哀"。[②]

第三节　新二元论在突现、还原、随附性及其关系问题上的探索

突现、还原、随附是当代西方心灵哲学的前沿问题。物理主义由于在承诺了物理实在的基本的本体论地位的同时还承诺了心理现象的存在，因此它就必须进一步回答两者的关系问题。这三个概念分别是三种物理主义形态揭示两者关系的根据。在这个过程中，他们对突现与还原、不可还原、随附性等概念的相互关系作了深入细致的探讨，为深化心灵哲学和形而上学研究作出了积极的贡献。二元论为了与物理主义争夺地盘，也必然对它们及其关系作出回应，进而便形成了二元论的相应的关于这三个范畴的理论。

我们先从突现概念分析起。要揭示突现现象的本质特征，必然要涉及被突现的现象和作为基础层次的现象之间的关系问题，而这关系不外两种可能，即要么是可被还原的，要么是不能被还原的。大多数人认为，如果有突现现象，那么它一定是一种不可还原的现象。至少可以说，不可还原性是突现现象的一个标志。一种现象具有了不可还原性，就具备了成为突现现象的必要条件。除此之外，突现现象当然还可有新质、不可预言性等特点。由此可引出什么样的哲学结论呢？对此，二元论和非还原唯物主义者各执一词。鲁梅林（Nida-Rümelin）、塔特（Tart）等坚持认为，一种现象如果具有突现或不可还原的特点，那么就可由此引申出二元论或多元论的结论。而非还原唯物主义者认为，即使承认它们是非还原的，但仍可对之作出符合唯物主义的解释。另一个争论更具根本性，所涉及的问题是，突现现象是否一定就是不可还原的？或者说，突现性是否一定是可还原性的对立面？占主导地位的观点是强调两者的对立，新的观点则反其道而行之。

有的人基于新的研究指出：尽管许多突现现象是不可还原的，但不能一概而

---

① 赵晓春，徐楠.《薛定谔》，上海交通大学出版社2009年版，第137页。
② 赵晓春，徐楠.《薛定谔》，上海交通大学出版社2009年版，第137页。

论，因此没有理由上升到一般性高度，说突现与还原是根本对立的。麦克劳林不仅坚持这一“异端”看法，而且在此基础上对突现论阐释了新的见解。他认为，还原并不与突现绝对对立，因为可根据还原来解释突现。以化合键这一突现属性为例，它不能根据量的增加、累积或线性复合原则来解释，因此是突现现象。其他化学反应的产物也是这样，因为它们是化学自主体的异质路径的结果，而且原子的化学属性并不是电子属性的量上增加的产物，就此而言，原子的化学属性是突现性的，也就是说，化学现象确实是突现性的。但即便如此，化合键是可以根据整体论的还原予以解释的。事实上，量子力学就把化合键看作是还原解释的典型例子。在麦克劳林看来，量子力学对化合键的解释告诉我们的是，还原解释没有必要把整体的被还原属性当作是它的部分的属性的量上累积性的产物，还原用不着求助于线性的复合原则。总之，量子力学对化合键的解释，以及由以所导致的分子生物学的成功，宣告了关于化学和生物学的非还原论的突现论的观点的彻底失败。[①]这也就是说，如果化学和生物学中有突现现象存在的话，那么这些现象并不像传统的突现论所说的那样，一定是非还原的现象，相反，它们是可以根据基础属性加以说明的。应指出的是，麦克劳林的这一看法只是少数人的意见，目前占主导地位的倾向仍是把突现与还原对立起来。

心灵哲学关注突现范畴，显然是为了更明确、具体地说明心理现象不同于别的现象的特点和独特的本体论地位。在许多人看来，心理现象不是虚无，但又不同于基础层次的物理材料和属性，因此适合于用突现范畴予以说明。然而，问题在于，突现现象的本体论地位本身是有争论的。如果它可还原为物理现象，那么关于心理现象的突现论就不仅是一种唯物主义理论，而且是一种还原唯物主义理论。如果它具有不可还原性，那么就有两种可能，一是投入非还原唯物主义的怀抱，二是倒向二元论。总之，当用突现论解释心理现象时，不是使问题变得简单，而是使问题更加扑朔迷离。心灵哲学争论的焦点在于，突现与非还原是不是一致的？突现论与非还原唯物主义是否是一致的？前者是不是后者的一种形式？如果两种理论不一致，是否能按排中律得出结论说，不一致于非还原唯物主义就一定一致于二元论？

---

① McLaughlin B. “The rise and fall of British emergentism”. In Beckermann A, Flohr H (Eds.). *Emergence or Reduction?: Essays on the Prospects of Nonreductive Physicalism*. Berlin: Walter de Gruyter, 1992: 19-59.

霍根坚持非还原唯物主义，并认为他所坚持的非还原物理主义是对立于突现论的，但又不赞成说突现论可成为二元论的一个理论根据。他之所以赞成非还原唯物主义，是因为他像其他非还原物理主义者一样认为，还原物理主义无法解决心身问题。之所以如此，是因为心身问题对还原论来说太困难了，如它无法说明这样的观点，它既主张心理属性不是物理属性，又认为笛卡儿的二元论是错误的。同时，还原论还无法说明当有关的因素结合为一个能思的有机体时，非物理的心理属性为什么会出现在它之上。

克兰（Crane）不赞成霍根的对立论，而主张突现论尽管不是非还原唯物主义的根据或结论，尽管有差异，但两者不存在根本的对立。具体而言之，它们的形而上学承诺有一致性，当然，关于心身及其关系的具体认识是不一致的。克兰认为，霍根所说的那种对立只是表面的，而“这种表面上的对立不过是幻觉。因为一旦澄清了突现属性这一概念，就会立马看到：在形而上学的层面，突现论与非还原物理主义不存在明显的界限”。[①]如果说有差别，也只能说有认识论上的差别。

在突现性与不可预言性的关系问题上，克兰反对过去把后者看作前者的标志或特征的看法，认为高阶属性有时的确具有不可预言性。例如，有时我们的确没有办法根据关于低阶属性的知识去预言高阶属性的行为，但这一事实并没有告诉我们这些有不可预言性的属性就一定是突现属性。因为我们是否能预言高阶属性的行为，取决于我们所具有的用来描述这些现象的词汇。事实是这些词汇不可能仅由关于低阶属性的科学来提供。[②]他也不赞成金在权等根据随附性去说明突现性的做法，甚至反对把突现性看作事物之上的“新”属性的观点，而坚持认为，突现性是一种独特的属性，即既不是新的，也不是随附的、不可预言的。

再来看一些论者在突现性与随附性及其关系问题上的探讨与争论。随附性问题是近四十年才在心灵哲学中提出并受到重视的一个问题。众所周知，关于心身关系的认识，二元论在近代占主导地位，而到了现代，尤其是20世纪30年代以后，物理主义开始大显身手。在物理主义自身的发展过程中，还原论又独占鳌头。

① Crane T. “The significance of emergence”. In Gillett C, Loewer B(Eds.). *Physicalism and Its Discontents*. Cambridge: Cambridge University Press, 2001: 209.

② Crane T. “The significance of emergence”. In Gillett C, Loewer B(Eds.). *Physicalism and Its Discontents*. Cambridge: Cambridge University Press, 2001: 215.

很多人认识到，心理现象及关于心理现象的科学的自主性也应予以维护，于是出现了在二元论和还原论之间寻求中间出路的致思倾向。对随附性的研究正是这种努力的结果。可以大胆地说，“随附性”是当代心灵哲学探讨心灵的产生、本质及心身关系的新范式，其成果正改变着心灵哲学的面貌。不仅如此，当代随附性研究还具有宇宙观的意义。因为对于事物的一般关系，我们过去认识到的不外是同一、平行、还原、依赖、决定和蕴含等关系，而随附性研究告诉人们，世界万物中还有随附性关系这样一种未被认识的关系。

动词“supervene”（随附发生）及其派生的形容词“supervenient”（随附的）和名词“supervenience”（随附性）指的都是某事件或过程或现象“在……之后”或“在……基础上发生、出现、显露或到来”的特点、性质，或者说指的是意外发生、伴随发生、紧跟着出现的事情。哲学中的随附性思想萌芽于古代亚里士多德的《尼各马可伦理学》中。不过那里出现的是希腊文“epiginomenon”，而且其意义与现在的也有很大的差别。亚里士多德主要用它指谓两事物或属性的一种“后生”或伴随关系或属性，如血气方刚伴随年纪轻等。拉丁语翻译家在译亚里士多德作品时，把它译成了“supervenirne”。20世纪20年代，著名哲学史家罗斯（Ross）在用英文翻译拉丁文亚里士多德作品时，把这个词译成了“supervene”，从此该词及其派生词就正式进入了哲学的殿堂，成了专门的哲学概念。不过在20世纪20至60年代，哲学家们主要是在突现论或发生学的意义上使用这些词的。从1952年开始，这些词开始固定地指随附发生之类的现象。其功绩当然应归功于黑尔（Hare），他主张：价值术语如“好”是一种关于随附属性的名词。为了说明这一点，他举例说：如果两幅图画不同，一个好，一个不好，那么它们必定有某种在前的差异，使它们一个好，一个不好。[①]

真正使“随附性”概念定型并使之成为当代心灵哲学的中心议题的人，是戴维森和金在权。经过他们卓有成效的工作，随附性概念现已成了一个有特定含义，使用频率最高的概念。许多人幽默地把此含义称为“随附性口号”：没有B属性方面的差异变化，就没有A属性方面的差异变化。这就是说，随附性概念指的是那种不同于“等同”“还原”“决定”等概念但又与之有某种微妙关系的复杂的

① Hare R. *The Language of Morals*. Oxford: Clarendon Press, 1952: 81.

依赖、依变、协变关系，是在过去的二元论、同一论所把握的关系之外，又介于它们之间的一种特殊的关系。具体而言，说 A 随附于 B 至少概括了这几种情况：①协变，即 A 中的变化是与 B 中的变化有关的；②依赖，即 A 依赖于 B；③决定，即 A 之所以如是，至少是由 B 中的因素及其相互作用所决定的；④非还原性，A 随附于 B，由 B 所决定，但又有自主性。

随附性概念一般被用来论证非还原论，但也有例外，如金在权基于对随附性的特殊解释，对还原物理主义作了强有力的支持和论证。其根据是，A 和 B 之间的类型上的协变或随附性离不开 A 向 B 的可还原性。其根据是，这样一种强随附关系离不开在关于 A 和 B 的理论（T_1 和 T_2）之间的“可强连接性”（strong connectibility）。而“可强连接性”可定义如下：T_1 可强连接于 T_2=T_2 的每一 n 元谓词在 T_1 的词汇中有一种符号学上共同周延（或共扩展、共延扩，coextension），即是说，对于 T_2 的每一 n 元谓词 P，在 T_1 中都有一个 n 元开放句子 P^*。这一点尤其使“共同扩展性”概念得到了许多人的支持。在他们看来，只要两个理论或实在或属性具有共同扩展性，那么它们之间就具有还原关系。简言之，必然的共同扩展性对于还原来说是充分的。既然如此，随附关系的两个关联项也具有这种共同扩展性，因此随附属性 A 可还原为基础属性 B。如对于 A 中的每一属性 F 来说，如果 B 中有一属性 G，那么对于每一对象 X 来说，X 必然有 G，当且仅当 X 有 F，A 可还原为 B，F 可还原为 G。

这类看法受到了波斯特等的非议。在他们看来，金在权的论证用析取尤其是非限定性的析取作为产生属性的作用，而析取性属性有时被视为是可疑的。博内瓦（Bonevac）一方面承认金在权等论证的不完善性，但另一方面又坚持心物随附性的还原实质，并认为即使非限定性是可容许的，但由强随附性所产生的东西则是某种比通常在还原中所理解到的东西更弱的东西。在一种非限定性的语言中，强随附性隐含着还原。

在随附性与突现性、随附论与突现论的关系问题上，金在权的研究最深入，也最有影响。他认为，整体之所以有新的突现属性，是因为整体随附于部分。这种观点的麻烦在于，如果像包括金在权在内的一些人那样主张随附论在本质上是还原论，那么突现论就被归结为还原论，而这是不符合突现论的初衷和基本精神的。当然如果认为，随附论在本质上超越于还原论，那当然就没有上述问题。金在权在有的时候沿着这一思路对随附性与突现性的关系作了阐述。在这个过程中，他似乎违背了他所坚持的还原论原则。他说："在突现论看来，像意识和别的心理属性这样明显的高阶属性是这样突现出来的，即当且仅当一组适当的低阶'基础条件'出现了。这意味着：高阶属性的出现是由适当的低阶属性和关系所决定的，前者依赖于后者，并且是后者的例示。尽管如此，突现属性仍被认为是不可还原为突现它们的基础过程的真正新的属性。很显然，这种关于突现的观点包含了随附性的三个要素，即属性协变、依赖性和非还原性。事实上，突现论可看作是对非还原物理主义的第一个系统的阐述。"①

在突现论与物理主义、二元论的关系问题上，著名心灵学家查默斯的看法别具一格。他没有一概认为，突现论是一致于、有利于物理主义的，也不一概说它一致于、有利于二元论。因为他认为，突现有强突现与弱突现之分，同样作为理论的突现论也有强弱之分，既然如此，就应具体情况具体分析。在他看来，弱突现论是一致于物理主义的，而强突现论则相反，即只会导致二元论的结论，因此是二元论的一个堡垒。

强突现论认为，在突现现象中，除了存在着弱突现现象之外，还存在着强突现现象。我们先看后者。它是一种高阶现象，但又不是一般的高阶现象，因为只有同时具有下述特点的高阶现象才能被称作强突现现象：第一，这种高阶现象不能从低阶现象中推论出来；第二，前者从整体上说由后者所决定，换言之，前者自然地而非逻辑地随附于后者；第三，从其后起作用的规律的角度看，在这里，起作用的不只是物理学规律，而且还有涵盖高阶现象和低阶物理现象的跨越两现象的规律，如在心物之间存在的心理物理规律，生物与物理事实之间存在的生物物理规律。英国早期突现者布罗德把这种规律称作"跨科目"或"跨类"（trans-ordinal）规律。由于有此规律，自然事物的不同层次之间便有了合规律的联系。强突现现象是很罕见的，其典型例子是意识现象。

弱突现论只承认弱突现现象，认为一切突现现象都是弱的，不存在强突现现象。弱突现现象尽管也有不可预测或意想不到的特点，但从原则上说，可根据基础属性将它推论出来。由于这种现象依赖于、决定于基础属性，因此即使被突现

① Kim J. "Supervenience". In Guttenplan S(Ed.). *A Companion to the Philosophy of Mind*. Oxford: Blackwell, 1994: 576-577.

出来也没有自己的独立存在地位。就此而言，承认有这种现象不会导致本体论的扩展。而承认强突现现象的存在则不然，即一定会承认存在着超物理的实在。尽管弱突现现象不是新的存在，但对它作出研究，对于理解各种现象的本质，尤其是对于理解生物、认知和社会现象是有作用的。正因为如此，认知科学家和复杂理论科学家常诉诸这一概念。弱突现现象的典型例子有以下几个。①生命界：高阶样式和结构是从简单的低阶法则中突现出来的。②联结主义网络：高阶认知行为是从低阶的由三个逻辑单元构成的联结中产生出来的。③操作系统：复杂系统来自低级系统。④进化：智能等现象是从低阶现象中演化而来的。这些突现属性尽管具有不可预见性，但原则上可根据初始条件和低阶现象予以推论。

相较于强突现现象而言，弱突现除了有可根据低阶现象予以推论这一特点之外，还有如下特点：从理解上说，在理解这种现象时，根据它们自己的特点比根据低阶属性去理解似乎更好。这表明，弱突现现象具有相对于观察者而言的属性。就其本身而言，它是这样的现象，在这里，由于简单的低阶机制以简单的方式结合在一起，于是便产生了复杂的、有利的高阶功能。查默斯说："系统的弱突现性是基于制约该系统的基础性质原则而产生的不可预言的有利属性。"[①]

在查默斯看来，两种突现现象是很容易从外延上加以区别的。因为在这个世界上，只有意识现象才是强突现性的，别的领域再无这种现象。例如，在生物、化学、经济等领域，那里的从物理现象中突现出的现象尽管是不可预测或意想不到的，但原则上都是可推论出来的，因此都是弱突现。他说："除了意识之外，所有别的现象都是弱突现的。"[②]

如前所述，强突现论就是主张存在着强突现现象的理论。从表面上看，这一结论平淡无奇。仔细去体会，则会发现它隐含着激进的本体论主张，或它有扩张本体论的诉求。因为如果像它所断言的那样，世界上真的存在着强突现的现象，那么为了涵盖它们，我们的自然观或本体论就得扩展，就得承认强突现现象有自己独立的本体论地位。而坚持弱突现论不会得出这个结论。因为承认生物系统中存在着意想不到的现象，并不会威胁到物理世界中所发现的根本规律。只要这些

---

① Chalmers D J. "Strong and weak emergence". In Clayton P , Davies P (Eds.). *The Re-emergence of Emergence: the Emergentist Hypothesis from Science to Religion.* Oxford: Oxford University Press, 2006: 11.

② Chalmers D J. "Strong and weak emergence". In Clayton P , Davies P (Eds.). *The Re-emergence of Emergence: the Emergentist Hypothesis from Science to Religion.* Oxford: Oxford University Press, 2006: 5.

现象能从对世界的物理描述中演绎出来，那么就没有必要承认还有别的属性或规律存在，仍可坚持这样的物理主义原则，即一切都是物理的，并可根据物理属性和规律加以定推。不过，又应看到，弱突现论尽管不会得出改造本体论的结论，但仍会引出新的结论，如承认世界上有不同的解释层次，甚至承认有解释鸿沟的存在。因此，弱突现论尽管可以与物理主义一致，但本身又向物理主义提出了解释鸿沟问题。

在查默斯看来，强突现论之所以是“强”的，是因为它不仅会像弱突现论那样，向物理主义提出难题，而且还会直接提出对立于物理主义、一致于二元论的结论。例如，它主张，有这样一种强突现现象，即现象意识。内格尔、杰克逊等有力地论证了这一点。他们用来表述这类现象的概念本身就表现了这一点。如内格尔所说的：存在着某种东西，即成为那系统感觉起来所是的东西（there is something it is like to be that system）。查默斯对此的解释是，存在着从该系统自己的观点出发，感觉起来所是的某东西。它们无疑是强突现的。因此查默斯说：“确实存在着强突现现象的事例，那就是意识现象。”[①]在他看来，自然界中出现了有意识现象是它的一个客观的事实，据此有理由相信：关于意识的事实是不能从任何物理的事实推论出来的。对此，他在许多地方作过大量论证。在《论强突现和弱突现》（“Strong and Weak Emergence”）一文中，他又提出了两点他认为是很有名的论证。第一，假设有一生来就盲的科学家，他有关于大脑的应有尽有的物理知识，但他没法据此推论出关于红的经验感觉起来像什么。第二，假设有一个在物理上完全同一于我们世界的世界，在那里根本就没有意识，或者说即使有，那也是完全不同于我们意识的意识，这说明，意识与物理过程有脱节的一面。[②]查默斯说：“如果这些主张是正确的，那么似乎可以得出结论说，关于意识的事实是不能从纯粹的物理事实中推论出来的。”[③]

意识为什么被看作是一种强突现现象？为什么有自己独立的本体论地位？查默斯认为，可通过分析意识与物理事实的关系来加以说明。第一，意识是不能

① Chalmers D J. “Strong and weak emergence”. In Clayton P , Davies P (Eds.). *The Re-emergence of Emergence: the Emergentist Hypothesis from Science to Religion.* Oxford: Oxford University Press, 2006: 3-4.
② Chalmers D J. “Strong and weak emergence”. In Clayton P , Davies P (Eds.). *The Re-emergence of Emergence: the Emergentist Hypothesis from Science to Religion.* Oxford: Oxford University Press, 2006: 3.
③ Chalmers D J. “Strong and weak emergence”. In Clayton P , Davies P (Eds.). *The Re-emergence of Emergence: the Emergentist Hypothesis from Science to Religion.* Oxford: Oxford University Press, 2006: 4.

从物理事实中推论出来的，即不完全是由后者所决定的。第二，两者之间从整体上看存在着相互关联，如后者有对前者的某种程度的随附性，因为只要模拟了某种大脑状态，那么就会有相应的意识状态被模拟。第三，这里的随附关系是自然的或法则学的随附关系，即只具有自然规律的力度，而没有形而上学的或跨世界的必然性。这意思是说，在我们的世界中，只要模拟了某种大脑状态，就会出现相应的意识状态，这是自然的规律。但在别的世界中，由于那里有别的规律，因此如此模拟不一定导致意识的模拟。这说明，物理过程和意识的合规律的联系本身不能从物理学的规律中推论出来。这种联系本身有自己的规律，或者说，本身就是基本规律。这些规律就是我们所说的心理物理规律，而非单纯的物理学规律或心理学规律。[①]

在突现现象的因果作用问题上，查默斯不赞成副现象论立场，而在借鉴麦克劳林等的思想基础上，作了自己的发挥。他认为，高阶现象的因果作用都是下向的，但有不同的类型，大致有两种：一是强下向因果作用，它指的是这样的作用，即高阶现象对低阶现象的因果作用力原则上不能从初始条件和低阶规律中推论出来。二是弱下向因果作用，它指的是原则上能从低阶规律、初始条件中推论出来的因果作用，但这种作用有不可预测的特点。其例子在量子力学的波函数坍缩中可以找到。根据量子力学的坍缩解释，有两种制约量子波函数演化的原则：一是线性薛定谔方程，它制约着标准的演化；二是非线性的测量假定，它决定了测量中有特殊事实发生。由于有测量的介入，波函数便会经历不同于常规情况的量子跃迁。如果是这样，高阶的测量过程及意识活动一定对低阶的量子演变过程发生了特殊的下向因果作用。查默斯认为："如果是这样，那么我们便不难明白：测量把自己设定为某种构型规律，此规律包含着向下的因果作用。"[②]意识和量子测量是两种不同的高阶现象，意识有强突现的性质，而量子测量体现的是强下向因果作用。这两种现象如果结合在一起，便会出现一种与基本因果规律连在一起的新的根本性质，它既有自己的本体论地位，又有自己的真实的因果作用。查默斯说："相对于物理范围而言，恰好存在着一种强突现性质，即意识。即使我

① Chalmers D J. "Strong and weak emergence". In Clayton P , Davies P (Eds.). *The Re-emergence of Emergence: the Emergentist Hypothesis from Science to Religion.* Oxford: Oxford University Press, 2006: 4.
② Chalmers D J. "Strong and weak emergence". In Clayton P , Davies P (Eds.). *The Re-emergence of Emergence: the Emergentist Hypothesis from Science to Religion.* Oxford: Oxford University Press, 2006: 7.

不知道是否有强突现的向下因果作用，但在我看来，如果有强下向因果作用，那么它们可能发生在量子力学之中。如果强突现性质和强下向因果作用存在着，那么便可以看到它们之间发生直接联系的可能性。”[①]

即使是在二元论内部，对于突现论在论证二元论中的作用也有不同的声音。尽管一些像查默斯这样享有重要地位的哲学家强调突现论是通向二元论的一个路径，但仍有一些人持相反立场。例如，当代二元论的早期领袖，在心灵哲学中较有影响的英国哲学家鲁滨逊（H. Robinson）一反过去把突现论当作二元论的救命稻草的做法，既坚持和阐发二元论，又强调突现论在论证心灵本质及地位过程中的有限性，认为突现论是物理主义建立关于世界物理统一性原则的武器，对于解释意识是没有什么帮助的，如尽管可以根据突现论把意识论证成一种突现性质，但这对人们认识意识的本来面目是无济于事的。因为意识是一种特殊的存在，不能根据包括突现在内的一切物质的力及属性来加以说明。

无独有偶，当今心灵哲学中十分有影响的托马斯·内格尔也有殊途同归的看法。一方面，他基于他的各种论证得出了二元论结论；另一方面，又反对常见的一种做法，即根据突现论来证明二元论。他的理由是，复杂系统不具有什么突现的性质，它独立具有的一切性质都产生于它的成分的属性以及它们相互结合时所产生的作用。尽管我们有时可以在系统之上看到所谓没法归之于组成部分及属性的“新的”属性，但它们不是“突现”的属性，因为这种新的属性既可能是由这个系统的尚未被认识到的因素产生的，也可能是由别的尚不知道的性质产生的。[②]基于大量分析，内格尔得出了这样一个令突现论者难堪的结论：不可能有真正的突现。其主要根据是，只要坚持对世界万物的因果解释，就必然得出上述结论。他说：一个复杂系统的属性必定源于其成分的属性，加上它们的结合方式。[③]真正的原因的确使它们的结果成为必然：因为它们使结果发生或使它们成为它们那样。比如，热使水沸腾，因为在通常的大气压力下，水加热到一定的温度是不可能不沸腾的。[④]

---

① Chalmers D J. “Strong and weak emergence”. In Clayton P, Davies P (Eds.). *The Re-emergence of Emergence: the Emergentist Hypothesis from Science to Religion*. Oxford: Oxford University Press, 2006: 8.

② 内格尔.《人的问题》，万以译，上海译文出版社 2000 年版，第 194 页。

③ 内格尔.《人的问题》，万以译，上海译文出版社 2000 年版，第 197 页。

④ 内格尔.《人的问题》，万以译，上海译文出版社 2000 年版，第 198 页。

第四节 新二元论的新论证

现当代二元论者受二元论开山鼻祖笛卡儿的影响，在将旧二元论发展为新二元论的过程中所做的一项经常性的工作就是设计自己对二元论的“清楚明晰”的论证。于是，新的论证样式层出不穷，令人目不暇接、眼花缭乱。经常被讨论的主要有模态论证、知识论证、认识论论证、本体论论证、怪人论证、量子力学论证、解释鸿沟论证、蝙蝠论证等。

先看本体论论证。这是现当代二元论的最有力量、最有意义的论证，可这样加以表述：①如果世界上真的不存在无形体或无广延的东西，那么二元论主张无形体心灵之存在是没有本体论上的根据和道理的。②如果世界上真的存在着无形体的东西，那么二元论就有可能是正确的，唯物主义根据原有的关于有形存在的本体论对二元论的反驳就不能成立。③量子力学等科学已证明，世界上存在着无形体的东西，如波函数、概率场、光等。④因此二元论有可能是正确的，唯物主义的驳难不能成立。这一论证的确证明了唯物主义对二元论的本体论驳斥是不能成立的，至少是有问题的，但该论证还没有证明二元论，充其量只为二元论的成立创造了条件。因为它能得出的结论是一个模态结论，即二元论可能是正确的。有根据说，存在物不一定要有形体，但没有逻辑能保证一切无形体的东西都是存在的。同样，非物质的灵魂仍有这样的可能性，即它就在那不存在的无形体的东西中。当然它也可能像波函数、概率场等一样有存在地位。

基于思想实验的论证是现当代二元论者的创新。兹以知识论证为例。为了说明感受性质的存在，论证它们的本质与属性，杰克逊构想了一些思想实验，其中最著名的是所谓的“知识论证”。其实质是用反证法、证伪法证明二元论。其逻辑是物理主义只承认物理的存在，所得到的知识就是关于这些存在的。现在，如果能证明它的知识以外还有东西存在，那么就可得出结论说物理主义是错误的，或遗漏了某些存在，二元论是正确的。类似的论证学有内格尔的蝙蝠论证和查默斯的“怪人论证”，其结论是，感受性质是非物理的，与物理事实没有任何关系。因为怪人世界中的“我”的孪生人完全有可能在一切物理细节方面与现实世界中的“我”没有区别，尽管如此，那个怪人并未产生有意识经验。这足以说明，有意识经验有自己的独立性。

经验鸿沟论证（the experience gap argument）或认识论论证有两种形式：一是只停留于认识论论证，即只肯定关于心的认识不同于关于物的认识；二是在此基础上进一步肯定两者不仅在认识上不同，而且在存在上也不同。查默斯认为，接近和描述人的意识经验有两种方式，一是第一人称方式，二是第三人称方式。两种观察方式尽管可以指向同一个对象，但得到的是完全不同的认识。然而每一个又不可偏废或被取代。因为它们各有自己的优势、作用和特点。如果是这样，便可以将上述论断提升为这样一个原则，即神秘性原则：意识是神秘的，不能用第三人称方式来解释。这一原则也可称作惊诧原则：意识是令人诧异的。另外，观察上的差异一定有本体论的根源。例如，看一匹斑马，用第一人称方法去观察“这个看”所得到的东西是不同于用第三人称方法所得到的东西的。

再看语义学论证或基于索引性语词的论证。“我”和“这里”“那里”都属索引性语词，其意义复杂而具有统一性，因而具有不可还原性。例如，“我”如果能还原为其所指中的某一个东西，如身体或身体的某一部分，那么就有理由说，“我”指的就是肉体或肉体的一部分，但问题是没有这样还原的可能性，“我”指的东西包括肉体，而同时又比它多得多。另外，肉体中的东西并非都是“我”一词的所指，如其中川流不息的变化就是如此。总之，当人们说“我”时，所指的肯定不是物质的属性，也不是心理属性的集合。不管其意思多么复杂，其中无疑有这样的内容：用此词的人知道或晓得自己是一个持续的、统一的自我。

模态论证是古今二元论者十分宠爱的论证。笛卡儿就已提出了模态论证的雏形，如他的可设想性论证就是如此。在现当代心灵哲学中，模态论证是通过克里普克而广为人知的。在这一领域中，查默斯的投入是比较大的，影响也较大。如他发展了这样一种基于逻辑必然性的模态论证：①在我们的世界，存在着有意识的经验。②存在着物理上同一于我们自己的逻辑上可能的世界，在那里，关于我们内部的意识的肯定的事实却没有这种可能性。③因此关于意识的事实是关于我们世界的新的事实，它们不同于物理事实。④因此唯物主义是错误的。哈特也有这样的论证：既然我们能设想离体的心灵，因此心灵的存在就不是必然地依赖于身体的。

二元论的论证不外肯定性论证和否定性论证两大类。前面所述的论证大多属于前者，其特点是，诉诸有关事实和逻辑，直接论证二元论的结论。而否定性论证的特点是通过证明作为二元论之对立面的唯物主义或物理主义一元论为假，间接证明二元论为真。这种论证之所以很有市场，是因为它有较强的逻辑力量。二元论和物理主义在一系列问题上的确存在着对立或矛盾关系，既然如此，能证明对立双方中的一方为假，那么就等于证明了另一方为真。二元论的否定性论证有多种形式，首先是基于同一原则的论证。根据莱布尼茨的同一原则：x 和 y 是同一的，当且仅当它们有完全相同的属性 p。心和身不可能具有完全相同的属性，因此两者是两个不同的东西。既然如此，物理主义便是错误的，二元论是正确的。其次，唯物主义及其所诉诸的科学材料可以看作是全面解释心理现象的必要条件，但远不是充分条件。例如，有许多问题是它们无法解释的，其中主要有五大难题，如自我、自由、个人自主性、现象性质、意向性。要解释这些现象，必须诉诸非物理的属性。因此，物理主义是错误的。

第五节　新的走势：二元论与自然主义的融合

这是一种不可思议的融合。因为它试图把过去水火不相容的二元论和以唯物主义为本质特征的自然主义融为一体。而这种融合的第一因和动力则是所谓“意识的困难问题”。众所周知，意识是一种复杂而神秘的现象，尽管我们可以明白无误地知道意识发生、存在于大脑之中，但为什么是这样，即便是科学也难以说明。面对意识的神秘性以及由此而来的各种问题，通常似乎只有两种选择，一是诉诸自然主义，二是投向二元论的怀抱。然而，最近 20 年，两种对立的理论奇怪地被结合在一起，成了解决包括意识困难问题在内的一系列心灵哲学难题的新的方案。

一、意识困难问题与本体论之重构

意识问题复杂而神秘，这不仅表现在意识的本质及特性复杂难解，意识在自然界中的地位难以界定，还表现在“意识”一词因在日常语言中的多种用法而被赋予了互不相关的，甚至迥然相异的多重意义。在当今心灵哲学中，一方面有关意识的各种形而上学问题特别是本体论问题继续存在，另一方面意识还与意向性、表征、内容、意义等问题交织在一起，使意识问题的表现形式更加多样，意识问题的解答也呈现出更精细化和复杂化的趋势。在有关意识的众多问题当中，由澳大利亚哲学家查默斯提出的"意识困难问题"是近年来最受关注，引起争论最多的一个问题。

鉴于意识问题的复杂性，查默斯在梳理澄清相关概念的基础上，把有关意识的问题分成两类。一类称作Ⅰ-Ⅱ类问题，另一类称作容易-困难问题。前者是根据问题的内容来区分的，而后者是根据解决的难易程度来区分的。所谓Ⅰ类问题指这样一些问题：①可整合性问题，即来自不同感官和不同区域的信息是怎样被整合的；②可读取性或可通达问题，即认知系统怎么可能接近、提取和阅读有关信息；③可报告性问题，即认知系统怎么可能用语言报告自己所拥有的信息；④可监控问题，即认知系统为什么可以，又是怎样监控自己的信息加工和行为输出的。Ⅱ类问题是指意识是怎样从物质中产生出来的。[①]

所谓容易问题是容易解决的意识问题，如意识所表现出的整合作用、内在控制作用、可报告性、可提取性等，应怎样予以解释，为什么会是这样等。它们之所以是容易的，是因为这些问题都是关于功能的执行问题。因此一旦说清了有关功能是如何执行的，那么有关问题便随之而被解决了，换言之，只用物理术语就可以对这些意识形式作出恰当的解释。意识的困难问题是不容易解决的问题，它表现在三个方面：感受性质问题、心理的主观内容问题和主观经验的存在问题（主观经验状态为什么是存在的？怎样从物质性实在中产生出来？）。困难问题之所以困难，是因为这类问题的出现是以第一人称的观察为前提条件的。没有对心理现象的第一人称观察，就不可能出现上述困难问题。而由于第一人称观察之出现是必然的，因此困难问题之出现也有其客观必然性。从困难问题的内容来说，前两个问题是主观状态的特殊性问题，如一状态因为有质的特征，因而不同于别的状态，再如一状态由于有如此这般的命题内容，因此有别于别的状态。第三个问题即存在问题是所有现象意识所共有的问题。

如果意识真的是真实存在的，那么要予以解释，通常似乎只有两种选择：一是继续坚持原有的自然主义或物理主义的本体论，把意识还原于物理过程，把它

① Chalmers D J. "The problems of consciousness". Advances in Neurology, 1998, 77: 7-16.

的存在地位归结为物理实在；二是重新投向二元论的怀抱，把意识看作与物理过程、物理实在本质上相异的另一种存在物。在当前心灵哲学中，纯粹的、旧的二元论的路径无论在理论上还是在实践上，都是一条和者甚寡的道路，受到大多数人的拒斥，但是问题在于，近几十年来为大多数心灵哲学家所支持的，一直占据主导地位的自然主义，如功能主义等对于意识困难问题同样无能为力。面对这种情况，查默斯、麦金等开始另辟蹊径。[①]

查默斯、麦金等为解决意识困难问题而进行的本体论重构，导致了当代西方本体论研究中呈现一种新的趋势：以往二元论和自然主义及唯物主义泾渭分明的界限变得模糊不清了，二元论和自然主义开始融合，出现了自然主义的二元论或者二元论的自然主义。一方面，一些二元论形式在吸收有关科学和对立理论的成果的基础上演变成了带有"混血儿"性质的心灵哲学理论（唯物主义或自然主义阵营中也有类似的倾向），它们坚持了二元论的一些基本原则，同时又有向唯物主义靠拢的一面，或有融合对立思想的一面。另一方面，这些意识理论又都承认意识来自自然现象，本身就是自然现象，因而在本质上仍属于自然主义，当然是一种比一般自然主义有更多本体论承诺的特殊的自然主义。

二、"意识科学"的标准与泛心原论

查默斯的一个革命性的主张是，二元论与科学的关系并不像过去所认为的那样水火不相容，相反，它们是可以统一在一起的。他所建构的新二元论恰恰是他所进行的意识研究的科学化工作的一个成果，并符合他制定的"意识科学"的标准，因此在本质上不再是反科学的，而恰恰是科学的。倒是已有的其他的意识理论，包括贴上了科学标签的物理主义的意识理论，不符合他的"意识科学"的标准。因为在他看来，一个完善的、科学的心灵理论必须具备如下条件：①对我们为什么是有意识的作了说明。②对我们为什么能说我们是有意识的作了说明，对我们为什么能思考我们的意识作了说明。③能说明上述两个说明是一致的、无矛盾的、连贯和谐的。第一个条件强调的是，要成为科学的心灵理论，必须提供第一人称说明，即对主观经验怎么可能这一形而上学问题给出说明。第二个条件强调

① Chalmers D J. "The problems of consciousness". Advances in Neurology, 1998, 77: 7-16.

的是，科学的心灵理论一定同时是用第三人称术语所作的说明。第三个条件强调的是，必须让第一人称说明和第三人称说明无矛盾地统一起来，相互协调一致。

按照上述标准，查默斯对已有的意识理论进行了全面的梳理和分类。他认为，可把已有的意识理论分为两大类六小类。第一大类是还原论，它把意识当作物理过程，反对本体论膨胀，其内又有三种不同的形式（A 类、B 类、C 类）；第二大类是非还原主义，又有 D 类、E 类、F 类三种形式，它们不仅强调意识不能还原，而且上升到形而上学高度强调本体论的扩张，或重构关于世界的本体论。具体而言，A 类理论是一种激进的唯物主义理论，主要表现为取消论、类型同一论、激进的行为主义。B 类理论也是一种唯物主义理论，它承认有困难问题，但又认为，它们可同时放入唯物主义的解释框架之中。[①]C 类理论是一种更温和的唯物主义理论，表现为两面论、双重语言等。D 类理论主要表现为笛卡儿式的二元论和相互作用论。E 类理论是二元论的又一种形式，比较温和，主要表现为副现象论理论。F 类理论是一种带有泛心论性质的理论，基本观点是承认物理实在的底层存在着现象或原现象（protophenomenal）属性，它既是派生意识的基础，又是派生物理实在的基础。也可这样理解，它承认有两种基础属性，一是结构-倾向性属性（物理理论所描述的属性），二是内在的原现象属性（可导致意识产生的属性）。这种理论由于包容性大，因此难以定性，既可看作是唯物主义，又可看作是属性二元论，还可看作是唯心主义、中立一元论。查默斯坚持的就是这样的理论。他说："似乎没有充分的理由拒绝这种观点。就其本身来说，它可能为进一步的研究提供丰富的资源，从根本上说，它为在自然界中物理的东西和现象的东西融合在一起，提供了最好的方法。"[②]

查默斯为解决意识困难问题把科学和二元论结合起来，建立了新的自然主义的二元论形式，即他所谓的"泛心原论"。其基本结论既是二元论的，又是自然主义的。之所以是二元论，是因为他坚持认为意识是世界的根本的或不能还原的属性；之所以是自然主义，是因为他认为整个世界是自然的。

查默斯把他的关于现象意识的理论称作现象实在论。其基本观点是，存在着

---

① Clark T. "Function and phenomenology: closing the explanatory gap". *Journal of Consciousness Studies*. 1995,2(3): 241-254.

② Chalmers D J. "Consciousness and its place in nature". In Stich S, Warfield T (Eds.). *The Blackwell Guide to Philosophy of Mind*. Oxford: Blackwell, 2003: 133.

现象属性或感受性质，它们不能还原为物理的或功能的属性，从概念上说，现象概念不能还原为物理或功能概念。成为一个主体有其独立的事实，这事实不能从关于那主体的物理的或功能的事实中先验地推论出来。[1]这也就是说，现象性质或意识是基本的属性，就像物质的质量、时空、电磁、电荷等一样是物质的原始的、根本的属性，是故他常把它称作“根本的实在”。他说：“我们更有可能把经验本身当作世界的根本特征，就像质量、电荷、时间、空间一样。”[2]所谓根本的，就是说它不是派生的，由此所决定，它不能根据任何更简单的物理的东西来解释，相反可用它来解释它之上的属性和实在。

意识既然是属性，那么它就不能独立存在，而必然有其所依存的主体，这主体究竟是什么？这就是人们常说的意识的归属问题，或意识由什么东西来例示的问题。一种观点认为，现象属性是由心理状态例示的；另一种观点认为，意识是由有意识的自己的主体，如精神实体所例示的。查默斯对这两种本体论保持中立的态度。他自己的立场是，意识根源于大脑物理实在中的原现象性质或心原。什么是心原呢？对此问题的回答构成了他的泛心原论。

泛心原论是查默斯说明意识怎么可能从物理实在中奇迹般地产生出来这一困难问题所阐发的一种全新的理论。查默斯指出，在物理实在的最深奥的地方存在着一种最原始的、本原性的心灵，可称作原心或心原或原现象的东西，它无处不在，因此是一种泛心原（panprotopsyche）。由于它既不同于宏观物理现象，也不同于微观物理实在，是所有物理理论都解释不了的东西，因此可以说是不同于物理东西的心理的东西。但是从根本上说，它又不是物理实在之外的东西，而是根本的元位性的现象性质。就此而言，这种理论是一种物理主义理论，当然是一种极为特殊的物理主义。不过，他更愿把它称作“非唯物主义观点”（nonmaterialist view）。因为它假定的根本的元现象性质是物理理论不可接近的东西，当然也不可能由这些物理理论来说明。

究竟该怎样理解这种无处不在的泛原现象性质呢？查默斯既然把它看作是微观的、事物后面隐藏的东西，为什么他又否认它是微观物理学所说的微观实在

① Chalmers D J. “The content and epistemology of phenomenal belief”. In Smith Q,Jokic A(Eds.). *Consciousness: New Philosophical Perspectives*. Oxford: Clarendon Press, 2003, §.11

② 高新民，储昭华.《心灵哲学》，商务印书馆 2002 年版，第 378-379 页。

呢？根本的原因在于，他这里所说的泛原现象性质不是自在的存在，不是完全由亚原子粒子构成的东西，而是人的认识中所显现的东西，是离不开主体的感知和设想的东西。他说："意识的存在并非由我们世界的微观物理实在的结构或倾向方面所使然的，而是由微观物理学的范畴方面加上与结构/倾向方面的结合所使然的。"简言之，"意识源于微观物理学的基础性的范畴方面"。根据这种观点，范畴方面的本质是由物理理论所授予的，当然它最终又与这样一些特殊的性质有关，正是由于它们，才有意识的构成。不妨把这些在意识之构成中有重要作用的东西称作"原现象性质"。它们本身不是现象性质，但它们又与现象性质的出现和存在密不可分，前者可看作是后者的必要条件。[①]

在《意识及其在自然界中的地位》（"Consciousness and Its Place in Nature"）一文中，查默斯更明确地把原现象性质称作中立的属性。他说："由于存在着基础性的中立属性 x（即原现象属性），因此 x 属性在物理王国的构成（通过它们的关系）和心理王国的构成（通过它们的内在的组合本质）中同时发挥着作用。"[②]正是由于他把原现象性质看作是中立的，因此他也把承诺这种性质的理论称作中立一元论。由于他有时把这种原现象性质同时看作是物理实在和心理实在的共同本原，他有时也把他的理论称作唯心主义。他认为，原现象性质对物理现象的产生也有作用，因此"在某种意义上，可以说它是物理实在本身的基础"。[③]由于只有一个世界，即无所不包的自然界，因此原现象性质不可能存在于它之外，而只能在它之内。确切地说，原现象性质"位于物理实在的根本层面"。就此而言，承诺了这种性质的理论也可被称作唯物主义。[④]

相对于最原始的、最本原性的物理实在而言，原现象性质是一种新的东西。它尽管依赖于微观物理实在的结构性或倾向性方面，但毕竟不能把它们等同起来。原因在于，意识的出现和存在还离不开微观物理学的范畴方面。而这些范畴方面既离不开物理学理论，又离不开合在一起产生出意识的特殊属性，即原现象

① Chalmers D J. "Does conceivability entail possibility?". In Gendler T, Hawthorne J (Eds.). *Conceivability and Possiblity*. Oxford: Oxford University Press, 2002: 194-196.
② Chalmers D J. "Consciousness and its place in nature". In Stich S, Warfield T (Eds.). *The Blackwell Guide to Philosophy of Mind*. Oxford: Blackwell, 2003: 131.
③ Chalmers D J. "Consciousness and its place in nature". In Stich S, Warfield T (Eds.). *The Blackwell Guide to Philosophy of Mind*. Oxford: Blackwell, 2003: 130.
④ Chalmers D J. "Consciousness and its place in nature". In Stich S, Warfield T (Eds.). *The Blackwell Guide to Philosophy of Mind*. Oxford: Blackwell, 2003: 129-130.

性质。正是这些性质使意识成了不同于物理现象的东西。换言之，意识之所以是特殊的现象，是因为它有现象性质，而之所以有现象性质，又是因为对象里面有原现象性质。

三、“空间概念革命”与意识困难问题新解

麦金把古往今来为解决意识的困难问题所产生的不可计数的理论分成两类：一是构造性的，即构想大脑中有一种自然属性，然后据此解释意识怎样从大脑中产生出来。这其实是一种自然主义方案。二是二元论，其特点是用超自然力量予以解释。根据麦金对心灵哲学发展的构想，解决心灵哲学的难题，推进心灵哲学健康发展的一个必要条件是概念革命。麦金基于概念革命为解决意识困难问题提出了一条中间路线。这里的概念革命的内容主要是对空间概念的变革。在他看来，只有抛弃原有的对空间概念的狭隘理解，赋予其新的内容，才能为意识困难问题之解决提供一个必要条件。他通过空间概念革命和别的操作所到达的结论是一种融自然主义和二元论于一炉的折中方案。他说：“我赞成的方案是自然主义的，但又有别于构造性方案。我不相信我们能在大脑中找到这样的东西，是它让意识从大脑中产生出来，但我又认为，不管意识是什么，它又不会有什么神秘性。”[①]他对困难问题的解答是，意识之所以能产生出来，是因为空间具有非定域性，意识既没有广延性，又没有定域性。空间及其物质中的不可见的、非物质的、隐秘的方面使意识产生出来，并使之存在于物质世界之中。

麦金所坚持的自然主义与通常意义上的自然主义，如物理主义、功能主义的不同之处在于：后者是要到大脑中寻找或“构造”某种自然属性，然后据以对意识作出解释。究其实质，它们只是诉诸意识对大脑的依赖性来解释意识的起源。换言之，它们用以说明意识的东西都是物质性的东西，或者说是带有空间特性的东西。而意识是非空间性的东西，因此这些自然主义在解释意识时所诉诸的东西都是与意识不同质的东西。在麦金看来，这样的解释是无济于事的。麦金的自然主义的特点在于：承诺二元论的这样的观点，即包括意识在内的许多心理活动、

① McGinn C. “Can we solve the mind-body problem?” In Heil J (Ed.). *Philosophy of Mind: a Guide and Anthology*. Oxford: Oxford University Press, 2004: 781.

过程、状态、事件都是非空间性的。他基于大量的思想史考察得出结论：“意识的确不会进入常见的空间世界。”[①]很显然，如果坚持这一点，就会碰到一个难题：不具有空间特点的心理事件怎么可能从有空间特性的物质世界中产生出来？即使求助于进化论、突现论，即使把产生意识的东西设想得极其复杂，也难以化解上述难题。麦金把这一问题称作意识的“空间问题”。[②]

对此问题，过去有两种回答。第一种是否定问题的前提，即否定意识、心灵是来自物质世界的东西。如果是这样，当然就用不着追问无空间特性的意识怎样来自有空间特性的物质这一所谓的空间问题。例如，只要把心灵当作自主的、独立的存在，当作与物质无关的东西，那么就用不着说明它如何起源于物质。根据这一思想，有理由设想心灵没有起源，一开始就存在；也有理由设想，它是上帝独立创造出来的。第二种强调的是，意识内在地是非空间的，但意识又像大脑状态一样，有其空间的构成，如庸俗唯物主义就有这样的看法。

麦金在此基础上提出了自己的第三种选择。其特点在于，一方面不否认意识具有非空间性这一观点；另一方面又坚持物质具有进化性，甚至突现性。基本观点是，大脑除了有一些能为物理学研究的空间性质之外，一定还有这样的方面，它们不能为流行的物理世界观说明，由此可以推断，以前关于实在的观点是不完善的，遗漏了存在着的某些实在。为了解释意识何以能产生出来，我们还应承认物质中存在着别的东西或属性，它们是我们以前没有认识到的，如它们是物质中的非物质性的属性，是与空间性结合在一起的非空间性。

麦金承认，他的设想既不能见容于常识，也背离了正统的科学，因此是名副其实的“概念革命”。在他看来，不仅他的设想是概念革命的产物，而且要理解和接受他的观点，也必须进行概念革命。因为只有抛弃传统的根深蒂固的一系列概念和观点，才能“从根本上认同新的属性和原则”。[③]

在麦金看来，概念革命的首要一步是对空间概念进行变革，进而形成这样的

---

① McGinn C. “Consciousness and space”. In Shear J(Ed.). *Explaining Consciousness: the “Hard Problem”*. Cambridge: The MIT Press, 1995: 100.
② McGinn C. “Consciousness and space”. In Shear J(Ed.). *Explaining Consciousness: the “Hard Problem”*. Cambridge: The MIT Press, 1995: 101.
③ McGinn C. “Consciousness and space”. In Shear J(Ed.). *Explaining Consciousness: the “Hard Problem”*. Cambridge: The MIT Press, 1995: 103.

概念，它能包容世界上的一切存在样式，能为说明意识和物质的起源、存在和作用提供条件，而不是设置障碍。过去的空间概念之所以要修改或否弃，是因为它未能注意到这样的区域，如神经生理活动的区域，尤其是没有说明空间是怎样构成的，由哪些要素构成。经他变革的空间概念则不同，它不仅能回答上述问题，而且由于包含隐秘的原则，因此能成为说明意识何以从物质中产生出来的一个基础。他说："我们用'空间'一词所指的东西应有这样的本质，即它极不同于我们以常见方式所设想的东西，它如此不同，以至它真的能'包含'意识的非空间现象。空间中的事物之所以能产生意识，仅仅是因为空间在某个层面不像我们所设想的那样；空间具有某种隐秘的方面或原则。"①

麦金还认为，要进行概念革命，还要超越纯粹的大脑生理学，而进至物理学本身，即注意到生理现象后的微观过程。当然，这里的物理学不是已有的物理学，而是更为广泛的物理学，它不仅能说明物质现象，而且能涵盖别的非物质现象。他像彭罗斯等著名物理学家一样认为，为了迎接意识现象的挑战，必须建立更为广泛的、具有更大解释力的物理学。当然，这里的物理学也不是那种能作为还原心理学、生理学等的基础的物理学。不难看出，概念革命是反还原主义的。因为它不是要用已知的、基础的东西去说明高层次的复杂现象，而是试图通过拓展说明的基础而对高层次的意识现象作出说明。

要将空间概念当作说明高层次现象的基础，必须对之作出改造。因为传统的空间概念有过时、狭隘、片面等问题。根据这一概念，空间是一个可视的、为某对象提供运动条件的东西，形象地说，空间是一个装实物的框子。它在数量上是一，要么是一个实在（牛顿），要么是一种属性或存在方式（莱布尼茨等）。从构成上说，它有三维、中心等。相对论和量子力学彻底否定了这种关于空间的民间理论，而用弯曲的时空观取而代之。根据新的观点，空间不是三维的，是没有中心的，除了有外显的特点之外，还有许多"隐秘的"（hidden）方面。空间中的东西是模糊的、不确定的，因为其中的粒子没有其唯一的、固定不变的位置，作用、效应也不一定具有定域性。麦金在借鉴这些新成果的基础上，对空间概念作了大刀阔斧的变革：一是抛弃，即抛弃过去对空间的形象的、可视的理解，否

① McGinn C. "Consciousness and space". In Shear J(Ed.). *Explaining Consciousness: the "Hard Problem"*. Cambridge: The MIT Press, 1995: 103.

定它有三维性、中心性、定域性等；二是拓展，即把新的内涵、新的属性及特点加进去，如强调空间性物质有突现出非空间属性的特点。他说："既然突现是一个事实，因此空间中的物质一定有常见的空间概念所无法包含的特点。"这意思是说，具有非空间特点的事物完全可以从空间性物质中突现出来。正是因为有这一特点，意识这类空间上异常的事物才会产生出来，并占有自己的存在地位。他说："一些必不可少的属性先于物质转化为大脑结构而从物质中产生出来了。"[①]可见，意识不是从无中生，而是从物质而生，但又不是由物质的常见的属性和特征而生，而是由它的别的方面和特征而生。这些方面与那些在物质和空间的早期形成中起重要作用的宇宙特征有密切关联。而这些特征，本身是前空间的。意识之所以独特，是因为它不是来自物质的那些常见的特征与原则（它们对意识的产生是没有用的），而是来自物质的那些异常的方面、特征和原则。[②]物质的这些前空间的、非空间的东西在物质演变出大脑之前就通过突现出现在物质之中了。因此，尽管世界在最初是物质的，但由于有突现这一产生或进化的方式，后来便陆续出现了新的属性，如非空间属性就是如此。它们一经产生，又成了导致新的实在的一种源泉或力量。非空间的意识就是在此基础上产生出来的。

如果坚持传统的空间观，意识如何从物质中产生出来理所当然是一个难解之谜。因为意识不会以常见的方式占据一个位置或空间，不会像人们设想的那样延扩。但是，它们也不会存在于空间之外。因此，意识与空间的关系是极其异常和不透明的。而一旦按他的设想，对空间概念作出改造时，就能对意识的困难问题作出"较圆满"的解答。根据麦金的看法，一方面，意识在空间之内，但又没有固定的位置，近乎抽象实在；另一方面，空间及其所包含的物质并不具有定域性，里面有不可思议的方面、属性、特征和原理。如果说意识与空间是有关系的，那么这种关系又不是常见的关系，而是异常的、不透明的关系，因此意识从中产生出来似乎就没有什么困难。[③]

要解决意识的困难问题，还要修改传统的物质观。这种修改也可看作是一种

---

① McGinn C. "Consciousness and space". In Shear J(Ed.). *Explaining Consciousness: the "Hard Problem"*. Cambridge: The MIT Press, 1995: 104.

② McGinn C. "Consciousness and space". In Shear J(Ed.). *Explaining Consciousness: the "Hard Problem"*. Cambridge: The MIT Press, 1995: 104.

③ McGinn C. "Consciousness and space". In Shear J(Ed.). *Explaining Consciousness: the "Hard Problem"*. Cambridge: The MIT Press, 1995: 105.

“概念革命”。传统二元论和唯物主义之所以深陷无法自拔的泥潭之中，就是因为坚持了这样一种物质观：物质事物永远是有广延的，或占有空间的。由此出发，它们便无法说明无空间性的心灵怎么可能从物质性大脑中产生出来，以及前者与后者怎么可能相互作用。如果改变前提，即承认除了有广延的物质之外，还肯定有非广延的物质，那么异质的东西怎么可能相互产生、怎样相互作用的难题不是迎刃而解了吗？但问题是，有没有不占有广延的物质呢？麦金根据大爆炸宇宙学作出了肯定的回答，认为在前大爆炸阶段上肯定有物质、有前宇宙，那里的宇宙和物质都是不占有空间的。他说：“如果宇宙学家是对的，大爆炸前的宇宙就不是有空间性的宇宙。”或者说：“这个宇宙在大爆炸的阶段就没有空间的维度，这种状态一直持续到宇宙发生大爆炸之时。”[①]

意识有两大类，即种系意识和个体意识，它们的起源也有两种形式。根据大爆炸宇宙学，种系意识是这样起源的：“意识利用了前大爆炸宇宙的那些非空间特点，因而让自己产生出来了”。[②]个体意识发生的过程是，“有意识状态有一种隐藏的本质，它让这些状态从神经状态中产生出来。而大脑的、不可知的、让意识从它里面突现出来的属性，又让自己与意识的隐匿方面发生关联，正是意识的这一方面让自己具体化于大脑之中。可见突现的原则与具身的原则是一致的”。[③]

基于上述概念革命，意识与空间不再是隔膜的，而是结合在一起的。具体而言之，意识在本质上是非空间的，同时由于派生于大爆炸，因此又有空间性。这一来，就不难说明具有非空间性的意识和具有空间性的大脑如何可能发生相互联系和作用。其机理和过程在于，意识起源于前物质、前空间时期的无广延的存在，直到大爆炸发生后，乃至到今天，都还保持这一本质，而物质在从大爆炸中派生出空间维度之后，其内仍保留着非空间的本质，还是这一本质让意识与物质的相互联系成为可能。麦金认为，意识在本质上是非空间的，但它与客观的事物可发生联系，因此可推断其内还有空间，“以某种不可理喻的方式说，空间就在意识之中，且构成了它的本质。如果我们能进到意识的隐蔽结构之内，那么我们就能

① McGinn C. “Consciousness and space”. In Shear J(Ed.). *Explaining Consciousness: the “Hard Problem”*. Cambridge: The MIT Press, 1995: 120.
② McGinn C. “Consciousness and space”. In Shear J(Ed.). *Explaining Consciousness: the “Hard Problem”*. Cambridge: The MIT Press, 1995: 120.
③ McGinn C. “Consciousness and space”. In Shear J(Ed.). *Explaining Consciousness: the “Hard Problem”*. Cambridge: The MIT Press, 1995: 155.

理解：空间与心灵是怎样和谐地发生联系的”。[①]

四、自然主义二元论的实质与特点

无论查默斯和麦金等的意识理论各自存在怎样的特点，无论他们如何理解和称呼自己的理论，但有一点可以肯定，他们的理论都是带有自然主义倾向的二元论。查默斯的理论完成了对传统二元论的超越，如在承认意识是基本属性的同时，又承认意识有依赖于物理实在的一面，同时，还把意识结构与大脑结构的同型关系、意识与功能组织的协变关系概括成心理物理规律。就此而言，把这种二元论称作“自然主义的二元论”的确是十分恰当的。尽管麦金声称自己坚持的是自然主义立场，但这无法掩盖他思想的二元论倾向，因为他也像一般二元论一样承诺了心灵的独立的存在地位。

正如查默斯对自然主义二元论所作的评价，尽管不敢肯定这种理论是真实的，但其有比唯物主义更大的解释力。因为它有这样的特点：既承认物理实在具有根本性、本原性，又承认原经验有这样的地位。之所以说原经验有本原性，是因为它是物理实在的内在的特征，它的外在的特征就是我们能体验到的经验。在特定意义上，可把它看作奇特的唯物主义，因为它只承认有物理的实在，之所以同时又是二元论，是因为它强调这实在之内还有原经验性质。它有超越于物理学的地方，因为它认为这原经验是已有物理学所忽视了的东西。

自然主义的二元论尽管包含离奇、猜想和过于激进的特点，但又不失为现当代心灵哲学中的一朵奇葩。就二元论本身的发展来说，它无疑代表了一个新的发展方向。有把握说：二元论除了以对立于物理主义的形式发展之外，还有这样新的走向，即不再像传统二元论那样将自己放在与物理主义的根本对抗之中，而尽可能靠近物理主义，并吸纳其合理成分乃至基本原则。例如，查默斯不否认物理实在的第一性的地位，不像传统二元论那样认为精神现象也有自己的不同于物质的独立本原，而承认意识也是从物理实在中产生出来的。当然这是由其复杂性思想方式和突现论范式所决定的，他又认为，意识根源于物理实在，但并非唯一地

---

① McGinn C. “Consciousness and space”. In Shear J(Ed.). *Explaining Consciousness: the “Hard Problem”*. Cambridge: The MIT Press, 1995: 153.

决定于物理实在，因为他看到意识的产生除了与物理结构、功能组织有关之外，还有其他的决定因素，如物理实在之内所隐藏的心原以及别的文化、社会因素，更重要的是还有现象学的决定因素。因为由这些因素所决定，从物理实在中产生出来的意识便有自己的、不能还原的特点和独立的本体论地位。正是这些使查默斯走向了与物理主义不同的二元论。

此外，二元论与科学的关系也值得一议。查默斯尽管倡导带有二元论性质的意识论，但他并不认为它的理论就是反科学的，相反，他建立的这种意识论恰恰是他建构的关于意识的科学的组成部分。这无疑向我们提出了一系列具有挑战性的问题：二元论是不是一种反科学的理论？怎样看待二元论与科学的关系？二元论是不是绝对对立于科学的？可以肯定，历史上有一些二元论的确是反科学的，但是否可得出结论说，一切二元论都反科学？无论从动机还是从效果上，都不能如此说。笛卡儿的二元论在动机上是要与科学一致，许多量子物理学家，如薛定谔等也是如此，今日的查默斯等不仅在动机上与科学的动机一致，而且所建立的理论在内容上也努力与科学保持一致。例如，查默斯一直在思考这样的问题：怎样建构一门关于意识的科学？在他看来，如果意识论只关注第三人称材料，如关于大脑、行为、环境的观察资料，那么这种意识还算不上是科学，只有探讨第三人称资料与第一人称资料的关系，才算走上了科学的征程。换言之，真正的意识科学必须承认第一人称材料的地位。查默斯进一步指出，意识科学的一项主要任务就是寻找两种材料之间的关系，包括探寻它们之间的解释关系，如果能找到这样的关系，那么就有望由此出发去发现这些关系之后的普遍规律。而只有当意识理论找到了这样的普遍规律时，才有资格被称作科学。

五、初步评述与思考

客观地说，尽管各种形式的新二元论由于“观点”的限制有这样那样的偏颇和局限性，但无疑又在心灵哲学的试错性探索中提出了许多有价值的、值得思考的思想。毫不夸张地说，它们也为当今心灵哲学的发展和繁荣作出了积极而宝贵的贡献。例如，在本体论问题上，它们不仅为心灵哲学的本体论作出了积极的贡献，而且为形而上学本体论也奉献了自己的智慧。就前一方面来说，它们的确颇有见地地揭露了物理主义本体论的紧缩主义、沙文主义错误。须知，世界的存在样式不仅无限多，而且还具有开放性，即当新的关系出现、新的条件具足时，还会出现新的存在样式，如像意义、心理内容这样的高阶存在就是如此。另外，一种合力系统中，只要一个要素发生变化，如多一个或少一个，其上的高阶存在就会变化。就心理现象而言，在具备一定条件的情况下，除了会出现简单的存在样式（如活动、过程等）之外，还会出现像事件、状态这样的复杂存在。例如，二元论热衷于讨论的现象学性质、经验就是一种高阶状态，其中最为特殊的是，它本身包含着观点及由观点出发的看或体验。在溯源时，尽管可以在基础性的东西里找到它们的根源或条件，但既然它们作为一个突现性现象出现了，就不能再等同于基础的存在。正如儿子从母亲身上分化出来便有自己的独立地位一样，二元论不仅有形式和内容的变化，而且在认识上还有真正意义上的进步。这表现在，除少数持顽固笛卡儿主义立场的二元论形态之外的大多数形式都放弃了心灵有自己独立本原的观点，不仅接受了唯物主义关于意识起源于、依赖于大脑的原则，而且作了颇有独到性的论证。但是，由此出发对二元论的建构与发展以及对二元论概念所作的新的理解，则令唯物主义极为难堪。根据他们对二元论的重新界定，二元论的独特之处在于主张心灵或意识有自己不同于或高于物理实在的本体论地位。换言之，任何理论，只要不把意识等同于或还原于大脑过程，那么就都可看作是二元论理论。因此，二元论只对立于等同论或绝对的本体论还原论。如果是这样，等同论之外的大多数唯物主义形态，如各种形式的功能主义、随附论唯物主义、异常一元论、承认自然现象有层次性的各种自然主义就都成了二元论家庭的成员。这种概念变化以及随之而来的哲学理论界限上的变化无疑给哲学研究尤其是唯物主义哲学研究提出了新的理论课题，值得进一步思考。

第七章
取消主义及其最新发展

取消主义或取消式唯物主义、取消式物理主义的基本主张是，FP是一种完全错误的理论，终将像“燃素说”“以太说”一样被淘汰，其所使用的“信念”“愿望”等心理概念没有指称，也将像“燃素”“热质”等一样被抛弃，因此，世界上真实存在的只有物理实在，心灵、意识乃至意义、真理、共相等都不存在。作为一种最极端的唯物主义或物理主义形式，取消主义是当代心灵哲学本体论变革中的“急先锋”，体现了唯物主义发展历程中的一种转向，对于我们反思常识和传统的本体论承诺，变革传统心灵观念具有重要的意义。

第一节　取消主义的兴起及其演变进程

一般来说，否认某事物或现象存在的理论都可看作是关于特定领域的取消主义。在心灵哲学史上，关于人性的取消主义主张由来已久，如还原论唯物主义可看作是关于非物质灵魂的取消主义，彻底的决定论可看作是关于自由意志的取消主义，休谟的自我观也可看作是关于自我的取消论。但当代取消主义作为心灵哲学中的一种新理论，出现的时间并不长。从词源学上说，“取消式唯物主义”一词最先出现在考恩曼（Cornman）于1968年发表的《论“感觉”与感觉的取消》

（“On the Elimination of ‘Sensations’ and Sensations”）一文中[1]，“取消式物理主义”是蒯因在其1960年出版的《词语与对象》（*Word and Object*）中首次引进当代哲学的。[2]当代取消主义思想的萌芽可以追溯到布罗德的《心灵及其在自然中的位置》（*The Mind and Its Place in Nature*），其中概述和讨论了一种被称作“纯粹的唯物论”（pure materialism）的理论，认为作为属性的心理状态不适合于世界上的任何事物，当然布罗德本人并不赞成这种理论，因为他认为这种理论是自相矛盾的。[3]

当代取消主义的兴起肇始于对FP的反思。如果说20世纪语言学转向是心灵哲学作为独立哲学分支学科诞生的契机的话，那么当今强调研究FP，强调心灵哲学应转向对人们普遍持有的常识心灵观念的反思，则是心灵哲学向纵深挺进的一个标志。刘易斯关于FP的“隐式定义论”在这一转向中发挥着重要作用。根据刘易斯的观点，存在某些关于常识心理话语的概括或“老生常谈”（platitudes），它们构成了关于常识心理学的心灵主义词语的隐式定义。简单来说，FP就是“关于心灵的‘老生常谈’或‘常识性’普遍原则的集合，它至少为大多数人心照不宣地接受或有望被接受”，而“信念”“愿望”等常识心理术语是由这些老生常谈和一般规定隐式地定义的。取消主义就是以这种隐式定义论为出发点的，因为刘易斯在对FP进行分析时发现，世界上没有什么实在能承担常识心理学所说的那种因果角色，没有什么能满足“信念”等的定义，所以信念等是不存在的。[4]20世纪中叶以来的很多哲学家都为取消主义提供了思想资源。例如，威尔弗里德·塞拉斯提出，我们的心性概念不是来自对人的心灵及其内在过程的直接认识，而是来自我们从文化中继承的一种原始理论框架。[5]尽管他本人承认这种理论框架在经验上是正确的，但他认为我们的心灵概念是以理论为基础的，并且原则上是可以证伪的，这对后来的取消主义者具有重要的影响。蒯因也指出，我们日常的心理描述、心理概念本质上是一种没有科学价值的“戏剧用语”（dramatic

---

① Cornman J. “On the elimination of ‘sensations’and sensations”. *The Review of Metaphysics*, 1968, 22(1): 15-35.
② Quine W V O. *Word and Object*. Cambridge: The MIT Press, 1960: 265.
③ Broad C D.*The Mind and Its Place in Nature*. London: Routledge, 1925: 607-611.
④ Lewis D. “Psychophysical and theoretical identifications”. *Australasian Journal of Philosophy*, 1972, 50(3): 249-258.
⑤ Sellars W. “Empiricism and the philosophy of mind”. *Minnesota Studies in the Philosophy of Science*, 1956, 1: 253-329.

idiom），不能够融入科学世界观，因此，我们应当从哲学和科学话语中取消心理的谈论。费耶阿本德（Feyerabend）则认为常识心理学将被证明是完全错误的，其概念是非物理的，虽然他没有使用“取消主义”一词，但已经表达了取消主义思想，因为在他看来，任何物理主义形式都蕴含着这样的观点，即不存在常识心理学所说的心理过程或状态。①

然而，早期取消主义者对于心理概念有不同的理解：有的认为心理概念是没有任何指称的空概念，类似于古人所使用的“妖魔”“水晶天球”等；有的认为心理概念虽然指称了某种真实存在的东西（即大脑状态），但科学术语比常识术语能更好地描述大脑状态，因此科学的概念框架最终会取代常识框架。鉴于这样的差异，早期取消主义者往往会对其主张作出两种不同的描述：一种是认为不存在心理状态，只有大脑状态；另一种是认为确实存在心理状态，但它们就是大脑状态。例如，罗蒂在《心身同一性、私人性和范畴》一文中所提出的“消失论”（disappearance theory）就同时采取了这两种描述，即它既认为感觉不存在，又认为感觉可等同于大脑过程。②这无疑会造成在理解取消主义的核心主张上混乱，因为如果感觉等同于大脑过程，那么取消主义如何与同一论和其他还原论唯物主义相区别？如果心理状态能还原为大脑状态，为什么还要取消它们？基于此，利康（Lycan）等指出，取消主义者不能同时持有这两种理解，“要么你主张常识心理概念没有指称任何真实的事物，在这种情况下，你是一个真正的取消式唯物主义者；要么你主张心理概念能以某种方式还原为大脑的神经（或计算）状态，在这种情况下，你实际上是旧式唯物主义者/还原论者”③。萨维特（Savitt）也利用“本体论上保守的理论转换”和“本体论上激进的理论转换”这两个概念说明了上述两种表述的区别，认为前者是还原论唯物主义，后者是取消论。④

当代取消主义的最终定型要归功于丘奇兰德夫妇和斯蒂克（Stich），他们对取消主义作出了系统的和标准的阐释。正是由于他们的工作，取消主义才引起了当代哲学家和认知科学家的广泛关注，FP 及其常识心理概念的地位和命运问题才

① Feyerabend P. “Mental events and the brain”. *The Journal of Philosophy*, 1963, 60(11): 295.
② Rorty R. “Mind-body identity, privacy, and categories”. *The Review of Metaphysics*, 1965, 19(1): 28.
③ Lycan W, Pappas G. “What is eliminative materialism?”. *Australasian Journal of Philosophy*, 1972, 50(2): 149-159.
④ Savitt S. “Rorty’s disappearance theory”. *Philosophical Studies*, 1975, 28(6): 433-436.

成为当代心灵哲学争论的一个焦点。丘奇兰德夫妇认为，取消主义是神经科学研究计划的一个切实可行的目标，虽然目前的神经科学语言在彻底取消心理语言之前还有很长的路要走，但由于FP“是一种完全虚假的理论，它有根本的缺陷，因此其基本原理和本体论最终都将被完善的神经科学所取代，而不是被平稳地还原”。[①]因此，取消主义不是纯粹的逻辑可能性，而是值得科学认真关注的经验可能性，当前神经科学就行进在取消FP的征程上。斯蒂克[②]也认为FP最终会被取消，不过他的理由与保罗·丘奇兰德等的不同。最初，他基于普特南等的语义外在论否定了信念、愿望等在行为解释中的作用。他认为，如果意义不在头脑之中，那么因为信念和愿望是根据其意义或内容个体化的，所以它们也不在头脑之中。这样一来，一个人与其孪生人的信念就有不同的内容，那么如果一个人认为他在解释行为时所使用的状态也是其孪生人所具有的，那么由此就可以推出信念在行为解释中不起作用。具体来说，人们普遍接受的信念-愿望命题与孪生地球思想实验所证明的心理自主原则有矛盾。所谓信念-愿望命题，是说人的行为至少部分地是依据信念和愿望来解释的，因此解释行为的心理理论会使用信念和愿望概念，而心理自主原则是人们对解释性心理理论的本质所持有的一个假设，即认为某个人与其孪生人在心理上是同一的，其中之一所例示的任何心理属性也都是另一个所例示的。心理自主原则尽管与信念-愿望命题不是在逻辑上不相容，但它与信念-愿望命题支持者所普遍持有的某些假设不相容。这些假设就是，单称的因果陈述通常是正确的，而它们之所以正确，是因为它们服从于一些利用了在描述信念和愿望时所使用的属性的规律。举例来说，我们通常假设像“张三关于他彩票中奖的信念是他冲向电话的一个原因”这样的陈述往往是正确的，而它们之所以正确，是因为服从于利用了像相信他刚刚中奖之类的属性的规律。斯蒂克认为，如果我们接受自主原则，那么这些假设就要被抛弃。换言之，如果接受自主原则，那么就有很多信念属性是不能在解释性心理理论中起作用的。因此，如果我们接受心理自主原则，那么我们所例示的信念属性就不可能是有解释作用的心理属性。斯蒂克说：“如果我们接受心理自主原则，那么就有很多信念属性

① Churchland P M. “Eliminative materialism and the propositional attitudes”. In Lycan W (Ed.). *Mind and Cognition: a Reader*. Cambridge: Blackwell, 1990: 206.

② 斯蒂克对取消主义的态度有一个变化的过程，最初他是取消主义的支持者，但后来变成了取消主义的批判者，本章在后面对此有详细的说明。

不能在解释性心理学理论中使用。这反过来可以推出很多在直觉上得到认可的单称因果陈述——它们说明了一个信念是一个行动的原因一不可能直接服务于一个规律。我认为，正是在这里我们的论证可以用于推翻信念-愿望命题。因为这一命题的合理性在很大程度上依赖于这些单称因果陈述的合理性。的确，我认为信念-愿望命题可以被看作是这样的推测，即这些在直觉得到认可的单称因果陈述可以在根据信念和愿望来描述的严肃的心理理论中兑现。在证明了很多这样的单称因果陈述不能这样兑现之后，我们就使体现为信念-愿望命题的推测变得无用且缺乏动机了。”①后来，斯蒂克又根据心理句法理论和联结主义指出，FP 最终被取消不是由于它不能还原为物理科学，而是由于它与认知科学不符合。在他看来，以逻辑为基础的认知科学提供了取消 FP 的证据，因为这种认知科学是以心理句法理论为基础的。这意味着它只关注发生于大脑内部的过程，而不考虑这些过程与外部世界是如何联系的。但常识的信念概念却不仅有句法，而且还有语义。因此，在认知科学的本体论中没有常识信念概念的位置。②

第二节　取消主义的基本观点及其论证

取消主义虽然是一种统一的哲学主张，具有一致的指向和目标，但由于视角、工具、方法不同，所展现出来的情况非常复杂，不仅不同论者之间观点迥异，而且同一个人在不同时期的观点变化也很大。

一、取消主义的基本主张

取消主义认为，FP 确实存在于日常的解释、预测活动中，并渗透到了心理学、哲学和经典认知科学之中。但它是完全错误的，它所设想的信念、愿望等心理状态是不存在的，其概念所表示的是一种完全错误的地形学、原因论和动力论。保罗·丘奇兰德说：“我们关于心理现象的常识概念是一个完全虚假的理论，它有

① Stich S. “Autonomous psychology and the belief-desire thesis”. In Stich S(Ed.). *Collected Papers,Volume 1: Mind and Language*, 1972-2010. Oxford: Oxford University Press, 2011: 63.
② Stich S. *From Folk Psychology to Cognitive Science: the Case against Belief*. Cambridge: The MIT Press, 1983: 209-242.

根本的缺陷，因此其基本原理和本体论最终都将被完善的神经科学所取代，而不是被平稳地还原。我们的相互理解和内省都可以在成熟的神经科学的概念框架中得到重构，与之所取代的 FP 相比，我们可以期待神经科学有大得多的威力，而且在一般意义的物理科学范围内实质上更加完整。”[①]根据斯蒂克的观点，取消主义主张主要包括以下四个方面。

（1）“信念”“愿望”以及其他为我们所熟知的意向状态，表达的是常识心灵理论的理论术语。这一理论常被称为 FP。

（2）FP 是一种严重错误的理论。它所作出的关于引起行为的状态和过程的主张及这些主张的许多前提都是错误的。

（3）解释心/脑如何工作以及它如何引起可观察行为的成熟科学不会提及常识意向状态和过程。信念、愿望等不是成熟的科学心理学之本体论的组成部分。

（4）常识心理学的意向状态并不存在。[②]

具体来说，取消主义在本体论上主张，FP 所断定的实在根本就不存在。例如，某人走到冰箱前，打开门拿出了一瓶饮料。在解释这一行为时，我们一般都会提及他的感觉（如感到口渴）、愿望（想用饮料解渴）、信念（相信饮料可以解渴）等心理状态。但取消主义者认为，根本就不存在这些状态。因为神经科学家在研究大脑时，只发现了神经元及其活动、过程和连接模式，并未看到具有命题内容的信念、愿望、感觉等状态。因此，FP 所断定的实在，就像传统民间化学、民间物理学和巫术所断定的燃素、热质、妖魔等一样是“虚幻的”。用它们来解释行为只不过是基于错误的原因论，其基本原理从根本上讲是虚假的。

从语言哲学的角度看，人身上根本不存在信念、愿望等状态和实在，因此表达它们的概念、语词是一些没有指称的空概念。随着成熟科学的发展及其术语的常识化，常识心理语言必将退出交流的历史舞台，而被精确的科学语言所取代。从语言的演化历史看，人类所使用的语言经常变化，由于指称不明确、认识不准确、命名使用不当等所产生的一些“前科学术语”，如“以太”“燃素”“生命

① Churchland P M. “Eliminative materialism and the propositional attitudes”. In Lycan W(Ed.). *Mind and Cognition: a Reader.* Cambridge: Blackwell, 1990: 206.

② Stich S, Ravenscroft I.“What is folk psychology?” In Stich S(Ed.). *Collected Papers, Volume 1: Mind and Language*, 1972-2010. Oxford: Oxford University Press, 2011: 215.

精气”等已经被科学术语取代了。常识心理概念现在还未遭此厄运，只是因为现在科学还不发达，随着科学进一步发展，它们迟早会被淘汰。

从方法论模式看，FP的解释预测模式以及内在于其中的规律、原则网络也会被抛弃。对人的行为做出解释和预测，是每个正常人都能进行的工作。而要做出解释和预测，一般都是诉诸行动者的内心状态，即根据行动者相信什么、期望什么、意欲什么、喜欢或害怕什么来解释和预测他的行为。在这里，蕴含于解释和预测者心中的是这样一些“理论”和原则之网，如信念等存在于心灵之中，后者是前者的驰骋空间，就像古人相信星星漂浮于太空一样；人是有理性的动物，人的行为具有合理性；信念等命题态度具有因果有效性，即可作为原因产生结果（行为），或与其他命题态度发生相互的因果作用以产生新的命题态度或共同产生行为；在“我”身上有信念及其因果链，别人也是如此；用于“我”身上的，描述、解释、预测“我”的心理过程和行为的术语也可用于其他人，这是制约心理语言创制和运用的原则。这些“理论”和原则之网大多数是“默识的”，但确实存在于人的文化-心理结构之中，并通过日常的解释和预测、实践表现出来。只要去分析人的言语活动和解释预测实践，便不难发现它们。在取消主义者看来，这种解释、预测模式及其原则的基础是类比、隐喻，而不是对内在过程及其与行为的关系的科学认识，因此随着科学对其细节的洞彻和把握，它们难逃被淘汰的命运。

二、取消主义的主要论证

由于所从事的研究领域、专长以及分析问题的切入点不同，取消主义者所依据的材料和所作的论证也分为不同的类型。总体而言，主要有以下两方面的论证。

1. 根据科学理论基本特征的论证

取消主义者认为，判断理论间好坏的基本条件是，好的理论比坏理论适用范围更广，解释预测更准确；好的理论是不断丰富发展的；好的理论与相邻领域的理论具有一致性和连续性。保罗·丘奇兰德认为，FP在这三个方面的表现都不能令人满意。

首先，FP在解释上是不充分的。它的许多解释和预测不仅漏洞百出，而且对许多行为和内部过程，如睡眠、梦、心理疾病、创造性思维、个体间智力差异、学习过程的本质等根本无力解释。虽然这还不足以证明FP是错误的，但完全可以表明FP只不过是一个很肤浅的理论，是悬置于更为深刻复杂的实在之上的、局部的、未经识破的假象而已。因此，可以断言，“对于我们内部世界的运动学和动力学，FP所提供的绝对是一个误入歧途的纲领，它的成功更多的是归功于有选择的应用范围和从我们自身出发所作的牵强的解释，而不是根据对FP的基本成分所作的真正的理论透视”①。

其次，FP在发展上是停滞的。FP具有悠久的历史，然而在过去几千年中它几乎没有任何显著的发展，古希腊人的常识心理概念图式与我们的在本质上是相同的。不仅如此，FP在过去的几千年中还表现出稳步倒退的趋势，已经从天体、风等自然现象退缩到了人和高等动物。因此，FP“是一个停滞的或退化的研究纲领，而且这一趋势已经持续了数千年”②。

最后，FP也不能被其他现有理论整合。一种理论要免遭淘汰或抛弃的厄运，关键看它能否与其他已被证明的科学相融合。而FP在这一点上最为尴尬，因为随着粒子物理学、原子和分子理论、有机化学、进化论、生物学、物理学和神经科学等的发展，我们已经可以对人的组成结构、发育和行为能力提供完整的描述。随着理论综合化进程的推进，它们最终将对人的认知和行为提供最终的解释。但FP却孤立于这一进程之外，成了一个“局外人”③。FP的范畴“与物理科学背景下的范畴要么是不可通约的，要么是毫不相关的。从长远来看，用物理科学最终解释人类行为似乎是不可否认的，任何一种处于这种情况下的理论都应严肃地对待被彻底取消的可能”④。

2. 根据认知科学最新发展的论证

FP得以成立，在认知科学中主要受到经典认知主义的支持。斯蒂克根据

---

① Churchland P M. “Eliminative materialism and the propositional attitudes”. In Lycan W(Ed.). *Mind and Cognition: a Reader.* Cambridge: Blackwell, 1990: 210-211.

② Churchland P M. “Eliminative materialism and the propositional attitudes”. In Lycan W(Ed.). *Mind and Cognition: a Reader.* Cambridge: Blackwell, 1990: 211.

③ Churchland P M. “Folk psychology”. In Churchland P M , Churchland P S(Eds.). *On the Contrary: Critical Essays*, 1987-1997. Cambridge: The MIT Press,1998: 8.

④ Churchland P M. “Eliminative materialism and the propositional attitudes”. In Lycan W(Ed.). *Mind and Cognition: a Reader.* Cambridge: Blackwell, 1990: 212.

认知科学的最新发展，对经典认知主义进行了批判，指出FP是与成熟的认知科学不相容的。

首先，基于心理句法理论的论证。在日常解释和预测实践中，我们通常都是根据命题态度的意义或内容来确定心理因果作用的。例如，我们是在把握了信念的内容（如相信“冰箱里有饮料”）的前提下，才有相应的行为（如走到冰箱前，拿出饮料来喝）。在解释和预测别人的行为时也是如此。但斯蒂克认为，根据命题内容来说明认知状态的因果作用是一种不正确的、混乱不堪的方法。在他看来，正确解释心理因果作用的最好理论是心理句法理论。因为认知状态的相互因果作用，以及刺激与行为事件的因果链条都能根据认知状态映射于其上的抽象对象的句法属性和关系来加以描述。也就是说，行为是由认知状态决定的，而认知状态则表现于或映射在句法对象上，即通过一定的句法形式或结构表现出来，因此，认知状态的因果关系是映射在句法对象的形式关系上的。那么，如果我们想借助内部状态的因果力将心理状态个体化（这是认知科学想做的事情），那么我们最好根据物理属性或句法属性而不是语义属性去描述心理状态。①

其次，针对命题模块性的论证。FP的倡导者认为，命题态度具有语义上的可解释性、功能的具体性和因果的有效性三个特征。②斯蒂克将这三个方面统称为“命题模块性”（propositional modularity）。在传统认知科学中，关于人的信念或记忆的模型一般有三类：一类是把个体的信念表征为特殊的句子或似句子结构，不同的句子或似句子结构是与特定的信念相对应的；另一类把信念表征为由节结和联结节结的链所组成的复杂网络，在这个网络里，节结表征的是概念，链表征的是概念间的各种关系；还有一类是把信念表征为产生性规则的集合。总之，这些模型都体现了命题模块性。但是，根据联结主义认知模型，我们的心理状态并不符合命题模块性。因为在联结主义网络中，信息是整体储存并广泛分布于网络之中的，不存在表征具体命题的个别网络状态或部分。任一具体命题的计算都涉及许多权数、单元或偏差，而每一联结强度、偏差和隐蔽单元又都在很多计算中发挥作用。也就是说，在联结主义网络中，不存在具体的、语义上可解释的、

① Stich S. *From Folk Psychology to Cognitive Science: the Case against Belief*. Cambridge: The MIT Press, 1983: 209-242.

② Greenwood J(Ed.). *The Future of Folk Psychology: Intentionality and Cognitive Science*. Cambridge: Cambridge University Press, 1991: 23-25.

只在某些认知阶段、不在别的阶段发挥因果作用的状态。……不存在民众心理学的命题态度可以合理地与之同一的东西。不仅如此，网络单元的权数和偏差是由学习的规则系统调节的，因此任何单个的单元或单元的小型集合通常都不会以直接的方式表征环境的特定特征，网络是集中地、整体地编码一组命题的，也就是说，它所利用的表征策略是亚符号策略。更重要的是，联结主义模型在解释层次上位于心理学层面，而不在执行层面，因此联结主义模型与传统认知模型之间的关系不像量子力学与经典力学的关系，而更像关于热的热质理论与分子运动理论之间的关系。由此，斯蒂克得出结论：某种类型的联结主义模型与常识心理学所包含的命题模块性是势不两立的，如果这些模型最终为人类的信念和记忆提供了最好的说明，那么我们将面临一场本体论上激进的理论变革——这类理论变革将支持这样的结论，即命题态度像热质、燃素一样根本就不存在[①]。

最后，基于“双重控制论”的论证。在 FP 中，信念等意向状态与其他意向状态和行为之间具有因果关系。而特定的意向状态往往可以引起言语和非言语两种行为后果。例如，当我相信“今天会下雨”时，如果别人问我今天天气情况，我会说“今天会下雨”，这里我关于今天会下雨的信念是我说这样的话的原因。同样，如果我相信“今天会下雨”，而我又不想让雨淋湿，那么在其他条件不变的情况下，我今天上班时就会带上雨伞，这里我关于今天会下雨的信念就是我带雨伞的原因。也就是说，同一个信念既是我的言语行为的原因，也是我的相应的非言语行为的原因。但是，斯托姆斯（Storms）和尼斯比特（Nisbett）等在实验中发现，患失眠症的被试在解释其言语行为和非言语行为时所使用的原因是不同的。认知不协调理论也证实，由于各种“偏见”（如“观察者偏见”）和定势的影响，人们关于自己言语行为原因的解释与非言语行为原因的解释往往是不同的。例如，即使我们的成功主要是由于外部的有利条件，但我们在解释自己的成功时，通常是将原因归于自身能力、刻苦程度等，而在解释失败的原因时则相反，往往归咎于任务艰难、运气太差等外部条件。由此社会心理学家提出了“双重控制论”：控制言语行为和非言语行为的机制是不同的。斯蒂克认为，既然 FP 的归因模式与双重控制论是不一致的，那么，FP 就可能是极其错误的，人类并不具有信念和愿望。[②]

① 高新民，储昭华.《心灵哲学》，商务印书馆 2002 年版，第 1064 页。
② 高新民，储昭华.《心灵哲学》，商务印书馆 2002 年版，第 1079 页。

第三节 取消主义与 FP

如前所述，当代取消主义兴起于对 FP 的反思，其基本观点是否定 FP 及其常识心理概念的存在地位，但人们对 FP 有不同阐释和理解，因而对取消主义及其命运的认识也存在差异。这方面的讨论实际上反映了当代取消论的一种倾向，即它不再一概否定 FP，而是具体说明哪种意义的 FP 能够取消。

斯蒂克和雷文斯克罗夫特认为，“FP”一词有不同的用法，不同的用法对取消主义者的论证有着不同的影响。在他们看来，我们对 FP 可以作外在和内在两种解释。根据外在解释，FP 是隐含于我们日常心理话语中的一种心灵理论。一方面，它是指一般人在日常对心理和行为作出描述、解释或预言时所使用的“老生常谈”的集合。这些老生常谈就是符合人们直觉的心理学概括，如“如果某个人相信所有蝎子都有毒且相信张三的宠物是蝎子，那么他通常会相信张三的宠物有毒”，“如果某个人想点杯啤酒且没有其他相冲突的愿望，那么他通常就会点杯啤酒”，等等。另一方面，这些老生常谈量大且笨拙，因此 FP 也指一系列对这些老生常谈进行系统化的更抽象的原则或“理论”，这些原则或“理论”与其他公认的信息相结合可以推导出这些老生常谈，这种系统化还可能使用了普通人不熟悉的术语和概念。质言之，根据外在解释，FP 不是一种内部表征的知识结构和信息组合，也不是支撑日常解释能力的机制的一部分，因此它“不在头脑之中”。根据内在解释，FP 是一种关于人的心理的理论，指的是“底层的内部表征的规则和原则”①，它表征于心/脑之中，是我们日常的预言和解释能力的基础。换言之，它是在我们的行为观察与我们对该行为的预言和解释之间起中介作用的一种数据结构或知识表征。斯蒂克等认为，根据关于 FP 的外在解释，对相同的老生常谈可以作出多种同样妥当的系统化，就像对同一门语言可以提出多做同样合适的语法理论一样。根据某种标准，我们可以对 FP 作出真假判断。因此，外在的解释保证了取消主义者具有要取消的对象，但关于 FP 的外在系统化不止一种，因此接受外在解释的取消论者并没有确定的取消对象，他们必须具体说明所批判的

---

① Stich S, Ravenscroft I. “What is folk psychology?” In Stich S(Ed.). *Collected Papers,Volume1: Mind and Language*, 1972-2010. Oxford: Oxford University Press, 2011: 226-227.

是关于 FP 的哪种系统化的外在版本。就内在解释而言，构成 FP 的内在知识表征实际上包括两部分：一是规律、规则和事实。它们描述了心理状态之间，心理状态与环境刺激、行为之间相互作用的方式。二是程序，即用于从上述规律、规则和事实中得出解释、预言的规则。如果是这样，那么 FP 就有三种不同的用法：①它指的是整个知识结构，即 FP=程序+命题信息；②它只指命题信息的部分，即 FP=命题信息；③它只表示程序或规则，不表示命题信息，即 FP=程序。如果是①，那么 FP 中只有一部分可以为真或为假；如果是②，那么整个 FP 可以为真或为假；而如果是③，我们就不能对 FP 做出真假判断。因此，如果取消论者接受关于 FP 的内在解释，他们要取消 FP，就必须先说明为什么 FP 只能是①或②，而不能是③。斯蒂克等说："对 FP 持有内在观点的取消论者做出了一个经验的推测，即 FP 并非全是规则而没有命题，但这一推测可能被证明是错误的。"[①]另外，尽管上述的内在解释是以思想语言假说为基础的，但我们依据采取非语言编码的联结主义和心理模型理论也可以得出类似的结论。根据后者，内在表征的"知识结构"存储于一个心理模型或联结主义网络之中，但在有些心理模型和联结主义理论中，存储的信息是无法以唯一的方式映射或翻译为命题或陈述句的，因此我们也无法对 FP 作出真假判断。在这种情况下，接受内在观点的取消主义者也持有一个有争议的经验假设，即 FP 能力不是由这类联结主义网络或心理模型实现的。总之，取消主义并不是绝对地取消一切 FP，而只是取消其中的一些版本。具体来说，如果我们选择外在解释，那么 FP 显然能作出陈述，而有些陈述是错误的，因此取消主义者肯定有取消的对象，但对这些直觉认可的 FP 原则进行系统化的方式很多，因而取消的对象可能不是唯一的，取消主义者要坚持其主张，必须对其取消的对象作出具体说明。如果选择内在解释，把 FP 看作是内部表征的知识结构，那么 FP 能否被取消则取决于这种知识结构的存储方式：如果它存储在由规则和似句子的原则所组成的系统中，或者存储在一个心理模型或联结主义网络中，而这个模型或网络又能映射到命题上，那么 FP 有真假，因而有可能被取消，但如果它存储于一个仅仅由规则构成的系统，或者存储于不能映射到命题上的心理模型或联结主义网络中，那么 FP 不存在真假问题，因此就不能被

① Stich S, Ravenscroft I."What is folk psychology?" In Stich S(Ed.). *Collected Papers, Volume 1: Mind and Language*, 1972-2010. Oxford: Oxford University Press, 2011: 229.

取消。[1]

普斯特（Pust）赞成上述关于FP的内在解释和外在解释，但认为斯蒂克等错误地阐述了这种区别对取消主义的影响。他认为，斯蒂克等所说的外在主义有两个版本：一个是“老生常谈外在主义”，认为FP就是多数人所赞成的心理学老生常谈的集合；另一个是“系统化的外在主义”，即FP是对这些老生常谈进行系统化的一种“理论”，这种“理论”的唯一作用是对这些老生常谈作出简洁的描述。但系统化的对象（对这些“老生常谈”式的心理学直觉）的本质存在歧义性，因此对系统化的外在主义又可以作出两种解释：一种是系统化的直觉外在主义，认为系统化的对象是由关于哪些命题合乎直觉的陈述构成的；另一种是系统化的内容外在主义，认为系统化的对象只是由这些合乎直觉的命题本身（即这些直觉的命题内容）构成的。根据第一种解释，系统化完全能抓住这些老生常谈，因而它必然正确，从而就不是取消主义取消的对象。而根据第二种解释，系统化有可能是错误的，但这是由于它所抓住的一些老生常谈是错误的，因而这种系统化版本是否是取消主义取消的对象取决于老生常谈外在主义。基于此，普斯特说：“关于FP的系统化外在论的取消论要么是不融贯的，要么完全依赖于老生常谈的真假。如果后者为真，那么系统化的外在论就不是一个与老生常谈外在论无关的取消主义的对象。”[2]

具体来说，根据系统化的直觉外在主义，FP的系统化涉及的是关于哪些命题合乎直觉的陈述，它要么类似于一系列的公理，它们蕴含着关于哪些心理学概括被人们认为合乎直觉的真命题，即“P被相信是真的”或“P在普通人看来是直觉的”这种形式的命题；要么类似于一个理论家所提出的一系列公理，其目的是想让“……是直觉的”中的每个实例都表现为一个定理。在这种情况下，有关这种理论的一个断言就是，常识直觉的内容就在公理 $A_1 \cdots\cdots A_n$ 的结果中。如果这样来解释系统化且是妥当的，那么这种系统化就必然为真，这样取消主义就失去了对象，因为取消主义的一个前提是所涉及的理论是错误的。根据系统化的内容外在论，系统化所涉及的是老生常谈本身，在这种情况下，如果每种候选的系统

① Stich S, Ravenscroft I.“What is folk psychology?” In Stich S(Ed.). *Collected Papers, Volume 1: Mind and Language*, 1972-2010. Oxford: Oxford University Press, 2011: 230-231.

② Pust J. “External accounts of folk psychology, eliminativism, and the simulation theory”. *Mind & Language*, 1999, 14(1): 116.

化都是妥当的，即如果它们每个都蕴含所有这些老生常谈，那么所有候选的系统化就都为真或为假。如果这种系统化恰当地抓住了这些老生常谈，而且如果这种理论的真主张被限制于它关于老生常谈的主张，那么这种系统化的真假就仅仅是由它所系统化的老生常谈的真假决定的。由此，普斯特指出："与斯蒂克和雷文斯克罗夫特的看法相反，关于系统化的外在对象的取消论者不会遇到这样的窘境，他必须对多个可能对象的每一个对象都作出独立的评价。相反，他要么没有一个对象（如果处理一种系统化的直觉外在论的话），要么对一个对象即老生常谈会遇到很多同样好的描述。因此，如果关于 FP 的系统化的内容外在论版本是那样的对象，那么它们实际上就不是取消主义者批判的独立的对象。正是因为这些系统化抓住了所需的直觉，所以它们的真值完全是由这些直觉的命题的真值决定的。那么，关于 FP 的恰当的系统化的内容外在论版本为真，当且仅当这些老生常谈为真，为假则当且仅当它所系统化的有些老生常谈为假。因此，这种可能性，即关于 FP 的外在论版本可能错误——完全依赖于这些老生常谈的地位。"[①]

就老生常谈外在主义来说，它认为 FP 是由平淡无奇的心理学论断（如各种关于信念、愿望的原则）构成的，它不同于内在主义版本，即认为这些论断不是内在表征的知识结构的组成部分，它们不在头脑之中，FP 只是普通人觉得合乎直觉的一系列心理学原则。这种外在主义的问题在于，如果它要为关于 FP 概念的取消论者提供合适的对象，它必定是"内在的"。普斯特说："尽管外在论主张 FP'不在头脑之中'，但重要的是要看到，构成 FP 的老生常谈外在论版本的命题集合中的成员是由普通人头脑中的东西决定的。这些老生常谈就是普通人觉得合乎直觉的那些概括——那些我们会自发地对之作出真理判断的心理学概括。然而，如果一个命题不被人们看作是直觉的，并且也不是被他们不言而喻地相信或接受的，那么它凭什么能被看作是普通人的心理学理论的组成部分呢？因此，这些直觉就是'内在的'或'在头脑之中'。"[②]在他看来，尽管这些直觉不是实现各种 FP 能力的机制的组成部分，而是该机制的产物，但它们同任何心理状态一样处于头脑之中，因为"老生常谈外在主义被看作是 FP 的一个版本，只是由

① Pust J. "External accounts of folk psychology, eliminativism, and the simulation theory", *Mind & Language*, 1999, 14(1): 120.

② Pust J. "External accounts of folk psychology, eliminativism, and the simulation theory". *Mind & Language*, 1999, 14(1): 122.

于它是由普通人的直觉心理学的命题内容构成的。除非所说的这些命题被普通人'相信'或（或明或暗地）表征，就绝对没有理由认为它们构成了普通人的心理学理论"。[①]

还要看到，取消主义的标准论证始于罗伊·塞拉斯论题，即我们通常是用一种理论框架来解释和预言行为，也就是说，取消主义是以关于 FP 的理论理论（theory-theory）为基础的。但是，如果 FP 不是一种理论，取消主义所赖以成立的地基就会坍塌。许多反取消论者看到了这一点，如丹尼特就指出，FP 作为一种理论资源在人们解释、预言行为时起着基础和原则的作用，但它与专业化的思想体系不同，与其说它是一种理论，不如说它是一种民间手艺。[②]他说：我们学会了把 FP 作为一种具有民间风格的社会技术、一种手艺来使用；但我们不是自觉地把它作为一种理论来学习的……在这方面，我们的 FP 知识类似于我们母语语法的知识。[③]常识心理解释本质上是一种给出理由的解释，它不仅描述了行为的起源，还解释了行为的合理性，因此，FP 最好被看作是关于解释和预言的一种理性主义演算——一种理想化的、抽象的和工具主义的解释方法。[④]这种解释所使用的"信念""愿望"等术语就像"重心""赤道"这些术语一样，它们不是描述实在及其属性的科学概念，而是在行为的解释和预言中起工具作用的工具主义概念，其地位类似于力的平行四边形中的线，线不表示力，但可以让我们由此计算力的关系。因此，人们有信念和愿望，就像地球有赤道一样。……FP 的信念和愿望（但非所有心理事件和状态）是抽象物。[⑤]也就是说，信念和愿望等只是在解释和预言行为时的一种"理想化的虚构"，描述人的信念和愿望，不是描述了某种物理实在，而只是像拨动了算盘上的算珠。算珠不是真实的数量关系，因而拨动算珠不是拨动了真实的存在，但这种对算珠的拨动却有助于我们认识真实的数量关系。同样，描述和说明信念、愿望等并不涉及任何真实的过程和状态，但这碰巧使我们解释和预言了人的真实的行为。质言之，尽管 FP 的术语不指称头

---

① Pust J. "External accounts of folk psychology, eliminativism, and the simulation theory". *Mind & Language*, 1999, 14(1): 123.

② Dennett D C. "Two contrasts: folk craft versus folk science, and belief versus opinion". In Greenwood J(Ed.). *The Future of Folk Psychology: Intentionality and Cognitive Science*. Cambridge: Cambridge University Press, 1991: 135-148.

③ 丹尼特.《意向立场》，刘占峰，陈丽译，商务印书馆 2015 年版，第 65 页。

④ 丹尼特.《意向立场》，刘占峰，陈丽译，商务印书馆 2015 年版，第 69 页。

⑤ 丹尼特.《意向立场》，刘占峰，陈丽译，商务印书馆 2015 年版，第 74-75 页。

脑中的东西，但它们对于日常理解和解释他人是必不可少的。

戈登（Gordon）、戈德曼（Goldman）等也认为，FP 不是一种理论，而是一种模仿能力，“我们相互之间的解释和预言不是以理论为基础的，而是以模仿或‘移情’为基础的，即通过想象‘进入’解释对象的情境，设身处地地模仿他们的内在过程，从而对其行为作出身临其境的解释和预言。因此，我们不是理论家，而是模仿者”[①]。如果这是正确的，那么取消主义论证的前提就有问题，从而其结论也值得怀疑。

对此，取消论者作出了针锋相对的反驳。保罗·丘奇兰德指出，尽管关于他人的内部状态和行为的许多认识都来自认识自身状态的能力，但这与理论论并不矛盾，因此即使模仿是理解他人的基础，也不能由此就断定不需要常识理论框架。不仅如此，模仿理论实际上还暗中利用了理论理论，因为模仿既要求人们对自己有一种初始性理解，又要用自己的认知、情感和行为来推己及人，而这常常要求他能够认识自身的情况并同时对之进行概念化，这就意味着如果一个人要理解第一人称的情况，他必须有一个概念框架。这种框架不仅能够以正确的结构组织相关的范畴，而且其分类学还反映着惯用的规则，而这种框架就是一种理论。因此，内省认识只是后天用概念回答人们内部状态的惯用例证，任何特定回答的完整性总是视后天理论的完整性而定。[②]

斯蒂克一度也承认，如果模仿理论正确，那么取消论就会被批倒。他说：“取消论者主张实际上不存在（意向状态）。信念和愿望就像燃素、热质和巫术一样，它们是完全错误的理论的错误假设。……但如果戈登和戈德曼是正确的，那么他们将打乱取消论者的计划，因为如果作为我们日常解释实践之基础的根本不是一种理论，那么显然它也不可能是一种完全错误的理论。……取消论者认为不存在信念和愿望之类的东西，因为假设了它们的 FP 是一种完全错误的理论。而戈登和戈德曼则认为这种理论——它假设了人们心照不宣地认识的 FP 本身就是完全错误的，因为对人们解释和预言行为的能力作出说明有更好的方法。因此，如果

① 高新民，刘占峰，等.《心灵的解构——心灵哲学本体论变革研究》，中国社会科学出版社 2005 年版，第 21 页。

② Hannan B. *Subjectivity & Reduction: an Introduction to the Mind-Body Problem*. Boulder: Westview Press, 1994: 59.

戈登和戈德曼正确，就不存在FP之类的东西。”[①]显然，这里的关键问题是模仿理论是否正确。对此，斯蒂克的看法前后是有变化的。最初，他倾向于理论理论，认为尽管模仿理论有其合理性，但有很多证据和事实是模仿理论难以同化的，因此，“理论理论实际上是城中唯一的游戏。离线模仿叙事不能阐明我们的语法判断能力，不能阐明我们预言别人行为的能力”[②]。能阐明人们的预言和解释能力的是理论理论，而不是模仿理论。后来，他又接受了“混合论”，认为尽管有些FP技能（如愿望归属以及有矛盾的信念归属能力）是不能根据模仿来解释的，但有些技能（如推理预言的能力）也是理论理论无法解释的，因此我们需要将理论理论与模仿理论结合起来。他说：“心灵阅读是一种复杂的、有多个面向的过程，心灵阅读的某些方面可能是由类似于模仿的信息贫乏的过程推动的，而有些方面则是由信息丰富的过程推动的。”[③]但是，即便模仿理论是正确的，它也不一定会否定取消论。在他看来，模仿理论说明了我们预言和解释人们行为的能力背后的机制，这种说明没有诉诸内化的理论或知识结构。因此，如果模仿理论是正确的，那么根据内在解释，就不存在FP。但是，模仿理论者既不否认人们有关于FP老生常谈的直觉，也不否认这些直觉能通过建构一种理论而得到系统化。这种理论就是外在解释的FP，而它有可能被证明是一种严重错误的理论。因此，我们从模仿理论正确这一前提得出的正确结论不是取消主义已被驳倒，而只是更温和的主张，即取消论者必须选择FP的外在解释。[④]

在这个问题上，普斯特的看法是，“隐式定义命题是取消主义论证所必需的，而模仿理论如果正确就会颠覆这个命题”[⑤]。也就是说，如果模仿理论正确，那么关于FP的隐式定义说明，即内在主义就是错误的，而倘若如此，取消论就是错误的，因为取消论认为：①“信念”“愿望”和其他意义术语是根据老生常谈的概括隐式定义的理论术语；②所有实在都不能满足①所提及的定义；③因此，

① Stich S, Nichols S. “Folk psychology: simulation or tacit theory?” In Stich S(Ed.). *Collected Papers,Volume1: Mind and Language*, 1972-2010. Oxford: Oxford University Press, 2011: 159.

② Stich S, Nichols S. “Folk psychology: simulation or tacit theory?” In Stich S(Ed.). *Collected Papers,Volume1: Mind and Language*, 1972-2010. Oxford: Oxford University Press, 2011: 170.

③ 斯蒂克，沃菲尔德主编.《心灵哲学》，高新民，刘占峰，陈丽，等译，中国人民大学出版社2014年版，第277页。

④ Stich S, Nichols S. “Folk psychology: simulation or tacit theory?” In Stich S(Ed.). *Collected Papers,Volume1: Mind and Language*, 1972-2010. Oxford: Oxford University Press, 2011: 233.

⑤ Pust J. “External accounts of folk psychology, eliminativism, and the simulation theory”. *Mind & Language*, 1999, 14(1): 129.

“信念”“愿望”等没有指称，进而也不存在信念和愿望之类的实在。他说：“如果关于老生常谈直觉之起源的任何模仿理论说明是正确的，那么前提①就是错误的，因此上述取消主义论证就是错误的。”[①]总之，根据模仿理论的观点，即“信念”等根本不是理论术语，因此取消论是错误的。

第四节　取消主义的问题与辩护

取消主义是以极端面孔出现的唯物主义，其离经叛道的主张一经提出就遭到了激烈的反驳，而取消主义者也对有关反驳作出了回应，双方争论的一个焦点问题是如何理解取消论的“原旨原义”。

根据取消主义，“信念”“愿望”等是FP的理论术语，而FP就像“燃素说”“热质说”一样是一种严重错误的理论，因此信念、愿望等也和燃素、热质、独角兽一样是不存在的。贝克指出，这种取消主义相当于一种“认知自杀”[②]，因为取消论者在断言信念、愿望等不存在时，恰恰在使用信念、表达愿望。也就是说，他们要否定的东西恰恰是表达这种否定所必需的东西，这显然是自相矛盾的。罗蒂指出，对取消论的很多批评是基于对取消论的误解，因此为取消论辩护必须先澄清其基本宗旨。在他看来，取消论的宗旨是（以感觉为例），有关感觉的言论与有关幽灵的言论相似，两者都是没有指称的空概念，因为解释行为的神经学方法和神经科学研究表明：“‘感觉’之类的词语可能已失去了它的表述作用和解释力，这两者都可根据大脑过程来说明，正如‘幽灵’一词既无表述力又无解释力一样。”[③]

彼得·史密斯认为，我们不能将心理状态类比为独角兽，而应类比为着魔之人所迷恋的状态，因为独角兽是神话的虚构，说独角兽不存在，实际上是说世界上没有与“独角兽”这个概念相对应的实在，而心理状态之所以类似于着魔之人所迷恋的状态，是因为它们尽管不存在，但关于这些状态的话语却不完全是胡说，

---

① Pust J. “External accounts of folk psychology, eliminativism, and the simulation theory”. *Mind & Language*, 1999, 14(1): 127.

② Baker L R. “Cognitive suicide”. In Heil J(Ed.). *Philosophy of Mind: a Guide and Anthology*. Oxford: Oxford University Press, 2004.

③ Rorty R. “In defense of eliminative materialism” . *The Review of Metaphysics*, 1970, 24(1): 112.

而是有其指称的，即指各种真实的幻觉，这些话语的问题在于错误地表征了这些幻觉。换言之，关于着魔之人所迷恋的状态的话语并非纯粹的神话，而是关于真实存在的特质的错误处置。同样，FP 的概念和理论所谈论的也非子虚乌有，只不过它们对真实存在的东西作了错误的设想，因为大脑中确有真实的事件发生，它们是物理的事件，但 FP 错误地把它们设想为心理事件，因此这些概念、理论及其所构成的心理地理学、动力学、结构论等都应抛弃。他认为，FP 所说的“心理状态应予取消，而大脑状态则应予以肯定，因为它们出现与否都是真实的，而这又是我们日常的心理学区分中的有价值的一切的基础。正如病人所迷恋的状态应予以取消，而精神病人不能否定一样”。[①]总之，我们不能把心理状态比作独角兽，而只能比作着魔之人所迷恋的状态。就此而言，FP 不能完全等同于神话，因为后者是虚构的，所说的事情没有存在地位，而前者所谈论的并非绝对不存在，只不过是对之作了错误的构想。由于批评者误解了取消论要取消的对象，因此关于取消论的其他误解也在所难免。例如，批评者错误地认为，由于取消论者否认信念状态的存在，因此他们也会否认与之有关的事项的存在，如否认处在一种有理由的状态的存在。如果这样，那么取消论者必然会陷入自我否定，因为既然否定了信念和理由，他们也就否认了对其取消论的相信及理由。对此，彼得·史密斯指出，取消论者确实有关于取消论的断言和信念，但他们并不是认为信念等不存在，而是强调 FP 对其结构、本质的设想是错误的，其后的大脑状态是真实的。既然如此，那么当取消论者说自己相信取消论时，这种“相信”其实对应的是真实存在的大脑状态。他说：“如果真的不存在人们所说的‘相信取消式唯物主义’的状态，那么这个小小的策略就会导致灾祸。但我们的唯物主义很幸运地承认这种状态的存在……这种信念被我们看作是完全值得尊重的、能作出功能描述的中枢状态。”只要不把心理状态的地位混同于独角兽的地位，那么关于“取消论陷入了自我否定”的论点就不攻自破了。[②]

还要看到，反取消论者的论证有一个隐含的前提，即我们不能超出 FP 的概念框架去谈论它所预设的信念、愿望等命题态度的本体论地位问题。帕特里夏·丘奇兰德指出，我们之所以这样描述取消主义，即它相信不存在信念，是因

① Smith P. “Eliminative materialism: a reply to Everitt”. *Mind*, 1982, 91(363): 438.
② Smith P. “Eliminative materialism: a reply to Everitt”. *Mind*, 1982, 91(363): 439.

为我们目前只能选择 FP 这种理论框架，但这并不意味着 FP 是正确的。[①]反取消论者实际上犯了以假定（即 FP 框架）为前提的逻辑错误，这与活力论者批评反活力论者时所犯的错误相似，因为活力论论证的一个前提是，有没有生命取决于有没有生命精气，那么要论证生命精气不存在，只有当这个前提错误时才行。活力论者认为，由于这个前提是正确的，因此反活力论者的主张不可能成立。因为如果生命精气不存在，那么反活力论者由于没有生命精气就是行尸走肉。而如果他是行尸走肉，他的话就只是一串毫无意义的噪声。因此，反活力论的真就蕴含着它不可能真。对此，贝克反驳说，活力论者的论证与取消主义论证不同。活力论者在反驳反活力论者时，假定了生命精气是生命的必要条件，而事实并非如此。因此，从活力论的错误不能必然推出人都是死的，而命题态度与此不同。反取消论者的主张不过是，如果要提出有意义的主张，信念等命题态度必然要存在，因为没有任何可以想象的替代者。[②]

斯蒂克早期是取消主义的支持者，但后来利康打破了他对取消主义的幻想，从而又变成了取消主义的批评者。利康认为，即使 FP 确实错了，信念等根本没有 FP 归属它们的那些属性，但也不能推出 FP 所说的心理状态不存在，因为要得出这个结论离不开一个前提，即某种描述性的指称理论。根据这样的指称理论，理论术语是它所属的理论所确定的因果作用的占有者，因此如果理论错误，其表述的因果作用也不可靠，那么作为这种因果作用占有者的术语就没有指称。如果这种理论适用于 FP，我们就可以得出这样的结论："如果表述心理状态的名称与理论术语相似，那么除非理论大致是正确的，否则它们就不是任何事物的名称。"[③]由于取消主义者主张 FP 是一种错误的理论，心理概念及其指称似乎就必然会被取消。但是，描述性的指称理论并不是"城中唯一的游戏"，如普特南、克里普克（Kripke）等就提出了因果历史的指称理论。[④]如果这种指称理论是正确的，那么

① Churchland P S. *Neurophilosophy: toward a Unified Science of the Mind/Brain*. Cambridge: The MIT Press, 1986: 397-398.

② Baker L R. "Cognitive suicide". In Heil J(Ed.). *Philosophy of Mind: a Guide and Anthology*. Oxford: Oxford University Press, 2004: 405-406.

③ Lewis D. "Psychophysical and theoretical identifications". *Australasian Journal of Philosophy*, 1972, 50(3): 249-258.

④ Putnam H. "The meaning of 'meaning'". In Putnam H(Ed.). *Mind, Language and Reality*. Cambridge: Cambridge University Press, 1975: 215-271; Kripke S. "Naming and necessity". In Davidson D, Harman G(Eds.). *Semantics of Natural Language*. Dordrecht: Reidel, 1972: 253-355.

取消主义者的结论就不能从其前提得出来。利康说:“我倾向于放弃关于理论术语的卡尔纳普和赖尔式的簇指称理论,而接受普特南(1975年)的因果历史理论。就像普特南在关于‘水’‘老虎’等的例子中一样,我认为普通词语‘信念’(作为FP的理论术语)模糊地指向了一个我们尚未充分掌握的自然种类,只有成熟的心理学才能将它揭示出来。我估计‘信念’最终指称的是有知觉的存在者的某种携带信息的内部状态……但它所指称的这种状态可能只拥有常识归属给信念的属性中的一小部分。”[①]也就是说,理论术语指称其对象是通过某种复杂的因果历史链条,即使是错误的理论的术语也有其指称。

从利康的论证不难看出,要对取消主义论证的合理性作出评价,首先要确定哪种指称解释对于FP术语是正确的。斯蒂克认为,为了弥合取消主义论证与其结论之间的鸿沟,指称关系必须支持“语义上行”,他将这种策略称作“迈向指称”(the flight to reference)。但人们在利用这一策略时未对一个关键的步骤作出辩护,因而其论证存在一个致命的缺陷。具体来说,使用迈向指称策略者的论证通常都包括三个阶段:第一阶段,他们采用了某种关于指称的本质性说明,并阐明了术语必须与实在或实在集合之间获得什么样的具体关系才能指称它们。第二阶段,他们论证了根据其指称说明某个术语与世界上的某个对象或对象集合之间确实获得了这种关系,也就是说,他们通过论证得出了一个关于指称的结论。第三阶段,他们以上述关于指称的结论为前提,并借助于一些关于指称的原则得出了一个关于本体论、真理等的结论。由于这些关于指称的原则看起来显而易见且平淡无奇,因此他们认为它们是分析性的或者对于指称是本质性的,但斯蒂克等认为,正是在这一点上迈向指称出现了问题,因为使用迈向指称策略的人没有证明第一阶段所采用的指称关系满足了这个原则。他们说:“这是所有迈向指称的致命漏洞,因为如果这个原则对于指称真的是本质性的,那么理论家们就不能合法地主张他们所赞成的本质性关系实际上就是这种指称关系,除非他们提出了某种理由让我们相信他们的关系满足了这一原则。另一方面,如果这一原则对于指称不是本质性的,那么理论家们在利用它之前就必须提出某种理由让我们相信他们的关系满足了这一原则。如果没有一种论证说明第一阶段所支持的关系满足

① Lycan W. *Judgement and Justification*. Cambridge: Cambridge University Press, 1988: 31-32.

了第三阶段所使用的……原则，那么迈向指称就没有向我们述及本体论或真理。因此，它不可能完成使用这个策略的人想要它完成的任务。”[①]就取消主义来说，其论证通常包括以下内容。

（1）FP 是一种经验理论，信念和愿望等是它所假设的理论状态，“信念”“愿望”等术语是它的核心理论术语。

（2)FP 是关于人类行为之原因和认知活动之本质的一种错误的和极具误导性的观念。

由上述主张可以推导出信念和愿望是一种错误理论的假设。为了得出信念和愿望不存在的结论，取消主义论证中通常还有一个主张：

（3）理论术语类似于限定摹状词，它们指称那些具有这个理论所规定的（大多数）属性的东西。因此，

（3^1）错误的和极具误导性的理论的核心理论术语不指称任何东西。

到这里，迈向指称的第一阶段是合适的，（3）中的术语若指称世界上的东西，就必须根据与后者的关系而提出一种本质性的理论。迈向指称策略的第二个阶段是从（1）（2）和（3^1）推导而来的，它们共同蕴含着：

（4）“…是一个信念”不指称任何东西。

这是一个关于指称的结论。在迈向指称的第三个阶段，我们是要以这个结论为前提来推出关于信念存在的结论，这种推导需要某个将指称与存在联系起来的原则，而下述原则显然是一个理想的选项：

（5）Fx 当且仅当“F…”指称 x，即某种东西是 F，当且仅当“F…”指称它。

取消主义的结论就是从（4）和（5）推导出来的：

（6）…（Ex）x 是一个信念。换言之，信念不存在。

斯蒂克等认为，上述的（3）是对理论术语的指称关系所提出的一种本质性说明，（5）是任何关于指称关系的说明都必须尊重的一个原则，任何一种假定的指称关系如果不满足（5），它就不可能真的是指称关系，但这里我们遇到了迈向指称策略中的关键漏洞。因为如果（5）成立，那么除非（3）能使（5）成

① Bishop M A, Stich S. “The flight to reference, or how not to make progress in the philosophy of science”. In Stich S(Ed.). *Collected Papers,Volume1: Mind and Language*, 1972-2010. Oxford: Oxford University Press, 2011: 236.

立，否则它就不是关于理论术语的指称关系的正确说明，但取消论者没有对（3）能否使（5）成立作出论证。在斯蒂克等看来，（3）所描述的这种指称关系并不会明显地使（5）成立，因为“有些人支持其他的关于指称的本质性说明，这些说明规定的关系不是外延等值的，因此他们肯定认为当像（3）那样来理解指称时，（5）就是完全错误的”。[①]他们说：“希望利用迈向指称策略的哲学家必须为这一主张作出辩护，即他们所赞成的关于指称的本质性说明会使（5）（以及类似的关于指称的明显原则）成立，但它不是接受了一种关于指称的本质性说明的人能免费得到的假设。……如果缺乏对这一核心假设的辩护，利用迈向指称的尝试就具有致命的缺陷。”[②]

第五节　意识取消论

依据与命题内容和经验这两个维度的关系，当代心灵哲学通常将心灵分为两类：一是命题态度，即意向状态；二是意识，即现象学状态或质的状态。长期以来，有关取消主义的讨论大多都聚焦于信念、愿望等命题态度的地位问题，而对意识一般持还原论立场，但近年来关于意识的取消论开始悄然兴起。

意识取消论者认为，意识与以太、燃素等一样是不存在的，因此也不存在如何将意识纳入自然秩序的问题；FP 关于意识的很多论断和原则根本得不到科学的支持，因而都是错误的。以疼痛为例，我们通常认为，疼痛有一些基本属性，如直接性、不可错性、内在的不适性等，即疼痛是我们直接体验到的，我们对自身的疼痛具有优越的通道，对它的认识不会错，即使错了别人也无法校正，疼痛具有令人不快或不适的感觉。丹尼特指出，常识的疼痛概念存在根本的缺陷，因为它与临床发现的“反应分离”现象不相符。在临床实践中，长期受疼痛困扰的病人，经常通过手术（如切除脑前额叶或切开两侧前扣带回）、药物（如注射吗啡）

① Bishop M A, Stich S. “The flight to reference, or how not to make progress in the philosophy of science”. In Stich S(Ed.). *Collected Papers,Volume1: Mind and Language*, 1972-2010. Oxford: Oxford University Press, 2011: 238.

② Bishop M A, Stich S. “The flight to reference, or how not to make progress in the philosophy of science”. In Stich S(Ed.). *Collected Papers,Volume1: Mind and Language*, 1972-2010. Oxford: Oxford University Press, 2011: 240-241.

等来缓解疼痛。但据病人报告，在接受手术或药物治疗后，他们在受到疼痛刺激时仍有疼痛的躯体感觉，如仍能分辨疼痛的剧烈程度和位置，但不再有疼痛的不适感了。丹尼特认为，这些事例足以证明关于疼痛的 FP 是错误的。具体来说，根据 FP，（1）疼痛一般是损伤所致并且伴有不适感，（1*）疼痛始终是主观的和私人的。而上述病例中的病人真诚地相信（a）他处于疼痛中，（b）他的疼痛并不令人痛苦。那么，我们从（1）和（a）就可以推出：他处于疼痛中，但这与他的信念（b）相矛盾，而（1*）却足以保证（b）为真。因此，关于疼痛的 FP 是自相矛盾的。由于任何具有矛盾特征的东西都不可能存在，因此疼痛也不可能存在，因而关于疼痛的 FP 并没有陈述任何真实的东西。①

考夫曼（Kaufman）同意丹尼特的结论，即关于疼痛的 FP 没有陈述任何真实的东西，但不认为这证明了取消关于疼痛的 FP 是正当的。在他看来，从丹尼特的论证得出的正确结论是，关于疼痛的 FP 只是错误地认为（1）和（1*）的合取是必然的。特别是关于疼痛的 FP 正确地断定（1）是一个真实的原则，却错误地断定（1*）是一个真实的陈述，事实上它们都是一般性陈述。因此，为了避免丹尼特的论证所提出的取消威胁，考夫曼提出应将错误的主张（1*）修改成一个 FP 原则。这样，用原则（1**）即“疼痛一般是主观的和私人的”来代替陈述（1*）就可以产生（1）和（1**）这种新的合取，它与丹尼特的论证是相容的。②

科尼（Conee）等也指出，（1）和（1*）不是关于疼痛的 FP 的一部分，临床病人的报告并没有暗示疼痛不真实。他们认为，这些情况只是说明常识思维中看似简单的东西从科学观察的角度看要复杂得多。③哈德卡斯尔（Hardcastle）尽管把关于疼痛的 FP 描述成了一种“神话”，但她并不认为疼痛不真实，而是认为它比常识所理解的要复杂得多。④

丹尼特不仅要取消常识的疼痛概念，而且对感受性质（qualia）概念也持强硬的取消论立场。所谓感受性质，就是我们所体验到的经验本身的性质或质的特征，也指对经验的质的特征或内容的感受，如我们在感觉疼痛时所体验到的“剧

---

① Dennett D C. *Brainstorms: Philosophical Essays on Mind and Psychology*. Cambridge: The MIT Press, 1978: 225-228.

② Kaufman R. “Is the concept of pain incoherent?”. *The Southern Journal of Philosophy*, 1985, 23(2): 279-283.

③ Conee E. “A defense of pain”. *Philosophical Studies*, 1984,46(2): 239-248; Guirguis M M. “Robotoid arthritis or how humans feel pain”. *Philosophical Writings*, 1998(7): 3-12.

④ Hardcastle V G. *The Myth of Pain*. Cambridge: The MIT Press, 1999: 152.

烈”“轻微”“难受”等质的特征。丹尼特认为：“‘感受性质’是哲学家的一个词藻，它只会招致混乱，根本不指称任何属性或特征。”[①]感受性质其实是内部事件的倾向属性，而关于感受性质的常识看法是一系列的错觉所致。一方面，它们源于一个错误的预设，即认为除了事物显现之外，还有显现本身的内容和性质，如当从某个角度看一枚硬币时，它看起来是椭圆形。感受性质的支持者认为，我们这时除了把硬币经验为椭圆形之外，还存在椭圆的感觉这样的质的状态。丹尼特认为，说“我们把这枚硬币经验为椭圆形”是正确的，但说 “还存在椭圆形感觉本身”则是错误的，因为这是对人内部的神经生理事件的拟人化虚构。另一方面，感受性质作为心理状态的属性，人们通常认为它们有四个鲜明的特征，即它是无法言表的、内在的、私人的和能在意识中直接认识的。[②]但丹尼特认为这些特征都经不起推敲。以无法言表性来说，通常的解释是感受性质根本无法说出。丹尼特认为，这是一句既不能否定也不能证实的废话，因为如果感受性质不存在，当然无法说出它是什么；但如果它存在，就可以用某种方式说出来。例如，我可能从未听过鱼鹰的叫声，但我知道书本上对它的声音是怎样描述的。假如有一天我听到的一种声音与这种描述相符，我就可以断定这是鱼鹰的叫声。这个过程是一种心理过程，如果其中有感受性质的话，我们就可以给它起个代号：S。这样一来，我实际上已经把它说出来了。在他看来，如果感受性质真的存在，我们一定能用科学的方法作出解释。就颜色来说，科学所证明的实际上是物体的反光性使生物进入了各种辨别状态，而这些状态分布于大脑，支持着许多复杂的先天倾向和后天习得的习惯。丹尼特说：“感受性质……就是那些倾向的复合体。在你说‘这是我的感受性质’时，你所辨别或指称的……是你特有的倾向复合体。你似乎在指称你的心灵之眼中的某种私密的、无法言表的东西……但这只是它向你呈现的样子，而不是它实际的样子。”[③]因此，我们在看某种颜色时，只存在两种属性：一是大脑辨别状态所具有的各种第一性质（如它们的机械性质、激活状态等）；二是由于这些性质，它们所具有的第二性的纯倾向性质。由于人类有语言，因此这些辨别状态最终常常会导致言语判断，即表达各种事物的“颜色”

① Lycan W(Ed.). *Mind and Cognition: a Reader*. Cambridge: Blackwell, 1990: 524.
② Lycan W(Ed.). *Mind and Cognition: a Reader*. Cambridge: Blackwell, 1990: 523.
③ Dennett D C. *Consciousness Explained*. Boston: Back Bay, 1991: 389.

的判断，颜色就是这些辨别状态的内容。在这些内部的辨别状态之外，没有什么额外的不可言表的感受性质。丹尼特指出，感受性质问题之所以是个困难问题，是因为它是由未经考察的前提和循环定义共同造成的。哲学家们在定义感受性质时通常会使用“现象的”“感觉的”等词语，但在对“现象的”下定义之前，我们不能对有关现象方面的主张作出评价，如果这个词语和“感受性质”是互定义的，那么当讨论的主题是感受性质时，我们就不会明白所说的究竟是什么。[①]因此，对待感受性质应当像对待一团解不开的乱麻一样，彻底予以抛弃。

丹尼特的感受性质取消论可以说是毁誉参半。例如，奥尔波特（Allport）认为，丹尼特对感受性质概念的分析“令人耳目一新，真的使人摆脱了禁锢”。[②]而戈德曼则认为丹尼特的论证有三个问题：一是无法辨别感受性质的差别是否就等于没有事实根据；二是感受性质无法言表是否就意味着不存在；三是在运用科学证据时过于草率。[③]

还有些人认为，取消主义不仅针对特殊的意识状态，而且还针对现象学意识本身。如雷伊（Rey）指出，只要考察一下关于意识是什么的各种神经科学的和认知的理论，如内部监测或拥有二阶表征状态，就可以看出所有这些特征都被纳入了一种计算装置，而这种装置显然缺乏我们通常所说的意识。他认为，这些解释不能说明我们日常的意识概念，因为后者可能并不与任何实际的过程或现象对应，我们与意识相联系的“内部之光”可能只是笛卡儿直觉的一种残余。[④]

第六节 取消主义的新形态

在当代取消主义的发展过程中，取消论者面对各种质疑和挑战，不仅对其主张作了新的辩解、澄清乃至修正，而且还基于科学研究的新成果，运用新的研究

---

① Dennett D C. *Sweet Dreams: Philosophical Obstacles to a Science of Consciousness*. Cambridge: The MIT Press, 2005: 79.

② 高新民，储昭华.《心灵哲学》，商务印书馆 2002 年版，第 437 页。

③ 高新民，储昭华.《心灵哲学》，商务印书馆 2002 年版，第 443-444 页。

④ Rey G. “A reason for doubting the existence of consciousness”. In Davidson R, Schwartz G E, Shapiro D(Eds). *Consciousness and Self-Regulation: Advances in Research and Theory*. Vol. 3. New York: Plenum, 1983: 1-39; Rey G. “A question about consciousness”. In Otto H, Tuedio J (Eds). *Perspectives on Mind*. Dordrecht: Reidel, 1988: 5-24.

方法提出了很多新的理论形态。

一、类型取消主义

类型取消主义的雏形是金在权提出来的。他认为，非还原物理主义通常会受到因果排除问题的困扰，要拯救心理因果性，我们必须接受还原的物理主义，但我们应该接受哪种形式的还原论呢？是类型同一论还是其他的还原论？在他看来，我们应当接受类型取消论（type eliminativism）。他认为，并非一切取消论都否认心理现象的存在，实际上我们可以接受一种有限的取消论，它假设了心理个例，但否认被理解成共性的心理属性存在，进而否认心理属性同一于物理属性。①尽管金在权在不同场合都提到了这种观点，但未对它作充分的阐述，而泰亨（J. Tiehen）则借鉴他的思想对类型取消论作了详细论证。如上所述，金在权主张，存在心理属性的例示，但不存在心理属性。泰亨指出，这两者看似矛盾，实则不然，我们通过一种范围的区别就可以解决这种表面的矛盾。例如，（1）（我喜欢的属性）的例示和（2）我喜欢的（属性的例示）。如果我没有一种喜欢的属性，（1）没有指称，但我确实有一些喜欢的特殊的例示，因而（2）有指称。同样，（1*）（心理属性）的例示与（2*）心理的（属性的例示）也不同：如果没有心理属性，（1*）就没有指称，但（2*）却可能有指称，而且有些属性的例示有资格成为心理的，即尽管它们完全是非心理属性的例示，但却是心理的（属性的例示）。

为了便于理解，我们可以考虑一种处于心理属性层次上而非属性例示层次上的功能主义，它这样定义什么是疼痛：某种东西是疼痛，仅当它是某种属性的一个例示，其例示通常是由躯体损伤引起的，并往往引起肌肉抽搐、大喊大叫，以及有相信一个人处于疼痛中的信念，等等。因此，如果人身上的激发的C纤维的例示符合这种描述，它就有资格成为一种疼痛，如果火星人身上的膨胀的D导管的例示也符合这种描述，那么它也有资格成为一种疼痛。这里的关键是，这个疼痛定义不要求被例示的属性本身是疼痛，这就像有一种喜欢的属性的例示却没有一种喜欢的属性一样。泰亨说：“这种属性例示层次上的功能主义与否定心理属

① Kim J. *Mind in a Physical World: an Essay on the Mind-Body Problem and Mental Causation.* Cambridge: The MIT Press, 1998: 59.

性相结合的结果就是我们所说的类型取消论。”①在他看来，心理个例是实际存在的，但世界上只存在物理属性而没有心理属性，心理现象不过是物理属性的例示。泰亨认为，属性概念分为两种，即稀疏的（sparse）属性概念和充实的（abundant）属性概念，前者指完全自然的属性，后者指像谓词的纯影子式的东西，如离着火点 50 英里②、在发抖等。所有稀疏的属性都是非心理的，也就是说只有物理属性是稀疏的属性，有了这种属性，就可以说明因果关系。根据类型取消论，某一疼痛个例（如膝盖碰伤了）可同一于 C 纤维激活的某个例示，这样疼痛就不是副现象，而是具有因果作用，因此类型取消论承认心理事件有因果作用。但由于它不承认心理属性存在，因而似乎就无法根据心理属性来说明这种因果作用，而这无异于剥夺了心理事件的因果地位。对此，泰亨指出，严格来说只有心理属性的例示有因果作用。说属性有因果作用，不过是由于它们的例示有因果作用，因此我们不应撇开因果属性的例示而孤立地谈论心理属性的因果有效性问题。他说："任何关于属性的因果效力的谈论都必须被理解成是根据其例示的因果效力派生出来的。说一个属性是因果有效的，仅仅意味着它具有作为原因的例示……在说明作为原因的心理属性的例示之后再企求说明因果有效的心理属性是错误的。”③

泰亨认为，面对因果排除问题的挑战，类型同一论和类型取消论都能对心理因果性作出合适的说明，但与前者相比，类型取消论在解释心理属性的本质、个例层次上的可多样实现性以及物理主义的核心主张方面更有优势。首先，虽然类型同一论和类型取消论都接受属性例示的同一性，但类型取消论认为心理属性是不存在的，心理属性的例示其实就是物理属性的例示，"类型取消论不是把心理属性的例示理解成关于心理属性的例示，而是根据其例示被看作是心理的非心理属性来理解这些例示。它认为这些例示是心理的（属性的例示），而不是心理属性的例示”④。这样，类型取消论就既能在尊重事件的同一性条件的同时接受例示的同一性，又不会滑向类型同一论。由于类型取消论把心理现象看作是物理属性的例示，因此它实质上是一种还原论观点，但它又与其他还原论不同，因为它不承认一阶的物理属性（如 C 纤维的激发）是心理的。其次，尽管类型同一论和

① Tiehen J. "Psychophysical reductionism without type identities". *American Philosophical Quarterly*, 2012, 49(3): 225.
② 1 英里=1.609 344 千米。
③ Tiehen J. "Psychophysical reductionism without type identities". *American Philosophical Quarterly*, 2012, 49(3): 227.
④ Tiehen J. "Psychophysical reductionism without type identities". *American Philosophical Quarterly*, 2012, 49(3): 228.

个例同一论都承认心理现象的可多样实现性，但后者难以承认心理个例层次上的可多样实现性。例如，你始终有一个信念即林肯长着胡子，但实现这一信念的微观物理结构在不同时间可能是多种多样的，如 12：00、12：01 等时间都有细微的差别，那么根据个例同一性，你对林肯的胡子就不止有一个信念，而是有无穷多个难以辨别但个例不同的信念，这显然是荒谬的。由于类型同一论蕴含个例同一论，因此它也得接受这一结论。类型取消论认为，一个心理个例在持存过程中会有多个物理实现，但能对此作出解释的是个例实现论，而非个例同一论。在它看来，个例之间的实现关系类似于特修斯之船与船板之间的物质构成关系：尽管构成船板会变化，甚至最终会被全部更换，但船仍是同一条船。同样，尽管实现心理现象的物质结构变了，但被实现的心理现象可以不变。[①]而在这种构成解释中起关键作用的是属性例示的时间性部分（temporal parts）。例如，就疼痛来说，它依次由我的 P 和 P*等例示个例实现，但它并不与它们个例同一，因为 P 和 P*只是同一属性例示的不同的时间性部分，这里“所需要的唯一实在是物理属性、它们的例示的时间性部分以及由这些部分所构成的系列”。[②]最后，类型取消论和类型同一论都承认心理事物依赖于物理事物，但前者认为这种依赖性不是后者所说的对称的依赖性，而是具有非对称性（即心依赖于物，但物不依赖于心）和非反身性（即心依赖于物，但物不依赖于自身）的依赖性，而心理事物对物理事物的这种本体论的依赖性体现了物理主义的真精神，因此只有类型取消论才是最合适的物理主义形式。[③]换言之，它不是通过心物同一，而是通过心物的非对称依赖性来体现物理主义精神的。泰亨说：“属性例示在本体论上依赖于它是其例示的属性。”[④]因此，根据类型取消论，心物的依赖性不是心的个例对物的个例的依赖，而是心的个例（即物理属性的例示）对物理属性的依赖。[⑤]泰亨认为，既然类型取消论和类型同一论一样能说明心理因果性，同时它在其他方面的表现又比后者更好，那么“如果你打算做一名还原论者，就应当成为类型取消论者”。[⑥]

---

① Tiehen J. “Psychophysical reductionism without type identities”. *American Philosophical Quarterly*, 2012, 49(3): 230.
② Tiehen J. “Psychophysical reductionism without type identities”. *American Philosophical Quarterly*, 2012, 49(3): 231.
③ Tiehen J. “Psychophysical reductionism without type identities”. *American Philosophical Quarterly*, 2012, 49(3): 231-232.
④ Tiehen J. “Psychophysical reductionism without type identities”. *American Philosophical Quarterly*, 2012, 49(3): 232.
⑤ Tiehen J. “Psychophysical reductionism without type identities”. *American Philosophical Quarterly*, 2012, 49(3): 232-233.
⑥ Tiehen J. “Psychophysical reductionism without type identities”. *American Philosophical Quarterly*, 2012, 49(3): 223.

二、科学取消主义

科学取消主义是欧文所倡导的一种取消论。它与其他取消论一样认为意识概念不是有效的科学概念，应予以取消，但其论证的途径与众不同：其论证不是像通常那样根据概念分析、基于科学史的类比或依据最新的科学研究成果，而是通过证明“意识科学”不科学。欧文认为，当前的意识科学存在严重的方法论问题：①通常用于测量意识的主观的和客观的行为测量方法以及相关的神经生理学测量方法，尽管适合于测量刺激的敏感性等，但不适合测量意识；②目前我们对于意识并没有公认的测量方法，意识也没有独特的神经机制，我们只有关于各种不同的认知和神经现象的测量方法，因此很难确定意识概念究竟指称哪一类现象；③归属给意识内容的现象学属性与知觉过程的结构明显是不匹配的，但我们又没有办法解决这种不匹配。总之，在其他科学中行之有效的方法论（如分解法、整合技术、探寻机制的方法等）都难以成功地应用于意识概念，而且即使它们应用于意识研究，也难以通过对所研究的对象作出更清晰准确的定义，提出新的研究课题等，产生它们在其他领域所具有的那种启发性作用。[①]而这些问题的产生并不是由于目前的意识科学还不成熟，缺乏合适的实验演绎法及理论框架，而是根源于意识概念本身。既然如此，那么意识就不是有效的科学概念。

基于上述分析，欧文提出了支持科学取消论的一般性根据。一方面，如果一门科学所使用的核心概念错误地辨识对象，把不存在的东西当作自己的研究对象，那么它就不能成为一门科学。他说：“如果一个目标对象没有得到恰当的识别，即能证明用于指称这个现象的概念是矛盾的，或似乎是指称不存在的现象，那么就可以把这个概念安全可靠地从科学中取消。”[②]而意识科学所使用的意识概念就是如此，因而它没有资格进入科学的殿堂。另一方面，从作用上说，如果概念阻碍了科学进步，就应将它们抛弃，而意识及其相关概念就是如此，因此也必然予以取消。[③]另外，除了上述判断概念有无科学地位的标准之外，概念能否

---

① Irvine E. *Consciousness as a Scientific Concept: a Philosophy of Science Perspective*. New York: Springer, 2013: 151.

② Irvine E. *Consciousness as a Scientific Concept: a Philosophy of Science Perspective*. New York: Springer, 2013: 152.

③ Irvine E. *Consciousness as a Scientific Concept: a Philosophy of Science Perspective*. New York: Springer, 2013: 154.

进入科学大厦，还要看三个“弱标准”，即看它在一门学科中是否必要，能否促进科学的稳定性、连续性和普遍性，概念是否模糊不清。[①]而意识概念与这三个标准都不符合。首先，它对认知科学来说是多余的，因为我们能得到其他更好的概念，而且如果保留它还极其有害。其次，用意识概念所作的研究缺乏稳定性和连续性，在许多关键问题上也难以达成一致意见。最后，意识概念是模糊不清的，谁也说不清它究竟指什么。总之，根本不存在“意识”一词所指称的现象、机制、自然类型和内容，因此应该将意识概念从科学研究中赶出去。[②]当然，欧文认为，意识概念在日常运用中的指称比在意识科学中要明确得多，它一般也能满足日常交流的目的，因此要取消的是哲学的意识概念，而非日常概念。[③]

三、表征或概念取消主义

表征或概念取消主义有多种形式。例如，布鲁克斯（Brooks）坚持无表征智能论。传统人工智能的目标是在机器上复制人类的智能，但随着人们对实现这一目标的困难程度的理解，人工智能逐渐放弃了复制整体的人类智能的目标，而转向研究专门的智能领域，如表征知识的方式、自然语言理解等。有些人工智能研究者认为，在所有这些专门领域被理解之后，我们就能拥有真正的智能系统。这一研究取向通常将表征看成人工智能的关键，将功能分解（decomposition by function）作为构建智能模型的方法，认为智能系统可分解为中枢系统、作为输入系统的知觉模块和作为输出系统的行动模块。知觉模块传送关于世界的符号描述，而行动模块获取意向行动的符号描述并确保它们在世界上发生，中枢系统则是一个符号信息处理器。可见，这种智能模型的每个子系统都涉及符号表征的处理问题。布鲁克斯认为，功能分解法有很多问题。首先，过去对知觉（如视觉）和中枢系统的研究分属不同的人和实验室，每个研究群体都会就符号界面的形状提出假设，但几乎所有人都没有真的把视觉系统与中枢系统连起来，因此不同研

① Irvine E. *Consciousness as a Scientific Concept: a Philosophy of Science Perspective*. New York: Springer, 2013: 161.
② Irvine E. *Consciousness as a Scientific Concept: a Philosophy of Science Perspective*. New York: Springer, 2013: 162-163.
③ Irvine E. *Consciousness as a Scientific Concept: a Philosophy of Science Perspective*. New York: Springer, 2013: 167.

究者所提出的假设都不必是现实的，那么采取功能分解的人就必须说明如何界定特定研究项目的范围；其次，中枢系统可以进一步分解为“知识表征”“学习”“计划”等更小的部分，而这些部分之间的界面同样难以确定；再次，当研究某个特定模块的人选择能说明该模块的要求的输入和输出时，他们的研究将很难适用于整个智能系统；最后，功能分解法的错误很难确定，因为要将知觉与行动联系起来我们需要一长串的模块，而我们要检验其中之一，就必须先把它们都造出来，但在造出实际的模块之前，我们又不可能预测到需要什么模块或者它们需要什么样的界面。

布鲁克斯指出，人类智能极其复杂，如今我们甚至还不能将其分解为恰当的亚种类，而且即便我们知道了这些亚种类，也无法知道它们之间确切的界面。因此，要理解如何对人类智能进行分解，首先应对更简单的智能进行研究。在他看来，“在动态环境中四处活动，并充分感知周围环境从而能维持生命和繁殖的能力”是存在和反应的本质，“机动性、敏锐的视觉和在动态环境中完成有关生存任务的能力，为真正智能的发展提供了必要的基础”①，因此，我们应从简单的智能入手，然后通过递增的方法逐步增强智能系统的能力。为此，布鲁克斯提出要建造完全自主的移动自主体，让它们与人类共存于世界上，并被人们看作是有智能的存在物，他将这样的自主体称作造物（creature）。而建造这样的自主体需要遵循四条方法论准则：一是造物必须能及时而恰当地应对动态环境方面的变化；二是造物对于其环境应当很稳健，世界属性的微小变化不会导致造物行为的整体性坍塌，而且造物的能力还会随着环境的改变而改变；三是造物应当能维持多个目标，并依赖它所发现的自己所处的环境而改变它所积极追求的特殊目标，换言之，它既能适应环境，又能利用意外的环境；四是造物应当能在世界上做事，应当有某种存在的目的。②要符合这些要求，我们就不能采取功能分解法，而应采用行动分解法（decomposition by activity），即不对外围系统和中枢系统作出区别，而是沿垂直方向将智能系统分为行动产生子系统，每个行动产生系统都单独地将感觉和行动连接起来。布鲁克斯把一个行动产生系统称为一个层次。行动是与世界互动的模式，每个层次都必须决定何时为自己行动，而不是作为某种供

① Brooks R A. “Intelligence without representation”. *Artificial Intelligence*, 1991, 47(1-3): 141.
② Brooks R A. “Intelligence without representation”. *Artificial Intelligence*, 1991, 47(1-3): 145.

其他层次利用的子程序。他认为，这种方法“提供了一条从非常简单的系统到复杂的自主智能系统的递增的路径”。[①]具体来说，首先是建造一个简单的、完全自主的系统，并在现实世界对它进行测试。如上述的造物就是一个机器人，它在移动时能避免撞到物体，能感知邻近的物体并绕开它们，而当感觉到它的路上有东西时，它就会停下来。尽管在建造这个系统时，要将它分解为各个部分，但不需要明确地区分知觉系统、中枢系统、行动系统等，只需要两条独立的路径将感觉与行动联系起来，一个用于产生行动，另一个用于紧急停止，因此造物中并没有传统意义的“知觉”，即用以传送关于世界的表征的单独空间。其次，采取递增的方法在第一个系统上增加一个平行运行的智能层次，并在现实世界上对它进行测试。这个新层次可以直接通过传感器，并对所传送的数据运行不同的算法。而第一个层次的自主系统仍继续平行地运行，并且不会意识到第二个层次的存在。例如，在所建造的造物中，第一个控制层能使它避开物体，之后增加一个层次，它能使造物行动，走向远处可见的地方。第二个层次向第一个层次的运动控制部分发出指令，将机器人引向目标，但第一个层次也能独立地使机器人改变方向，避开之前没有看见的障碍。总之，第二个层次监控造物的进程，并发出最新的运动指令，从而使其实现目标，而第一个控制层则负责觉知障碍。这个智能模型体现了布鲁克斯的“包容结构”（subsumption architecture）[②]，即将智能系统划分为不同的层次，并通过递增的方式逐步增加新的层次，从而增强系统的智能水平，而各个层次作为完整的系统，能够相互包容、并行不悖。

布鲁克斯指出，在上述分层的分布式系统中并不存在中枢表征。首先，低层次的简单活动能让造物对环境中危险的或重要的变化作出反应，而且这些反应无须复杂的表征，无须保持那些表征并对其进行推理，就能快速地作出反应以服务于其目标。这里的关键是要经常感知环境，从而对世界的变化有及时的了解。其次，由于分布式系统拥有多种平行的活动，因此世界属性方面的特定变化不会导致系统的整体坍塌。再次，每个控制层都有其自身的隐目标。由于它们都是主动的层次，平行运行，且能接近传感器，因而它们能监控环境并决定其目标是否合适。最后，造物的目标隐含在它的更高层次的目标或层次之中，并不存在关于目

① Brooks R A. “Intelligence without representation”. *Artificial Intelligence*, 1991, 47(1-3): 147.
② Brooks R A. “Intelligence without representation”. *Artificial Intelligence*, 1991, 47(1-3): 150.

标的明确表征，也没有某个中枢过程决定着造物接下来做什么最合适。总之，造物既不存在中枢表征，也不存在一个中枢系统。每个行动产生层都直接将知觉和行动连接了起来，中枢表征或中枢控制只能归咎于造物的观察者，造物自身没有这些，它只是一个竞争性行为的集合。要让造物产生智能行为，根本不需要关于世界或关于系统的意图的明确表征。[①]布鲁克斯认为，从建造自主移动机器人的实践中，我们可以得出一个结论，提出一个假说。结论就是，“当我们考察简单水平的智能时，我们发现关于世界的明确的表征和模型完全是障碍，我们最好把世界作为其自身的模型”。所提出的假说是，“在建造智能系统最庞大的部分时，表征是错误的抽象单元”[②]。

L. B. 史密斯等坚持的是概念取消论。他们的主要根据是，如果在一类对象中找不到稳定性和共同性，那么就没有概念所要把握的共性或共相。另外，人们有时为了特定的任务还可随意创造范畴。而这些都是概念论解释不了的事实。[③]就心理学来说，其“概念”想要指称的是长期记忆中关于范畴的那部分“稳定”的知识，即在不同语境下可用的那些相同的知识，而经验证据表明，我们在推理、范畴化或理解语言时所用的那些知识部分是变化不定的，因此，“概念”不指称任何东西，进而根本不存在概念。[④]简言之，其论证结构是，先强调根据定义概念是表征，接着论证因为事实上不存在表征，所以不存在概念。当然，L. B. 史密斯本人并不赞成这种概念取消论，因为它们都依赖于关于“信念”“概念”怎样指称对象的假定。[⑤]

另外，还有些表征取消论采取的是与具身认知相结合的动力系统理论。这种理论关注的焦点是行为，认为智能行为是身体感知与行为共时协调的适应性结果。在认识过程中，身体内部的神经机制与环境在运动中彼此构建。认知作为一个动力系统，是在不断地重新组合过程中形成的一种自组织，并不依赖于任何抽象形式的、脱离环境和身体感知的表征和计算。因此，一个认知的动力模型应当

---

① Brooks R A. “Intelligence without representation”. *Artificial Intelligence*, 1991, 47(1-3): 148-149.

② Brooks R A. “Intelligence without representation”. *Artificial Intelligence*, 1991, 47(1-3): 140.

③ Lamberts K, Shanks D (Eds.). *Knowledge, Concepts, and Category*. Cambridge: The MIT Press, 1997: 161-196.

④ Lamberts K, Shanks D (Eds.). *Knowledge, Concepts, and Category*. Cambridge: The MIT Press, 1997: 222-223.

⑤ Lamberts K, Shanks D (Eds.). *Knowledge, Concepts, and Category*. Cambridge: The MIT Press, 1997: 225.

是无表征的。例如，格尔德（Gelder）指出，当代关于认知的正统看法是计算观，即认识就是计算，心灵是一种特殊的计算机，认知过程就是依据规则来处理内部的符号表征。但从近代设计蒸汽机调速器的工程实践来看，人们实际建造的不是计算调速器，而是离心调速器，这两种调速器具有完全不同的性质：前者具有表征性、计算性、序列性、循环性和小人性，后者则是非表征的、非计算的、非小人的，其操作也不是循环的，而是连续的、共时的。这些性质的不同，反映了人们理解这种装置所使用的概念工具不同：前者使用的是主流的计算机科学的概念框架，而后者使用的是动力学的概念工具。由此，格尔德认为，认知系统不是计算机，而是动力学系统，认知过程也不是计算，而是迥然不同的系统内部的状态空间的进化。他说："认知系统事实上可能是动力学系统，而认知可能是某种（非计算的）动力学系统的行为。也就是说，认知系统与离心调速器而非与计算调速器更相似。"[①]在格尔德看来，认知系统不是将符号输入转换成符号输出的装置，而是由连续的、共时的、相互决定的变化所构成的复合体。对这种系统动力学的建模工具和动力系统理论是最合适的。他说："照此看来，认知系统不只是封闭的大脑；事实上，由于神经系统、身体和环境都在持续地发生变化并且彼此发生共时的影响，因此真正的认知系统是包括这三者在内的一个统一的系统。认知系统与身体、环境的相互作用也不靠偶然的静态符号输入和输出；事实上，内部与外部的交互作用最好被看成耦合问题，因为两套过程都持续地影响着彼此的变化方向。"[②]根据这种认知观，我们的心灵就不是内部的实在（如心灵材料、大脑状态等），而扩展到了头脑之外，具有了具身性和嵌入性，心灵与世界之间不是表征和思考的关系。由这些所决定，心灵对世界的反应就用不着表征。其实如果人的行为能用动力系统理论来解释，那么我们就根本不需要假设心理表征。

凯米罗（A. Chemero）将其表征取消论称为"彻底的具身认知科学"。"彻底的具身认知"一词来自 A. 克拉克，彻底的具身认知命题的基本含义是，"关于认知的结构的、符号的、表征的和计算的观点是错误的。具身认知最好根据非计算也非表征的观念和解释图式来研究，它们涉及（例如）动力系统理论工

① Lycan W, Prinz J (Eds.). *Mind and Cognition: an Anthology*. 3rd ed. Oxford: Blackwell, 2008: 283.
② Lycan W, Prinz J (Eds.). *Mind and Cognition: an Anthology*. 3rd ed. Oxford: Blackwell, 2008: 291.

具”[①]。凯米罗认为，心灵是一个包含大脑、身体和环境因素的动力学系统，认知就是大脑-身体-环境系统的展开，而不是心理体操（mental gymnastics），即不是建立、处理和使用关于世界的表征，因此，“认知应根据自主体-环境动力学来描述，而不是根据计算和表征来描述”[②]。他将自己的这种理论称为“彻底的具身认知科学”。这种理论包含两个因素，一是一种方法论承诺，即动力学立场，主张要用动力系统理论工具来解释知觉、行动和认知。二是一种背景理论，即吉布森（Gibson）的生态心理学，它有三条原则：①知觉是直接的，即知觉不是心理体操的结果，不是对感觉表征进行推理的结果；②知觉为了行动，即知觉的目标是产生并控制行动，很多行动也是为了知觉或认知，因此知觉与行为之间具有种密切的双向关系；③知觉涉及可供性（affordance），就是说如果知觉是直接的（即非推理的），知觉的目标是引导行动，那么环境中必然能得到足以引导行动的信息，因此，所谓可供性就是行动的环境条件。[③]基于这三条原则，生态心理学提供了一种关于什么是认知的背景理论，因而可以充当彻底的具身认知科学的发现向导。凯米罗认为，彻底的具身认知包含两个肯定性主张和一个否定性主张。肯定性主张：①关于具身认知的表征的和计算的观点是错误的；②具身认知要通过一个特殊的工具集 T 来解释，这个工具集包括动力系统理论。否定性主张：集合 T 中的解释工具没有假设心理表征。因此，我们可以这样定义彻底的具身认知科学：“它是对必然作为具身现象的知觉、认知和行动的科学研究，使用的解释工具并不假设心理表征。它是没有心理体操的认知科学。”[④]他指出，彻底的具身认知科学与一般的非彻底的具身认知科学不同。首先，后者虽然承认认知的具身性以及动力学解释的价值，但它接受关于心灵的计算主义，也拒斥反表征主义，而反表征主义（蕴含反计算主义）则是彻底的具身认知科学的精髓，因此，“彻底的具身认知科学是一种取消论，其历史的源头是美国自然主义”[⑤]。其次，彻底的具身认知科学是一种延展的认知科学，“在彻底的具身认知科学中，

---

① Clark A. *Being There: Putting Brain, Body, and World Together Again*. Cambridge: The MIT Press, 1997: 148; Clark A. *Mindware: an Introduction to the Philosophy of Cognitive Science*. New York: Oxford University Press, 2001: 129.

② Chemero A. *Radical Embodied Cognitive Science*. Cambridge: The MIT Press, 2009: x.

③ Chemero A. *Radical Embodied Cognitive Science*. Cambridge: The MIT Press, 2009: 98-99.

④ Chemero A. *Radical Embodied Cognitive Science*. Cambridge: The MIT Press, 2009: 29.

⑤ Chemero A. *Radical Embodied Cognitive Science*. Cambridge: The MIT Press, 2009: 30.

认知的解释是动力学的，并且（宽）计算主义被明确地抛弃了。自主体和环境是以非线性耦合的动力学系统为模型的。由于自主体和环境是非线性地耦合的，因此它们构成了一个不可分离的统一系统”。但非彻底的具身认知科学所接受的宽计算主义解释向自主体归属了关于环境的表征，从而犯了耦合-构成谬误。总之，“彻底的具身认知科学不是最近才放弃计算主义，它也不是具身认知科学加上反表征主义，相反它既有取消主义之源，又是取消主义的分支”[①]。

第七节　小结与思考

总体来说，取消论是一种极端的科学主义物理主义理论。尽管它和二元论一样，认为心理状态不能还原或同一于物理事件或过程，但与二元论的区别在于，它认为不能还原的原因是常识的心理状态根本不存在，而不是心理状态是非物理的实在。尽管它和其他物理主义都声称坚持唯物主义一元论立场，但它认为后者由于承认心理属性的存在，其实已暗中倒向了属性二元论，因而还不是彻底的唯物主义。尽管它和功能主义都认同可多样实现性和随附性原则，但它认为后者因承认心理属性、意识和感受性质存在，因而无法说明心理的因果相关性，也很难将意识和感受性质纳入自然秩序。可以说，取消论者是以激进的姿态来维护世界的物质统一性的，试图将二元论的幽灵和其他物理主义的不彻底性揭露出来，清除干净。常识心理观念是日常心理和行为解释的基本工具与日常生活的必要条件，因此，如果把它彻底取消了，那么如福多所说，这将造成“空前的理智大灾难”。[②]为了将心灵从取消论者手中拯救出来，各种自然化方案应运而生。就此而言，取消论的主张尽管“骇人听闻”，但它是从特定角度对唯物主义的一种新发展，也促进了当代心灵哲学的变革发展。

还应看到的是，面对各种质疑和挑战，取消主义也有所修正，出现了“弱化”倾向。它不再一概否定心灵和意识存在，而是只否定心理属性存在，但承认有心理个例。更重要的是，它始终把取消的矛头指向 FP 和常识心理概念，强调常识

① Chemero A. *Radical Embodied Cognitive Science*. Cambridge: The MIT Press, 2009: 31-32.
② Fodor J. *Psychosemantics: the Problem of Meaning in the Philosophy of Science*. Cambridge: The MIT Press, 1987: xii.

心理概念图式有严重的错误，这是值得深思的。众所周知，20 世纪的语言学转向是心灵哲学成为独立的哲学研究分支的契机，而强调对 FP 的反思则是当代心灵哲学发展的一个重要转向。取消论者在反思中发现，常识心理概念图式是基于隐喻、类比、拟人化的自然观等原始思维方式杜撰出来的，由此而构建起来的心理图景是参照外部物理世界而构造出来的隐喻式的、拟人拟物的模拟图，尽管它在特定条件下解除了人们在理解和说明心灵时的困惑，但它本质上是“笛卡儿式的、彻头彻尾的二元论”。[①]另外，取消论者基于机器人学、神经科学和认知科学等研究成果指出，人身上既没有“小人”式的心理机制，也没有通常所理解的内部表征状态，认知过程也不是计算，因此建立在心灵表征和计算理论上的心理模型和理论都是错误的。这些对于我们洞察传统心理观念的本质，克服常识心理理解中的误区，揭示心理活动的内在神经结构、运动学和动力学，无疑具有重要的启示意义。

当然，取消主义自身也包含许多矛盾和难题。例如，取消论的主张具有允诺性，其能否成立有赖于科学发展来证明，但科学是否会像他们预言的那样发展、用科学史上的取消案例来类比 FP 是否完全合适，都是悬而未决的问题，因而由这些有待证明的前提所得的结论也值得怀疑。再如，在我们用心理概念描述自己的心理状况时，所述说的即使不是常识所理解的心理状态，但也不是绝对的虚无。正如一些学者所说，心理状态类似于着魔者所迷恋的状态，这样的状态显然不同于物理状态，而是一种新的存在样式。事实上，存在并不只有物理实在一种类型和样式，而是包含不同的存在阶次、多样的存在类型和样式。就心灵这种存在来说，它不是像传统所认识的那样是单一体或单子性存在，而是由形式多样、性质各异的心理个例和样式构成的矛盾统一体。各种心理样式和个例在横向上是无限多样的，在纵向上又有层次性、梯级性，而后者又有开放性、生成性的特点。同时，心理样式的性质还具有差异性乃至异质性（如有的位于大脑中，有的则有主体间性；有的是身体的活动，有的则是二阶的、三阶的乃至更高阶的现象）。由于心性具有多样性的特点，不同心理样式和个例有不同的基础性条件、不同的来

① Greenwood J(Ed.). *The Future of Folk Psychology: Intentionality and Cognitive Science*. Cambridge: Cambridge University Press, 1991: 137.

源和形成过程，因而各种心理样式有不同的存在地位、存在方式和存在程度。[①]那么，简单地从心理现象不是物理实在，不是表现为一阶的或实存的存在就断定它们不存在，心理概念是无指称的空概念，显然是站不住脚的。

① 高新民，刘占峰．《心性多样论：心身问题的一种解答》，《中国社会科学》2015 年第 1 期，第 23-44 页。

第八章

其他心身理论创新举隅

以上考察的物理主义、解释主义、取消主义等都可看作是围绕著名的心身问题而产生的心身理论的不同样式。众所周知，心身问题是最能体现心灵哲学区别于相近的心理科学的特点的一个研究领域，也是心灵哲学投入精力最大、最多的一个课题，自然也是成果最丰的一个研究领域。20世纪末以来，这一领域也是发展最迅速的领域，诞生了不计其数的创新理论。这里，我们再花一点篇幅来考察一下国内关注不够的几种理论创新。

第一节 副现象论的与时俱进

副现象论（epiphenomenalism）一词最先由詹姆斯（James）于1879年创立。他在讨论赫胥黎在英国科学促进协会上的演说“论动物是自动机的假说及其历史”时，不仅对赫胥黎的有关观点作了批判，而且还把这一观点称作副现象论。因为赫胥黎主张：心理事件由大脑事件引起，但对后者没有任何原因作用。正像机器的声音是由机器所产生的而对机器本身没有任何影响一样。[①]副现象论诞生的主要原因：①逐渐发展出了这样的科学原则，即相信世界的物理原因具有

① Caston V. “Epiphenomenalisms, ancient and modern”. *The Philosophical Review*, 1997, 106(3): 309-363.

封闭性，认为世界是由纯物理原因所组成的，物理原因又由物理规律所决定，由物理力所驱动。②二元论的信念，即相信心不同于脑。人们提出副现象论的目的，就是要调和这两个原则。他们认为，只要坚持副现象论，就能使这两个原则之间的矛盾得到消除。因为如果心理事件对物理事件没有任何原因作用，那么现代科学只承认物理事物有原因作用的观点就与二元论没有任何矛盾。

我们在《现代西方心灵哲学》和《心灵与身体》等书中，曾对副现象论的起源以及现代较早的副现象论样式作过考察。其一般观点是，意识是由大脑的中枢事件产生的，是物理原因的结果。但是被产生出来后，仅只有现象性的存在，而不能作为原因发挥反作用，因此是像树投在地上的影子一样对树没有什么作用的"副现象"。例如，杰克逊通过对他所构想的天才科学家玛丽的思想实验的分析，不仅证明存在着物理主义说明不了的感受性质，而且论证了一种比古典副现象论弱的理论。[①]之所以这样说，是因为他不像古典副现象论那样认为：心理现象以有关的物理、神经生理过程为原因，但它产生出来后对大脑、身体不能发挥原因作用，即不能影响、干预身体的生理、物理过程及行为，只是一种无用的、没有原因效力的伴随或附带现象，就像在阳光下树所投下的影子对树本身没有任何作用一样。杰克逊只是强调，从因果关系上说，经验的感觉性质对物理世界是没有作用的，它只是伴随我们心理过程而发生的一种对这一过程的主观感觉或体验。这里，我们再来考释副现象论最近的新发展。

副现象论的结论没有根本性的突破，一般认为，它由两个相对独立的主张构成，其中第一个比第二个更强。①心理状态或属性没有因果效力；②即使分清了自主体的心理状态或属性，也不能用它们对自主体的行为作因果解释。它的思想也可表述为如下三点：①心理属性不能还原为物理属性；②心理属性由物理属性所产生；③有些心理属性没有任何因果作用，因为表面上被认为是由心理属性产生的结果，其实是由物理属性产生的。支持该思想的人很多，如杰克逊在知识论证的基础上提出了一种有限制的副现象论，尽管查默斯没有明确地把自己的观点称作副现象论，但认为他的观点隐含着一种弱副现象论形式。[②]

目前，主张或倾向副现象论的人有两种情况：一是自觉倡导和论证；二是

---

① Rosenthal D(Ed.). *The Nature of Mind*. Oxford: Oxford University Press, 1991: 392-394.
② Robinson W S. "Epiphenomenalism". *WIREs Cognitive Science*, 2010(1): 539-547.

不自觉地陷进去了，如许多人认为戴维森的解释主义就是如此。金在权等甚至认为，功能主义和别的非还原物理主义都陷入了副现象论。因为如果因果作用封闭于物理实在之内，那么相信存在着不能还原为物理属性的心理属性，就只会陷入否认心理属性有因果作用的副现象论。金在权的推论是，如果心理事件不同一于物理事件，而只是随附于物理事件，那么这样的心理事件就会与物理事件一起来争夺因果作用。在这场争夺战中，心理事件肯定会失去因果作用。因为根据因果排除原则，只有物理事件有因果作用，不能同一于它的心理事件就不可能有因果作用。

很显然，相信心理现象没有对行为的因果作用既违反常识和直觉，在许多人看来，也是与脑科学等的有关成果相左的。但是，为什么仍有人赞成副现象论呢？比恩巴赫尔（Birnbacher）的看法是，赞成副现象论关于心身的因果解释的理由有二：第一，它符合形而上学的节俭原则，即在解释行为时，越简单、越清楚，就越好，而诉诸大脑中的物理作用的解释就是这样；第二，它一致于已确立的能量守恒之类的物理学原则。皮科克说："尽管副现象论就它的某些结论来说存在着直觉上的自相矛盾，但用现在的理论化的观点来看，它仍是关于大脑过程和意识之间的因果关系的最好说明。"[①]

雅布罗（Yablo）认为，坚持副现象论既有形而上学方面的原因，又有经验方面的原因。就前者来说，要证明心理事件有因果作用，必须涉及关于因果作用的条件、标准等形而上学问题。而坚持副现象论的人中，许多是基于自己对原因或因果关系的标准的理解，而否认心理事件的原因地位。例如，如果认为，原因是有自己的能量进而有真正的让自己和别的事物发生变化的事件，那么心理事件不符合这个条件，因此就没有资格被看作是原因。经验方面的根据主要来自对有关自然科学成果的特殊解读。雅布罗在此基础上对源自笛卡儿的本体论论证作了重新表述。根据笛卡儿的二元论，既然心灵与身体不同质，如心灵是质上不同于身体的存在，因此它就没有可能对身体发挥原因作用。这个论证可这样表述：假设 x、y 代表的是物理事件，x^*代表的是非物理的有意识事件。

（1）如果 x（原因）对 y（结果）是因果上充分的，那么不同于 x 的 x^*与 y

① Peacocke C, McGinn C. "Consciousness and other minds". *Proceedings of the Aristotelian Society*, Supplementary Volumes, 1984, 58(1): 115.

就没有因果相关性（因果排除原则）。

（2）对于每一物理事件 y 来说，某些物理事件 x 对 y 是因果上充分的（物理决定论）。

（3）因此，对于每一物理事件 y 来说，x^*与 y 在因果上没有相关性（事件副现象论）。[①]

不难看出，通过本体论论证得出副现象论结论基于两个理由：一是认为心与身具有异质性，能量、原因作用都封闭于物理王国之内，因此心不可能有因果作用；二是认为即使可以说有非物理的原因，它对有机体的行为也是多余的。

普兰丁格（Plantinga）根据现在常用的解释排除原则与因果排除原则，对副现象论作了这样的论证：

（1）根据解释排除原则（EE），对于任何事件，只有一个完善的、独立的解释，不可能有两个同时完善的解释。

（2）根据因果排除原则——物理因果封闭原则（CE），任何事件的原因只能是物理的，物理的原因对它既必要，又充分，不存在非物理的原因，或者说，对任何事件，只有一个充分独立的原因，即物理原因，原因作用完全封闭于物理世界。

一事件的唯一完善的解释之所以是完善的，是因为它有本体论基础。这基础可由解释实在论所提供：

（3）由于下述事实，C 是一个对事件 E 的解释，C 便具有与 E 的某种确定的、客观的关系 R。

结论只能是，如果心理现象是非物理的，那么它就不可能有引起结果的原因作用。[②]

占主导地位的观点是，陷入副现象论是非还原物理主义失败、错误的一个表现。莱昂斯（Lyons）的新看法是，“副现象论不仅不是非还原物理主义的问题，反倒是它的一个优点”。更明确地说，副现象论有属性副现象论和事件副现象论两种，“非还原物理主义有一种特殊的版本，它蕴含着属性副现象论”，而这恰恰是这一观点富有魅力的方面。[③]他的论证是，不仅在人身

① Yablo S. “Mental causation”. *The Philosophical Review*, 1992, 101(2): 246-248.
② Plantinga A. “Evolution, epiphenomenalism, reductionism”. *Philosophy and Phenomenological Research*, 2004, 68(3): 602-619.
③ Lyons J C. “In defense of epiphenomenalism”. *Philosophical Psychology*, 2006, 19(6): 768.

上，而且在许多事物内部，都存在着没有因果作用的属性，因此副现象论具有普遍的有效性。以球砸破了窗户为例，窗户破了，是结果，其原因是飞过来的球。而球上有许多属性，并非一切属性都有这样的作用，或都是原因的组成部分。例如，球的颜色、形状等就是副现象。同样，人脑内的东西对行为的发生有原因作用，但并非一切都是原因，或参与到了原因作用中，如心理属性就是如此。[①]

另外，莱昂斯还认为，属性副现象论有许多优点。例如，它们满足这样的要求，即心理现象必须有其真实性，但又不那么真实，如没有物理属性真实。他说："属性副现象论的优点在于，它能确保心理现象不那么真实。"[②]因为心理种类相对于物理种类来说，就不那么真实。这意思是说，后者比前者更基础、更根本。例如，质量、电荷等是世界的基本特征，不是某物由于别的东西而具有的特征。此外，副现象论的优点还在于，它有别的理论所没有的解释力。他说："副现象论的主要优点恰恰在这里。计算功能主义在解释力上优于别的心灵理论，之所以如此，主要是因为其内包含有副现象论。""如果心理状态就是计算状态，那么我们就可肯定，纯物理的事物也能有这类状态。"[③]因为计算机是纯粹的、完全的物理事物，甚至是机器，既然它能有计算状态，那么其他物理事物也可有计算状态。更重要的是，通过这样的事例，我们能更好地理解纯物理事物是怎样有计算状态的。根据计算功能主义的心灵理论，"心理现象纯粹是一种副产品，它们对于执行结构的因果力没有作出任何独立的贡献"[④]。莱昂斯认为，心理现象本身是解释的产物，如通过说明一个系统怎样成为有智能的东西，就对心理作出了解释。他说："一系统所做的事情，在一个层次上可以说是盲目的、机械的，但在另一层次上说就是有创造性的、有理性的。"[⑤]

莱昂斯认为，这样的对心灵的计算主义说明有很多优点。其最大的优点在于坚持了本体论的节俭或紧缩原则，如它对心理现象作了比其他理论要节俭得多的说明。由于节俭，它通过消除心理现象被强加的效力、作用，而使笼罩在

---

① Lyons J C. "In defense of epiphenomenalism". *Philosophical Psychology,* 2006, 19(6): 777-778.
② Lyons J C. "In defense of epiphenomenalism". *Philosophical Psychology,* 2006, 19(6): 780.
③ Lyons J C. "In defense of epiphenomenalism". *Philosophical Psychology,* 2006, 19(6): 781.
④ Lyons J C. "In defense of epiphenomenalism". *Philosophical Psychology,* 2006, 19(6): 782.
⑤ Lyons J C. "In defense of epiphenomenalism". *Philosophical Psychology,* 2006, 19(6): 782.

它上面的神秘性得到了消除。“这个说明之所以有解释力，是因为它是紧缩的。它的紧缩体现在它使心理现象成了副现象”，即把过去许多哲学赋予它的因果作用扫地出门了。他说：“一旦不太神秘的物理现象得到了说明，心理属性的副现象性就能让我们不去做别的解释工作。”①

在莱昂斯看来，根据副现象论重新阐释的计算功能主义有如下三个关键特点。①它提出了可称作“例示解释”的解释。而这个解释能解释借助低阶属性的例示，某些高阶属性为什么能得到例示。②它提出了“实现解释”，即能解释低阶属性是怎样实现高阶属性的。③它之所以能完成这样两项工作，是因为它既保留了高阶属性与低阶属性的区别，又强调后者做了该做的一切。因此前者仅只是被实现了，没有什么作用或效力，即仅是副现象。②他自认为，如此阐释的计算功能主义，“是在认知科学基础上迄今所能找到的最有解释力的理论，也许是我们这里所能得到的唯一有解释力的理论”③。

总之，基于副现象论的计算主义的实质在于：它对心理现象提出了一种紧缩的或节俭的说明，即遵循了“奥卡姆剃刀”原则的说明。“根据这一项说明，心理现象是基础层次发生的纯机械的、非智能的过程的、迟钝的副产物。”这一项说明能解释心理现象留给我们的这样的印象，即它没有物理事物那么真实，但又不是纯粹的无，也有某种程度的真实性，正因为有真实性，所以电脑在经验心理学中被赋予了种种角色。但不管怎么真实，其真实性又不会超出自然主义解释能到达的范围。心理现象表面上出现在了因果规律之中，因而是真实的，但它们的所谓因果作用其实又是由别的东西所履行的，因此又不那么真实。④

副现象论的形式在以前就有很多，最近又新增了许多。根据不同标准，可作不同的分类。比如，根据它们对本原和本体论的不同回答，可把它们分为两种：一是二元论的副现象论，它们认为，心理现象有不同于物理现象的本原和本体论地位，同时对物理现象没有任何原因作用，如各种形式的平行论就是这样看的；二是物理主义的副现象论，它们认为，心对物有依赖性，或由后者所派生，是后者的结果，但产生出来后，对后者没有原因作用。尽管非还原物理

---

① Lyons J C. “In defense of epiphenomenalism”. *Philosophical Psychology,* 2006, 19(6): 782.
② Lyons J C. “In defense of epiphenomenalism”. *Philosophical Psychology,* 2006, 19(6): 783.
③ Lyons J C. “In defense of epiphenomenalism”. *Philosophical Psychology,* 2006, 19(6): 785.
④ Lyons J C. “In defense of epiphenomenalism”. *Philosophical Psychology,* 2006, 19(6): 785.

主义认为，不能根据后者说明前者，强调心理类型不能还原为物理类型，但认为心理个例可随附于物理个例，有的个例物理主义者也赞成副现象论，如莱昂斯等就是如此。[①]当然有的不赞成，只是由于在理论建构过程中的某些欠缺而不得已陷入了副现象论。例如，在一些批评者看来，戴维森的异常一元论或非还原的物理主义就是这样，当然他和他的追随者极力否认这一点，并作了大量申辩。

从因果关系的主体看，可把副现象论分为属性副现象论、个例副现象论与事件副现象论。事件副现象论认为，心理事件是副现象；属性或类型副现象论认为，心理属性是副现象。它有两个要点：一事件只有从属于物理类型才能成为原因，但不能因从属于心理类型而成为原因。莱昂斯在坚持非还原物理主义的同时，就极力倡导这种副现象论，他认为，所谓属性指的是柏拉图式的共相或可能性集合，心理现象作为属性就都是副现象，唯一与原因作用有关的只能是事件。莱昂斯说："副现象论不仅不是非还原物理主义的问题，反倒是它的一个优点。""非还原物理主义有一种特殊的版本，它蕴含着属性副现象论。"而这恰恰是这一观点富有魅力的表现。[②]他的根据如前所述，如强调：不仅在人身上，而且在许多事物内部，都存在着没有因果作用的属性。就此而言，副现象论具有普遍的有效性。以球砸破了窗户为例，窗户破了，是结果，其原因是飞来的球，而球上有许多属性，并非一切属性都有这样的作用，或都是原因的组成部分。例如，球的颜色、形状等就是副现象，只有球的冲击力才是真正的原因。同样，人脑内的东西对行为的发生有原因作用，但并非一切都是原因，或参与到原因作用中，如心理属性就是如此。因此，心理现象中能成为副现象的只能是个例，而非属性。[③]在戴维森的批评者看来，他所陷入的副现象论就是个例副现象论，因为他反对属性物理主义，坚持个例物理主义。这种副现象论有两个要点：物理事件能引起心理事件，但心理事件不能引起任何事件。[④]

另外，还可根据心理样式对副现象论作这样的分类：一是强调所有一切心

---

① Lyons J C. "In defense of epiphenomenalism". *Philosophical Psychology,* 2006, 19(6): 767-794.
② Lyons J C. "In defense of epiphenomenalism". *Philosophical Psychology,* 2006, 19(6): 768.
③ Lyons J C. "In defense of epiphenomenalism". *Philosophical Psychology,* 2006, 19(6): 777-778.
④ McLaughlin B. "Type epiphenomenalism, type dualism, and the causal priority of the physical". *Philosophical Perspectives*, 1989(3): 109-110.

理样式都是副现象；二是只承认某一些心理样式是副现象，其他的心理样式则有对行为的因果作用。这又有两种形式。

（1）质的事件的副现象论。它只承认感受性质是副现象，不否认命题态度的因果有效性，认为感受性质由神经生理属性所引起，但本身没有原因作用。相对于传统的副现象论，它有两个明显的改进：第一，不认为所有心理状态都是副现象，只有感受性质或质的事件才是副现象；第二，强调别的心理状态不是非物理的，只有处在感受性质中才是非物理的。这种“新副现象论”的标准论证：①感受性质或现象性质不同于任何物理性质（非同一论）；②如果物理事件有充分的原因，那么它是由于其物理属性而有这样的充分的原因（物理因果封闭原则）；③物理事件在因果上不会是超决定的（overdetermined）；④行为完全由物理事件所决定。因此，行为不会由任何事件的现象性质所引起。坚持感受性质副现象论还依赖于节俭或简单性论证。心理学家冯特早就注意到，现象性质相对于质的事件的复杂的中枢原因来说，具有简单性特点。这一比较促发了后来关于副现象论的简单性论证，可这样表述：任何可归属于质的事件（如关于辛辣气味的报告）的行为都离不开许多神经元的共同作用。气味的质的信息内容比神经作用的信息内容要少得多，同时，有这样的事件，它恰好有一定的复杂性，这事件是质的事件的中枢原因。因此，结论自然是身体的行为，如对气味的报告，是由质的事件的原因，即中枢属性而引发的，与质的事件的现象性无关。鲁滨逊（W. S. Robinson）是明确倡导这种形式的副现象论的代表。一般认为，副现象论没有提出正面的主张和论证，只是提出了一些否定的或辩护性的观点。鲁滨逊的任务就是要改变这种状况，对之作正面的阐发。首先，他根据成熟科学所形成的下述假定，即人的行为只能由人内部的神经生理过程所引起，论证说，心理现象即使存在，也没有对行为的原因作用。其次，将心理现象区分为两大类，即“质的事件”（包括疼痛、痒、余像、余味、幻觉、光幻视）和“命题状态”，然后分别考察它们与行为的关系。他认为，每种心理现象中都包含支持副现象论的事实，但这事实是各不相同的。例如，根据质的事件，对副现象论只能作这样的推论：①人的行为是由肌肉行为引起的，肌肉行为又由神经事件引起，神经事件又由神经事件所引起……神经事件最终由从身体和感官而来的输入和再进入的联系所引起。②质的事件中的许多性质真实地被例示了，但不能同一于神经事件，也不能由神经事件的表征属性充分地予以说明。因此，结论只能是，质的事件中的性质不是任何行为的原因。赞成这一形式的副现象论的人还有希斯洛普（Hyslop）等。

（2）命题态度副现象论。它只承认命题态度是副现象，强调身体的行为不是由命题态度所引起的。其有两种论证。第一，因果排除论证，即根据物理因果封闭原则所进行的论证。第二，功能性论证：行为是短暂的事件，信念等命题态度则相反，是具有一定持续性的状态。短暂事件的发展需短暂事件作为原因。因此，信念等不能成为行为的原因。

最后，可根据副现象论的倾向、侧重点，把它分为形而上学的副现象论和方法论副现象论。[①]

N. 坎贝尔是现当代副现象论领域有较高知名度的代表人物。他在其著名论著《身与心》一书中明确倡导解释副现象论，后又在许多论著中作了进一步的辩护。[②]他认为，人们通常对副现象论创始人赫胥黎的副现象论的解读是不恰当的，有必要作出新的解读。在重新解读的基础上，他提出和论证了一种副现象论的新的形式，即解释副现象论。根据这种副现象论，对 A 的心理属性的认识并不等于提供了对 A 的行为的因果解释。其根据是，即使异常一元论没有导致类型副现象论，但当它与别的附带的主张结合时，就会导致这样的结论：对 A 的理由的认识并不能从因果上解释 A 的行为，即 A 的理由不足以解释他的行为，因此心理属性是副现象。

副现象论的形式还有很多，如有一种副现象论主张：有生理特征的事件也有心理的特征，一个有心理特征的事件绝不会凭它的心理特征而引起另一个事件，只会凭它的生理特征产生这种作用。另外，还有这样的形式，如主张：不会有同时具有心理和生理特征的事件，但任何有心理特征的事物的全部原因都是有生理特征的一个事件或一组事件。在别的无论是心理还是生理的事件的因果关系中，有心理特征的事件不可能成为其中的原因。可见，导致副现象论之间的不同的一个原因是，它们对心理事件的本质、特点有不同的看法。这种分类就是据此而作出的。第一类副现象论承认有的事件同时有心理和生理特征。

---

① Hyslop A. “Methodological epiphenomenalism”. *Australasian Journal of Philosophy*, 1998, 76(1): 61-70.
② Campbell N. “What was Huxley’s epiphenomenalism?” *Biology and Philosophy*, 2001, 16(3): 357-375.

第二类则断然否定这一点，认为一事件要么是心理的，要么是生理的。此外，还有语义副现象论、模块副现象论。这里重点剖析一下后者。

模块副现象论是由韦格纳（Wegner）所创立的一种极富个性和深度的心灵哲学理论。这是一种极富革命或叛逆意义的理论。它的矛头直接对准的是传统和常识这样天经地义的观点：人的身体的行为，不管是肢体的随意的行为，还是人的言语行为，乃至内部的心理行为，都是由人的自由意志决定的。自由意志的作用不仅表现在作出行为的决定，还表现在随时的调控之上。而韦格纳振聋发聩地提出：过去赋予自由意志的作用是幻觉。说它是幻觉可这样理解，有意识心理状态根本就没引起行为的作用，它们是副现象。因为意志的有意识经验是由这样的大脑系统产生的，它不同于产生行为的系统。这就是说，产生经验与产生行为的大脑系统不是同一个，它们是不同的模块。产生经验的系统能解释行为，但不能引起行为。

通常用心灵或具体的心理的东西（如信念、愿望等）解释行为也是错误的。这种解释表面上触及了心与行为的因果关系，其实是弄错了行为的因果关系。因为"人的行为后的真实的因果关系包含大量复杂的机制"。认识、解释了心灵，并不等于解释了行为的真实的原因。[①]有意识的意志、自我等都是幻觉，通常赋予它们的主宰作用压根就不存在。韦格纳说，"对我们每个人来说，我们似乎有有意识的意志，我们似乎有自我，我们似乎有心灵，我们似乎有自主体，我们似乎引起了我们所做的事情"，其实，这些都是幻觉。[②]当然，不能由此认为他陷入了取消论。因为，一方面，他不否认意志等心理现象的存在；另一方面，他承认尽管意志没有决定行为的原因作用，但有特定的解释作用。他说："毕竟，明确的心理因果关系方案并没有完全抛弃有意识的意志，不过，它只是解释了经验最终是什么，我们关于有意识的意志的经验只会影响我们的道德生活，而不会影响我们的真实行为的因果关系。"[③]不难看出，他投入了副现象论的怀抱，当然是一种别具一格的副现象论——模块副现象论。

韦格纳所建构的副现象论的独特性首先表现在，它不仅没有承诺二元论，

---

① Wegner D M. *The Illusion of Conscious Will*. Cambridge: The MIT Press, 2002: 27-28.
② Wegner D M. *The Illusion of Conscious Will*. Cambridge: The MIT Press, 2002: 342.
③ Wegner D M. *The Illusion of Conscious Will*. Cambridge: The MIT Press, 2002: 334-341.

而且自认为它是反抗二元论的一种方式。他强调：他的副现象论像赖尔的行为主义一样，矛头直指常识和传统的心灵观，或“权威的”“官方的”学说，即“机器中的幽灵”，强调传统和常识赋予心灵的那些作用是没有根据的。当然，他的副现象论并未像赖尔的行为主义那样，完全剥夺传统哲学所说的心灵的本体论地位。质言之，他不否认心灵的存在，而只是要否定二元论赋予心灵的那种高不可攀的决定作用，那种类似于人的小人作用。

韦格纳的模块副现象论的特点还在于：它不满足于解决自由意志和心理因果性之类的局域性问题，而努力上升到心灵观的高度，一方面否定传统的心灵观，另一方面又试图建构一种新的心灵观。其基本观点是强调不存在引起身体行为的心理力，不存在控制人这个机器的幽灵。他自认为，这是继弗洛伊德之后的人格理论、心灵观的又一场思想变革。在他之前，已发生过三次思想变革，一是哥白尼将地心说发展为日心说，二是达尔文让人们从神创说中走出来，三是弗洛伊德将自我中心说发展为本我中心说，而韦格纳的模块副现象论据说是第四种具有变革意义的理论。它对传统的自我图式发起了革命性改造，因此可看作是后弗洛伊德理论。它强调有意识的意志力在行动的产生中没有任何作用，不过是一个幻觉。根据这种心灵观，心不过是身体的无用的伴随现象，就像机器嗡鸣声由机器产生但对机器没有任何影响一样。因为过去视作中心和主宰的有意识的意志、自主体不过是由特定模块产生的一种现象，它有存在地位和解释经验的作用，但没有决定行为的作用。决定行为的是人脑中专门的模块。总之，有意识经验在行为中不是完全无用。一方面，它们对行为的产生的确没有作用，因为行为的产生是由别的更复杂的机制产生的；另一方面，它们不是一点作用也没有，它们的作用一是在于，“帮我们理解和记住我们所做的事情”[①]；二是在于指导人对自己的行为负道德责任。[②]纳米亚斯（Nahmias）据此把这种副现象论称作“模块副现象论”。[③]这已得到了学界的认可。

之所以被称作模块副现象论，是因为韦格纳把有意识经验的意志力称作大

---

① Wegner D M. *The Illusion of Conscious Will*. Cambridge: The MIT Press, 2002: 325.
② Wegner D M. *The Illusion of Conscious Will*. Cambridge: The MIT Press, 2002: 341.
③ Nahmias E."When consciousness matters: a critical review of Daniel Wegner's The Illusion of Conscious Will". *Philosophical Psychology,* 2002, 15(4): 530.

脑中的一个模块或系统，其专有功能是根据信念、愿望、计划等对行为作出解释。除此之外，这模块还有记住行为的作用，对行为承担道德责任的作用，负责产生关于意志的经验的作用。除了这个模块之外，大脑中还有实际上主宰、引起行为的模块。韦格纳把这一模块称作“经验的意志力”。在这里，他明确把“经验的意志”与“意志的经验”分开来了，其实是把两个模块区别开来了。前者是产生行为的模块，后者是解释性模块，它能对行为起到观察、理论化、记忆的作用，但没有产生行为的作用。而产生行为的模块则是专门负责行为产生的。

基于这样的区分，韦格纳自认为纠正了过去心灵哲学理论这样的错误，即将不属于自主体、意志力的作用强加给它们的错误。根据他的新看法，它们只有记住、解释行为、为其负道德责任的作用，而没有引起行为的作用，引起行为的是别的模块。

韦格纳认为，模块副现象论表面上是一种形而上学理论，其实，不仅如此，它还是一种关于大脑中的事件间的联系和调节的经验性理论。

作为一种经验理论，它的基本观点是，迟钝的有意识过程发生太慢，如不会在行为产生前发生，它们处在行为产生系统的外边。因为在大脑中有不同的结构或模块，如一个是作为行为基础的动力结构，即是专门负责产生行为的系统。另一个是让意志的经验产生的结构，意志的经验是由多个大脑系统的相互联系决定的，而产生行为的系统是专门的，完全有别于产生意志经验的系统。两个系统以及与行为的关系如图 8-1 所示。

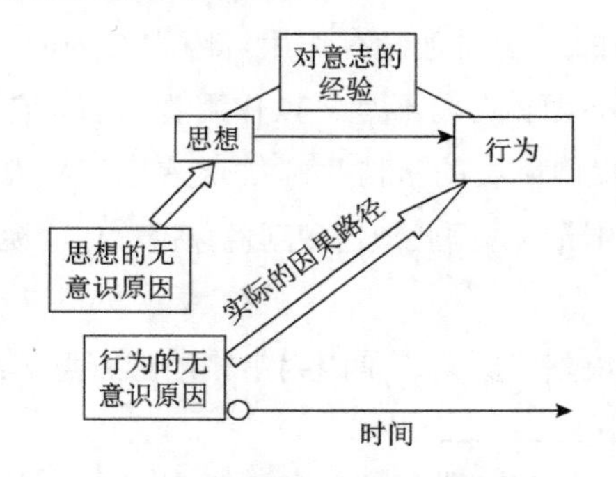

图 8-1 行为系统、意志经验系统与行为的关系

总之，模块副现象论认为，自由意志等是有存在地位的，甚至是由物理的东西的相互作用而形成的模块，但它没有通常赋予它的对行为的因果决定作用。行为作为结果是有原因的，这原因就是大脑中的别的模块。

D. 摩尔通过对多原因决定论（overdetermination）和因果排除论的考察、分析，也论证了一种副现象论。因果排除论认为，世界上只有物理事物有因果作用，其他的非物理的原因是多余的，应予以排除的。而多原因决定论是对立于因果排除论的一种理论，强调一个结果可由两个以上的原因包括非物理的心理原因所引起。质言之，该理论所说的“多”，包括物理原因和心理原因。因为该理论对它们的关系有不同的看法，所以有下述两种形态。①独立的多原因决定论：两个原因可以独自分别地、充分地产生一个结果。例如，一个行为既可由物理原因独立地、充分地产生，又可由心理原因独立地、充分地产生。D. 摩尔认为，这一理论不能成立，因为一个原因如果是充分的，那么能决定此结果的其他多原因就成了多余的了。②有依赖性的多原因决定论：一个物理原因对于一个特定结果来说既必要又充分，但它在产生那结果时，又离不开心理原因的作用。D. 摩尔认为，这一理论也是错误的，因为如果心理原因有其必要性，那么独立的物理原因就不是充分的。通过考察，他得出了这样的结论：行为的确根源于大脑中特定的模块，但这模块不是自由意志，而是别的大脑过程。[①]

新副现象论一个新的倾向是，通过关注并深入研究多原因决定论，阐发一种带有折中调和性的副现象论，即一方面坚持只有物理事件才是行为的真正的原因，另一方面又不同于传统的副现象论，而赋予心理事件以特定的作用，如作为物理事件发挥原因作用的条件的作用。维森特（Vicente）认为，多原因决定论并没有证明世界上的实在都是物理的，它只是表明：所有进入了与物理世界的相互因果转化的事物才是物理的，因此是一种不利于物理主义的论证。[②]根据这种新副现象论，行为结果的产生一方面离不开物理的原因，因为物理原因的完全性原则告诉我们，一切结果的发生都离不开物理的原因；另一方面，行为的产生又离不开特定的心理原因，就此而言，心理原因是行为的必要条件，因为心理原因具有不可还原性。赞成这一理论的人很多，如塞德尔、贝内特

① Moore D. “Causal exclusion and dependent overdetermination”. *Erkenntnis*, 2012, 76(3): 319-335.
② Vicente A.“The overdetermination argument revisited”. *Minds and Machines*, 2004, 14(3): 331-347.

(Bennett)、梅尼克和佩雷布姆等。[①]这一理论要冲破的理论障碍是，要说明心理有这样的作用，首先要证明多原因的决定作用是存在的。因为，根据物理主义的因果封闭原则和排除原则，世界上只存在物理力量这一种原因作用。为予突破，它通过分析典型事例作了自己的探讨。例如，在枪决一死刑犯时，一颗子弹击中心脏，可以让他毙命，但如果同时向他的心脏打了两枪，那么可以说，这两个原因都是独立的、充分的。如果是这样，这个罪犯的死就是由多原因决定的。

基于这样的分析，有的人提出了有依赖性的多原因决定论，它对立于独立多原因决定论。在它看来，后者没有体现物理主义的这样的原则，即心理原因依赖于、决定于物理原因，而把它看作是独立的、充分的原因。为克服这一不足，有些人便提出了有依赖性的多原因决定论。其基本观点是，某物理原因 p 对事件 e 是必要且充分的，但这个原因 p 又使事件 m 发生，而心理因果性使事件 m 必然引起 e，因此这个原因即 m，必然发生了，且必然引起了结果 e。这意思是说，物理原因可以独立地、充分地产生某结果 e，就此而言，心理事件是副现象。但同时应注意的是，心理原因依赖于物理原因，使物理原因必要且充分，这就是说，随附的心理事件的发生有其必然性，而且对物理原因发挥它的因果作用有一定的作用，如作为物理原因起作用的一个条件。质言之，物理原因对结果是充分的，但在物理原因发生这个作用时，心理原因随附地发生了，并且是物理原因具有独立性、充分性的必要条件，因此有其特定的作用。

毫无疑问，尽管许多人包括一些大家不遗余力地论证副现象论，但它无疑是心灵哲学中的边缘话语，且经常受到严厉的批判。常见的否定性论证有四种。①基于常识、直觉的论证。②基于进化和自然选择的论证，如：它违反了进化论所发现的事实。③基于他心知的论证。如果有关于他心的知识，心理现象就不是副现象。因为他心与他人的行为之间有双向因果联系。这一论证也可这样表述，我们能在他人身上看到心理事件与行为的联系，完全相似于它们在我们身上的联系，这是客观事实，而副现象论不能说明这一事实。④基于关于自心知识（自我意识、知识）的论证。这是各种论证中最有力量的一个论证，如果

---

① Moore D. "Causal exclusion and dependent overdetermination". *Erkenntnis*, 2012, 76(3): 319-335.

副现象论是对的，我们就不可能成功指涉我们自己的心灵，而事实是，我们每个人都可随心所欲地这样做。

第二节 内格尔对泛心论的“发展”

“泛心论”（panpsychism）是最早的哲学理论之一。从构词上不难看出，“psyche”即指心或精神，“pan”这个前缀的意思是“全”“总”“泛”“一切”“全部”“完全”等。其基本观点是，心灵是世界的一个根本特征，存在于整个宇宙之中。正像许多唯物主义不承认有脱离于物质而独立存在的心灵一样，它也认为，世界上没有脱离心灵的物质。一切事物都有精神的方面。须知，泛心论所说的“心灵”、“根本的”和“整个宇宙”都有特定的含义。例如，它区别开了有意识和无意识心理，只承认无意识心理无处不在，而只有有意识心理才存在于人身上。质言之，泛心论并不认为万物有像人一样的心灵。泛心论在哲学中的命运真可谓起伏跌宕。它曾经是心灵哲学研究中的一种有强大竞争力的理论，赞成者中不乏地位极为显赫的人物，如莱布尼茨等。然而，在现代哲学的最初几十年中，它不仅逐渐式微，淡出哲学的中心，而且成了物理主义批判的靶子。富有喜剧意味的是，最近几十年，随着研究的深入，尤其是伴随着二元论的“进化”“发展”，泛心论又有抬头之势，不仅在与唯物主义“争宠”，而且还得到了像查默斯、内格尔和西格尔这样一批在心灵哲学领域中有较高声望的哲学家的支持和重新论证。我们这里将以内格尔的泛心论为个案，考察当代泛心论的走势及特点。

内格尔对心灵哲学有独特领会和建树，可能得益于他不是“身在此山中”。他的本行是道德哲学，从事心灵哲学研究则是他的“客串”。然而，由于“旁观者清”的缘故，他不仅提出了一般心灵哲学家没有想到的问题，如成为一只蝙蝠感觉起来是什么样子？从而为在心灵哲学中开辟感受性质这一领域作出了巨大的贡献，而且对心灵哲学中的大量传统问题发表了令人耳目一新的见解，引起了广泛的注意和争论。他用来表述现象意识的表达式“成为一只蝙蝠或一个人看起来像什么”或“感觉起来是什么”（what it is like to be…）已成了述说这种奇特现象的最经典、最准确的方式。

一、为心灵哲学“把脉”

内格尔对已有心灵哲学的基本判断是，已有的一切解释心理现象的尝试都是不能令人满意的，其根本的原因在于：没有触及意识的要害，遗忘了主观性及“主观的观点”。他说：“意识是使心身问题真的难以解决的根源……没有意识，心身问题不会有什么意思，而一旦有了意识，它的解决又变得无望了。”[①]意识之所以难解，又是因为它有主观性。他所说的“主观性”除了有人们常说的那种“依主体而转移”等意义之外，还有一层意思，即指意识不管是什么，有何内容，是什么样的状态，不管被意识的、被显现的（客体）是什么，总有主观的维度，即包含着“反观自照”的特点，有自己对自己的体验，有自我觉知的一面，因此是一种更复杂的主客统一体。不难看出，意识的复杂难解，实际上是主观性的复杂难解。如果没有主观性，心身问题是较容易解决的。以意向性为例，如果撇开它们的主观性方面，那么它们所缠绕的难题就是可解决的，因为人们也能把计算机说成有意向的系统。[②]因为心理现象有主观性，所以心身问题就变得更加困难了：人如何可能把一种具有主观属性的心理实体包括在客观的世界中，这个问题与一种物理实体如何可能具有主观属性的问题一样尖锐。[③]

内格尔的新的诊断是，要解决心灵哲学的问题，应重新思考提问的方式。在他看来，首先值得问的问题是，通常的哲学和科学的观点适用于说明有情识的存在吗？这一问题又可区分为三方面：①心灵本身有客观的特征吗？或者说，能否对心灵形成客观的理解？②心灵与实在的那些物理方面是何关系？③我是世界中的人中的一个，这一事实是怎么可能的？内格尔认为，第一个问题是心身问题的前提性问题，已有的对心身问题的探讨都未注意到这个问题。而如果不解决这一问题，要想取得认识的进步，将是不可能的。[④]

要使对心身问题的认识朝前发展，还应“形成关于心身问题的新的观

① Nagel T. “What is it like to be a bat?” In Nagel T(Ed.). *Mortal Questions*. Cambridge: Cambridge University Press, 1979: 165-166.
② 内格尔.《人的问题》，万以译，上海译文出版社 2000 年版，第 213 页。
③ 内格尔.《人的问题》，万以译，上海译文出版社 2000 年版，第 214 页。
④ Nagel T. *The View from Nowhere*. Oxford: Oxford University Press, 1986: 13-14.

念”。[①]正如对于电磁现象，不能用关于星球、气体、固体等的经典力学的概念和理论来说明一样，要说明心理现象也不能用已有的物理学概念和理论，而必须用别的概念和理论。因为“物理学只是理解的一种方式，适用的对象是广泛但仍有限的材料。坚持用适合于专门用来说明非心理现象的概念和理论去说明心灵……既是理智的倒退，又是科学上的自残。心理与物理的差异远大于电和磁之间的差异。我们需要的是全新的工具”[②]。这显然是在嘲讽和批评当前流行的自然主义。

要找到解决心身问题必不可少的“新工具”，前提条件之一是承认心理现象的唯一性、独特性或独一无二性，即认识到它不是非心理现象中的任何东西，进而放弃根据物理学理论予以说明的企图，另辟新径，探寻并创立适合说明它的新图式。内格尔说：“只有认识到心理现象的唯一性，概念和理论才会为着理解它这一目的而被创造出来。”[③]这新的概念和理论是什么？是怎样被他“创造”出来的？

二、主观现象王国及其本质特点

如前所述，内格尔相信有机体身上存在着两个王国：一是有机体的物理事件、活动和状态所组成的物理王国，它纯然“是一个客观事实的领域”；二是经验的事实所组成的王国，它只能从主观的观点出发才能予以理解。这个王国尽管是主观的，但也是真实的存在，而不是“子虚乌有的属性”。这就是他声言要予以坚持的实在论原则。[④]从认识上说，这个王国所充斥的是我们的物理概念所遗漏了的现象学事实。它们是独特的、异质的，然而又是存在的。他说：我关于以各种形式表现出来的主观领域的实在性，隐含着对于人类概念所及之外的事实之存在的信念。[⑤]这是一个什么样的领域或王国？有何特征与相状？

第一，可以肯定，心理属性是不同于物理属性的属性。其不同表现在以下三个方面。①有主观性，可从主观的观点去观察，而物理属性没有主观性。内格尔

---

① Nagel T. *The View from Nowhere*. Oxford: Oxford University Press, 1986: 51.
② Nagel T. *The View from Nowhere*. Oxford: Oxford University Press, 1986: 52.
③ Nagel T. *The View from Nowhere*. Oxford: Oxford University Press, 1986: 53.
④ 内格尔.《人的问题》，万以译，上海译文出版社 2000 年版，第 194 页。
⑤ 内格尔.《人的问题》，万以译，上海译文出版社 2000 年版，第 111 页。

说：不论是原感觉还是意向心理状态——不管它们的内容多么客观——都一定会以主观的形式表现于心灵之中。[①]②不能根据物理属性来解释和推断。这意味着，心理属性有自己的特殊根源，如不是某一个或某些物理属性，不是若干物理属性的简单产物。内格尔说：单靠物理发现的有机体的属性或它的成分，都不会成为熟悉的、具有前意识特征的心理属性，也不会成为暗示这些属性的更基本的初始心理属性。[②]质言之，心理属性的特点在于不能从物理属性中推断出来。③“物理属性决不会包含心理属性。”[③]

第二，心理属性的终极解释原因只能是心理的。内格尔说：为了解释心理过程而推断出的终极属性应是心理的而不是物理的。[④]当然，他还否认这样的第三种可能，即心理属性和物理属性有一个共同的来源。这就是说，为了解释心理的起源，不外三种可能，一是心理起源论，二是物理起源论，三是共一来源论，即认为心和物都有一个共同来源。这共同的根源既非纯物理的，又非纯心理的，而是既心又物的。内格尔的看法是，与其说心物有一个共同的根源，还不如说有两种终极性原因。他说：这种说法似乎还不如说存在可回溯到两类不同的基本属性的两条完全不同的解释链可信。[⑤]

第三，内格尔强调：心理属性不是还原的属性，而有自己的独立性。这是否意味着内格尔倒向突现论而主张心理属性是突现的性质呢？回答是否定的。在还原论和突现论的对立与争论之中，内格尔不赞成任何一方的结论，而试图走中间路线，其方法是重新阐释因果关系。根据突现论，所谓突现性质，是指在组织的复杂高阶层面出现的，不能用其构成成分及性质来解释的新属性。在他看来，突现论所说的那些所谓的突现性质是不存在的。他说：不可能有真正的突现。[⑥]因为只要坚持因果关系具有必然性，或只要承认因果解释的有效性，那么必然得出否定突现性质的结论。因为被系统产生出来的性质，不管是简单的还是复杂的，不管是旧的还是新的，其根源都在它的成分及结合方式之中，

---

① Nagel T. *The View from Nowhere*. Oxford: Oxford University Press, 1986: 15.
② 内格尔.《人的问题》，万以译，上海译文出版社 2000 年版，第 195 页。
③ 内格尔.《人的问题》，万以译，上海译文出版社 2000 年版，第 196 页。
④ 内格尔.《人的问题》，万以译，上海译文出版社 2000 年版，第 196 页。
⑤ 内格尔.《人的问题》，万以译，上海译文出版社 2000 年版，第 197 页。
⑥ 内格尔.《人的问题》，万以译，上海译文出版社 2000 年版，第 197 页。

它们之间有因果关系，或有源与流的关系。

第四，关于心理状态的主体问题，内格尔的看法是，既然心理现象的本质特点是主观性，因此它的主体就既不能是物质的，也不能是二元论所说的灵魂。他说：即使我们有灵魂，也解决不了问题，因为在它有可能把握一个非物质的东西的观念的范围里，它如何可能具有一个观点同样难以理解。①在他看来，心理的主体只能是会运用主观观点看问题的人。对于一些人所持的无主论或“无所有主观”，他说：我们应也考虑“无所有主观”，根据这一理论，心理事件不是任何东西的属性或表现，而只是发生了，既不在灵魂中，又不在身体之中，尽管它们与身体中的事情有因果关系。在他看来，这种观点是没有根据的，因为作为事件，以及事件发生前的潜能，“总是有其在前存在的基础的，就像火不可能从无中产生出来一样，经验也不能来自于无”②。基于对心理状态及属性的新的看法，内格尔提出了自己新的人学式主体论。他认为，尽管人离不开生物有机体或物理的构成，前者必须以后者为基础，但作为心理状态主体的人（或老鼠），不能等同于一个有机体，或一个灵魂，或任何其他东西③，因为人除了有物理的构成、身体的事实之外，还有主观的观点，即有主观性。因此最好的归属是主体自我基于主观性的归属，他认为，主观性让无需标准的心理的自我归属处于中心地位。④这就是说，心理的主体是人。这里的人既不是物理、生物的存在，又不是灵魂，也不是两者的复合，而是具有主观性的人。

第五，心理状态同时具有主观性和特定意义上的公开性。所谓主观性，即只能从主观的观点出发去观察的特点。所有心理现象原则上都有这个特征。当然内格尔承认，有些心理状态在表现上没有这个特征。例如，人在思维时，只顾思维，而不去观察它，因此就没有主观的体验及性质，但是它不同于其他现象的地方在于，它是可以如此被观察、被意识的。他说：并非所有的心理状态都是有意识的，但是它们全都能够产生有意识的状态。⑤这种主观的东西是不能用客观的方法把握的，更不能还原为物理的东西。这样说，是否意味着人的心

① 内格尔.《人的问题》，万以译，上海译文出版社 2000 年版，第 202 页。
② Nagel T. *The View from Nowhere*. Oxford: Oxford University Press, 1986: 30.
③ 内格尔.《人的问题》，万以译，上海译文出版社 2000 年版，第 203 页。
④ 内格尔.《人的问题》，万以译，上海译文出版社 2000 年版，第 203 页。
⑤ 内格尔.《人的问题》，万以译，上海译文出版社 2000 年版，第 201 页。

理世界完全是私密的，毫无客观公共性可言？他注意到了维特根斯坦的反隐私语言论证并提出：不可能有这样的概念，它是关于经验的完全私人的对象，就是说，没有这样的东西，它只能从第一人称的观点来分辨。因为任何概念的创立、流传和使用都服从规则。心理学概念也是如此，它们必然为客观规则所制约。这就是适用于本质上具有主观性的东西的那类客观性。总之，内格尔承认，主观的东西的确有主观性，只有从主观的内在方面去观察和理解，才能全面反映它的实在存在，但它同时又有客观性，他说："心理概念指的不是像灵魂和感觉材料这样的私人对象，而是主观的观点及其表现方式。"[①]

三、"原-心理属性"与泛心论

在心物问题上，内格尔不仅有二元论倾向，而且在将心灵的解释作用推广到人以外的过程中得出了泛心论的结论。在《泛心论》("Panpsychism")等论文中，他明确地说：有意识心理状态是某种东西的真实状态，不管它们属于我还是属于一种陌生的存在物。[②]当物质以某种方式结合，进而有一只老鼠或一只苍蝇或一个人开始存在时，由此产生的心理状态似乎必须属于那个有机体。这个结论尽管是一种可能的选择，但"它比它的否定更可信"。[③]他还说：如果断言意识不会作为造就我们的物质的相同基本属性的结果而在其他复杂系统、甚至在大到星系的系统中存在，将会是武断的。[④]因此应把泛心论放进为解决心身问题而提出的诸多方案的大观园之中，承认它也是一种可能，并且或许是最好、最有前途的一种选择。他说：应当在为心身问题开列的、互不相容的而且没有希望被接受的现有答案清单上补充一个泛心论。[⑤]

不同泛心论者对心灵存在的范围之大小有不同的看法，因此泛心论有两种形式：一是普遍的泛心论，认为树木花草、岩石湖泊，甚至还有血液细胞，都具有某种意识。如果认为万事万物都有意识或心灵，那么就等于承诺了一种最广泛的泛心论形式。二是狭义的泛心论。它只承认我们自己和别的动物有

① Nagel T. *The View from Nowhere*. Oxford: Oxford University Press, 1986: 37.
② 内格尔.《人的问题》，万以译，上海译文出版社 2000 年版，第 205 页。
③ 内格尔.《人的问题》，万以译，上海译文出版社 2000 年版，第 206 页。
④ 内格尔.《人的问题》，万以译，上海译文出版社 2000 年版，第 207 页。
⑤ 内格尔.《人的问题》，万以译，上海译文出版社 2000 年版，第 206 页。

意识。[①]内格尔坚持的正是这种泛心论，当然，他的特点在于：第一，不否认万物有心这样的可能性，他认为，有意识经验有可能以无数的、我们完全无法想象的形式，发生在整个宇宙的其他太阳系的其他行星上；[②]第二，他在内容及论证上也有自己的特点。

根据内格尔的概括，他的泛心论有四个要点。①不只人类有心灵。②人类的心灵不是其他心灵的样板，更不是核心的事例，因此不能根据人类心灵去类推别的心灵。这也就是说，不同事物所表现出的心灵是不同的，因此不能以人类心灵为标准去评判别的心灵，更不能据此把低级形式的心灵排除在心灵家族之外。可见他是反对人类中心主义的。③人类心灵只是所有心灵中的事例。④心灵像物质事物一样，有自己的起源，乃至有自己的本质。从心灵依赖的直接条件来说，心灵可能有物理的原因，但又不可能通过考察、研究大脑两半球的宏观的过程和事件来说明心灵是怎样起源的，不可能弄清微观过程怎样发生在大脑的任意小的组成部分之中。要如此，必须假设“物质内部有原-心理属性”。[③]这心理性质像物理事物的最初本原一样，是最原始的。不过在作用上，它只有产生心理现象的作用，因此是原始的心理本原。广泛存在的心理现象都发源于它。当然，这只是一种推论或猜想，因为“要理解中枢系统的更小组成部分的原-心理属性，在本质上是极其困难的”。[④]

内格尔相信存在着原-心理性质的根据是什么呢？这是他坚持因果必然性和心理现象因有主观特征而有自己的独立存在地位这两个原则的必然结论。根据前者，一切现存之属性都有其原因，根据后一个原则，物理学解释不可能解释物理系统的主观特征，即不能解释任何有意识的心理状态对它的拥有者来说是什么样。对客观的神经系统的任何描述或分析，无论有多完整，本身都不会蕴含任何非客观的东西。[⑤]因此物理的解释与主观经验之间存在着“鸿沟”，而且“这个鸿沟在逻辑上是无法跨越的”。既然如此，要解释意识的起源，就必须设想有非物理的本原。他说：如果一位无形体的上帝要想创

① 内格尔.《人的问题》，万以译，上海译文出版社 2000 年版，第 207 页。
② 高新民，储昭华.《心灵哲学》，商务印书馆 2002 年版，第 106 页。
③ Nagel T. *The View from Nowhere*. Oxford: Oxford University Press, 1986: 49.
④ Nagel T. *The View from Nowhere*. Oxford: Oxford University Press, 1986: 51.
⑤ 内格尔.《人的问题》，万以译，上海译文出版社 2000 年版，第 200 页。

造一个有意识的人，他不能指望通过有机的形式把大量只具有物理属性的分子结合在一起来造人。[①]

内格尔之所以赞成泛心论这一选择，是因为下述作为根据的观点比它们的反面更令人信服。这表明，他并不否认他的泛心论结论作为推测或信念的性质。这信念是由这样几个观点推论而来的。①物质构成论：从构成所用的材料来看，任何事物都是由物质成分构成的，不需要除物质之外的任何成分。②非还原论：常见的心理状态如感觉、思维等，并不是有机体的物理属性。③实在论：心理状态或属性像物质构成一样是有机体的真实属性，有存在地位。④非突现论：即使是复杂系统也不能突现出所谓的新的属性，突现现象压根就是虚构。一切物理事物（包括高阶属性）都是由基本的属性及其相互作用构成的，都可从中引申出来，心理属性也有自己的起源。因此，每种存在必须根据自身的本原及原因来解释，而不能诉诸突现性质予以解释。可见突现论与泛心论是水火不相容的。[②]要坚持泛心论，必须否定突现论。在他看来，突现论把心理属性看作是系统的突现特性，这坚持的仍是这样的解释路线，即根据物理实在去解释，把它归结为更根本的物理实在。内格尔批评说：说我身体的物理状态本身使得我处于心理状态 M，没有任何意义。……我无法理解的是，热或大脑过程，如何使得感觉必然发生。他不否认心理属性在物理实在之上发生的必然性，不否认这里存在着因果解释，但认为，这原因不可能是物理的东西。他说：如果心理现象具有某些因果性解释，这种属性就必定存在，而且它们不会是物理的。也就是说，能解释心理属性之必然出现的属性只能是“非物理的”东西。[③]

总之，他关于泛心论的推论可这样表述：如果一个有机体的心理属性并非任何物理属性所能包含，而必须从有机体的成分的属性中产生，那么那些成分必定具有非物理的属性，当遇到恰当的结合方式时，就会随之出现心理的属性。既然任何物质都可能构成一个有机体，所有物质必定都具有这些属性。而既然同一物质有可能构成具有不同类型心理生活（我们所碰到的只是一个很小的样

---

① 内格尔.《人的问题》，万以译，上海译文出版社 2000 年版，第 201 页。
② 内格尔.《人的问题》，万以译，上海译文出版社 2000 年版，第 193-194 页。
③ 内格尔.《人的问题》，万以译，上海译文出版社 2000 年版，第 199 页。

本）的不同类型的有机体，它必定具有上述属性，当物质以不同方式结合时，就可能出现不同的心理现象。这将等于一种心理化学。①

内格尔心灵哲学的复杂性在于：尽管他赞扬和论证了二元论、泛心论，但又不能绝对地把他归结为这些阵营中的成员。因为他也有对属性二元论、两方面论的赞扬。而这些理论在本质上是物理主义，至少是温和的物理主义。如前所述，他是不赞成物理主义的，尤其是反对还原的物理主义。正是鉴于内格尔的这样一些立场，有的人，如克兰等把内格尔的理论称作非还原物理主义，即非还原物理主义多种形式（突现论、解释主义或个例同一论、随附论）之外的一种新的形式，因为他的下述原则正是非还原唯物主义的基本原则。①差异性原则：心理属性是不同于物理属性的属性。②依赖性原则：心理属性是物理实在的属性。物理要素适当地组合为特定的有机体，就可表现出心理属性。笔者认为，这种判释是有问题的。应该肯定，内格尔的确是不赞成实体二元论的，如他强调：不能从心理现象不同于物理现象这一点出发，而走向另一极端，即得出结论说，心理现象根源于精神实体。他说："物理主义是错的，但没有必要再增加非物理实体。"②内格尔的理论也不能归结为属性二元论，而只能被看作是一种特种形式的二元论。因为他明确承认世界有两种不可还原的实在，一是物理实在，二是从中派生出来而又有自己独立性的主观精神现象，它有状态和观点两方面。可见，他不仅肯定了一般二元论所承认的东西，而且"发现"了新的有独立本体论地位的"主观观点"。再者，他尽管不赞成实体二元论的精神实体说，但为了解释心理现象的存在地位，又相信或猜测其后存在着抽象的精神主体。更重要的是，他像查默斯等一样承认物质实在中一开始就有原-心理性质。正是这一看法，让他很顺利地走向了泛心论。当然，他一再声明：这些看法不是被证实的结论，而是有待验证的猜想或假说。

第三节　新目的论及其对心灵的终极解释

目的论自从在原始的拟人化的自然观中诞生以来就一直断断续续地存在

① 内格尔.《人的问题》，万以译，上海译文出版社 2000 年版，第 194 页。
② Nagel T. *The View from Nowhere*. Oxford: Oxford University Press, 1986: 29.

着。当然在不同的时代，它所受到的待遇是不一样的。在西方古代和中世纪，目的论在柏拉图、亚里士多德等的倡导和呵护下，俨然成了关于宇宙的不可或缺的、终极的解释模式。到了近现代，随着自然科学的发展，目的论尽管在生物学中并未断绝香火传承，有时甚至很有市场，但在自然科学的广泛领域尤其是在物理学和化学中逐渐衰落，直至销声匿迹。在哲学中，也是这样，它最多是作为批判对象留在人们的记忆中。然而，与目的论在进化生物学中的“发展壮大”[①]相呼应，在当今心灵哲学、认知科学、认识论和科学哲学等领域的自然化运动中，目的论在成为人们谈论的主要话题，在有关概念成为使用频率最高的概念的同时，其地位不断攀升，至少成了各种竞争理论中占据着重要地位的一种理论。最低限度上，在相应的领域中，几乎没有人再把它看作是一种神学或唯心主义的理论。在心灵哲学和认知科学中，它被许多人看作是将心灵自然化的一种最好的根据或基础，因而还享有科学的尊严和地位。

一、“生物学转向”与目的论的复苏

目的论在当代哲学中的复苏既是传统目的论的进一步发展和“升华”，又是当代哲学自然化运动的一个新成果。众所周知，心理现象在自然界有无本体论地位，认识论、逻辑学和心理学等的概念和理论（在后面，我们只述及心理学概念）在科学大厦中有无自己的一席之地，这些是现当代哲学和有关科学一直争论不休的问题。对此，尽管学界有不同的态度，如意向实在论、取消论等，但在英美哲学中占主导地位的倾向仍是自然主义。自然主义既维护自然科学的权威和尊严，又不轻易否认心理学的合法地位，还试图把两者调和起来。其策略就是用自然科学术语来说明心理学概念，实际上是把后者还原为前者。这也就是所谓的“心灵的自然化运动”。因为用来还原的理论不尽相同，所以自然化的种类也彼此有别。例如，早期温和行为主义的自然化方式是根据刺激-反应模式说明心理学概念，而逻辑实证主义则试图把心理学概念还原为物理学概念，一些脑科学家，如著名诺贝尔生理学或医学奖得主克里克则用神经科学术语说

① 迈尔.《生物学思想的发展：多样性，进化与遗传》，刘珺珺，胡文耕，彭奕欣，等译，湖南教育出版社 1990 年版，第 52-55 页以及第二部分。

明心理现象，把两类概念看作描述同一大脑行为的、可以对应与还原的两种方式。这些尝试由于是按先后顺序出现在现当代的，因此可看作是自然化运动中所经历的不同的“转向”，最近又涌现出了一种新的“转向”，即“生物学转向”。正如 G. 麦克唐纳所说，自然主义战略“所采取的最近一种转向就是向生物学的转向”。[①]

生物学转向的发生有两方面的原因：一是经验上的原因，即原有的自然主义策略都碰到了这样那样不可克服的困难，给人以前途渺茫的感觉；二是概念上的原因，这一原因又根源于人们这样的愿望，即在还原的科学中应保护被还原科学的规范性要素。例如，认知主体有犯错误的倾向，有独立于外部世界的自主性、独立性、主动性，如有意设想、表征不存在的东西等。很显然，原有的那些自然化方式只能说明大脑中实际上发生了什么，而不能说明有机体有意想做的以及应该发生的事情。如果一种关于心理的自然化理论是成功的话，那么就必须给这些特点合理的地位与说明。在倡导生物学转向的哲学家看来，以生物学理论为基础的心灵自然化，对于克服过去自然化的困难，更好地完成自然化的任务不仅是可能的，而且也是必要的，因为生物学有自己独有的、适合于说明心理现象的宝贵资源。例如，“功能”“物理实现”“机制”等是心灵自然化不可回避的话题，而此前的自然化说明主要是依据数学和计算机科学，结果要么流于空泛，要么陷入机器功能主义。如果将自然化的基础转换为生物学，结果就大不一样了。因为它能借助分子生物学和进化生物学分别从共时态和历时态的角度对它们作出具体而可信的说明。再拿说明、解释的手段来说，生物学不仅有别的自然科学常用的近端解释，而且还有别的科学所没有的终极解释。这两种解释方式的区分最先是由迈尔（Mayr）于 1982 年在《生物学思想的发展》一书中所阐述的。博格丹在此基础上作了进一步的发展，强调指出：近端解释诉诸的是近端的配列因素，如它从功能机制、程序（作为解释项）和作为它们限制条件的运作情境出发，最后进到对特定的组织行为（被解释项）的解释。这种解释所诉诸的根据主要是历时态的在前原因和共时态的功能机制，因此它又被称作“因果-功能解释”。所谓终极（ultimate）解释是根据较远甚至终极的

---

① Macdonald G. “Introduction: the biological turn”. In Macdonald C, Macdonald G(Eds.). *Philosophy of Psychology: Debates on Psychological Explanation*. Oxford: Blackwell, 1995: 238.

理由所作的解释，它“所诉诸的是进化塑造者，正是这塑造者造就了近端原因（功能机制及其程序）。这一解释的方向是：从进化塑造者（遗传变异、自然选择、目的导向）出发，再进到被完成的任务或工作，最后再到执行那些任务的程序以及在具体的近端配列因素中控制程序的功能机制”①。两种解释的区别在于：前者具有因果的或功能上的包容性或从属性，即把要解释的事项归入某功能或近端原因之下，而后者是重构性的，即重构解释项的结构和作用形成的全部历史过程及终极的机理，进而具体展示它有什么作用，为什么有这种作用。从解释的效力上说，因果-功能解释能说明“然”，但不能说明“所以然”，即使能说明“所以然”，也只是近端的而不是终极的。但两种解释又有关联性，如要解释人的推理作用，就要用到某种近端的程序及功能，而要解释这种功能本身及其作用机理，就必须运用终极的解释。在根据终极因素所作的解释中，最重要的是目的论解释，即以进化、选择及其所派生的目的、目的指向性、目的导向性等作为解释的依据。正是由于这一点，目的论在进化生物学中一直有自己的一席之地。迈尔说：现在已经明白，在自然界存在的表面上的目的定向的过程，和严格的物理-化学解释无论在哪方面都不冲突。②因为它们各有自己的适用范围，而且可以互补。之所以说目的论解释对于生物现象的解释是必要和有效的，根本的理由在于：目的客观存在着。迈尔说：遗传程序把无生命世界所完全没有的一种能力——进行合目的过程和活动的能力赋予了有机体。③当然他又承认可用来作为解释根据的目的论的东西有四种形式：一是目的性作用，如生理过程、行为的目的定向性、指向性；二是似目的过程，如水往低处流；三是适应系统；四是宇宙万物的外在目的。他强调：只有后一项是科学应予排除的，前三项都是科学所必需的。④

如果说生物学转向有它的历史和逻辑必然性，那么目的论在哲学中的出现

① Bogdan R. *Grounds for Cognition: How Goal-Guided Behavior Shapes the Mind*. Hillsdale: Lawrence Erlbaum, 1994: 2.

② 迈尔.《生物学思想的发展：多样性，进化与遗传》，刘珺珺，胡文耕，彭奕欣，等译，湖南教育出版社 1990 年版，第 52 页。译文据原文略有改动。

③ 迈尔.《生物学思想的发展：多样性，进化与遗传》，刘珺珺，胡文耕，彭奕欣，等译，湖南教育出版社 1990 年版，第 60 页。

④ Mayr E. “Teleological and teleonomic, a new analysis”. *Boston Studies in the Philosophy of Science*, 1974(14): 91-117；参阅迈尔.《生物学思想的发展：多样性，进化与遗传》，刘珺珺，胡文耕，彭奕欣，等译，湖南教育出版社 1990 年版，第 52-55 页。

就不是偶然的。在解释大量简单的现象时，物理的因果-功能解释既是必要的，又是充分的。但是在涉及有机体的适应行为尤其是人的行为这样的复杂现象时，因果-功能解释尽管是必要的，但却是不充分的。仅仅据此去解释，势必难以作出全面而可信的解释。在这种情况下，必须诉诸目的论解释，至少必须辅之以这样的解释。因为因果-功能解释只涉及待解释项的在前或当下的状态、有关的结构和功能。用博格丹的话说，这类解释充其量只是说明了"原因的推力作用"。如果说产生某结果还有内在的程序和效力的作用的话，那么因果-功能解释也只是说明了特定程序、效力起作用时的因果推力。但是对于复杂的待解释项来说，它们的产生、存在及其现状除了受到近端的推力作用之外，还离不开"目的的拉力作用"，离不开进化、自然选择所固定下来的程序的作用，尤其是离不开对能灵活地处理、应对目的情境状况的程序的选择和调整。博格丹说：因果关系解释只是涉及到了程序执行，而尚未涉及程序之选择。①就心理现象来说，仅仅从物理构成要素、结构和因果功能作用、输入输出关系上予以解释，永远无法解释心理现象的可多样实现性，即同一的物理状态之上可例示不同的心理状态、不同的物理状态，甚至同一个人不同时间地点所发生的物理状态可例示同一的心理状态。索伯说：假设有一大群人，他们被安排用下述方式行动，它在结构上同型于我想到"我要一只冰淇淋"时我的大脑所采取的那种行动方式。……那些人的集合在结构上同型于我的大脑，然而我有信念，而那群人则没有。②这就是说，结构同型对于具有相同的心理状态来说并不是必要的，因此把结构及其构成要素弄得再清楚也不可能完全揭示心理现象的奥秘与本质。只有诉诸目的论解释模式，才能揭示漫长的进化历史在有机体中编码了什么程序与图式，"设计"了什么样的倾向性（disposition）及运作条件，进而有可能回答上述问题。最后，目的论在哲学中的复苏还有一个类比根据。就拿人工制品老鼠夹子来说，一个从不知道它为何物的人，即使把它的一切物理细节及其结构都分析清楚了，也不可能知道它是什么，有何作用。但一旦告诉他设计者的设计及其目的，他马上就能明白，并能作出解释和预言。大量的心理现

---

① 迈尔.《生物学思想的发展：多样性，进化与遗传》，刘珺珺，胡文耕，彭奕欣，等译，湖南教育出版社 1990 年版，第 205 页。

② 高新民，储昭华.《心灵哲学》，商务印书馆 2002 年版，第 63 页。

象也是如此。这倒不是说，心理现象有什么神秘的、超自然的方面。新目的论者强调：心理现象并不比心脏、汽化器神秘到哪里，只要弄清它是怎样进化出来的或是怎样被设计的，有什么目的论上的原因，就可真正揭示其奥秘与本质。

二、进化、选择与“作为自然现象的目的”

在英美哲学中，人们为了区别起见，一般把20世纪90年代以来在生物学转向中受生物学目的论和古典目的论影响而形成发展起来的形而上学目的论称作“新目的论”（neo-teleology）。其倡导者很多，如米利肯、帕皮诺和博格丹等，而赞同或倾向于它的人就更多了，在心灵哲学和认知科学等领域几乎多数哲学家都是如此。新目的论在形式上与别的目的论有相似之处，如它也强调目的论是一种为待解释项提供终极性解释的理论。而为了实现这一目标，新目的论区分了被解释项和解释项。前者是要解释的对象，后者是用来解释的根据或基础，即目的。对于目的，不同的目的论尽管有不同的表述和理解，但也有共同之处，即都试图用目的来解释所要解释的对象，至少都要用到目的论语言或形式构架，如“为了……”“为着……”“以利于”“以便”等。当然，目的论语言远不止这些。

当今的新目的论新在何处呢？主要新在它有崭新、丰富而深刻的内容。这又表现在四个方面：第一，它从进化史和发生学的角度，追溯了目的的起源和演变过程，认为目的不是从来就有的，而是由前-选择和前-进化塑造并赋予有机体的，又随着有机体的诞生、发展而诞生和发展；第二，从共时态的角度研究了目的与有关物理世界的关系，认为目的依赖于有机体的相应的物理结构和过程，由其例示或实现；第三，从目的自身的体与用的角度，对其“自相”展开了分析，对目的的本质、运作机理、标志性特征等多方位、多角度地作了探讨，明确提出了“目的是自然现象”的重要命题；第四，在目的的存在和解释范围上，强调目的只是有机体所具有的一种属性，而不是万物普遍具有或追求的东西，因此其解释力只局限于生命范围。本部分只拟分析新目的论的前三个方面。

新目的论所理解的目的再不是唯心主义的、神学的旧目的论所说的目的。博格丹开宗明义地说，他的新目的论就是要为目的提供“唯物主义的证明书”。[①]事实上，经过他们重构的目的不再是外在或内在的纯精神性的终极因，而是指有机体内在地被编程好了的，要让正在做或要做的事情追寻和实现的结果状态。它依赖于物理实在，但本身不是物理实在，也不是物理的、生物的事件，因此也不能看作是法则学中解释的那种以事件形式出现的“原因”。但它又确实存在着，即以程序的形式存在着，经过一定的条件、环节还能实现，因此可归入倾向范畴之下。对此，新目的论从不同方面作了探讨。

从目的的起源和形成过程来看，目的“是前生物进化的产物，而且又经常受自然选择的‘重塑’或改进”。[②]这也就是说，目的不是从来就有的，也不是一成不变的，它由进化、自然选择塑造出来，并赋予有机体，又随着它们的进化发展而派生出新的更高的目的形式。在这里，新目的论者在利用进化生物学成果的基础上，提出了自己对目的与进化、选择、适应相互关系的独特见解。博格丹认为，目的是有机体固有的特征，两者是被一同产生的，不可能先有生命而后有目的。他说：“有机体就是这样的事物，即幸运地进化出了这样的内在结构和过程，它们能可靠地分辨有利的事态，并让行为指向它们。我称这样的结构和过程为目的-手段结构与过程。”[③]这也就是说，有机体之所以是有机体，最根本的不同于别的事物的地方就在于它有目的，即有对有利于自己的东西的指向、分辨与追寻，这里的“有利”主要表现为维持、更新和复制自己。不仅如此，它还有相应的分辨和追寻目的的手段，这主要表现在它不只是物理地、化学地运动或行事，更重要的是能功能性地做事。前一方面是它与别的事物共通的，后一方面是它独有的。没有目的性，当然不是生物，有目的而没有相应的手段，也不是生物。他说：“简单地维持和复制内在结构而不能做别的事情还算不上生命。”[④]因此，目的与手段是有机体内在的形式结构，而用相应的手段

① Bogdan R. *Grounds for Cognition: How Goal-Guided Behavior Shapes the Mind*. Hillsdale: Lawrence Erlbaum, 1994: 20.
② Bogdan R. *Grounds for Cognition: How Goal-Guided Behavior Shapes the Mind*. Hillsdale: Lawrence Erlbaum, 1994: 23.
③ Bogdan R. *Grounds for Cognition: How Goal-Guided Behavior Shapes the Mind*. Hillsdale: Lawrence Erlbaum, 1994: 20.
④ Bogdan R. *Grounds for Cognition: How Goal-Guided Behavior Shapes the Mind*. Hillsdale: Lawrence Erlbaum, 1994: 20.

去满足目的又表现为它的生命过程。

有机体及其目的-手段结构与过程是如何产生的呢？新目的论的回答很简单，即认为它们是“进化的自然产物”。[1]这似乎没有什么新意，但进一步的分析则不然。这主要表现在：他们提出了“前生物进化”这一新概念，进而把进化区分为前-进化和生命进化两种形式。这一区分主要是为了解决以前的进化论不能很好说明的这样一个问题：最初的有机体是如何产生的？在他们看来，生命进化发生之前经历了漫长的甚至无限的前生物进化过程，而且在生命进化诞生以后，前-进化仍在一些事物中继续存在，如在结晶体和计算机的程序中就是如此。因此博格丹说：“进化先于生物的生命，并且比生物的生命更广泛。”[2]正是存在着前-进化，才导致了有机体及其目的指向性的诞生。具体而言之，当前-进化发展到这样的阶段，即产生了这样的物理系统，它一方面表现出了维持和复制内在结构的倾向，另一方面又在原有的、作为手段的物理和化学运动的基础上，派生出了功能性的行事方式，前-进化就借前-自然选择之手创造了一种新的存在形式，即有目的-手段结构与过程的有机体。

最简单的生命和目的产生之后，进化和选择不但没有停止，反倒以更快的速度和更高的质量向前发展。这一方面是因为，生命由维持和复制自身、生存和发展这一基本目的所决定，需要更丰富和更高级的目的，不仅有机体作为整体是如此，而且其构成部分甚至基因也是如此。博格丹说：“获得和满足目的是生命存在的战略。”另一方面，有机体由于有了目的指向性，有了新的特殊的结构和内外环境，因此自然选择有可能在这些有利条件下对目的的新生、塑造、重塑、改进发挥更有效的作用。因为“一旦目的指向性出现之后，进化就有了生物进化的形式，就开始玩新的自然选择的游戏”[3]。什么是新的自然选择？它又是如何导致目的的新生、重塑、改进与发展的呢？

生物进化所诉诸的自然选择之所以是新的，首先是因为参与自然选择这一合力系统的因素、促使它作为一种客观的抉择力量而起作用的因素发生了质的

---

① Bogdan R. *Grounds for Cognition: How Goal-Guided Behavior Shapes the Mind*. Hillsdale: Lawrence Erlbaum, 1994: 20.
② Bogdan R. *Grounds for Cognition: How Goal-Guided Behavior Shapes the Mind*. Hillsdale: Lawrence Erlbaum, 1994: 19.
③ Bogdan R. *Grounds for Cognition: How Goal-Guided Behavior Shapes the Mind*. Hillsdale: Lawrence Erlbaum, 1994: 20.

变化。例如，它包含有机体本身及其内在结构的作用，包含有机体与有机体的相互作用、彼此竞争所形成的新的环境的作用，尤其是自然选择的结果要受到已形成的目的指向性和相关程序的限制和校准。其次，新的自然选择发生作用的条件也发生了变化。在新目的论看来，只有当下述三种条件被满足时，一种有目的性的组织和特征才能通过自然选择进化出来或得到发展。一是变异，即物种的再生成员中的表型特征存在着变化的可能性。二是遗传，即变化了的特征或特征的变异有被遗传的可能性。三是特定的适合性，即某种变异能使其后代更适于生存。有了这三个条件，自然选择就可借助它的奖赏和惩罚机制而发挥它的作用。不管是奖赏，还是惩罚，都表现为对有机体的压力作用。正是这种压力在特定目的性特征与环境之间建立起了关联，甚至独一无二的关联，因此这种作用可看作是根据环境在有机体身上塑造、造就某一相应特征的作用。例如，长颈鹿的长颈这一有特定目的性的特征就是自然选择的这种压力作用的产物。这里有这样的问题，即有机体在进化过程中，存在着多种甚至不计其数的可能性，如它既可以获得这种目的性特征，又可以获得别的特征。它为什么偏偏就获得了这一特征呢？自然选择为什么偏偏作了这样的选择？选择有规律可循吗？博格丹认为，有。这就是条件规则。这种规则也可看作自然选择所采取的方法或策略。博格丹认为，"自然选择是在有机体与环境的极大的配列之中发挥作用的，且常使用现存的选择性的、与适当信号相适应的策略。不妨把这策略看作是下述形式的条件规则：'如果 x，那么 y。'因此选择一个或另一个特征就不是任意的……而是服从于这一条件规则的。"[①]这里的 x 是指条件，y 是指被选择出来的特征。其意思是说，大自然之所以在多种可能性中选择了某一目的性特征，是因为在过去有如此这般的条件或根据，在其之下，这一目的性特征更适于生存，更有利于得到更多更好的生存资源。帕皮诺把这种对自然选择作用方式的说明称为原因论说明，因为自然选择是根据某一组织或特征在过去的因果历史中所起的作用而作出选择的。[②]总之，有机体通过自然选择便进化成了一个有目的-手段的结构与过程，其整体是这样，其组成部分亦是如此。例如，心脏和肠胃甚至基因都有自己的目的。一类生物之所以成为特殊类别的生

① Bogdan R. *Interpreting Minds: the Evolution of a Practice*. Cambridge: The MIT Press, 1997: 22.
② Papineau D. *Philosophical Naturalism*. Oxford: Blackwell, 1993: 45.

物，其器官或组织之所以成为特定的生物要素，根源就在于它们有自己的、由自然选择所造就或改进的目的。当然目的不能独立存在，它依赖于自然选择所设计的生物程序，而程序又由相应的生物结构所实现。尽管如此，它们结合在一起，从起源上说仍得益于自然选择之手。

当然，新目的论也注意到，尽管自然选择是目的得到进化的重要方式和机制，但不是唯一的。博格丹说："进化是一位慷慨的历史创造者。它授予有机体以各种特性，包括认知的特性，而授予的方式多种多样，如选择、模仿、性的重新结合、基因传递或种群内外的迁移等。"[①]即使是选择，其形式也是多种多样的，如除了自然选择之外，新目的论（者）还经常述及理智的选择、文化的选择、学习的选择，甚至性的选择。所有这些选择形式都是推动目的性由低到高、由简单到复杂发展的动力和机制。值得强调的是，他们这里把理智的选择等也看作是目的进化和发展的机制、基础，似乎背离了他们的唯物主义原则，其实不然。一方面，理智的选择和学习的选择等发生在自然的选择之后，亦即发生在有理智的生命尤其是人被进化出来之后，因此理智不是为宇宙颁布、设计目的的力量。另一方面，新目的论在世界观上持物理主义立场，强调一切都是物理的，理智等精神力量也不例外，因此理智和学习的选择也是一种物理的过程。既然如此，以此为基础而产生发展出来的目的论与旧目的论所说的目的就不可同日而语了。

从目的的自身结构和特点来看，传统的目的论常把观念性、意识、意向等作为目的构成的必要的维度，以为目的是主体事先在观念上确立的、要达到的目标。新目的论认为，这种定义只适用于人的目的。而人的目的只是广泛的目的中的一种，因此把观念性、意识作为要件进而据此对目的作出规定是不妥的。迈尔说：许多心理学家在讨论到目标-定向的行为时，仍然使用像"意向"和"意识"这些不能限定的词汇，因而不可能进行客观的分析……使用这些词汇对于分析没有什么用处；事实上，这只能使分析更加困难。[②]新目的论者因为承认人以外的事物也有目的性，所以他们便试图揭示一般目的

① Bogdan R. *Interpreting Minds: the Evolution of a Practice*. Cambridge: The MIT Press, 1997: 265.
② 迈尔.《生物学思想的发展：多样性，进化与遗传》，刘珺珺，胡文耕，彭奕欣，等译，湖南教育出版社 1990 年版，第 55 页。

的基本构成和一般规定性。在他们看来，目的的第一个要件是它必须依赖于一种实体，这就是有机体的某种结构和状态及其作用。第二，它有要达到的目标对象，而这对象表现为一种特殊的结果，即未实现的、有待通过一定的过程实现的结果。第三，目的是被设计或选择好了的、被编程或固定在一定结构中的程序与机制，类似于计算机硬件上所运行的程序，毋宁说是程序的组成部分，具体地以结果状态的形式表现出来。博格丹说："目的是被编程的、有待追寻和实现的东西。"[①]在这里，根据程序来理解目的，既坚持了物理主义，又十分贴切，因为在此说明中，既有对程序要达到的状态的形式规定，有对进至这种状态要经过的阶段的说明，又有关于每一阶段和过程转换的必要条件的规定和对被封装好了初始信息的交代。博格丹说："目的是这样的状态，它将一系统或它的部分放在做某事、经历某过程、执行某功能或运行某程序的位置。有机体是为了得到某种别的状态（如降低温度）而经历某内在过程（如排汗）或做某事的。"[②]

从目的的存在方式来说，新目的论者反对将目的还原或等同于物质过程或实在的还原论。但这又不意味着他们赞成二元论和唯心主义把目的外在化、抽象化、观念化、精神实体化的做法。在这个问题上，他们的基本立场是物理主义，即认为整个世界没有非物理的实在和属性，目的作为有机体的一种属性或特征也是如此，它具体表现为二阶属性。而二阶属性不可能独立存在，要么随附于一阶的基础物理属性，即前者有独立性，但依赖于后者，可与后者协变，要么前者由后者所"实现"。所谓实现，就是被执行、被运行、被例示，最明显的类比例子就是程序由计算机的硬件所实现或例示。目的也是如此，它不能独立存在，它的存在及其对行为的引导作用都是由它后面的物理过程具体实施或完成的。具体而言，有机体被自然选择等物质力量所赋予的目的是由其内在的基因和别的有转录控制作用的单元的相互作用而承载和实现的。换言之，目的指向机制的形成源自基因和转录层面上所开始的内在的过程的功能相互作用，是基因与输入信号、转录蛋白相互作用的产物。而基因有 DNA、RNA 和其他

① Bogdan R. *Grounds for Cognition: How Goal-Guided Behavior Shapes the Mind*. Hillsdale: Lawrence Erlbaum, 1994: 37.

② Bogdan R. *Grounds for Cognition: How Goal-Guided Behavior Shapes the Mind*. Hillsdale: Lawrence Erlbaum, 1994: 37.

因素。可以把 DNA 理解为编程构造，RNA 看作是执行构造，其他的功能性蛋白（RNA 从 DNA 的指令中转录的）和蛋白输出（如组织、过程、行为等）也是这样的执行机构。其中，DNA 的作用最为重要。它可以说是目的的“成型机”，以发布指令的方式决定最初的原因起什么作用、何时起作用，怎样被别的基因和内在复杂的过程所利用。正是这种程序指令对构型的作用，再借助执行机构的作用，才导致了生物的因果目的指向性。帕皮诺认为，有目的存在，“就一定有某种物理属性出现在所有的例示之中”，正是因为目的有物理的实现，所以它才有对物理世界具体的看得见的作用，进而才有可能对之作出“统一的物理解释”。博格丹更明确地说：“目的指向性是世界上的一种自然现象。”[①]

说目的是一种自然现象，并不等于说什么事物都有目的性、目的指向性，因为在新目的论者看来，它是一种非常特殊的自然现象。其特殊性主要表现在，它有许多独特标志或目的论参数。第一，目的可能或现实地具有功能作用，如让有目的的存在处在某状态或采取某种行为，而这种功能不是抽象的，是具体的。如果是这样，是否意味着传统共时态的原因-功能解释是充分的，而“生物学转向”的进化史、选择史解释是多余的呢？恰恰相反。博格丹说：“遗传程序之所以能实现或执行它们的目的定向功能，又是因为它们是自然选择因果地设计如此的。”[②]第二，它还有相应的发生功能作用的方式，典型的有三种，即专一的方式、渐进性或累积性的方式、交叉式的方式。第三，有相对的阶段性和终极性。由当前状态达到目标状态至少要经历一个以上的阶段，一旦目标实现了，其过程也就终止了。第四，具体的手段具有可塑性和多样性。第五，有相应的控制作用和引导机制。第六，有目的所依赖的，起具体实施作用的硬结构。只有当一系统具有这些条件时，才会成为有目的性的事物；只有当一属性或特征符合这些条件时，才可看作是目的。总之，目的指向性是大自然进化选择出来的高级的自然现象，具有交叉性、灵活性、多变性、相对性等特点，因此不可能被非目的论事实和规律还原和取消，它也不受因果关系、功能关系及其规律的制约。

---

① Bogdan R. *Grounds for Cognition: How Goal-Guided Behavior Shapes the Mind.* Hillsdale: Lawrence Erlbaum, 1994: 35-37.

② Bogdan R. *Grounds for Cognition: How Goal-Guided Behavior Shapes the Mind.* Hillsdale: Lawrence Erlbaum, 1994: 28

从目的的种类来看，新目的论者有时根据目的的作用把目的分为基本目的和工具性目的两类。基本目的就是被编程好的、被预计或设计好的根本性的目的，是通过一系列中间过程最终要达到的状态。所有一切有机体的最基本的目的就是维持、更新和复制自身。工具性目的是实现基本目的中间要经过的环节，就是说在复杂有机体身上，它要实现基本目的，必须先逐一实现它的工具性目的。他们有时还根据目的对有机体自身的价值将其分为规范的和特异的目的两类，前者是根本的、标准的、有利于自身存在的目的，如设法保存自己、趋利避害；后者是与根本目的不一致的目的，如人在与敌搏斗时所追求的不退缩的目的就是违反求生存这一根本目的的。他们还根据目的中有无意识的作用参与将目的分为简单目的与复杂目的。从结果状态的具体内容来看，目的既可表现为行动，又可表现为行动的对象，既可表现为环境状态，又可表现为身体状态。

三、目的与对心灵的目的论解释

新目的论对旧目的论的超越除了表现为理论内容的革故鼎新之外，解释的范围和方式也发生了革命性的变革。

就范围说来，新目的论因为否认有机体以外的事物中存在着目的，所以自然不再把解释的触角伸向整个世界，这样一来，抛弃传统的宇宙目的论是理所当然的事情。新目的论强调，它的解释力只能体现在有生命的世界。但它又面临着这样的问题：根据一般的科学信念，以物理学为核心的现代自然科学已形成了极为完备的解释系统，既然如此，自称有自主性、不可还原性的目的论解释模式不就成了多余的吗？即使已有的自然科学有不完备性，但新目的论诉诸不能还原为物理事件的目的，因而不管怎么宣称自己是自然化运动的一种“科学”根据，似乎总有不能见容于科学精神的一面。面对这类问题，新目的论作出了自己的探讨与论证，一再声称，目的论解释是彻底全面理解生物现象、认知心理现象的一个不可或缺的模式，可弥补已有科学解释模式的不足和所留下的空白。

根据新目的论者的概括，常见的自然科学解释可称作归属性解释，其解释的程序是，把待解释项归属于某自然类型或有关规律之下，如果能被归入，那么它就得到了解释。这一解释模式又有多种形式。①演绎法则学解释，这在物理学和化学中极为常见，其特点是将一般规律作为大前提，然后借助演绎推理对被解释项作出解释。②形态学解释，其特点是把能力作为被解释项，然后根据基础结构或深层的倾向对之作出解释。这在生物学和脑科学中最为常见。③系统解释，其特点是把功能的执行或行为当作被解释项，然后根据若干表现了某种能力或程序的机制的协同作用对之作出解释。这在认知科学中极为常见。在新目的论看来，这些解释尽管方式、对象各有不同，但有一点是共同的，即都将被解释项放入与被解释项有某种因果、功能关系的物理法则之下，然后对之作出解释。这意味着，解释项有物理上的效力，正是它们的物理效力产生了它们的解释力。这也就是说，解释项如自然规律、倾向、遗传程序等有两大特点：一是它的包容性，即能涵盖、包容被解释项；二是它与被解释项有因果-功能关系，前者对后者有效力，有产生被产生的关系。新目的论者认为，并非所有解释都具备这两个条件，如数学解释是演绎从属性解释，但解释项对被解释项就不一定有因果效力。目的论解释诉诸目的来作出解释，它的解释项与被解释项之间有包含关系，但不一定有因果关系。再者，有些解释肯定是有效的，但不一定有包含性，如选择压力可以解释生物的行为以及它们的信息作业，但这些解释不具有因果意义上的包容性。更为关键的是，即使解释项与被解释项之间具有因果-功能关系，在许多情况下，诉诸前者对后者的解释充其量是必要的，但不一定是充分的。因为在决定后者的因素中，有些关键的因素可能被因果-功能解释遗漏了。另外，因果-功能解释尽管是根据规律所作的解释，具有法则学特征，也有解释力，但它们是近端解释，不可能揭示生物现象产生的全部秘密和本质。如果待解释的是更高级、更复杂的现象，已有解释图式的问题就更大了，就更离不开目的论了，如认知就是如此。博格丹说："认知是一种具有自己的目的性语用学规则的独特游戏。某些任务如意愿、计划、问题解决等有内在的目的指向性，这就是它们的完成为什么不能仅用因果-功能术语解释的理由。"[①]也就是说，在认知活动及其所产生的结果中，有些固然离不开近端的因果的、功能的作用，但它们始终离不开目的论因素的作用，因此仅用因果-功能解释就是不

① Bogdan R. *Grounds for Cognition: How Goal-Guided Behavior Shapes the Mind.* Hillsdale: Lawrence Erlbaum, 1994: 155.

全面的，必须有目的论解释加入进来，而且有些根本性的方面只能据以解释。此外，目的论解释与科学精神不存在任何冲突，因为它所诉诸的目的本身是由客观物理过程所实现的客观的二阶属性。我们这里只拟就新目的论对心灵哲学、认知科学和认识论中的几个常见难题的解释稍作分析。

众所周知，心理状态的本质问题长期以来是一个悬而未决的问题。物理主义和功能主义对此的解答最有影响，在西方现当代最为盛行。其基本思路是用功能属性来说明心理属性，用功能状态来说明心理状态。但是稍加思索会发现这样的问题：什么是功能或机能？能否进一步加以规定？当然可以。常见的解释不外是这样几种，要么把它理解为属性或特征，要么把它理解为因果作用，要么把它理解为类似于数学中的映射这样的抽象功能。这些解释显然都不令人满意，不仅如此，还隐含有这样那样的难题，如陷入“自由主义”或“无政府主义”等。新目的论认为，只有根据新目的论来说明功能才能解决这里的种种难题。首先，它承认有机体确实有功能，而且这种功能不是推论出来的，也不是数学中的那种映射功能，而是作为有机体内在固有特征的实实在在的功能。正是因为有某种功能，有机体才能做出这样或那样的事情来，才有各种行为表现，因此可以说，有机体的功能就是它们所做的事情。其次，功能有作用，能做出某事，这并不是功能本身所为，如果这样理解，那就将功能实体化了。因为功能是有机体所具有的属性，依赖于特定的结构或组织。从这个意义上说，功能是有机体或有关结构、组织所做的事情。最后，功能不是一般的属性，而是有机体的一种特有的属性。特定的进化历史决定了它有什么样的功能，决定了它的每一项功能有什么作用，怎样发挥它的作用。之所以如此，是因为每一种功能都必然要受进化、选择所塑造的目的的制约。如前所述，目的是进化、自然选择在有机体内部所“编制”的程序的一部分，它规定了有此目的的组织或特征朝什么方向起作用，怎样起作用。因此，功能作用的发挥，实际上是目的程序被大脑结构、过程现实地运行着。撇开目的，即使把功能作用后面的所有物理细节都弄清楚了，也不可能理解功能。例如，人的眼睛在受到一定波长的光性刺激之后能把它知觉为红色（视觉功能），这不是一个必然的事实，而是一个选择或规范的事实。因为借助先进的技术完全可以造出与人一样的眼睛，但它不可能有人的眼睛那样的功能，之所以这样，是因为人的眼睛被自然设计和编制了特定的程序及目的。而自然在作这种选择时又是服从某种“有利于什么”的条件规则，因此在新目的论看来，有机体的任何功能状态，只有当它基于特定的程序和目的，并为相应的物理过程所实现时，才可以当作是心理状态。在一些人看来，用目的论观点解释心理功能这一概念与其他形式的功能主义相比，至少有如下优点：第一，对功能的目的论解释有助于解释心理的东西的被感知到的无缝隙性（seamlessness）和心理概念的相互连接性；第二，通过把目的论要求加于功能实现的概念之上，我们可避免对于机器功能主义的标准的责难；第三，目的论功能主义可帮助我们理解生物和心理规律的本质。[①]

意向性是公认的难题。之所以难，原因在于有意向性的心理状态怎么可能有意识地指向关于它之外的另一事物，尤其是不存在的事物？人们常常借助照相机、镜子之类的直观来理解心理的反映或关于性（aboutness）特征。这在今天看来，不仅不能帮助人们理解，反倒使问题更棘手，因为镜子所“关于”的东西，并不能被它意识到，而心理对自己关于、意指的东西则有清楚的表征。这种区别是由什么决定的？心理的关系属性如何可能？围绕这类问题尽管已诞生了不计其数的理论、学说，但都不令人满意。在新目的论看来，过去之所以没能很好解释这类问题，根本的原因就是没有从终极的意义上去考察意向性，没有看到它的根本基础是目的。根据新目的论的看法，意向性也是进化的产物，具体地说是在目的指向性的基础上派生出来的，是服务于目的指向性的。意向性不是人独有的，大多数动物都有。当然，不同的物种和个体的意向性表现出来的程度是不一样的。博格丹说：“大多数动物的心灵都有目的指向性，进而都有意向性，这就是说，它们的内在状态总是关联于目的和世界上的事态的。我说‘进而’，是因为我认为，意向性之所以被进化出来，是服务于目的指向性的，这就是说，有机体的心理状态是关于世界上的事态的，因为后者要么是它的目的，要么指向它的目的。”[②]米利肯等把作为意向性基础的目的称作专门功能（proper function）。她认为，我们的心灵与身体一样是进化的系统，因此我们有可能在其内部找到具有专门功能的系统和机制。这些系统和机制注定要发挥专

---

① Lycan W(Ed.). *Mind and Cognition: a Reader*. Cambridge: Blackwell, 1900: 58-62, 97-106.

② Bogdan R. *Minding Minds: Evolving a Reflexive Mind by Interpreting Others*. Cambridge: The MIT Press, 2000: 104

门功能，它们之所以存在下来，就是因为它们在过去曾以这种方式成功地发挥过作用，这种作用有利于它们生存。也就是说，专门功能是该事物在进化过程中所“选择”的作用。如我们的眼睛能看，是因为它是在我们看的过程中被选择的，我们祖先中那些能看的人比不能看的人在生存上有更大的优势。命题态度的内容也有专门功能，如愿望促使我们行动，信念引导这些行动趋于成功等。根据目的论，一信念有其意向性或内容是由于世界有某种状态，它使信念得到了某种结果（成功地行动），而这些都是在个体进化过程被选择或设计如此的。例如，我们之所以有一特定的心理符号如“老虎”，是因为那符号有表征老虎的功能。它之所以有这种功能，是因为在我们的一些祖先中，“老虎”曾引起他们的适当行为（如逃跑），由此，他们在进化上就优于那些没有这类行为的祖先。[①]

与意向性密切相关的一个问题是心理内容的客观性问题。人不仅可以指向外在对象，而且可以获得关于对象的清晰的内容意识。但是麻烦在于：面对同一对象，不同的人会有不同的认识，不同时间和地点的同一个人也是如此。人与其他动物在“看”同一对象时更是如此。许多人由此得出结论：认识具有相对性，或不可能有客观性，而这又是由人的认知结构决定的。新目的论认为，人面对对象时所形成的心理内容是由众多因素的相互作用所决定的，其中一个重要因素就是目的。而目的以及在此基础上形成的认知结构和模块之类的东西本身是自然形成的认知条件，不以人的意志为转移，因此通过它们而形成的认识，只要不是故意的歪曲，就一定有其客观性。这里还有这样的问题，正如麦金所说：“心灵像身体一样在进化中获得了具有指向环境的功能的特质，而且这些功能本身又渗透到了命题内容之中。”[②]博格丹等也认为，在目的的基础上派生的认知结构既然对内容发挥了作用，那么也一定渗透到了内容之中，既然如此，这不正好说明内容是主观的吗？新目的论认为，这不仅不能得出这一结论，而且恰好证明了认识的客观性。目的及其派生的认知结构是客观的进化和自然选择作用所塑造的客观的认知条件与机制，因此在此基础上所形成的认识尽管渗透着它的作用也一定有其客观性，正像计算机的程序，既使加工成为可

① Millikan R. *Language, Thought, and Other Biological Categories: New Foudations for Realism*. Cambridge: The MIT Press, 1984.
② McGinn C. *Mental Content*. Oxford: Blackwell, 1989: 154.

能又使其具有客观性一样。

新目的论不仅强调目的论是解决心灵哲学、认识论中的具体问题的基础，而且认为它还是全面说明一切心理现象、认知现象的基础。博格丹的《认知的基础》一书的书名就足以表明这一点。在该书中，他说："我们的目的论方案把目的指向性当作目的导引作用（guidance to goal）的终极的进化理由，进而再把后者当作认知性心灵的终极的进化塑造者。"[①]所谓目的指向性，是指有机体通过自然选择获得的，而后又通过遗传固定下来的对目的的服从、追寻的本性，其作用在于为有机体"设计"作业和实施行为而编制程序提供一般的基础和条件。所谓目的导引作用，即指有机体在目的的引导下主动接近、指向被自然选择所确定的对象（目的），这也可理解为目的之作用的具体表现。有这种作用，有机体就会指向对象，并具体形成与对象的信息关系。因此，博格丹说："以遗传为根基的目的指向性造就了认知，而其造就的力量则来自目的的引导。目的指向性有助于揭示有机体与环境相互作用的一般模式，而目的导引作用则有助于更具体地揭示有机体与环境之间的全部信息转换所表现出的系统模式。"[②]根据他的看法，认知形成的过程是一个从上到下的过程，即从目的指向性到目的导引性，最后到认知形成的过程。"有机体为了实现它们的目的，一定会进化出识别和追踪这些目的的手段。而目的导引性则限定了这种识别和跟踪所需的知识，为了得到这种知识，有机体最终要利用有利于它们的信息关系模式。这些全面渗透、反复出现的有用模式又规定了有机体的认知必须执行的信息任务，以符合必要的引导。进而，信息任务又会选择适当的认知程序和功能机制。因此，基本的解释性顺序是从上到下，即从目的指向性到目的引导性，到信息任务，再到认知程序和生态条件，最后到功能机制。"[③]认知的终极解释为什么要坚持这样的顺序呢？先看一个相近的例子。假如我们发现了一件古老的工具，在这种情况下，我们肯定想知道它是什么。而要如此，就必然要追问这样的问题，设计制造者在设计时所带的目的是什么，所要解决的问题是什么。回答了

① Bogdan R. *Grounds for Cognition: How Goal-Guided Behavior Shapes the Mind*. Hillsdale: Lawrence Erlbaum, 1994: 3.
② Bogdan R. *Grounds for Cognition: How Goal-Guided Behavior Shapes the Mind*. Hillsdale: Lawrence Erlbaum, 1994: 48.
③ Bogdan R. *Grounds for Cognition: How Goal-Guided Behavior Shapes the Mind*. Hillsdale: Lawrence Erlbaum, 1994: 48.

这些问题，特别是澄清了目的之后，就可对其他低层次的问题作出顺理成章的解释。认知也是一种由进化产生出来的，利用内外信息完成相应作业的工具。要理解信息加工系统，正确的解释顺序必须是，从系统被选择的目的、所面对的信息任务以及在执行时所面临的问题开始，然后逐步下降，依次揭示完成任务的程序，进而探讨运行程序的结构和机制，最后便能理解它所完成的认知任务。总之，有认知能力的系统之内被进化出来的目的指向性是解释认知的最原始的、不可或缺的根据、源泉和出发点。

四、新目的论的特点、实质与启迪

新目的论既然是“新”的，当然就不是已定型的理论，当然要受到进一步的考问和检验。事实上，从其内容本身来说，它已暴露出了一些明显的问题。例如，即使把目的的解释力限制在生命世界之内，似乎也没有足够的根据把它论证为终极性的解释项。再就新目的论的科学和哲学根据来说，也有许多有待进一步质疑和探讨的方面，如目的与选择、进化、适应的关系问题就一直是进化生物学中有争论的问题，因此把进化和选择作为目的形成的主要动力和机制至少要作更进一步的探讨和论证。但是不管怎么说，与传统哲学中的目的论和进化生物学中的目的论相比，新目的论又的确包含许多值得注意的特点。

第一，它对目的本身以及与目的密切相关的问题从形而上学的层面作了探讨，真正成为一种关于目的的哲学。在过去的哲学中，目的及相关话语尽管极为常见，但要么谈的是自然界的设计意图，给人以神秘而又缺乏哲学论证的感觉；要么仅仅诉诸目的、意图、利益来解释科学无法解释的难题，把目的论当作解释活动的避难所，而缺乏关于目的本身的哲学研究；即使尝试给目的下定义，并广泛涉及目的与动机、愿望、利益的关系问题，同时知道目的论问题是与终极解释有关的问题，但并未真正进到终极的、形而上学的层面，因而缺乏应有的深度。新目的论的倡导者对与目的论有关的哲学问题作了认真的梳理和重构，加之对形而上学和有关科学尤其是进化生物学有深入的研究，因此远绝常蹊，大大深化和拓展了这一研究领域。它既有对目的构成要素、结构、标志或参数的静态考察，又有对目的从前-进化开始的起源和演进过程的动态追溯；既有从一般与特殊、简单与复杂、低级与高级等维度对目的的透视，又有对目的的跨层次、跨学科研究；既有对目的与拥有目的的生命体的关系的探讨，如把生命看作是目的-手段过程与结构，又有对在目的基础上派生出来的意向性、信念、愿望、意图的内在结构与形成机制的考察，有对目的与这些派生构造的关系的研究；既有从种系和个体发生学上对目的与进化、选择、适应的关系的探讨，从而揭示出目的的起源与系谱，又有对目的在解释世界中的作用的定位，从而别开生面地展示了一个在范围上有限、在内容上无比丰富的目的性世界。

第二，新目的论的视野既有缩小，又有扩大。所谓缩小，是指它的解释范围与旧目的论相比大大缩小了。如前所述，它不再企求解释整个世界，而只关注真正与目的有现实联系的有机世界，尤其是哲学和心理学长期困惑不解的一些现象，如生命、心理、认知等现象。所谓扩大，是指它的探讨既有向纵深的掘进，如从待解释的现象进到目的本身，再进到塑造目的的进化和选择之手，然后对进化和选择又作出了具有科学和元哲学两重性质的探讨，又有从横断面展开的拓展，如对与目的有相关性的广泛问题作了广泛的探讨，其中的许多方面，如目的的参数、构成、实现机理以及目的与功能、内容、意向性、认知起源、认知结构等的关系问题是过去的目的论几乎没有涉足的领域。

第三，新目的论带有形而上学和科学的双重性质。如前所述，其形而上学性主要表现在对目的本身以及目的与有关实在性质、特征的相互关系作了高层次的哲学研究。而科学性则主要表现在：一方面，新目的论不再停留于抽象的哲学推论，而广泛深入地进到了相关科学的前沿，既利用有关的成果，如关于变异中随机性成分的作用、遗传物质的多样性、生态学与行为生物学的关联、大分子进化及其作用等方面的研究成果，又把对科学成果的概括、利用与哲学的思辨密切结合起来；另一方面，又从自己特有的视角对介于科学与哲学之间的问题，如进化、选择的条件、机制、过程、阶段以及与目的的关系等问题作了积极的回应。这些应该具有科学上的借鉴价值。当然正如博格丹等所承认的，新目的论主要是一种形而上学理论，因此不属于某一门具体科学，不能定位于科学的王国之中，有些结论还只是一些有待科学验证的猜想。准确地说，它只是一种大理论态度，一种元理论态度。博格丹说："之所以说目的论是一种大理论态度，是因为它超出了有关科学的界限，横跨遗传学、细胞生物学、发展生物学、进化生物学、行为生物学、脑科学和生物学之间。之所以说它是元理论态度，是因为它的原理和公理并不属于某一门科学。它要从事的是一项元科学的解释事业，其目的是从大量相关学科中搜集目的事实和真理，为它们合理定位，同时又解构某些别的理论。”[①]

第四，形式上的拟人论和唯心论，实质上的唯物论，或者说形式上的复辟，实质上的超越。之所以说新目的论在形式上有拟人论、唯心论或复辟的特点，是因为它仍未放弃旧的拟人论术语，最典型的表现是经常使用“选择”“设计”之类的适合说明人的理智特点的范畴，在分析基因和简单有机体时还常带有拟人的色彩。即使是在揭示有机体内在的客观属性与机理时，新目的论也不愿丢弃旧唯心主义目的论的某些范畴，如“目的”“意图”等，在论及进化、选择、有机体的结构、行为与目的关系时有夸大目的的作用的倾向，更为突出的是把设计用之于对目的的说明，把目的用之于对基因及其进化的说明，据以解释行为、认知的起源和机理。但是又应注意，其拟人论和唯心论只是表面现象或假象。因为新目的论是名副其实、彻头彻尾的唯物主义、物理主义。如前所述，它明确宣称目的是一种自然现象，由物理过程所实现，尽管用选择、设计这样的拟人论术语解释目的，但所说的选择、设计的主体不是精神、上帝，而是环境、有机物个体内的各因素、整个有机体中的各种相关种群等复杂要素所组成的物质系统，选择的作用实即这些因素的相互作用，这种作用中不存在任何超自然的力量。博格丹说：“进化机制调节基因与生态之间共生关系的全部过程是盲目的、偶然的，没有自己的目的，也不为任何设计师控制。因此目的论尊重唯物主义、因果关系和自然历史。”[②]这里如果说新目的论有缺陷的话，那么主要不是表现在它有唯心论和神秘论倾向，而是表现在它的唯物论没有很好保护心理学和生物学的规范性与自主性，因而陷入了机械论和还原论。

很显然，相对于旧的哲学目的论、进化生物学中的目的论以及有关的具体科学来说，新目的论的确包含许多“创新”与“超越”。正是这种“新”引发了许多新的难题、争论和批评。例如，它将目的规定为自然现象尽管受到了物理主义的欢迎，但对于那些坚持人乃至别的生命有独特性、精神性、自主性的人

---

① Bogdan R. *Grounds for Cognition: How Goal-Guided Behavior Shapes the Mind*. Hillsdale: Lawrence Erlbaum, 1994: 42.

② Bogdan R. *Grounds for Cognition: How Goal-Guided Behavior Shapes the Mind*. Hillsdale: Lawrence Erlbaum, 1994: 42.

来说，似乎又有还原论的偏执。尽管如此，我们仍有必要对之“刮目相看”。这首先是因为新目的论已不能完全归入神学唯心主义或拟人化自然观的阵营。道理很简单，目的论发展到今天，在哲学、神学和生物学中尽管仍不乏唯心的和神学的目的论、泛化的目的论，但当今在心灵哲学、认识论等领域中流行的新目的论则是一种唯物主义的理论。其次，尽管有的新目的论者在目的归属的范围的问题上将目的推广到了基因之上，较之常识的观点有“离经背道”之嫌（这当然是可以进一步研究的），但它的一个不可低估的贡献就是大大深化了对目的范畴的研究，如目的起源，所依存的实在应具备的条件，目的的参数或标志，目的与理由、原因的关系，目的的解释作用及其限度等，这些对于马克思主义哲学进一步研究目的范畴无疑有重要的借鉴价值。再次，新目的论在推进相关哲学领域的研究中也作了开创性的工作。例如，它的公认的成就就是为解释意向性、意义提供了新的理论基础和方法论启迪，以至于大多数探讨这类问题的哲学家都要用到目的论范式，另外，对深入探讨功能、机能也极有价值。它对解释本身的元哲学探讨以及对世界所作的新的解释，尤其是在揭示传统的解释模式的局限性方面、在探索新的模式的过程中都有重要的建树。最后，新目的论作为自然化运动中的生物学转向的标志，无疑具有科学的价值。一方面，它的诞生或“复活”本身就是根源于为心灵自然化提供科学根基这一需要；另一方面，其倡导者要么是生物学家，要么是有生物学背景的哲学家，因此在继承传统进化论以及有关的生物学成果的基础上，又对有关具体科学问题作出了大量新颖而深入的探讨，如对进化、选择、设计、适应、遗传、变异、代谢、复制等的形式、过程、条件、动力和实质都作出了新的分析，并对有关范畴的相互关系作出新的梳理。这些无疑有重要的科学价值。

第四节　福多基于计算隐喻的心灵理论[①]

如果要问谁是当代最有影响的心灵哲学家、认知科学家，毫无疑问，福多

① 高新民，沈学君.《“心灵就是大脑内的计算机”：福多的心灵哲学思想初探》，《华中师范大学学报（人文社会科学版）》2003 年第 6 期，第 126-132 页。

是人们考虑的首要人选。他思维活跃、见解独特，其理论很有创新性。福多提出的每一种新观点几乎无一例外地成为争论的焦点。正如凯恩（Cain）所评论的："由于这些思想具有挑战性的本质，所以它们未能取得普遍的承认。尽管如此，几乎没有哲学家怀疑他的工作的价值或重要意义，即使是那些最激烈的批评者一般也觉得有必要讨论他的意见……总之，福多对心灵哲学作出了重大贡献，可以说他是心灵哲学当代最重要的实践家。"①

福多的心灵哲学理论既不同于否认人有心、有意向状态的取消主义，又不同于把心灵独立化、实体化的所谓的"标准的实在论"，而是试图把 FP 与物理主义统一起来，既承认人有心灵，又不违背物理主义原则；既不抛弃传统上的心理概念图式，又努力根据"计算机隐喻"对心理、对人作出标新立异的解释，提出了心灵就是大脑内的计算机，思维就是计算等崭新的命题。

一、福多的本体论承诺

福多哲学有两个承诺：一是坚信 FP 的合法性、合理性，二是坚持物理主义立场。他试图把这两个承诺置于一个理论体系之中，即在物理主义框架内为 FP 提供基本的辩护。这在一般人看来是不可思议的，因为它们似乎是水火不相容的，取消主义正是通过把物理主义贯彻到底，从而得出了取消 FP 的结论。而福多则认为，把两者统一起来是可能的，他过去 20 多年的哲学工作就是在作这一方面的努力。

FP 又称常识心理学，是指在每个正常人的内在结构中所积淀的一种心理学资源，它由许多原则构成，如承认人脑中存在着信念、愿望等心理状态，这些状态由态度（如相信、怀疑、意欲等）和命题内容（如"天要下雨"）所构成，故又可称作命题态度（如相信"天要下雨"，希望"天下雨"等）。命题态度是行为的原因，因此如果知道一个人的命题态度，如知道他想什么，相信什么，意欲是什么等，便可解释和预言他的行为；反过来，知道他的行为可推测他的思想、信念和意愿等。根据这种常识心理学，每个人之所以有这样或那样独特的甚至奇怪的行为方式，根源在于他有特定的命题态度。在大多数情况下，正

① Cain M J. *Fodor: Language, Mind and Philosophy*. Cambridge:Polity Press, 2002: 212.

常的人之所以能对他人的行为作出正确的解释和预言，根源在于他们有 FP 知识。然而，随着科学和哲学对人尤其是人的内在世界认识的深入，许多心灵哲学家和认知科学家对信念、愿望的实在性，对 FP 的真实性和有效性产生了怀疑，有的还基于科学史的类比得出了取消主义的结论，认为信念、愿望等像“燃素”“以太”等一样，是前科学概念，没有真实的所指，将随着科学的发展而被取消或淘汰，FP 将像承诺了“以太”的民间物理学等一样被成熟的科学取而代之。

面对取消论对 FP 的否定，福多坚定地站在意向实在论一边，认为 FP 及其所断定的命题态度是真实存在的，不仅如此，它们在人的生活中，在人的行为过程中具有不可替代、不可或缺的作用。他说：“既然根据命题态度对人的行为的解释常常是正确的，那么它就一定是存在的，如果信念、愿望等事实上是不存在的，那么它们为什么能有作用呢？”[①]保护 FP 的另一个根据是：“如果常识意向心理学真的被摧毁了，那么这将是我们物种历史上无可比拟的、最大的理智灾难。”[②]这意思是说，如果像取消主义所说的那样抛弃 FP 及其理论术语，如“信念”等，那么许多人文社会科学部门，如文学艺术、哲学、历史学等将遭受灭顶之灾，我们的日常生活、交往将陷入瘫痪，因为抛弃了“相信”“认为”之类的术语，我们便无法交流。

如果 FP 断定的信念、愿望等是实在的，那么这种“实在”应作何解释呢？是二元论意义上的独立的精神实在，还是物理实在的另一种描述方式？它们的所指与物理过程、状态、属性是什么关系呢？为了回答这类问题，福多诉诸物理主义。不过他的物理主义不是还原的、类型同一的强物理主义，而是建立于随附性范畴基础上的、接近于非还原的、个例同一的弱物理主义。其要点有：①自然中存在或发生的一切在本体论上都依赖于、随附于物理的对象、属性、事件和过程，心理状态、过程也不例外；②对于每一例示的属性来说，都存在着物理的条件，后者足以解释该属性的例示；③所有的基本规律都是物理规律。他认识到，物理主义承诺对于为具体科学提供解释战略是极其有用的，而且具体科学所阐述的规律是由更基本的物理过程所执行或实现的，因此物理主义者

---

① Fodor J A. “Fodor’s guide to mental representation: the intelligent auntie’s vade-mecum”. In Fodor J. *A Theory of Content and Other Essays*. Cambridge: The MIT Press, 1992: 7.

② Fodor J A. *Psychosemantics: the Problem of Meaning in the Philosophy of Science*. Cambridge: The MIT Press, 1987: 12.

怀疑幽灵般的灵魂的存在，因为他们没有理由假定存在着能实现所谓通灵现象的物理过程。

应注意的是，福多所坚持和阐释的物理主义比传统的物理主义要弱得多。首先，他的物理主义是非还原的物理主义，因为他认为，没有必要非得承认有把某些具体科学的现象与作为基础的物理学的现象关联起来的双条件桥梁规律。在他看来，具体科学旨在寻找与它们的主观材料相一致的因果解释规律，并相对自主地，根据更深层的理论加以阐发。就此而言，心理学把事件划分为从属于相同的心理类型的东西，这些类型在神经生理属性方面各不相同，而神经生理学把事件划分为从属于相同的神经学类型的东西，同一的类型在心理属性方面彼此不同。这种主张的理由最先是由普特南在著名的《“意义”的意义》一文中讨论计算机时提出的。在他看来，程序可多样实现，就是说由功能作用所定义的程序和抽象的结构可在各种各样的物质材料上得到实现。

福多的物理主义不同于传统物理主义的特点是，他强调“余者皆同”从句在具体说明特定科学的规律时有不可替代的作用。他认为，这种从句并不是描述第二性的条件的缩写。它们是表达规律之例外的一种方式，这种例外应借助别的不能在那规律本身之内的术语来加以说明。因此，即使理论家们在原则上无法说明那规律在其之下为真的条件，余者皆同的规律也并不是没有意义。

二、心理状态与过程的自然化

面对纷繁复杂的心理现象，人们不禁要问：物理主义真的能履行它的诺言，用科学的非意向术语说明它们，将它们自然化吗？或者说能为之提供充分的物理主义解释吗？众所周知，心理现象的范围极其广泛，现今一般认为有两大类现象。一是有意识的经验或有感受的质的特征的现象。对此，福多不感兴趣，有时还流露出不可知论的倾向。二是有命题内容的心理状态和心理过程，其不同于第一类现象的特征是意向性，它们的发生和进行总是伴随着对它们之外的东西的指涉，总是关于外面存在或不存在的东西的。这类现象是福多倾其主要精力进行研究的对象。问题在于：命题态度是否能根据物理主义予以说明？意向心理学的规律能否在物理主义的世界图景中发挥作用？前一问题根源于这样的看法：命题态度具有不能从物理上加以说明的意向性。后一问题根源于这样的疑惑：意向心理学规律怎么可能把意向状态关联起来，自然过程怎么可能做出这样的事情？

福多从三个方面对这些忧虑、问题进行了解答。一是关于命题态度的本质，这一理论就是关于心灵的表征理论。二是关于心理过程的，即关于心灵的计算理论（computing theory of mind，CTM）。三是关于意向性的自然主义基础的，即关于意义的因果协变和非对称依赖性理论。先看前两个理论，下文再讨论第三个理论。

究竟什么是心理状态或意向状态呢？其本质是什么呢？为了回答这类问题，他提出了关于心灵的表征理论。其基本观点是，意向状态是有机体与心理表征的计算关系。具体地说，有如下要点：第一，心理表征是思维语言中的符号，它有句法结构和意义，其本质就是标记意向状态；第二，有意向状态首先在于有特定的内容，如相信“天要下雨”，相信“天正在下雪”等，相信的对象就是其内容，它们是由思维语言所表达的；第三，有意向状态在于有一种与心理表征的特定的计算关系，例如，对于同一命题“天要下雨”，既可采取相信的态度，还可采取希望、期盼、憎恨、懊恼等态度。这些态度实际上是一种态度关系，如信念关系、愿望关系等。而这种关系实即功能关系、因果关系。之所以是相信天要下雨而不是希望天下雨，关键在于它与输入、输出有不同的功能或因果关系。假如，我标记了一个思维语言句子 S，或者说我的思维中出现了这样一个句子个例，我与它究竟是信念关系还是希望关系，这取决于 S 在我的心理结构中起什么样的作用。另外，福多认为，心灵就是计算机，心理机制借助计算来处理思维语言的句子。因此，思维语言的句子个例的功能作用就是在计算系统中的功能作用，不同的意向状态关系可看作是不同的计算关系。希弗（Schiffer）用“信念盒”（box）、“意向盒”等比喻说明了福多关于意向状态的理论。据此，相信 P 就是将思维语言的一个句子加以个例化或加以标记，这句子有内容 P，并被存放在他的“信念盒”之中。其他意向状态都可如此加以描述。心灵是计算机，它编制程序，进而对储存在“信念盒”中的句子进行加工。这种加工离不开这样的计算机制，即它把思维语言中的句子当作输入，进而产生一个思维语言句子作为输出，该输出又被放进某个盒子之中。

福多认为，他的关于心灵的表征理论能说明其他的理论难以说明的现象，如思维的产生性和系统性就可以用心灵语言的产生性和系统性来解释。如果思维主体由于处在与思维语言中的句子的某种关系而具有一个命题态度，那么就可推断：这种关系为主体掌握那种语言中的无穷的表达式奠定了基础，同时也使他有能力以标准的逻辑方法创造出新的表达式。

由上可知，福多对意向状态提出了新的激进的阐释，而对意向过程的阐释更加激进，正是在这一论证中，他的“心灵是人脑中的计算机”这一思想得到了更明确的表达。

意向过程是意向状态出现在人脑内的因果过程，它是一种计算过程，就是与用计算来加工思维语言句子有关的过程。要理解这一点，关键是要理解计算机和计算。什么是计算呢？计算就是接受有句法结构的句子作为输入，然后根据符号加工规则，产生有句法结构的符号作为输出。被处理的符号有语义属性，但是计算机及其计算过程并不理解符号的意义，它们只对句法属性敏感。因此，计算机是句法机。说计算机根据符号加工规则加工符号，无异于说存在着控制输入-输出行为的句法原则，就是说一种加工形式具有广泛的适应性，可以用之于这个符号，也可以用之于同类的其他符号。另外，计算机可以在物理上被例示。要说明一个物理系统怎样执行计算加工，就得下降到物理层面。例如，要作这样的说明，就必须具体陈述该系统所加工的符号是怎样在物理上编码的，就得描述内在的物理转换，这种转换是编码了输入符号的物理状态和编码了输出符号的物理状态之间的桥梁。计算机可多样实现，因为两个不同的物理系统可实现同一计算。

理解了这些，就不难理解意向过程。根据福多的关于心灵的计算理论，每当意向过程发生时，大脑中具体实现的计算机制就会接受思维语言中的一个句子作为输入，进而根据运算，产生一个新的句子作为输出。

由上可以看到，福多的心灵的计算理论直接相似于由当代认知革命所引发的认知主义和计算主义所倡导的心灵理论，另外，它与行为主义、同一论有本质的差别，因为它认为，意向状态是因果上有效的内在状态，它们可多样实现，意向关系是功能或计算关系。还应注意的是，尽管心灵的计算理论与功能主义有某种一致性，但它不是功能主义的变种或翻版。尽管福多原先倡导功能主义，但他对心灵的计算理论的承诺则意味着他对功能主义的放弃，因为，他尽管承认心理状态是功能状态，心理状态关系是功能关系，但是仍反对功能主义的内容理论。他不认为有不同内容的信念之间的差异是功能上的差异。

三、关于心灵构造的理论——模块理论

在《心灵的模块性》一书中，福多提出了他的关于心灵构造的理论，其基本主张是，心灵并不是单一的、由相同成分组成的通用加工系统，它是由几个服务于特定目标、完成各自特定任务的子系统所构成的。这些子系统相互独立，各司其职。

关于心灵的结构，福多认为，它是由许多子系统组成的巨系统。这些子系统往往具有一系列特定的属性。它们因功能不同而分成三大类，即转换器、输入输出系统、中心系统。中心系统的职责首先涉及信念的形成，因此是信念、愿望的领域。它所执行的常见工作就是推理、解决问题、构造科学解释和进行哲学思维。转换器是连接心灵与世界的部分，它又可分为两大类：一是输入转换器，它接收物理的非符号的输入，进而产生符号作为输出，如视网膜就属于这一类；二是输出转换器，它接受符号输入，接着将其转换为非符号输出，如中枢激活，它就能引起随后的肌肉收缩和躯体运动。转换器无须计算就可自动完成其任务。

输入与输出系统位于中心系统与转换器之间。输入系统接受输入转换器的输出，形成关于外部世界的表征，把它作为输出呈现出来。它们要通过计算才能完成上述任务。表征的结果交付给中心系统，进而引起关于外部世界的信念。因此，输入系统的一般功能就是表征世界，直至使它进入思维过程。福多认为，对应于传统的五种感官，有五种输入系统。此外，语言系统也可算作一个输入系统，它的作用就是从与口头言语和书写符号有关的所视信息出发，产生出关于语言单元的句法和语义属性的表征，因而总共有六大输入模块。①

福多认为模块有 9 大属性，其中最根本的有两点。一是它能完成特定的任务。“输入系统有特定的范围”②，它们只能执行高度专门化的任务，如眼睛只

① Fodor J. *The Modularity of Mind: an Essay on Faculty Psychology*. Cambridge: The MIT Press, 1983: 40.
② Fodor J. *The Modularity of Mind: an Essay on Faculty Psychology*. Cambridge: The MIT Press, 1983: 47.

能对光线刺激敏感。二是“输入系统在信息上是被封装的”（informationally encapsulated）[①]。如果一计算子系统中储存着信息，这信息是该子系统的组成部分，其他子系统没有办法接近它，即使该信息有助于成功地完成它们的目标任务，那么该子系统在信息上就是被封装的。福多认为，输入系统有自己特定的信息，在它们完成其操作时，它们会加以利用。例如，个体的语言系统在他讲话时，就有自己特有的关于句法、词汇的信息。任何输入系统只能接近自己的专门化的信息。它没有办法得到和利用别的系统的专门信息。因此，别的输入系统在执行操作的过程中不可能利用所储存或所提供的一切信息。福多认为，输入系统具有除了任务专门化、信息封装以外的所有属性，因而是模块。

为什么心灵是模块？福多认为它得到了三个方面的支持。一是从目的论的角度考虑，必须作出这一回答。二是它得自脑科学的研究成果。脑损伤的研究表明，大脑某一部分的损伤只会导致某一功能的异常，这足以说明大脑功能的专门化，足以说明心灵的功能具有模块性。三是神经心理学和发展心理学的成果也表明，输入系统和中枢能力是彼此分离的，它推翻了心灵是统一的通用加工系统的传统观点。

那么模块论的提出到底有什么意义呢？福多认为它有助于批判相对主义、整体论。

众所周知，对于观察与理论的关系，传统的观点是，两者根本不同，前者是中立的、客观的，可作为检验理论的标准。

20 世纪 50 年代以后，库恩、费耶阿本德等对上述观点提出了颠覆性的批判。他们强调观察渗透理论，知觉渗透认知，价值观渗透文化，科学渗透类别，形而上学渗透语言。两者没有严格的界限，一切都是相对的，因此也没有中立的、客观的标准。福多把这类观点称作相对主义的整体论。

福多对此的态度很鲜明，他认为，“事实是：我憎恨相对主义”，因为“简略而直率地说，它忽视的东西是人性中的固定的结构……在认知心理学中，主张人性中有固定结构的观点在传统上常采取这样的形式，即坚持认知机制的多样性、异质性，认知结构的严格性，正是这种认知结构使它们具有封装性。如

① Fodor J. *The Modularity of Mind: an Essay on Faculty Psychology*. Cambridge: The MIT Press, 1983: 64.

果有官能和模块，那么就不存在一切都相互影响，一切都是可改变的这样的事情”[①]。也就是说，模块理论的哲学意义在于，它为批判相对主义，恢复传统的理论-观察二分观点提供了支持。根据模块理论，在人类心灵中，甚至在人身上，存在着有自身特征和结构的子系统，它们并不是与别的东西混杂在一起、没有界限的东西，它们有不受别的东西影响，独立发挥自己功能作用的机制与结构。例如，知觉就是如此，它是模块，它有封装的信息资料，有自身的独立的结构，因此能不受理论的影响而获取关于外界的信息。基于此，它有客观性、可靠性，因此可作为检验理论的标准。福多说："如果知觉过程是模块，那么根据定义，不可进入模块的种种理论就不会影响知觉把握世界的知识。尤其是，背景知识极为不同的观察……也会以实际相同的方式看世界。"[②]总之，如果模块性理论是正确的，那么它便可成为区分观察与理论的依据，而且可为科学的客观性、科学有客观标准提供支持。即使科学家有不同的信念愿望，有不同的背景知识，但只要运用知觉去观察世界，基于各自的知觉模块，他们就会得到对对象一致的、客观的看法。

福多提出的问题和思想是令人震惊和发人深思的。第一，福多的思想只是西方哲学的一个缩影，从他身上我们可以窥见这样一种倾向——物理主义的盛行或“自然主义转向”。具有讽刺意味的是，我们过去往往把唯心主义、二元论与腐朽没落的资产阶级联系起来，而纵观英美的心灵哲学，乃至其他有关的哲学领域，占主导地位的却是唯物主义、物理主义、自然主义。自行为主义产生以来，二元论、唯心论不断地受到打击和排斥，几乎难觅踪迹。而我们的常识世界观、FP、民间哲学乃至论及意识本质的“正宗”的哲学中却渗透着二元论的思想，如说“意识主动、自觉地发挥能动作用”，强调意识活动、精神活动是独立的存在层次等，这虽然不是实体二元论，但却是自然主义要解构的典型的“属性二元论”。因为从科学上说，只有物理的东西才有实在的作用；从哲学上说，任何作用都有一个“实现”或“执行”的问题。可见我们坚持和发展唯物主义的工作任重而道远。第二，福多对FP的物理主义辩护向我们提出了这样的

---

① Fodor J A. “Précis of the modularity of mind”. In Fodor J. *A Theory of Content and Other Essays*. Cambridge: The MIT Press, 1992: 205-206.

② Fodor J A. “Observation reconsidered”. *Philosophy of Science*, 1984, 51(1): 23-43.

问题：究竟应怎样理解人、理解“人是有精神的”？福多承认常识的人的概念图式，不否认人是心身统一体，人是有理性、信念、愿望的存在，但对其作出了新的诠释：“理性”之类的心理术语指称的其实就是物理学所说的实在、过程、状态和属性，在物理世界并不存在独立的心理属性。心理学术语与物理学术语所描述的东西之间只有同一、随附、实现、构成的关系，而不是两种独立的过程和属性，只有这样才似乎真的贯彻了“除了物质，什么也没有”的唯物主义原则。第三，福多的结论“心灵是人脑内的计算机”，以及我们过去常嘲笑的一些隐喻式的论断，如“心灵是机器”“头脑分泌思想如同肠胃分泌胃液”等，都值得审慎而科学地加以研究，而不容“庸俗的”批判。

第五节　埃文斯“一脑两心论”

探究心理的地形学、地貌学、动力论和结构学是哲学家和心理学家孜孜以求的目标和愿望。从柏拉图的“三驾马车”到弗洛伊德的无意识理论，再到当代认知科学家和哲学家福多的心理模块说，无不涉及我们对心灵的全局性、整体性的规划设想。英国当代著名心理学家埃文斯通过长期对人类推理和决策心理学的研究，吸收当代进化心理学、心灵哲学、神经生物学、认知科学等成果，在认知过程的双重加工理论基础上，提出了人类心理构形的“一脑两心”假说（简称两心假说）。两心假说尽管有悖常识和传统哲学，但它提出了新的问题和见解，因此引起了当代哲学家和科学家的一定关注，促使人们进一步反思关于人类心灵的本质及其构形的传统看法，因此其意义不能低估。有人预言，它不仅有学理意义，而且对人工智能的发展有工程学价值。[①]

一、两心假说提出的理论基础

埃文斯的两心假说的提出并非偶然或纯属猜测。20 世纪 70 年代，埃文斯作为著名心理学家皮特·沃森（Wason）的学生时就特别关注认知的双重加工过

① Jellinger K A. “In two minds: dual processes and beyond”. *European Journal of Neurology*，2009, 16(6): 121.

程理论。不同于传统心理学只重视实验研究，埃文斯从一开始就意识到理论研究的重要性，他说：任何从事科学研究的人一定有自己的科学哲学，无论他是否意识到。[①]同样，作为认知心理学重要成果的双重加工构想要想继续向前发展，必须进行相应的哲学反思。两心假说就是基于当代认知心理学的理论反思和对传统 FP 的批判而形成的一种关于心理二元性的理论。

FP 是当代心灵哲学家集中讨论的问题，甚至近来刮起一股解构 FP 错误心理图式的风暴。FP 是根据潜藏在普通民众心底，熟练运用信念或渴望等观念以及原理而解释或预测他人行为的心理资源。自维特根斯坦、赖尔开始分析 FP 概念背后的概念图式以后，许多哲学家认为 FP 蕴含着我们对心理地形的错误构想。埃文斯正是通过对 FP 的批判而形成了自己关于心灵的新构想。他认识到，FP 把心设想为人中的小人，即只承认一个心，而这是不能解释人的复杂特别是矛盾的行为的。他说："通常感觉（或者说经常被描述的常识心理学）可能告诉我们只有一个心灵，是一个'我'，它控制着并作出理性决策以达到我们有意要求的愿望和意图。"[②]（图 8-2）

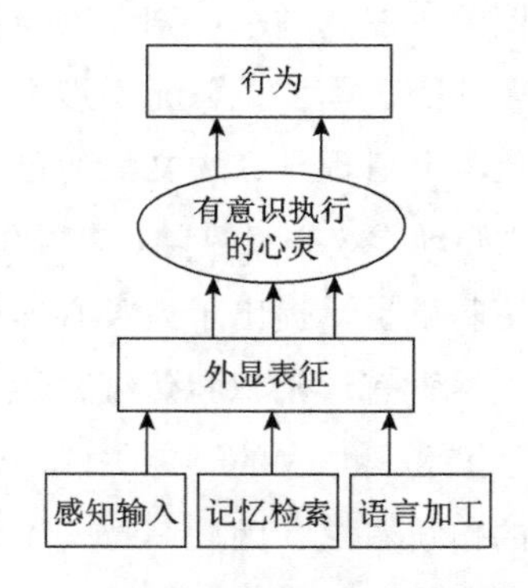

图 8-2　常识心理学的行为解释模式

这种常识心理学的图式在当代心灵哲学中被认为是"小人谬误"，即认为有一个小人在我们心中有意地控制着我们的行为。然而，如果承认我们的行为都是有意识心理原因造成的，那么许多大脑加工的信息为什么并不为我们心理意

① 埃文斯.《怎样做研究——心理学家实用指南》，邵志芳，杜逸旻，施铁译，上海教育出版社 2011 年版，第 5 页。
② Evans J. *Thinking Twice: Two Minds in One Brain*. Oxford: Oxford University Press, 2010: 2.

识到？比如，我们在开车时可能在想着见到客人如何说，但并没有意识到我们在如何操纵方向盘。另外，我们在日常生活中经常会碰到这样的信念与行为的不一致或冲突：我们相信吸烟不利于健康，但仍然会吸烟；我们相信赌博不好，但仍然不可抑制地去赌，并且会为自己的行为作合理性辩解。事实证明，我们的常识心理学对心理构形的认识是有问题的。

很显然，要解释人的行为的复杂性，必须承认人的心灵的复杂性。这样的思想早已萌发于许多哲学家的思想之中。例如，马尔科姆（Malcolm）就认为，我们的信念类型有两种，一种是思想，另一种是拥有这种思想。比如，说某人有某种思想 P，就是他已经形成某种命题，或者说他心中已有此命题，但某人想到 P，并没有指向任何事物，没有思想内容。因而拥有思想是人类独有的，动物是没有的。丹尼特也表达了相似的看法，他指出：信念是一种基本心理状态，任何人类动物甚至机械系统都有信念，但只有意见为人类拥有，它是心理使用语言而加工语言的结果。科恩（Cohen）则认为"信念"和"承认"是两种不同的心理状态，信念是一种倾向，是并行、分层的，不受规则控制的，可以网络模型化；但承认是一种心理行为或行为模式，是串行、不分层的，受规则控制的。法兰基什（Frankish）更把常识心理学术语的信念指向两种状态：一种是非意识的，内隐的，被动的，非语言的，为人类和动物所共有的；另一种是有意的，外显的，主动的，与语言有关的，为人类所独有的。埃文斯指出，他的两心假说就"潜藏于我们日常的经验信念之下，例如我们（有意识的人）必然控制我们自身的行为"。[①]这就是说，在这种行为之后，可找到心灵的复杂构成。

埃文斯认为，对心理二元性的认识可以追溯到古希腊哲学家柏拉图，柏拉图认为心灵可以分成理智、情感和欲望；每个部分都是迷你型的自主体，有独立的目标和推理能力；笛卡儿、莱布尼茨、洛克则区分出人类和动物的推理能力，把人的心灵看作是由和动物共有的部分，如感觉、情感与人类特有的抽象能力构成的；随着现代无意识理论的发展，叔本华、尼采和柏格森强调人的非理性动机被加工成完成日常任务的自主加工系统，并被赫姆霍兹（Helmholtz）

① Evans J. *Thinking Twice: Two Minds in One Brain*. Oxford: Oxford University Press, 2010: 3.

总结成一种独立推导系统。现代无意识理论专家拉格科克（Lagcock）、汉密尔顿（Hamilton）和卡彭特（Carpenter）分别提出神经反射理论、心理潜伏理论、潜意识理论，从不同侧面揭示人类心灵的“海底大陆架”。但真正把心理二元构形提升到系统描述的是弗洛伊德，他把人的心灵看作是由有意识和无意识加工系统构成的东西，认为它们分别以不同方式运行，形成两种“我”，即自我和非我（或者三种，称本我、自我、超我）。

然而，传统的理论只是以内省或猜测方式直觉到心理的二元构形，而对此构形的经验研究并将其建构成科学模型则始于 1960～1970 年认知革命中兴起的双重加工理论。双重加工理论首先出现于学习心理学，如雷伯（Reber）提出学习分成内隐过程和外显过程，并分别形成内隐知识（程序性知识）和外显知识（陈述性知识）。21 世纪以来，社会心理学研究表明，除认识之外，偏见、习俗以及内隐知识也能影响我们的行为。在推理和决策心理学中，埃文斯、卡尼曼（Kahneman）和弗雷德里克（Frederich）认为，存在着直觉性和反思性的系统。尽管当代双重加工理论多种多样，但有一个共同的结论，即人类的心灵中存在两个不同的独立的认知系统或过程：“第一种过程（类型Ⅰ）被描述为快速地、自动地加工大部分信息的过程；第二种过程（类型Ⅱ）被描述为缓慢、序列和有限地加工过程，但明显受到有意识控制。”①双重加工理论表明，我们的心灵中存在两套认知方式、两套信念系统、两套思维方式和两套活动方式。正是基于此，埃文斯说：“我们所说的两心假说是建立在这样思想之上的：在类型Ⅰ和类型Ⅱ的认知过程下有两个不同的认知系统，其结果是大脑之中有两个心灵。”②

二、直觉心灵和反思心灵

作为心理学家，埃文斯早在 1975 年就开始关注推理心理学中的双重加工理论，深入研究知觉、记忆、学习、语言和决策等心理过程的本质和结构。但不同于传统双重加工理论把心灵二元性定义成两种“系统”或“类型”，埃文斯认

① Evans J. *Thinking Twice: Two Minds in One Brain*. Oxford: Oxford University Press, 2010: 3.
② Evans J. *Thinking Twice: Two Minds in One Brain*. Oxford: Oxford University Press, 2010: 3.

为，心理的构形主要由心灵以及不同构成与其他方面的关联而界定，不能用简单的系统或类型来区分。如斯洛曼（Sloman）的两个推理系统、雷伯（Reber）的两个学习系统都只是指向有限的心理部分。双重加工理论甚至把有无意识作为区分两种不同系统的标准，这类似于弗洛伊德的无意识理论。事实上，两种不同的加工过程并不仅限于有无意识，还包括产生的机制、加工特点、运行方式等各个方面，各种双重加工理论“如何被确切地解释，两种系统间是什么关系，它们如何共处于一个大脑而相互合作与竞争？……我们也感觉到，把推理的双重加工理论与知觉、情感、记忆的理论融合起来的重要性，因为这有利于形成关于心理构形的普遍概念”[①]。

埃文斯剔除了双重加工理论概念中关于“系统”的模糊表达，采用了“心灵”概念以讨论心理构形。他把“心灵”定义为能够表征外在世界并且对其施加影响以服务于生物有机体的目标的高阶认知系统。因为只有高阶的认知系统才能控制我们的行为，并使人类成为社会文化的生物。心灵的术语指的是大脑的某些方面，它以某种方式表征外在世界，进而使我们发现自身，决定我们在世界中的行为。[②]在这里，埃文斯事实上接受了认知科学中的心灵功能主义观点，如承认心灵之于大脑正如计算机软件之于硬件。当然，也有不同，如他不赞成心灵功能主义只把心灵作为一个加工系统中枢，而认为系统共有两个心灵：一个是直觉性心灵，另一个是反思性心灵。“两心假说强调的是，人类大脑不只包含一个系统，而同时有两个并列运行的系统。据此观点，动物只有一个系统，它对应于人类的‘古老的心’，人类还有第二个新生的心，它有时和第一个心灵以自然方式共存，有时又和第一个心灵直接冲突。”[③]他认为，这种两心假说为人类心理存在二元性提供了构形基础。

1. 两心及其起源

埃文斯认为，人的心灵存在着两种不同的心灵，“一个是古老而直觉性的心灵，它是在较早历史上进化而来的，并且和其他动物的心灵一样有着共同的特

① Evans J, Frankish K(Eds.). *In Two Minds: Dual Processes and Beyond.* Oxford: Oxford University Press, 2009: 23.
② Evans J, Frankish K(Eds.). *In Two Minds: Dual Processes and Beyond.* Oxford: Oxford University Press, 2009: 3.
③ Evans J, Frankish K(Eds.). *In Two Minds: Dual Processes and Beyond.* Oxford: Oxford University Press, 2009: 33.

征；另一个是新生而反思的心灵，它是后来进化而来的，且是人类独有的，正是这一心灵使我们成了人类”[①]。埃文斯根据进化心理学和认知神经生物学详细论述了两种心灵的不同起源。

直觉性的心灵是动物和人类在进化过程中逐渐形成的自适应系统。这种自适应系统存在于动物和人的行为中，并被大脑程序化。虽然适应性行为有目的，但并没有意向，它们是先天的本能，并被“模块化”，其最终是由自然选择所决定的。按照进化论，直觉性心灵通过随机繁殖、选择性保存而固化到基因上，再按照遗传算法，采用群体探索技术，完成选择、交叉、变异等一系列遗传操作，产生新一代的群体，逐渐使群体进化到包含或接近最优群的状态以适应自然。这种直觉性心灵具有单纯的生物目的，甚至会伴随喜悦、悲伤、满足等情感。按照当代心灵哲学中的生物功能主义，心灵是一种有生物功能的意向系统。

直觉性的心灵是自然选择的产物。随着环境的变化，特别是借助语言和社会劳动的交往，“新生的”心灵或反思性心灵便出现在了地球之上。埃文斯认为，反思性心灵的产生既离不开语言，也离不开群体合作的能力。语言是为了满足社会交际和思想交流的需要而在劳动过程中产生的，它锻炼了大脑，促进了思维，也加强了群体合作。在群体合作中，人类感觉到他的愿望、意图和目标，逐渐形成了我们的“常识心理学”，并在实践中将信念、渴望等心理状态归属于他人。埃文斯说：“我们都被迫是读心者，而且普通民众不但是心理主义者，还是行为主义者。”在语言和社会交往中，人类形成了独有的元表征能力（metarepresentation），即不受情境干扰的内在思维表征，“它们允许我们表征其他人的心理表征”。[②]元表征是一种二阶意向性，如我相信：他相信对方是不友善的。表征的意向性越多，涉及的思维越复杂，进而需要大脑协同合作的功能越多。正是这种表征能力构成了反思性心灵的基础。

根据认知考古专家史蒂夫·麦森的考证，心灵演化可分成三个阶段，它们分别对应着三个不同的智能特征：①更早的古人类心灵具有通用智能，服务于常规问题；②早期人类心灵具有专门或特殊化智能以适应自然环境；

① Evans J. *Thinking Twice: Two Minds in One Brain*. Oxford: Oxford University Press, 2010: 33.
② Evans J. *Thinking Twice: Two Minds in One Brain*. Oxford: Oxford University Press, 2010: 33.

③只有现代人类才能把专门智能和原因关联起来，同时使用元表征，最终表现出较为发达的心灵智能，其特点是能够积极主动地与对象发生关系。用埃文斯的两心论术语说，古人类和早期人类的心灵属于古老或直觉心灵，而现代人的心灵由于具有灵活的智能，因而是反思性心灵。如果说直觉心灵是一种福多所说的内在的、遗传的“模拟化心灵”，那么反思性心灵则是一种由语言、社会智能、元表征的共同作用而突现出来的整体性心灵（whole mind）。

2. 两心的神经基础

除了起源不同，两心假说还认为，直觉性心灵和反思性心灵的神经基础不同，分属不同的神经区域。埃文斯认为，当代的认知神经心理学等领域的成果表明：不同的心理能力，如内隐和外显的知识系统，都有对应的不同的神经系统[①]，同样，两心也有不同的对应的神经区域。

直觉性心灵是一种固化的、负责习惯行为的模块化心灵，对应的是与非语言加工有关的神经机制，如基底神经节、杏仁核、颞叶侧部、背侧前扣带回、眶额叶皮层。这些神经机制是在进化过程中，经过自然选择而固定下来的古老神经功能系统。反思性心灵是在进化中新生的心灵，可推测它与人类大脑新增加的区域有关。埃文斯认为，现代人的大脑相比于穴居人的而言，增加的主要是前额叶区域，“这表明两心假说必定预设前额叶和反思性心灵有着紧密的关联”。[②]

前额叶大脑被称为“执行大脑”，“现有相当的神经心理学和神经生理学证据把前额叶与年轻（新生）心灵关联起来”。利伯曼（Lieberman）认为反思认知具体对应于背外侧前额皮层、内侧颞叶、后顶叶皮层、边缘前扣带回、中间前额皮层、背中侧前扣带回。那么这些区域是如何发展成反思性心灵的呢？埃文斯认为，它是一种整体突现的产物，是由进化赋予了不同任务的适应目标模块系统，表现为单个、串联、能力有限的设备程序运行模式。

神经病理学研究表明，我们的两心所对应的两种视觉知识就分别存在于两种视觉系统中：一种是导致有意识的知觉系统，即大脑腹侧系统，主要负责物

① Evans J. *Thinking Twice: Two Minds in One Brain*. Oxford: Oxford University Press, 2010: 44.
② Evans J. *Thinking Twice: Two Minds in One Brain*. Oxford: Oxford University Press, 2010: 45.

体的识别；另一种是导致直接的行为控制的大脑背侧系统，专司判断物体在哪里从而进行行动的控制。如腹侧系统损伤会造成失认症，但并不损伤我们的行为控制能力。著名神经患者 H. M 的经历证明，他被切除内侧颞叶，丢失了长时记忆，但并没有丧失短时记忆，仍能辨别眼前的物体。这表明，病人的心灵分别对应于两种不同的认知区域，一方损伤并不影响另一方的独立存在。

由上可以看出，无论是直觉性心灵还是反思性心灵均由无意识的支持系统构成，并不存在常识心理学所认为的存在着一个有意识的支持中心。我们经验到的任何事情都是我们的大脑活动的结果，是大脑神经区域激发了我们“有意识决定”。即使反思性心灵被认为能有意识地控制我们的行为，但这也只是因为它与大脑区域的注意和记忆功能有关。事实上，反思性心灵的主要功能有“闲谈”（confabulation）的特点，即如解释主义所说的那样，是我们为了解释人的行为如此谈论的，它们本身依赖于决定我们注意的机制。如某人突然出现在我们面前，我们的注意力会从其他思想转移到这个人身上。这说明，有某些机制在引导、控制我们去反思对象。

3. 两心的不同加工模式

虽然直觉性心灵和反思性心灵共处一脑，但又有不同的特征，有不同的加工模式，而且通过加工控制人的行为的方式也不一样。埃文斯综合各种加工理论，详细归纳了两心的加工模式。

直觉性心灵是一种快速的、自动的、低效的、串行的、语境化、联想性、以信念为基础的、充满内隐知识表征的心灵；反思性心灵是一种缓慢的、可控的、高效的、并行的、去语境化、抽象性、以规则为基础的、充满外显知识表征的心灵。

决策心理学是两心假说讨论的主题，也最能反映两心加工模式的特征。决策心理学表明，直觉性心灵和反思性心灵以不同方式影响到我们的决策。直觉性心灵基于我们以前的经验总结并固化为内隐知识，按照信念的方式迅速作出判断，从而避免风险和危险，表现为一种自主快速的决策模式；反思性心灵则需要我们依据一定的规则，极为细致地推理，表现为较为缓慢但又不易犯错误的、可控的决策模式。一般没有经过长期训练的人，是不能很好地进行反思性心灵操作的。特韦尔斯基（Tversky）和沙菲尔（Shafir）的实验表明：反思性心灵和直觉性心灵各自以不同方式进入我们的决策过程。例如，在实验中，被试被问及是否愿意接受下面的赌博：掷一枚硬币决定胜负，胜得 200 元，输则损失 100 元。反思性心灵会告诉我们肯定回答。但如果在第一次结果没有出来之前，问被试是否愿意继续赌下去，大多数人会说“再说吧”。显然，面对未来的风险，直觉性心灵则占据主导。不过，当结果出来以后，很多人仍会继续赌下去，并且给出合理性解释，如“大赌伤身，小赌怡情”等。综上所述，两个心灵的基本特征如表 8-1 所示。

表 8-1 两个心灵的基本特征

直觉性心灵	反思性心灵
进化上古老的	进化上近来的
与动物共有的相应的	人类独有的
无意识、前意识的	有意识的
大容量的	低容量的
快速的	缓慢的
自动的	可控的或凭意志的
低效的	高效的
串行的	并行的
内隐知识	外显知识
关联性、以信念为基础的、语境化的	抽象性的、以规则为基础的、去语境化的

4. 两心的相互合作和竞争

既然两心共处一室，那么它们是如何相处的呢？埃文斯认为，反思性心灵被加入古老或直觉性心灵之中，它们共同影响我们的行为活动，既有合作又有竞争（图 8-3）。

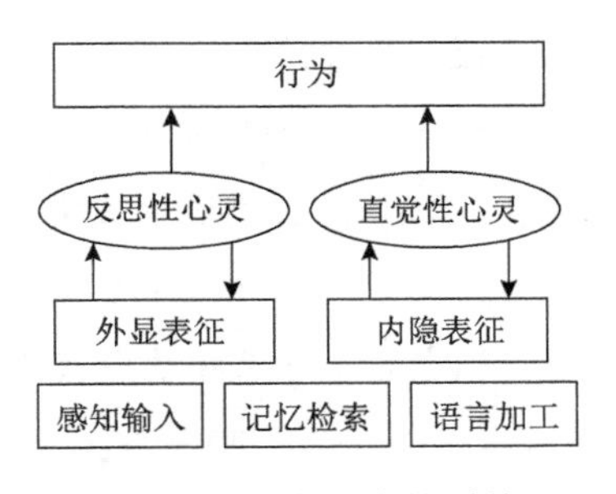

图 8-3 无意识支持系统

按照两心假说，直觉性心灵和反思性心灵是以适当形式进化的，在产生行为时，必须依靠共同协作，因此，对行为来说，都有其合理性。合理性是一种理由解释，一般被认为只与反思性心灵有关。但当合理性被解释为一种“工具合理性”而不是“目的合理性”时，直觉性心灵同反思性心灵一样有控制我们行为的作用，因此有其合理性。直觉性心灵往往会受到过去经验的驱动，合理地重复在过去结果中得到回报的行为并避开惩罚。但这种合理性并没有更多的主动性，而是一种基因的本能合理性，因为当环境变化时，直觉性心灵会显得手足无措，伴有情感的强烈震动，因为直觉性心灵只是面向过去、适应过去而作出的选择。反思性心灵在外界环境变化时能够作出设计、规划，进而借行为来满足人的需要，并且还可以预测和计划未来。反思性心灵是由复杂而非简单的情感推动的，其特征是，“一方面，它能追求某类目标，另一方面，它是引导这种目标实现的心理资源”[①]。

两种心灵在很多情况下，密切协作，协调一致，各自完成它们的目标。其成功协作依赖于两心正确处理适合它们的任务，如根据它们的特点和优势，取长补短，优势互补。反思性心灵加工能力效率低，因此固定的机械任务必须由直觉性心灵来完成；但是，直觉性心灵易于出错，而反思性心灵则会作出较准确的判断以弥补直觉的缺陷。两心合作的重要表现是知识的交换。从两心假说来看，直觉性心灵的知识是内隐知识，在特定的社会环境下以特定的预测方式作出反应，如我对一个同事内在地厌恶；然而反思性心灵则会用外显的信念，即我应当怎么做的信念来引导我的行为，如我相信要团结同事。在长期的反思性心灵的控制下，外显知识会慢慢转化成内隐知识。另外，两心合作还表现在注意和决策方面。克莱因（Klein）通过研究发现，在决策中，直觉性和反思性心灵同等重要，并且相互协作：直觉性心灵运行较快，加工更多信息，迅速作出判断，而反思性心灵是在有限资源下专注其中心工作，运行较慢。这鲜明地体现在下棋过程中，棋手总会根据时间来不断地调整心理决策。

两心协作对于常识心理来说似乎发挥着一种有意识的心灵控制作用。这

---

① Evans J. *Thinking Twice: Two Minds in One Brain*. Oxford: Oxford University Press, 2010: 190.

样说掩盖了两心相互冲突的方面。从表面上看，当直觉性心灵占据上风时，反思性心灵也会很快给出合理解释，营造并没有冲突的假象。其实，既然两心运行方式不同，所要达到的目标有别，可以设想，反思性心灵在形成未来长期计划时会与追求短期计划的直觉性心灵发生冲突。两心冲突表现在下列行为中：强迫性行为，如痴迷性赌博、吸毒是直觉性心灵的冲突和情感占据上风，反思性心灵虽然会作出有意识的控制，但总是失败，尽管如此，它还会为这种行为进行辩护。恐高症也是由直觉性心灵促成的，反思性心灵尽管认识到并没有危险，但仍然无法阻止我们的眩晕、腿颤。推理心理学也表明，我们的推理并不是一种单纯的反思性心灵的体现，如经典的心理实验“沃森选择任务”（Wason Selection Task）的结果证明人类推理中存在直觉性心灵的“匹配偏见”，它引导我们有选择性地关注和展示部分信息。推理会涉及直觉性和反思性心灵。尽管直觉性心灵由于依赖于以经验为基础的记忆使得我们易犯错误，但它仍会通过潜在的意识影响我们。反思性心灵虽然不易犯错误，但需经过专门的训练或由有特殊天赋的人来掌握，在面对丰富和复杂信息而又没有足够的时间保障的情况下，直觉性心灵会争夺主导地位。

三、两心假说的启示与反思

（1）两心假说对常识心理学的心灵构想作了有力的批判。埃文斯认为常识心理学是一种没有科学依据的错误信念，给我们描绘的是一幅关于心理构形的错误地图，即一脑之中居住着一心，一个有意识的自我。而在埃文斯看来，一心背后潜藏着一个古老直觉的心和新生反思的心；它们相互合作、相互竞争，影响着我们的行为，包括学习、记忆、推理、决策等。如果忽视二心的存在，那么就无法对我们的行为作出令人满意的说明。

（2）埃文斯的两心假说对于人格同一性、有我与无我等传统哲学问题提出了新的、不无启发意义的见解。按照埃文斯的两心理论，我们有两个心，也就有了两个自我：它们都是独立的，而且相互作用、共存一室（脑）。当然，这里的“我”不是常识心理观念中所讲的“我”，即思维的、有意识的主体，而是这样的两个“我”，即一个是直觉的“我”，另一个是反思的“我”。不同于弗洛伊德的自我、非我、超我的有无意识的划分，埃文斯的两个“我”会同时影响我们的行为，交替竞争主导我们。只有承认人有这两个“我”，才能合理解释常见的人格分裂。根据他的新看法，传统和常识所承诺的“人格同一性”完全是一种幻觉。在埃文斯看来，有意志的幻觉类似于我们在玩电脑游戏时感觉到鼠标运动和屏幕上的光标存在着因果关联，“当大脑引起‘意向’行为时，这些（通常）会导致同时有意向的意识思维。这个联想导致一种因果性的感觉”[①]。事实上，反思性心灵并不是我们通常的动原，也不存在真正有意识的“我”。因此，把“意识”看作“我”的标志性特点是不准确的。

（3）埃文斯的两心假说对于认知科学、人工智能发展有重要的启示。埃文斯认为，人类心灵的本质是一种高阶认知表征系统。这和关于心灵的功能主义是一致的，但不同的是，大多数心灵功能主义认为，心灵完全是巨模块化的、程序化的、串列的，实际上，这些只是埃文斯所讲的心灵构形中的一部分，即直觉性心灵，并不包含反思性心灵。直觉性心灵是模块化的，但反思性心灵并不是模块化的。如果反思性心灵是模块化的，那么它完全是由认知器官构成的；实际上，反思性心灵只是一种通用目标推理系统，可以在不同环境下解决不同的问题。按照斯坦诺维奇（Stanovich）的说法，一旦计算机具有反思性心灵，它就会起来反对它的创造者，并决定自己的行为。也就是说，我们制造的一般智能的机器人只是模拟我们的直觉性心灵，人类正是由于进化出了反思性心灵，才超出原来的基本限制，才有别于计算机。简言之，我们的心理构形不同于福多模块理论所说的自我闭合的、独立的认知系统。如果说它是心理模块，那么它也只是有层级结构程序的模块，其中，高层程序对应于反思性心灵，低层程序对应于直觉性心灵。很显然，未来的人工智能要有所突破，就必须在模拟反思性心灵方面下功夫。

尽管如此，埃文斯的两心假说仍然有些问题值得商榷。首先，埃文斯的心灵理论属于心理功能主义类型，因而无法回避意识的困难问题。所谓意识困难

① Evans J. *Thinking Twice: Two Minds in One Brain*. Oxford: Oxford University Press, 2010: 172.

问题是指意识不但是一种认知表征，而且是一种有主观的体验，因此它无法为我们从第三人称的角度加以描述。其次，意识的主观经验存在于直觉性心灵还是反思性心灵中？既然二者都会有意识，那么意识的主体体验如何被表征出来？这些都是他的理论难以很好说明的问题。

下篇

具体问题研究

第九章
新副现象论难题与心灵的因果地位

副现象论难题的产生是科学和常识在心灵的因果地位问题上激荡的结果。随着科学从中世纪的神学枷锁中解放出来，它的触角不断深入，它的疆域不断拓展，它的权威性不断加强，科学仿佛成为一种逐渐取代神学和常识的世界观。人们不仅用科学来重新审视之前的神学世界观，也用它来透视自古以来的常识观点。在文艺复兴之前，也就是科学还未真正诞生之前，人们从来没有怀疑过自己的灵魂、精神、意识的能动作用，一直坚信心灵具有因果地位，并试图对这种观点作出种种解释和合理化说明。自然科学的兴起改变了现状，常识在不断科学化，人们试图用科学来解释常识观点，人们惊奇地发现，心灵具有因果地位这一常识观点与科学是如此的不相融，“心灵对世界的因果作用如何可能？”这一问题根本不能得到科学的回答和解释。于是，副现象论就诞生了。副现象论选择放弃常识来尊重科学，拒绝承认行动的真正原因是常识所认为的意识。在副现象论者看来，我们的行动只有物理的原因。而行动的意向、愿望或意志没有引起我们的行动，它们本身是由引起我们行动的物理原因引起的。

第一节　副现象论的缘起与演变

“副现象”（epiphenomenon）是一个合成语，源自希腊文，前缀“epi”意为

“在……旁或在……上”，词根“phainein”是“出现”的意思，字面意义是某个过程的“副产品”或“伴随结果”。这一词最早出现在心理学家和哲学家威廉·詹姆斯 1890 年所著的《心理学原理》第五章“自动机理论”中。他说：根据这个观点，意识自身的功能会是什么呢？它没有机械的功能。感官会唤醒大脑细胞；大脑细胞又会以合理而有序的顺序相互唤醒，直到动作发生的时刻到来；然后，最后的大脑振动会向下释放到运动束。但是，这是一个相当自发的事件的链条，而且无论有什么样的心灵与之相伴随，也都只能是一种“副现象”（epiphenomenon），是一种无自动力的观众，如霍奇森（Hodgson）所说，是一种“泡沫、气味或者音调”，阻碍它或者促进它，对于事件的发生自身都同样不起作用。[①]他所说的“这个观点”就是“自动机”学说或“有意识的自动机”理论。

一、副现象论前史：17 世纪的自动机理论

自动机理论的本质是以机械论为基础的生命理论，它滥觞于 17 世纪英国著名的生理学家和医生哈维。

哈维利用解剖的方法，对心脏进行观察，发现了血液循环的规律，揭示了血液循环的机械论本质，抛弃了其前辈与同时代的人在解释身体的功能时所诉诸的生命元气、自然元气和血液。由于哈维的科学影响，“生命的物理过程可以根据解释其他物理现象的方式来解释，即生命体是一种机械装置，这一观点被证明适用于某些类型的生命活动。这一概念由于以不争的事实为根基，不仅能成功地击退对它的所有攻击，而且它的适用强度和范畴在稳步增大，直到现在，它都是整个科学心理学的理论的或明示或暗示的基础命题。”[②]

笛卡儿与哈维同时代。他受到哈维关于血液循环机械解释的启发，从机械唯物主义的观点出发，根据力学原理和解剖实验，得出了“动物是自动机”的著名论断。

所谓“自动机”，用笛卡儿的话说，就是“自己运动的机器”。[③]在他看来，

---

① 詹姆斯.《心理学原理》，田平译，中国城市出版社 2010 年版，第 86 页。
② Huxley T H. “On the hypothesis that animals are automata, and its history”. In Huxley T H(Ed.). *Collected Essays: Volume I, Method and Results*. London: Macmillan, 1893: 200.
③ 笛卡尔.《谈谈方法》，王太庆译，商务印书馆 2000 年版，第 44 页。

整个世界就是一架自动机，因为它本身就包含着它被设计从事的活动的物质原理。生命体的运动是由于它的各个部分的内在结构，而不是由于外部的原因。一切有生命的物体都是自动机，与无生命的物质没有本质的不同，只是它们各部分的配置和功能显得更复杂。非人类的动物是没有灵魂的纯粹而简单的自动机，完全受物理定律支配，缺乏情感和意识。它们的一切活动和反应都可以用它们器官的自动运动来说明，这种自动运动实质上与任何人造机器所作的运动相同。

但是笛卡儿不承认“人是自动机”，只承认“人的身体是自动机”。他说：我首先曾把我看成是有脸、手、胳臂，以及由骨头和肉组合成的这么一架整套机器，就像从一具尸体上看到的那样，这架机器，我曾称之为身体。除此而外，我还曾认为我吃饭、走路、感觉、思维，并且我把我所有这些行动都归到灵魂上去。[①]人的身体与动物没有本质的区别，但人具有其他动物所不具有的理性灵魂，而理性灵魂具有自由意志。这种观点与笛卡儿的实体二元论是分不开的。

在笛卡儿的实体二元论看来，人是由精神实体和身体实体构成的。精神与身体不同，它是一个思维的东西，一个没有长宽厚的广延性、没有一定物体性的东西。精神又是一种实体性的存在，因而它能独自地支撑着一些本质属性而自身又不依赖于其他东西。“这个实体的全部本质或本性就是思维”，即不占有广延。精神能思维而无广延，身体有广延而不能思维。两者性质截然不同，互不相干，各自可以独立存在。

笛卡儿尽管认为心灵与物质实体是完全异质的，但又同时承认，心灵与身体是统一的，而统一的基础就在于它们能够相互作用。笛卡儿说：“自然也用疼、饿、渴等等感觉告诉我，我不仅住在我的肉体里，就像一个舵手住在他的船上一样，而且除此而外，我和它非常紧密地连结在一起，融合、掺混得像一个整体一样地同它结合在一起。因为，假如不是这样，那么当我的肉体受了伤的时候，我，这个仅仅是一个在思维的我，就不会因此感觉到疼，而只会用理智去知觉这个伤，就如同一个舵手用视觉去察看是不是在他的船上有什么东西坏了一样。”[②]

---

① 笛卡尔.《第一哲学沉思集：反驳和答辩》，庞景仁译，商务印书馆 1986 年版，第 26 页。
② 笛卡尔.《第一哲学沉思集：反驳和答辩》，庞景仁译，商务印书馆 1986 年版，第 88 页。

基于当时的机械力学，物体间的因果关系与原因物体和结果物体之间的推动有关，推动要求原因和结果彼此接触。因此，笛卡儿的学生伊丽莎白公主在读了《第一哲学沉思集》后曾写信给他："我恳请您告诉我，既然人的灵魂只是一个有意识的实体，它如何可能决定动物元气（animal spirit）从而产生自觉的行动。因为运动的决定因素经常取决于运动的物体所受的推动——取决于从推动它运动的物体那里获得的推动力的类型，或者说，取决于推动物表面的性质和形状。前两种情况要求接触，第三种情况要求推动物有广延。但您将广延从灵魂概念中完全排除出去了，而且，在我看来接触似乎与非物质事实是不相容的。"[①]

也就是说，如果心灵没有广延，那么心灵就不可能与身体接触，从而也就不可能作为原因推动身体的运动。我们可以用一个简单的机械力学的例子来说明伊丽莎白公主的担忧。假设一个转动的齿轮咬住第二个齿轮，从而使第二个齿轮转动起来。在这个例子中，我们有一个独特的因果机制：我们能够理解，第二个齿轮的转动是如何由第一个齿轮的转动引发的。现在假设第一个齿轮被一个非空间的实在所代替，那么，这样一个实在如何可能咬住第二个齿轮呢？

笛卡儿为了回应伊丽莎白及同时代的人对他的实体理论的责难，提出了"松果腺"说。他设想，大脑中央某个部位有一个腺体，这是沟通心身的桥梁，"这个小腺体里边的最轻微的运动也会极大地改变灵魂的运动状况，相应地，灵魂的微小变化也会使小腺体的运动大为改观"[②]。

但是，这个回答显然是站不住脚的。"松果腺"要么是物理的东西，要么是非物理的东西，二者必居其一，没有中间状态。如果"松果腺"是物理的，它只能将物理的东西与物理的东西"链接"起来，如果它是非物理的，即精神性的，也只能将精神性的东西与精神性的东西"链接"起来。无论如何，笛卡儿的小腺体也不能作为沟通精神与身体的桥梁。即使根据当代物理学的研究成果，因果作用的实现形式多种多样，推拉只不过是其中的一种形式而已，但是，不管二元论者给出什么样的因果链，都会陷入相同的困境。笛卡儿提出的松果腺说根本就解决不了心身相互作用的问题。笛卡儿在《人体及其功能之描述》中

① Anscombe G, Geach P(Trans. and Eds.). *Descartes: Philosophical Writings*. Indianapolis: Bobbs-Merrill Company, 1954: 274-275.

② Descartes R. "Passions of the soul". In Chalmers D(Ed.). *Philosophy of Mind: Classical and Contemporary Readings*. New York:Oxford University Press, 2002: 22.

写道：我将试图对整个机器的机体作出充分的说明，以使我们不再有理由认为是我们的灵魂导致了运动。这并不是由意志控制的，我们也没有理由认为，钟表中有一个能使它告知人们时间的灵魂。

二、副现象论的诞生：18～19世纪的古典副现象论

最早阐述副现象论观点的是瑞士博物学家和哲学家查尔斯・邦尼特（C. Bonnet）。他在其 1755 年的论著《心理学实验：关于灵魂活动、习惯和教育的思考》中明确说道："灵魂仅仅是它的身体运动的旁观者……身体自动地执行构成生命的系列运动……它自动地运动……独自地产生各种想法，比较和整理它们，形成所有类型的推理、印象、理由和计划等。"[①]一个世纪以后，英国哲学家霍奇森在 1865 年也表达了这种观点，"意识状态不是由在前的意识状态产生的，它们都是由大脑的运动产生的；相反，我们没有根据说……意识状态反作用于大脑或改变它的运动"。[②]

副现象论的公认创立者是进化论的维护者与宣传者——英国生物学家、生理学家和哲学家赫胥黎。1874 年，在英国科学促进协会大会上，赫胥黎作了题为"论动物是自动机的假说及其历史"的报告。这篇报告被认为是副现象论宣言，因为它公开提出并阐释副现象论，使其广泛地流传开来。他比笛卡儿走得更远，不但认为动物是有意识的自动机，而且认为人也是有意识的自动机。人享受有意识的心理生活，但其行为仅仅是由物理机制所决定的。

根据赫胥黎的观察，青蛙在摘除一部分大脑之后，能够实施一系列类似于反射的行动。对青蛙实施部分的脑白质切断手术能够确保完全没有意识，切断脑白质的青蛙与其他的青蛙并无二致，依然能爬、能跳、能游。青蛙有没有意识或意志，对它的行动不产生任何影响。这就是说，意识不是实践反射行动的必要条件。赫胥黎同笛卡儿一样也认为动物是自动机，但拒绝接受后者的动物没有心理的观点。他说："睡着的青蛙似乎经常做梦。如果它们真的做梦了，就必须承认它们虽然睡着了但正在思考。如果是这样的话，就没有理由怀疑它们

① Bonnet C. *Essai de Psychologie: Ou Considerations de l'Ame, sur l'Habitude et sur l'Education*. Hildesheim: Georg Olms Verlag, 1755: 91.
② Hodgson S. *Time and Space: a Metaphysical Essay*. London: Longman, 1865: 30.

是有意识的。”[①]因此，赫胥黎将意识问题与自动机的地位问题区别开来：动物的确能体验疼痛，但是疼痛同动物的身体运动一样，只是神经生理过程的结果，动物是有意识的自动机。

与笛卡儿不同，赫胥黎认为人也是有意识的自动机。他在报告中提到了梅斯内特医生的研究。这名医生的一位病人是一名法国士兵，他在1870年的普法战争中，大脑受到了严重的损伤。这名士兵时常精神恍惚，即使在这种状态下，他也能在没有意识的情况下完成一系列的复杂运动。既然病人有没有意识都能采取行动，意识就不是实施行动的必要条件。既然赫胥黎不能证明病人在异常状态下是完全没有意识的，他就不能宣称已证明了人是自动机，但他至少可以认为“青蛙的例子有助于辩护，人在异常状态下只是一台无知觉的机器”。[②]赫胥黎一方面坚持自然主义的或机械论的身体观，相信行为的原因只可能是大脑；另一方面坚持二元论的心理观，相信心理在本质上是非物理的。他调和这两个明显不一致的论断的唯一方式，就是将心性置于副现象的地位。他说：“意识……似乎与身体的机制相联系，它仅只作为身体活动的副产品，而且它完全没有改变该活动的力量，正像伴随发动机活动的声音并不影响该机的机械作用一样。”[③]

三、副现象论的发展：20世纪以来的新副现象论

当代哲学家几乎都抛弃了笛卡儿的实体二元论。此外，许多哲学家甚至拒绝赫胥黎的事件二元论，转而支持心-物事件同一论。在解决意识与行为之间的因果作用问题上，二元论和同一论可谓毁誉参半。二元论虽然维护了心理事物的自主性或不可还原性，但违反了奥卡姆的“剃刀原则”，增加了不必要的实在，并且使心身之间的因果作用神秘化。同一论正好与之相反，它虽然揭示了心物相互作用的机制，但违背了心理属性的独特性原则，最终舍弃了心理属性的不可还原性。于是，非还原的物理主义开始成为一种理想选择。

---

① Huxley T H. *Hume with Helps to the Study of Berkeley*. New York: D. Appleton and Company, 1897: 125.
② Huxley T H. “On the hypothesis that animals are automata, and its history”. In Huxley T H(Ed.). *Collected Essays: Volume I, Method and Results*. London: Macmillan, 1893: 228.
③ Huxley T H. “On the hypothesis that animals are automata, and its history”. In Huxley T H(Ed.). *Collected Essays: Volume I, Method and Results*. London: Macmillan, 1893: 242.

非还原的物理主义有以下主张。①每一个心理事件同一于一个物理事件。对于事件间的个例同一，我们可以采取下述方式来说明。比如，爱丽丝打了一个喷嚏，打喷嚏这一事件既是一个发出很大声响的事件 a，又是一个散播病毒的事件 b。如果这个发出很大响声的事件与一个散播病毒的事件的确是同一个事件，那么，我们就可以说，a 是一个同一于 b 的个例。而“一个心理事件与一个物理事件之间的个例同一”这一思想实际上说的是，某个心理事件的发生与一个物理事件的发生是相同的。②这个既是心理事件又是物理事件的事件有两个属性：心理属性和物理属性。根据戴维森的观点，一个事件如果有一个心理属性（或可以用心理谓词来描述）就是心理事件；一个事件如果有一个物理属性（或可以用物理谓词来描述）就是物理事件。因此，说一个心理事件 m 是一个同一于一个物理事件 p 的个例，就是说，m 和 p 就是同一个事件，这个事件有两个属性 M 和 P。③心理属性和物理属性是不同的。关于这一点，笛卡儿从常识的角度已充分说明了这一点。事实上，证明属性二元论的论证有很多，如基于心理现象特殊性的论证、经验鸿沟论证、基于思想实验的论证、怪异论证和模态论证等。非还原的物理主义实际上是事件一元论与属性二元论的组合体。

心理事件因同一于物理事件而具有因果有效性，于是，事件副现象论的问题就被消解了。但是，在一个事件的诸属性中，只有其中的某个属性与其结果的产生因果相关。一个心理事件/物理事件虽然具有原因作用，但是在发挥因果作用时，它的心理属性是否与其结果的产生因果相关？一个心理事件就其是一个事件来说可能是因果有效的，但是，与它的结果产生因果相关的可能只是它的物理属性，而不是它的心理属性。例如，假设爱丽丝打了个喷嚏，导致鲍勃感冒了。再假设打喷嚏这个事件既是一个发出很大声响的事件，又是一个散播病毒的事件，由于这个发出很大声响的事件与散播病毒的事件是同一个事件，我们诚然可以说，这个发出很大声响的事件是鲍勃感冒的原因，但是，与鲍勃生病因果相关的，仅仅是因为这个事件是一个散播病毒的事件。基于个例同一论，人们所担心的是，心理属性与行为结果之间的关系就像声响很大与鲍勃感冒一样，没有任何因果相关性。心理属性的因果相关性问题取代心理实体或心理事件的因果有效性问题，成为当代心理因果性研究的重心。

因为属性通常与别的属性的例示因果相关，所以属性的因果相关性不同于事件的因果有效性。因果相关性实际上是一个四元关系：原因事件 c，结果事件 e，c 的属性 F 和 e 的属性 G。F 是否与 G 因果相关，取决于两个因素：一是判断因果相关属性和因果不相关属性的标准，二是 F 是否能符合这一标准。在心理属性的因果相关性问题上，人们对因果相关属性标准和心理属性的独特性有不同的理解，因而提出的心理因果性问题也不相同。

麦克劳林在布罗德的基础上将副现象论分为两种不同的类型：类型副现象论与个例副现象论。类型副现象论是指，"（a）事件能够成为原因是由于它从属的是物理类型，而（b）事件不能成为原因是由于它从属的是心理类型"；个例副现象论是指，"（i）物理事件能引起心理事件，而（ii）心理事件不能引起任何事物"。[①]两种副现象论以不同的方式否定了心理事物在因果秩序中的位置。个例副现象论意味着心理事件不具有因果有效性：在任何一个因果可能的世界中，心理事件都不能够引起任何事物。类型副现象论意味着，事件的心理属性不可能具有因果相关性：在任何一个因果可能的世界中，一个事件导致了任何事件的发生都不可能归因于它从属了一个心理类型。因此，根据个例副现象论，心理事件不可能是原因；根据类型副现象论，心理事件类型不具有因果相关性。

在个例副现象论与类型副现象论的关系上，心理事件的个例副现象论蕴含了心理事件类型副现象论，原因在于：如果心理事件不能成为原因，那么事件成为原因就不可能是由于它从属于心理类型。理由很明显：如果一个事件引起某个事物是由于它属于某个心理类型，那么该事件就既是原因又是心理事件。但是关于心理事件的类型副现象论并没有反过来蕴含心理事件的个例副现象论，因为一个心理事件能够引起某个事物，原因可能是由于它属于某种非心理事件的类型，也就是说，心理事件能成为原因，即使它不能是作为心理的原因。假设心理事件能够进入因果关系之中是由于它们属于非心理的类型，那么，人们就在承认类型副现象论的同时可以拒绝承认个例副现象论。

不同的哲学家尽管对副现象论的分类以及不同类型的叫法不尽相同，但在根本观点上是一致的。旧副现象论关注的焦点是心理事件，认为心理事件是

---

① McLaughlin B. "Type epiphenomenalism, type dualism, and the causal priority of the physical". *Philosophical Perspectives*, 1989(3): 109-110.

副现象；而新副现象论关注的重心是心理属性，认为尽管心理事件不是副现象，但心理事件的心理属性是副现象。

第二节 新副现象论的三个论证

当代新副现象论者为证明心理属性是副现象，提出了三个主要的论证或难题：心理异常性论证、因果排除论证和外在主义论证。当代心理因果性的研究就是围绕这三个难题展开的。[①]

一、心理异常性论证

心理属性的异常性难题是针对戴维森的异常一元论提出的。而异常一元论旨在在物理主义的框架下描绘心理因果性的新图景，这样一方面维护了心身因果性的常识观念，另一方面也保存了心理属性的独特性。

异常一元论描绘的新图景由三条基本原则所支撑。①因果相互作用原则：心理事件与物理事件之间存在因果相互作用。这一条原则维护了心理因果性的常识观念，它有两方面的内容：一是从物理到心理的因果关系，如脚趾被踩（物理事件）产生了疼痛感（心理事件）；二是从心理到物理的因果关系，如自主体的决定导致了行为的发生。②因果关系的法则学特征原则：如果两个事件作为原因和结果关联起来，那么就有它们所从属的严格的规律。因此，知道某一事件和它从属的规律，就能够“必然地”推导出它的原因和结果。由于严格的规律不使用不确定的例外条款，如“其他情况皆同”或“在正常的情况下”等，严格的规律必定属于一个闭合的系统，凡是对该系统有影响的因素都被纳入该系统之内。而符合这些条件的只有物理学的规律，所以，这一条原则是对物理主义的坚持。③心理的异常性原则：不存在严格的心理物理规律。因为没有这样的规律能把心理描述下的心理事件和物理描述下的物理事件关联起来，所以心理事件就一定是“异常”的，即游离于严格的规律之外，不能据以解释和预

① 参见 Kim J. *Mind in a Physical World: an Essay on the Mind-Body Problem and Mental Causation*. Cambridge: The MIT Press, 1998: 42.

言。这一条原则坚持了心理属性的自主性，维护了人作为自由的存在物的尊严。与此同时，它排除了两种还原论方案：一种是行为主义的方案，即用物理语词对心理语词作明确的定义，从而把心理语词还原为物理语词；另一种是类型物理主义的方案，即通过严格的桥梁法则，把心理事件还原为物理事件。

这三条原则之间是彼此相容的。在形而上学的因果关系上，因果关系是两事件之间的外延关系，事件是因果关系的基本关系项；事件只有以物理语言进行描述时，因果关系才具有法则学特征。在心灵的本体论地位问题上，心灵是一种语言学上的存在，它是对实在世界的另一种描述。说人有心理实在，并没有增加世界的物理内容。但是，这并不意味着心理事件可以还原为物理事件，因为心灵具有整体性特征。在因果相互作用"如何可能"的问题上，心理事件与物理事件个例同一，心物之间的相互作用就是物物之间的相互作用。

戴维森的异常一元论一经出炉，就遭到了一些哲学家的质疑，如杭德里克（Honderich）、斯陶特兰（Stoutland）、金在权、索萨（Sosa）和德雷斯基[①]。他们纷纷质疑异常一元论是否构建了一个合理的心身图景，是否有效地解决了心理因果性问题，在他们看来，异常一元论蕴含了心理副现象论的结论。例如，杭德里克说："异常一元论是副现象论，它并没有使得作为心理的心理事件成为解释行动的一个不可或缺的部分。"[②]索萨也说："异常一元论实际上与我们所具有的心身在因果上相互作用这一根深蒂固的信念的全部内容不能完全相容。"[③]

杭德里克指责，异常一元论不是陷入自相矛盾，就是陷入副现象论。根据他的观察，原因事件有很多属性，但不是每一个属性都与结果在因果上相关。例如，把一些梨子放在天平上，从而导致了指针向两磅[④]重的刻度偏移。这些梨子有很多属性，如两磅重的质量、黄色的、产自法国，等等。但是，导致结果发生的是梨子的质量，而不是梨子的颜色和产地。据此，杭德里克提出了"因果相关属性的法则学特征原则"。这一原则表明：两事件之所以有法则学的关联，

① Honderich T. "The argument for anomalous monism". *Analysis,* 1982, 42(1): 59-64; Sosa E. "Mind-body interaction and supervenient causation". *Midwest Studies in Philosophy*, 1984, 9(1): 271-281; Stoutland F. "Oblique causation and reasons for action". *Synthese*, 1980, 43(3): 351-367.

② Honderich T. "The argument for anomalous monism". *Analysis,* 1982, 42(1): 59-64.

③ Sosa E. "Mind-body interaction and supervenient causation". *Midwest Studies in Philosophy*, 1984, 9(1): 278.

④ 1 磅=0.4535924 千克。

是因为它们的因果相关属性有法则学的关联，“把梨子放在天平上导致指针向两磅重的刻度偏移，它这样偏移仅仅是由于它的某些属性，根据这两个观点，我们可以得出，各种事件是由于它们的这些属性才具有似规律的关联，这一原则可称为‘因果相关属性的法则学特征原则’”。①

根据异常一元论，心理事件与物理事件是个例同一的，因此心理事件的确具有因果有效性。但是，根据因果相关属性的法则学特征原则，人们不禁要追问：心理事件凭借哪一属性导致了行为的发生？就是说，心理事件导致行为发生，是由于它的心理属性，还是它的物理属性？在杭德里克看来，无论戴维森作出何种选择，都会使其陷入尴尬的境地。如果导致行为发生的是心理事件的心理属性，根据上述原则，那么在心理属性和物理属性之间就有严格的规律，这显然与异常一元论相违背。如果导致行为发生的是心理事件的物理属性，那么关联规律就不是心理规律，而是物理规律。要是这样，根据因果相关属性的法则学特征原则，心理属性就像梨子的颜色和产地之于天平指针的偏移一样，是无因果作用的副现象。

斯陶特兰质疑道：“戴维森的观点相当于说，事件是原因仅仅是由于它们的某些属性——出现在因果律中的属性，即法则属性。在他看来，所有的因果律都是物理因果律这一观点意味着，只有物理属性才是法则的。因此，一个理由引起一个行动不可能是由于它所具有的心理属性，因为这些心理属性是非法则的；心理事物与物理事物之间没有法则学的关联。如果一个理由引起一个行动只是由于它所具有的物理属性，那么，作为心理的心理事物就不具有因果有效性。”②

在这些批评者们看来，一旦我们将事件的因果相关特征和因果不相关特征区别开来，我们就能明白异常一元论所蕴含的副现象论：心理特征从来都不是因果相关属性。金在权对戴维森的理论作了这样的解读：“一个给定的事件有没有心理的描述……似乎与它所进入的因果关系完全无关。这个事件的因果力完全是由适用于它的物理描述或特征所决定的：因为正是在物理描述下它才可能被一条因果律所涵盖。戴维森明确地否定了这种可能性，即一个事件的心理描

① Honderich T. “The argument for anomalous monism”. *Analysis*, 1982, 42(1): 62.
② LePore E, McLaughlin B(Eds.). *Actions and Events: Perspectives on the Philosophy of Donald Davidson*. Oxford: Blackwell, 1985: 53.

述和它的物理描述之间存在着能够将心理事物带入因果图景中的法则学关联。”[①]这一论证是，既然基于异常一元论，c 引起 e 的前提条件是存在着涵摄 c 和 e 的规律，而严格的规律从来都不包含心理谓词，只包含物理谓词，那么事件 c 和 e 的心理特征对于它们之间是否具有因果相关性而言就是不相关的。

索萨和德雷斯基事实上采取了另外一种思路：如果一个原因事件在不具有某个属性的情况下仍能导致原来的结果的发生，那么，这个属性与它发生的结果就不相关。在他们二人看来，心理属性对于行为的发生来说，似乎就是这种无关紧要的属性。

索萨说：“一支枪发出了一声巨响，射出了一颗子弹并将某人杀死。这声巨响标志着这支枪开火。因此，如果被害人被杀死了，那么，杀死这名被害人的就是这声巨响……在某种意义上说，被害人是被这声巨响杀死的，但不是因为这声巨响是一声巨响，而是因为这声巨响是枪开火……这支枪开火的声响与被害人的死亡没有因果相关性。要是这支枪装上了消声器，那颗子弹同样会杀死这名被害人。”[②]索萨的意思是，“这声巨响”（the loud noise）和“这支枪开火”（the shot）都是带“the”的限定摹状词，它们指称的是同一个事件，这声巨响所指的事件和这支枪开火是同一个事件。换言之，这个特定的事件既有发出声响这一属性，又有开枪这一属性，但是，与受害人的死亡相关的是这支枪开火，而不是这声巨响。德雷斯基也有相同的言论，即“有意义的声音如果以一定的音调和振幅发生，就可以震碎玻璃杯子，但是这些声音有意义这一事实与它们具有这一结果没有相关性。如果这些声音有完全不同的意义或根本就没有意义，这个玻璃杯子也会被震碎”[③]。在他们二人看来，神经生理事件有某个意向心理内容无关于这个神经事件的结果，就像声音的意义无关于声音导致玻璃杯子破碎一样。

二、因果排除论证

韩裔美国哲学家金在权根据他所提出的因果排除论证指出，人的心理

① Kim J. “Epiphenomenal and supervenient causation”. *Midwest Studies in Philosophy*, 1984, 9(1): 267.
② Sosa E. “Mind-body interaction and supervenient causation”. *Midwest Studies in Philosophy*, 1984, 9(1): 277-278.
③ Dretske F. “Reasons and causes”. *Philosophical Perspectives*, 1989(3): 1-2.

属性如果不同一于作为其微观基础的神经生理属性，就是毫无因果作用的副现象。

据此，他向任何非还原的物理主义提出了严峻的挑战，因为在后者看来，心理属性的个例虽然同一于物理属性的个例，但心理属性类型却不同一于物理属性类型。因果排除论证公开地向以异常一元论和心理属性的可多样实现性为基础的非还原的物理主义叫板，在一定程度上复兴了以逻辑经验主义为代表的还原的物理主义，解构了人之为人的意识的独特性，从而受到国内外哲学家的持续关注并引发了广泛争论。

因果排除难题若以规范的论证形式来表述就是，已知人的意识或心理属性具有与人的神经生理属性不同的独特性，且人的意识能够发挥原因作用；利用相关的原则，即心物随附性原则、物理因果封闭原则和因果排除原则，证明意识是无因果作用的副现象。

在因果排除论证的过程中用到的这三个原则并非人所共知且不证自明的定律。它们只是由于金在权的引介和阐发而被人们广泛讨论和普遍接受，因此，在这里有必要先对它们作简要的说明。①心身随附性原则说的是，“心理属性强随附于物理/生物学属性。也就是，如果任何系统 s 在 t 时例示了一个心理属性，必然地存在一个物理属性 P，使得 s 在 t 时例示 P，且必然地在任何时间例示 P 的任何事物在那时也将例示 M”，意即心理属性非对称性地依赖于生理属性。②物理因果封闭性原则说的是，“如果一个物理事件在 t 时有一个原因，那么它在 t 时具有的是一个物理的原因”。据此物理主义在本体论上和认识论上都是自足的：对于任何一个物理结果，人们不必在物理学之外去寻找它的原因。③因果排除原则指的是，“如果一个事件 e 在 t 时有一个充分的原因 c，那么任何一个在 t 时不同于 c 的事件都不可能成为 e 的原因（多重决定论的实例除外）”。[①]

因果排除论证的推导过程如下。假设一个心理事物引起了另一个心理事物，它们的心理属性分别以 M 和 M*来表示。

（1）M 引起 M*（已知）。金在权告诫我们，属性本身是不能进入因果关系

① Kim J. *Physicalism, or Something Near Enough*. Princeton: Princeton University Press, 2005: 17.

的，当说到“M 引起 M*”时，真正的意思是，“M 的一个例示引起了 M*的例示”或“M 的例示致使 M*在那个时刻得以例示”。[①]

（2）M*有 P*作为它的随附性基础（根据随附性原则）。当我们问及“M*在那一时刻为什么能够得以例示”时，正如前面所注意到的那样，（1）和（2）之间似乎存在冲突。因为此时似乎存在两个相互抵牾的回答：（a）“因为 M 使 M*在那一时刻得以例示”和（b）“因为作为 M*的随附性基础的 P*在那一时刻例示了”。能够化解这一冲突的唯一方式就是：

（3）M 由于引起了 M*的随附性基础 P*从而引起了 M*。与心理事物之间的因果关系就蕴含了心理事物与物理事物之间的因果关系，或者说，同一层次的因果关系蕴含了“下向因果关系”。

（4）M 同样有一个物理的随附性基础 P（根据随附性原则）。我们有充分的理由认为，P 是 P*的原因。P 对于 M 来说至少在法则学上是充分的，M 于此时的发生依赖于并决定于 P 在此时的发生。根据（3）和（4）我们可以得出下面的结论。

（5）M 引起 P*，P 也引起了 P*。M 随附于 P，M 和 P 基本上是在同一时间发生的，因此，P 和 M 之间的关系并不是因果关系。也就是说，P 不可能成为 M 引起 P*的中间因果环节。同理，M 也不可能成为 P 引起 P*的中间因果环节。

（6）根据心理属性的独特性，我们可以得到：M≠P（已知）。M 的例示≠P 的例示，因而（5）和（6）之间似乎存在一个形而上学上的冲突。因为这里的 P*有两个不同的原因，其中的每一个原因对于它的出现来说都是充分的。如果这种因果关系不涉及因果多重决定论，那么因果排除原则适用于这一情况。让我们假定这种因果关系并不是因果多重决定论的真正实例。

（7）P*在因果上并不是由 M 和 P 多重决定的。据此我们要么取消 M 作为 P*的原因资格，要么取消 P 作为 P*的原因资格。应该取消哪一个呢？根据因果排除原则，作为物理事件 P*它的原因是物理的，也就是 P，任何不同于 P 的事件都不可能成为 P 的原因。

---

① Kim J. *Physicalism, or Something Near Enough*. Princeton: Princeton University Press, 2005: 39.

（8）心理原因 M 被物理原因所排除或先占，就是说 P*的原因是 P 而不是 M。物理世界的因果封闭原则排除了心理原因，从而得出了副现象论的结论：心理现象是无任何因果作用的副现象。在因果排除论证所描绘的图景中，只存在一种因果关系，即物理属性 P 到另一个物理属性 P*的因果关系，而最初假定的从 M 到 M*的因果关系是虚假的。

在金在权看来，M 要想获得真正的因果力，除非非还原的物理主义放弃心理具有独特性的主张，使 M=P，并接受他的因果继承原则，即将高层次属性所例示的因果力的个例，同一于微观物理因果力的个例，他说：“如果心理属性 M 于 t 时在一个系统中得以例示，是由于它的物理的实现基础 P，那么，M 的此例示的因果力同一于 P 的因果力。”[①]因此，从金在权设计的这一论证中我们可以看出，心理事物的独特性与心理事物的因果有效性是不相容的，二者之间是非此即彼的关系。

三、反个体主义论证

自布伦塔诺发现意向性时起，意向性就被视为心理现象与物理现象相区别的一个重要特征。塞尔曾经说道：整个哲学运动都是围绕意向性的各种理论建立起来的。[②]意向性的因果性问题自然成了心理因果性研究的一个重要课题。

意向性或心理内容关涉、指向、关于或表征了自身之外的实在，它从本质上讲就是一种关系属性。但是，基于人们对因果关系的一般理解，一个事件要成为原因，它必须是具体的、局域性的、独立存在于时空之中的东西。既然意向心理内容是一种关系性的、处在协变中的变动不居、弥散性的东西，不是由大脑的局域性属性单方面决定的，那么，当大脑发挥对行为的因果作用时，意向心理内容如何可能进入因果过程，发挥其因果作用的呢？心理内容的外在性不仅是它的因果性受到外在主义威胁的直接原因，也是以计算机科学为基础的认知科学和关于心灵的功能主义无法解决语义性难题的根源。

---

① Kim J. “Multiple realization and the metaphysics of reduction”. In Kim J(Ed.). *Supervenience and Mind: Selected Philosophical Essays*.Cambridge: Cambridge University Press, 1993: 326.

② 塞尔.《意向性——论心灵哲学》，刘叶涛译，上海人民出版社 2007 年版，第 3 页。

两个具体的心理内容是相同的还是不同的，是由什么标准或条件来确定的？这是当代心灵哲学中关于心理内容的内在主义和外在主义争论的焦点问题。在这一问题上，内在主义一般认为，心理内容是由它们所随附的物理属性来确定的，也就是说，如果实现两个心理内容的大脑状态完全相同，那么这两个心理内容就是同一的。而外在主义正好与之相反，在它看来，即使实现两个心理内容个例的大脑状态完全相同，这两个心理内容也可能是不同的，心理内容是由外在于主体的物理、社会、历史环境确定的。

当代反外在主义的旗手福多就利用自动售货机的思想实验向外在主义发难。假设革斯将一枚25美分的硬币塞入自动售货机。这枚硬币，与其他的25美分硬币一样，有一系列的内在特征。但仅凭这些内在特征不可能使它成为一枚25美分硬币，因为一枚假币同样可以分享这些内在特征。25美分的硬币之所以是真币，依赖的正是它的因果历史：它由美国国家制币厂制造。但是硬币的因果历史并不是自动售货机所关心的，它只会对硬币的内在特征作出反应。质言之，硬币能作用于机器，不是因为它是25美分硬币，而是因为它的这些内在特征。

福多认为，大脑的运作方式在许多方面与自动售货机的运作方式是一样的。大脑对外来刺激作出反应仅仅由于大脑的内在构成和刺激的内在特征，他说："一个事件的因果力完全是由它的物理性质决定的。"[①]如果思维有内容，是因为它与周围的事物处于复杂的物理、社会、历史关系之中，那么心理内容对行为有因果作用就无法让人理解。在当今的意向性研究中，尽管外在主义的具体细节存有争论，但它强调内容有外在性，必须根据所表征的外在事态而个体化，又为大多数论者所肯定。而外在主义的这一原则在解释行为时又碰到了巨大的困难，此即雅各布（Jacob）所说的"外在主义威胁"。

丹尼特也持相同的观点，即大脑是句法动力机，而不是语义动力机，"语义动力机……在力学上是不可能的——就像永动机不可能一样"[②]。这就是说，有意义或内容的实在的因果力不可能来源于它们的意义或内容。例如，一块砖将

① Fodor J. *A Theory of Content and Other Essays*. Cambridge: The MIT Press, 1992: 138.
② Dennett D. "Ways of establishing harmony". In McLaughlin B(Ed.). *Dretske and His Critics*. Oxford: Blackwell, 1991: 119.

窗户打碎，它的因果力是来自它的速度和质量，而不是来自在霍博肯的制造。同样地，假设我们大脑中有一个关于霍博肯的特定思想，这思想刺激了腺体，调节了肌肉张力，从而发挥了对行为的控制作用，这一思想之所以能引起这一系列的连锁行为，不是因为它所意指的东西，即不是因为它关于霍博肯这一事实，而是因为它的电子的、化学的属性。总之大脑是句法机，不是语义机。有因果作用的是心理表征的句法，而不是其语义内容。①

萨蒙（Salmon）以聚光灯为例说明了语义属性与行为之间即使有因果关系也是表面的和虚假的。例如，光从聚光灯中发射，照到墙上。光的传播与移动是真实的物理过程。但人们看到的只是影子，好像有一个影子从一点走到了另一点。其实，这一过程是一个虚假的过程。②再如，汽车在阳光下奔跑，留下的一串影子就是虚假的过程，前后没有因果联系。另外，一物体在镜子中的一连串的影像也是如此，前后的影像之间没有因果联系。语义属性与行为之间的关系类似于影子之间的关系。在行为发生时，人内部好像有这样几种过程发生了，一是在大脑与肢体中进行的生物化学过程，二是计算过程，三是句法过程，四是语义过程。实际上，只有前一种过程是真实的过程，后面的三种过程都是虚假的过程，类似于光在传播过程中发生的影子的移动。他说："通过某种形式操作将一种符号转换为另一种新的符号的计算过程正像一个对象在两个镜子中的影像一样，或像一种疾病的两个症状的连接一样，不过是一种虚假的过程。"③在他看来，如果要肯定语义属性有因果作用，或揭示符号操作的因果作用，那么就必须拿出证据证明：语义属性、句法属性真正进入了实际的因果过程。而事实上，没有根据说明这一点。既然如此，就没有理由承认语义属性对行为有因果作用。

虽然布洛克不是副现象论者，但他提出的"有限制的副现象论"也表达了同样的忧虑。他强调，如果人们坚持功能主义和因果相关性的法则学标准，那

---

① Dennett D. "Intentional systems in cognitive ethology: the 'panglossian paradigm' defended". *Behavioral and Brain Sciences*, 1983, 6(3): 343-355.

② Salmon W. *Scientific Explanation and the Causal Structure of the World*. Princeton: Princeton University Press, 1984: 142.

③ Salmon W. *Scientific Explanation and the Causal Structure of the World*. Princeton: Princeton University Press, 1984: 211.

么，在心理内容的因果相关性问题上，必然陷入有限制的副现象论。①这种副现象论强调："心理事件是行为的原因，而它们的内容是这些事件的属性，在这些属性中，有些与事件的结果有因果关联，有些没有。"②因为作为原因的事件同时具有许多属性，但并不是每一属性都对结果的产生发挥了原因的作用。例如，我相信美国很危险，因此离开了美国。在这里，信念是原因事件，其中有许多属性，如有信念内容，表述内容的字词有符号，符号由字母构成，信念由物理实现。在这里，与行动因果相关的只有信念的物理实现，与信念内容以及符号的形状和颜色则不相关。布洛克上述思想是担忧以计算机科学为基础的功能主义。在他看来，功能主义要解决的一个重大的问题是，意向内容及状态对行为是否具有因果效力，关于心灵的科学是否一定会否认心灵的因果作用。他的基本观点是，"功能属性是由于有这样或那样的（比如说非功能属性）因果相互关系且与输入输出有因果关系属性而具有的属性。在输入的产生过程中，正是非功能的属性才是具有标准的因果相关性的属性，而功能属性不具有这种作用"③。

第三节 心灵的因果地位：对新副现象论的反驳

要想维护心灵的因果地位，人们就必须正视新副现论所提出的种种论证和质疑。

一、对心理属性的异常性难题的回应

关于异常一元论的三种反对意见，无论是哪一种，似乎都是致命一击，但是，这三种反对意见在论证过程中，并没有真正地理解戴维森在事件、因果关系和随附性上的形而上学观点。因此，异常一元论根据戴维森自己的形而上学，

① 虽然布洛克表达了对心理内容的有限制的副现象论的担忧，基于两个前提：一是以计算机科学为基础的功能主义，二是坚持因果相关性的法则学涵摄观。他在心理内容的因果相关性问题上坚持的是概念作用语义学和因果相关性的反事实标准，因此说他不是副现象论者。

② Block N. "Can the mind change the world?" In Macdonald C, Macdonald G(Eds.). *Philosophy of Psychology: Debates on Psychological Explanation*. Oxford: Blackwell, 1995: 32.

③ Block N. "Can the mind change the world?" In Macdonald C, Macdonald G(Eds.). *Philosophy of Psychology: Debates on Psychological Explanation*. Oxford: Blackwell, 1995: 45.

对这些反对意见进行了有力的回应，充分体现了其理论的韧性和生命力。

因果相关性反对意见的立论根据是因果相关属性的法则学特征原则。这一原则有两个前提：一是心理属性和物理属性是事件的形而上学构成成分，二是事件据以发挥其因果作用的是其物理属性而不是其心理属性。但是，戴维森并不承认这两个前提，他有着完全不同的形而上学事件观。

在杭德里克、金在权等看来，事件的形而上学构成成分有三个：①对象，它是事件的主体；②时间，事件在时间中发生；③属性，事件就是对象在某个时间内所经历的属性变化。这里的属性，正如金在权所言，是“与理论有关的重要属性，据此，规律可以被发现、描述和解释”[①]。显然，最适合这一角色的就是那些在严格规律中起重要作用的属性。如果有人持这种形而上学事件观，并接受戴维森对心理物理规律的否定，那么，认为心理属性是副现象就在所难免了。

然而，在戴维森看来，属性不可能是事件的形而上学构成成分。因为事件是不可重复的发生物，是具体的实在，具体的实在怎么可能由抽象的属性构成呢？这里需要强调的是，戴维森所说的属性只是对实在的描述方式而已，如果对一个事件用物理语言描述，那么它就有物理的属性，如果对一个事件用心理语言描述，那么它就有心理的属性。心理属性和物理属性就像地球的经纬线一样，只是人们为了满足解释的需要投射或强加给事件的。此外，对事件发挥因果作用需要借助其属性的观点，戴维森也不赞同，因为属性是外在的、抽象的，不是事件本身所固有的，当事件发挥其因果作用时，属性不可能进入事件的因果作用过程，它不是因果关系的关系项，发挥因果作用的只能是事件本身。

偶然关联论证的立论根据是，物理事件有心理属性只是偶然的巧合，不仅是因为不存在心理物理规律，更是因为随附性不能分析为一种依赖关系。但是，戴维森的随附性与金在权的不同，它可以被分析为一种语言归属间的依赖关系。

金在权的随附性完全是本体论的。在他看来，整个世界由不同的层次构成，随附性在层与层之间起着至关重要的作用。而戴维森的随附性是语言学的。他在后期的著作中明确地以谓词而不是属性来阐明随附性，“随附性观念，正如我一直使用的，最好被理解为，在一种语言中，一个谓词和一个谓词集之间的关

① Kim J. “Supervenience as a philosophical concept”. *Metaphilosophy*, 1990, 21(1): 1-27.

系：一个谓词 p 随附于一个谓词集 S，仅当就任意两个对象而言，如果使得 p 适用于其中的一个，而不适用另一个，那么 S 中就存在一个谓词，也只适用于其中的一个，而不适用另一个”[①]，也可以这样表述，“一个谓词 p 随附于一个谓词集 S，当且仅当 p 不能分辨的任何实在也不能被 S 分辨”。[②]因为我们关心的是心物随附性，所以上面提到的关系就可以理解为心物谓词之间的关系。根据对随附性的这种解释，如果我们要把相同的物理谓词归之于两个自主体，那么我们就应该把相同的物理谓词归之于他们。

如果我们严肃地对待属性与谓词之间的差别，我们就不难理解为什么戴维森的随附性可以被分析为谓词归属间的依赖关系。根据戴维森的解释理论，说一个自主体有信念和愿望，就是由解释者将它们归属给这个主体。如何进行归属依赖三个条件：①自主体的行为；②自主体与环境之间的关系；③对宽容原则的承诺，即自主体如果有任何信念，那么它将最大程度地与自己一致。①和②可以用一组物理谓词表述，③非常复杂，由于心理的整体性特征，对它的表述需要其他的心理谓词。总之，对心理谓词的归属，在逻辑上不仅仅依赖于物理谓词，还依赖于其他的心理谓词。例如，在相同的环境中，每当兔子出现时，两个自主体都指着它说“嘎瓦盖”（gavagai）。根据条件①和②，我们可以将兔子的信念归之于两个自主体。如果没有进一步的物理证据或在其他的心理状态不明确的情况下，那么我们就不能将“兔子”的信念归之于其中的一个自主体，将“这是我的财产”归之于另一个自主体。需要注意的是，这里所说的依赖关系既不是本体论上的依赖关系，也不是谓词之间的依赖关系，而是谓词归属之间的依赖关系。因此，对心理谓词的归属依赖于对物理谓词的归属，但是，由于心理的整体性，又没有衍推心理物理规律的存在。

二、对因果排除论证的反驳

金在权因果排除论证反驳的论题，论证过程中使用的心身随附性原则，以及解决因果排除问题的因果继承方法都存在致命弱点。

---

① Vermazen B, Hintikka M B. *Essays on Davidson: Actions and Events*. Oxford: Clarendon Press, 1985: 242.
② Heil J, Mele A. *Mental Causation*. Oxford: Clarendon Press, 1993: 4.

首先，因果排除论证的论题只针对个例同一论。金在权宣称，他的因果排除论证对一切非还原的物理主义皆有效，但是在实际的论证过程中，只能针对其中的个例同一论形态，对构成物理主义则是无效的。

在金在权看来，“物理主义一元论”论题，即“所有具体的殊相都是物理的”，是非还原的物理主义的一个核心原则。[①]尽管坚持这一论题，将心理事件个例同一于物理事件个例，可以之抵制个例副现象论，从而解决心理事件个例的因果有效性问题，但它却是另一种心理因果性问题产生的根源，即这个原因事件之所以能够引起它的结果事件，是因为它的物理属性，还是因为它的心理属性。如果认为心理属性不同一于物理属性，那么心理属性就会受到类型副现象论的质疑。因果排除论证是金在权针对个例同一论所产生的心理因果性问题而构造出来的，但个例同一论是一种错误的理论。构成物理主义坚持的是一种强非还原的物理主义，与基于克里普克原则的新二元论一样，认为心理属性的例示根本就不同于物理属性的例示。这不仅使类型副现象论丧失了产生的前提条件，也使得因果排除论证失去了批判的对象。

其次，心身随附性原则是一条成问题的论证原则。对于心身随附性原则，金在权的理解是，“我们的心理生活所发生的事情总的来说依赖于或决定于发生在身体过程上的事情”[②]。在金在权看来，随附性推衍了，个人内在的生理学属性“（至少）在法则学上充分地决定”他的心理属性。[③]这就意味着，在心理事件个体化的问题上，金在权同福多一样坚持的是一种彻头彻尾的内在主义，即心理事件局域地随附于构成它的身体事件。但在构成物理主义者看来，心身之间尽管有依赖与被依赖的关系，却没有任何对应关系，更谈不上决定与被决定的关系。

一方面，由普特南和伯奇的外在主义论证可知，同一个物理事件在不同的环境下可以构成不同的心理事件。构成物理主义者也有相似的观点，贝克说：“使一个事物是其所是（如大卫像）的东西或许是它的各种关系属性，而非传统

---

① Kim J. *Supervenience and Mind:Selected Philosophical Essays*. Cambridge:Cambridge University Press, 1993: 326.

② Kim J. *Physicalism, or Something Near Enough*. Princeton: Princeton University Press, 2005: 14.

③ Kim J. *Physicalism, or Something Near Enough*. Princeton: Princeton University Press, 2005: 41.

哲学通常所坚持的非关系属性。”[①]一块大理石如果不涉及一个艺术世界、一名艺术家的意向或抵制非意向描述的任何别的事物，就不可能是一尊雕像。换言之，被构成事物本质上是由它与外在环境之间的关系决定的，而不是由构成它的事物单独决定的，因而同一个对象在不同的环境下，具有的本质也不同。

另一方面，同一个心理事件可由不同的物理事件构成。这一点可以由构成物理主义者发现的个例的“可多样构成性”来说明。个例的可多样构成性是一个普遍的性质，如特修斯之船就是“可多样构成的”，它的物理构成物无论过去或将来发生了些许变化，特修斯之船还是特修斯之船，它的同一性不会发生变化。与此相同，心理事件个例从模态上讲不同于构成它的神经生理事件个例，它完全可能由另外一个只在个别神经通道上有不同的神经生理事件构成。

既然心理属性和生理属性没有任何对应关系，那么它们之间也就没有随附性关系。构成物理主义者虽然反对心身之间的随附性关系，却承认心灵与身体和环境之间存在全局随附性关系。贝克说：“尽管构成关系本身不是随附性关系，但是构成关系与全局或近似于全局的随附性相容。尽管被构成的属性例示不随附于构成它的诸属性例示，但它最终或许随附于它的亚原子构成成分和构成关系的例示。”[②]既然心理事件不随附于构成它的身体事件，那么因果排除论证使用的心身随附性原则就是错误的。

最后，因果继承方案是错误的解决方案。金在权为解决因果排除问题所提出的因果继承方案，仍然是以同一论为基础的：先将心理属性同一于物理属性，再将心理属性例示的因果力同一于物理属性例示的因果力。

这种方案尽管是错误的，但它却为说明心理属性具有因果有效性指明了方向，即如果证明心理属性的例示有不同于身体属性的例示的因果力，那么，心理属性就具有独特的因果有效性。构成主义者主张，被构成的属性例示的因果力在它的构成者的因果力“之外和之上”，如选举的作用超过了构成它的手臂运动的因果力。在佩雷布姆看来，如果属性例示的构成者发生了变化，而它仍有相同的结果，那么，它有独立的因果有效性。他说：“如果实现心理个例的物理

① Baker L R. “Unity without identity: a new look at material constitution”. *Midwest Studies in Philosophy*, 1999, 23(1): 151.
② Baker L R. *The Metaphysics of Everyday Life: an Essay in Practical Realism*. Cambridge: Cambridge University Press, 2007: 117.

个例可能是不同的，那么，它的各微观物理个例的因果力也是不同的。”[①]据此，从模态上讲，心理属性例示的因果力不可能同一于两个互不相同的物理属性例示的因果力。贝克在佩雷布姆的基础上更进了一步。她说：“一个产生了一些结果 e 的属性例示有独立的因果有效性，当且仅当（i）构成它的属性例示即使发生了变化，它仍然有相同的结果 e，（ii）它授予的因果力并不只是由构成它的属性例示所授予的。”[②]既然心理属性的例示有神经生理属性例示所不具有的因果力，因此，心理属性就具有独特的因果有效性。

值得注意的是，心身随附性被认为是各种物理主义最低限度的承诺，“如果心身随附性不成立，也就是说，如果心理域自由地飘荡而不根植于物理域，那么从心理事物到物理事物的因果关系显然会打破物理因果封闭性”[③]。否定心身随附性原则，坚持“被构成的属性例示的因果力在它的构成者的因果力之外和之上”，是否意味着违反物理因果封闭原则而背叛物理主义呢？有此担忧的人受到了金在权的误导。在金在权看来，人的生物学原因是行为结果的“充分”原因，对于同一个行为结果，如果还存在一个在这个充分原因“之外和之上”的原因，必然违背物理因果封闭原则。但在构成物理主义者看来，神经生理原因不是行为的“充分”原因，充其量只是“部分”原因，行为是在主体的神经生理状态和他所处的环境的共同作用下发生的。

三、对外在主义论证的反驳

外在主义要想从根本上解决外在主义威胁，仅重新确立意向性的本体论地位并论证其有因果效力还不够，还必须揭示意向性对行为发挥了何种类型的因果作用，以及这种因果作用如何可能的机制，否则，它就是无根据的独断。

德雷斯基认为，外在主义威胁以及意向性对行为的因果作用表面上的无能，都是假象，而造成假象的一个原因是把行为与身体运动混淆了。他说：“思想、愿望和感觉能予以解释的不是你的手臂为什么动起来了（当你有意向地运动它

① Pereboom D. “Robust nonreductive materialism”. *The Journal of Philosophy*, 2002, 99(10): 503.
② Baker L R. *The Metaphysics of Everyday Life: an Essay in Practical Realism*. Cambridge: Cambridge University Press, 2007: 115.
③ Kim J. *Mind in a Physical World: an Essay on the Mind-Body Problem and Mental Causation*. Cambridge: The MIT Press, 2000: 40.

时），而是你为什么运动了你的手臂。一旦澄清了行为与身体运动之间的区别，关于心灵的外在主义便不会受到副现象论的威胁。心理内容不靠引起身体运动的神经生理事件和状态就可解释行为。心理的东西并不因其外在性而剥夺了它的解释相关性。”①

为了把行为与身体运动区别开来，德雷斯基提出了他所谓的“成分战略”。他说：“行为不能等同于身体的运动和变化，而是导致身体运动和变化的因果过程。”②根据他的“成分战略”对行为与身体运动之间所作的区分，手臂、手指等的运动并不是行为，而只是行为的组成部分。因为行为 e 是一种展开的过程，由于这个过程，大脑的某种意向状态（如信念 C）便引起或产生 m，即身体的物理运动。一般来说，行为是借助物理系统的意向状态产生身体运动的过程。也可以说，是由三个因素构成的三角形，一是信念 C，二是身体运动 m，三是 C 和 m 之间的因果关系 R。在成分观看来，物理上相同的两个身体运动可以是两个不同行为的组成部分。如我的左手举起来，既可成为我挥手致意的行为的组成部分，又可以成为我做操的行为的组成部分。

基于这一区分，德雷斯基论述了意向性的因果解释作用问题，它包含两个部分。一是强调将意向性对身体运动的因果解释和意向性对行为的因果解释区别开来。在前一种因果解释中，意向性是原因，身体运动是结果；在后一种因果解释中，意向性是行为的一个组成部分。二是主张将触发性（triggering）原因与结构性原因区别开来。前者是直接引起一个事件的事件，如把温度控制启闭装置开启从而使火炉自动点火；后者是背景、条件性质的事件，是触发原因起作用的根据、条件，如温控启闭装置开启之所以能够使火炉自动点火，是由技术人员设计安装所决定的。

德雷斯基认为，上述两种原因适合于解释过程或事件系列，而不适于解释单个的事件。命题态度的语义属性就是以结构性原因在一系统中发挥原因作用的，因为这种原因可以说明行为过程的结构。根据他的信息语义学观点，意向性可理解为一种指示功能，依赖于信息接收装置和信息之间的因果协变，因此有宽内容的性质。如果是这样，则说明信息属性的因果作用就可以揭示意向性

① Dretske F. *Naturalizing the Mind*. Cambridge: The MIT Press, 1995: 152.
② Dretske F. *Naturalizing the Mind*. Cambridge: The MIT Press, 1995: 16.

的作用。但问题是，信息属性怎样相关于因果属性呢？

以温度控制启闭装置为例，它内置了双金属片 C，C 像温度计一样携带着关于房间温度的信息。当温度变化到一定程度，它就开启。它能够作为开关起作用，这是它的因果属性，而此属性又是与信息属性密切相关的。例如，由温度自动启闭装置控制的火炉被点着了，是因为电子点火开关被打开了，而后者又根源于双金属片的特定弯曲，此弯曲又是由它所携带的信息决定的，如房间温度降至 15℃，双金属片变曲，从而形成它的因果作用。很显然，这里的触发原因是 C 的弯曲，是它引起了结果：火炉点燃了。同样，在人身上引起身体运动的是大脑中的事件个例这样的触发原因。但这种解释是远远不够的，正像对火炉点燃了的解释仅仅诉诸 C 的弯曲不够一样。要作出令人满意的解释，还必须诉诸 C 所携带的信息，即它的内在状态的信息属性。如果是这样，就是在用结构性原因对行为进行解释。就温控开关而言，下述事实正好说明了这一点。这事实是，电器师用电线把双金属片与火炉连接起来，依赖的就是它的信息属性。这也是这样的事实，双金属片在温度下降到 15℃时就弯曲。因此，双金属片 C 可以解释温控开关的行为结构，即解释 C 为什么引起了 M。可见，C 由于被工程师设计成点火炉的原因而获得了派生的意向性，进而它的意向性可以解释温度控制启闭装置的行为。

再看老鼠按压杆子的例子，老鼠听到响声 P 就会按压杆子 M。P 在 t 时的出现可解释老鼠按压杆子这一行动。这是用触发性原因对老鼠行动的解释。但它为什么有这样的运动呢？对此的回答就进到了对老鼠内在的两个事件的协调的解释：一是老鼠在看到 P 时，内部产生了一种个例状态 C；二是它按压杆子 M。要解释两者的协调，就必须诉诸结构性原因。而要如此，还必须区分开两个待解释的事项：一是要解释老鼠的肌肉的收缩和电脉冲的传递；二是要解释为什么老鼠知觉到 P 就会跑开。前一解释要述及的是 C 的物理、化学、生物属性。后一解释，即对 C 与 M 的协调的解释，必须利用 C 的语义属性。就像房间的温度下降到 15℃时，双金属片就弯曲一样。这是被事先选择或设计好的。就有机体而言，这个协调是在种系进化和个体发生发展的历史中获得的。因为只有有这种协调，有机体才能生存下来。

从以上的分析可以看出，说明 C 与 M 的协调就是交代结构性原因。而在揭示结构性原因时又一定要涉及信息属性。例如，就温度控制启闭装置来说，电器工程师在制造它时，就要用到这样的信息：双金属片在温度降至15℃时就有相应的弯曲。由此所决定，温度控制启闭装置有内在的状态，它与温度协变。

第四节 推进心理因果性研究的方向

尽管新副现象论者和反副现象论者关于心灵的因果地位的争论方兴未艾，在某些方面取得了突破性的进展，争论的问题越来越明晰，新的理论和范畴也在不断涌现，但论战双方往往只就其中的某一个问题进行争辩，有一种打一枪换个地方之感，对新心理因果性问题的研究不够全面和系统，没有从整体上勾勒出心理动力论的概貌。笔者认为心理因果性理论的研究方向现在应该是心理动力论，不过，要想描绘出整体概貌，我们更应当注重对以下两个元问题的研究。

一是形而上学的因果性问题。要想合理地解释心身之间的因果作用，必须先弄清楚因果关系本身是什么，即什么是原因，成为原因要具备什么条件或资格；什么是因果关系，判断一关系是因果关系还是非因果关系的标准是什么，因果关系有哪些类型，这些类型之间的关系是什么，等等。尽管形而上学因果性问题远没有达到完全解决的程度，但对其的研究已达到了前所未有的深度和广度。事实上，形而上学因果性研究所面对的是一个牵一发而动全身的问题。它不仅普遍存在于基础物理学、化学、分子生物学、神经生理学等科学领域，还普遍存在于人们的日常言谈和解释、预言实践中。它不仅涉及信念、思想、意识和行动等心灵哲学问题，而且也直接关系到常识人学、常识心理学以及心理的结构、机制和动力学等跨学科问题。

二是心灵的本体论地位问题。心灵能够作为原因的一个前提条件是，它必须在自然界中存在。因为，因果关系是原因和结果之间的二元关系，如果原因项是空无，那么它与结果就构不成因果关系，更谈不上对结果发挥原因作用了。因此，如果要说明心理现象不是虚无缥缈的非自然或超自然的现象，那么就应该找到实现它们的物理条件，对其进行自然化。目前，将心灵自然化的手段主要有两种：一种是还原论的方法，另一种是突现论的方法。因为还原论的方法会导致方法与结论之间的矛盾，所以学者们更青睐于后者。著名的科学家、诺贝尔生理学或医学奖获得者斯佩里、埃德尔曼（Edelman）就是利用突现论的方法，对心理现象进行自然化的：心理现象既不是大脑某一部分、某一神经回路、某一子系统的特性和产物，也不是大脑的物质元素组成的静态系统的机能，而是作为动力系统的大脑在高水平的层次上的突现性现象，因为心理现象的产生依赖于物质元素及其结构，也依赖于时间过程，还依赖于各部分相互作用的能量消耗。因此，我们应及时地吸收能为我所用的、最新的科学方法和成果，推进心身问题的研究。

第十章
自我、自我意识与人格同一性

当今西方自我、自我意识与人格同一性研究最突出的特点是，以心灵哲学为主角，多学科“齐抓共管”。就切入的路径和方法论而言，它真的遵循了“怎么都行”的“无政府主义”原则，多角度、多层次、多学科并进。其表现是，从学科角度看，当今的有关研究有哲学、心理学、社会学、脑科学等不同维度；从问题角度看，研究者分别从本体论、认识论、语言哲学、实证研究等不同角度展开对本体论问题、认识论问题、语言哲学问题和科学问题的研究；从概念角度看，研究者分别从自我概念、自我意识概念、人格同一性概念等角度作了大量专门研究。另外，传统自我研究关心的主要是这样的本体论问题，即自我的真实性、本质、构成等，新的研究则呈百花齐放、百家争鸣的局面，如有的关心的是自我的发展、功能、构成、病理学，而这里的自我概念完全不同于传统自我概念；有的强调要先悬搁自我的本体论、形而上学问题，而要么先研究语言哲学问题，要么先研究认识论问题，要么先研究现象学问题。这样的变化就是通常所说的自我研究的三种重心转向，即语言学转向、认识论转向、现象学转向。鉴于国内的自我研究一直比较贫乏，尤其是没有现代意义的自我研究，甚至对西方当今如火如荼、方兴未艾、成就斐然的自我研究所知甚少，本章的重点将放在对西方自我研究以及与之密切相关的自我意识和人格同一性研究的考释之上。

第一节　自我研究的问题梳理

西方最近的自我研究尽管硕果累累、成绩斐然，但也有混乱的一面，这特别表现在所使用的概念和所关注的问题之上。为了方便读者把握和批判借鉴，我们有必要对之做一番清理工作。我们后面拟考释分析哲学的自我研究，因此对有关概念的梳理将放到那里一并处理，这里只拟对各种研究涉及的问题作一些梳理和归纳。我们认为，自我研究涉及的问题尽管多而乱，但我们可以根据问题的性质以及解决的方式，对它的问题域作这样的归类。

一、自我研究的形而上学问题

第一，本体论问题。把自我描述为一个事物（如实体）是否恰当？换言之，应把自我看作是存在库存清单中的一员吗？它有无本体论地位？如果有，其地位是什么？是一还是多？是具体的存在物还是抽象的存在？或仅仅只是社会的、心理学的构造？或是从神学科学上推论出的幻觉？如果自我真的存在，它在我们的有意识生活中有何作用？它何时起源？怎样起源、演变？

第二，起源与本质问题。如果对上述问题作了肯定回答，那么就必须进一步回答：自我何时出现？怎样起源、演变？是什么样的事物？是物理的，还是纯心理的，还是同时有物理和心理双重属性的实在？抑或是别的什么？有的认为，可把自我是什么这一本质问题分解为这样一些更小的问题：我由什么构成？我有哪些组成部分？我是抽象的还是具体的？我在时间上绵延吗？我的哪个属性对我来说是必不可少的？哪一些是偶然的？[①]

第三，关系问题。这极为复杂，可将其分为这样几个类型。①自我与心、身的关系问题，或如佛教所问的，自我与五蕴（人身上的色、受、想、行、识）的关系问题，即自我在五蕴之内还是在它们之外？如果在它们之内，自我是五蕴当中的哪一蕴或哪几蕴？与它们是什么关系？自我如果不在五蕴中，它又以

① Olson E. *What Are We? A Study in Personal Ontology*. New York: Oxford University Press, 2007: 3-6.

什么形式存在？②自我与他人、文化、社会环境是什么关系？③自我与自然界、生物进化是什么关系？④主体与自我的关系问题。

第四，自我的特点问题。如是不是始终同一的？是不是常一不变的？这些问题其实是对自我本质的具体进一步的追问。而哲学家在追问这些问题时，常把它转换成人格同一性问题。在此意义上，人格同一性问题是自我研究中的子问题。

二、自我的认识论问题

自我的认识论问题里面也有很多子问题，当前讨论最多的是，人事实上具有的自我认知、自我信念、自我感究竟是什么？是从哪里来的？其产生和形成的根源、条件是什么？这类认知是什么性质的知识？是不是实在的反映？另外，许多研究是围绕自我意识而展开的（详见下节）。这里略述一下我们前述的“认识论转向”。它强调的是，自我研究的重心应从本体论问题转向认识论问题，在程序上，强调应从解决认识论问题入手。所谓认识论问题，即人的自我感、自我信念或认知是什么，有哪些内容，是怎样来的，与自我是什么关系，人具有自我感的最起码的条件是什么，在什么意义上可以说自我感依赖于人的语言活动，人们是怎样得到关于自己以及自己的状态的认识、知识的，等等。如果有本体论问题，也只有在较令人满意地解决了认识论问题的前提下，才有可能去加以解决。因为根据转向的逻辑，过去的以本体论为中心和出发点的自我研究，是注定要走进死胡同的，事实上也是这样，研究越多，混乱越来越多、越大，问题解决的前景越渺茫。因为在追问自我是什么等问题时包含了对自我的预设，而有无自我恰恰是需要作为前提来加以探讨的对象。另外，传统的研究进路纵容了本领域的概念混乱，不事先清理概念，必将无功而返。这一现实正是认识论转向的一个动因。

三、心理学问题

心理学问题关心的主要是人的自我指涉经验（self-referential experience）之类的心理现象。它强调：即使没有独立的自我，每个人也可以有指向自我的心理，如各种指向自己的认知、情感经验的心理行为，每个人都会把自己作为对象来思考、欣赏，都会为之懊恼、悔恨，对之进行斥责，如自我批评、自责等。这些与自我有关的心理现象已成了社会心理学、发展心理学、认知神经科学的共同对象。

四、神经科学、精神病学问题

神经科学、精神病学问题亦即科学说明和理论成果的应用问题。这类自我研究正着力研究的问题有：自我能还原为神经过程吗？如果是这样，那么自我和自我意识的神经机制是什么？不能还原为大脑功能的自我方面究竟是什么？自我是社会的还是语言的、精神的现象，抑或是它们的总和？能用计算术语建模自我吗？中央区域的什么特征在自我加工中起着重要作用？自我与意识之类的特性有何关系？我们的方法论对我们把自我与大脑关联起来有何影响？自我研究的应用问题主要是指：这里的研究成果能应用于人工智能和计算机科技吗？能用计算术语建模自我吗？如果能，应怎样具体加以实施？等等。

五、自我的生态学问题

自我的生态学问题是由具身认知所催生的新的研究课题。生态自我这个概念最先由奈瑟尔（U. Neisser）提出。自我的生态学方面指的是，主体所完成的任何知觉或行动总是既提供了关于主体的某种信息，又提供了关于被知觉对象或做成的事情以及环境的信息。就此而言，这种具身的、生态学的、前反省的自我觉知比任何形式的自我认知更根本。[①]随着四 E（具身性、镶嵌性、生成性和延展性）理论的发展，一种新的心灵观和自我论，即宽心灵观、宽自我论，应运而生。它们认为心灵和自我不再是封闭于头脑中的东西，而是延伸到头脑之外，将身体和外部世界作为自己的有机构成。福格莱（K. Vogeley）和加拉格尔说："自我既是经验性的、生态性的，又是自主体性的；它们常常进行反省评价和判断活动；它们还能表现为各种形式的自我认知、自相关认知、自我叙事、

① Neisser U. "Five kinds of self-knowledge". *Philosophical Psychology*, 1988, 1(1): 35-59.

自专用知觉和运动。在这些活动中，与其说自我在头脑中，不如说在世界中。当然，它们在世界中更多是作为主体出现的，而非作为对象。”[①]

最后，自我问题中还包含许多关系问题，如意识与自我的关系问题。其中的子问题有：①意识是否一定包含着自我觉知？②有自我觉知是否表明有自我的存在？另外，还有自我与自我意识的关系问题。其中的主要问题是，①动物有自我意识吗？②人在什么时候开始有自我意识？其出现的必要条件是什么？③形而上学问题：什么是自我意识？④通过自知获得的知识属于什么类型的知识？自我觉知有哪些对象？其可能选项不外是自我等特殊实在、命题态度、情绪、身体。⑤自知的专门特征问题：认识自我是否有优越通道？是否可免错？⑥功能作用问题：自我意识在认知系统中有何作用？另外，自我问题与人格同一性问题相交织。首先应看到，两类问题构成了两个有相对独立性的研究领域，但又有其内在的关联。其表现是，自我论是解决人格同一性问题的一种方案。除此之外还有多种方案，如无主论、捆绑论、身体连续性理论、记忆连续性理论等。另外，人格同一性研究中所承诺的所谓人的历时性和共时性同一性，常常是许多自我论说明自我的本质特点的材料，在有的理论中甚至是出发点。

第二节 自我研究的不同进路

一、自我怀疑论与实我论

现当代的自我研究一般是从分析自我怀疑论和以二元论为基础的实我论出发的，因此这里就从对它们的考察开始。

自我怀疑论的基本态度是否定有我论或自我实在论所说的那种作为一个实在、一个小人式实体的自我，强调自我纯是一种形而上学的、逻辑学的、心理学的、语法学的虚构。其形式很多，这里只拟考察一下后现代的思考。后现代精神内在必然地包含着对自我的颠覆和抛弃。根据后现代的没有逻辑的逻辑，

① Vogeley K , Gallagher S."Self in the brain". In Gallagher S(Ed.). *The Oxford Handbook of the Self.* Oxford: Oxford University Press, 2011: 129.

根据它的“去中心”思想，中心既没有事实上的存在地位，也不应该有存在地位。因为有中心，就有不平等，就有霸权出现的可能。过去被视为人身上的绝对中心的自我，当然也应如此，即既没有事实上的存在地位，也不应该相信它存在。如果说人有我的话，它也不过是一个碎片化的东西，或者说是“我们”。

众所周知，所谓后现代主义，即对宏大叙事的不信任。而宏大叙事典型地表现在柏拉图主义之中，它承认有永恒真理、一般原则，有统一性、同一性，有起源、终点。后现代主义认为，没有存在的种、属，没有统一的存在意义，只有存在的多样性，或者说，存在的事物多种多样。因此，“内在固有性的第一个结论是异质性”。[①]这就是说，其否定同一性、否定自我等的理论基础是异质性，即不承认世界上有传统所说的同一性、统一性、普遍性、永恒性等。基于异质性这一前提，必然可以得出关于自我的这样的基本结论：人也是异质的事物，因为人的包括自我在内的一切经验都以时间为前提条件，随时间变化而变化。因为以时间为条件，所以自我在过去、现在、未来就不可能同一。劳勒（L. Lawlor）认为，“关于时间的经验表明：自我经验在产生时不会伴随同一的自我，在终结时也是如此。因此，后现代主义所说的自我可这样定义：正像没有关于话语的先验尺度，自我也同样没有同一的构成。我在我自己内部看到的不是同一性，而是差异性，（用德勒兹的话说）‘我是一个他者’。[②]我中的他者把‘我’即自我转化成一个‘我们’。但这个‘我们’是异质的，因此不是严格的‘我们’。”[③]质言之，自我就是许多个“我”合成的“我们”，而“我们”又不是严格意义上的“我们”。就严格意义的“我们”而言，作为自我的“我们”又是无，因为它只是一个没有同一性、同质性的杂乱集合。

当然后现代主义的无我论引起了激烈的争论，其焦点是，怎样看待作为政治主体的自我或社会的捆绑物的自我。从现象上看，这样的自我尽管难以得到科学和哲学的说明，但它们似乎又有不可否认的实在性和必要性。但从另一方面看，既然自我、一般的存在都成了异质性的东西，因此我们似乎不可能看到

---

① Lawlor L. “The postmodern self: an essay on anachronism and powerlessness”. In Gallagher S(Ed.). *The Oxford Handbook of the Self.* Oxford: Oxford University Press, 2011: 697.
② Deleuze G. *Difference and Repetition.* New York: Columbia University Press, 1994: 86.
③ Lawlor L. “The postmodern self: an essay on anachronism and powerlessness”. In Gallagher S(Ed.). *The Oxford Handbook of the Self.* Oxford: Oxford University Press, 2011: 697.

人性的同一性，人们似乎不可能结成利益、意志的统一体。如果是这样，政治主体又是如何可能的？后现代主义承认，人们可以借助权力和时间结成像捆绑物一样的东西，政治主体也是这样，但仅此而已。如果是这样，它们就不是过去所说的那种作为中心和自主体的自我。

从柏拉图、奥古斯丁到笛卡儿的二元论都坚持实在论的自我论，认为人的原本的精神性、灵性可还原为关于理性的重要而狭窄的概念。自我不过是我思，即人自己的有意识的心理事件，它是由单一、非物质实体构成的心灵。笛卡儿集大成式地提出：自我知识是一切知识的阿基米德点，而自我则是单一、不可分、简单、连续、同一、可免错地被认识的心理实体。它不仅有独特的本体论地位和本质，而且有不同于物质事物的本原。在现当代，随着二元论的东山再起，实我论也卷土重来，如有一大批哲学家，其中不乏较高地位的哲学家，在为它奔走呼号。在自我与心灵、肉体的关系问题上，它一般不否认三者有内在的联系，但认为这三者是不能混同的，如自我肯定不同于身体，因为身体只能处在从属的地位。自我与心灵或心理世界尽管关系密切，如自我是心理的东西，但它也不同于一般的心理样式，如不同于感觉、思想和情感等，因为自我是它们的主体、所有者。在这个意义上，如果说实在论自我论一般表现为二元论的话，那么由于它强调三方面的不同，也可说它实际上是一种三元论。当然由于不同的实在论自我论对作为自我的实在理解不同，如有的把它规定为实体，有的把它规定为属性或别的存在样式，因此实在论自我论便有不同的形式。现代二元论的著名旗手哈特认为，自我像心理现象、物理事物一样都属于“基本事物”，即能独立存在的、非派生的事物。他说：“基本事物可以独立存在，即是说，基本事物之存在不依赖于另类事物的存在。”[1]他像笛卡儿的二元论一样承诺了心灵的独立的存在地位。他认为，“对于二元论，不同的人可能有不同的表述。我们的版本是这样的命题：人（精神）的存在不依赖于他有一个身体”，换言之，与有一个身体无关。正是在此意义上，他强调心灵是可以“无体的”，即离开身体而存在。如果说这些看法没有超越笛卡儿式二元论的话，那么下述看法绝对是他自己的。他强调，他所说的“依赖性”有特定含意，就是模态的依赖性。

① Hart W D. *The Engines of the Soul*. Cambridge: Cambridge University Press, 1988: 4-5.

他说："与此相关的这种依赖性是模态的。"他承认，这个命题成真的唯一条件是人即使没有身体也能存在。他说："这个命题是真的，当且仅当人即使没有身体也能存在。"①

二、自我研究的现象学进路与最低限度自我论

下面，将按切入自我研究的进路对西方最新的自我理论作一番概括的考察。先看现象学的自我研究。

现象学所提出的自我论，特别是最低限度自我论，是当代自我论研究中与叙事理论、实我论等鼎足而立的一种理论。倾向于这一理论的主要是一些有现象学倾向的新老哲学家。著名哲学家加拉格尔、帕纳斯（Parnas）、达马西奥等都接受了它的基本观点，有些人尽管不承认自己是这一理论的倡导者，但在自己所建构的理论中往往部分接受了它的某些原则。加拉格尔和扎哈维说："现象学中的所有重量级人物都在辩护这一观点，即最低限度的自我意识是有意识经验的恒常的结构性特征。经验是以直接的形式且作为这种直接性的组成部分对经验主体发生的，因此它暗中成了自我的经验的标志。在现象学家看来，经验现象的这种直接的第一人称的所与性必须根据前反思自我意识来说明。"②

现象学的自我论与佛教的自我论有异曲同工之妙，如都有其以特殊方式实现的"破"和"立"。它不承认人身上有常识和传统实我论赋予人的那种以实体或实物形式表现出来的自我，不承认其他方案所设想的社会自我、心性自我、生态学自我、对话式自我、延展性自我、隐私自我、概念性自我、自传性自我、认知自我和神经自我等，但又没有走向无我论，而认为存在着一种有最低限度意义的自我。其独创性还在于强调，要说明人们的自我直觉，必须以意识或经验流为出发点，即必须进到经验的内部。这样一来，它的自我研究的任务便和它的一般现象学的任务完全一致了：只要研究经验的一般结构，只要能理解人对世界的经验是如何可能的，就够了。

这里将探讨融合了新老现象学成果、最具代表性的扎哈维的有关思想。他

① Hart W D. *The Engines of the Soul*. Cambridge: Cambridge University Press, 1988: 23.
② Gallagher S , Zahavi D. *The Phenomenological Mind: an Introduction to Philosophy of Mind and Cognitive Science*. London: Routledge, 2008: 46.

的基本立场介于实我论与无我论、无主论或无所有者论之间，一方面，他不承认有实体性、小人式自我；另一方面，又认为自我不是无，而有点什么，但它又不是经验之外或之上的东西，而表现为最低限度的存在，即意识本身的前反思自我意识或主观性。他强调：在自我觉知中并不存在能觉知的主体和被觉知的经验，只有一个因素，即经验存在着，经验向自身呈现。“正是这种自我呈现或自我显现才成了作为自身性（ipseity）的最原始、最根本形式的自我。‘我’即自我觉知的主体，只不过是经验的所与性的一个特征。更明显地说，自我是作为我的大量意向行为中的第一人称所与性的不变维度而显示出来的。”[①]这种自我的本体论地位是不难从现象学上加以证明的，人正是因为有自我，有自我意识，所以才有各种心理现象。而且人在完成这些过程时，能清晰地知道是自己而非他人在做这些事情。扎哈维说：当我思考某些想法、阅读一篇文章……时，我自动且持续地感觉到我自己而非任何他人正在做这件事。我的思维也正是以此方式而被塑造的。[②]他不仅相信自我存在，而且认为它有许多不可替代的作用，如对于恰当理解意识概念十分关键，因此它对许多学科，诸如心灵哲学、社会哲学、精神病学、发展心理学及认知神经科学来说是不可或缺的[③]。应特别注意的是，他所承诺的自我是最低限度的自我，即前反思性自我意识。既不能把它理解为独立的实体，也不能把自我意识理解为对独立存在自我的意识。如果说有自我意识的话，它指的是“对一具体经验所具有的对自己的意识”。这种意识也可理解为经验的主体性。他说：“存在着经验的主体性和对自我的最低限度的感觉，不仅当我意识到我正在感知一个蜡烛时是这样，而且每当有一个观点所有者、每当有一个关于经验的第一人称呈现或显现时，也是这样。正是前反思自我感觉为任何随后的经验归属提供了经验根据。”[④]

扎哈维有时把这种自我称作经验自我。为何称最低限度的自我为经验自我？有两方面的原因：第一，他不承认经验中有笛卡儿主义所说的实体性自我；

① Zhahavi D, Parnas J. “Phenomenal consciousness and self-awareness: a phenomenological critique of representational theory”. In Gallagher S, Shear J(Eds.). *Models of the Self.* Thorverton: Imprint Academic, 1999: 263.
② 扎哈维.《主体性和自身性：对第一人称视角的探究》，蔡文菁译，上海译文出版社2008年版，第175页。
③ 扎哈维.《主体性和自身性：对第一人称视角的探究》，蔡文菁译，上海译文出版社2008年版，第1页。
④ Zahavi D. “Unity of consciousness and the problem of self”. In Gallagher S(Ed.). *The Oxford Handbook of the Self.* Oxford: Oxford University Press, 2011: 334.

第二，连自足的、自控制的、与世界分离的实在残留物也不承诺，只承认经验本身所具有的第一人称的所与性、本原的自显现性。它不是一个东西，甚至不是与经验分离的性质，不是与世界隔绝的性质，故是“最低限度的”“最起码的”“最小的”。这样表述，无疑表明他碰到了一个本体论的窘迫，即自我有本体论地位，不是无，但本体论又没有现成的范畴能表述它。他说：“最低限度自我权且可定义为，各种变化着的经验中的遍行的第一人称所与性。”[①]质言之，不存在独立于经验的自我，它就是经验的主观性，而不是独立于经验流的某物。经验的特点在于一方面呈现对象（世界），另一方面又自呈现，又有主观的观点，经验除了关于主体之外，还关于别的某物。关于经验的现象学是这样的现象学，它强调觉知世界与自我-经验的统一性。[②]

三、自我研究的叙事学进路与叙事自我论

叙事自我论的基本观点可概括为：“我们的生活像故事一样。”即使其内部有许多理论形式，但有这样一个共识，即“自我在形式上是故事”。[③]类似的口号还有“自我是由故事构成的”“自我是故事性实在”。它有两个要点：第一，我们关于自我的感觉是故事性的；第二，自我的生活从结构上说是故事性的。它们没有太大区别，像同一硬币的两个方面。根据这种观点，“自我是这样的存在，他们不只是有一个历史，而且过着他们的生活。自我所过的生活可这样理解，即把人的生活理解为一个故事，故事中的人就是人的生活”[④]。其开创者是丹尼特，后在哲学和心理学中得到了许多人的论证。论证过这一理论的主要哲学家有麦金泰尔（MacIntyre）、泰勒（Taylor）、利科（Ricoeur），主要心理学家有拉德（Rudd）等。有根据说，这种自我论是当今最有影响和生机的一种理论。施克特曼（Schechtman）说：它“已得到了越来越广泛的认可”。[⑤]

---

① Zahavi D. “Is the self a social construct ”. *Inquiry*, 2009, 52(6): 563.
② Zahavi D. “Is the self a social construct ”. *Inquiry*, 2009, 52(6): 563.
③ Schechtman M. “The narrative self”. In Gallagher S(Ed.). *The Oxford Handbook of the Self*. Oxford: Oxford University Press, 2011: 394.
④ Schechtman M. “The narrative self”. In Gallagher S(Ed.). *The Oxford Handbook of the Self*. Oxford: Oxford University Press, 2011: 395.
⑤ Schechtman M. “The narrative self”. In Gallagher S(Ed.). *The Oxford Handbook of the Self*. Oxford: Oxford University Press, 2011: 407.

叙事自我论得益于西方已有的对于叙事的一般研究。作为一个研究课题，一般的叙事不仅是叙事学的主题，而且还成了社会学、心理学、认知心理学、心理分析、文学等的课题。例如，许多人用叙事构架对人的生活和同一性作叙事分析。反过来，叙事自我论对于自我叙事这一叙事个例的研究又有反哺一般叙事研究的作用。具言之，它与新兴的叙事研究具有互利互惠的关系。前者是一般叙事理论的推广，加之它对叙事的元问题作了创造性研究，因此又推进和深化了一般的叙事研究。

叙事自我论的直接动因就是要解释人事实上所具有的自我感。换言之，它先悬搁有无自我、自我是什么之类的本体论问题、本质问题，直接从人有自我感这一事实出发，进而去探讨这种自我感的根源和条件。就此而言，它也是自我研究认识论转向的一个产物。它认为，每个正常人都能把自己与别人区别开来，能把不同时空中的自己觉知为同一个人，尤其是每个人都有完善的自我感，尽管科学和哲学告诉我们：我们内部不存在不变的、始终同一的实体。每个人有自我感（即相信有自我，觉得有自我）的表现是：①人的行为决策和处理让人觉得其后有一个自我；②人有物理内聚力；③人有连续性、连贯性；④人有心理的敏感性；⑤能与别人进行有效的人际交流；⑥人有创造力、组织力；⑦能可靠地传递信息等。[①]只要去追问人为什么有自我感，自我感从哪里来，只要去思考关于人的本体论问题时，必然会碰到三类问题。①人的本质特征问题：是什么把人与非人区别开来？②人格同一性问题或人的识别问题：此刻面前的一个人与昨天看到的人或30年前看到的人是同一个人吗？一个人能成为不同的人吗？③人的描述问题：什么使我成了我所是的一个人？叙事自我论的基本结论是，人之所以能把人与非人区别开来，并意识到自己不同于他人，自己是一个在不同时空中保持同一性的自我，主要是因为人有叙事、自传式记忆之类的能力。

当然，叙事自我论也有形而上学的动机。正如弗拉纳根所注意到的，人到了一定时候都会用“我”这个索引词。在它被运用时，它不仅有索引功能，而且有回答“我是谁”“我是什么”之类问题的功能，因为这个“我”浓缩了很多

① Hardcastle V G. *Constructing the Self*. Amsterdam: John Benjamins Publishing Company, 2008: 112.

信息，如他的经验、他的知识、他的性格特点等。这个“我”有无真实指称，如果有，究竟指什么？弗拉纳根概括说，索引词“我”具有扑朔迷离的性质，因此可称作魔法般的“我”。[①]叙事自我论的提出就是要对这个谜作出解答。

叙事自我论还有这样的动机，即旨在克服最低限度自我论没有说明人的时间上的延展或绵延这一局限性，进而有违反直觉和常识、不能解释大量客观事实这样的问题。例如，有这样的事实，即人都有对过去的记忆，知道哪些事情属于自己，哪些不属于自己；另外，人都有关于过去和现在的连续性的意识，人有连续的自我感；最后，人还有统一性、同一性的意识。如果是这样，在构想自我概念时，难道不应反映这些事实吗？叙事自我论就是为解决这些问题而创立的。

叙事自我论有三种不同的倾向：一是带有解构主义色彩的叙事自我论；二是带有实在论倾向的叙事自我论；三是介于两者之间的折中理论。

第一种理论主要表现为丹尼特的“叙事引力中心模型”。这种自我论其实是他的带有解构色彩的解释主义在自我问题上的推广或应用。而解释主义创立的一个动机就是为心灵祛魅。当然其他人在发展这一理论时有这样的动机，即克服最低限度自我论没能说明人的时间上的延展或绵延的局限性。根据这一新的观点，自我在本质上是人的叙事能力的产物，因此可称作叙事自我。这种自我尽管客观上是不存在的，但有时间上的绵延性，如包括对过去的记忆、对未来的意图。有的人把它称作延展性自我，因为它具有或多或少的一致性、连贯性，由我们所讲的关于自己故事中的过去和未来所构成。这一自我论的特点在于：突出人的叙事、编造自我传记的能力，认为人之所以有跨时间的长期的、历时性、统一性的意识，有自我感，是因为人有其特有的叙事能力及结构。基于这种结构，人们编造关于自己生活的故事，将经验和行为组织、统一起来。这一理论的宗旨、实质旨在说明什么决定了人的同一性，什么使自我的持续得以完成，什么让人有自我感、同一感。基本观点是，自我就是一个故事，是为叙述、解释的需要而设定的。如果是这样，过去建构的以自我为中心的各种心灵观就被颠覆了。

---

① Flanagan O. *The Problem of the Soul: Two Visions of Mind and How to Reconcile Them*. New York: A Member of the Perseus Books Group, 2002: 224.

丹尼特强调，自我可定义为各种叙事的抽象的引力中心。在这里，各人所讲的关于自我的故事都是围绕一个人而展开的。须知，这里的自我不是真实的存在，而是人们为解释人的行为而强加或归属于人的，就像地球上没有引力中心，我们为了满足解释的需要而说它有引力中心一样。他说："我们的故事是编出来的，但在多数情况下，不是我们编故事，而是故事编我们。我们人的意识，我们的故事性自我正是它们的产物，而不是它们的源泉。"[①]

第二种带有实在论倾向的叙事自我论认为，自我概念是以人的叙事能力为基础的，但这里的叙事不是虚构、杜撰自我概念，而是有其真实的反映性，因此由之而形成的自我概念是有其真实的对象的。这种自我论的思想萌芽可追溯到法国著名哲学家利科的有关论述中。他认为，故事自我不是各种故事汇聚中的一个抽象的点，而是某种更丰富、更具体、更具基础性的东西。因为一个人的自我故事总是与别人关于自己的故事交织在一起的。[②]他首先强调成为有意识的人与成为一个自我是不同的。成为自我的必要条件是去做或去行动，因此自我的特点在于行动的完成，而非所与。例如，自知、自我理解，就不是一劳永逸的所与，而是必须去获得的事情。只要生命还在继续，就没有最终的自我理解。自我也是这样，因为自我不是一个事物，不是某种已形成的、不变的东西，而是正在进化的东西，是不能与自己的自我理解、解释相分离的东西。可见成为自我不同于成为 44 岁，不同于成为黑头发、苗条的。当我们在回答"我是谁"时，我们一般会用叙事的方式，讲一些故事，如讲一些据说是重要的情节、事情，它们是构成我们生活的主旋律，是确定我们是谁的东西。总之，回答"我是谁"，就是讲关于自己生活的故事，这个故事说明了我从哪里来，我朝何处去。[③]在人格同一性问题上，他的理论介于笛卡儿主义和休谟主义之间。笛卡儿认为，人有同一性，其根据是人内部有不变的自我或精神实体。休谟认为，同一性及其根源都是幻觉。利科认为，这两种说明都不可取，应该代之以叙事同一性概念。在他看来，叙事自我的同一性依赖于叙事构建，不同于同一事物的抽象同一性。其表现是，叙事同一性是包含变化、转变、不同的同一性，而且这种变化就在一个人

---

① Dennett D C. *Consciousness Explained*. Boston: Back Bay, 1991: 418.
② Ricoeur P. *Oneself as Another*. Chicago: University of Chicago Press, 1992.
③ Ricoeur P. *Temps et Récit III*. Paris: Éditions du Seuil, 1985: 442.

的生活的内聚之中。另外，只要人没死，生活的故事就会继续编造下去。正是这种经常的重编、重构，生活本身便变得丰富多彩起来。[①]

乔普宁（Jopling）的叙事理论接近于并发展了利科的思想，认为叙事同一性不仅有变异的特点，而且在参照系上也很特别，即故事中的同一性除了相对于自己而言之外，还会相对于别人，即有社会的维度。因为要形成叙事性自我理解，必须有这些参照。一个人是谁，依赖于他所具有的价值观、理想和目标。而这些东西又依赖于他作为其成员的社会共同体。就自知而言，这不只是一个纯粹认识自己的问题，因为认识自己远比纯粹认识自己的信念、身体复杂，必须涉及与他人的比照。当我根据一种生活故事解释我自己时，我既是叙事者，又是故事中的主人翁。我自己的故事的开端总是由他人造成的，这个故事展开的方式只有部分是由我的抉择决定的。因为个体生活的任何故事总与别人（父母、朋友等）的故事交织在一起，所以它镶嵌在更大的历史的、共同体的意义授予结构之中。[②]麦金太尔认为，自我的统一性"寄存在叙事统一性之中，这种统一性把从生到生活、到死的过程看作是故事的开头、中间和结尾"。在这里，是什么让我们自己是变中的不变者、异中的同一者？[③]他认为，在关于自我的叙事中，发生在我身上的事情不能被解释为孤立的东西，而应看作是正在进行的包含自我的故事的组成部分。特定的行为、愿望、信念、个性等能否被看作是我的，取决于它们能否包含在关于我的叙事结构之中。为了使过去的经验成为我的，为了确认过去自我、现在自我的同一性，仅从第一人称观点记住过去的经验是不够的，而必须认同那在时间中发生了改变的经验，必须注意和感知与它有效的联系。在把它编进我们的故事时，我们越是欣赏它，它就越属于我。总之，正是叙事成就了对生活的多样性、异质方面的综合。发生在不同时间的事件和经验正是通过编进一个叙事时间结构之中而获得了它们的统一性。不难看出，叙事理论试图说明人格同一性，说明人在不同时间、地点中的持续性、统一性，其基本观点是，人的自我同一性、持续性中独有的东西不是所与，而是不断去完成。它既是我们能够成功完成的东西，又是会以失败而告终的东西。

---

① Ricoeur P. *Temps et Récit III*. Paris: Éditions du Seuil, 1985: 443.
② Jopling D A. *Self-Knowledge and the Self*. London: Routledge, 2000: 137-139.
③ MacIntyre A. *After Virtue: a Study in Moral Theory*. London: Duckworth, 1981: 205.

它是构建的同一性，是历史和叙事时间起作用的地方。时间性在这里不是自我同一性的障碍，而恰恰是关键性的前提条件。

第三种是由施克特曼等试图论证的折中的叙事自我论。根据她对叙事自我论的研究和梳理，这一理论目前仍处在上升阶段。她说："我们的生活像故事一样。这一观念在关于自我的更正式的学院式研究中一直受到广泛关注。"即使其内部有许多理论形式，但有这样一个共识，即"自我在形式上就是故事"。[①]对此，当然有不同的表述，如有的说"自我是由故事构成的"，有的说"自我是故事性实在"。它有两个要点：第一，我们关于自我的感觉是故事性的；第二，自我的生活从结构上说是故事性的。它们没有太大区别，不过是同一硬币的两个方面。根据这种观点，"自我是这样的存在，他们不只是有一个历史，而且过着他们的生活。自我所过的生活可这样理解，即把人的生活理解为一个故事，故事中的人就是人的生活"[②]。这类叙事自我论的特点是，没有偏离根据叙事、故事说明自我、自我感的大方向，但又不同于前述的激进叙事自我论和实在论的叙事自我论，而试图走一条中间路线，如既不赞成传统的自我实在论，不承认人身上一个作为实在的、小人式的我，但又承认人身上有特定意义的自我。其中，也有许多不同的方案。

叙事自我论的样式很多，根据不同的标准可作出不同的分类。著名哲学家小斯特劳森根据学科基础和特色把它分为如下两类：一是心理学的叙事论，可称作"直接经验的、描述的理论"；二是伦理学的叙事论。[③]它们的样式都很多。根据我们的判释，哈德卡斯尔的叙事自我论是第一类中较典型的形式，弗拉纳根的"改进型的叙事自我论"可看作是第二类中的典型。如果从激进程度的角度说，这两类叙事自我论是可以放入我们前面所述的三种激进程度不同的叙事理论中的。

四、自我研究的分析哲学进路与"索引词方案"

分析性心灵哲学是现当代心灵哲学两个走向之一，像现象学传统一样，也

① Schechtman M. "The narrative self". In Gallagher S(Ed.). *The Oxford Handbook of the Self*. Oxford: Oxford University Press, 2011: 394.
② Schechtman M. "The narrative self". In Gallagher S(Ed.). *The Oxford Handbook of the Self*. Oxford: Oxford University Press, 2011: 395.
③ Strawson G. "Against narrativity". *Ratio*, 2004, 17(4): 428.

对研究自我、自我意识和人格同一性等问题表现出了持续升温的态势。最引人注目的是，维特根斯坦和安斯科姆等对与自我有关问题的创造性分析、研究受到了后来许多分析哲学家持续的关注，并引发了创发性探讨和争论。这里限于篇幅，我们只拟选择一位在当今比较活跃且极有建树的分析性心灵哲学家——皮科克的自我探索，作为个案来加以考释。接着，我们再对最能代表语言分析哲学成果的关于索引词“我”的研究成果作出考察。

皮科克从分析哲学的立场对心灵哲学的广泛问题作了大量有个性的探讨，成果颇丰，尤其是在意义或心理内容领域，倾注了大量心血，取得了骄人的成绩。尽管意义问题与自我问题是两个不同的研究领域，但他从意义理论的角度根据他所建立的意义理论对自我问题作了独到的回答，如对作为索引词的“我”作了独到的分析。20 世纪末以来，他又就自我及其相关问题作了专门探讨，完成了大量论文和专著。这里，我们先来考察他从意义理论角度对自我的研究，然后再来分析他最近的相关成果。

根据皮科克的思路，要认识自我，首先或关键是弄清“我”或“自我”一词的意义，而要如此，又必须建立作为其前提的一般的意义理论。为此，他对广泛的意义问题作了专门探讨，建立了极富个性的、代表着本领域最新进展的意义理论。

在《世界之镜》一书中，皮科克将西方现代的“语言学转向”具体落实于传统的自我研究之中。这主要表现在，他不像通常那样去追问自我是否存在、有何本质特点等问题，而花大力气对第一人称概念或作为特殊的索引词的“我”作细致的甚至有点烦琐的分析，进而建立了蔚为壮观的理论体系。他的结论既对立于无主论或无所有者理论，又不赞成说“我”指的是小人式实在，只认为它指的是一种特定意义的主体。如果“我”有真实指称，即一种特定的有意识主体，那么就有必要和可能探讨有关的认识论和本体论问题。先看他从认识论角度所作的探讨。在《世界之镜》一书中，他认为，他提出了关于有意识主体、自我的第四种观点。前三种观点即这个领域中三种最有代表性的理论。它们分别是：①笛卡儿的自我论。根据这一理论，自我是不同于物质实体的精神实体或心灵或灵魂。②斯特劳森的人论。他既反对上述实体性的自我论，又不赞成休谟式的无主论或无所有者论（有心理现象，但它们没有主体，没有所有者）；

既反对把心理谓词归属于精神实体，又反对把心理谓词归属于物质实体，认为只能把心理谓词归属于人。③休谟的捆绑论或无主论。其认为如果说有心或有我的话，那么它不过是一束观念，是用一系列心理和非心理因素构造起来的实在。皮科克的第四种选择可概括为“以一种特殊方式研究关于主体的本体论”。首先，它是一种本体论，即承认自我、思维主体有特定的本体论地位。其次，它在建构这种本体论时完成了思维和建构方式的变革。例如，它先搁置对作为实在的自我的探寻，而将注意力放在关于自我的表征、关于自主体的表征上，着力探讨的是这类表征有哪些形式，是怎样形成的，我们用什么方法可以接近、找到它们。质言之，寻找这类表征是他的“第四选择”的一个重要方法。这其实是倡导自我研究认识论转向的又一表述方式。根据这一方案，在研究与自我有关的问题时，应先悬搁关于自我的本体论问题、形而上学问题，而从人事实上具有的自我感，事实上具有的关于自我的信念或认识、表征出发，先弄清它们是什么，有哪些样式，怎样出现在心中，然后再去研究它们是从哪里来的，其实质是什么，等等。

在对自我感、自我表征作追根溯源的研究中，皮科克首先对有关概念作了区分和梳理，强调自我感、拥有感不同于第一人称（I，即作主格的“我”）。先看第一人称（I）。它的指称与意义问题不是皮科克最先提出和探讨的问题，而是一个一直在争论的问题。安斯科姆认为，第一人称没有任何指称。埃文斯认为，“我”（I）是每个人有意向地指称自己的一个设置，即每个人都有这样的属性，在用“我”一词时，指的是作为主格的“我”。皮科克为了说明自己的看法，将它放在与自我感、拥有感的关系中加以探讨。关于拥有感或所有者感，皮科克指出，在经验中，借助现象学，人们不难识别拥有感。例如，人在取得关于感觉、思想、身体的经验时，会说它们是“我的”。这种意识即所有者感，或这样的体认，即意识到自己是有关经验、思想的所有者。他说：“拥有感是这样的感知，那些经验是‘我的’。”[①]拥有感与第一人称的区别是十分明显的，这种区别类似于克里普克所说的关于法则（*de jure*）的名称和关于事实（*de facto*）的名称之间的区别。皮科克说：“心理事件的第一人称非概念内容是这样一类内容，

① Peacocke C. *The Mirror of the World: Subjects, Consiousness, and Self-Consciousness*. Oxford: Oxford University Press, 2014: 8.

它的例子是关于法则的，指的是心理事件的主体。”[①]这就是说，第一人称的本质构成是，任何例示都指向了心理事件的主体，而心理事件的内容包含着那个例示。第一人称有两种：一是概念性第一人称，它出现在概念性内容之中；二是非概念性第一人称。皮科克受弗雷格的启发，提出了关于它的本质的“主体构成假说”，它强调的是，意向内容是由基本指称规则而个体化的，可表述如下：使一非概念内容的一个因素成为第一人称某物的东西是，当例子出现在心理事件或状态 M 的内容中时，一对象 X 是那类例子的一个所指的基本条件是，X 是 M 的主体。[②]这个假说不是说非概念的第一人称是某种伪装的描述性、直陈性复合内容，因为非概念内容本身是非构成的，即不是复合内容，如说的不是这个状态的主体。非概念第一人称仅仅是非概念内容中的一个构成因素，即前面所说的作为 M 主体的 X，或心理状态的所有者。这也就是说，作为心理状态所有者的第一人称是不同于主体的。有意识主体也可存在于具有非概念第一人称内容的心理状态之中，但它是关于规则条件的结果，表征的是关于主体的某物，因此主体是自我表征者。

通过这些分析，皮科克得出了这样的结论，即作为自我的主体的存在地位是不容否定的，至于它是什么，表现为什么，以什么方式存在，那都是另外的问题。因为如果有些心理状态和事件有非概念内容，那么有这样的内容就一定内在地包含着对主体的指称，如一物体朝我驶来，这尽管是一个感觉，但里面有对主体“我”的指称。[③]作为主体的我有存在地位，因此自我感、主体感就是顺理成章的事情。反过来，有自我感、主体感，也可倒推出某种有存在地位的东西。皮科克认为，不仅人有自我感、主体感，而且其他动物也有，因为“它们也有具有非概念内容的心理状态”，这是它们与人相同的地方。[④]

英美多数语言分析哲学家在对“我”一词的分析上坚持的是不同于传统的致思路径。例如，它不太关心这里的本体论、形而上学问题，至少不一开始就

① Peacocke C. *The Mirror of the World: Subjects, Consiousness, and Self-Consciousness*. Oxford: Oxford University Press, 2014: 9.
② Peacocke C. *The Mirror of the World: Subjects, Consiousness, and Self-Consciousness*. Oxford: Oxford University Press, 2014: 10.
③ Peacocke C. *The Mirror of the World: Subjects, Consiousness, and Self-Consciousness*. Oxford: Oxford University Press, 2014: 12.
④ Peacocke C. *The Mirror of the World: Subjects, Consiousness, and Self-Consciousness*. Oxford: Oxford University Press, 2014: 14.

切入这些问题，而将注意力放在了该词的指称和意义问题之上，即试图通过对该词的用法的分析，揭示它的指称和意义，最终达到澄清过去在这个领域中常陷入的混乱的目的。在这一研究中，还形成了所谓的“索引词方案”。

索引词是当前语言学和哲学中讨论得比较多的一个对象。“我”显然是典型的索引词，因此对之作索引词分析自然成了许多论者津津乐道的话题。作为这个研究路径开创者的维特根斯坦、安斯科姆等花大力气对“我”或“自我”的用法、指称与意义展开了大量细致入微的分析，其目的就是要否定笛卡儿主义的作为“精神实体”的“我”。他们认为，“我”表面上有真实的指称，其实不然。根据笛卡儿主义的观点，它指的是一种性质或实体，这性质可以成为思考和研究的对象。从本体论上说，“我”是有独立存在地位的，“我”是精神实体。例如，当我言说或思考“我”时，我便能肯定“我”所指的东西是存在的。这被指称的一定是某种东西，它不同于血肉之躯。安斯科姆提出，避免笛卡儿主义的自我论的唯一方法就是放弃人们在运用“我”一词时所想到的全部观念。根据笛卡儿主义的观点，我们的第一人称观点和用法具有权威性、不可错性。例如，对于对我自己的第一人称认识好像也是这样，好像我晓得我是一种性质，我有到达它的优越的通道，因而我们可以如实地认识它，即我是以特殊的方式知晓它的发生的。在以这种方式知晓时，用不着属性所有者的辨认或认知。在他看来，“我”其实不指称任何东西。即使有指称，指的也不可能是笛卡儿式的实在，充其量只是“实践上的一个必要的东西”。[①]例如，我说“我牙疼”，这里的“我”就是交流上必需的一个条件。它的运用使交流得以可能，但并未指牙疼后面还存在着一个在疼的主体，因为我是直接知道牙疼的，这疼发生在身体的某个部位，不是发生在“我”上面。

维特根特坦认为，“我”的用法是很多的。有时，它指的是一种表征过程，如我能看到一个红番茄。这个句子说的不外是“一种直接的经验被表征了”[②]。另外还有两种用法：一是用作主体，如说“我将到商店买点东西”；二是用作对象，当我们把自己说成是公共环境中具体实在或人类个体时，就是指这种“我”，

① Lichtenberg G. *The Waste Books*. New York: New York Review of Books, 2000: 190.
② Wittgenstein L. *Preliminary Studies for the "Philosophical Predestination"*. Oxford: Blackwell, 1960: 88.

如说“你不要惦记我”“请给我一杯水”等。[①]

埃文斯通过把“我”与其他索引词进行比较表达了自己对“我”的指称的看法。他认为,“我”一语在用法上类似于“这”“现在”“今天”等索引性语词。人们在运用时，一般不会犯错误，即不会对我、你、他作出错误分辨，就像不会把现在与刚才混淆一样。例如，我现在很饿。在这里，饿的时间、饿的主人都不会有错。而说以前的某时或某人的饿则可能犯错误。它们之所以不可错，是因为它们共有一些特殊的指称方式。在指称时，它们不同于专名、摹状词，因为它们是以“相对于话语之说出的角色”出现的。它们有这样的角色，又是因为制约它们的指称规则具有自反性，如被人说出的“我”指的正是那个说出话语的说者。具言之，这些词总是相对于话语之说出而言的，或与之有关，由于有关，它又具有反身性或反射性。如“现在”一词指的正是话语说出的那个时间。同理,“我”一词指的是说出那个话语的说者。这些话语的所指处在与话语说出的关系之中，是作为某种与话语之说出有关的角色而出现的。“我”与其他索引词的相同性还表现在“我”和“现在”都不指一个对象，即它们的所指不会把自己表现为一个对象或一个事物。[②]

还有这样一种语言分析哲学的看法，即“我”像“现在”“这里”“今天”等索引性语词一样，是没有固定指称的，或不指任何具体实在。这类语词也可称作辅助性的表达式，其特点是它本身不指什么，本身没有内容，只有与别的词相结合才有指称和意义。例如，世界上就不存在“现在”所指的东西，世界上也没有与“这”“那”对应的东西，即孤立地看，在世界上找不到它们的所指，只有由人使用，用在特定的语词下，才有其意义和所指。“自我”也是这样。因此，沃尔海姆（R. Wollheim）说:“要想找到对人和自我这类概念的正确分析，那是不会有任何结果的。”[③]意思是,“自我”本身单独看是没有任何指称的，孤立地去加以分析，是没有用的。只有在具体的语境下，当它与别的词相结合时，才可找出它的指称和意义。

D. W. 史密斯不赞成“我”等语词没有真实指称的说法，反而论证了对立

---

① Wittgenstein L. *Philosophical Remarks*. Chicago: University of Chicago Press, 1975: 66-67.

② Evans G. “Self-identification”. In McDowell J(Ed.). *The Varieties of Reference*. Oxford: Clarendon Press, 1982: 205-233.

③ Wollheim R. *The Thread of Life*. Cambridge: Cambridge University Press, 1984: 22.

的看法。他通过分析索引词、索引性内容、自反内容、内觉知等概念说明了这一点，强调要理解“我”，必须首先理解相关概念，如索引性语词，即打上引号的“我”“这”“那”。其次是索引性经验、索引性内容，如我看见了“那只跳跃的青蛙”，引号中的“那”是索引性内容，整个句子表述的就是索引性经验。此外，还有索引性觉知，有两种，一是通过知觉，觉知到某对象，如从内在方面把人的经验觉知为“这个经验”，或把自己觉知为“我”，移情性地把“你”“他”觉知为另一个“我”。另一索引性觉知形式是索引性觉知的一个特例，即人有自我觉知或自我感。人有自我感，这是事实，即使不存在自我，自我感也会出现。[①]现在的分析心灵哲学和现象学都十分关注这一课题，试图弄清这种自我感的表现和根源。

五、自我研究的社会学进路与伦理学论证

本节的任务是概述实用主义和有关心理学分支，其中特别是社会心理学、发展心理学、进化心理学的自我研究。它们共同的关键词是“社会性自我”。它们的基本观点是，如果说人身上有自我的话，那么它不是传统哲学和常识所说的小人式的、单子式的自我，而是社会性自我。质言之，自我是在社会生活中建构出来的，自我经验以主体间性为中介，但自我又不同于经验。很显然，这种理论根本有别于现象学的自我理论。因为后者认为，自我没办法与经验、意识分割开来。根据社会自我论，一个人之所以有自我感，其必要条件就是存在于社会生活中和主体间。尽管这种理论内部分歧很大，但有一点是共同的，即都否认主观性和自身性，不承认人内部有天赋的、自主的、自发的东西。现象学家扎哈维不赞成社会学方案，认为它忽视了人的经验的基本结构，试图撇开经验探寻自我。他说：“在说明自我时，它不管我们经验的基本结构和特征。这是没有前途的。”[②]事实的确是这样，社会性自我论不承认经验的自主性、天赋性，因此认为自我不是所与的，而是在社会互动中逐渐生成、完成的。相应地，它们认为，已有的别的自我研究及所形成的理论都是无效的。瓦格纳（H. R.

---

① Smith D W. “Consciousness with reflexive content”. In Smith D W, Thomasson A(Eds.). *Phenomenology and Philosophy of Mind*. Oxford: Clarendon Press, 2005: 102.

② Zahavi D. “Is the self a social construct?”. *Inquiry*, 2009, 52(6): 551.

Wagner）说，要建立有效的自我理论，必须遵循两个基本原则，即主体性原则和主体间性原则。前者强调的是，“在定义我和自我概念时，要一致于作为基础的真正主体性和这些人的社会特征”。后者强调的是，“要关注现实生活与他人共有的日常生活条件和环境中的人的自我”①。这两个原则好像是由现象学提出的，其实，在他看来，美国的心理学家特别是社会心理学家、认知心理学家比胡塞尔做得更出色，如詹姆斯、库利（Cooley）和米德（Mead）等就是如此。

须特别说明的是，这种进路尽管有共有的基本概念，如“社会性自我”，有大致相同的问题意识，如都想从社会心理学、发展心理学等角度探讨：人的社会性自我是怎样通过社会的方式起源的？如果有其发生和发展，又是怎样发生和发展的？但对“社会性自我”的理解是有其独特性的，且有内在的分歧。例如，有的人说的社会性自我指的是由社会力量所形成的一种实在，而有的人，如这一研究的开创者米德，所说的社会性自我是一种对自我的社会性认知，或一种认知性的能力或机制，有点接近于最近认识论转向所说的自我感或自我认知。由此决定，不同倾向所要回答的问题及其答案自然有相应的差别。

米德是社会自我论的真正的创始人和集大成者。他的理论的特点是，用发生学、发展心理学、社会心理学观点研究人的自我怎样从动物的相对弱的本能倾向演化而来。他解决自我问题的立场是行为主义。当然他的行为主义有其不共的特点，即不是个人主义的内在行为主义，而是社会行为主义。他认为，自我作为心灵的核心方面是社会的产物，当然语言在这个过程中也作为一个必要条件发挥了重要作用。例如，借助语言这一机制，自我、心灵、社会便形成了。生物个体转变为有心灵的有机体或自我是通过语言这个媒介完成的。他的贡献是，用生物社会学术语回答了心灵和自我如何在行为过程中产生出来的问题。他根据生物社会学观点强调：动物没有自我，人一生下来也没有自我，自我是在社会经验与活动的过程中产生的，是逐步发展起来的。②

米德的社会自我论的特点在于，对自我的社会本质作了深入、具体的剖析。

① Wagner H R. *Phenomenology of Consciousness and Sociology of the Life-World: an Introduction Study.* Edmonton: University of Alberta Press, 1983: 75.

② 米德.《心灵、自我与社会》，赵月瑟译，上海译文出版社 1992 年版，第 120 页。

他说：自我本质上是一种社会结构，并且产生于社会经验。[①]他的根据是，人们通常根据我们所属的群体以及我们所处的社会情境对整个自我进行组织[②]。他说：完整的自我的统一性和结构性反映了作为一整个的社会过程的统一性和结构性……完整自我的结构性反映了完整的社会过程。[③]米德所说的自我起源于社会生活，说的不是作为本体论实在的自我，而是作为认识的自我经验或自我认识。因此，对自我的社会学、发生学、发展心理学分析实际上是对人的自我经验的产生、发展过程的研究。他强调：自我经验是在社会中产生的，而且这种经验是间接的。他说：个体经验到他的自我本身，并非直接地经验，而是间接地经验，是从同一社会群体其他个体成员的特定观点……来看待他的自我的。[④]意思是，只有当个体生活在群体中时，他才学会了以他者的观点从外面来看自己，于是便有关于自我的经验。因此，人的自我认识、自我经验是离不开他人、离不开社会的。换言之，自我成为自己的对象得益于社会，尤其是交流。有交流，人才可以成为他自己的对象。

新实用主义热衷于社会自我论的创造性发展。如梅纳里（Menary）也关心自我感有无对应实在这一问题。他基于自己的社会心理学研究和自己所坚持的新实用主义得出结论："如果说存在着自我的话，那么它只是我们所做的事情（包括我们所想的）。因此我们所做的事情不应看作是不同于我们所是的东西。"在这里，他对古典实用主义作了发展，其表现是他"阐发了四个相互联系的论点"。它们可以"说明古典实用主义文本中包含的关于不可靠自我的概念"。这四个论点是：①作为非笛卡儿主义的可错的自我；②作为动力学上能觉知的可错的自我；③作为社会自我的可错的自我；④作为道德自主体的可错的自我。这就是说，人们通过社会交往所形成的自我是有其真实性的，只是这种自我具有可错性（而非有些人所谓的有对误判的免疫性）、社会性、道德自主体等特点。[⑤]

---

① 米德.《心灵、自我与社会》，赵月瑟译，上海译文出版社 1992 年版，第 125 页。
② 米德.《心灵、自我与社会》，赵月瑟译，上海译文出版社 1992 年版，第 127 页。
③ 米德.《心灵、自我与社会》，赵月瑟译，上海译文出版社 1992 年版，第 128 页。
④ 米德.《心灵、自我与社会》，赵月瑟译，上海译文出版社 1992 年版，第 123 页。
⑤ Menary R. "Our glassy essence: the fallible self in pragmatist thought". In Gallagher S(Ed.). *The Oxford Handbook of the Self*. Oxford: Oxford University Press, 2011: 610.

论证作为道德自主体的可错自我不是梅纳里一个人的观点，而是代表了新实用主义自我研究的一种新的倾向。如科拉彼得罗（Colapietro）等也对之作了阐发性论证。这种自我论比前述社会自我论又进了一步，其表现是增加了这样的思想：自我要作为有自我控制能力的自主体起作用，他不仅要有对错误和无知的知晓，而且“能够成为目的和力量的中心”。[①]为了完成既定的目的，为了发展自身的力量，自我必须指向末端开放的未来。在这种自我的形成中，内部言语为自我确立和自我控制提供了能力条件，其作用表现在，它塑造了一个审慎的、评价性自我，这种自我的作用就是通过批判地分析习惯、个性、后果等决定道德行为的方向。另外，审慎自我在引导行为时还有校正的作用，有选择行为的作用，有形成和克服某种习惯的作用。这种自我发生作用的方式就是进行批判性反思。而批判性反思就是在内部进行批判性对话。

当今社会性自我研究还有这样一个角度，即从道德责任角度所作的自我研究。它主要研究人的自我与道德责任的关系。如休梅克写了《道德责任与自我》（“Moral Responsibility and the Self”）一文。一般认为只有承认每个人有同一不变的自我，才能解释人们为什么对自己的行为采取负责的态度，才能解释人们为什么有道德责任意识。[②]有这样一个老生常谈，即每个人对自己的行为负有道德责任。从这个角度建立的自我论一般表现为自我实在论。因为若不承认自我的真实存在，就没办法解释人们为什么有责任意识，为什么会对行为负责。这种从责任角度对自我的论证可称作关于自我存在的伦理学论证。可这样表述这个论证：每个人要对自己的行为负责任，他必须是由他的意志控制的。要如此，他的意志又必须是由他的深层自我所控制的。因此，自我一定是存在的。相对于深层自我来说，意志只能算表层自我。深层自我也可称作真实自我。当行动从根本上依赖于真实自我时，这个行动就是人应对之负责的行动。沃尔夫对真实自我观作了这样的形式概述：“一个自主体对 X 负有道德责任，当且仅当 X 可归属于那个自主体的真实自我，即是说，当且仅当（a）那个自主体有一真实自我，（b）那个自主体能基于他的意志控制行为 X，（c）那个自主体能基于

① Colapietro V. *Peirce's Approach to the Self: a Semiotic Perspective on Human Subjectivity*. Albany: State University of New York Press, 1989: 74.

② Shoemaker D. “Moral responsibility and the self”. In Gallagher S(Ed.). *The Oxford Handbook of the Self*. Oxford: Oxford University Press, 2011: 487-518.

他的随意系统控制他的意志。”①

再看关于自我的“社会建构论”。其特点是，它不满传统的把人看作个体、只关注其心理生活、忽视社会维度的研究方法，反对从心理能力的角度定义自我，而强调自我对社会的依赖性，强调心理学与社会学在自我研究中的携手。就此而言，它的确具有反西方主流文化传统的意义。有的人评论说，它倡导的新自我概念对立于“西方民主传统和资本主义联姻而产生的关于个体自我的概念”。②它的源头可追溯到维科、尼采、杜威和维特根斯坦。其中期发展的最重要成果是伯杰（Berger）和卢克曼（Luckmann）1966 年合著的《实在的社会建构》这一辉煌的带有里程碑意义的著作。其基本观点是应到人的社会关系中去寻找关于世界和自身的知识的根源，如真与假、对象与主体、科学与非科学、理性与非理性、道德与非道德的对立都是由历史文化和社会过程造成的。根据这种建构主义，知识、理性、情绪、道德的寄生地不是人的心灵，而恰恰是关系。其基本原则是，“我们视之为关于世界和自我的知识的东西源自人际关系”。这种理论有时被称作“结构主义”（constructivism），有时被称作建构（构造）主义（constructionism）。有的人认为，它们没有区别，可替换使用。现在也有人强调它们的区别，如有人认为，结构主义的特点是把心理实践看作是社会过程的反映或具体化。有些人根据个体心灵内的认知过程来定义结构主义，如认为个体的知觉解释能力源自他们关于世界结构的看法。它重视语言的中心性作用，试图用语言交流说明知识的社会起源。从维特根斯坦开始，语言不再被当作映射工具，而强调语言的用法决定了语言的意义。不仅如此，许多人进一步强调：对世界的说明也应根据语言的运用。而建构主义则不同，它接受了维特根斯坦的语言游戏说，认为语言游戏渗透在广泛的生活形式之中。例如，人在交流动机时所服从的语言惯例是与某些活动、对象、集合等连在一起的。我们这里采用“社会建构主义”这一说法。

社会自我论除了得到新实用主义的推进之外，还得到了持其他立场的思想家的拥护和发展，当然其科学基础是一致的，即都坚持从社会心理学、发展心

① Wolf S. *Freedom within Reason*. Oxford: Oxford University Press, 1990: 28-35.
② Gergen K. “The social construction of self”. In Gallagher S(Ed.). *The Oxford Handbook of the Self*. Oxford: Oxford University Press, 2011: 633.

理学等视角作出探讨，并利用这些科学的成果。由于立场上的差异，新型的社会自我论便有不同的形式，如融合了现象学成果的社会自我论、关于自我的“放大自我”、生态学自我论等。生态学自我论由奈瑟尔等倡导。他们注意到，不同的人所说的自我是不同的，大致说来，主要有这样一些不同的理解，即生态学自我、人际间自我、延展性自我、私密性自我、概念性自我。[①]他们还注意到，自我以前是纯哲学的课题，20 世纪末以来，经验科学也介入了对自我的研究。其共同的倾向是，反对自我怀疑论或取消论，强调有特殊形式的自我的存在。有关领域的科学家认为，承认自我的存在是神经科学、精神病理学的前提，即使是破碎的自我，也是临床实践的组成部分。克里克认为，对自我、意识的纯哲学研究是没有前途的，要从根本上解决这里的问题，必须诉诸经验研究。批评者认为，神经科学的自我研究局限于寻找自我的神经关联物，这是行不通的，也没有意义。

奈瑟尔等倡导的“生态学自我论”也是一种带有科学价值取向的自我论。它的着眼点是自我意识的个体发生。他们发现，人们在知觉周围环境中的对象及其运动时，人们必定同时获得了关于自己的信息，这信息是前语言的、非概念的。再者，新生儿一生下来就有模仿能力，如一岁前的婴儿会模仿别人的面部表情。这一事实表明他们一开始就有对表现出的姿势的学习匹配能力，进而有非概念的、生态学的自我觉知。这里的“生态学”强调的是觉知的系统性，如在觉知对象时，就包含对自己的原始觉知。[②]他们认为，有学习、匹配的能力对个体的发展极为重要，因为只要有这种能力，就意味着婴儿能做三件事：①把自己与非自己区别开来；②不用视觉，只需借助本体感觉就会对身体的某些部位作出定位和调动；③认识到自己所看到的面部相似于自己所知道的面部。基于此，就可得出结论：新生儿的这三种能力构成的是人的最原始的自我意识，人类婴儿已具备了具身的、生成的、能从生态上调适的、最低限度的自我。[③]

六、自我研究的认知科学进路与具身自我论

我们这里所说的认知科学是广义的，不仅包括学界一般承认的这样一些学

① Neisser U. “Five kinds of self-knowledge”. *Philosophical Psychology*, 1988, 1(1): 35-59.
② Neisser U. “Five kinds of self-knowledge”. *Philosophical Psychology*, 1988, 1(1): 35-59.
③ Neisser U. “Five kinds of self-knowledge”. *Philosophical Psychology*, 1988, 1(1): 28-33.

科，如计算机科学、认知心理学、哲学、语言学、人类学和神经科学等，而且还包括一些新生的交叉性学科，即认知科学哲学、认知神经科学等。已有人指出过，“认知科学”是一个糟糕透顶的名称，因为它让人以为它是专门研究认知现象的科学，不管怎么解释它、放大它都难以表达它真正在研究的对象。其实，它研究的范围极为广泛，有时甚至超出了心理的范围。例如，它的研究包括心灵的所有方面，或心/脑的所有方面，包括具身的经验和行为，从低级的心理到高级的思想，从婴儿的发展到成人的人格，从个体行为到社会现象，从认知到情感、动机等。

先看新计算主义关于自我的构建主义方案（constructivist approach）。所谓新计算主义，是为克服过去的计算主义只注重形式或符号转化的弊端而创立的一种理论。过去的“计算”概念是从机器计算中抽象出来的，因而只有句法性。在新计算主义看来，要抽象出科学的计算概念，就要关注人的计算。人的计算本身是意向现象。如人关于 2+5 的计算关涉的是外在事物相加的关系。新计算主义自认为，它也可为解决传统的自我问题出力献策。塔尼（Tani）认为，如果计算模型能说明人的一切行为，那么对自我问题也是如此。为此，他强调可根据构建主义来理解自我。塔尼说：“所谓构建主义方案，我指的是这样的方案，即基于机器人这样的人工系统来建模人和动物的各种认知和行为，进而来理解这些认知及行为。”[①]如果有自我的话，也可根据它来说明，如可把它看作是“储存在大脑中的程度和数据的集合的倾向”。例如，抉择程度受制于目的-状态。基于能动的目的-状态抉择的算法决定了该让哪个命令付诸实施。意向行为就是这种命令的物理的实现。总之，根据计算，辅之以别的机制，就可说明人身上表现出的一系列智能现象，如知觉、自由意志、语言运用、抉择、理论建构等，当然也包括自我。

构建主义的自我方案的鲜明特点是，根据对机器人的学习实验研究，用动力学系统语言说明自我。根据这一方案，大脑中有由多种模块构成的网络模型，其中，从下到上的知觉和从上到下的预见之间存在着相互作用的动力学。机器人实验也表明，机器人的学习自发表现出在稳定和不稳定之间的切换。在稳定

① Gallagher S, Shear J(Eds.). *Models of the Self*. Thorverton: Imprint Academic, 1999: 149.

过程中，只要环境与内部的动力学协调一致，从上到下的预言对于从下到上的知觉就有好的作用。在不稳定时，两者就出现冲突，协调随之消失，内在中枢系统就必然混乱。通过这些研究，该方案得出了这样的自我论结论：①自我的结构一致于开放的动力结构，后一结构可用基于目的指向性的稳定性和具身性引起的不稳定性之间的共存来加以描述；②在自我有觉知作用的地方，开放动力结构就会引起该系统自发过渡到不稳定阶段。[①]塔尼说："所谓构建主义方案，我指的是这样的方案，即基于机器人这样的人工系统来建模人和动物的各种认知和行为，进而来理解这些认知及行为。"[②]

再看情境化理论的自我研究。其基本精神是，试图超出心灵的单子性疆界，冲出单子性心灵的"象牙塔"，而为心灵建立新的栖所。根据这一方案，过去的心灵理论的特点是"狭隘"、封闭。而情境化理论代表的是认知科学的新的走向或转向，都突出头脑之外的情境因素对认知形成和构成的作用，因此也被称作认知科学的情境化运动。它们强调的头脑之外的因素即情境因素对心的形成和构成的作用，将心的定位扩展至头脑之外，因此是一种反传统的心灵观。当然它们分别有不同的侧重，如具身理论强调全部身体对心灵形成和构成的作用，延展理论强调身体以外的环境的作用，生成论或行然论强调行为的作用，镶嵌论强调的是心嵌入了心以外的有关因素。

这里只拟考察具身理论的自我研究。其突出的理论建树是，扬长避短，对自我与身体的关系这一自我论的重要问题作了专门具体的探讨。在西方，从关系上探讨自我，一般会从这样两个角度展开，一是研究自我与心灵的关系，二是研究自我与身体的关系。就后一种研究来说，一般不外三种基本回答：一是，自我不是身体，不同于身体；二是自我就是身体，唯物论一般持此论，如法国唯物论者伽桑狄就是如此；三是各种形式的折中主义。其中一种强调，自我不是身体，但离不开身体。其内又有多种形式。第一，具身论，这里的具身指的是自我具体化、混合在身体之中，有两种：①笛卡儿所说的具身，认为心在身体之中，但精神不需身体帮助就能发挥作用；②混合在身体之中，认为精神的作用离不开身体。第二，构成论，认为自我或主体以身体为构成成分。第三，

① Gallagher S, Shear J(Eds.). *Models of the Self*. Thorverton: Imprint Academic, 1999: 150.
② Gallagher S, Shear J(Eds.). *Models of the Self*. Thorverton: Imprint Academic, 1999: 149.

由梅龙-庞蒂所开创的一种理论，它也强调具身，但不同于前面所说的具身。它认为，主体既是具身的，又是由身体构成的。这里重点剖析这种具身论。

首先剖析梅洛-庞蒂的思想。他认为，人的自我经验的基本形式根源于人的身体经验以及身体置身于世界对象和他人中的经验。说人的自我性或自身性与说人居住在人自己的世界中是没有区别的。人在意识中，就是通过自己的身体居住在世界之中。[①]由此所决定，具身理论对自我的理解也发生了革命性的变化。它完全拒绝传统和常识对自我的小人式、单子式理解，强调自我对身体的依赖性，或身体对自我形成和构成的不可或缺性。身体的变化、变动必然导致对世界的知觉的变化、变动，如人知觉到的物质事物的大小、形状就依赖于人的身体的构造，依赖于作为经验的、具身的主体的自我的构造。梅洛-庞蒂也重视主体间性，认为我们对他人的自我的认识是由之所促成的。就主体间性本身而言，他认为主体间性离不开活体，是以活体为中心的。根据这个思路，可把主体间性理解为身体间性，即我的身体与别人身体间的直接的前反思性的知觉联系。正是通过这种联系，我得以认识他人身体是改变了的我，进而理解他的行为的意义。从这个角度看，主体间性是肉体的共享，而非分离个人间的关系。说主体间性是身体间性，强调的不外是身体图式的转化以及知觉的原始的结合。正是通过这种知觉，我认识到他人相似于我自己。

新的具身自我论有多种多样的走向和论证方式。例如，精神病学家或热衷于这方面成果的哲学家基于异常心理事例论证了一种具身自我论。他们从探讨精神病及其原因出发，探讨了具身性对自我的作用，说明了具身性对人的完整的自我感的不可或缺性。其基本观点是，人之所以有正常的自我感，有统一的人格意识，表现为正常的人，主要是因为他们有正常的机体感。相反，若有异常的机体感或体感幻觉，则一定表现为某种形式的精神病。

神经科学对自我的研究有不同的关切，如有的关注传统的关于自我的本体论问题，如自我在人的大脑中是否存在？如果存在，以什么形式存在？神经科学怎样予以描述？人们普遍相信的那个自我究竟是什么？有的鉴于神经科学至今仍未看到作为实在的自我的踪影，于是改变思路，转而研究人的自我感的经

① Merleau-Ponty M. *Phénomenologie de la Perception*. Paris: Gallimard, 1945.

验根据、机制：如果有其神经关联物，那么它们是什么？有的表面上在研究这样的本体论、本原、本质问题：如果存在着自我，有无与自我对应的物理过程或实在？自我根源于什么？什么引起了人们所说的自我？等等。其实只是在研究自我感的对应之物。有的说，大脑使自我的形成成为可能。其实，大脑只能使自我感的形成成为可能。因为在有关的实验研究中，被试是没办法报告自己的作为实在的自我的，即使真的有这种自我也是如此，只能报告自己的自我感觉和有关的经验、想法、情感等。研究者借助工具、仪器对被试报告他们经验时发生的大脑过程的观察显然不是对自我的观察，充其量是对自我感的观察，因为自我与自我感是两个完全不同的东西。这也就是说，神经科学即使可以介入这一领域的研究，但限于现有的条件，只能在研究自我感方面大显身手，尚不能直接介入对自我的研究。与自我有关的问题在目前乃至相当长的时间内，只能是形而上学的驰骋疆场。再说，“自我”一词有数不胜数的所指，且都是基于形而上学推论甚或想象、隐喻、类推而设想的，在目前要将它们转向实验观察的对象，是十分不现实的。下面我们考察的主要是神经科学对自我感的研究，即使有的声称对自我作实验研究，如说“关于自我实验研究的方法论”，他们真正研究的也只是自我感或某些别的认知性、经验性的现象，而非作为实在的（不管是实体还是属性、状态）自我。不过，我们在介绍有关成果时，仍会沿用他们的说法，如说“从实验上观察、描述自我”等。

最近对自我的神经科学研究可以说发生了“根本性变化”，真可谓“鸟枪换大炮”。一些新的工具和仪器的引入，对自我的实验研究才真的变成了现实，才真的开始了其“现代化”的历史。例如，人们已开始用功能磁共振成像技术研究人的自指（或自我指涉）加工。脑电图技术当然是最经常的工具，它也用来研究自指加工。这种加工是当前神经科学自我研究的核心关切。所谓自指加工或涉己加工（self-referential processing），指的是人内部所发生的与自己有关的种种心理活动，如对自己作出思考、想象、联想，也指与自己有关的情感、意志活动，就像人有以外物为对象的心理活动一样。借用新的手段对它的研究主要有两种方案：第一，它可以同时用脑电图和功能磁共振成像进行成像操作，因此就可以确定这两种技术所提供的关于与自指有关的区域的信号的叠加程度；第二，直接研究自指加工的脑电图关联物本身。尼亚列夫（Knyazev）运用这两种方案作了大量研究，所得的结论是，借助与功能磁共振成像证据的比较，可以肯定存在着人的自指的加工过程的脑电图关联物。这关联物主要存在于大脑的中前额皮质中。从时间上说，对与自己有关的信息的分辨与关联于他人的信息分辨常与事件相关电位 P300 有关，但有时可在更早的时候看到。就频率来说，不同频率的振动对自指加工有不同的作用，自发的自指心理活动常与 alpha 波段的频率有关。[①]就目的而言，神经科学的自我指涉研究主要是想从实验科学角度探讨自我指涉加工的神经关联物，寻找与这种加工有关系的大脑区域。这里当然有这样的预设，即自指加工有其神经关联物。不过，也有人基于对有关成果的“元分析”认为，不存在专属自我加工的大脑区域。[②]

当前神经科学自我研究还有一个特点，即注重研究病理性无意识中的自我。众所周知，在正常意识的情况下，自我的表现以及与意识的关系都是正常的。但在意识紊乱的情况下，我们则会看到异常的自我。如果自我有其关联物，那么异常自我也应有其神经关联物，尽管它们可能很特别。基于这样的推断，神经科学家便运用神经成像技术来捕捉相应的关联物。例如，当被试受到涉及自我的刺激（如病人的名字或面部）时，就观察病人的大脑的神经激活情况，结果发现其大脑后部和前部皮质区有被激活的表现。大量的成像表明，病人的这些区域有严重损伤。

神经科学的自我研究也有这样的倾向，即不是以自我感为对象，而直接以在大脑或人身上寻找自我为目的。当然其进路不同于前一倾向。它主要从进化论的角度研究人的自我怎样从低级动物的有关结构及经验中发展出来。著名的神经科学哲学家帕特里夏·丘奇兰德的自我研究就是这样。她关注的不是自我感有何表现、有何神经关联物之类的问题，而是自我是否存在、以什么形式存在之类的自我的形而上学问题。她的结论比前述的观点有所放大，即主张自我即大脑，而非大脑的某一或某些子系统。为论证自己的这一观点，她撰写了大量论著，其中最为重要的是《触碰神经：我即我脑》（*Touching a Nerve: the Self as*

---

① Knyazev G G. “EEG correlates of self-referential processing”. *Frontiers in Human Neuroscience,* 2013, 7(24): 264.

② Knyazev G G. “EEG correlates of self-referential processing”. *Frontiers in Human Neuroscience,* 2013, 7(24): 264.

Brain）一书。[①]该书对大脑功能探讨作了自传式反思，并试图揭示这种思考对于心理学范畴化的不可或缺的意义。针对一些哲学家“憎恨大脑”的立场，她针锋相对地提出了这样的观点：自我等于大脑或自我就是大脑。其根据是，人的自传式因素（关于自己生平的一系列故事）可与科学、哲学关于人的心理的具体观点无缝隙地同一在一起。

一些精神病学家或热衷于这方面成果的哲学家基于异常心理事例，从探讨精神病及其原因出发，探讨了具身性对自我的作用，说明了具身性对人的完整的自我感的不可或缺性。其基本观点是，人之所以有正常的自我感，主要是因为他们有正常的机体感。正常的机体感就是人对自己身体的内在的知觉，也可理解为人的生存感。而异常的机体感则是不正常的身体感觉，如对身体的幻觉。20 世纪初的法国心理病理学家一般认为，身体感受异常就会导致四种精神病中的一种精神病。胡贝尔（Huber）认为，有四类精神分裂症：①偏执狂；②紧张症；③青春型精神分裂症（青春期痴呆）；④身体感异常精神分裂症，其特点是有异常的身体感觉，如身体的疼痛感，或离奇的感觉，如感觉自己身体放大、变多，或不存在，觉得身体沉重、无力、放光、萎缩等，或觉得自己从一个机体移至另一机体。[②]另外，有的人认为，身体感的异常还可表现为身体幻觉即离体感，如觉得自己的身体成了自己之外的一个对象或活体。

意大利学者斯坦盖利尼（Stanghellini）对异常的自我感与精神分裂症之间的关系作了具体研究，认为自我感异常的一种形式是离体感或去身体（disembodiment）感，即感觉自己失去了身体。这种感觉是具身性的反面，同时是精神分裂症的一个特征。因为病人只要觉得自我离体，觉得自我与对象的关系和人际关系离体，都会进入这样的世界，在这里，病人像无心的身体一样生活和行动。[③]精神病人的自我感是，自我是离身的、去身的。根据他的研究，离体的心灵经验有三个表现。第一个表现是觉得自我离体。所谓自我的离身性感觉可理解为精神病人的自身性的危机或麻烦。这种危机至少有两方面，一是觉得自己的身体是无生的，被剥夺了知觉、思想之类的活生生经验。病人常有这样的感觉，即自

---

① Churchland P S. *Touching a Nerve: The Self as Brain*. New York: W. W. Norton and Company, 2013: 304.
② Stanghellini G. “Embodiment and schizophrenia”. *World Psychiatry*, 2009, 8(1): 57.
③ Stanghellini G. “Embodiment and schizophrenia”. *World Psychiatry*, 2009, 8(1): 58.

己失去了在场，觉得自己与自己的经验分离开来了，心与身的裂隙被加大了。在严重的病例中，人觉得自己内部是空的。二是觉得自己是一个无身的精灵，一种从外面思考自己的抽象实在。他们经验到的自己是离体的精灵，或完全没有身体，他们仿佛成了自己经验、思想的旁观者。他们对自己采取的完全是一种彻底二元论的观点：身体与心灵绝对分离开来了。第二个表现是觉得自-他关系离体，自我-对象关系离体。在这些关系问题上，正常的经验是，始终觉得自己以身体为基础卷入、生活于世界之中，异常经验则打破了这样的联系，不再觉得自己以身体为基础而生活于世界之中，没有这样的感觉，没有对世界的把握。因为没有这样的把握，所以他们对事物的意义的理解也异常了，有时甚至没有意义授予。这就是人们经常看到的，病人语无伦次，其实是他们的话语完全与情景无关。他们用的是我们所说的词，但词并没有通常的意义与所指。这就是语词的离体性、去情景化。第三个表现是病人对自己与他人的关系不能有正确的认知。这是主体间的离体经验，是一种紊乱的经验。病人有时表现为孤独症、自我中心主义，以为除他之外什么也没有，其根源在于，他们不能进入与他人的正常的情感协调、交流之中。[①]

七、自我研究的融合进路

在最近的自我研究中，出现了这样一种新的倾向，即按照认识论转向的要求，先研究自我探索中的认识论、语言哲学问题，然后再来探讨广泛的科学机制问题、心灵哲学问题、形而上学问题甚至有关的伦理道德问题，在此基础上对已有的研究成果作创造性的综合和发挥，进而建立带有兼收并蓄性质同时又具有创新性的自我理论。这种综合是名副其实的大综合，如既有将各种哲学自我论加以综合的色彩，又融合了有关科学的研究成果，还有对分析传统和现象学传统自我论的融合。这里我们重点剖析加拉格尔和小斯特劳森所做的工作。

加拉格尔是美国著名的哲学家、认知科学家，当今世界哲学舞台最为活跃的人物之一，主攻方向为具身认知、社会认知、自主体系统、精神病学哲学、现象学等。其著述宏富，在心灵哲学中的最大建树是与扎哈维合写了《现象学

① Stanghellini G. "Embodiment and schizophrenia". *World Psychiatry*, 2009, 8(1): 59.

的心灵》一书，短短几年已出两版。众所周知，心灵哲学有两大传统或走势，即分析性心灵哲学和现象学心灵哲学。前一方面，已涌现了不计其数的专著和教材，而到目前为止，他们的这本书不仅是现象学心灵哲学的奠基、开山之作，而且是系统论述现象学心灵哲学的唯一一本专著。在自我研究这一领域，他不仅多产，而且是当今世界这一研究领域的名副其实的组织者、领导者，曾策划出版了以自我为主题的多本论文集。它们代表的是西方自我研究的最新、最高水平。

在方法论上，加拉格尔发起和实施了自己的转向，一是赞成在自我研究的出发点乃至第一阶段要从对形而上学问题的关注转向对现象学的研究，二是要由原先常用的抽象方法转向情景化方法。抽象方法即传统自我研究常用的方法，其特点是将本不可分割的人与情景、世界人为分割开来，抽象加以研究，如只关注人之内的东西，不关注人在特定情景下的行为，即不关心人的情景化行为，用反思、内省等方式去观察内心，试图找到作为意识之构成因素的自我或意识的统一性。因为这种方法把意识、自我当成了对象，所以就没法真正弄清楚它们在行为王国中所扮演的角色。另外，许多关于自我意识的方案、科学实验的方案等试图将要探寻的自我与它们所出自的情景化行为割裂开来，因此是用一种抽象的、分离的观点去看自我。所谓情景化方法，就是强调关注自我意识的情景化形式，探讨它们是否能成为关于自我的理论的基础。它不孤立看待和考察自我，而努力在与它不可分割、相辅相成的情景中予以考察，即“把自我看作是情景化于行为王国之内的东西”。他们说：“只有在更情景化的框架之内，人们才有可能建立更接近于根基而远离抽象的理论。”[①]换言之，借助这种方法，我们可以建构出一种关于自我的更广泛的、更少抽象性的模型。[②]很显然，这是他们坚持的具身认知理论发起的以四 E 理论为核心内容的情景化认知运动的一个表现。

加拉格尔自我论的综合的特点主要体现在他的“自我模式论”中。前述的情景自我只是自我模式中的一个自我。他曾有这样的交代：创立这种理论的宗旨就是采取跨学科的方案，以弄清自我由什么构成、是什么。根据这一理论，

① Gallagher S , Marcel A J. “The self in contextualized action”. In Gallagher S, Shear J(Eds.). *Models of the Self*. Thorverton: Imprint Academic, 1999: 274.

② Gallagher S , Marcel A J. “The self in contextualized action”. In Gallagher S, Shear J(Eds.). *Models of the Self*. Thorverton: Imprint Academic, 1999: 275.

自我由许多独特的方面或特征所构成，其中主要有最低限度的具身方面、经验方面、情感方面、主体间方面、心理或认知方面、叙事方面、延展方面、情景方面等。

加拉格尔建立自己关于自我的模式论借鉴了心理学中的情绪模式论的某些思想。“这种模式论是自我模式论的一个极好的典范。”这是因为：第一，它表达了一个关于模式的可通约、可公度的概念，它指的是相同类型的模式；第二，情感本身是构成自我模式的一个方面。[①]因此，要理解他的自我模式论，一定要理解情绪模式论，它们在形式和结构上有同型性。根据情绪模式论，模式指的是一组典型特征。如情绪就是一个束概念，它包括大量典型特征。换言之，诸典型特征构成的一个模式，就是一个情绪。如情绪就包括下述特征，它们合在一起就是一个情绪：①自动的过程；②行动；③外显表情如面部表情，还有姿势等；④现象感觉；⑤认知方面，如态度、注意转移、知觉变化；⑥意向对象，情绪所关于的，如被知觉、记住、想象的对象；⑦情境方面。这些方面都是变量，作为变量又会在情绪的动力结构中表现为不同的值和权重。

明白了情绪的模式理论就不难明白自我的模式理论，因为两者在形式、结构方面是一样的。加拉格尔说：“我们称作自我的东西是由某些因素所构成的一种复杂的、充分的模式。”[②]从语言角度说，所谓“自我”，其实是一个束概念，它包含足够多的鲜明的特征。这些特征组合在一起所形成的某种模式就是一个个别的自我。也可以说，自我是某些组成因素合在一起组成的一个复杂的充分的模式。从表述上说，自我是一个束概念，它汇集的是大量充分的典型特征。一些典型特征组成的一个样式就是一个特定的自我。根据这个观点，自我是作为复杂系统起作用的，而此复杂系统又是从诸构成方面的相互作用中突现出来的。这些构成要素是在进化中确定下来的。因为自我是一些特定的特征的组合，所以它一定有共性和个性。共性在于每个人的自我都由一系列典型特征所构成，都是突现性系统。如果自我概念抓住的是共性，那么它是哲学层面上的自我，可这样定义：自我是各种构成性模式或模式集合的元模式。每个具体的人的自

① Gallagher S, Marcel A J. “The self in contextualized action”. In Gallagher S, Shear J(Eds.). *Models of the Self*. Thorverton: Imprint Academic, 1999: 202.
② Gallagher S. “A pattern theory of self”. *Frontiers in Human Neuroscience*, 2013(7): 1-7.

我尽管包含共性，但也有个性。这种具体的自我就是一个自我模式或样式。每个人的自我的不同在于：构成自我的东西是许多典型的特征，其中的一些组合在一起形成一个样式，这样式就是一个自我。这也就是说，不同人的自我之所以不同，是因为它们的特征组合不同。这不同可能由多方面所决定。例如，有可能是特征的数量不同，一个自我多一个或少一个特征，就一定会不同于另一个自我。即使两个自我的特征相同，如果特征的值和权重不一样，其自我便有区别。总之，特定的自我就是由一系列的特征组成的一个特定模式。

根据加拉格尔的模式论，已有自我论各自所抓住的方面只是自我模式中的部分特征或方面，远不是其全部。要形成全面的认识，还有待长期的、进一步的探索。根据他的初步研究，他认为，可以对作为自我的模式由以构成的特征、方面提出一个试探性的列表。他承认，它并不完全，另外，人们对这些特征可能有不同的看法。他同时不否认，这些特征中的每一个不一定是每个个别共同的，也就是说，有些个别自我可能没有其中的某个特征。但不管怎么说，只要有自我，就一定有由一定数量的特征所构成的模式。

（1）最低限度的具身方面：包括核心的生物学方面、生态学方面。正是这些方面让系统对自身和不是自身的东西作出区分。

（2）最低限度的经验方面：身体系统之所以是有意识的，是因为它在从第一人称角度、前反思地进行体验。这些方面的作用是，使所有者有经验感、具身感。例如，正是因为有这些方面，所以人们便会说，某某经验是“我的”。另外，最低限度的经验还能让人知道自己是行动的动因，即让人有动因感。

（3）情感方面：每个人都会表现出某种性情、气质这一事实足以说明人是情感因素的特定混合。

（4）主体间方面：人甚至非人动物天生都有与主体间的实在发生关系或进行协调的能力。例如，他们能意识到别的事物在场并在注视自己，连婴儿都会注意别人的注视和眼睛朝向。

（5）心理/认知方面：例如，自我意识。正是因为有这一方面，所以人能从概念上把自己与他人区别开来，有对自己的个性特征的认识。这是传统自我理论所强调的方面。

（6）叙事方面：叙事理论认为，自我是一种叙事性实在，当然有不同的形式。一种观点认为，叙事或作出叙述、编造自传、讲自己的故事是自我的基本构成，人的自我理解、解释有叙事结构。另一种观点认为，叙事是由大脑产生的。丹尼特等认为，自我作为一种叙事是虚构的产物。加拉格尔只承认人的叙事能力是自我的构成方面。

（7）延展方面：主要指构成自我的物理方面，如衣服、房屋以及人所拥有的别的方面，另外还可包括人所学到的技术、工作的场所、所居住的土地、所在的国家等。

（8）情境方面：指的是人们在形成关于我是谁的认识时起作用的一些外在方面，如家庭结构、成长的环境、文化、风俗习惯等。[①]

应注意的是，构成自我模式的这些特征有这样的特点，即都是变量，在自我的动力系统中有不同的值和权重。

从上面的考察和分析中，我们可以看到加拉格尔的自我模式论有以下几个特点。第一，它坚决反还原论。它承认自我依赖于许多特征，这些特征处在动的、复杂的交涉中，且不存在最根本的、基础性特征，因此将自我还原为某一或某特征就是不可能的。[②]第二，它有综合性特点。这种综合性既表现在动机、思想内容等之上，也表现在他关注的问题之上。他不仅像倡导自我研究现象学转向、认识论转向的人那样重视对自我感、自我经验的追根溯源，而且十分重视自我的形而上学、方法论问题。第三，它尽管不能完全消解各种自我论的冲突，但的确从一个客观的方面揭示了各种自我论的关系，这对我们更好理解各种自我论及其实质，对它们今后的发展，是有一定的积极意义的。相对于别的自我论来说，它不想与任何理论对立，只想调和诸理论的冲突，使之综合与协调。第四，它的侧重点也很特别，即试图运用交叉学科的方法回答自我由什么构成这一问题。就实际效果来说，它的目的应该说得到了部分实现。第五，加拉格尔利用神经心理学、神经科学等的大量研究成果，发挥自己长于研究具身认知的优势，论证了身体在自我出现和形成中的决定性作用，提出了他的“情景性自我”的崭新思想。他的具身认知理论不否定计算主义，只否定笛卡儿否定身体作用的心灵观，认为人的具身性同时限制了身体可表现出的认知过程的

① Gallagher S. “A pattern theory of self”. *Frontiers in Human Neuroscience*, 2013(7): 1-7.
② Gallagher S. “A pattern theory of self”. *Frontiers in Human Neuroscience*, 2013(7): 1-7.

类型，身体不是经验内容的组成部分，但可影响经验的本质和视角。总之，身体是塑造心灵、自我的根本性的基础。[①]

小斯特劳森是著名英国哲学家彼得·斯特劳森之子。可能是受父亲的影响，他从开始学哲学起，就没有离开过哲学。不仅专心致志，而且在哲学形而上学、心灵哲学和哲学史等领域均颇有建树。其中，心灵哲学又是他研究的重点。在心身问题、自由意志、泛心论等问题上均作过全面深入的研究。在哲学史上方面，他对洛克、休谟和康德也用功颇深。心灵哲学方面的主要著作有《自由与信念》《隐秘的联系》和《意识及其在自然界的地位》等。近20年来，他在自我及其相关问题上用力较大，发表了大量论著，如《自我？》《自我：论修正的形而上学》等。其影响非常大，他所提出的自我研究的认识论转向、现象学转向等倡议以及大量问题和观点，受到了广泛关注，经常被引用和讨论。有理由说，他是本领域当之无愧的旗手之一。

小斯特劳森的自我论建立在他实施的认识论转向之上。根据他对自我认知的研究，人的自我感的诸方面是非常基本的东西，它们位于文化的变化层面，是概念的而非情感的。正是自我感的认知现象学成了自我感的概念构造。这种构造不依赖于人的情感方面。自我的认知现象学与自我的情感现象学以复杂方式搅在一起。什么是自我感呢？他的回答是："它是人们所具有的关于自己的感觉，如把自己感觉为一种心理的在场，一个心理的某人，一个单一的心理事物，它是拥有经验的有意识主体，有某种特点或人格，在某种意义上不同于思想、情感等，不同于所有别的事物。""关键在于，它常被看作是一种独特的心理现象。"[②]自我感真的是某种常见的东西吗？他的回答也是肯定的。如果是这样，进一步加以追溯，就将碰到今日众说纷纭的一个问题，即自我感或自我认知、信念有无对应的实在，有无一个实在的自我作为它的对象？换言之，人们自我感中所呈现的自我及其特点、属性是不是真的，有无存在地位？人的自我感是对真实存在的事物的准确再现吗？

只要触及或提出上述问题，我们就进到了形而上学问题之中，即涉及"自我存在吗"这一问题，就从对自我的现象学、认识论研究过渡到了形而上学研

① Gallagher S. *How the Body Shapes the Mind*. London: Clarendon Press, 2005.
② Strawson G. "The self". In Martin R, Barresi J(Eds.). *Personal Identity*. Oxford:Blackwell, 2003: 338.

究。这一问题有两种形式：①自我以出现在一般人的自我经验中那样存在吗？②自我以出现在最低形式的自我经验中那样存在吗？

这些问题的提出本身意味着对自我的形而上学研究的必要性和必然性。小斯特劳森认为，在弄清了自我感的认识论、现象学问题之后，必须立即过渡到形而上学研究上来。这种过渡其实也有它的自然性、必然性，因为对自我经验的现象学考察已明显地碰到了两个形而上学问题。它们迫使我们在完成这一考察时立即予以回答。这两个问题是：自我像在自我经验中出现的那样存在着吗，即会以七种形式存在吗？自我像在最低限度的自我经验中存在着吗，即会以四种形式存在吗，会作为单一的心理事物的经验主体存在吗？简言之，人身上有没有自我？如果有，它是一还是多，以什么形式存在？自我真的像自我经验中出现的自我一样存在吗？下面我们就顺势来考察他对自我的形而上学研究。

小斯特劳森对上述形而上学问题的回答包括多方面的内容。第一，关于自我经验的现象学考察的两个基本结论。一是否定的，这一致于休谟、詹姆斯、丹尼特以及许多佛教徒的看法。他强调，在论证这一结论之前，可先回答一般性的现象学问题：最低限度的自我经验是什么？他的回答是，这种经验只有下述七个方面的前四个方面，即一个经验主体、一个事物、一个心理事物、单个的事物。[①]七个方面是：①一个经验主体，有意识的感觉者、思想者；②一个事物，即一种有点鲁棒意义的事物；③心理事物；④在任何特定时刻和统一的经验过程中的一个单一的事物；⑤一个持续的事物；⑥自主体；⑦有某一特征或性格的某物，这也可看作是自我在被经验为内在心理事物时我们的自我感的概念结构。[②]二是肯定的，任何真正的自我经验一定有前四方面的内容，即它必须把自我呈现为一个经验主体、一个事物、一个心理事物、单个的事物。

第二，在回答人身上有没有自我，如果有，它是一还是多，以什么形式存在等形而上学问题时，他自述他赞成詹姆斯的下述观点：人体之上支撑着许多有意识自我。这些自我是许多完全不同的实体。一连串跳动的思想就是一个自

① Strawson G. "The self and the SESMET". In Gallagher S, Shear J(Eds.). *Models of the Self.* Thorverton: Imprint Academic, 1999: 492.
② Strawson G. "The self and the SESMET". In Gallagher S, Shear J(Eds.). *Models of the Self.* Thorverton: Imprint Academic, 1999: 490.

我，因为思想本身就是思想者。詹姆斯说："'我'就是一个思想，在每一刻都不同于前一刻。"[①]每一个自我都是不可分的统一体，它们合在一起就是人身上的许许多多的自我。作为集合的自我没有实体的同一性。小斯特劳森在借鉴这些思想时作了自己的补充和发挥，他说："每一思想的存在就包含一个自我。"[②]在小斯特劳森看来，一个自我就是由若干单一的、心理的事物所组成的经验主体，且这主体是多，可简称为SESMET（subjects of experience that are single mental things）。至此，他又"发现"了"自我"或"我"的一个新的指称、意义，即SESMET。也可说，这是他为了说明他所"立"的自我的一个新的符号、代码。他强调：一个SESMET在出现并活跃在经验过程中时，就成了一个经验主体。它同时具有具身性、嵌入性、生态性。因此，SESMET的必要条件是经验。"没有经验，就没有SEMET"，反之亦然。因此它们又互为条件。因为自我有具身性，所以他又强调：自我是实在的组成部分。他说："它们是物理对象，像兔子、原子一样真实。"他始终坚持自我有对象、物理的特点，因此他的自我论是"实在论的唯物主义"。[③]

他还特别强调，说自我是单一的，一定要注意，这里说的单一性是这个意思，即相对于复合物来说，它是一个，如一块大理石相对于一堆大理石来说，就是单一的。它之所以是单一的，是因为它有自己的内在因果联系性。另外，它的单一性也根源于心理本质。心理的本质是既有心理特征、存在，又有非心理特征与存在，自我由此本质所决定便有其独立的单一性。还要注意的是，一个事物是被看作单一体还是看作多个事物，是具有相对性的，或取决于所依据的统一性原则，如根据一个统一性原则，一原子可以说是一个单一体，而根据另一统一性原则，它又是多个事物，即有多个亚原子。

第三，任何人身上的作为具体客体的自我是多，且没有统一性，即不存在由多个自我构成的统一"我"，也没有最高的、统领一切的"自我"。他说："有根据说，SESMET是作为物理客体存在的最好的样本。"[④]它们没有统一性，即

---

① James W. *Psychology: Briefer Course*. Cambridge: Harvard University Press, 1892: 191.
② Strawson G. "The self and the SESMET". In Gallagher S, Shear J(Eds.). *Models of the Self*. Thorverton: Imprint Academic, 1999: 502.
③ Strawson G. "The self and the SESMET". In Gallagher S, Shear J(Eds.). *Models of the Self*. Thorverton: Imprint Academic, 1999: 503-504.
④ Strawson G. "The self and the SESMET". In Gallagher S, Shear J(Eds.). *Models of the Self*. Thorverton: Imprint Academic, 1999: 508.

既不能结合在一起而成为统一体存在，在多自我中，也没有一个作为主宰存在。他说："正像在自然中没有明白无争论的统一体，因而没有明白无争论的物理统一体一样，也不存在 SESMET 的统一体，即没有这样的经验主体的统一体，比如说，它是看一本书的……单一而统一的经验的主体。"①

第四，阐述了珍珠观或无常观。前面已有考察，这里只作简述。他说："根据珍珠观，人体这样的事物中存在着许多 SESMET。每一个都是一个个别的物理事物或客体。"例如，每当有一连串的有意识经验出现在一个人身上时，就一定有一个 SESMET 存在于这个实在中。根据他最近回复我们的书信中所作的解释，SESMET 是他为突出经验主体像珍珠一样的多及其内在结构而自造的一个词。其意思是，"作为诸多单个心理事物的经验主体"，一个主体或自我与一个经验同步，就是说自我存在的时间与一个经验的时间一样长。②这种自我论有一致于佛教无常观的地方，如强调自我不是常一不变、永远不灭的，相反它只能持续一定的时间，有时甚至只有一刹那，这要取决于经验持续时间的长短，他认为，说自我无常"不是说它们一定只持续很短的时间，它们出现在短时间内是相对于人的日常的时间绵延的"③。在论及他的自我论与当今最有影响、最时尚的"最低限度自我论"的关系时，他自认为他的"珍珠串理论"在本质上就是最低限度论的一种形式。根据前者，人的自我好像是连续、同一的，其实，每一时刻和地点的自我是极不相同的。就是说，自我是点式的，像一颗珍珠，人感觉到的连续单一的自我其实是由一个一个的自我构成的系列。在《自我的现象学和本体论》（"The Phenomenology and Ontology of the Self"）一文中，他更明确地论证了自我作为碎片或珍珠颗粒式存在的本质及特点。他关心的问题是：什么样的自我是人可以拥有的？什么东西可称作自我或自身体验着的东西？他的回答是，与体验有关的、可为人拥有的自我就是最低限度的自我，如前所述，它具有自我经验的七个特点中的四个特点。概括说，人确有这种自我，其特点是：它离不开体验，是人对自身的这样的体验，即①一个体验的主体，

① Strawson G. "The self and the SESMET". In Gallagher S, Shear J(Eds.). *Models of the Self*. Thorverton: Imprint Academic, 1999: 508.
② Strawson G. "The self and the SESMET". In Gallagher S, Shear J(Eds.). *Models of the Self*. Thorverton: Imprint Academic, 1999: 513.
③ Strawson G. "The self and the SESMET". In Gallagher S, Shear J(Eds.). *Models of the Self*. Thorverton: Imprint Academic, 1999: 514.

②是个别的东西，③在心理王国中，④存在于体验的任何时段。具有这四个特点的东西就是最低限度的自我。它以碎片形式存在，而不表现为一个东西，更不是不间断、贯穿前后的统一体。[①]他的论证是：如果经验是自明的事实，或像所主张的那样是第一性的事实，那么即使你把经验的所有方面都剔除掉，只考察经验的质的特征，在这里，你仍无法排除经验主体，因为没有它，就没有经验的质的特征。他说："发生着的经验如果离开了经验主体的存在，就不可能存在。"[②]这种不可排除的经验主体就是他所说的最低限度的自我。他说："当把经验之外的一切都排除掉后所剩下的主体，可称作最低限度的自我。"[③]不同于其他人所说的最低限度自我的地方在于：他明确承认这种自我是一个东西。他说："断言经验主体的存在最终一定是说，存在着某个有充分理由被看作是一个事物（thing）或对象（object）或实体（substance），可简写为 TOS 的东西，简言之，存在着一个另外的某物。""X 是一个 TOS，从根本上说就是，X 是某种统一体，一个动力学的统一体，用莱布尼茨的话说，是一个能动的统一体。"这里，不能再对 X 作形而上学的归类，如不能归为对象/过程/属性/状态/事件之类的划分。[④]很显然，他说的最低限度自我与现象学所说的尽管有一致之处，但仍有差别，如他并未像扎哈维等那样强调它不是一个东西，而是经验的本身的本质构成或特点。

第五，他回答了他的形而上学自我论必然面临的新的形而上学问题。首先，如果自我很多，每个自我都只持续一定的时间段，如果经验的主体与人不是同一个东西，那么"我"究竟指什么？人与自我是什么关系？他的回答很辩证："在一种意义上，我不是一个 SESMET，我是一个人；在另一意义上，我又是 SESMET。""当我思考和谈论我自己时，我指的有时只涉及我所是的 SESMET，有时它又超出了这个范围而扩大到了我所是的那个人。"[⑤]其次，如果人的自我

---

① Strawson G. "The phenomenology and ontology of the self". In Zahavi D (Ed.). *Exploring the Self: Philosophical and Psychopathological Perspectives on Self-Experience*. Amsterdam: John Benjamins Publishing Company, 2000: 44-48.

② Strawson G. "The minimal subject". In Gallagher S(Ed.). *The Oxford Handbook of the Self*. Oxford: Oxford University Press, 2011: 253.

③ Strawson G. "The minimal subject". In Gallagher S(Ed.). *The Oxford Handbook of the Self*. Oxford: Oxford University Press, 2011: 254.

④ Strawson G. "The minimal subject". In Gallagher S(Ed.). *The Oxford Handbook of the Self*. Oxford: Oxford University Press, 2011: 255.

⑤ Strawson G. "The self and the SESMET". In Gallagher S, Shear J(Eds.). *Models of the Self*. Thorverton: Imprint Academic, 1999: 515.

像珍珠串，那么小斯特劳森必然面临这样一个问题，即怎样化解这一思想与大家公认的意识流概念的冲突？他是这样化解的，即强调意识流概念是不能成立的，因此他提出了他的反意识流论证。根据此论证，意识流是假象，因为前后念头之间是没有连续性的，只有间断性。其形而上学的根据是，存在的东西只是短暂最小自身的相继，每一个持续只有 2~3 秒。所谓的意识流只是一系列分离的瞬时体验事件，其中总有间隔和被打断的情况。就此而言，意识总在不断重新开始，意识只是从无意识状态向有意识状态的不断返回中的一个。[①]最后，如果自我是珍珠串，整个人作为存在只是短暂最小自身的相继，那么该怎样看待通常所说的人格同一性？对此，他给出的是“大逆不道”的回答：人格同一性不是事实，而是假象，因此哲学争论了几千年的人格同一性问题也是假问题，用不着再去搜索枯肠寻找人为何有同一性的根据了。众所周知，传统的人格同一性问题追问的是，一个人在前后两个时间中有无同一性？如果有，该怎样定性定量予以描述？这种同一性的根源、充分必要条件是什么？如果有，那么该怎样看历时性、共时性、同一性等？一般都肯定人格同一性是客观事实，因此过去的研究都集中在探寻它的根源、充分条件、必要条件等之上。不外三种回答，一是强调同一性根源于物理实在，二是强调根源于心理实在，三是折中的观点。[②]小斯特劳森强调：碎片式自我不具有同一性，个人也没有贯穿始终的人格同一性，人只是短暂的、赤裸裸的点，或点的串联，就像一串珍珠。基于此，他对持久的、统一不变的自我观表示怀疑。[③]

第三节　自我与自我意识

自我意识是哲学等有关科学谈论最多、最复杂当然也最混乱的一个课题。之所以有这样的麻烦，主要是因为“自我意识”是一个极具歧义性的概念，如一种用法是，鉴于自我的本质在于有自我意识，因此常把它们当作同义词。在

① Strawson G. “The Self”. *Journal of Consciousness Studies*, 1997, 4(5-6): 421-422.
② Strawson G. “The self and the SESMET”. In Gallagher S, Shear J(Eds.). *Models of the Self.* Thorverton: Imprint Academic, 1999: 483.
③ Strawson G. “The Self”. *Journal of Consciousness Studies*, 1997, 4(5-6): 414-418.

更多情况下，人们常把自我意识理解为一个认识论概念，即以自己的心理和物理构成乃至自我（如果有的话）为对象的认识。我们在这一节主要是关心这种意义的自我意识。相应地，涉及的将主要是自我意识的认识论问题，如有意识的存在怎样得到关于自己的感觉、情感、信念、愿望乃至自我、心灵（如果有心灵的话）等的直接的知识？这种知识如何可能？这种知识有什么价值？其性质如何，是不是绝对正确的？我们是否能够认识自己心里的一切？这种认识与对他心的认识相比，是否更详尽、更丰富、更正确？随着心理内容或意向性问题研究的深入，自我认知问题派生出了许多新的具有心灵哲学和认知科学意义的难题。例如，①自我意识是否具有可免错性，或是否有对错误的免疫性？众所周知，自笛卡儿以来，占主导地位的观点是：人在从事各种心理活动时，人能同时知道自己的活动及其内容。不仅如此，人认识自己的心理状态有别的认识无可比拟的优越通道，如能直接认识，无须借助中介和推论。另外，关于外物的思想的内容可能是错误的，但认识到自己是否在思想，思想的是什么，这是不可错的。人们在反思批判的基础上，又提出了许多新问题，如自我认识与认识外部世界的形式，如外感知有什么不同？通过这些方式得到的知识（自我知识）具有什么样的性质和特点？是否是自明的、不可错、不可检验、不可改正的？人对自己的认识是否真的有第三人称认识不可比的“优越通道”？笛卡儿的“我思故我在”已触及了这类问题，如他说，一切都可疑，而在怀疑的我的存在则是不可怀疑的。埃文斯等现代哲学家明确提出并阐述了“免错性”或“对误判的免疫性”（immunity to error through misidentification）概念。例如，我在把我自己看作是经验的主体时，在思考不同时间点上的我时，在思考这个想法时，我不会像思考外物那样要用到同一性的标准之类的东西。我会有直接的认识，且不会犯错误，最明显的是，每个人不会把自己与别人搞混了。[①]这已表达了优越通道论和免错论的思想，至少为人们提出有关问题埋下了伏笔。②关于自我的认识的来源问题：是来自自己对自身的认识，还是来自别人的告知？③自知的范围问题：人对自我的认识究竟能到达什么样的范围和程度？能否认识自我内部的一切，如能否直接认识到自我本身？自我是不是黑箱？④自我意识的功能作用问题，

① Evans G. *The Varieties of Reference*. Oxford: Clarendon Press, 1982.

其作用是确定的、重要的，但它究竟有多大？⑤自我意识是否依赖于某种元表征能力？⑥自我意识的种系发生和个体发生是什么？目前对其个体发生研究很多，如有的认为，自我意识的高阶能力在 4 岁时，就作为整个“心灵理论”的组成部分被突现出来了。[①]

当然，因为许多讨论自我意识问题的人往往是从整体上予以探讨的，如涉及本体论方面的问题，所以本节也会探讨自我意识认识论问题之外的问题。如前所述，这一研究的最大的障碍是概念混乱，因此许多论者一般会在研究之前或在研究的过程中花大力气对有关概念作语言分析和梳理。尽管这方面的工作量很大，也有一定成效，但整个来说，问题依然故我。为了避免不必要的混乱和麻烦，我们这里试图在已有梳理的基础上再作进一步的梳理。

一、“自我意识”“自我觉知”与“元自我觉知”

不同的人、不同的学科都有对“自我意识”的语言分析，从指称上看，它主要有两种指称：一是指作为实在或能力的自我，当然对它具体指什么，则众说纷纭，如康德所说的先验自我意识和现象学最近所说的前反思性自我意识指的肯定是有本体论地位的东西，但具体是什么则一言难尽；二是指认识、觉知的多种形式中的一种，即对认识者自己的认识、意识，或者说，人在经验的过程中知道经验本身及其中发生的事情。但其内也有许多不同的看法，归纳起来，大致有以下几种情况。一是哲学中近来的一种观点，它认为，自我意识指的是两种第一人称现象中的一种特殊的形式。根据这一观点，有两种第一人称现象，即弱第一人称现象和强第一人称现象。前者指的是人的纯粹的第一人称观点。贝克认为，仅有这一观点，人不会有自我意识，要有自我意识，还必须有第二种第一人称现象，即强第一人称现象。它指的是人能把自己看作或思考为自己，即能将这一区分概念化。她的结论是，自我意识以具有第一人称概念为前提条件。也就是说，当一个人能把自己设想为自己，进而有能力用第一人称代词来指称自己时，人才可能有对自己的意识。[②]二是，就自我意识这个词的专门意义

---

① Bermúdez J L. “Self-consciousness”. In Velmans M, Schneider S(Eds.).*The Blackwell Companion to Consciousness*. Oxford: Blackwell, 2007: 465.

② Baker L R. *Persons and Bodies: a Constitution View.* Cambridge: Cambridge University Press, 2000: 67-68.

而言，它指的是人对自我的意识。说一生物有自我意识，仅说他能自归属经验还不够，还必须承认他能把自归属的经验看作是属于同一个自我。因此自我意识的必要条件是，他能意识到自己的同一性就是不同经验的主体、携带者或所有者的同一性。这就是说，自我意识指的不是一种简单的、随时随地能发生的对自己的认知，而是在人有同一性意识之后的自我认知，其特殊性在于，自我意识不仅意识自己心理发生的东西，而且能把它们看作属于同一个我。这当然是一种更高深的哲学规定。三是社会心理学的看法，如米德认为，自我意识就是基于自己与他人的社会关系而让自己成为自己的对象，或把自己当作对象。质言之，自我意识就是对自己采取他者的观点。根据这一观点，自我意识是一种社会现象，它不是仅仅依靠个人所获得的自我认知。质言之，要形成关于自己的认识或意识，人必须生活在社会关系之中。四是发展心理学的看法。根据它的规定，人对自己的意识能力及过程，不是生来就有的，而是一定时间的个体发展的产物，如只有当人能通过“镜子检测”，才能说有自我意识。例如，如果看镜中的自己，能确认是自己，即为有自我意识。有些动物有此能力，儿童在 18 个月以后也有此能力。神经科学推测，如果人在通过镜子识别自己面部时，神经科学能看到大脑某部分有更明显的激活，那么就有理由说，大脑中的这些区域就是自我意识的神经关联物。范伯格和基南（Keenan）等的实验证明了这个推论。据观察，被试在通过镜子进行自我面部识别时，他的右前侧额叶部分有明显激活。如果让被试将自己的面孔与别人的面孔进行比较时，其激活还会提高两倍。[①]这些说明镜中面部识别表现出的自我意识是真实存在的。五是认知科学、心灵哲学基于 FP 研究的看法。它们认为，人之所以有自我意识，之所以能自己认识自己，是因为他们的心理结构中有一种心灵理论或 FP。具言之，自我意识离不开自己经验自己、自己觉知自己的能力，而此能力又离不开具有关于经验的概念。这个概念不能孤立存在，只有在概念之网即在 FP 中，它才能获得它的意义，如要把经验看作是经验，一个人必须得有关于对象的概念等。根据这一看法，儿童只有到 4 岁时才有自我意识，因为他到这时才会有心灵理论。六是叙事理论的看法。它认为，人只有在有能力理解和讲说关于自己生活故事

① Feinberg T, Keenan J. “Where in the brain is the self?”. *Consciousness and Cognition*, 2005, 14(4): 673.

的前提下，才能有自我意识。①

随着现象学的深入发展，自我意识的两种形式（即反思和前反思）及其关系成了当前激烈争论的话题。早在 17 世纪，洛克就几乎完整地阐释了反思性自我意识。不过，我们过去在这里常把 reflection 译为反省或内省，而未译为反思。他认为，人在有各种心理活动、状态时，只要愿意，就可借助人所具有的反省能力知道自己身上所发生的事情。这种途径让人又得到了一种认识或观念。它不同于外感觉，因为它提供的是关于自己内部状态的认识。这种帮人得到第二种知识的反省或反思不是被反省的心理活动、状态，而是它之外或之上另外生起的活动，用今天的话说，反省是二阶或高阶活动。后来，康德论及的不同于先验自我意识的经验自我意识其实也是今天所说的反思性自我意识。标准的反思性自我意识概念体现在罗森塔尔、卡鲁瑟斯的“高阶思维理论”中。根据这一理论，人对自己的意识实际上是一种高阶思维。如果说当下正发生的对苹果的思考是一阶思维的话，那么对它的知晓，即为高阶思维或自我意识。因此，自我意识在本质上是反思性的，离不开心理内部存在的阶次。

扎哈维等新现象学家认为，反思性自我意识只存在于特定的情境之下，如我要研究我自己，或要验证别人对我的判断是否正确，我就需要生起一个观察自己的活动，即高阶反思。但就每个人当下的对对象的意识或经验来说，它里面不可能有反思性自我意识，只有前反思性自我意识。所谓前反思自我意识，即不需二阶性反思的自我意识，如人在有对象意识时，清清楚楚知道这个意识。质言之，任何意识都有这样的本质构成或特征，一是有意向性，有对对象的认识，二是有对这认识本身的认识。在这个意义上可以说，意识就是自我意识。它像流水一样，内部没有阶次和主客之分。扎哈维认为，这个概念就是强调自我意识有最低限度的、隐性的形式，认为自我意识并不要求有明确的我思或自我观察，可把它描述为自我熟悉的前反思的、具身的形式。②鲁珀特（Rupert）说：“现象学中的所有重量级人物都在辩护这一观点，即最低限度的自我意识是

① Baker L R. *Persons and Bodies: a Constitution View.* Cambridge: Cambridge University Press, 2000: 48-49.
② Zahavi D, Grünbaum T, Parnas, J(Eds.). *The Structure and Development of Self-Consciousness: Interdisciplinary Perspectives.* Amsterdam: John Benjamins Publishing Company, 2004: xi.

有意识经验的恒常的结构性特征。”[①]加拉格尔等说：“它不是主题性的或注视性的或有意作出的。确切说，它是心照不宣的，更重要的是，它完全是非观察的。”所谓非观察，意思是，“它不是对我自己的内省观察”[②]。这一承认的重要性在于，这既是对意识结构的真实的认识，又可避免对自我意识、内省的常见说明的无穷后退。

意识到某物而没有觉知到这意识本身会是怎样的呢？这意味着具有一种经验，但又没有觉知到它的发生。这显然是无意识经验的一个事例。这些事例足以说明，有意识可以等同于有自我意识。意识即自我意识。这里所说的自我意识是一种内在的自反性，由于这种自反性，意识的每个例示都不仅把握了被它觉知到的那个东西，并且把握了对于那东西的觉知。它就像一个光源，不仅照亮落入它范围内的其他事物，还使自身成为可见的。[③]加拉格尔认为，反思性自我意识是一种对象化觉知，它承认意识有阶次差别，新增加的能意识的觉知把低阶意识作为它的意向主题，因此它“是以二元因素运作的复杂的自我意识形式，包含着自我的分裂”。[④]反思意味着新的主客关系的建立，即让经验二重化，一个是能反思的经验，另一个是被反思的，前者使后者成为对象。前反思性自我意识是经验的一种内在的、非关系的维度。萨特有时也说“关于自我的前反思的自我意识”，他强调这是法语语法造成的一种说法，因为法语的“自我意识”，有“关于自我的（of self）意识”的意思，其实，他认为这种用法是“不幸的”，它让自我意识成了对象意识的一种形式。[⑤]

在两者的关系问题上，现象学尽管强调前反思自我意识是一切意识形式的本质构成，反对把反思性自我意识看作是它的构成，但现象学又承认，自我意识有前反思的与反思的两种形式，它们都是存在的，都有其不可替代的作用。就关系而言，前者在先，因为它能独立于后者而存在，后者则是以前者为前提条件的。也可以说，前反思的经验是反思得以出现的前提条件，或者说，前者是后者的对象。

---

① Rupert R D. *Cognitive Systems and Extended Mind.* Oxford: Oxford University Press, 2009: 45-46.
② Gallagher S, Zahavi D. *The Phenomenological Mind: an Introduction to Philosophy of Mind and Cognitive Science.* London: Routledge, 2008: 46.
③ Zahavi D."Unity of consciousness and the problem of self". In Gallagher S(Ed.). *The Oxford Handbook of the Self.* Oxford: Oxford University Press, 2011: 316-335.
④ Baker L R. *Persons and Bodies: a Constitution View.* Cambridge: Cambridge University Press, 2000: 62.
⑤ Gallagher S, Zahavi D. *The Phenomenological Mind: an Introduction to Philosophy of Mind and Cognitive Science.* London: Routledge, 2008: 62.

奥布莱恩（O'Brien）认为，"自我意识"还有这样一些被忽视的意义，第一，在哲学中，人们一般注意到的自我意识是以第一人称方式思考自己的能力，但没有注意到还有这样的自我意识，即感觉到自己是有意识的，如当我走进一个充满陌生面孔的房间时，我就会说自己"意识到了自己"。第二，被忽视的是"日常自我意识"，它肯定是存在的，因为它在日常生活中作用明显。例如，它在人们关于罪过、羞愧、荣誉、窘境的自我意识情感（免罪感、羞愧感等）中有重要作用。最简单的自我意识情感就是生存危机感，如觉得自己处境很危险、很可怕。这是低等动物也会有的，因此可看作是自我意识情感家族中的核心。这种情感之所以具有根本性，是因为它能让我们理解别的情感，甚至可以说，别的情感是由之产生出来的。相对于日常自我意识来说，上述自我意识情感又具有派生性，具言之，前者在后者中起着重要作用。日常自我意识有两种：一是情感性的自我意识，二是行动的自我意识。[①]日常自我意识包括以下三个特点。①有特定的现象学和身体特点。这种自我意识觉知的主要是自己的外部特征，如皮肤、身高、穿戴等。②涉及一个常采取两种观点的主体，这两种观点，一是关于自己的观察者的观点，二是关于自己的主体的观点。③包含评价的因素，如我常意识到自己是他人的评价对象。[②]

自我意识与通常所说的内觉知、内意识是什么关系？怎样看待内觉知、内意识？常见的观点是：①内觉知是高阶监视性思维，是意识发生时的同时性的内观察；②它是一种反省、内省，或者说是反思性的自我意识。新的观点是：有意识心理状态的内觉知根源于经验的一种形式的特征，即一个人意识到这个或那个对象所用的方式，它包含了某种形式的反身内容。

正像在一般的意识理论中人们常用"觉知"或"晓得""觉知"（awareness）这一似乎更通俗、更明白的概念解释"意识"一样，在对"自我意识"的分析中，人们常用"自我觉知"来予以解释。早在20世纪30年代，米德就提出，任何意识活动都有两个方面，一是向外的聚焦，即指向、关注外部事态，二是向内的聚焦，即指向自我，得到关于自我的意识，这意识即自我觉知。这一看

① O'Brien L. "Ordinary self-consciousness". In Liu J, Perry J(Eds.). *Consciousness and the Self: New Essays*. Cambridge: Cambridge University Press, 2012: 101-102.
② O'Brien L. "Ordinary self-consciousness". In Liu J, Perry J(Eds.). *Consciousness and the Self: New Essays*. Cambridge :Cambridge University Press, 2012: 107-108.

法在社会心理学、人格理论中极流行，也引导着后来的经验研究。莫林（A. Morin）提出了这样一种关于自我的构架或模型，它认为别的自我模型，包括其他文化中的模型，全部或部分同一于它，因此有这个模型就够了。根据这一整合的模型，最高形式的意识或自我，即自我觉知。它有两个维度，即时间和自我信息的复杂性，也就是说，考察自我的过去和未来方面，进而能获得更具概念性的（而非知觉性的）信息，而这些又能表现自我指向的思想的更高层次。这一模型还提出：自我觉知层面有三个附加变量，即自我聚焦的频率、关于自我的信息的量（可获取性）、自我知识的准确性，正是它们构成了自我觉知。他认为，人在认识自己和环境时不仅会得到“自我觉知”，还会得到“元自我觉知”。所谓元自我觉知，即知道自己在不同时间（自我历史）是同一个人，自己是自己思想和行动的作者（自主体），自己不同于环境和他人。

班克斯（Banks）编辑的《意识百科全书》（*Encyclopedia of Consciousness*）在解释“自我觉知”“自我意识”等概念时，把它们看作相近的概念，当然，这是从认识论角度说的，即认为它们指的是人对自己的认识。[①]该词条还进一步分析了自我觉知的实质、条件和样式，认为自我觉知在本质上是这样的认知，即在把人和世界区分开来的基础上所完成的自我不同于非我的认识。因此可以说，“自我觉知中的关键因素是发展心理学家所说的自我-世界二元论”。有自我觉知的人一定有这样的认识：我不同于非我，我之外还有由非我组成的世界。[②]人要获得自我觉知，必须具备这样两个必要条件：①依赖于这样的信息源泉，它具有对错误的免疫性；②它依赖的信息形式能直接进入行动之中。自我觉知有两种形式：①直接觉知，这种自我认识所认识的是关于自我的简单性质，其认识结果一般表现为概念或单词，如“人”“树”等；②命题觉知，它所认识的是自我的复合事态，如关系属性，一般表现为句子或命题，如“我比他高”，等等。[③]进一步的问题是，人都能形成关于自己的身体觉知，它是不是人的自我觉知的一种形式呢？这个问题不难回答，因为前述的自我觉知的必要条件就是判断标准。根据上述标准，它也属于自我觉知的范畴，因为“身体觉知为具身自我提

① Banks W P(Ed.). *Encyclopedia of Consciousness*. Vol.2. Oxford: Academic Press, 2009: 296.
② Banks W P(Ed.). *Encyclopedia of Consciousness*. Vol.2. Oxford: Academic Press, 2009: 296.
③ Banks W P(Ed.). *Encyclopedia of Consciousness*. Vol.2. Oxford: Academic Press, 2009: 294-295.

供了直接的觉知”。[①]具言之，第一，身体觉知基于的是这样的信息，即这信息完全是关于自己的，而不是关于别人的。大多数身体觉知都符合这个条件。第二，自我觉知所依的信息具有可免错性。身体觉知也符合这个条件。

身体觉知不仅是自我觉知的形式，而且具有根本性的重要性，因为正是通过它，人们把自己与自己外的东西区别开来，或者说为这种区分提供了最原始的方式，如认识到我的身体不是别人的，认识到自己身体的界限。

当今比较活跃的女哲学家贝克对有关概念也作了独到分析。在自我觉知与自我的关系问题上，她认为它们是两个不同的东西。前者是一种把自己变成自己注意对象的能力。在镜子面前，你就成了你自己的对象。如果能分辨出来，即有自我觉知能力，否则就丧失了此能力。有些神经病人就没有此能力。自我问题则是指人身上是否存在着一种特殊的实在。“自我意识”则比较复杂，它在不同学科有不同的用法和含义。如在哲学中，自我意识一般被等同于思考“我思”的能力。她认为，所有有情存在都是经验的主体，都有透视性态度，在透视时，他们表现出具有弱第一人称现象，即有第一人称观点或主观的观点。仅有主观观点还不足以有自我意识，要有自我意识，必须有强第一人称现象，即人们必须有能力把自己看作是自己。她强调：自我意识以有第一人称概念为前提条件。因为一个人要有自我意识，必须有把自己设想为自己的能力，必须有用第一人称代词指称自己的语言能力。总之，自我意识是发展的产物，即在获得了概念和语言能力时突现出来的东西。[②]

她还探讨了与自我觉知有关的自我确认，认为它有多种表现形式，如免疫系统就表现了自我确认的最原始形式。免疫系统要正常起作用，就必须把自己的生物化学构成与别的实在区别开来。动物和人都有自己的自我确认形式。另外，在镜子中确认自己，也是一种自我确认形式，这是在镜子中分辨自己影像的能力。有些动物没有这种能力，如把它自己看成是另一个动物，或者选择吃掉，或者选择逃跑。

二、新老行为主义对“内省”“自我意识”的祛魅

行为主义的创始人华生在建立所谓客观的，可以进入像物理学、化学一

① Banks W P(Ed.). *Encyclopedia of Consciousness*. Vol.2. Oxford: Academic Press, 2009: 295.
② Baker L R. *Persons and Bodies: a Constitution View*. Cambridge: Cambridge University Press, 2000: 66-68.

样的自然科学行列的心理学的过程中，最先对内省这一传统的认识心理现象的方法发难，试图把它从心理学中驱逐出去。他对内省的否定与他对心理学的对象、任务、性质的看法紧密相连。在他看来，心理学研究的不能是主观的、不可捉摸的、不能重复的意识经验，而应是客观的、可观察的行为，只有这样，心理学才可能因为有客观的对象而变成一门科学。由此决定，心理学的出发点或主要工作就是研究有机体适应环境的行为以及引起机体发生反应的刺激。其任务就是发现决定刺激与反应的内在规律，目的是由刺激推测反应，由反应推测行为，最终得以预测和控制行为。由这些所决定，心理学的方法就不应是内省。他否定内省的具体理由还有如下几种。第一，内省在过去作为一种方法已造成了许多无法消除的混乱，甚至可以说它是过去心理学误入歧途，不能走上科学的、健康的道路的根源。他说：我确实相信，从此以后的两百年，除非放弃内省法，心理学在诸如下述问题上还会有分歧，听觉是否有“广延性”的特征，强度是不是可以应用到颜色的属性上，在意象和感觉之间是否有结构上的差异，以及其他几百个同样性质的问题。[①]第二，研究动物的心理的科学家不用内省法，照样可以认识动物的心理。第三，内省不精确、不客观，有主观随意性。内省法在研究想象、意象、判断、推理时“已陷入绝境”，也足以证明内省的不可靠。在否定的基础上，华生主张：心理学的科学方法或者说认识人类心理亦即有机体适应环境的行为的方法是客观的、可重复使用的方法，它是由客观观察法、条件刺激法、言语报告法、测验法所组成的方法论体系。

赖尔、卡尔纳普、费格尔（Feigl）和艾耶尔（Ayer）等主张运用行为主义原则、方法分析心理概念，即根据行为来定义心理概念，而不把心理概念当作是对神秘的内在过程、状态等的反映。在内省问题上，反对把内省当作是一种认识非物质的自我及其状态的特许的认识途径和方法，强调如果正确予以理解和运用的话，它指的不过是对行为或行为倾向的一种回忆或回溯。这里我们主要分析一下赖尔的有关主张。

赖尔不否认人有心，但强调必须正确地把它理解为人的行为或行为倾向；

---

① 转引自舒尔茨.《现代心理学史》，沈德灿，等译，人民教育出版社 1981 年版，第 215 页。

同时也不一概地否认人能通过内省得到关于自身甚至内部状态的知识，但强调必须重新理解内省。他强调：人对自己的心及其状态和过程的认识并没有神秘性，与其他人对自己的认识并没有“性质上”的区别。如讲话人对自己所做之事的认识优于听讲者，这并不表明他具有特许的途径来认识那种听讲者所无法认识的事实，而只是表明他处在一种十分有利的地位上，可以认识常常很不利于听讲者认识的东西[①]。对自己所做之事与他人所做之事的认识在对象、性质、方式、途径等方面有共同之处，但也有区别，主要表现在：对他人的认识、考察、评判需要特殊的天赋、兴趣、素养、经验、比较、概括能力以及不偏不倚的客观态度，而注意自己所做之事是普通儿童也能做到的。

怎样看待“自我意识”呢？赖尔说，自我意识表示这样一种现象，即我们注意到自己的随意言论，包括注意到自己明确宣称的（无论是大声说的，还是低声咕哝的，或是默默自语的）东西。我们偷听自己有声的言论和无声的内心独白。在注意这些东西时，我们准备做一件新的工作，这就是描述这些言论所泄露的心境。不过这种活动不存在什么本质上专有的内容。我能留意从你那儿偷听得来的话，也能留意从我自己这儿偷听得来的话[②]。如果说自我意识是对行为的注意，那么这一层次的注意在本质上又是什么呢？赖尔认为：这是高一层次的行为。他说：在那些易被不妥当地冠上“自我意识”这个包容性称号的高层次行为和态度的领域内，没有什么神秘或隐秘的东西。这些行为和态度同人与人交往中显示的高层次行为和态度毫无二致。实际上前者只是后者的一种特殊应用，并且最初是通过后者学会的。[③]总之，自我意识与内省作为自我认识的形式，实质上都是关注行为的行为。

三、自我意识的发生学

这里的自我意识当然是认识论意义上的自我意识，即人对自己经验、意识乃至身体等的认识。这样的能力是何时出现的？人在什么时候才能有自我意识？其正式出现的标志是什么？根据发展心理学的观点，只有当人能通过镜中

---

① 赖尔.《心的概念》，刘建荣译，上海译文出版社 1988 年版，第 186-187 页。
② 赖尔.《心的概念》，刘建荣译，上海译文出版社 1988 年版，第 192 页。
③ 赖尔.《心的概念》，刘建荣译，上海译文出版社 1988 年版，第 207 页。

自我识别检测时，才算形成了自我意识能力。当然这只是一家之言，而且相对于哲学的看法而言，这样的说明略显简单化。我们先看图根德哈特提出的问题及其解答。

他从分析自我意识的免错原则（人的自我认知具有不可错性，下文将对其作详细介绍）出发，强调只要坚持这一原则，以之为出发点去探讨，就会有这样的理论后果，即继续沿着两个方面向前走：一是进一步探讨比第一人称代词的运用中所碰到的自我更原始的、有具身性的自我；二是导致发展心理学的进一步追溯，如对新生儿的经验进行探讨，看里面有无非概念的第一人称内容。这一研究对人工智能、机器人的研究都有意义。就第一方面而言，有没有比在免错原则中所认识到的东西更原始的自我方面？当我们用“我”指称自己时，这被指称的实在肯定有语言交际能力，因为他们会用“我”。因为语言能力与概念能力是结伴而行的，所以承认“我”所指的东西有语言能力就等于承认他有到达自我的直接的、前反思的通道，这也意味着他有概念框架。进一步的问题是，有无不依赖于第一人称代词运用的更原始的自我意识？也就是说，在人会用“我”一词之前，人有没有特种形式的自我意识，它不依赖于语言和概念？这无疑是自我意识的发生学问题的具体的、更好操作的子问题。他的看法是，在此之前肯定有更原始的自我意识，只是它没有诉诸语言。

图根德哈特认为，可这样来研究自我意识的发生过程，即研究人学会说“我”的过程。儿童心理学的观察表明，婴儿在出生后的一定阶段是不能说“我”这个词的，即使是在学说话的过程中，“我”也是在很晚以后才学会的，而且学习的过程很艰难。要学会用这个词，一是离不开社会，二是离不开自己心理发展的积累。具言之，其满足条件是：①对于一个说者共同体或对于每一个说者来说，应该有一个由时空中的对象组成的客观世界，每个自己就是这对象世界中的一分子；②逐渐在交往中学会把自己与别的对象区别开来；③逐渐学会自我指涉。他还认为，“我”“自我意识”“自我中心化”都有其语言根源，因此对这些词语在儿童身上的发生过程作了分析，所得的结论是，自我意识并不是对所谓的自我的内在的反思行为，而是这样产生的，即我借助于谓词将我的意识状态……归属于我自己，也就是归属于一个人，随着对“我”一词的掌握和运用，人们就为自己建立了一个以包含我-他区别、以我为中心的世界。[①]

贝克也对自我意识、第一人称观点的发生学作了自己的探讨。首先她承认，人有自我意识是客观事实。而自我意识是一种比其他认知要复杂得多的现象，里面有两个方面，一是有认识自己意识生活的能力和过程，二是会在一定的时候形成这样的信念或认知：除了心身之外，里面还有一个我，进而有相应的伴随心理，如我见、我痴、我爱、我慢。其次，她认为，自我意识不是生来就有的，且是后于意识、在意识的基础上逐渐发展出来的。她认为，人一生下来就有意识，其清醒状态就是觉知或意识的状态。到了一定的时候，儿童才能有关于自己的意识，即能从第一人称观点思考、设想自己。从意识到自我意识的过程，是一个从非概念的意识到概念的意识，再到概念的自我意识的过程。[②]就自我意识个体起源的直接条件而言，它离不开甚至根源于第一人称观点。而第一人称观点是人必然具有的东西，只要他存在着，就必有此观点。所谓第一人称观点，即从“我”（索引词，第一人称）或“自己”的观点出发去观察和把握对象。它之所以是一种观点，是因为它从特定的时空定位去观察对象。这个定位、角度、观点是别人不可能有的，如即使别人站到我刚才站的位置，也不可能有我的观点，因为我的观点是由我的特殊的物理和心理结构等异常复杂的因素造成的。每个人的第一人称观点都这样。这种观点之所以是第一人称的，是因为它的定向是从主体的观点出发的。第一人称观点有两种方式，一是初步的，二是稳健的、健全的。人的最初的意识可根据初步的第一人称观点来理解。人的自我意识则应该用稳健的第一人称观点来理解。因此，从意识到自我意识的飞跃就是从初步的第一人称观点向健全的第一人称观点的跨越。

所谓初步的第一人称观点，是儿童刚开始的第一人称观点。它是自我意识得以发生的前提条件。其起点是出世，即大约出生的时候。当人的有机体上面出现了第一人称观点时，人便开始了自己的有意识存在，即有了意识，亦即成了真正的人。由于有意识，他便能从自己的角度观察自己和世界。贝克说：“当

---

① 图根德哈特.《自我中心性与神秘主义：一项人类学研究》，郑辟瑞译，上海译文出版社 2007 年版，第 21-22 页。

② Baker L R. “From consciousness to self-consciousness”. *Grazer Philosophical Studies*, 2012, 84(1): 19-38.

一个人开始自己的存在时，他便成了一个有初步第一人称观点的人。”[①]她断言：刚出生婴儿作为人也有第一人称观点，如他看他的妈妈就是从自己的观点出发，而不是从别人的观点出发。当然这种观点是非常初步的、原始的。[②]自我意识的真正发生开始于健全的第一人称观点。换言之，健全第一人称观点是所有形式的自我意识的源泉。这种第一人称观点指的是这样的能力，即把第一人称的自己看作是自己，看作是经验的自主体和动原的能力。其特点是它的运作离不开概念，因此是一种概念能力。作为概念能力，它又是以语言为基础的。它是在初步第一人称观点的基础上逐步发展起来的，其发生的条件是语言学习。

这个被从健全第一人称角度思考的“自己”究竟是什么呢？贝克不赞成说它是灵魂或作为独特实在的东西，而认为它是一种具身性的人。

四、自我意识的深度解剖

许多喜欢打破砂锅问到底的人在承认人有认识论意义的自我意识或自我觉知时不满足于通常的这样的理解，如一种心理行为的自我觉知，就是自己知道该行为的发生、内容及进程，有关于行为本身的意识，而进一步追问：这种形式的自我觉知究竟是什么？D. W. 史密斯反对作为独立实体的自我论，反对高阶思维论，但不否认意识中包含有自我意识或内觉知，认为这里的自我意识、内觉知具有自反的特点。但他不满足于表面的界定，而想进一步知道：自反意识究竟是什么？这种形式的内觉知究竟是什么？

对这类问题，常见的说明是：它是高阶监视性思维，是同时性的内观察；它是一种反省、内知觉或反思性的自我意识。D. W. 史密斯想提出和论证的新观点是：有意识心理状态的内觉知根源于经验的一种形式的特征，即一个人意识到这个或那个对象所用的方式。它包含了某种形式的反身内容。因为它包含有自反内容，所以是自反性内觉知。根据这种解释，自我意识或觉知在本质上是一种自反性的内觉知。它有现象学结构。因此，接下来的任务就是要弄清这种结构。D. W. 史密斯认为，揭示这结构的一种行之有效的方式

---

① Baker L R. “From consciousness to self-consciousness”. *Grazer Philosophical Studies*, 2012, 84(1): 20.
② Baker L R. “From consciousness to self-consciousness”. *Grazer Philosophical Studies*, 2012, 84(1): 21.

就是考察索引性表达式的逻辑。[①]在作这种考察时，不妨先记住这样的问题，并贯穿在研究的过程中：有的心理行为是有意识的，即人在心理行为发生时，同时有对它的觉知，这是为什么？他的基本态度是：努力避免高阶理论的结论，即不承认内觉知是为观察原来行为而生起的第二个行为，强调内觉知具有自反性或自反特征。如果说他的内觉知理论有独特之处的话，那么它主要表现在自反性这个关键词之上。它强调的是，在内觉知时，必然会回到一种自反的内容，这内容是一种特殊形式的索引性内容。[②]

内觉知的实质究竟是什么？D. W. 史密斯认为，可用下述描述视觉经验这样的简单事例的现象学描述方法对内觉知作出阐释。他说："正是在这种经验中，我从现象上看到了这个跳跃的青蛙。"换成同类的视觉判断，可表述为"正是在这种经验中，我从现象上看到：这只青蛙正在跳跃"。不难看到，人们在报告自己的经验时，这类现象学描述是以第一人称方式表现出来的。这种描述形式展现了经验的规范的特征。正是在这里，我们可以加以展开，并进到这类经验的更根本的特征。

通过对心理行为的剥蒜头式的现象学分析，D. W. 史密斯除了发现了心理行为的上述构成因素之外，还认可了别人也承认的因素。把它们合在一起，可以归纳出这样一个列表。①现象性或所与性、显现性。②反身性。③自我中心性。④心理的形态性，即总是要表现为某一种心理行为形态，如要么是看，要么是听，等等。⑤自反内容"（正是这个经验"）与直陈性内容（"这只跳跃的青蛙"）。[③]

为了说明自反内容，D. W. 史密斯利用和发展当前索引词研究的成果，把它归结为索引性内容。他分析索引性内容就是为了帮助人们更好理解"自反性内容"。"自反"来自莱辛巴赫的"个例自反性"一词。它指的是"这""我""这里"之类的索引词。"这"指的是它的说出者所指的东西，"我"指的是它的说出者，"这里"指的是说者说话时所处的位置。总之，索引词指的是与该词之说

① Smith D W. "Consciousness with reflexive content". In Smith D W, Thomasson A(Eds.). *Phenomenology and Philosophy of Mind.* Oxford: Clarendon Press, 2005: 93.
② Smith D W. "Consciousness with reflexive content". In Smith D W, Thomasson A(Eds.). *Phenomenology and Philosophy of Mind.* Oxford: Clarendon Press, 2005: 94.
③ Smith D W. "Consciousness with reflexive content". In Smith D W, Thomasson A(Eds.). *Phenomenology and Philosophy of Mind.* Oxford: Clarendon Press, 2005: 98.

出有适当联系的实在。佩里（Perry）把这种关于索引词的观点应用于对陈述、信念、思想的内容的分析之上。例如，“这个人写了《知识与信息流》”这一内容的真值条件就是自反地与那个思想有联系的，即与那个语景中的具体个例经验有联系的。D. W. 史密斯接受了佩里的一些概念、思想和方法，如承认每一思想有许多形式和内容，每一思想中有自反性内容，等等。但反对把内容等同于真值条件，认为这一思想未能说明内容与背景之间的根本区别。他说：“仅根据真值条件说明内容，就会遗漏内觉知的一种特殊形式及其所包含的自反内容。”①

根据上述分析，内觉知是一种极其复杂的觉知现象，绝非人们平常所想象的那么简单。他强调，要予以理解，必须有现象学的观点。如果用现象学方法加以描述，内觉知可这样加以表述：“正是在这种经验中，我从现象上看到了这只跳跃的青蛙。”“这只跳跃的青蛙”描述的是知觉内容。如果这里换成陈述句，它表述的就是命题内容或意向内容。整个句子可这样表述：“正是在这个经验中，我从现象上看到了这只青蛙在跳跃。”②细致地加以分析，句子的不同成分表达的是“看”这一心理行为中的不同因素。如“这只跳跃的青蛙”表述的是知觉内容，它限定了心理行为的对象；“正是这个经验”自反地规定了行为本身。这两个现象学描述句都描述了一种觉知形式，即除了“看”之外，还有对看的觉知。为此，D. W. 史密斯作了两点说明：第一，内觉知是通过唯一一种索引内容，即一种不可还原的自反内容，才得以完成的；第二，这种内容出现于那种行为的形态中（如看、听等），而不出现在那行为对对象的呈现样式之中。③

综上所述，可对内觉知的本质作这样的说明，即内觉知根源于经验的形态特征，而不是任何形式的独立的高阶注视。④

再来考察布鲁克沿着康德思路对自我觉知（awareness）的区分以及对扎哈维所作的进一步的讨论。他像康德一样把自我意识区分为经验自我意识和先验

① Smith D W. “Consciousness with reflexive content”. In Smith D W, Thomasson A(Eds.). *Phenomenology and Philosophy of Mind*. Oxford: Clarendon Press, 2005: 109.
② Smith D W. “Consciousness with reflexive content”. In Smith D W, Thomasson A(Eds.). *Phenomenology and Philosophy of Mind*. Oxford:Clarendon Press, 2005: 109.
③ Smith D W. “Consciousness with reflexive content”. In Smith D W, Thomasson A(Eds.). *Phenomenology and Philosophy of Mind*. Oxford:Clarendon Press, 2005: 110.
④ Smith D W. “Consciousness with reflexive content”. In Smith D W, Thomasson A(Eds.). *Phenomenology and Philosophy of Mind*. Oxford:Clarendon Press, 2005: 110.

自我意识两种，把自我觉知区分为经验自我觉知和统觉（apperceptive）自我觉知。前者指的是对当下发生的知觉、记忆、愿望等心理状态的觉知。他认为，要有这类觉知，首先得有心理状态发生，其次是对之进行自我分辨、认识。后者指对作为经验主体的自我本身的觉知。它不仅知觉到自己的心理状态，而且知觉到完成、拥有这些状态的主体。要得到这类知觉，仅知道当下发生心理现象是不够的，还必须知道：正是自我完成了有关的心理活动，并使有关现象发生。这种自我觉知的特点还在于：当我有这种觉知时，我不仅知道我是当下经验的主体，而且还是别的心理状态的共同主体。[①]扎哈维对两类自我觉知理论提出了这样的问题：有没有这样的自我觉知，它无自我或无主体？自我觉知一定要理解为对自我的觉知吗？它能这样理解吗，即只被理解为一特定的、关于自身所具有的觉知吗？他的回答是肯定的。为阐述自己的观点，他也对自我意识作了区分，即区分为反思和前反思的自我意识，前者有对自我、主体的觉知，而后者只是一种自明性，即既觉知到对象（意向性）又觉知到觉知本身。这里觉知并没有主体与客体、自我与非我、能觉与所觉的区别。扎哈维说："我能前反思地觉知到自己的当下经验，而且我也能反思这种知觉，并将它主题化。但我也能把我自己反思为经验的主体性，即我能把自己反思为正在进行思维的人。""如果自我觉知只是一个由经验所拥有的关于自己的觉知，那么我们面对的就是一个非我的或无主体类型的自我觉知。""我的结论是：在有自我觉知时，确实存在着相关联的自身性。不仅当我意识到我正知觉一根蜡烛时，而且当我以第一人称所与性的方式亲知一个经验时，一定存在着自我觉知。"基于此，他认为，婴儿和动物都有自我和自我觉知，因为他（它）们也有同样的知觉和经验，但他同时又承认："存在着自我觉知的更高的形式，它们是新生儿和动物所没有的，例如前述的统觉自我意识就是如此。"[②]

五、自我意识的"优越性"与"免错"问题

目前自我意识研究中争论最激烈的一个问题是，自我意识是否是认识人自

① Brook A. *Kant and the Mind.* Cambridge: Cambridge University Press, 1994: 55-57.

② Zahavi D. "Self and consciousness". In Zahavi D (Ed.). *Exploring the Self.* Amsterdam: John Benjamins Publishing Company, 2000: 55-74.

己的、优于其他方式，如第三人称认识方式的优越通道？这种认识是否具有可免错性或对错误的免疫性？经典的当然现在仍有人为之辩护的回答是肯定的，其基本逻辑是，认为内省报告是可错的这一观点是不能成立的。因为内省报告只要是诚实地作出的，其错误是不可想象的。如一个知道什么是疼痛的人，在内省到疼痛并报告出来时，就不可能犯错误，也不可能被他人检验。反对这一貌似天经地义的观点的大有人在。

先看休梅克的讨论。他认为，这里的前提性问题是，自我意识是否可能？如果可能，又是如何可能的？为此，他写了专文《自知何以可能》。他的看法是，从语言上说，有关于自我的知识就是有关于自己的第一人称心理陈述。人事实上都有这样的陈述，因此自我意识的可能性不容置疑。对于是否可错的问题，他的看法是，因为人有不同类型的第一人称心理陈述，其可错性是不一样的，所以应具体问题具体分析。

休梅克认为，第一人称心理陈述可以分为两类：一是可检验、可改正的，二是不可改正的。记忆陈述和知觉陈述属于第一类。其特点是：人可以诚实地作出这种陈述，并相信它为真，而事实上它是假的，或能被别人发现是假的。例如，我现在由于某种原因记起并真的相信，在以前的某一天的某一时刻听了一首乐曲，并有愉悦的感受。了解我的人都认为这是幻觉，因为他们都记得我那时在做别的什么。第二类是关于私人经验和心理事件的陈述，如关于疼痛、心理印象和思维等的陈述。其特点是，他人没有办法说它们是错误的。只要是诚实地作出来的，它们便为真，因此它们的诚实地作出便是它们逻辑上为真的充分条件。这种陈述不是推论出来的，不需要论据、论证，而是直接知晓的。正是这种直接觉知（direct awareness）使我有理由说“我处在……状态（如‘疼痛’）中”。因此，检验这种认识是否为真，不是去检查证据，而是去确定他是否在事实上处于不用证据认识事物的位置上。

关于第一类陈述即可错的陈述，既然它可能为假，那么我们便可问：这种陈述怎样才能是真的？如前所述，这类陈述与第二类陈述的根本区别在于：它可假，并原则上可为说话者以外的人发现。例如，如果一个人说“我看到了一棵树”，而别的人看到他并未睁开眼睛，或没有面向树，那么他们就可以说他的陈述是假的。因此，说话者的可观察的行为、标志、表现、表情等即使不是我们判断他的陈述真伪的充分条件，但也可算作是一些重要条件。当这样的陈述是诚实地作出时，它一般为真，它的真实性依赖于下述事实：只是当某些事情与说话者的身体一致时，这种陈述便是诚实地作出的。

休梅克认为这里有两点至关重要。第一，知觉和记忆陈述一般为真的必然真理，最好用下述条件陈述加以表述：如果这类陈述作出了，那么大多数诚实的、可信的陈述就是真的。这类陈述由于是条件陈述，没有描述任何发生的东西，因此没有报告、解释所需的任何发生的事情。第二，上述讨论的那类偶然关系的存在可能是解释所需要的。严格地说，被解释的事实不是这样的事实，即第一类陈述是真的，不是关于作出陈述的事实，应被解释的是经验现象，即在人们的行为中存在着的某些关系。

倡导主观物理主义的豪厄尔（Howell）最有特色的思想是基于他对主观心理现象的作用方式和特质的认识，对表面上存在的自我游离于人自己的认识之外（有些人据此得出了无我论或可免论结论）的现象作了深入的剖析。他承认，心理状态有这样的特点，即它们在发挥作用时，只让我们觉知世界，不让我们觉知自己，由此就形成了一种独一无二的内在属性类型，它们的作用是让觉知远离它们的携带者，而不是让觉知去把握它们。正是有这样的事实，主体、自我就成了游离于认知之外的东西，进而被认为是不存在的。其实是存在的，只是不能为人自己所认识，或规避了人自己的认识。[①]

与上述问题密切相关的一个问题是：人尽管没办法直接知道自我，但能否自知自己的心理过程、状态、内容，即有无对它们的自我觉知或意识？如果有，这种自知是否有传统自我意识理论赋予它的那些特点，如隐私性、不可错性、直接性、主观性、不对称性、优越通道，等等？豪厄尔承认自知有特定意义的直接性、隐私性、主观性，但他对不可错性这一在当今争论得不可开交的问题提出了自己的特殊看法。[②]根据传统观点，人关于自我及其心理内容的判断是不可错的，即有对错误的免疫性。从类别上看，可免错性有两种，即绝对的可免错性和随环境变化的可免错性。豪厄尔根据逻辑和事实给予了驳斥。他说："判断中一定包含错误的可能，可免错性论像对主观性的描述一样似乎有太多的不

① Howell R J. "Immunity to error and subjectivity". *Canadian Journal of Philosophy*, 2007, 37 (4): 588-601.
② Howell R J. "Immunity to error and subjectivity". *Canadian Journal of Philosophy*, 2007, 37 (4): 582-584.

受欢迎的内容。”从事实上看，我们对自己的判断许多时候都是错误的。他认为，从根本上说，“说有绝对的可免错性就像说有红色青鱼一样，因为不可能有这样的判断”。如果是这样，再像有的人那样根据可免错性来对自我和自知进行理论化，就更是靠不住的。他说：“可免错性不可能完成人们在对自我和自知进行理论化时所赋予它的那些任务。”[①]

20 世纪末以来，优越通道、免错问题成了伴随心理内容研究而诞生的个体主义和反个体主义[②]争论的一个问题。个体主义坚持和辩护笛卡儿主义的优越通道论、“第一人称认识不可错论”，在批判反个体主义时指出：反个体主义与优越通道论是不可调和的。当代有一部分哲学家认为，优越通道是不可否认的，而倡导反个体主义的普特南、伯奇等则尖锐地指出：优越通道完全是一种幻觉。在《论他人的身体》一文中，伯奇利用普特南的思想实验指出：地球上的奥卡和孪生地球上的奥卡尽管是分子对分子的孪生人，因而有完全相同的内在状态，但是因为它们所面对的水在化学构成上不同，所以他们所说的“水是湿的”便有不同的宽内容，如一个指的是 H_2O，另一个指的是 XYZ。这种宽内容显然不是由内在的东西决定的，而是由他们与他们环境中的别的人及事物的外在关系所决定的。在伯奇看来，上述反个体主义结论与优越通道论显然是矛盾的，如果前者是对的，后者就一定是错的。因为根据前者，人是否进入某认知状态，不是内在地决定的，而是由外在的事实决定的，人本身只能通过经验研究才能知道自己之外的事实。因此，人不能先天地知道自己处在什么样的认知状态之中，人也没有什么优越的认识自我的通道。因为人的自我、心灵有外在的、社会的构成。他还认为，一个人有什么思想，依赖于他与环境所具有的关系。既然思想不是纯内在的东西，本身就包含社会性的、环境中的因素，我们怎么能够通过直接的、非经验的、优越于他人的方式去认识呢？[③]

这里重点剖析一下现在十分活跃的认知哲学家卡鲁瑟斯的带有解释主义倾向和调和性质的自知理论。他自认为，他的这一理论关心的是自知的本质、根源与途径问题。在过去，有两类关于自知的理论。一是认知科学的理论，其形

① Howell R J. “Immunity to error and subjectivity”. *Canadian Journal of Philosophy*, 2007, 37 (4): 588-601.
② 高新民.《意向性理论的当代发展》，中国社会科学出版社 2008 年版。
③ Burge T. “Other bodies”. In Woodfield A(Ed.). *Thought and Object: Essays on Intentionality*. Oxford:Clarendon Press, 1982: 97-100.

式有：解释性感知通道理论、透明通道理论、内感觉理论、心灵阅读理论；二是哲学的观点，基本观点是，自知极其独特，不同于知他。如笛卡儿认为，它是直接的、隐私的、优越的、不可错的。许多哲学家认为，认知科学的成果与哲学的观点无关，因为哲学和科学分别存在于不同的“解释空间”中。例如，哲学关心的是人的层面的问题，认知科学属于“子人”层面的探讨。

卡鲁瑟斯要论证的是“解释性感知通达理论”（ISA），认为它是他赞成的解释主义的推广。其基本观点是，心灵有这样一个机能，即对心理状态作出归属（即要么把心理概念归属于自己，要么归属于他人）。而主张心理现象是归属或解释的产物则是解释主义的基本原则。在这里，向此官能的输入都具有感知的特点。这里的“感知”是广义的，包括各种形式的知觉，如躯体感觉、内省、视知觉、各种形式的印象。

正是因为对人自己的心理状态的认知以感知为基础，所以这种认知与对他人心理状态的认知就没有原则的差别。质言之，“这种认知同样具有解释的特点”。“我们到达我们自己命题态度的通道几乎都具有解释性（且常常是对话性的），都要利用这样的推理，即在将态度归属于他人的时候所用的推理。”[①]

卡鲁瑟斯还强调：解释性感知通达理论包含如下四个命题。①有一种心理机能，它是我们归属命题态度的基础，既能作自我归属，又能作他心归属。②这个机能只有通向它的领域的感性通道。③它对我们命题态度的通达是解释性的，而非透明的。④如果考虑到这个机能的起源，还应加一个进化命题，它可看作是该理论的第四个命题，即这个机能是进化的产物，到最后还有这样的作用，即表现为社会认知的向外看或指向他人这样的形式。[②]

此外，解释性感知通达理论有如下六个预言。①不存在不借助于感知的觉知，即一切对自己的认知都必须诉诸感知。②发展预言：因为解释性感知通达理论承认人都有这样的能力，即把命题态度归属于自己和他人，所以儿童的第一人称和第三人称理解的能力在发展中就不会有概念上的差异。③不分离预言：人把心理状态归属于自己和归属于他人的能力不会有分离或脱节的问题。④元

① Carruthers P. *The Opacity of Mind: an Integrative Theory of Self-Knowledge*. Oxford: Oxford University Press, 2011: 1.
② Carruthers P. *The Opacity of Mind: an Integrative Theory of Self-Knowledge*. Oxford: Oxford University Press, 2011: 2-3.

认知预言：通过学习和训练，人可以形成元认知能力。⑤沟通预言：人在把命题态度归属于他人时，常犯错误，因此就需要不断地相互沟通、会话、交谈。⑥比较预言：这里的比较是指可以对不同造物的心理作出比较。

卡鲁瑟斯是重论证的哲学家，他开宗明义地“宣布”了他的上述结论之后，并给出了详细周密的哲学和科学论证。他强调他的解释性感知通达理论主要依赖于认知科学中的三个著名的、得到广泛认可的理论。第一，心灵阅读理论。解释性感知通达理论认为，人之所以能把命题态度归属于自己和他人，是因为他有一种特殊的能力。此即心灵阅读的能力，它是通过感知通道到达它要了解的领域的。第二个和第三个分别是，认知科学的工作记忆假说、社会智能假说。[①]

自知有无传统自知理论所说的特殊优越通道？卡鲁瑟斯的看法是，自知像对外部世界的认知一样也以感知为基础，因此“不存在到达我们内部状态的任何特殊通道”。如果透明意味着优越、直接，那么也可以说不存在所谓的透明性。[②]如果像他自己那样理解透明，即指的是可接近，有通道帮忙到达，那么他承认自我认知有一定的透明性。但这必须加以限制，因为对于知觉、印象性状态，确有这样的通道，但对命题态度和部分情感状态，则没有这样的通道。他说：“一方面，我们没有到达我们的任何命题态度的透明性感知通道，另一方面，也没有到达与情境有关的期望、情绪的透明性感知通道。”[③]如果说这两类范畴之外的状态应能通过透明通道接近，那么就必须找到某种非感知的信息通道。这就是解释。正是在此意义上，他把他的自知理论称作解释主义的自知理论。

综上所述，卡鲁瑟斯阐发的解释性感知通达理论实际上是融合了优越通道论、内感觉理论、心灵阅读理论和解释主义的综合型理论，如它既承认有到达像知觉这样状态的感知通道——这一致于传统的优越通道论，又强调要到达到思想这样的状态，必须通过解释这样的途径。他说：“我们认识思维及其过程的唯一通道是解释，因为依赖于感性的、情境性和行为性资料，所以一定经常有这样的案例，在这里，因为各种错误资料的呈现，所以我们便错误地把态度归属于我们

① Carruthers P. *The Opacity of Mind: an Integrative Theory of Self-Knowledge.* Oxford: Oxford University Press, 2011: 63-64.
② Dretske F. *Naturalizing the Mind.* Cambridge: The MIT Press, 1995: 95.
③ Dretske F. *Naturalizing the Mind.* Cambridge: The MIT Press, 1995: 154-155.

自己。”[①]既然如此，就一定会出现这样的情况，在这里，人们谈论、交流他们的心理状态。在这个过程中，人们一定会相互解释。它的综合性表现在，承认内省有时有其必要性，但又强调内省有其局限性。另外，它还强调：自我认知具有多样性，有些心理活动可内省、可内觉知，有些则不能。

卡鲁瑟斯自述道：解释性感知通达理论实质上是一种基于心理阅读能力、解释等机制的简单的自我认知模型。它的作用在于：既能说明自我觉知，又能说明他心知。因为自知和他心知都以解释、心灵阅读能力为基础。[②]它的理论基础首先是认知科学的一系列新的发展和理论，如关于全局播放的理论，它认为，心灵阅读系统是以概念为工具的消费系统，该系统能利用全局播放系统所提供的信息。其次，它利用了基于感知的工作记忆理论来说明我们的基本态度是怎样驱动行为和内部语言句子的心理预演的。[③]

六、自我意识研究的新走向

当今西方的自我意识研究呈现出异常活跃的态势，其表现除前述的内容之外，还可择要列举如下几方面。

首先是从神经科学、精神病学的角度通过研究异常自我意识（那些失去自知能力的病人）的角度切入的研究。许多人认为，这是研究自知、自我意识的一种不可替代的方式。众所周知，正常的自我觉知是意识的这样一种形式，即觉知到自己身上发生的事情，或觉知到关于自己的事情。但也有许多异常情况，如身体失认症，有此疾病的人不能认知自己身上发生的事情，即没有自体感觉。有一种病人，他用左手把右手举起来了，但不知道这右手是自己的，而认为是别人的，甚至说要把别人的这只手扔掉。还有一类病人，他们能认识身体一边发生的事情，不能认识另一边发生的事情，甚至不知道这一边是属于他自己的。据研究，有这种病症的人，其对侧的大脑半球有某种病变，因为身体的左边发

① Carruthers P. *The Opacity of Mind: an Integrative Theory of Self-Knowledge*. Oxford: Oxford University Press, 2011: 325.
② Carruthers P. *The Opacity of Mind: an Integrative Theory of Self-Knowledge*. Oxford: Oxford University Press, 2011: 369.
③ Carruthers P. *The Opacity of Mind: an Integrative Theory of Self-Knowledge*. Oxford: Oxford University Press, 2011: 369.

生的事情一般在右半球的顶叶得到表征，而右边的事情则在左半球被表征。右半球受到伤害，记忆随之受伤害，因此就不能觉知身体右边发生的事情，反之亦然。这种研究得出的结论是，记忆的正常与否决定着自我意识的正常与异常，而这与大脑的结构和状态有关。还有一种异常的自我意识发生在疾病失认症中。第一个发现这个疾病的人是100多年前的法国医生巴宾斯克（Babinski）。他发明了“anosognosia”一词专指这一疾病。其病症是，病人不知道身体一边所发生的疾病，而病因一般是对侧大脑半球有疾病，或受损伤。①

其次是重新思考休谟主义。众所周知，休谟的自我论的基本观点是：“当我最直接地进入我所说的自我时，我所碰到的总是某种特定的知觉或别的知觉，它是关于或热或冷、或明或暗、或可爱或可恨、或痛苦或快乐的知觉。在任何时候，没有知觉，我绝不可能理解我自己，除了知觉，我看不到任何东西。”②根据这一观点，即使人有自我知觉，它也不过是关于知觉的知觉。认知科学家普林茨（Prinz）认为，对休谟主义的自我意识理论是有各种不同解释的，从大的方面说，这些解释可区分为形而上学的和现象学的解释两大类，而这两类中又都有强解释和弱解释之别。普林茨自认为，他的解释属强现象学解释。根据他的判断，休谟是在讨论人格同一性问题时引入反省概念的，而后者则是他到达无我论的主要途径。人格同一性问题要回答的是：成为自我意味着什么？单一自我怎样在不同时间中持续？为回答这些问题，休谟提出了“捆绑论”。普林茨的解释之所以不是形而上学的而是现象学的，是因为他不关注前一方面，他认为，“自我也许是存在的，也许是绵延的”，但这超出了认识能力的范围。就认识充分性来说，人能回答的是现象性自我的种种问题。因此他说：“我关心的是休谟在提出形而上学问题时所阐述的现象学命题。”③现象学命题实即关于自我的现象论。其要点是：“在构成经验的各种现象性质中，压根就不存在能被描述为自我或主体经验的东西，有的只是在世界的被知觉特点中所看到的种种性质，如感觉、情感等。即使我们可用‘我正经验到我’这样的句子说明我们的经验

---

① Heilman K M. *Matter of Mind: a Neurologist's View of Brain-Behavior Relationships*. Oxford: Oxford University Press, 2002, Ch.5.

② Hume D. *A Treatise of Human Nature*. Oxford: Oxford University Press, 2000: 252.

③ Prinz J. “Waiting for the self”. In Liu J, Perry J(Eds.). *Consciousness and the Self :New Essays*. Cambridge : Cambridge University Press, 2012: 123.

内容，但构成那经验的性质只能通过列举性质予以充分表述，上述语句中作主词的‘我’及其构成经验是没有对应的实在的。”①

关于休谟无我论的强解读是，休谟的无我论说的是：当我们向内看时，看到的不是自我，而是各种知觉。我们的知觉中没有什么能成为这样的经验，它把人的自我体验为一个主体。弱解读则认为，休谟说的是，除知觉流之外，并没有什么主体、自我之类。普林茨认为，两种解读共同的地方是：都承认没有现象性自我，而近来认知科学围绕现象性自我建构了不同的理论，如还原理论、非还原理论等。普林茨认为，这些理论都将以失败而告终。他说：“即使根据强解读，休谟也是对的，因为真的没有现象性自我。如果我们在经验中等着‘我’的出现，那么是绝不能如愿的。我们可以通过推论和哲学思辨相信我作为主体而存在，但我绝不可能亲知我自己。”②

再次是在对现象学和分析传统的自我意识研究作融合尝试的基础上探寻它们各自的不足，并作出修补。根据这一思路，现象学和分析哲学的自然主义都有其优点和缺点。如现象学的优势在于：对有意识经验的“为我”的构成、相状和特点作了具体、逼真的再现。但对它们是怎样形成的，其基础、条件、机制是什么，并没有作进一步的探讨，即没有“进一步的解释和说明”。而自然主义尽管对自我及其自我意识的“为我性”和现象学本质挖掘不够，但在现象学所欠缺的地方做得比较好。马尔凯蒂（Marchetti）看到了这一点，并试图弥补现象学的不足。他在对意识的本质特征作了现象学分析的基础上，试图“回答人的意识的根本问题”，即“我们应怎样解释我们有意识经验的现象性质？”③其基本思路及观点是，强调不能从第三人称观点，而只能从第一人称观点来解释。他说：“第一人称观点在接近人的有意识状态时，不是从外在观察者的观点出发，而是从经历了那有意识状态的人的观点出发。这样一来，它试图理解现象经验怎样由创造了它们的人所产生，进而相对于人的突现、形成和发展来分析人的有意识状态。”接着，他建立了一个旨在弥补双方不足的关于意识、自我

① Prinz J. “Waiting for the self”. In Liu J, Perry J(Eds.). *Consciousness and the Self :New Essays.* Cambridge : Cambridge University Press, 2012: 124.
② Prinz J. “Waiting for the self”. In Liu J, Perry J(Eds.). *Consciousness and the Self :New Essays.* Cambridge : Cambridge University Press, 2012: 148.
③ Marchetti G.*Consciousness, Attention and Meaning.* New York: Nova Science Publishers, 2010: vii.

意识的模型，它的基本观点是：人是作为实在从有机体将它的神经能量连续应用于自身中而突现出来的。这模型由两部分构成，即知觉系统和自我图式，前者使有机体有意识成为可能，而后者为有机体得以知觉、运动、生活提供规则。意识流来自这两个系统的不间断的相互作用。[①]

最后是从比较或跨文化研究的角度切入对自我意识的研究。笔者认为，西方学者尽管在这一领域做了一些开创性的工作，但空白、问题很多，因此这是我们能为世界心灵哲学作出我们的贡献，填补国际学术空白的极好契机；要推进这一研究，当务之急是要把被比较方，特别是中国和印度的有关思想弄清楚。在这里，我们是大有可为的。

第四节　自我与人格同一性问题

人格同一性问题是一个与自我问题有密切联系甚至有部分重合（详下）的相对独立的哲学研究领域。自洛克明确提出并阐发一种人格同一性理论从而使这一研究领域正式定型以来，它一直是形而上学、伦理学、法哲学、心灵哲学、人学等关注的重要课题。最近20年来，它成了形而上学、心灵哲学、身体哲学最热门的研究课题。还不断有自然科学的相关部门，如心理学、精神病学、神经科学陆续加入，从而使之成为以哲学为中心的多学科驰骋的疆场。从方法论上说，它除了继续受到哲学方法、科学方法的惠顾之外，热衷这一研究的许多学者还十分喜欢运用在心灵哲学和科学哲学等部门一直发挥着不可替代作用的思想实验方法。马丁（R. Martin）说："关于（可能是）不可能情境的思想实验一直是人格同一性文献中占主导地位的倾向，从洛克开始就是如此。"[②]而且在哲学中，柏拉图就已开了这个先河。当然新近的人格同一性研究对思想实验的运用有自己的特点，如主要用来讨论同一性与活着的关系。当然这样运用也受到了质疑。有些人认为，这样运用对哲学的讨论并没有什么意义。

新的人格同一性研究还有这样一些特点，如子问题急剧增加（详后），在传

---

① Marchetti G.*Consciousness, Attention and Meaning*. New York: Nova Science Publishers, 2010: vii.

② Martin R. "Fission rejuvenation". In Martin R, Barresi J(Eds.). *Personal Identity*. Oxford: Blackwell, 2003: 235.

统的问题之外，还出现了这样具有转向意义的问题，即追问活着与同一性的关系问题：如果人的同一性一定离不开活着，那么活着必然关涉什么，活着与什么有关？活着依赖于什么？另外，洛克之前，论者一般用精神实体论证人格同一性，而洛克开创了一个新纪元。他最先诉诸记忆的连续性予以说明，由此至20世纪60年代，人们一般坚持这一战线，即使有不同，也只是作一些充实和改进，如诉诸时间中两个人的物理和心理关系来加以说明。此类理论可概括为内在关系观。20世纪60年代以后，新的变化接踵而至。其表现是，外在关系观强势登场，即使不说取代，至少可以说成了内在关系论的劲敌。它认为人的同一性不仅由内在关系所决定，而且由人与人之间的关系所决定。观点上的重要变化还有，许多论者强调应该用关于人的四维观代替三维观。根据新的四维观，人的同一性关系的关系项不是时间间隔中的人，不是某个时间点上的人，而应是横跨人的一生中的全部时间阶段的统一体。它尽管没有取代三维观，或者说三维观仍有市场，但已得到越来越多的人的支持。

一、人格同一性问题的问题

先就概念来说，“人格同一性”（personal identity）是一个有多少人研究就有多少赋义的概念。这里译为“人格”其实不妥，它与心理学、法律学、伦理学、人生哲学等所说的人格没有什么关系，应译为“人的”或“个人的”，因为哲学通过“personal identity”要探讨的是每一个个体的人在不同时间中是不是同一个人，在一个共时性的时间点上，作为杂多因素构成混合而成的个人有没有同一性、统一性。因为将其译为“人格”已约定俗成了，所以我们仍加以沿用，只是提醒读者理解时记住它的实际指称。这里所说的“同一性”当然没有统一的看法。一般而言，“同一性”有相似性与相同性两种用法。前者指的是质上的同一性，如指一个事物实际上相似于另一个事物；后者指数量上的同一性，如两个事物实际上只是一个事物，过去的我与现在的我就是如此。作为一个哲学问题，人格同一性问题要追问的与这两种用法都有关系，如现在的我与过去的我是不是一种相似关系？如果是相似关系，那么很多哲学问题特别是伦理学、法哲学问题都不好解决，如法律对过去犯了罪的、现在的某人的惩戒就不是对同一个人的惩戒。因此，哲学的人格同一性概念所用的“同一性”主要是后一种意义的同一性，它关心的是，决定一个人在不同的时间中的同一性的东西是什么？或者说，什么使现在的一个人与过去的一个人成为同一个人？很显然，现在的一个人与过去的（假如说20年前的）一个人在各方面都发生了很大的变化，如原先是个婴儿现在是一个年轻人，原先没胡子现在满脸胡须，等等。在特定意义上，两个人看不出有什么相同性，但他自己和周围的人都会把他看作是同一个人。这是为什么？

作为一个学术问题，人格同一性问题有不同于其他问题的特点，其表现是松散的，没有统一性。首先，在不同人所理解的不同的人格同一性问题中，不存在贯穿其中的共同的问题。其次，人格同一性问题不是唯一的，不同学科，如哲学、心理学、精神病学、神经科学，都有自己的人格同一性问题。对此问题作过专门研究的奥尔森（Olson）说：“不存在一个人格同一性问题，而是只有很多松散地联系在一起的问题。”①

这里我们不妨把对此问题的主要不同理解列举出来。有的（也许是多数）哲学家关心的人的持续、连续、同一的存在问题。有的人关心的问题是：如果同一性是事实，其根据、基础是什么？是记忆或心理连续性，还是物理连续性，抑或别的东西？有的人关心的是人的界定问题，即人的标准或条件问题，如什么使一对象成为一个人？或什么特征使某物成了一个人而不是非人？在你从一个受精卵开始的发展中，在哪一点你才成了一个人？有的人关心的是人的本质特征问题，如你、我及别的人是什么样的存在？我们是物质的还是非物质的？我们是实体、属性、事件或别的东西？我们是由物质构成的，还是由思想或别的东西构成的？有的把它理解为近乎自我的问题，如我是什么？我何时开始？当我死亡时，什么发生在了我的身上？有的关心的是个人的数量问题，即我们每个人作为人究竟是一个还是多个？我们每个人以一个角色出场还是以多个角色出场？数量问题既是哲学、心理学家关心的问题，更是重视研究异常心理的人感兴趣的问题，如大脑两半球联合部切除后，人是一个还是两个？患人格分

---

① 斯蒂克，沃菲尔德.《心灵哲学》，高新民，刘占峰，陈丽，等译，中国人民大学出版社2014年版，第398页。

裂症的人是两个、三个或多个存在者的居所吗？[①]由于心、意识即使不是人的同一性的全部决定因素，至少是其重要或根本的决定因素，因此近代以后，人格同一性问题追问的主要是意识的统一性和连续性问题。

人格同一性问题尽管有多、乱、不统一的一面，但同时又有其内在的统一性和逻辑性，有核心的、带有共性的、为大家共同关心的问题。奥尔森认为，带有哲学意义的人格同一性问题主要包括以下几个。①持续性问题或人的历时性同一性问题。例如，一个人能否从一个时间到另一个时间续存或持续存在？如果能，是什么使然？我们在时间中的持续存在由什么所决定？什么决定了过去的你和未来的你是同一个你？什么让你的存在走向终结？当你指着一个老照片说“那就是我”时，是什么让你作出这个判断？[②]持续问题还有一个为哲学和宗教共同关心的问题，即人在死后是否继续存在？换言之，肉体死亡后，还有无东西续存？如果有，那是什么？持续问题要问的实际上是：在人的众多特征中，有没有一个特征或实在或属性能贯穿始终？②共时性同一性问题，即我们当下的许许多多的构成部分是由什么决定的？就像地球上当前的总人口一样，这种人口状态是由什么使然？这里要问的不是是什么引起了当前有这么多人，而是问这么多人依赖于、根源于什么？同样，人的同一性的共时性问题要问的是，由多元因素构成的人有没有让它们统一的决定性的因素？多为什么可以成为一，如以一个人的形式呈现出来？这也就是别人所说的“数量问题”。③关于人的本体论问题。这里的本体论问题指的是关于人的形而上学本质、本根、本原的问题，如人的最一般、最根本的特征是什么？这是人格同一性问题中最深奥的一个问题。也有许多子问题，如在最根本的层面，我们由什么构成？我们完全是由物质构成的吗？除物质之外，我们身上还有无别的构成？我们能超出我们的皮肤吗？或者说，我们是比身体大还是小？我们的空间界限在哪里？如果我们有界限，这界限是由什么决定的？如果我们能超出皮肤，这是由某种有意识的觉知所使然的吗？从本体论上说，我们是独立的存在呢，还是依赖于某

① 斯蒂克，沃菲尔德.《心灵哲学》，高新民，刘占峰，陈丽，等译，中国人民大学出版社 2014 年版，第 396 页。

② Olson E T. “Self: personal identity”. In Banks W P (Ed.). *Encyclopedia of Consciousness*. Vol.2. Oxford: Academic Press, 2009: 301.

种别的事物的方面或状态？以绳上的结为例，结不能离开绳子，只是绳子的一种状态，就此而言，绳子就是形而上学哲学家所说的实体或本体，结只是属性，每个人的我是像结还是像绳子？人格同一性还附带有这样的问题，即每个人都会关心自己的未来，今天之所以努力，目的是想让我的未来更幸福，另外，一般明智的人，都会为未来作出设计或规则。之所以有这样的行为，是因为人的自我认知中有这样的认识，即未来只要还存在，就有一个我，他与今天的我是同一个我。人格同一性问题在这里要追问的是：每个人都为之关心、为之作想的我，与现在的我真的是同一的？人对未来的我的认同的意识是怎样的？有无根据？

我们认为，尽管人们提出和讨论了广泛的人格同一性问题，甚至有奥尔森所说的不同的人、不同学科有不同的人格同一性问题，但我们认为，不同之中有大致的相同，至少可从统计上加以判别，如有些问题是相对多的人共同感兴趣的问题，或者说，即使没有绝对共同的问题，也有家族相似性的问题。我们在下文将主要探讨那些关注度较高、为多数人关心的人格同一性问题。我们认为，这些问题主要有以下几方面。第一，认识论问题。我们怎样判断现在的张三与 10 年前的张三是同一个人？是他的身体和心理的特征吗？这些特征对于同一性判断似乎都不充分。例如，他的头发颜色、穿的衣服、个子的大小、情绪性格特征等，都是确认同一性的可错的或不可靠的标志，似乎有更根本的决定因素值得去追问。第二，关于同一性和人格同一性本身的形而上学问题。如什么使现在的张三与10年前的张三是同一个人？认识论上找到的特征、证据似乎不足以回答这个问题，因为这里要找的是使两个人成为同一个人的充分必要条件，即两个时间中的张三是同一个张三，当且仅当……。另外，要回答人格同一性的标准、条件等问题，必须回答更一般的形而上学问题，如同一性是否存在？如果存在，其标准是什么？有无人格同一性？有无共时、历时性的人格同一性？如果有，其标准是什么？如果有充分必要条件的话，那么它们是什么？这种同一性有何意义、作用？还有，人与其他事物一样有同一性，但人的同一性有无特殊性呢？如果有，它是什么？自洛克以来，哲学家就一直在探讨这类问题，洛克的看法是，尽管植物、动物和人都有同一性，如都有生物的连续性、组织的完整性，但人的同一性的特点是人具有语义的、自传式记忆。因为有这类特殊性，所以“人”这一概念就不单纯是一个生物学的概念，而同时是一个法律和道德概念。第三，人格同一性的根据或基础问题。这是承诺了人格同一性的人必须、必然回答的问题，因此是这一研究领域中的重点问题。例如，决定一个人在不同时空中的同一性的东西是什么？或者说，什么使现在的一个人与过去的一个人成为同一个人？很显然，现在的一个人与过去的（假如说20年前的）一个人在各方面都发生了很大的变化，如原先是个婴儿现在是一个年轻人，原先没胡子现在满脸胡须，等等。在特定意义上，两个人看不出有什么相同性。但他自己和周围的人都会把他看作是同一个人。这是为什么？[①]从量上说，无论是在历时性结构中，还是在共时性结构或一个时间点上，人都是多，即量上的多，但又是一，即无论是自己，还是别人，都视之为同一个人，这是为什么？一个人在不同时间中的数量上的同一性由什么所决定？或者说，什么使现在的我与过去的我、堆在我身上不计其数的部分成了同一个我？第四，有关的心灵哲学问题。如承诺了人格同一性的理论会形成什么样的心灵观、身体观等。第五，伦理学、法律学问题。第六，规范性问题，即人为什么应该有人格同一性等。

总之，如果要为人格同一性问题下个定义的话，那么可以这样说，它是关于人的一系列哲学问题的总称或问题域。人格同一性问题是具有形而上学、心灵哲学等多重意义的问题。其重心和实质在于：人的同一性如果是事实，其同一的条件是什么？用洛克的话说，他们的同一性的根据是什么？人由于什么而成为同一个人？用现代的话说，人的同一性的标准是什么？

就自我问题与人格同一性的关系问题而言，两个问题构成了两个有相对独立性的研究领域，但又有联系。其表现是，两类问题既有相互促发、加剧的关系，又有相互补充、说明的关系。例如，人格同一性问题一方面是引出自我问题的一渊薮，另一方面又让自我问题变得更加复杂。首先应承认，自我问题的提出与下述事实的解释有关，人身上有各种各样的属性，如心理的和物理的属性，特别是意识、思维之类的属性、特征，它们后面有没有一个同一的支撑者、所有者？人都有自知、自我意识，如每个人都可讲许多关于自己的故事，这故

① Maslin K T. *An Introduction to the Philosophy of Mind.* Oxford: Blackwell, 2001.

事无疑根源于自我认识，这种认识离不开一个主体，它至少自发把某种东西当作是经验的主体。在这里，能认识和被认识的是什么？是否可称作自我？拥有经验的那个东西是否是经验中的事项？另外，人有历时性和共时性的同一性，即有人格同一性，如果这是真的，该怎样予以解释呢？是否需要设想其后有一个自我作为它们的保证？这表明，人格同一性问题至少是自我问题的一个导火索。同样，自我问题也有诱发人格同一性问题的作用。例如，如果像无我论所说的那样，人是散乱的要素的聚合，那么怎样看人的同一性？任何一个人是否是不同的人？如果像有我论所说的那样，里面有一个我，这个我与人的同一性有关吗？如果有关，又是怎样相关的？等等。两类问题的联系还表现在随着研究的深入一同演变、进化，如两类问题以前一般被看作是事实问题，现在有人提出，它们可成为"规范性问题"，如人格、自我是形而上学概念还是规范性概念？[①]其次，人格同一性问题与自我问题有部分重合关系，其表现是，前述的人格同一性的本体论问题和附带的问题中有些就近于甚至本身就属于自我问题，如我们由什么构成？我们完全是由物质构成的吗？除物质之外，我们身上还有无别的构成？我们能超出我们的皮肤吗？或者说，我们是比身体大还是小？我们的空间界限在哪里？如果我们有界限，这界限是由什么决定的？如果我们能超出皮肤，这是由某种有意识的觉知所使然的吗？每个人都为之关心、为之作想的我，与现在的我真的是同一的吗？人的对未来的我的认同的意识是怎样的？有无根据？

人格同一性问题无疑既有学理意义，又有实践意义。学理意义显而易见，如它们对于我们认识人、人的心理、自我等都有不可低估的意义。另外，也有形而上学意义，如形而上学的同一性理论既是它们的前提性的理论，而对它们的解决，又会引出新的形而上学问题，会从一个侧面推进形而上学的研究。就实践意义而言，对它们的回答对于伦理学、法学等都具有前提性的意义。例如，如果人没有同一性，对人的道德评价（赞扬、谴责）、法律的制裁等，怎么可能？只有承认人有同一性，才能保证人对责任和义务的承担。假如一个医生把一个人的脑袋放进了另一个人的身体之中，这引出了这样的人格同一性问题：这新

---

① Van Gulick R. "Self". In Wilson R, Keil F(Eds.). *The MIT Encyclopedia of the Cognitive Sciences*. Cambridge: The MIT Press, 1999: 733.

形成的人是谁？进而有这样的法律和道德问题，在这个新形成的人中，谁（是脑袋还是身体）对他的行为负责？他们以前存入银行的钱归谁所有？大脑移植花了一大笔钱，谁来付这笔医药费？[①]这个例子适用于所有的人，因为如果人不是同一个人，那么在他们身上都会碰到上述问题。

二、“同一性”“人格同一性”的词义学与形而上学问题

要像主流的人格同一性研究那样，去探寻人格同一性的根据或基础，那么首先将面临的前提性问题就是带有形而上学性质的元问题：怎样理解同一性？同一性的标准、条件是什么？

洛克的人格同一性探讨也遵循了这一逻辑。洛克的高明之处在于，看到了同一性本身的差异性和共同性，即不同对象的同一性是不一样的，但又有一般性、共同性。其共同性表现在所有的同一性都是一种关系。就同一性的具体样式来说，他已注意到两种同一性：一是一类事物中的不同个例之间的同一性；二是一个事物与自己的同一关系，如此时的桌子与刚才的桌子的关系，或这同一个桌子在不同空间中的关系。人格同一性属于第二种同一性。另外，第二种同一性尽管同时适用于植物、动物，如它们作为个体都有生物的连续性、组织的完整性，都有与过去的它们的同一与否的问题，但人的同一性相对它们的同一性来说又有自己的特点，这就是人身上的同一性除了实在层面的连续性之外，还具有语义的、自传式记忆方面的特点。因为具有这类特殊性，所以“人”这一概念就不单纯是一个生物学的概念，因为人之为人的特殊性还在于人是道德、法律的自主体，是可以接受道德、法律概念描述和评价的对象，如可说他是善还是恶的，是否有罪。

这就是说，人的同一性既有其他同一性形式的共性，又有其特殊性。洛克说：我们如果把一种事物在某个时间和地点的情形，同其在另一种时间和地点的情形加以比较，则我们便形成同一性和差异性的观念。[②]

即使是就“人的同一性”这一特殊的同一性个例来说，情况也十分复杂。

---

① 斯蒂克，沃菲尔德.《心灵哲学》，高新民，刘占峰，陈丽，等译，中国人民大学出版社 2014 年版，第 398 页。

② 洛克.《人类理解论（上册）》，关文运译，商务印书馆 1959 年版，第 302 页。

洛克认为，因为人有三种不同构成或存在方式，所以能被描述、规定为同一的东西就有三种不同。他认为，“同一”一词可用来述说人身上的三种事物，一是实体，二是人，三是人格。他说：实体、人和人格这三个名称如果代表着三个不同的观念，则所谓同一的实体是一回事，同一的人又是一回事，同一的人格也是另一回事。[①]这就是说，在说人的同一性时，可能有三种不同指称：一是指的构成人的实体的同一性或人的构成上的同一性；二是肉体的人或生理的人的同一性；三是作为整体的，既有物理构成又有心理构成的人的同一性，即成为一个完整的人或有人的格位的同一性。他强调，哲学关心的以及他要探讨的就是第三种人的同一性。

在现当代，因为维特根斯坦的“家族相似”理论得到了广泛的认可，同一性、共性似乎变成了神话，所以关心这一研究的人必须回答这样的问题，即世界上究竟有没有同一性？如果有，怎样予以界定？与相似性、多样性等是什么关系？可见，同一性本身，特别是有没有同一性，成了形而上学的重要问题。与此相应，作为语词的“同一性”等概念成了人格同一性研究中的新课题。另外，就人格同一性这一同一性的特例来说，也有许多棘手的问题，如人从生到死，究竟有无历时性的同一性？在一个人的每一个当下，如何说明他的多样构成中的同一性？说有同一性究竟是什么意思？一个人保持其同一性的充分必要条件是什么？等等。

在考察现当代的同一性研究时，我们必须有语言分析的维度。“同一”的英文表达式是“identity”或“is identical with”，“同一性”对应的是 identity。就用法而言，“同一性”有两种用法：一是指“相同”或“同一个”，如我刚用过的笔与我现在手中拿的笔的关系就是这种意义的同一性。它说的有同一性关系的两个或多个事物实际上是同一个事物。二是指“相似性”，即表明一类事物中相似的属性或因素，一般认为它们是相同的，或是共性，但严格说，或从量上说，这些所谓的共性总有其差别，因此只能说它们有相似性。[②]人格同一性中要讨论人的同一性显然属于前者。当然，这只是一家之言。

有的人的区分更加细致，如认为，两事物的相同与同一个事物在不同时空

① 洛克.《人类理解论（上册）》，关文运译，商务印书馆 1959 年版，第 306-307 页。
② Maslin K T. *An Introduction to the Philosophy of Mind.* Oxford: Blackwell, 2001.

中的同一尽管都能用“同一”来表述，但它们是有区别、不能混同的。而在日常语言中，它们常被混淆。如不仅把“同一于”用于昨天的我和今天的我的关系（如说昨天的我同一于今天的我），而且还把“同一于”用于两个有所谓的同一性或共同性的事物，如桌子 A 和桌子 B。在后一种用法中，说一物“同一于”另一物，实则说它们“相等”，可用“=”表示。可见，它是一种关系表达式，指的是两个以上事物所具有的一种关系。仔细思考，把“同一于”用于第一种情况是隐藏着麻烦的。很显然，这里的“两个事物的关系”不是一个事物与另一事物的关系，而是一事物与它自身的关系。如果是这样，把“关系”一词用在这里似乎就有点不合适。正是基于此，许多哲学家否认一事物与其自身之间存在着真正的关系。新的问题是，既然一事物只能同一于自己，而不能同一于别的东西，因此奇怪的是，同一性的事实怎么会成了没有意义的东西？

洛伊（Lowe）认为，要解决这一难题，必须对同一（identity）与认同（identification）两概念作出区分。它们的词根相同，但范畴根本不同，因为同一是本体论范畴，指的是事物内部存在的性质的特点，而认同指的是认识活动、认知行为。同一的对象常常用不同的方法来认同或辨识。能认同一个对象，就是具有某些只适用于那对象的信息。但有这样的情况，即一个人可能具有两种不同的信息，而同时不知道它们适用于同一个对象。例如，有的人分别有关于暮星和晨星的信息，但不知道它们是关于同一颗星的信息。这就是所谓的信息或内容的不透明性。很显然，同一性不同于认同，它指的是一种自反关系，即一个事物与其自身的关系。同一关系也不同于相同关系。例如，桌子 A 和桌子 B 是否相同，就属于是否有相同关系的问题，而现在的我与刚才的我就不是相同关系，而属于这里所说的同一关系。为了表明它们的区别，洛伊对它们分别进行了形式化。

概而言之，相同、相似不同于同一关系。相同、相似发生在两个以上的事物之上，而同一关系只发生在一事物与它自身之上，而不会出现两个对象之上，即使它们之间有相似性、相同性。新的问题是，不管是哪一种同一性关系，在认同或分辨时，都有同一的标准问题。[①]

① Lowe E J. “Personal identity”. In Garvey J(Ed.). *The Continuum Companion to Philosophy of Mind*. London: Continuum International Publishing Group, 2011: 207.

就同一性标准的两种形式的关系来说，二阶标准说的是 *K* 类中的事物间的同一条件，依据的是另一类的事物间的等于关系的。就上面的方向的例子来说，它是根据线段间的等于关系来说明方向的同一关系的。相比较而言，一阶标准说是 *K* 类事物间的同一关系，依据的恰恰是这些事物间的关系，而非另一类事物间的关系。这种区别极为重要，在说明人格同一性时将体现出来。因为只有当我们把人看作像方向一样的函数类的对象时，人格同一性的二阶标准才是适当的。

在对“同一性”概念作形而上学分析时，古利克（Gulick）提出，这个概念有两种意思。一是指量的同一性。这里的量的同一性有特定含义。比如，说两个或多个东西在量上同一，就是说它们是一个东西，而非两个或多个东西，如过去的你与现在和未来的你是同一个人，因此可以说，他们具有量的同一性。二是指质的同一性。这里说的两个以上不同的事物间的同一性，如两个事物 A 和 B 完全相同，即如莱布尼茨所说的那样具有完全相同的属性，即为质的相同。[①]

就人格同一性概念来说，一般认为，它有两种表现，一是历时性的同一性或一个人的连续存在，二是共时性的同一性。关于前一形式，一般有这样的追问，即在什么条件下，某个时刻的一个人会与另一时刻的一个人相同一，或就是同一个人？或者说，它们成为同一个人的充分必要条件是什么？奥尔森认为这个问题是一个错误的问题。因为它“太狭隘了”。思考它，会对问题作出过早的判断，排除关于人格同一性问题的“身体方案”。他认为，正确的提法应该是：在什么条件下，某个时刻存在的一个人会与存在于另一时刻的某个东西（不管它那时是不是一个人）相同一？这就像在排除他可能是个妇女这种可能性之前就问那个男子犯了什么罪一样。[②]即是说，这种问法包含预设或先入之见，就像在不知道罪犯的性别之前就问那个男子犯了什么罪一样，问成为人的充分必要条件也是这样，它可能预设了心理学方案，而排除了身体方案。

三、人格同一性的根据问题

人格同一性的这一问题是由洛克最先提出的，这一研究领域是由他奠基的，

---

① 斯蒂克，沃菲尔德.《心灵哲学》，高新民，刘占峰，陈丽，等译，中国人民大学出版社 2014 年版，第 400 页。

② 斯蒂克，沃菲尔德.《心灵哲学》，高新民，刘占峰，陈丽，等译，中国人民大学出版社 2014 年版，第 401 页。

而且后来的许多研究都是以他的探讨为出发点的，因此我们将从洛克的论证及其所引发的争论开始。

（一）洛克的人格同一性理论与新洛克主义的辩护

洛克人格同一性理论的逻辑简单而清楚，那就是先承认同一性是合理的观念，是事实的反映，然后为之作辩护。[①]

洛克首先强调，“人格同一性”中的“人格”有特定的含义，不同于“生物学意义的人”“实体”。因为实体指的是人的构成，而“人”一词也只着眼于人的物质实体和精神实体这样的成分和组织。“人格”则不同，关注的是人的整体的、突现的性质，他说：人格就是有思想、有智慧的一种东西，它有理性、能反省，并且能在异时异地认识自己，是同一的能思维的东西。这就是说，“人格”一词已包含着同一性的意思。而“人格同一性问题”则是要追问同一性根源于什么，“在于什么”。他的回答很简单：人格同一性（或有理性的存在物的同一性）就只在于意识。因为意识永远是与当下的感觉与知觉相伴随的，而且只有凭借意识，人对自己来说才是他所谓的自我。他说，意识既然常常伴随着思想，而且只有意识才能使人成为他所谓的“自我”，能使此一个人同别的一切能思想的人有所区别[②]，因此意识就是人格具有同一性的根据。

说人格同一性根源于记忆，也没违背上述思想，因为记忆根源于意识。洛克说：这个意识在回忆过去的行动或思想时，它追忆到多远程度，人格同一性亦就达到多远程度。[③]洛克承认：这里有这样的难题，即意识、记忆会中断，如人在睡梦中，可能完全没有思想、意识、记忆。如果是这样，它怎么能保证人格同一性？他承认，在这些情况下，我们的意识是被间隔开的，而且我们也看不到过去的自我，如果是这样，我们还能是同一的能思的东西吗？还能是同一的实体吗？他的辩解是：这个问题无论合理与否，与人格的同一性完全无关。我们的问题只是，同一的人格是由何成立的？并不是说，在同一人格中永远思

① Gendler T S. “Personal identity and metaphysics ”. In McLaughlin B, Beckermann A, Walter S(Eds.). *The Oxford Handbook of Philosophy of Mind*. Oxford: Oxford University Press, 2009, Ch. 37.

② 洛克.《人类理解论（上册）》，关文运译，商务印书馆 1959 年版，第 309-310 页。

③ 洛克.《人类理解论（上册）》，关文运译，商务印书馆 1959 年版，第 309-310 页。

想的那种东西，是否是同一的实体？[①]这就是说，即使有上述问题，他仍要把记忆和意识作为人格同一性的基础。他说：各种不同的实体，被同一的意识所连合……而成人格。……人之所以自己意识自己，是因为有同一的意识，因此人格同一性就完全依靠于意识。……同一的自我所以成立，乃是因为含灵之物在重复其过去行动的观念时，正伴有它以前对过去行动所生的同一意识，并伴有它对现在行动所发生的同一意识。[②]

（二）洛克之后的争论与现代人格同一性理论概述

洛克以后，特别是现当代，出现了不计其数的人格同一性理论。从大的方面说，可从六方面对它们进行分类。第一，从对洛克人格同一性理论的态度，可把它们分为洛克主义的人格同一性理论和非洛克的人格同一性理论。第二，从是否超出人自身，可把它们分为这样两大类：一是封闭的人格同一性理论（个人同一性局限于个体的人之内）；二是开放的人格同一性理论（人超出了个体的限制，人的同一性的根据超出了人的皮肤的界限）。第三，在从人之内寻找人格同一性的根据的理论中，又有这样三种理论：一是强调心理连续性的理论；二为强调物理或身体连续性的理论；三是同时强调心理和物理连续性的理论。第四，从对同一性的具体内容的规定看，一是空洞的人格同一性理论，主要表现为还原论，如不承认有独立存在的同一性，而把同一性还原为或物理属性或心理属性或别的什么，帕菲特、休梅克、诺齐克等大多数论者持此论。二是非空洞的同一性理论，主要表现为非还原论，强调人格同一性是原概念，自身有丰富的内涵，不应也不用诉诸它之外的东西来说明。第五，如果人格同一性表现为历时性同一性和共时性同一性，那么分别探寻它们的根据便形成了两大类人格同一性理论。一般而言，受洛克的影响，加之前一种同一性根据难以说明，因此多数人格同一性理论便表现为说明历时性同一性的理论。第六，从对能否找到人格同一性的根据的态度来说，人格同一性有可知论与怀疑论之别。一般来说，后一类型为个别现象。下面我们择要考察几种人格同一性理论。

洛克的问题和思想不仅有现代意义，更重要的是开启了现代的研究，如当

① 洛克.《人类理解论（上册）》，关文运译，商务印书馆 1959 年版，第 310 页。
② 洛克.《人类理解论（上册）》，关文运译，商务印书馆 1959 年版，第 311 页。

今最有影响的叙事自我论其实就包含洛克思想的影子。叙事自我论在追溯自我感的心理根源时强调：叙事自我以及人的自我意识都根源于人的“自传式记忆能力”。所谓自传式记忆，指的是一种专门的长期性记忆。其对象主要是与个人生活有关的人格性经验和知识。其构成因素有：一是关于人的经验的详细的带有情节的记忆，二是各种有关知识项目，如感知的情节、情感，关于目的、理想的信息，人际间相互关联，关于个人生活情节自传性知识等。人不仅有自传性记忆，还有自传性意识，如当人表现出专门的自传性记忆能力时，记忆的人就会有回忆的经验。这就是通常所说的“自知意识”。当有这些意识（即向内关注，主动予以意识，进而有种种专门知识）时，人便有强烈的自我感。[①]如前所述，洛克在说明人格同一性和自我时诉诸的也是记忆，只是没有说自传式。

帕菲特（Parfit）是当今西方哲学中影响较大的一个思想家，其优势领域是伦理学，在人格同一性研究中也可谓是独领风骚的人物，阐发过一种受到广泛注意和讨论的，以还原论形式表现出来的人格同一性理论。他的理论就是以洛克为出发点的，并对之作了有力的辩护与发展。

洛克的理论在后来更多地表现为争论的焦点，其中不乏批评之声。早在18世纪初，巴特勒（Butler）主教认为洛克的论证陷入了循环。他说：人们真的会认为，人格同一性以之为条件的东西是自明的，因此本身不能是人格同一性，在任何情况下，知识以外的任何东西都能成为它所预设的真。这就是说，如果我真的记得上周会见了张三，那么这便预设了我与碰到张三的那个人是同一个人。如果上周碰到张三的不是我，那么我便错了，因此我真的不记得任何事情。我与我上周三碰到的那个人的数量上的同一性被看作是我是否真的记得我上周三碰到张三的标准。很显然，正是用这种方式，真实的记忆概念预设了人格同一性。另外，洛克对人格同一性的论证又在诉诸对过去事件的记忆。很显然这陷入了循环论证。

专门研究过这个问题的奥尔森在阐发自己的身体方案时，就是通过剖析它，发现了里面的困难，进而找到了自己的灵感。他批评说，最常见的论证是以这个观念为基础的：如果你的大脑被移植到另一个人的脑壳中，你会和它相

① Conway M A. “Autobiographical memory and consciousness”. In Banks W P(Ed.). *Encyclopedia of Consciousness*. Amsterdam: Academic Press, 2009: 77-81.

伴，之所以如此，是因为这个器官带着你的记忆和其他心理的特征。但是要从这个直觉的信念转到一种对持存问题的可信回答，则是出了名的困难。[①]

鉴于洛克的人格同一性理论的问题，许多人提出了种种改进性的建议，可把它们称作新洛克主义的人格同一性理论。如有的人尝试用“祖先”关系或被记住的过去经验的关联性来替换洛克所说的关于过去经验的记忆。其麻烦在于，人有时会陷入沉睡，有时会昏迷。[②]如果是这样，他的同一性仍存在，但他的同一性的基础却中断了。这说明关于人格同一性的一阶标准是不能成立的。从表面上看，二阶标准似乎是适当的。例如，如果一个人被认为有适当类的对象所拥有的功能状态或角色，这对象是身体的某部分，如是大脑，那么二阶标准就是适当的。这实际上是把人的同一性归结为大脑的同一性。洛伊认为，这也是有问题的，因为人的大脑完全有被移植的可能性。移植后，他应该与原来的人是同一个人，但却不尽然。洛克早就通过一个思想实验否定了这一点。假如一个国王与一个修鞋匠的灵魂发生了互换。根据上述大脑或灵魂的同一性标准，国王成了修鞋匠，修鞋匠成了国王。这显然是错误的。由此，洛克认为，人格同一性的灵魂或大脑同一性标准是不能成立的，因为同一个人在不同时间可能有不同的灵魂，同一个灵魂在不同时间可能成为不同的人的灵魂。洛伊说：“如果我们注意到‘人’一词指的是不同类型的实体性存在，一个个别的实体，而不是这实体所拥有的某种状态或角色，那么二阶方案……显然是不妥的。”[③]

（三）施克特曼的移情通达理论

新洛克主义的最具个性、最有新意和深意的理论要数施克特曼的移情通达理论。

她部分赞成心理学的同一性理论和叙事理论，并作了改进和发展，如为了回应批评者的责难，又进行了重大改进，如她试图区分两种心理变化，一是威胁到生存的变化，二是没有危险的变化。但她又有超越，其表现是，她超越心

---

① 斯蒂克，沃菲尔德.《心灵哲学》，高新民，刘占峰，陈丽，等译，中国人民大学出版社 2014 年版，第 403 页。

② Lowe E J. “Personal identity”. In Garvey J(Ed.). *The Continuum Companion to Philosophy of Mind.* London: Continuum International Publishing Group, 2011: 213.

③ Lowe E J. “Personal identity”. In Garvey J(Ed.). *The Continuum Companion to Philosophy of Mind.* London: Continuum International Publishing Group, 2011: 218.

理连续性理论和叙事理论，论证了自己的移情通达理论。先看她对前两种理论的论述和利用。

施克特曼的讨论从这样的问题开始，即正像一般故事有时有情节中断、连续性被打断的情况一样，人的一生的故事有时也有异常，如心理异常的人，他的心理就没有保持其连贯性、同一性。在这种情况下，怎样证明人的同一性、自我？她认为，一种途径是：要么必须证明其内存在着一个共同的实在或性质，即证明有同一不变的东西，但这被证明是行不通的；要么证明变化着的心身内部有贯穿始终的连续性，许多人认为这是可能的。其方式有二，一是心理连续性理论，二是叙事理论。施克特曼说："这两种关于心理连续性的标准说明都未找到那些有助于解除同一性威胁的连续性形式。"[①]

施克特曼承认，变化有许多形式，如快的变化，慢的变化，质变、量变，等等。另外，有些变化是转变，有些只是发展、进化，如果是这样，变化就不绝对是同一性的反例，相反，有些变化是在保持同一性时的改变、发展。这种变化可称作"保持同一性的变化"。由此不难找到化解难题、推进人格同一性研究的出路，那就是，充分认识这种变化的特点，而这里的关键又在于：认识到移情路径或移情通达。

所谓移情通达，是指"这样一种情境，在这里，原初的心理构成在一种重要的意义上仍出现在后来的构成之中，出现在心理发生了改变的人身上"[②]。这指的当然是一种联系，即借助移情而形成的联系。这种联系不同于由记忆建立起来的联系。根据洛克的记忆理论，某时间之中的一个人之所以认为自己与另外时间中的人是同一个人，是因为他记得时间中的那个人的经验。这是心理连续性理论的重要根据。在施克特曼看来，这个根据是不可靠的，因为记忆失常的人可能有同一性，但却记不起过去发生的事情。更重要的是，正常的人的记忆本身也有变化，也不可能完全保证连贯性、一致性。再者，"记忆"一词有歧义性，既可指人的记住、回忆过去事情的能力，也可指储存的能力，等等。对记忆的心理学研究表明，事件记忆像幻想、想象一样，是一种映像状态，一种

① Schechtman M."Empathic access: the missing ingredient in personal identity". In Martin R, Barresi J(Eds). *Personal Identity*. Oxford: Blackwell, 2003: 244.
② Schechtman M."Empathic access: the missing ingredient in personal identity". In Martin R, Barresi J(Eds). *Personal Identity*. Oxford: Blackwell, 2003: 246.

像剧场一样的呈现状态，像别的映像状态、形象状态一样，它既可是有中心的，又可是无中心的。

移情通达之所以能成为同一性的根据，是因为在移情中，在前的过程、状态尽管有别于在后的，但同时又有不变、同一的一面，这是因为通过转移、移情，在前的事件中有一些保留于在后的事件中，因此人们能在当下思考、经验的事情中找到过去的自己。质言之，移情通达中存在着同一性的传递或保持。总之，“移情通达可以转化成人格同一性的基本构成要素”[①]。“移情通达必需的不是过去情绪、思想、情感的实际再造，不只是某种从第一人称观点把它们回忆起来的能力，它需要的还有这种能力，即对于以这种方式回忆起的状态的根本性的同感。”[②]

（四）身体方案

身体方案是对立于心理学方案的方案。由于它认为根据心理连续性转到一种对持存问题的可信回答是不可能的，于是另辟蹊径。这一方案的支持者很多，如汤姆森（Thomson）认为，我们就是我们的身体。[③]艾耶尔认为，我们时间上的同一性就是我们的身体的同一性。[④]奥尔森的“身体论版本”更是别出心裁，有这样一些要点。首先，鉴于“人的身体”之类的概念常常造成哲学混乱，因此他建议放弃这个概念，而在“身体方案”中使用“动物”这个概念。他自认为，如此建构的新版本将成为身体方案中“最清晰、最可信的版本”。[⑤]其次，他认为身体方案不想也不可能为所有人的同一性提供条件，因为人类之中的个人极其复杂，如植物人也是一种人，处在胚胎状态的人也不是动物，所以他的身体方案就不适用于这类人，只适用于作为动物的人。再次，人作为动物的同一性并不取决于心理的连续性。最后，“一个人的活机体就是某种有生命的东西，即这样一个复杂的生物学事件——尽管有大量物质的循环代谢，但它仍保持着一个有机体的结构。这就使洛克等人相信，仅当其生命继续时，一个有机体才能

① Schechtman M.“Empathic access: the missing ingredient in personal identity”. In Martin R, Barresi J(Eds). *Personal Identity*. Oxford: Blackwell, 2003: 250.
② Schechtman M.“Empathic access: the missing ingredient in personal identity”. In Martin R, Barresi J(Eds). *Personal Identity*. Oxford: Blackwell, 2003: 251.
③ Dancy J(Ed.). *Reading Parfit*. Oxford: Blackwell, 1997: 202-205.
④ Ayer A J. *Language, Truth and Logic*. London: Gollancz, 1936: 194.
⑤ Ayer A J. *Language, Truth and Logic*. London: Gollancz, 1936: 410.

持存”。“活的东西像一汪清泉，它的存在是通过不断吸收新的东西，将其特有的形式强加给新的东西，并将残余物排泄出去。”①

（五）“个体主义方案”

有一种不同于传统思路的解决人格同一性与差异性问题的方案，可称作“个体主义方案”（其内又有多种形式，详下）。其特点是，强调根据人与人之间的界限来说明每个个人的个体性、连续性、同一性以及与别的个人的联系，或者说，根据人与人的边界、界限来说明一个人与另一个人的不同，以及一个人与他人的同一性。它特别重视界限，因此可称作界限方案。从其缘起来说，它是在反思、批判著名人格同一性研究学者帕菲特的思想（根据个体主义倡导者的看法，帕菲特也属个体主义的倡导者，他坚持的是其中的空洞个体主义，详下）的过程中形成的。个体主义的主要倡导者科拉克交代：个体主义是为解决帕菲特的人格同一性理论的问题而创立的，至少他本人的个体主义是这样。在他看来，尽管帕菲特的理论影响很大，引用率高，经常被讨论，但其漏洞也很多。科拉克说：帕菲特“只回答了人是什么这一问题”，而没有说明自我意识（甚或意识）是什么，他也没有解释，认识人的同一性依赖于什么？他甚至没有说清人对自己在不同时间中的连续存在的意识究竟根源于什么？这里我们重点剖析一下科拉克的开放的个体主义。

科拉克认为，要解决人格同一性问题的实质，首先要弄清它的实质，而这恰恰是过去认识不足的地方。过去，要么把它当作本体论问题，要么只当作认识论问题。而他本人的看法是，它同时是本体论问题和认识论问题。之所以是本体论问题，是因为要回答人格同一性问题，首先要确认人或我的存在，并确认我之所是，我是什么样的存在。之所以是认识论问题，是因为要解决这里的问题，必须回答我是谁。而要如此，又必须弄清个体化和认同这样的认识过程。在他看来，这两个概念是个体主义至少是他的开放个体主义的关键概念。所谓个体化，指的是借助经验的认识方法弄清事物在时空中的界限，如有什么形象、特点，与别的事物的边界是什么等。所谓认同，指的是借助概念或理论的方法认

① Ayer A J. *Language, Truth and Logic*. London: Gollancz, 1936: 411.

识事物在不同时空中的界限，如果它在不同时空中保持了某界限，有什么样的边界，那么即为对其同一性的认同。他说："我是那一个，是一个事实。我是谁，是一种解释。因此我们可以说，人格同一性是认识论和本体论在我们身上会合的地方。"[①]

对于个体主义来说，要回答人格同一性问题，第一，要明白"同一性"的实质。在他看来，一事物能在不同时空中保持其相同的界限或边界，即有自己相同的可见、可触等方面的外观，即具有同一性。人的同一性也是这样，只要一个人在不同时空中都能保持他的边界、他的个体性和不变性，即为同一个人。第二，必须认识人的个体性。第三，必须认识人的同一性的特点和根源。怎样获得这两种认识呢？个体主义认为，要如此，必须做这样两方面的工作：一是经验的刻画，通过这一工作，可以将一事物个体化；二是概念的澄清，即从理论上加以分析、说明，通过它，不同时空中的一个事物可以得到认同。这两方面的工作都是认识同一性，特别是人格同一性不可或缺的步骤。科拉克说："在说明一个人自己的同一性时，他必须从经验过渡到理论（即概念框架）。"这就是说，认识人格同一性，一方面依赖于个体化，另一方面依赖于认同。他认为，正是通过这两个途径，"我们认同了被个体化的实在"[②]。

个体主义方案内部又很复杂，即有不同的侧重点。这是因为考察界限的角度很多，所以个体性的界限的形式也很多，如生理学界限、心理学界限、意识统一性界限、时空界限、因果界限、形而上学界限、现象学界限、先验的界限、道德的界限，相应地，便有不同的界限论。[③]就主要的方面而言，"个体主义"有三种形式。一是封闭的个体主义，它的基本观点是，人格同一性封闭于所知的个体性和同一性的界域之内。人的个体性以及个体在不同时空中的同一性是由其内的内在属性决定的。不管人怎么变化，由于他的内在的东西不同于别的人，他总有自己的界限，他在保持其个体性的同时也保持其同一性。很显然，这是 FP 的人格同一性理论。二是科拉克所阐发的开放的个体主义。他说："人的同一性并不封闭于已知的个体化和认同的界限之内。"

---

① Kolak D. *I Am You: the Metaphysical Foundations for Global Ethics*. Dordrecht: Springer, 2004: 5.
② Kolak D. *I Am You: the Metaphysical Foundations for Global Ethics*. Dordrecht: Springer, 2004: 4-5.
③ Kolak D. *I Am You: the Metaphysical Foundations for Global Ethics*. Dordrecht: Springer, 2004: 88-90.

其意思是，人的同一性既有其个体性、同一性，又与其他同样有同一性的个人没有绝对分明的界限。根据这一说明，人与人的区别或界限就像印度洋和太平洋的区别一样，它们是不同的海洋，每一个都是独立、个别的海洋，都有自己的同一性和个体性，但同时两个海洋又是同一的海洋，因为它们的水体是连续的。同理，每个人都是独立的、界限分明的个体，即使在时间中会变化，也能保持其同一性、单一性、连续性。但他们又结成整体，因为他们有内在的联系。[①]三是空洞的个体主义。科拉克认为，这是帕菲特、诺齐克和休梅克等名家所倡导的理论（这种判释当然是值得商榷的），也是他本人所反对的理论。[②]就实质而言，这种个体主义是相对主义。根据这种观点，两个个体或人的不同阶段是否在界限上被看作是同一个人，取决于别的人的存在。另外，这种理论还有还原主义倾向，如认为，人的界限根源于或可还原于更基本的心理/生理界限。

（六）新二元论论人格同一性及对反常的同化

西方现代心灵哲学的一个新特点是，二元论又东山再起了，涌现了大量各具特色的新二元论形态。[③]它们对包括人格同一性问题在内的广泛问题作了新的回答。这里略述一下它们对人格同一性问题的一些新的思考。

哈特和笛卡儿一样坚信：心和身是根本不同的两种存在样式。同时，他们也承认这样的事实，即人具有统一性，人都是以统一体的形式出现的，以之与外部世界发生关系的。很显然，这两个信念之间存在着明显的矛盾。二元论者该怎样说明事实上存在的人格同一性问题，即该如何说明人在不同时间和空间中所具有的同一性呢？一般来说，有三种方案，一是诉诸心灵的记忆功能，二是诉诸人在时空上所具有的连续性，三是哈特的方案：根据时空上能保持连续不变性的无体的自我或精神来说明，即认为，人之所以有同一性，是因为人之内有一个维持时空连续性的不变自我。[④]哈特不仅承认有独立的心灵，还强调它可以离体。如果是这样，他的麻烦当然更大。哈特对此的辩护是：以视觉为例，

① Kolak D. *I Am You: the Metaphysical Foundations for Global Ethics*. Dordrecht: Springer, 2004: 10-11.
② Kolak D. *I Am You: the Metaphysical Foundations for Global Ethics*. Dordrecht: Springer, 2004: 13.
③ 关于新二元论可参阅高新民.《心灵与身体——心灵哲学中的新二元论探微》。
④ Hart W D. *The Engines of the Soul*. Cambridge: Cambridge University Press, 1988: 145-146.

“离体的人就存在于人的视线会聚的地方”。由于有这样的纯心灵，人才能让视线从他那里发出，射向要看的事物。视线是在时间中一点一点射过去的，而且分散在对象的不同点上，最后，人之所以能得到关于对象的统一的认识，是因为其后存在着统一的离体的精神。这一论证接近于康德先验演绎中对作为认识之最后根据的、不变的先验自我意识的论证。所不同的是，康德认为，这个自我只是一个不得已的预设，可称作 x。另外，这个 x 是不可知的。而哈特认为，它不仅是存在的，而且是可知的。

人的多变的身体中有没有一个不变的“我”或同一的人格，历来是哲学和有关科学中的一大难题。佐哈肯定自我的存在，但又有别于已有的说明模式。她说：“用旧的笛卡儿式或牛顿式的术语说明人格同一性是不可能成功的。”[①]她的独特之处在于：在对量子力学和东方神秘主义作出新的解读的基础上提出和阐发了“量子自我”的新概念。她认为，真实生命的诞生就像整个宇宙有一个绝对起点一样。这起点，用物理学的话说，不过是量子波函数的塌缩。她说：“自我像基本粒子系统一样，是整体中的整体，个体中的个体。”该系统是粒子，因此似乎是分散的，因为是波，所以是关系性整体，或者说“它们有能力通过波函数的局部叠加而把各个个体关联起来。通过它们的关联，即通过叠加波函数，它们的某些性质就出现了，结果便有一新的整体”[②]。这一新的自我论包含非常深刻的、值得思索的洞见。首先，就个体的人而言，自我是部分的整体，是多中的同一性。她认为，关于自我的关系整体论“由量子关系所形成的整体本身就是一个新的事物，大于其部分之总和”[③]。分散的粒子为什么有统一性、整体性呢？她的回答是：量子整体性源于大脑的电磁场中的波所形成的关系。而此关系又形成了这个世界中的得到有序组织的关系形式。由于它们，意识便具有统一性，即表现为能写出思想、情感等的黑板。具体而言之，意识之所以具有统一性，人格之所以能保持同一性，根源在于作为粒子复合物的人中有玻

① Zohar D. *The Quantum Self: Human Nature and Consciousness Defined by the New Physics*. New York: Quill/William Morrow, 1990: 124.
② Zohar D. *The Quantum Self: Human Nature and Consciousness Defined by the New Physics*. New York: Quill/William Morrow, 1990: 113.
③ Zohar D. *The Quantum Self: Human Nature and Consciousness Defined by the New Physics*. New York: Quill/William Morrow, 1990: 113.

色-爱因斯坦聚合物。而此聚合物是由玻色子构成的东西，具有极高程度的关系性，正是它成了意识统一性的根据或基础。她说："如果通过波函数完全叠加而形成的统一性是意识统一性的基础，那么有双玻色子的或（更大的）玻色子系统才有可能成为原始的精神现象。"[①]其次，人内部尽管分分合合，变动不居，但里面的确有一个同一的自我。因为它根源于量子的波函数特征，所以不妨将它称作量子自我。其特点是：它纯粹是一个变动不居的自我，在每一时刻都在变化和进化，一下分解为子自我，一下又重新统一为一个更大的自我。尽管小时、年轻、年老的心身不同，但我的那些过去的方面总会被归属于现在和未来的我，而不会被归属于他人。因为佐哈有关于过程的量子观点，所以她就有看待自我的新的方式。例如，在她的自我论中，我的原子或我的基因，甚至我自己作为人的存在即我所是的样子，都是将来的组成部分，我不仅是现在的组成部分，而且还是过去的组成部分。

（七）人格同一性的怀疑论

最后，必须看到的是，人格同一性问题异常复杂、麻烦，特别是它的根据似乎没有找到的希望，因此有些人倾向于怀疑论。洛伊就是如此。尽管如此，他在同一性研究中又是功不可没的，因为如前所述，他对"同一""相同""相似"等概念作了较明确的分析和梳理，这有为进一步研究扫清障碍的作用。另外，他对同一与相同的标准作了有一定借鉴价值的探讨。令他最为困惑的是同一的标准问题。他认为，同一的标准也可说是对象同一的充分必要条件问题。根据他的梳理，这标准有两种形式，一是一阶的同一性标准。[②]二是二阶同一性标准。以弗雷格所说的方向的同一为例。方向总是某物的方向，如线段的方向。方向同一的标准是，线段 x 的方向同一于线段 y 的方向，当且仅当 x 和 y 是平行的。[③]

洛伊认为，当把这两个标准用于人格同一性根据的说明时，都表现出种种问题。

① Zohar D. *The Quantum Self: Human Nature and Consciousness Defined by the New Physics*. New York: Quill/William Morrow, 1990: 106.
② Lowe E J. "Personal identity". In Garvey J(Ed.). *The Continuum Companion to Philosophy of Mind*. London: Continuum International Publishing Group, 2011: 206.
③ Lowe E J. "Personal identity". In Garvey J(Ed.). *The Continuum Companion to Philosophy of Mind*. London: Continuum International Publishing Group, 2011: 207.

例如，洛克根据记忆对人格同一性的说明，似乎坚持了一阶同一性标准：如果 x 和 y 是人，那么他们就是同一个人，当且仅当 x 在先前任何时候所具有的任何有意识经验被后来在任何时候的 y 记住了，反之亦然。[①]在洛伊看来，洛克的观点是不能成立的，因为在一个人的两个以上的不同时间阶段上，充其量只有记忆的家族相似性，而没有记忆的同一性。如果是这样，那么关于人格同一性的一阶标准就是不能成立的。从表面上看，二阶标准似乎是适当的。其实不然，因为据此所作的说明其实是把身体的某部分，如大脑，当作说明的标准。而这无异于把人的同一性归结为大脑的同一性。这显然是有问题的，因为人的大脑完全有被移植的可能性。移植后，他应该与原来的人是同一个人，但却不尽然。另外，我们每个人显然是具有某些属性的实在，而非别的事物的纯粹的属性，或孤立的大脑。基于这些分析，他得出了怀疑论的结论，至少有这一倾向。他说："必须承认，人格同一性的令人满意的标准仍是遥不可及的。"找不到标准，就找不到让不同时空中的一个人有同一性的充分必要条件。他的一个重要理由是，"人格同一性在我们的本体论图式中如此根本，以至我们真的无望对这一标准作出阐释"[②]。

类似的怀疑论论证还有很多，如有一观点认为，即使没有同一性，人也能续存。因此，人格同一性这个预设本身是不合理的。最极端的形式是取消论。到达这一结论的途径很多，如肯尼（Kenny）基于语言分析就得出了取消论的结论。他认为，"自我""人格同一性"等词是由于语言的误用而产生和流行的，根本就不存在自我这样的实在，不存在人格同一性这样的事实。它们是一种幻觉。而幻觉来自语言的误用。他说："语法错误……是自我论的本质，或者说，'自我'是哲学家胡说八道的一个表现，它根源于反身代词的误用。"[③]

四、帕菲特的还原论及其与非还原论的争论

由于帕菲特对人格同一性问题作了全面深入的探讨，且影响极大，受到了

① Lowe E J. "Personal identity". In Garvey J(Ed.). *The Continuum Companion to Philosophy of Mind*. London: Continuum International Publishing Group, 2011: 212.
② Lowe E J. "Personal identity". In Garvey J(Ed.). *The Continuum Companion to Philosophy of Mind*. London: Continuum International Publishing Group, 2011: 219.
③ Kenny A. *The Self*. Milwaukee: Marquette University Press, 1988: 4.

学界高度关注并引发了激烈争论，可以大胆地说，他引领着当今自我与人格同一性的研究。马丁等主编的《人格同一性》是收录西方本领域最新研究成果的一本论文集，其中多数都是围绕帕菲特提出的问题和观点而展开的，因此这里专门加以考释。

在人格同一性或人的时间上的连续存在根据这一子问题上，帕菲特在分析T. 内格尔的还原论观点的基础上，阐发了自己的看法。根据T.内格尔的还原论，人的同一性可还原为物理和心理的连续性，甚至可还原为大脑的连续存在。因为没有大脑的连续存在，就不存在心理的连续性。帕菲特赞成还原论，因为人格同一性不是基础性事实，作为概念也不是原概念，所以它一定是由更基础的东西决定的。既然如此，还原论在这里就有用武之地。由于用来说明人格同一性这一高阶事实的基础性根据或被还原的基础属性各不相同，如有的用心理连续性来还原，有的用物理连续性来还原，因此还原论便有不同的形式。帕菲特的还原论尤为独特，如他既不赞成 T.内格尔的观点，又继承和发展了洛克的思想，还融合了别的元素，认为人格同一性是由 R 关系决定的，而 R 关系即心理的连续性和关联性。①

在强调人格同一性作为事实存在的时候，帕菲特有别于别的持相同观点的西方学者。这是他受佛教启发和影响的一个表现。一方面，他看到人格同一性作为事实是高阶事实；另一方面，他看到的同一性带有辩证性，即渗透着变异性、变化性、多样性、差异性的同一性。他用佛教中的案例作了说明，如有一比丘，名叫那先。该比丘对一问道的国王现身说法，强调这个名字的确指的是一个人，即那先，但它又只是表示有一个多种因素复合在一起的混合体，并不意味着有一个不变的人。就像一台车子，它由轮子等构成，里面并没有独立于轮子等的车子。人的同一性也应如此理解。②

还原论有很多形式，第一种是物理连续性理论，第二种是心理连续性理论等，第三种是当代帕菲特等根据心理关联性和连续性对人格同一性的新的论证，第四种是这样的反调：即使没有同一性，人也能续存。因此人格同一性这个预

① 帕菲特.《理与人》，王新生译，上海译文出版社 2005 年版，第 663 页。
② 帕菲特.《理与人》，王新生译，上海译文出版社 2005 年版，第 713-714 页。

设本身是不合理的。另外，也有人认为，即使没有物理连续性，心理连续性也是可能的。

帕菲特的还原论是其中较新的一种形式。他对洛克作了一定的辩护，认为洛克的方向是基本正确的。不过，他对洛克的思想又有所发展。这表现在，他既强调记忆的连续性，又强调关联性。可见，他坚持的是关于人格同一性的“双C”说明。所谓连续性，是指记忆的连续性。所谓关联性，是指直接的记忆的关联性，如果 x 能记住 y 几年前所做的事情，那么 x 就同一于 y。但是，即使直接的关联性丧失了，也仍有连续性。帕菲特由此所得的结论是，直接记忆有一种重叠的链条。例如，在星期日，我记得星期四所做的事情，但也许不记得星期五所做的事情。不过，在星期四，我记得星期五所做的事情，却不记得星期天所做的事情。在星期五，即使记得星期四所做的事情，但又不记得星期一所做的事情……。这一来，即使有里德所指出的那样的问题，即有些记忆丧失了，人也能基于记忆而保持自己的同一性。这是因为记忆有上述重叠、交错的特点。x 之所以同一于 y，是因为他们之间有充分的记忆上的连续性和关联性，可用图 10-1 来表示重叠的记忆链。

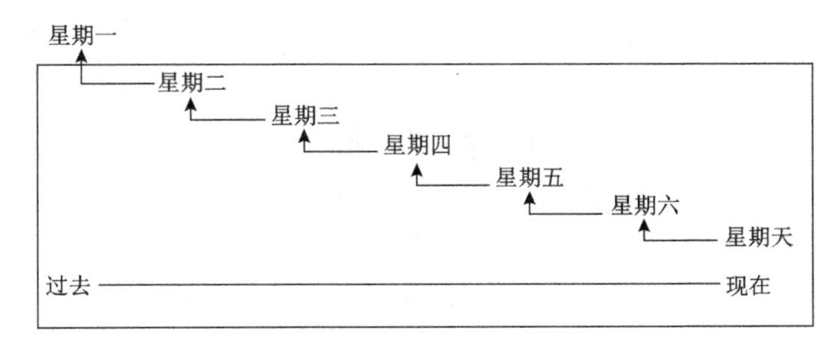

图 10-1　记忆的重叠、交错性

帕菲特对洛克的修补还表现在他不仅承认人格同一性根源于记忆的连续性和关联性，还强调其他心理特征的关联性和记忆性也是人格同一性的保证因素，如想做一特定事情的意图与后来对该行为的实施之间的关联性就是如此，另外还有过去的信念、愿望与现在的心理状态的关联性，过去、现在的人格特征、习惯、能力等之间的关联性，等等。总之，帕菲特认为，同一性是一种转变关系，如 x=y，且 y=z，那么 x=z。因为关联性不是转化关系，所以要说明同一性就要诉诸连续性。

非还原主义者根本对立于还原论，认为人格同一性概念不可能分析为非人格同一性概念，即不能用还原论者所说的方式来说明，因为人格同一性概念是原始概念，不可分析，正如人们常说的，一切就是其所是，不是别的东西。硬要用还原论的方法去说明，则势必陷入循环，就像试图用行为概念去说明心理概念那样，最终必须求助于这样的分析，即分析要予分析的心理概念。同样，要分析人格同一性概念必须求助于未被分析的同一个人的概念，而它又恰恰是要予以分析的。

最早站出来批评（洛克的）还原论、论证非还原论的是巴特勒主教。他指责洛克的论证陷入了循环。他说：人们真的会认为，人格同一性以之为条件的东西是自明的，因此本身不能是人格同一性，在任何情况下，知识以外的任何东西都能成为它所预设的真。这就是说，如果我真的记得上周会见了张三，那么这便预设了我与碰到张三的那个人是同一个人。如果上周碰到张三的不是我，那么我便错了，因此我真的不记得任何事情。我与我上周三碰到的那个人的数量上的同一性被看作是我是否真的记得我上周三碰到张三的标准。很显然，正是用这种方式，真实的记忆概念预设了人格同一性。另外，洛克对人格同一性的论证又在诉诸对过去事件的记忆。很显然，这陷入了循环论证。

当今有一部分哲学家反对占主导地位的还原论，强调人格同一性是一种原始概念，不能像通常所做的那样，用物理连续性、记忆连续性、心理状态间的因果关联等来加以分析和说明。根据这一理论，“我”一词拟指称的意识主体、自我或我是比心理或物理状态之间的关系更根本的事实，因此自我或经验主体就不能还原为这些关系，它们本身就是人格同一性。若再用别的东西来说明它，就是多此一举。

非还原论在驳斥心理连续性理论时，还利用了科学方面的材料，如根据患完全失忆症的人的病状指出，尽管他们没有关于自己过去的记忆，但与过去的人仍是同一个人。即使别的心理特征、习惯没有连续性，他们仍有人格同一性。[①]在批判物理连续性理论时，非还原论指出：人的同一性与他们的身

① Maslin K T. *An Introduction to the Philosophy of Mind.* Oxford: Blackwell, 2001: 280-281.

体或其中的部分的同一性没有任何关系，与心理状态及关系也是如此，因此不能根据它们来作还原说明。反还原论的一个版本认为，人的同一性根源于精神实体。根据这一理论形式，自我是单一的事物、经验的统一主体，在心理生活的每个变化着的阶段都保持着自己的同一性，或以同一的事物出现。另一版本认为，个人的同一性并不寓于物理或心理的连续性之中，而是一个进一步的事实，可称作“进一步的事实观点”。[①]

五、新的动向与“活着”问题

西方20世纪末以来的人格同一性研究在悄然升温的同时，还经历着或显或隐、或量或质的变化，其中不乏转向意义的变化。追溯一下它的历史就会发现，洛克之前，一般用精神实体说明人格同一性，洛克开创了一个新纪元。他最先诉诸记忆的连续性予以说明。由此至20世纪60年代，人们一般诉诸时间中两个人的物理和心理关系来加以说明。此类理论可概括为内在关系观。20世纪60年代以后，新的变化接踵而至。

第一，外在关系观取代了由洛克开创的、长期占主导地位的内在关系论。根据古老的内在关系观，人们之所以能把一个时间的一个人与另一个时间的一个人当作同一个人，是因为两个人在物理或心理方面有相互关联，也就是说，这根据在人体之内。洛克认为，如果你记得：你经验了昨天那个曾在此经验的人的经验，或记得你做了昨天那个人所做的事情，那么你与昨天那个人就是同一个人。外在关系说是最近诞生的新理论。随着认知研究的转向，即从过去的计算主义、个体主义转向“情景化运动”或以“四E理论”（前面有考释）为标志的反个体主义，大脑外、皮肤外的东西在说明包括人格同一性在内的课题中的作用受到了前所未有的重视。根据外在关系观，人之所以有人格同一性，不仅是因为两个人有物理或心理上的关联，而且还因为这两个人与别的东西，尤其是与每个人的身体有关系。有的甚至认为，人的同一性不仅由内在关系所决定，而且由人与人之间的关系所决定。

第二，问题的重心发生了新的变化，至少新增了这样的正在激烈争论的问

① 帕菲特.《理与人》，王新生译，上海译文出版社2005年版，第305页。

题，如围绕人格同一性的传统的形而上学的争论派生出了这样的问题，即怎样看待自我的续存或活着？人的同一性或别的关系是否首先与活着有关？人格同一性是否就是决定续存的东西？活着对人格同一性是否是必需的？两者的关系是什么？哲学家可能面对这样的可能性，即一个人可能终止了自己的存在，转而成了另一个人，但原来的那个人认为这另一个人是自己的继续。有无这样的可能性发生？进一步的工作是，追问活着必然关涉的东西，如问：活着与什么有关？活着依赖于什么？等等。

第三，观点上发生了重要变化，如许多论者强调应该用关于人的四维观代替三维观。根据传统观点，一个人能在某个时刻完全呈现出来，如你作为整体完全存在于此时此刻。新的四维观认为，时间间隔或某个时间点上存在的只是人的部分或阶段，他还不是真正意义上的人。因为人是时间上接续的阶段的复合体，没有过程就没有人。根据新的四维观，人的同一性关系的关系项不是时间间隔中的人，不是某个时间点上的人，而应是横跨人的一生中的全部时间阶段的统一体。它尽管没有取代三维观，或者说三维观仍有市场，但四维观已得到越来越多的人的关注。

第四，比较研究已成了人格同一性研究的一个新途径。对此，从前面有关的讨论，如关于帕菲特的讨论，我们应有感觉。这里再稍作补充。如我们在考察西方的自我研究时所看到的，西方当代自我研究十分重视佛教一直强调的无常现象，即看到了人的身心中的生生灭灭、川流不息、没有常一不变实体的事实。所用的关键词是变化或无常（changes）。西方许多论者认为，这对传统的人格同一性理论提出了挑战。许多论著就是为解决这一难题而创作的。人们提出了许多解决办法。最常见的是诉诸心理或记忆连续性、叙事理论、移情通达等来说明变化后面的相对的不变性、连贯性，以为同一性提供根据。这方面的成果，在马丁等编辑的论文集《人格同一性》一书中得到了反映。该书中收录的近一半的论文是围绕上述论题而展开的。[①]还有这样的倾向，即强调，要解决复杂难解的自我和人格同一性问题，应挖掘东方特别是佛教中所隐藏的珍宝。德雷福斯（Dreyfus）做了这一工作，认为佛教的藏识或阿赖耶识模型就有助于

---

① Martin R, Barresi J(Eds.). *Personal Identity*. Oxford: Blackwell, 2003.

解决自我和人格同一性问题。他把它称作储藏室模型，认为它是瑜伽行派所建立的哲学系统，目的就是要系统阐释种子论。而这样做的哲学目的又在于对人格同一性的被经验到的具有连续性的事实作出说明。经验性事实很多，如记得现在的我与此前的我是同一个人，知道自己的性格特质的连续性，有关于自己是同一个个体的连续感，能清楚地把自己与他人区别开来。藏识模型由于对种子的熏习和现起作了系统说明，对作为身心之根本的第八识的构成、本质、作用及特点作了探讨，因此能对没有不变实体的人为何有连续性、同一性作出说明。“藏识是哲学的构想，旨在从概念上说明上面所述及的连续性问题，而这种说明又是通过阐释种子-倾向完成的。”①总之，藏识是为解决人格同一性、连续性、自我等问题而发明的一种解释框架。②

第五，探寻究竟之法，在诊断现有研究的毛病的基础上，寻找根本性的、究竟的出路。很多人在反思已有人格同一性研究的过程中意识到，人格同一性问题的研究尽管很多，成果急剧增加，但其结果不是让人变得清楚明白、让认识前进，反倒是让人越来越困惑，于是他们转向了对究竟之路或根本性出路的探寻，如重新对全部问题进行批判反思，寻找问题越探讨越麻烦、越令人困惑的原因。J. 坎贝尔想做的就是这样的工作。他说他要的探讨“不是为人格同一性问题提供一种解答，而是要弄清是什么让这个问题变得如此麻烦”。他还强调同一性问题存在于许多领域，如具体个别事物的同一性问题，数量之类的抽象对象的同一性问题，人的同一性问题，等等。在这里，除了要对同一性进行形而上学的探讨之外，还应对人格同一性中“同一性”的特点作出探讨，至少要认识到，它既具有一般对象的同一性问题的困难，又具有其他同一性问题所没有的困难。他认为，其困难的根源有二：一是人的因果复杂性，这表现在，它里面既有物理因果联系，又有心理因果联系，更有心物因果联系；二是人的同一性与第一人称观点有关。③

① Dreyfus G."Self and subjectivity: a middle way approach". In Siderits M, Thompson E, Zahavi D(Eds.). *Self, No Self?: Perspectives from Analytical, Phenomenological, and Indian Traditions*. Oxford: Oxford University Press, 2011: 93.

② Dreyfus G."Self and subjectivity: a middle way approach". In Siderits M, Thompson E, Zahavi D(Eds.). *Self, No Self?: Perspectives from Analytical, Phenomenological, and Indian Traditions*. Oxford: Oxford University Press, 2011: 96.

③ Campbell J. "Personal identity". In Gallagher S(Ed.). *The Oxford Handbook of the Self*. Oxford: Oxford University Press, 2011: 339.

第六，塞德尔的人格同一性理论的特点是反对过去人的理解中的三维观，而倡导四维观。他把自己的这一理论称作四维主义。所谓四维主义，实即分析事物关系的一种形而上学构架。根据这一理论，任何事物都有四个分析维度，即一个时间维度和三个空间维度。具言之，任何事物都有不受限制的构成，或者说，一些事物的集合构成了一个特定的对象。对象既具有空间构成，又表现为连续的、由许多阶段构成的过程。很显然，这里是有认识的一定的进步的，即试图超越过去看待人时的只注重分析心理、物理以及社会等构成的局限性，而强调在从三维角度分析人时，还应从过程上考察人。如果忽视这一维度，那么所看到的就只是一个孤立的对象，而事实上，世界上充满的只有对象-过程，包括人在内的一切事物都是如此。

根据这一理论，由阶段、过程构成的系列就是连续存在的实在。人也不例外，也是这样的实在。有了这样的观点或构架，哲学的人格同一性问题就不难解决了，特别是过去一筹莫展的连续存在或历时性同一性难题就会迎刃而解，因为人在本质上就是连续的存在，就是连续的、充满着阶段的完整的过程。再如，过去还有这样的难题：在不同时间和空间上的两个人是不是同一个人？判断两个人是同一个人的标准是什么？对此，有不同的说法。一个观点认为，同一的标准是有同一个身体。例如，孪生地球上的我尽管是地球上的我的复制品，但由于他没有我所具有的身体，因此不是我。现在的我与刚才的我之所以是同一个人，是因为两个人的身体是一个，或他们保持了不间断的身体的连续性。洛克提出的标准是心理标准，即认为，如果两个人能保持心理的连续性，始终意识到不同时间的我是同一个我，那么可断言他们是同一的。笛卡儿认为，应根据精神实体来判断，还原物理主义则坚持还原论标准。很显然，每一种看法都有不可克服的内在矛盾。而如果根据塞德尔的上述理论，似乎就没有这些矛盾[①]。

人格同一性和自我研究的一个重要而显著的变化是关注活着、续存，甚至可以说，这已成了人格同一性研究当前的一个主要走向。所要回答的问题是在人格同一性研究中新触及的问题，如人格同一性是否就是决定续存的东西？活

---

① Sider T. *Four-Dimensionalism: an Ontology of Persistence and Time*. Oxford: Oxford University Press, 2001.

着是否是人格同一性之必需？如果活着对人格同一性是必要条件，那么续存、活着又与什么有关，由什么所决定？很显然，这类问题让人格同一性问题变得更加复杂难解，有时还增加了犯错误的可能性，如让人更容易犯循环论证的错误。后面我们将看到这一点。

在这类问题上，诺齐克、休梅克、帕菲特等认为，同一性并不牵涉活着的问题，如帕菲特认为，活着或连续生存无关紧要，因为还原论能根据更基本的物理和心理连续性解释人的同一性。[①]但刘易斯、索萨和昂格尔（Unger）等有力地论证说：同一性就是与活着紧密相关的东西，同一性至少是其前提条件，因此同一性的解答必须同时关注人的“活着”。“活着的决定因素”这一短语可看作是一种标准、一种资格，有这种因素就是同一个人。刘易斯认为，人格同一性比活着更根本，即是决定续存的东西。在回答续存的决定因素时说：“决定续存的东西是心理的连续性和联系性。”“决定人活着的东西就是活着。”就是人在不同时空中保持同一性。换言之，“决定人活着的就是同一性。这种同一性指的是现在存在的我与接下来仍然活着的我的同一性”。[②]因为所谓活着不外是心理生活在继续。例如，如果我要活着，那么我现在的经验、思想、信念、愿望和人格特点接下来就应该有相应的接续者，停止了这些连续性，就不可能活着。因此，人的生命过程就表现为心理状态的此起彼伏的连续过程。这些连续的状态通过两种方式相互联系在一起：第一，通过相似性，尽管前念与后念是变化的，但这些变化是渐进的，而非彼此隔绝的；第二，通过有规律的因果依赖关系。[③]总之，人的同一性根源于其内有连续的存在过程，这就是心理生活的前后相继的连续性或接续性。这种接续性实即这样的直接关系性，即相似的关系性以及前心与接续的心的因果依赖性。这种关系性十分接近于佛教所说的等无间缘。后一概念说的是：前心与后心不仅没有间断，而且前心有牵引、导致后心出现的作用。[④]在刘易斯看来，对活着的决定因素的挖掘对人格同一性问题的解

① 帕菲特.《理与人》第三部分，其主题就是讨论活着（survival）或续存。

② Lewis D. “Survival and identity”. In Martin R, Barresi J(Eds.). *Personal Identity*. Oxford: Blackwell, 2003: 145.

③ Lewis D. “Survival and identity”. In Martin R, Barresi J(Eds.). *Personal Identity*. Oxford: Blackwell, 2003: 144.

④ Lewis D. “Survival and identity”. In Martin R, Barresi J(Eds.). *Personal Identity*. Oxford: Blackwell, 2003: 145.

决具有十分重要的意义，甚至可以说，这一研究领域的开辟对于人格同一性问题的解决是一个福音。刘易斯认为，同一性与心理的联系性、连续性就是决定活着的东西，因此只要找到让人活着的关键因素，就等于找到了同一性的根据、基础。

索萨论证了下述被认为代表着正统的观点：同一性是决定人活着的东西，或与活着、续存有关的东西。他强调：同一性尽管在大脑分裂的情况下丧失了，但至少是活着的前提条件。因为有两种意义的“活着”，一是指持续地生活着，或以维持着自己的同一性的方式继续着；二是指因果地延续至未来，既可以是以分叉的方式，也可以是以不分叉的方式。活着之所以重要，是因为人不活着，就不可能成为裂脑人，不可能有许多思想实验所设想的那么多分裂的后代。

还有这样一种新的倾向，即不再把自我、主体、人格同一性当作分立的研究对象，而试图将它们冶于一炉，从整体上加以把握。其理论基础是最近最有影响的最低限度自我论。这里拟考释约翰斯顿等的一些探索。

前面述及马丁也有这一关注，曾以此为中心写过一本书，即《自我关照》。他认为，要回答一个人与未来仍作为那个人活着的人是什么关系这一人格同一性的核心问题，除了要认识到这个关系是“代理—自我—认同”关系等之外，还必须理解占有这一范畴。首先，它指的不是占有物质，而是对经验、内在状态的拥有。这其实就是最低限度自我。其次，它不是后向的，而是前向的心理过程，即与未来有关的经验。如果人能形成对未来的可预期的经验的体验，那么就是这种意义的占有。有这种占有，就有移情通达，进而有人格同一性。他认为，不同时间的人之所以是同一个人，之所以有同一性，是因为其内存在着移情通达。“正是这种关系……把人的发展与威胁同一性的变化区别开来。”[①]

约翰斯顿认为，他阐发的作为最低限度自我论之一种形式的自我关注或关照论既可回答自我是什么这一自我论的问题，又可回答人格同一性的根据问题。所谓自我关注，是任何心理状态的这样的共同本质特点，即在它完成任何心理活动时都有清楚明白的关照、知晓。当然，这种关照的范围比最低限度自我论所说的前反思自我意识的范围要大得多，即自我关注不仅可以观照觉知的意识

① Martin R. *Self-Concern: an Experimental Approach to What Matters in Survival*. Cambridge: Cambridge University Press, 1998: 254.

本身，而且还能关注属于我的一切，如能对朋友、家庭、熟人、未来的自我等作出关注。因此他所说的自我关注就是对与自己有关的事情的关心、关注。如果说人有同一性，那么它就是其基础。他自述他的这一自我关注论有几个要点。第一，反对帕菲特的还原主义，即反对把自我、人格同一性当作非基础属性，反对用更基本的物理和心理连续性来对之作出说明。其主要根据是，尽管人身上不存在笛卡儿式的自我，不存在被过去哲学夸大、抬高的自我，但人身上存在着自我关照这一事实。第二，自我观照的存在有充分的、独立的理由与根据。第三，自我观照是一种较常见的现象，广泛存在于涉我关照之中，如存在于对现在自我的指向，对未来自我的指向，对朋友、邻居、熟人等的指向之中。他说："我们每个人都能在人际关系和公共机构中看到自己的存在，如作为特定家庭的成员、作为特定朋友的朋友、作为各种熟人的熟人、作为同事的同事……而存在。"人们或多或少可以把自己认作他们中的一个。另外，每个人都有对家庭、朋友、熟人的关注，都把他们视作"我的"，这些表明每个人内部有一个关照着的自我。这种关心不可还原为别的东西，就发自自我，因此可称"非派生的"自我关注，如对家庭的非派生的关注就是关注家里的财产、吉凶等。对未来自我的认同或关注也能证明人有最低限度的自我。[①]

约翰斯顿对人的自我关注的样式作了专门探讨，认为自我关注就是将目光指向自己或属于自己的东西，可称作涉己关照，如关注"我的"生活、"我的"朋友、"我的"熟人、"我的"共同体等。不过，这种涉己或与自己有关的关注形式又不是自我中心论式的关注。他还认为"我的"这种涉己的关注能力可类推到别人身上。就是说，别人也有这样的关注形式。他说："别人同样合法地拥有他们自己的独特的指向自己的关注形式。"[②]

这里的问题在于：承认自我关注，似需预设一个在过去、现在、将来进行关注的实在。承诺这种实在是否会陷入笛卡儿的非还原主义（相信自我就是精神实体，无须对之作进一步的还原说明）？约翰斯顿意识到了这个问题，并作了这样的回应，即不仅不否认自己有这样的承诺，而且认为自己的思想中有笛

① Johnston M. "Human concerns without superlative selves". In Martin R, Barresi J(Eds.). *Personal Identity*. Oxford: Blackwell, 2003: 267.

② Johnston M. "Human concerns without superlative selves". In Martin R, Barresi J(Eds.). *Personal Identity*. Oxford: Blackwell, 2003: 269.

卡儿主义的元素，但他又否认他的思想有对笛卡儿主义的依赖关系。他说："即使我们关于自我的思想有笛卡儿主义的元素，但我们关于自我关注的理由完全不依赖于笛卡儿主义图式。"①

约翰斯顿还承认，他的理论会受到关于人的各种分离的思想实验的责难。但他有这样的反驳，如认为，这些思想实验是想象的，违反了在确认个人的日常实践中普遍有效的原则。这些原则包括以下几个方面。①某些过程是否能确保某个人的连续生存，在逻辑上依赖于这些过程的内在特征。就是说，人的续存、活着并不依赖于别的地方和时间内所发生的事情，而依赖于人的内在过程及其内在特征。②一个人在某个时间不会由两个或更多分离的活的躯体所构成。③一个人不可能在空间上与自己分离开来。在这里，内在过程的内在特征至关重要，它是人的原始的不可还原的特征，是人的同一性、连续存在的基础。他认为，"在我们把自己当作统一的实体时，我们作了这样的假定，即我们至少有这样的未来的接续者，进而假定：某个表现了我们连续性的过程依赖那个过程的内在特征，因此某个过程是否能被正确地看作指向未来的关注的根据，只能取决于那个过程的内在特征。"②

问题是：怎样看待这些内在特征？它们是否存在？如果存在，它们是否真有那些维持同一性的作用？这些问题当然是有争论的。有些人基于思想实验和别的事例论证说，这些特征是不存在的。约翰斯顿认为，这类事例不可能否定人的同一性，更没有说明人内部不存在内在的特征，换言之，人的同一性并不与这些事例发生矛盾。③

人的同一性与自我关注是什么关系呢？约翰斯顿的看法是，人的自我关注是根据人的同一性关系而构成的。他说："我特别关注的那个人正是我与之同一的人，是与我的家庭成员、朋友和熟人同一的那个人。"④也就是说，人的同一性是人能完成与自我有关的关注的基础。他说："人的同一性和差异性的常

① Johnston M. "Human concerns without superlative selves". In Martin R, Barresi J(Eds.). *Personal Identity*. Oxford: Blackwell, 2003: 270.
② Johnston M. "Human concerns without superlative selves". In Martin R, Barresi J(Eds.). *Personal Identity*. Oxford: Blackwell, 2003: 272.
③ Johnston M. "Human concerns without superlative selves". In Martin R, Barresi J(Eds.). *Personal Identity*. Oxford: Blackwell, 2003: 283.
④ Johnston M. "Human concerns without superlative selves". In Martin R, Barresi J(Eds.). *Personal Identity*. Oxford: Blackwell, 2003: 273.

见的随附性事实是进行指向自我的关注的真正的充分的基础。”以人对自己未来的关注为例，他认为，这种关注由两个因素所决定。第一，人们是通过将常见的关注形式加以推广，并围绕同一性关系这一核心，进而组织对未来的关注。第二，指向未来的关注是逐渐作出的，就像心理的连续性逐渐派生于人的自我关注一样。

从本质上说，约翰斯顿自我关注论是一种介于笛卡儿主义和还原论之间的中间立场。一方面，它不赞成把自我还原为更基本的物理、心理连续性，而承认有不可还原的自我。但这自我又不是笛卡儿所说的精神实体，而是有同一性的、最低限度的自我。因为人能作出指向自我的或与己有关的关注，如关注未来的自我，关注我的家庭、朋友等，就表明人有同一性，人的关注有其主体或中心性。这个主体、这个自我就是人。而这里的主体或人当然是抽象与具体、变与不变相统一的、能例示同一性关系的内在特征。由于它不是实体，不是由元素构成的构造，但又有其作用，如进行自我关注，因此是“有”。这当然是一种最低限度、最起码的存在或自我。正是在此意义上，他把他关于自我、人格同一性的理论称作“最低限度主义”。他说：“从特定意义上说，例示了人的同一性关系的东西，对于我们而言是适合于我们的东西。……因为人的存在不过是例示人格的一种方式，所以我们能够成为同一个人，进而成为得与失的同一个主体。”[①]

① Johnston M. “Human concerns without superlative selves”. In Martin R, Barresi J(Eds.). *Personal Identity*. Oxford: Blackwell, 2003: 288.

第十一章
意义·意向性·心理内容

与“心理内容”相近的词还有很多，如意向性、意义、表征等。它们在很多语境下常常被当作同义词使用。当然，由于“内容”一词似更准确地表达了论者想说的东西，因此，用得较多的反而不是意向性，而是内容，至少在心灵哲学中是这样。有人认为，至少在当今的英美心灵哲学中，研究最多、最热门的领域是“三C”。由此足见内容或意向性问题的重要性。传统的意向性问题主要源于古代中世纪哲学家这样的诧异：头脑之外的有广延的东西为什么能进入心灵之中为其所思考？在内浮现的对象是不是一种存在？如果是，它们是一种什么性质的存在？更神奇的是，人类的这种关联性或意向性作为一种关系属性还有其他任何关系属性所不具有的这样的特点，如心灵可以处在与不存在的东西的意向关系之中，而任何物理的东西则不可能有这种关系；它还可以处在与不会发生以及可能的东西的意向关系之中，而物理关系只能存在于真实的东西之间。当代英美心灵哲学家仍关心这些问题，当然有所推进，而且随着探讨的深入，他们又开辟了许多新的方向和领域，而在每一方面，又构造出了相对固定的问题域，从而使意向性真正成了一个蔚为壮观的研究领域。还值得一提的是，许多论者把意向性研究与心灵乃至心物的整体把握结合起来，进而在意向性理论的基础上提出了新的心灵观，新的关于心与世界的观点。与此相应，他们所关注的意向性问题便带有我们所说的哲学基本问题的性质，至少有靠拢的一面，如该领域有这样的前沿问题：意向性是基本属性还是非基本属性，有意向属性的心灵是单子式存在还是同时兼有心物成分的弥散性存在等。另外，意向性问题成了所有心灵哲学问题的会聚点，是它的真正意义上的最高和最基本的问题。著名认知科学家皮利辛的下述评论也适用于心灵哲学，他说："在交叉科学性质的认知科学中，几乎没有什么问题像'意义''意向性'或行为解释中的'心理状态的语义内容'这些常见概念那样受到如此激烈的争论。"[①]

心灵哲学的意向性研究不同于以往和其他走向的意向性理论的一个鲜明特点是，它有自己独特的言说方式和概念体系。例如，它常用"关于性"、"关涉性"（of-ness）等说明意向性，把以前分属不同学科的基本概念，如"意义""语义性""表征""心理内容"（mental content）与"意向性"等，当作相近甚至等同的概念。这种变化绝不是任意的，也不是无关紧要的，既体现了它对有关学科及其概念内在关系的一种新的理解，对这一领域的问题的新的挖掘和梳理，又反映了它在意向性认识中既强调分化又重视整合的致思取向。在上述概念的相互关系问题上，占主导地位的倾向是把它们当作同义词看待。在这里，我们把这一观点看作一种"规范性"的约定，在没有特别说明的情况下，我们一般是把它们当作同义词看待和使用的。

第一节 现象学传统的意向性理论及其最新发展

众所周知，西方的心灵哲学研究有两大走向或传统，即现象学传统和分析传统。意向性问题一直是贯穿在西方哲学历史发展中的一个重要问题。布伦塔诺以前，人们所关注的子问题以及在研究中所用的概念、方法都没有太大的分歧。到了 19 世纪末 20 世纪初，尤其是后来，整个欧美哲学发生了重大分化，形成了英美分析哲学和大陆哲学两大阵营。它们的哲学在总的价值取向、问题、方法、结论等方面大相径庭，而在意向性问题上更是有过之而无不及。两者在这一领域所用的词汇，所提出的背景假定，所作的探讨及所

① Pylyshyn Z, Demopoulos W (Eds.). *Meaning and Cognitive Structure: Issues in the Computational Theory of Mind*. London: Ablex, 1986: vii.

提出的方案均判然有别。

两大传统的形成得益于胡塞尔和弗雷格。尽管前者对意义与对象的区分类似于弗雷格在含义与指称之间所作的区分，前者的“意向对象”一词还包含了后者的“含义”的某些特征，前者的思想是在借鉴后者的思想的基础上形成的，但应该看到，两人在致思取向、动机上有明显的区别。正是这种区别导致了后来两大传统的形成与对垒。首先，胡塞尔的意向对象概念之提出不是基于对语言之逻辑特征的思考，而是在比较意向活动对象与被意欲的对象之间的区别的过程中完成的。其次，胡塞尔的目的是探索经验对于经验者的“直接”特征。他的探索除了针对那些令人诧异和困惑的传统的意向性问题之外，主要是服务于他的现象学的主旨，即要说明意识如何具有超越性。尽管他也像分析哲学家一样关心语言的意向性问题，如语言关于世界如何可能，什么使之成为可能等，但它们都是带有现象学性质的问题，其提出和解决都是服务于现象学目的的。而弗雷格和罗素在研究意向性时关注的是这样的问题，即在他们的逻辑学和语义学研究中所提出的问题，如概念、命题有无内容，如果有，其本质是什么？弗雷格和罗素所关心的这类问题，后来就成了分析传统的意向性研究的核心问题，由此也造就了它不同于现象学传统的独特特征。

现象学的意向性研究的重心在于对意向性本身进行活体解剖，以说明意识如何能超越自身，认识超越的对象。因为它反对自然主义，所以其研究意向性的进路、过程和程序完全有别于分析传统。分析传统的意向性理论关心的是意向性的派生性的本体论地位，因此重在揭示它之所以如此的条件、根据和实现机制，进而探讨它的个体性和同一性的根源与条件，探讨它作为属性是关系属性还是非关系属性。另外，因为这一传统把意向性看作是人类智能的根本标志，同时有强烈的经验科学和应用动机，所以常从认知科学、人工智能的角度思考意向性问题，试图由此出发为人工智能的真正突破找到出路。而现象学传统的意向性研究则不同，因为它把意向性看作是第一性的本体论事实，而不管它与物理过程的关系，对它如何被物理的东西实现毫无兴趣，所以其侧重点在于对意向性本身作现象学描述，如描述它的特征、结构和作用，对意向的东西作出概括和分类等。

一、胡塞尔的意向性学说

1894 年之前，胡塞尔尽管也像其老师布伦塔诺一样非常重视意向性问题，但他的思想并未从根本上超越布伦塔诺。不过，他的思想中已包含着他后来所坚持的与“消化论哲学”[①]决裂的基本倾向。所谓消化论哲学，指的是常识和传统的关于意向性和意识的学说。它认为，意识获得关于外物的认识，意向性指向外物就是“拿过来”，就是“占有”，就像胃消化食物一样。意识到某物是在对它“消化”之后获得的。

1894 年，胡塞尔完成了《基本逻辑的心理学研究》一文。从此，他的意向性学说便向着全新的方向发展。根据这种新的理论，行为或活动不是对内容的被动占有，而是一种意义给予。之所以说该文标志着他的意向性学说转向的开始，是因为它包含着新的意向性学说的萌芽，如它开始注意意识的主动性、创造性，诸如构造作用、赋予意义等。

新的意向性学说的基本思想和构架是在此之后不久出版的《逻辑研究》这一奠定了胡塞尔的哲学之路的巨著中提出的。因为意向性问题始终是胡塞尔现象学的主题，所以后来的一系列著作如《纯粹现象学通论》《笛卡儿式的沉思》等不断从不同的角度加以深掘。这便使他的意向性学说有复杂多变的特点。当然，正如施皮格伯格在强调胡塞尔思想有多变的特点的同时又指出的那样，它又有不变的一面。这主要体现在四个方面，其中之一就是哲学上的彻底的精神始终不变，它具体表现在始终坚持无条件、无前提、无预设这一原则，至少在动机上是如此。[②]

根据新的思考，说意识指向超越对象和说意向性在于有内在对象之间是有差别的。例如，内在对象在每一个现在中都只有一个可能的被给予方式，但超越对象却有无限多的被给予方式。另外，对于内在对象来说，显现和显现物是无法区分的，而超越对象则只有通过一个显现才能被意识到。对超越对象的显现可以从两方面展开分析。一是从意向相关项一侧进行分析。例如，还是就感知来说，由于先指意向作用，对象中先有一个核或承载者（先验的 X）显现出

① 萨特的概括。见倪梁康主编.《面对实事本身：现象学经典文选》，东方出版社 2000 年版，第 646 页。
② 施皮格伯格.《现象学运动》，王炳文，张金言译，商务印书馆 1995 年版，第 123-136 页。

来，接着经过充实，它就具有许多具体的规定性，进而完整的超越对象便出现了。胡塞尔说：从意向相关项的角度出发，我们把所有这些意向相关项的因素归结到这个对象上并且把它们看作是属于这个对象的，这些因素借助内在的感觉素材和那个赋予它们灵魂的意识而构造出自身。①二是从意向活动一侧进行分析。胡塞尔认为，从意向活动的角度来反思地观察体验及其实项内涵，那么我们也可以说：一个超越对象，例如：一个事物之所以能构造出来，只是因为一个内在内涵作为基础被构造出来。②之所以有这种构造，是因为意识有"立义"这一功效。它也可称作"超越的统觉"。正是它"赋予感性素材"以"纯内在内涵"，通过它们，一个超越的对象便作为原本映射着的对象或展示着的对象而被意识到③。

总之，解决超越问题的根本出路在于研究属于这个自我的活动、能力以及它通过这些活动和能力所产生的作为意向的成就的东西，质言之，研究意识的构造或给予意义的作用，研究意向性。《逻辑研究》等著作侧重于意向性结构分析，而在《纯粹现象学通论》（即《纯粹现象学和现象学哲学的观念》第一卷，常简称《观念 I》）以及后来的著作中，胡塞尔则转向了对意向作用-意向对象的结构的动态学或发生学分析。或者说，前者研究的是稳定的对象，包括真实对象（如自然事物）和理想对象（如数学命题），其侧重点是解剖行为的质素-形态构成，其具体步骤是：通过对复合内在经验的意向作用和意向对象的研究，说明各种对象都是在这种经验中合目的地被给予的。就其实质来说，这些对象都是各种意识形式的客观的相关物。因此，有的人把这一时期的意向性学说称作"静态现象学"，相应地，把他后期的思想称作现象学发生学或发生现象学。它是胡塞尔先验现象学、先验唯心主义成熟的标志，因为它在自我中找到了超越性、意向性、意义的客观统一性的最终根源。④因为发生现象学也是一种构造理论，其主题是揭示视域意识在其中得以形成和丰富的内部历史。⑤发生构造分

① 胡塞尔.《生活世界现象学》，倪梁康，张廷国译，上海译文出版社 2005 年版，第 62 页。
② 胡塞尔.《生活世界现象学》，倪梁康，张廷国译，上海译文出版社 2005 年版，第 61 页。
③ 胡塞尔.《生活世界现象学》，倪梁康，张廷国译，上海译文出版社 2005 年版，第 62-63 页。
④ Byers D. *Intentionality and Transcendence: Closure and Openness in Husserl's Phenomenology*. Madison: The University of Wisconsin Press, 2002, Ch.9.
⑤ 胡塞尔.《生活世界现象学》，倪梁康，张廷国译，上海译文出版社 2005 年版，第 33 页。

析有两个区域：原促创的主动发生和被动发生。前者以后者为前提，后者是指意识的内部历史中并没有一个起始的开端，相反，它每时每刻都在进行着，而前者是原促创的主动发生。例如，在《纯粹现象学通论》中胡塞尔重点分析了意向作用-意向对象的结构，如分析有关被意识的对象的特征和意识的意向作用的特征之间的区分和相互关系。就拿信念的诸特性来说，在意向作用侧表现为确定性、怀疑、疑问等，而在意向对象侧则表现为实在的、可疑的，成问题的等。被意向物本身所具有的这样那样的特性，都是构成的，如可疑的、实在的被包括在“被意向物本身”的“意义”中，而且似乎是属于意识的意向本身的一个特性的相关项。“被意向物本身”逐步充满这些特性，最终便相当于现实本身。

在建构自己的意向性概念时，他兼收并蓄，把先前人们赋予它的许多特性囊括进来。如承认柏拉图以来这样的形象规定：“意向”这个表达是在瞄向的形象中表象出行为的特性。他还承认它的较窄的用法：与瞄向的活动形象相符的是作为相关物的射中的活动（发射与击中）。[①]很显然，这正是“意向性”一词的词源，即它来自“射击”这样的动词，柏拉图就是据此而提出他的意向性概念的。同时，胡塞尔还承认它的较宽的概念：“充实”。他说：充实也是行为，即也是“意向”。[②]

从意向性与其主体的关系看，意向是各种体验的特性，而这特性是一种与对象之物发生关系的关系属性。他说：“意向的”这个定语所指称的是须被划界的体验组所具有的共同本质特征，是意向的特性，是以表象的方式或以某个类似的方式与一个对象之物发生的关系。[③]这也就是说，意向性就是意识，就是体验对某物所进行的特别关注或注意。在这里，胡塞尔对传统的观点作出了重大的修改，即把意向性的主体从心理现象移到了“意向体验”身上。以布伦塔诺为代表的传统意向性理论认为，意向性是一切心理现象共同的且区别于别的现象的独有的特征。而因为胡塞尔看到了对世界的心物二分的问题，所以一般不再使用“心理现象”一词，而说“意识”或“意向体验”，认为意向性仅仅是它

---

① 胡塞尔.《逻辑研究（第二卷）》，倪梁康译，上海译文出版社 2006 年版，第 445 页。
② 胡塞尔.《逻辑研究（第二卷）》，倪梁康译，上海译文出版社 2006 年版，第 446 页。
③ 胡塞尔.《逻辑研究（第二卷）》，倪梁康译，上海译文出版社 2006 年版，第 445 页。

们的特性。他说：我们将完全避免心理现象这个表达，并且，凡在需要正确性的地方，我们都使用“意向体验”这个说法。①

在胡塞尔那里，超越性、意向性、意义是相互关联的问题，因为意向性就是“对”（of）……的意识，这里的“对”就是一种关系属性，即一物关联于、指向另一物的属性，通过一种向外的运动，到达它之外的某物，所以意向性就是一种自我超越性。他认为，经验活动的一切意向作用……都是哑默地进行的，尽管如此，其作用必不可少。例如，各种数字、各种断定的事态、各种价值、各种目的、各项工作，都因那些被隐藏起来的意向作用而得以呈现出来，它们将逐项地被建立起来。②

胡塞尔意向性学说的复杂性还表现在，对意向性的不同的层级和形式作了探讨，如它认为，有多少行为便有多少意向性。例如，判断、怀疑、喜爱、憎恨等都各有自己的意向性方式。因为行为有单一和复合之分，所以意向性也有单一和复合之分。复合行为是由部分行为构成的，如喜悦就是这样的复合行为，既包括对事态的觉察，又包括在此基础上的喜悦。另外，胡塞尔还讲到了第一性和第二性的意向性。前者指的是表象或客体化行为的意向性，后者即表象以外的行为的意向性，它们以第一性的意向性为基础。意向性还有反思的和非反思的之别。前者又叫意向的意向，其任务并不在于去重复本源的体验，而是要去考察它，并阐明存在于本源体验中的东西。③简言之，反思的意向即以意向性、意向体验本身为对象的意向性，而非反思的意向性则是意识指向意向体验之外的超越存在的意向性。从作用方式看，意向性可分为水平和垂直的意向性。在胡塞尔看来，如果一时间对象要显现出来，必须同时有两种构成，一是意识流本身的统一性，二是在这个流内部，现实的时间对象得以构成。确立意识流的统一性靠的是一种意向性，胡塞尔称之为“水平的”（horizontal）的意向性。而对象获得其统一性靠的另一种意向性，即“垂直的”（vertical）意向性。④最后，从意向性与意识的关系看，意向性有有意识意向性和无意识意向性之别。有意识一定有

---

① 胡塞尔.《逻辑研究（第二卷）》，倪梁康译，上海译文出版社 2006 年版，第 444-445 页。
② 胡塞尔.《笛卡尔式的沉思》，张廷国译，中国城市出版社 2001 年版，第 209 页。
③ 胡塞尔.《笛卡尔式的沉思》，张廷国译，中国城市出版社 2001 年版，第 46-47 页。
④ Husserl E. *The Phenomenology of Internal Time-Consciousness*. Churchill J S(trans.). Bloomington: Indiana University Press, 1964: 105-107.

意向性，因为后者是前者的必然的、本质的构成和结构，是其有作用的基础、根据、机制，也是其特殊性的根源。但是由此不能说，只有意识才有意向性。他说：仍然总还有一些“无意识的”意向性。如被压制的爱、屈辱感、怨恨等，以及无意识地引起的行为方式等。这些意向性也有它们的有效性样式（对存在的确信，对价值的确信，意志的确信，以及它们的样式上的变化）。[①]

二、新现象学家的意向性理论

现象学的意向性研究在当代有显著的发展，其表现之一是，欧洲大陆的新生代现象学家，如扎哈维等对之作了有力的阐释与发展；表现之二是，在英美分析哲学语境下，一些分析哲学家对现象学意向性理论作了以融合为特色的发展。

先看前一个方面。现象学也有自己的心灵哲学。它是一种解决心灵哲学问题的不同于分析传统的特殊路径。如果说以前的现象学心灵哲学只是散见于现象学文献中的自发的思想的话，那么现在则出现了自觉的探讨与建构，其标志性成果就是加拉格尔和扎哈维在总结现象学心灵哲学的大量个案研究成果的基础上所写的概括性、纲领性论著——《现象性心灵——心灵哲学与认知科学导论》。他们强调，现象学心灵哲学与分析性心灵哲学既有同一性，又有根本不同。以对知觉经验的研究为例。它们共同的地方在于：都把它作为对象，都努力对之作出说明。不同在于：对它的态度、方案不同，所关注的问题不同，所得的答案也不同。例如，现象学对经验采取的是第一人称的态度、方案。现象学家追求的是：根据经验对于主体所具有的意义来理解经验。它只关心它怎样在头脑中发生，怎样显现出来，而分析哲学家是从第三人称观点去看这一经验的，试图根据经验外的东西（如大脑状态、功能机制等）来理解知觉。另外，现象学家强调：关于经验，可说的不像分析哲学所说的那么简单，如关于汽车颜色的知觉，就有其特殊的结构，它表现为各种有意识的行为，有其意向结构。所有意识都有意向性，即对某物的关涉。经验总包含对世界的指涉。这被指涉的不是世界本身，而是经验的必然构成，因此经验与世界不可分。总之，现象学在知觉中所看到的不同于分析哲学所看到的，它看到的是它的意向性、格式塔特

① 胡塞尔.《欧洲科学的危机与超越论的现象学》，王炳文译，商务印书馆 2001 年版，第 284 页。

征、视角的不完全性、它的现象的时间的特征等。他们说："现象学的知觉说明不同于心理学、神经科学的说明。现象学关心的是获得对心理/具身生活的经验结构的理解和专门描述。它既不打算建立于意识的自然主义解释，也无意揭示它的生物发生学、神经基础、心理动机等。"①

怎样看待分析性心灵哲学中占主导地位的自然化？能否建立自然化的现象学？现象学方法能否应用于关于心灵的实验自然科学之中？这些问题在现象学内部是有争论的。胡塞尔经常强调的一个观点是，对意识的自然主义说明是有局限性的，因此他的现象学方法则是作为自然主义的对立面而出现的。在他看来，意识是不适于用自然科学方法来研究的，因为意识恰恰是科学研究的前提条件。如果要用科学方法研究意识，那么就陷入了循环。新的看法是加拉格尔等的看法。他们像其他许多人一样认为，现象学可以与科学合作，而不一定非要对抗。他们说："现象学尽管是一种哲学事业……但是这不排除这样的可行性，即它的分析对意识的经验研究和认知科学有其作用，或与它们有相关性。"②"正像我们可以通过方法论的步骤进入现象学立场一样，我们也能带着由这一立场发展而来的观点，进到科学之中。"③能否建立自然化的现象学？他们的看法是，这里首先要澄清"自然化的现象学"这一口号有不同意义。因为"自然主义"和"现象学"两词都有歧义性。根据对自然主义一种解读，这是不可能的。因为坚持自然主义或自然化，就是强调科学方法、原则的至上性、唯一性。例如，要研究心灵，要使研究的结论得到认可，就必须以自然科学为基础。如果是这样，现象学的自然化就是不可能的。但对自然主义还有很多理解，如自由的、宽松的理解等。根据新的理解，则有其可能性。对于"现象学"至少有两种理解，一是技术的，二是非技术的。前者指的是一个哲学部门，后者指的是经验本身。如果用的是后一意义，那么把现象学自然化，是说得通的——它强调的是将经验自然化。如果现象学指的是哲学部门，那么说自然化的现象学就有不同的意义，最简单的意思是：现象学研究的现象是自然的一部分，可以接受科学

① Gallagher S, Zahavi D. *The Phenomenological Mind: an Introduction to Philosophy of Mind and Cognitive Science*. London: Routledge, 2008: 9.
② Gallagher S, Zahavi D. *The Phenomenological Mind: an Introduction to Philosophy of Mind and Cognitive Science*. London: Routledge, 2008: 29.
③ Gallagher S, Zahavi D. *The Phenomenological Mind: an Introduction to Philosophy of Mind and Cognitive Science*. London: Routledge, 2008: 29.

的研究。同时，现象学在作自己的研究时，也可以利用科学的成果，反之亦然。[①]加拉格尔和扎哈维认为，这种意义的自然化现象学可以以不同的形式表现出来，如形式化现象学、神经现象学、首段现象学（即把现象学的研究作为实验研究之前的第一阶段，如用现象学方法搜集经验材料，弄清经验的样式、构成等）和认知现象学。

新现象学家由于关注和熟悉分析传统心灵哲学的进展，很多讨论是在对话的语境中进行的，所以对意向性的探讨与老一代的探讨相比，就发生了一些重要变化，如他们的探讨尽管仍有现象学的关切和维度，但他们同时又关注和探讨分析哲学家提出的意向性问题（主要是与心理符号有关的语义性或内容问题，详见下文）。例如，分析哲学家认为，意向性是命题态度的特点，而命题态度是与经验不同的另一类心理现象。新现象学家则认为，意向性与经验密不可分。离开了经验，无所谓意向性，反之亦然，因为意向性是意识的根本方面——意识就是对某物的意识，有意识一定有意向性。加拉格尔等说："意向性指的是意识的指向性（directedness）、关涉性、关于性，即与这样的事实有关，当一个人知觉、判断、感觉或思想时，他的心理状态总在关涉某物或关于某物。"[②]从字面意义来说，它有两义或两种形式，一指目的性，如一个人做某事时，他心里总有其目的，总朝向某物。这是现象学所说的意向性的一种形式。二指意识的专门的超出自身的特点，就像将箭射出去一样。既然如此，它就必然是一切经验的普遍的结构或特点。

新现象学家认为，现象学解决意向性问题的方案不同于分析的方案。根据加拉格尔等的概括，后者不外这样一些尝试：①语言哲学的方案，通过分析描述心理现象的句子的逻辑属性来说明意识的意向性，如齐硕姆、塞尔等就是如此操作的；②意向性的自然化，多数分析哲学家都热衷于这一工作；③新近的一种倾向，由小斯特劳森、克兰等倡导，他们强调在意向性研究中必须重视第一人称观点，认为详尽描述意向性的结构是意识的哲学研究不可或缺的部分。而现象学方案根本反对前两种方案，有近于第三种方案的地方，它认为，意向

① Gallagher S, Zahavi D. *The Phenomenological Mind: an Introduction to Philosophy of Mind and Cognitive Science*. London: Routledge, 2008: 30.

② Gallagher S, Zahavi D. *The Phenomenological Mind: an Introduction to Philosophy of Mind and Cognitive Science*. London: Routledge, 2008: 126.

性是意识的决定性特征，是意识的基本结构，但也有重大差别，这主要表现在他们十分重视对意向性的深层结构、意指对象所以可能的内在根据作深入的探讨。另外，他们在对意识的意向性结构作描述性分析的同时，还试图澄清心与世界的关系，但不关心心与脑的关系。关于心与世界的关系，它的基本观点是，心灵有关涉世界的特点，不赞成这样的观点：意识是独立于世界之外的主观的方面，世界是意识之外的、需要它去反映的东西。

如果意向性总有其所指对象，那么这对象是在心内还是在心外？怎样看待人对不存在的对象的关注和思考？这既是老问题，也是传统现象学留给新现象学家的新问题。在胡塞尔看来，只要有意识发生，不管是知觉，记忆还是思维等，一定有两方面，一是被意识的对象，二是意识行为。须知，两者的关系不再是外在的，而是内在的，它们相互依赖、不可分割。意向性不是意识与其对象的这样的关系，即与超常对象（内存在对象）的觉知的关系，而是一种与觉知对象特殊形式的关系。其特殊性在于，即使对象不存在，这关系仍存在。如果说有这样的意向，它们所指的对象是非存在对象（方的圆），那么仍可像描述一般的知觉一样，用它们的指向性来加以描述。不同于正常知觉的地方在于，它们的所指不存在，既不在心灵内，又不在心灵外。例如，有一关于粉红色大象的幻觉，它也有意向行为和对象，这对象既不在心内，又不在心外，但是那幻觉仍是关于粉红色大象的。加拉格尔等说："即使心灵的一个特殊的特征是有思考不存在对象的能力，但是也没有承认存在着非存在对象的必要。主张某意向对象不存在，并不是说存在着非存在的对象……它的意思只是，意向状态指向或关涉着某物，即使所指对象不存在也是如此。"[①]质言之，意向对象不管是有存在地位的，还是空无，都不是什么专门的特殊的对象，而是意向状态所关于的东西。

新现象学家还回应了这样的责难：有些经验并没有对象指向性，如沮丧、焦虑、无名烦恼等，因此有什么理由说一切经验都有意向性？分析哲学家解决这类问题的办法是提出不指向对象的经验就不是命题态度，而是有感受性质的心理状态。而这类心理状态则没有意向性，只有命题态度有意向性。因此，意

① Gallagher S, Zahavi D. *The Phenomenological Mind: an Introduction to Philosophy of Mind and Cognitive Science*. London: Routledge, 2008: 114.

向性不是经验的普遍特征。[1]新现象学家的解决办法是把意向性区分为两类，即认为一是有对象指向性的意向性，二是没有对象指向性的意向性。如情绪等也有意向性，只是不指称具体的对象，但这不是说它们没有对世界的指称。加拉格尔和扎哈维说："它们没有把我们封闭于自身之内，它们作为有穿透性的气氛贯穿在我们生活之中，而这气氛影响着世界显示给我们的方式。"它们将我们镶嵌于世界之中，阐释或修改着我们存在的可能性，它们融进了我们的意向结构之中。[2]萨特认为，疼痛也有关于性，如读书读多了眼睛会疼痛，它刚开始不是作为反思的主题性对象出现的，而是通过影响我们知觉世界的方式而发生的。确切说，疼痛尽管不像信念那样有具体的所指对象，但是它表现的恰恰是我们对世界的意向经验的结构。

现象学关注的一个特殊的深层次的意向性问题是，在日常生活中，对象给予我们的是纷至沓来的分工的信息，但通过经验，我们得到的是对变化和持续的过程的认识，即有整体的对象被意指或显现。这是怎么可能的？如果在任何特定时刻只是经验到了此时此地呈现于我们的点式的东西，我们怎么可能经验到绵延的对象？一种看法是，我们直接认识到我们的知觉是时间上延展的过程。如随着旋律的开始、进行、结束，我们对它的知觉也随着发生和完成。

事情绝非如此简单，因为知觉有自己的绵延，有自己的时间阶段。例如，有这样的时间，知觉的开始的两个片刻（A 和 B）过去后，第三个时刻 C 才出现，未来的 D 还没发生，因此当 C 发生了时，就有对 C 的音符的觉知，这音符是一段旋律中的一个，是时间对象的在场的部分。这意味着，在每个时刻，我们能觉知到的是当下呈现的东西，而不是别的东西，如没有关于旋律的知觉。很明显，即使是连续的有意识的阶段的系列也没有提供关于系列的意识。知觉-对象是时间上绵延的，意识的连续的阶段一定得在经验上统一起来。可见这里的难题是：如何说明这个时间的捆绑，而又不导致无穷后退，即不假定另一时间上绵延的意识。

对此，有不同说明，如有的人提出了同时觉知原则，认为人之所以在觉知

---

① Gallagher S, Zahavi D. *The Phenomenological Mind: an Introduction to Philosophy of Mind and Cognitive Science*. London: Routledge, 2008: 117.

② Gallagher S, Zahavi D. *The Phenomenological Mind: an Introduction to Philosophy of Mind and Cognitive Science*. London: Routledge, 2008: 116-117.

到每个片断时觉知到了绵延的时间，是因为发生了同时的觉知，它既觉知每个时刻，又觉知整个系列。[①]新现象学家在借鉴胡塞尔等的思想的基础上作出了新的回答。胡塞尔的看法是：如果意识只提供了这样的信息，即关于对象的片断的或纯此刻的部分的信息，如果意识流本身只是经验的一系列的没有关联起来的点，那么人对时间上绵延对象以及系列和变化的觉知就是不可能的。如果意识只限于觉知存在于当下的东西，那么对绵延对象的觉知就没有可能。我们之所以觉知到了连续、绵延，那是因为我们的意识在觉知到当下发生的事情及时间性时，一定还觉知到了别的东西，即对已发生的、刚发生的和未发生的有意识。新的问题是，这些意识怎么可能？有的认为，是记忆和想象之类的机能让我超出当下、此刻。胡塞尔的看法是：在这里，我们有一种对连续系列的直觉呈现。在他看来，我们之所以能觉知到变化、系列、连续性，如旋律，是因为我们的意识是如此构成的，它允许这样的时间呈现，当我经验到某物时，意识的每一个发生的时刻不仅在下一刻没有消失，而且在一种意向流通中保持下来了，进而构成了一种在被经验的时间绵延中的伸展的连贯性。[②]质言之，整体的意向对象的完全呈现根源于意识后面有特殊的时间结构。它是三个方面的有机构成。①原初印象。它指向的是对象的严格限定的“现在一刻”。这印象不会孤立出现，它是这样的抽象构成，即本身没有向我们提出关于时间对象的知觉。②保留。它伴随着原初印象。它提供给我们的是关于对象的刚过去的部分的意识。进而它也让原初印象获得了指向过去的时间情境。③前展。它指的是意识以不太确定的方式指向对象的即将发生的方面。基于此，原初印象就有指向未来的时间情境的可能。例如，在听到一次谈话时，即使声音已过去，但仍有一种意向的方面保持了该句子的词语意义。

加拉格尔等认为，任何类型的经验，不管是觉知还是记忆、思考、想象等，都有共同的时间结构，因此经验的任何时刻都包含着对经验过去时刻的保留性指涉，一种对已出现的东西的当下的开发性，另外还包含着前展的作用，它预言的是经验的未来的时刻。总之，意识是活着的呈现领域的产生，这个领域的

---

① Gallagher S, Zahavi D. *The Phenomenological Mind: an Introduction to Philosophy of Mind and Cognitive Science*. London: Routledge, 2008: 73.

② Gallagher S, Zahavi D. *The Phenomenological Mind: an Introduction to Philosophy of Mind and Cognitive Science*. London: Routledge, 2008: 76.

具体的完全的结构是由意识结构“前展—原初印象—保留”所决定的。[①]

现象学对内时间意识结构的分析，既是对意向性结构的揭示，也是对意识、前反思自我意识微观结构的分析，它之所以被称作内时间意识，是因为它属于行为本身的最内在的结构，即前反思自我意识，而前反思自我意识就是意识和意向性的基本构成。

三、分析哲学中的“现象学转向”与多元化发展

一些分析哲学家在“现象学转向”的旗帜下也对现象学表现出了浓厚的兴趣，从特定的视角以独到的方法对之作出了有个性的发展，使分析哲学的意向性研究表现出开放的、多元化的特色，主要有两种倾向：一是“我注六经”的态度，其任务是客观阐释现象学的意向性理论；二是改造发展现象学的意向性理论，如马巴赫等就是如此。

（一）“现象学转向”与现象学化的心理表征理论

马巴赫认为，英美认知科学、心灵哲学在研究心理现象时，忽视了现象学的视角，而这是不利的，因此他倡导来一场现象学转向，即从现象学角度来研究意识。这样研究意识也就是按其自身的本质或纯粹性来予以研究，主观地或反思性地来予以研究。但应注意，这又不等于使现象学判断只有私人的有效性。之所以能如此，关键在于现象学语言是主体间可理解的工具。[②]

众所周知，现当代意向性研究中有一种十分明显的倾向，即根据心理表征来解释意向性，按照这一方案，意向性的研究其实就是心理表征的研究。马巴赫不否认心理表征对于说明意向性的作用，但认为，英美流行的据以解释意向性的心理表征理论，不管是认知科学中的，还是心灵哲学中的，都是错误的。其错误的主要表现就是在揭示心理表征的过程中，缺乏主观的、纯粹精神性的亦即现象学的观点和视角。在他看来，要完成根据心理表征说明意向性的任务，必须真正实行“主观的”或“现象学的转向”。

① Gallagher S, Zahavi D. *The Phenomenological Mind: an Introduction to Philosophy of Mind and Cognitive Science*. London: Routledge, 2008: 78.

② Marbach E. *Mental Representation and Consciousness: towards a Phenomenological Theory of Representation and Reference*. Dordrecht: Kluwer Academic Publishers, 1993: 19.

在马巴赫看来，英美的认知科学和心灵哲学的表征研究的第一个问题是，在研究中完全置意识于不顾，这就像研究物理学不研究物质和能量、研究生物学不研究生命一样荒唐。[①]第二个问题是，借助非心灵的、公开的、外部的表征来理解心理表征，如关于心灵的表征理论和计算理论都是如此，因为它们实际上都是以“计算机隐喻”为基础的，并主要停留于对由表征和语义解释功能所构成的表征系统的讨论。第三个问题是，认知心理学的问题在于放弃了对意识的直接的纯粹的分析，而重视对心理事实的间接描述。在马巴赫看来，这并不是对心理现象的真正的心理学理解。

马巴赫认为，这个领域中真正重要的问题是：“经验在于什么”，怎样对经验本身作出说明[②]，从心理上表征了某物本身的主观的、有意识的经验是什么，在反省中会出现什么。要完成上述研究，应从心理活动或行为开始，因为“心理活动是进入心灵的门槛”，而“心理对某物作出活动与意识到某物是同义词”。他说：“只有对有意识心理生活或心理活动作出以反省为基础的分析，才能为我们提供谈论心理的真正本质的基本概念范畴。”[③]他承认：在这种研究中，必然会涉及表征。当然这里的表征有特定的所指，如不是指作为公共媒介的表征，而是指真正的心理表征，即对有意识的、主观的经验的表征，因此他关心的表征是从现象学观点来看的主观的、纯心理的表征。

马巴赫强调：在实行现象学转向、用现象学方法分析表征的过程中，首先要探讨表征的来源。在他看来，表征是在想象、观想、记忆等非知觉活动中表现自身的，而这些活动又是知觉的不太复杂的心理活动的变型（modification）。从来源上说，表征来自知觉经验，但不能等同于知觉经验。因此，要把握表征，第一步是要对作为有意识经验的知觉作出现象学的描述和分析。在他看来，知觉某物的经验是意向地指向它的在场的给予中的某物的心理活动，或者说呈现某物的活动。想象、记忆等经验是有意向地指向不在场的某物的不同方式，即表征或再现某物的活动。很显然，这些看法带有胡塞尔思想的印记。

---

① Marbach E. *Mental Representation and Consciousness: towards a Phenomenological Theory of Representation and Reference*. Dordrecht: Kluwer Academic Publishers, 1993: 4.

② Marbach E. *Mental Representation and Consciousness: towards a Phenomenological Theory of Representation and Reference*. Dordrecht: Kluwer Academic Publishers, 1993: 6.

③ Marbach E. *Mental Representation and Consciousness: towards a Phenomenological Theory of Representation and Reference*. Dordrecht: Kluwer Academic Publishers, 1993: 7.

表征不仅以知觉经验为基础，而且其本质也与知觉经验有密切的关系。因此马巴赫认为，表征活动的基本形式应根据呈现某物的活动与表征某物的活动之间的意向关系来加以分析，进而这些关系又应根据意向蕴涵与变型来加以解释。不同的从意向上蕴涵/变型的方式应理解为限定心理表征的现象学形式的概念内容的不同属性。[①]可见，这里关键的范畴是“蕴涵”与“变型”。要理解表征活动，必须从知觉出发，因为表征活动是知觉某物的活动的蕴涵或变型。知觉到的某物，或呈现的某物在表征活动中“以非现实的样式被蕴涵着”。如果表征活动有层次的区别，那么低层次的表征活动本身又意向地包含在高层次的表征活动之内。另外，还有一个相关范畴，即“转换”，对于理解表征内容也很重要。转换是指表征形式的转换，即由低级到高级，再由高级到最直接的心理表征的转化。尽管有这样的转换，但从直观上被表征的 x 的现象内容则不会改变。换言之，不管表征活动怎样结合、变化、转换，那个 x 总会通过知觉以非现实的样式被表征。由此不难看出，表征活动的实质不外是：它表征的是不在场的、有某种固定不变性的 x。马巴赫说：“在这一研究中所进行的对心理表征的说明是以下述两种心理活动之间的差异和内在关联为基础的，一种活动是指称由之而指向了不在场的某物的活动，另一种是指称由之而指向了在场的某物的活动。”[②]前一种活动就是表征，它指的就是再现、表达某种不在场的东西的活动。它与意识有直接的关系，因为心理活动在本质上是有意识的，换言之，有意识在本质上是在心中活跃着的。

接着，马巴赫对表征的形式作了探讨，并作了现象学分析。他强调，通过变型，表征便在知觉经验基础上出现了，再经过进一步的转换，它又形成了不同层次和形式的表征。根据马巴赫的概括，表征一共有两大类，一是直观性的表征，他说：“在心中直观地表征某物的种种活动就是意向地蕴涵变了形的知觉的种种形式。”[③]二是概念或语言性的表征。而前一种形式又有纯心理的表征和图像式的表征两种。前者指意向地蕴涵或改变了知觉经验的表征，如想象和记忆中呈现出来的表征。这里我们只拟分析第一种表征。

① Marbach E. *Mental Representation and Consciousness: towards a Phenomenological Theory of Representation and Reference*. Dordrecht: Kluwer Academic Publishers, 1993: 147.
② Marbach E. *Mental Representation and Consciousness: towards a Phenomenological Theory of Representation and Reference*. Dordrecht: Kluwer Academic Publishers, 1993: 41.
③ Marbach E. *Mental Representation and Consciousness: towards a Phenomenological Theory of Representation and Reference*. Dordrecht: Kluwer Academic Publishers, 1993: 176.

马巴赫的表征理论与英美流行的表征理论相比，有十分醒目的特征。首先，因为它强调心理加工依赖于对主观经验的描述性反思性的现象学分析，它是这样的有意识活动，即意向地与活动、意识交织在一起的活动，而意识总是以这样或那样的方式对某物的意识。这也就是说，现象学的表征理论在分析表征时，始终离不开意识这样的关系和视域。马巴赫认为，从事心理活动，如知觉某物、记忆某物等都是意识，因为知觉到某物就是意识到某物。在这个活动过程中，与意识有关的是“表面的觉知”（surface awareness）。其特点是伴随意识活动，无须通过反思，如我在知觉某物时，我直接有这样的觉知，即我在知觉某物。另外，这种觉知是内在的。在这个层面上，意识是潜在地发挥作用的。其次，现象学的表征理论的核心内容是蕴涵、变型以及作为其基础的先验自我等范畴。最后，流行的表征理论或认知主义都承认心理媒介，即承认表征有心理符号或标记。马巴赫强调，心理媒介并不是必要的，如“以直观的方式表征对象、指称对象就不需要任何心理表征媒介”。[①]

（二）麦卡洛克的现象学外在主义

麦卡洛克像胡塞尔一样，从否定方面来说，公开站在自然主义的对立面；从肯定方面来说，他在意向性研究中明确贯彻现象学原则。但是经过对当今意向性研究中盛行的外在主义思潮的了解和研究，他又发现，它有合理性；尽管与现象学有不合拍之处，但也不能轻易否弃。于是他把它们有机糅合在一起，便形成了自己独具一格的意向性理论。它由三个基本原则所构成。①现象学的观点：有心灵就像有某种东西。②外在主义：心灵不在头脑之中。③认识论：关于心灵的知识不同于物理科学所提供的知识。从微观上说，这三个方面分别构成了三种具体的理论，即内容理论、关于指向世界的理论和意向性理论。

麦卡洛克强调，在意向性等心灵哲学问题的研究中，现象学维度具有不可或缺性。他说：“对意向性的任何说明必须能涵盖这样的事实，即内容以第一人称和第三人称的方式出现在意识之中了，或者说内容有现象学维度。”[②]例如，

---

① Marbach E. *Mental Representation and Consciousness: towards a Phenomenological Theory of Representation and Reference*. Dordrecht: Kluwer Academic Publishers, 1993: 125.

② McCulloch G. *The Life of the Mind: an Essay on Phenomenological Externalism*. London: Routledge, 2003: 10.

我在想到什么思想内容时，必然伴随有现象学知觉，在第三人称情况下也是如此，某人表现出他在想什么，或说出他在想什么，我能看到或听到他所意指的东西。这些都表明意向内容有现象学性质。根据这种观点，内容与现象学性质不可分割，因为思维就是有一些观念，而观念是觉知或意识的对象，所以是具有现象学性质的对象。例如，想到猫子，就是有关于猫子的意象，就是关于猫，这也就是说，想到的猫是一个有现象学性质的过程。因此要说明内容，说明意向性，形成关于它的理论，一定不能忽视现象学性质，必须尊重内容的现象学维度。

受分析哲学立场的影响，麦卡洛克又强调，外在主义维度对意向性的研究也是必要的。根据他的理解，他所说的外在主义是指这样的理论，它强调：心灵不在头脑之中，内容是由外在世界决定的。他深知：在说明意向性时坚持外在主义原则，不外是要做到："根据思想者与他们的世界之间的真实的（即存在的、因果的和规范的）关系来说明作为真正心理特征看待的意向性。"①这也就是说，以外在主义为基础所建立起来的意向性理论从根本上说是对立于二元论和唯心主义的整体论理论的，因为二元论、唯心主义承认有两个整体论世界，一是心灵王国，二是物理王国。而他所倡导的意向性理论因为坚持外在主义，所以尽管认为意向性是心理的特征，但又主张它只能根据外在世界的关联来予以理解。

这样说，似乎与近几十年流行的外在主义没有什么区别，似乎是老调重弹，尤其是麦卡洛克一再重复了外在主义的"意义不在头脑之中"口号。其实不然。他反复强调，他的外在主义一方面有特定的意蕴，另一方面真正贯穿在意向性理论的始终。以他的外在主义为标准，其他的外在主义者都不是真正的外在主义者。之所以说他的外在主义有独特的意蕴，是因为它有十分丰富而独特的内容，至少包含这样几个命题：①意义不在头脑之中；②意义在心灵之中；③心灵不在头脑之中。

麦卡洛克对"头脑"的理解不同于普特南等的观点，如他所说的"头脑"不等于"心灵"，而"心灵"又不是指空间性质的东西，而是认识论和现象学意

① McCulloch G. *The Life of the Mind: an Essay on Phenomenological Externalism*. London: Routledge, 2003: 11.

义上的心灵。在这一点上，他与笛卡儿又有一致之处，因为这里的“心灵”指的是指向世界的有意识心灵，所以是一种被给予的或被知道的心灵。由这一根本特点所决定，第一个命题所强调的不过是，在说明意义时必须考虑到环境中的因素；第二个命题强调的是意义和理解都是心理现象。第一个和第二个命题合在一起所形成的第三个命题体现的则是一种特殊的外在主义，即“现象学的外在主义”。[①]因为心灵是一种所予，一种显现或现象，所以心灵当然不在头脑之中。由上所决定，他所理解的内容或意向性便既是外在主义的，又是现象学的。

在意向主体的构成、本质问题上，麦卡洛克既不赞成行为主义观点，又反对心理主义，而坚持自己的中立路线。他认为，作为意向主体的东西应是人的心灵，但这心灵既不是二元论所说的那种精神实体，又不是行为主义所说的行为或行为倾向，而是“在世界中的身体”，是一种既有主观性又有客观性，既有内在性、现象性又有外在性的实在。他说：“要建立关于意向性的可信的理论构架，必须把有意识的思想主体设想为包含且被嵌入了适当内在东西的实在。”[②]作为意向主体的实在不仅有内在的东西，而且还必须有现象经验，否则就只能是缸中之脑。而后者显然不能被归属为意向状态。因此，意向主体的另一个标志是它的那些被嵌入、所包含的东西与现象学有密切的关系，简言之，它有特定的内在意识生命。同样，要有真正的心智，就必须有实实在在的心理生活。如果没有这样的条件，就不可能有意向性，也不可能有内容和意义。缸中之脑不具备上述条件，因此就没有真正的意向性。计算机也是如此。他由此得出的一个附带的、反潮流的结论是：“意义不在计算机中。”[③]

总之，现象学外在主义，既包含普特南的外在主义思想，但又有不同，它所理解的心灵是现象学性质的心灵，不可能脱离现象学关系而独立存在，是一种在世界中的东西，因此心灵不在头脑之内。与此相应，意义不能存在于头脑之内，因为意义离不开对象。但意义可以存在于心灵之内，且只能如此。

---

① McCulloch G. *The Life of the Mind: an Essay on Phenomenological Externalism*. London: Routledge, 2003: 11.
② McCulloch G. *The Life of the Mind: an Essay on Phenomenological Externalism*. London: Routledge, 2003: 126.
③ McCulloch G. *The Life of the Mind: an Essay on Phenomenological Externalism*. London: Routledge, 2003: 140.

(三)“意向性研究的现象学视角”与“问题现象学”

英美哲学界有许多人由于环境、文化基因和哲学传承的影响，其思维结构、心理定势和价值取向上打上了深重的分析哲学印记。例如，在意向性研究中自觉不自觉地贯彻，至少是利用维特根斯坦和蒯因等大师的原则和方法，使其意向性理论中留有明显的分析哲学痕迹。但其中有一些人又鉴于分析哲学研究所引起的这样那样难以解决的问题和矛盾，加之又注意到了现象学在解决意向性问题的某些殊胜之处，因此提倡意向性研究应有现象学的视角。奥拉夫森强调：研究意向性必须抛弃自然主义和科学主义态度，而引入现象学的视角，因为自然主义无法说明“所与”(given)、“呈现”(presence)等概念，而这些概念又是说明意向性的基础。即使不能说现象学是解决意向性问题的唯一的理论基础，但至少是其必不可少的条件甚或关键的环节。这些思想在他的《自然主义与人的状况：反科学主义》(*Naturalism and the Human Condition: against Scientism*)一书中得到了明确而系统的表达。

呈现范畴之所以不能为自然主义而只能由现象学把握，是因为它是一种非常特殊的关系范畴。它与心灵有关系，如按现象学的原则可以说，心灵就是别的实在向人的呈现，但又不能把呈现说成是心的属性或心内的存在，因为它与对象密不可分。即使它依赖于对象，但又不能把它归属于对象。奥拉夫森指出：呈现是一种“非常独特的关系，在某些方面甚至是异常的关系”。[①]因为它并未把两个有特定形状的对象连在一起，它随附于在场的那一个，在某种意义上，它又构成了另一个。如果说通常的关系是存在于两个项目之间的，那么呈现则是一种异常的“之间”。因为这种关系不是表征关系，即不是心理映象、图像与被表征的外界事物的关系。因为在呈现关系中，尽管也有两个项目，但其中一个即另一个对之显露的那一个，与后者是不能分开的。这是一种内在的关系，但这是从本体论上而言的，而不是从纯逻辑上而言的。从认识史来说，这种关系是以前科学完全没有注意到的一种关系。科学以及现象学以外的哲学都无法予以说明。

由于它难理解，奥拉夫森便用海德格尔关于光的比喻予以说明。在后者看

---

① Olafson F A. *Naturalism and the Human Condition: against Scientism*. London: Routledge, 2001: 89.

来，光是我们所见事物的可见性的必要条件，因此可用来表述呈现的特征。众所周知，光有照耀的特征，并使如此被照耀的对象具有可见性。光作为可见性的必要条件对于理解呈现有重要作用。因为有了光，对象就有可见性，同样有了心灵及呈现，心灵中的事物便必然显现于心灵面前，没有什么东西会逃过它。在这里，意识就是这种光，即“灵魂之光”，有意识便有光照耀，便有透明性。当然海德格尔不说“意识”，而说世界内的“擦亮”（clearing），即“光”。[①]

光的本体论意蕴就是在世的观念，它涉及使一种实在呈现给另一种实在成为可能的“之间”，在这种“之间”中，在世事物出现于那里的特征一定是世界本身的特征，当然它们之间也有本体论的差异。换言之，呈现出来的本体论类型与在显露于意识的世界中的实在的类型不是相同的。

以呈现为基础，奥拉夫森对意向性提出了新的理解，即认为意向性实即超越性。胡塞尔早就清楚地论证了这一点。但奥拉夫森有自己新的理解，即认为，超越性是人的整体论特征。它表明人不是一个内在的、孤立的存在，不仅其内部有整体论性质，而且是与环境、所与不可分地结合在一起的，因而是包含了他的个体以外的复杂因素而形成的整体。要把握人的这一特征，最好的办法就是“根据世界中存在的事物显露于他的方式”来理解。而这样理解就是根据呈现来理解。他认为，超越性是人的整体论特征，必须根据呈现来理解，“这意思是说，使人具有整体特征的东西就是显露的种种样式，而这些样式又是与它所朝向的世界的被说出的方式相一致的”[②]。

根据一些英美哲学家的看法，现象学的基本精神就是强调根据经验、直接的呈现来解决想解决的问题，只有这样才能避免研究中分离的、片面的、自然的态度及其局限性。布鲁因（J. Bruin）就是这样的一个代表。他认为，要解决意向性问题，必须关注作出意向行为的主体的当下经验，而当下经验中最重要的是讯问、空无、欠缺或生动当下的问题经验。他把致力于这种经验研究的学问称作“问题现象学”。而在我们看来，这不外是强调要用现象学的原则和方法研究意向行为发生时的直接的经验。基于他的上述考虑，他提出了解决意向性问题的一种新的思路，即根据“问题”或“讯问”来解决意向性问题。因为在

① Olafson F A. *Naturalism and the Human Condition: against Scientism*. London: Routledge, 2001: 92.
② Olafson F A. *Naturalism and the Human Condition: against Scientism*. London: Routledge, 2001: 96.

他看来，过去的说明从静态上说，都未揭示意向性的构成要素及结构；从动态上说，未澄明意向性发生作用的过程、机制和原理。而如果能深入意向性的“问题结构”之中，则可把对意向性的认识推进到新的阶段。为什么是这样呢？

布鲁因首先赞成胡塞尔对意向性的基本规定，即把意向性看作一种意向行为，简单地说，意向性就是一种行为。而作为一种行为，它不是要专注于它的所指，而是服从于兴趣，旨在得到信息。当然，意向性肯定有所指，并必然会锁定于它。但这不是意向性的宗旨和根本。因为它之所以锁定于所指，“要么是因为被意欲的对象是有趣的，要么是因为想得到对象的活动是要得到信息。‘有趣的’东西涉及不同的可能性（可能是 A，或 B，或 C）；‘有信息’的东西就是这些可能性的化约（是 A，但不是 B 和 C）。有趣的东西引出了对所谓问题的回答。而在回答中即在问题的现实化过程中，活动本身就成了信息的得到过程。……因此，有趣性和信息性这类‘问题概念’就一定会出现在意向性理论之中”。①

要根据问题解释意向性，当然得先弄清问题本身的结构和原理，这无疑就是要建立“关于问题的现象学”。根据布鲁因的看法，他的问题现象学中有一系列概念，其中有四个与意向性的说明关系最为密切，它们分别是“空无”“填充”“真”“证据”。有这些概念就能较好地说明意向性的基本结构、过程和作用机理。

意向性的基本结构是什么呢？布鲁因说：“我所说的‘基本结构’指的是下述两个意向范围，即‘空无’和‘填充’……它们对于意向性概念绝对是基本的。”②因为意向性作为一种行为，一定有两个阶段，一是空无的阶段，二是空无被填充，即获得了信息的阶段。如果一个人本身什么都知道，或不再需要什么信息，亦即已被填满，而没有任何信息、知识虚空，那么他绝不会有意指行为的发生。只有当人处在空无状况或欠缺状态时，他才会作出意指行为。在布鲁因看来，处在空无状态，也就是处在一种对某些东西的欠缺、需要、有兴趣或感兴趣的状态。进入了这种状态就进入了意向行为的第一阶段。接着，弥补这种空缺，用信息来填充它的行为就是回答问题的行为。这两种行为合在一起

① Bruin J. *Homo Interrogans: Questioning and the Intentional Structure of Cognition*. Ottawa: University of Ottawa Press, 2001: 1.

② Bruin J. *Homo Interrogans: Questioning and the Intentional Structure of Cognition*. Ottawa: University of Ottawa Press, 2001: 1-2.

就构成了意向性。这就是他“根据讯问和答问对行为的意向性的构想”①。

布鲁因认为，要改造、更新胡塞尔等的意向性概念，仅根据讯问和答问来分析还不够，还必须诉诸“真”和“证明”两概念。所谓真，指的是思想与事物、语词与世界的一致。所谓证明，是对真的经验，对真的坚信正是源于这种经验。他说：“在证明这种经验中，一个人‘明白了’思想与实在的一致或符合。假设一个人对另一个人说：‘有一只黑鸟。’听者有一个关于那事态的‘空无’或预示的观念；接着他往上看，进而得到了关于飞着的黑鸟的直觉，亦即‘填充’那预示行为的直觉。听者之所以能经验到真，正是因为他在填充直觉中有这种对意义的辨识或认同。”②

有些分析哲学家还根据现象学的原则和方法对分析哲学意向性研究局限性作了自我批判，并探讨了克服的办法。在洛尔看来，要形成关于心理内容的正确理解，必须把概念作用语义学和外在主义结合起来。仅有一方面，必然陷入片面性。例如，光有概念作用语义学，尽管能证明内容是如何内在地被决定的，但过于空泛；仅有外在主义，又无法证明内容是如何内在地被构成的。而在从这两个方面进行探讨时，除了必须有分析哲学的维度之外，还应有现象学的视角。因为“思维是某种活的东西——存在着从事这种活动的某东西。所以对思维的现象学反思几乎不用纯倾向术语就能设想它的属性”③。诉诸纯倾向术语，如行为倾向之类进行分析，正是分析哲学揭示意向性实质的手段，而现象学尽管不用这类术语，也能从特定的方面揭示分析哲学所看不到的方面。

就意向性或内容的个体化问题而言，洛尔认为，英美之所以流行外在主义，主要原因是其长期受分析传统的影响，而分析传统使关于心理内容的概念变得越来越贫乏，因为它“强调的是语言和指称”。“一旦我们转向现象学……我们就会获得关于内在意向性的理解”④。由上述内容所决定，在分析传统之下，人们便忽视了对心理生活本身的探究的兴趣和热情，往往简单地把它斥为形而上学的

① Bruin J. *Homo Interrogans: Questioning and the Intentional Structure of Cognition*. Ottawa: University of Ottawa Press, 2001: 7.

② Bruin J. *Homo Interrogans: Questioning and the Intentional Structure of Cognition*. Ottawa: University of Ottawa Press, 2001: 7-8.

③ Loar B. “Phenomenal intentionality as the basis of mental content”. In Hahn M, Ramberg B(Eds.). *Reflections and Replies: Essays on the Philosophy of Tyler Burge*. Cambridge: The MIT Press, 2003: 234.

④ Loar B. “Phenomenal intentionality as the basis of mental content”. In Hahn M, Ramberg B(Eds.). *Reflections and Replies: Essays on the Philosophy of Tyler Burge*. Cambridge: The MIT Press, 2003: 230.

虚伪对象而弃之不顾。反过来，如果转向现象学，关注对心理生活内在本质结构的研究，那么便必然走向内在主义。洛尔说："关于心理生活的强烈的直觉就是把心理生活看作是有意识思想、情感和知觉的一种流动……这对我们建立关于心理的东西的构想来说至关重要……这种流动似乎有自己的、不依赖于外在环境而独自构成的生命。"①他还说："我自己的心理流动的意向特征——甚至思想的那些向外指向的特征——是独立于我在世界中的现实条件而构成的。"②这也就是说，在内容个体化问题上，受分析传统影响的外在主义仅注意静态的东西、外在世界中的现实条件，而不注意心理流动，不注意现象学方面，因而必然会走入死胡同。因此在这里，不仅要有现象学的视角，而且最好是用它取代外在主义的那些分析方法。

第二节　分析传统意向性理论的最新发展

当代分析的心灵哲学对意向性问题重视的程度绝不亚于胡塞尔的现象学，但它的提问方式和解决问题的过程及结论与后者相比存在着重大差别。例如，它正在争论这样一个问题：意向性是不是一切心理现象的共同、独有的本质特征。有的人认为，它充其量只是部分心理现象的特征。另外，当代分析哲学的意向性研究主要关注的是命题态度，因此其范围有所收缩，但深度却大大加深了。当然也有一些人仍坚持布伦塔诺的观点，把意向性作为心理现象的普遍特性，不过又强调，作为经验的意向性或内容是以非命题、非概念的形式表现出来的。这里的问题和观点，不管是哪一种，都是现象学传统中所没有的。在分析传统中，不仅意义研究有统一的趋向，即建立能说明一切形式的意义（如人生意义、语言意义、政治意义、经济意义、价值意义等）的统一的意义理论，而且还出现了这样的现象，即把意向性、内容、表征、语义性、意义等看作在本质上没有区别的心理属性或特征，进而作为一种统一的对象来研究。从过程上说，现

---

① Loar B. "Phenomenal intentionality as the basis of mental content". In Hahn M, Ramberg B(Eds.). *Reflections and Replies: Essays on the Philosophy of Tyler Burge*. Cambridge: The MIT Press, 2003: 230.

② Loar B. "Phenomenal intentionality as the basis of mental content". In Hahn M, Ramberg B(Eds.). *Reflections and Replies: Essays on the Philosophy of Tyler Burge*. Cambridge: The MIT Press, 2003: 230.

当代分析哲学的意向性研究经常发生现象学传统所没有的“转向”：一是由原来的非分析的传统向语言分析的转向，亦即语言学转向；二是从语言分析到认知分析的转向。新的转向也可理解为一场革命，它将原来分析哲学的语言学转向转变为认知转向，将原来所认为的语言先于思想的命题转换为思想先于语言。新的认知转向是对语言转向的否定。它开始于格赖斯（Grice），其计划有两部分，一是从意向状态的语义性引出语言的语义性，二是试图说明人类交流的实质。这一理论被称为“以意向为基础的语义学”。最后，分析传统的意向性研究主要是从物理主义和自然主义前提出发来解决由内容的“关于性”所引出的难题。

一、意向性的本体论地位与本质特征问题

分析哲学家在研究意向性的过程中，都有自己的本体论预设，而预设不同，后面的进程和结论自然有别。所谓本体论预设，实际上是对下述意向性问题的解答：意向性在自然界有没有本体论地位？世界上有没有意向性这样的属性存在？对此，不外三种回答。一是意向实在论，这是现当代心灵哲学中占主导地位的倾向。它肯定意向性在自然界的存在地位。有这种本体论承诺又会面临进一步的本体论问题：如果有这种东西存在，它会以什么形式存在呢？对此有许多选择。①唯心主义和二元论主张意向性是一种精神性的存在，要么是本原性的存在，要么以依赖于精神实体的属性的形式存在，在当代，尼科尔森（Nicholson）对之作了有力的辩护。②自然主义。类型同一论认为，意向性不仅有存在地位，而且它们不是物理事物的派生的属性，而是其原始的、第一性的属性。当然，它们在特定的意义上就是物理属性。持个例同一论和随附论的人认为，意向性是派生的、次级的，因而需要进一步说明的属性，要么个例同一于物理属性，要么随附于物理属性。二是意向怀疑论或取消论，强调：常识心理学和传统哲学所说的意义、意向性是不存在的，因为人脑中真实存在的只是神经元及其活动、过程和连接模式。持这一立场的人在意向性研究中尽管要少做一些事情，但其观点仍很有影响，因为它们常常是其他心灵哲学家讨论意向性问题的出发点。三是既反对意向取消论，又不赞成意向实在论，而试图走出一条中间的道路。其特点是在“实在”“存在”等本体论概念上大做文章，认为

可以承认意向性有实在性，但这里所说的“实在”不是自然的实在，这里所说的“存在”也不能理解为物理事物及属性所具有的那种存在，而是一种极其特殊的“实在”或“存在”，如相对于概念图式而言的实在，或者说工具性的存在，或者说抽象的存在。

塞恩思伯里和泰伊最近对思想内容和概念的存在方式的讨论可看作是上述第三种倾向的一个新的发展。[①]他们认为，思想由概念构成，如果我们能知道思想是什么，那么也有办法知道概念是什么，反之亦然。他们说：“思想是能被评价为或真或假的抽象事物，能被相信或被怀疑，处在逻辑关系之中，能为不同的思想者所共有，能用语言的直陈句加以表示。”[②]简言之，思想是以抽象的形式存在的。概念也是这样。但必须看到，它们又是不同于别的抽象实在的特殊的抽象实在。例如，“数”作为抽象实在具有永恒性，而概念是非永恒的，即具有历史性，可产生、可消灭，像结婚等一样，有明显的起止日期，因此不是恒久性的。

抽象实在的一般特点是，没有空间位置，没有直接的因果力。例如，尽管婚礼是在特定空间中举行的，但由婚礼所开启的结婚却没有空间位置。概念也是这样。概念是绵延体，因为它在形成后就会经历变化，如在不同运用中，会因不同人的赋义而发生语义的变化。概念的运用是概念的具体的显现，就像三倍是数字 3 的具体显现一样。[③]

概念是否有对应的事实？根据传统观点，对于任何概念来说，都有可用概念加以表述的事实，这事实是运用概念的人所相信的事实。根据坚持的起源主义（originalism）（详见下文），上述观点是错误的。因为对于许多概念来说，使用这些概念的人所持的信念是不同的，就是说，使用这些概念的人不可能有相同的信念。[④]

就思想的存在方式而言，一种观点认为，关于 P 的思想或想到 P，就在于

① Sainsbury R M, Tye M. *Seven Puzzles of Thought and How to Solve Them: an Originalist Theory of Concepts*. Oxford: Oxford University Press, 2012: 111.
② Sainsbury R M, Tye M. *Seven Puzzles of Thought and How to Solve Them: an Originalist Theory of Concepts*. Oxford: Oxford University Press, 2012: 63.
③ Sainsbury R M, Tye M. *Seven Puzzles of Thought and How to Solve Them: an Originalist Theory of Concepts*. Oxford: Oxford University Press, 2012: 64.
④ Sainsbury R M, Tye M. *Seven Puzzles of Thought and How to Solve Them: an Originalist Theory of Concepts*. Oxford: Oxford University Press, 2012: 81.

与命题P有适当的心理关系。在这里，命题P就是由P这个表达式所表示的。根据这一观点，命题P就是想到P时所想到的东西。弗雷格等认为，各种心理关系都是直接的，有些人则认为，这种关系以对内容之媒介的关系为中介。福多坚持后一观点，认为相信P包含一个句子，该句子在主体的信念盒中被个例化了。

泰伊等拒绝这些看法。他们的肯定观点是："思维的内容不能等同于被想到的东西，从叙述上说，我们主张，关于P的思想的内容不是'被想到的P'的所指。"[①]概括地说，有如下要点。

第一，不绝对否认有思想就是有某种心理关系，但强调这里出现了特殊的关系。他们说："思考P的人具有与一概念构造的适当的心理关系。这概念构造或思想则是一种表征媒介。相应地，它有表征内容。不过，思想的内容没有必要同一于内容P，思想者与之有心理关系的思想也没有必要是关于P的思想。即使有思想的人处在一种关系之中，在这里，思想是此关系的关系项，但是不能由此说，这种状态的归属在语义或句法上是关系性的。"[②]

第二，"根据起源主义，思想的内容是可能世界的集合（可能是空集），即是有关概念在其中为真的集合。思想的内容是无结构的，因而不像有那个内容的思想。不存在这样的个体或属性或关系，它们是思想内容的构成因素。在思想内容的王国也没有单个的命题。"[③]这就是说，思想的内容并不是被想到的东西，如你在想到"2+2=4"时所想到的东西，而是可能世界的集合。

如果承认意向性有本体论地位，那么还必须进一步回答这样一系列的问题：意向性究竟是什么？有何本质与独特特征？与其他实在、属性、特征是什么关系？很显然，这里的问题仍带有本体论的性质，当然有所深化。不过，在切入和回答这些问题的时候，人们所用的方式是不一样的，如很多人是通过提出和回答下述问题而接近上述形而上学问题的，即心理内容的共同性和个体性的根源和条件问题。一般都不否认，心理状态之间既有共同性，又有相互区别之处，即有个体性。现在的问题是：这种个体性的条件或原因是什么？也可以这样表

① Sainsbury R M, Tye M. *Seven Puzzles of Thought and How to Solve Them: an Originalist Theory of Concepts*. Oxford: Oxford University Press, 2012: 111.
② Sainsbury R M, Tye M. *Seven Puzzles of Thought and How to Solve Them: an Originalist Theory of Concepts*. Oxford: Oxford University Press, 2012: 111.
③ Sainsbury R M, Tye M. *Seven Puzzles of Thought and How to Solve Them: an Originalist Theory of Concepts*. Oxford: Oxford University Press, 2012: 111.

述：心理内容是什么样的属性？是否应根据它们所随附的内在物理属性而将心理状态个体化？此即个体化问题。最近，泰伊等基于新的研究对这里的问题作了新的挖掘和梳理，认为里面隐藏着七大难题。①在古代，暮星与晨星被看作是两个星球，后来，人们才发现，它们是同一天体。古人有这样的思想，即暮星是暮星，但没有暮星是晨星的思想。如果一个人有这样两个思想，它们的不同是由什么造成的？怎样说明它们的差异？其麻烦在于：两个概念表征的是相同的对象，但由之构成的思想，如暮星是暮星，暮星是晨星，为什么有不同？其不同的根源于什么？不同是怎样形成的？所有由指称相同的概念构成的不同的思想都有这个问题。②普特南提出的“孪生地球人难题”：地球人与孪生地球人有两个符号上相同的“水”概念，但为什么这两个概念的内容是不同的，如一个指地球水，一个指孪生地球水。换言之，地球人与孪生地球人在有相同的内在属性、状态的前提下为什么会有不同内容的思想？③Paul 在知道了 Cats 是 Chats 时，得到了一个新发现，有一个新的思想。但是“Cats 是 Chats”这一思想其实正好是“Cats 是 Cats”。如果是这样，那么 Paul 有没有什么新思想？④Peter 相信 Paderewki 有音乐天赋。Peter 完全是个有理性的人。他同时相信 Paderewski 没有音乐天赋。这些信念是矛盾的。但一个有理性的人为什么会有矛盾的信念？⑤人们能用两个陈述句来表达某种形式的思想，他们可能知道其中一个为真，但可能不知道另一个也为真，这是为什么？⑥人们可能有这样的思想：祝融星不存在，或圣诞老人只是圣诞节的一个符号。在这里，祝融星和圣诞老人两个概念什么也不指，或什么也没有表征，问题是：真实的思想为什么会包含空洞的概念？人们为什么会以不存在的东西为思想对象？为什么会与之发生关系？⑦人们都能以自己为思想对象，如想到自己就是自己。这样的思想究竟是什么？思考主体自己的特殊方式会让思想有特殊的免错性吗？

目前的争论焦点在于意向性究竟是一种“宽”属性还是“窄”属性，常用的术语是“宽内容”“宽意义”“宽意向性”“宽状态”“宽特征”“宽表征”，“窄意向性”“窄内容”，等等。要理解这里的“宽”与“窄”，必须从状态或属性的种类与特征说起。对于世界上的状态或属性可以有很多分类方式，如从关系的角度看，不外乎关系属性和非关系属性两种。前者是由其持有者与所处的共时性和历时性条件的关系性质所决定的，因而要说明它，就要诉诸它与环境以及其中的其他事物之间的关系。后者是其持有者不以它物为条件而独自具有的属性，对之进行说明无须求助于外在的事物和属性。由此可以说，上述意义上的关系性属性或特征或状态就是“宽的”，反之，则是“窄的”。现在的问题是：意向性或心理内容是哪一种属性呢？它存在于大脑之外还是大脑之内？

围绕上述问题，意向性领域内正上演着个体主义与反个体主义的激烈论战。从渊源上说，这一论战肇始于普特南。他不仅对反个体主义作了新的论证，提出了激进的观点，而且对传统的个体主义作了彻底的清算，从而引发了个体主义与反个体主义的当代论战。对于普特南的反个体主义，福多等作出了同样激烈的回应，不仅对反个体主义作了尖锐的批驳，而且根据认知科学、心灵哲学的有关成果为个体主义提供了新的论证。而这些在受到人们的广泛注意和讨论的同时，又引来了许多人的批评，其中包括普特南的批评。目前，争论仍在继续。

反个体主义有时又被称作外在主义。它的内部十分复杂，普特南倡导的是非社会的外在主义。他认为，语词的所指是后天确定的，即它们有这样的内在本质，这本质必须通过科学方法从后天加以把握，因为物理世界的特征决定了人的思想的内容。尽管两个人的心理结构相同，但如果外部对象不同，那么其思想、语言的意义则可能不同。在此基础上，普特南明确提出：意义不在头脑之内。为了证明这一点，他设想了一个思想实验，即著名的孪生地球案例。假设有两个地球，一个是我所生活的现实的地球，另一个是作为此地球的分子对分子复制品的孪生地球。再假设有两个人，一个是生活在现实地球上的我，另一个是孪生地球上的作为我的复制品的另一个我。普特南认为，地球人和孪生地球人尽管有相同的大脑结构、心理结构，但他们在用“水”表示他们星球上的相应的物质时，其所指是不同的，即尽管两种物质都叫水，但地球上的水是 H_2O，而孪生地球水则是 XYZ。这一来，两个人在看到他们各自星球上的水时尽管用的是同一个词“水”，但它们的意义是不同的。这说明内容是由环境而个体化的。普特南的孪生地球案例已成了语言哲学、心灵哲学中的一个重要的、经常被讨论的话题。

伯奇是当今英美意向性研究领域内最有成就和最有争议的人物。他认为，在具体说明意义的形成和本质时，必然会涉及两个问题，一是意义的因果性问题，即意义依赖于什么、由什么原因所决定的问题。在这个问题上，他的基本观点是：意义因果地依赖于环境。这里的环境既包括物理环境，又包括社会环境。二是意义的个体性问题，这是一个不同于因果性问题的更为复杂的问题，它要回答的是：意义的个体差异性是由什么决定的。因为同一个人在不同时间、地点所使用的同一个语词可能在意义上是不同的，更为复杂的是，还有这种情况，即同一个词可能表达了同一的意义，但在不同的使用语境之下，这意义仍有微妙的差异。这是由什么决定的呢？他的基本观点是：社会环境和语言共同体是最重要的决定因素。他说："如果我们不与经验的或社会的世界相互作用，我们就不可能有我们所具有的那些思想。"[①]他的标新立异还在于，他在他的宽内容概念的基础上阐发了一种反传统的心灵观。根据传统的看法，心灵是一个单子式的、个体性的、实体性的存在。在伯奇看来，既然心理现象是由外在的社会和自然因素而个体化的，渗透着内外复杂的因素，因此一旦现实地出现，不论是作为内容、表征，还是作为属性或机能，作为活动和过程，就一定会以非单子性的、非点状的、跨主体的、关系性的、弥散性的方式存在，它不内在于头脑之内，而弥漫在主客之间。

当今的个体主义是在反击反个体主义进攻中发展起来的，其旗手主要是福多。支持个体主义的队伍也很庞大，其中不乏赫赫有名的人物，如乔姆斯基、布洛克、皮科克、洛尔等。个体主义有不同的表现形式或版本。如根据个体主义在与反个体主义论战中的激进程度可把它分为三种形式。一是激进的内在主义：任何与心理学有关的内容都是窄内容，用不着也不存在外延和外延条件。二是比较激进的内在主义：不主张省略外延等概念，但认为，外延条件本身是窄的，因为它是由主体的内在特征决定的。三是非激进的立场：认为至少有一些概念有宽内容。福多的个体主义开始比较激进，后逐渐转向温和。在与外在主义的论战中，他自认为，他与外在主义的差别主要表现在三方面：第一，两种有同样因果历史即有同样窄内容而有不同宽内容的心理状态不具有两种不同的因果力，它们是同一种因果力，因此根据它们对行为的解释不是两种不同的因果解释；第二，这两种心理状态不构成两个自然类别；[②]第三，提出并论

① Burge T."Wherein is language social?".In Anderson C A, Owens J (Eds.).*Propositional Attitudes: the Role of Content in Logic, Language, and Mind.* Stanford: CSLI, 1990: 116.

② Fodor J A. "A modal argument for narrow content".In Macdonald C, Macdonald G(Eds.). *Philosophy of Psychology: Debates on Psychological Explanation.* Oxford:Blackwell, 1995: 206.

证了“窄内容”概念。他提到，它“是这样的某种东西，即从思想到真值条件的映射：由于思想的这个内容，你便知道该思想在其之下为真的条件”。也就是说，你有某种内容，就是有了一种条件或标准，据此你能判断，那个思想指的是什么，适用于什么，怎样运用才是真的。

在个体主义与反个体主义相互对峙、唇枪舌战中，有些人站在中立的立场冷静观察，多方位思考，形成了新的、介于两极端之间的带有调和色彩的理论，当然形式不尽相同；有的把双方中合理的因素抽取出来，加以适当的重组，从而提出了兼收并蓄的二因素论和内容二元论；有的抓住其中一极，加以改造、修改，使之靠近对立一极，从而形成了所谓的修正主义。麦金倡导的内容二因素论关心的问题是：心灵从根本上说是自主的吗？或者说，世界进入了心灵的本质之中吗？为了回答这类问题，他提出了一种新的内容理论，即内容二因素论。它不承认有两种内容，即宽和窄内容，因此不同于内容二元论。它强调的是：每一内容中同时有宽和窄两方面或两因素。麦金说：“我们关于信念内容的直观概念包含两方面的因素，它们分别可满足我们归属信念时的不同兴趣。一种因素是表征世界上事物的样式，另一种涉及表征与被表征事物之间的严格的语义关系。”①内容二元论是由布洛克等所论证的一种理论。他把窄内容与宽内容区分开来，认为窄内容是一种心理主义的概念，因为它依赖的只是存在于说者头脑之内的东西，即使不去说明词语或句子的外延也能对之作出描述。他还承认，决定心理内容的因素除了概念作用之外，还有内容的所指或真值条件。在个体主义和反个体主义的论战中还出现了一种修正主义的观点，其倡导者主要是斯托内克尔和诺莫（Normore）等。他们认为，不仅要对内在主义作出修正，而且对外在主义也是如此。

麦金和泰伊等最近论证的起源主义也是较典型的中间路线或修正主义。其基本观点是，内容，比如说原子概念，既不应根据外在环境来个体化，也不能根据内在属性来个体化，而应根据它们的历史起源来加以个体化。因为不同概念有不同的起源，所以不可内在地加以区别。很显然，起源主义带有解释主义的性质，因为它承认命题态度是归属的结果，并对这种归属作了起源主义的说

① McGinn C. “The structure of content”. In Woodfield A(Ed.). *Thought and Object: Essays on Intentionality*. Oxford: Clarendon Press, 1982: 210.

明。麦金说："概念是思想的构成方面，是表征的媒介，是思维所用的工具。"[①]"原子概念是从起源上得到个体化的，可组合到包括思想在内的更大的结构之中。"[②]"一特定的个体可以用两种方式中的一种方式来运用一个概念，这可能是该概念的首次使用。如果是这样，这种用法就成了该概念的创立，我们可把这种运用称作最初的运用，此即是它的起源。"[③]最初的或起源性的运用的特点在于：第一，不受任何陈规旧习的制约，如不包含遵从规则的意图；第二，不包含信息的增加。简言之，概念的内容一般是在其起源时获得的。

泰伊等也对起源主义作了论证。他们强调，作为思维之构成的概念不应从认识论或语义学上加以个体化，而应根据其起源来加以个体化。[④]

二、意向性的自然化问题

意向性的自然化问题是英美心灵哲学独有的问题。如前所述，当代分析性心灵哲学的主流是自然主义，而自然主义一般坚持物理主义的意向实在论，既承诺意向性有本体论地位，又认为它是非基本属性。如果是这样，自然主义者就必须进一步说明：一系统的哪些基本属性能够表现出意向属性？它们为什么有这些特点？又是怎样表现出这些特点的？要回答这些问题，它又必须诉诸非意向术语，否则就背离了自然主义。而一旦这样做了，就是在对意向性进行自然化。根据这一方案，如果有办法说明意向性与基本属性确有某种依存或派生关系，如果能为它提供充分或充要的自然主义条件，如说明它同一于基本属性，或说明它随附于基本属性，或由基本属性所实现。从概念上说，如果能用自然科学概念解释意向概念，说明它在物理主义世界观中有其地位，那么就应承认意向性有本体论地位，就没有理由抛弃意向概念。如果上述操作和工程就是意向性的自然化，那么当今的自然主义者都坚信他们能将意向性自然化。福多说："严肃的意向心理学一定预设了内容的自然化。心理学家没有权利假设意向状态的存在，除非他们能为某种存在于意向状态中的东西提

① McGinn C. *The Problem of Consciousness: Essays towards a Resolution*. Oxford: Blackwell, 1991: 40.
② McGinn C. *The Problem of Consciousness: Essays towards a Resolution*. Oxford: Blackwell, 1991: 40.
③ McGinn C. *The Problem of Consciousness: Essays towards a Resolution*. Oxford: Blackwell, 1991: 42.
④ Sainsbury R M, Tye M. *Seven Puzzles of Thought and How to Solve Them: an Originalist Theory of Concepts*. Oxford: Oxford University Press, 2012: Preface.

供自然主义的充分条件。”[①]

福多借鉴信息语义学的某些思想阐述了自己的因果协变理论，其目的是要用非意向性的术语来说明意向属性实现的条件，只是这里的条件不是充要条件，而是充分条件。概括地说，意向性得以实现的充分条件不外三个。一是信息条件。二是意义的因果历史条件。就是说，意义既有因果条件，又有历史条件。三是非对称性的因果依赖性。德雷斯基是当今意向性自然化研究中最有影响的哲学家之一，其提出的信息语义学影响深远。其策略就是诉诸信息及相关概念说明意向性。他自认为，他的整个工程可看作是自然主义的一种实践，因为根据他的说明，意向性的基础是信息，而信息是完全自然客观的东西。他的基本观点是：个体命题态度的意向性或语义属性来自个体心灵与他的环境之间的信息关系。没有信息关系，就没有语义属性。他说：“一信号携带什么信息就是它关于另一状态能‘告诉’我们的东西。”[②]

目的论语义学是当今意向性自然化运动中的又一尝试，其倡导者很多，如米利肯、帕皮诺和博格丹等。在他们看来，目的或功能是说明意向性的最合适的自然基础。所谓目的，不是旧目的论所说的主观的东西，而是被设计或选择好了的、被编程或固定在一定结构中的程序与机制。[③]这里的功能指专有功能。在米利肯看来，专有功能与再生的、被复制的个体有关。一个个体要获得一种专有功能，必须来自一个已生存下来的种群，这是由于，把它区别开来的特征与作为这些特征之“功能”的后果之间存在着相互关系。这些特征是因为再生而被选择出来的。因此，一事物的特有功能与它由于设计或根据目的而做的事情是一致的，它们的关系不是偶然的，而是带有规范性的。在这里，她所说的“设计”是一种隐喻，指的是自然界客观存在的选择、塑造、决定力量。这里的规范性不是偶然的，但又不同于自然必然性、因果性。因为带有这种性质的关系之成立，一方面依赖于它出现之前有多种可能性，另一方面又依赖于大自然所作的选择。理解了目的或专有功能，就不难说明意向性。米利肯说：“就‘意向性’一词的最广泛的、可能的意义来说，任何具有专有功能的构造都可以表

---

① Fodor J A. *The Elm and the Expert: Mentalese and Its Semantics*. Cambridge: The MIT Press, 1995: 5.
② Dretske F. *Knowledge and the Flow of Information*. Cambridge: The MIT Press, 1981: 44.
③ Bogdan R. *Grounds for Cognition: How Goal-Guided Behavior Shapes the Mind*. Hillsdale: Lawrence Erlbaum, 1994: 37.

现意向性。……意向性从根本上说就是专有性或规范性。有意向的东西‘据设计’处在与别的某事项的某种关系之中。”[①]因此意向性一点也不神秘，它像“心脏的泵血”等一样都属于专门功能的范畴，而这类范畴不能根据当前的结构和倾向来分析，最终只能根据长期和短期的进化史来定义。这是因为，撇开进化史的分析，即使把有意向性的东西的结构、构成成分彻底搞清楚了，也无济于事。

意向性的自然化方式还有很多，如功能作用语义学试图用当今认知科学和计算机科学中十分流行的“功能作用”来说明意向性。如此等等。

意向性的自然化尽管是当今心灵哲学的主流之声，但泼冷水、唱反调的仍大有人在，塞尔就是一例。他承认，如果放宽对“自然的”“物理的”理解，那么可以认为，意向性是一种自然的甚或物理的属性，当然是一种高层次的、类似于表现型的东西。但既然意向性本身就在自然之内，属自然现象中的现象，因此就用不着常见的那类自然化。此外，还有人更进了一步，公开站在自然主义的对立面，一方面试图颠覆自然主义，另一方面论证非自然主义。这样的人尽管不是多数，但也绝非个别，其中也不乏重量级的哲学家，如麦卡洛克等。

三、意向性的“形而上学问题”

严格地讲，前面所探讨的问题都无疑是名副其实的形而上学问题。而这里所说的“形而上学问题”，之所以被打上引号，是因为它有特定的所指，即指中世纪哲学家、逻辑学家和现代的布论塔诺所说的那种“非存在的内在对象”（如“金山”“方的圆”等）是否存在、（如果存在的话）怎样存在之类的问题。为了突出这类问题的哲学性质与特点，关心这一论题的论者不约而同地把它们称作“意向性的形而上学问题”。

这类问题由来已久，早在中世纪，许多哲学家和逻辑学家就对其作过探讨。在现代，明确把它们带进人们视野的是欧洲大陆的（19～20）“世纪转折时期的

① Millikan R. *Language, Thought, and Other Biological Categories: New Foudations for Realism*. Cambridge: The MIT Press, 1984: 95.

四位意向性理论家”，即布伦塔诺、胡塞尔、马里（Mally）和迈农（Meinong）。非存在的形而上学问题之所以成为现当代心灵哲学家驰骋的疆场，虽与迈农有渊源关系，但真正的发起人却是罗素（他开始支持后来否定非存在论）。新的研究的特点是：许多人深入迈农主义的思想深处，利用有关成果所促发及生成的新的理解前结构，对之作出了新的解释，有的甚至提出了“严格的解释”，有的强调在解释中“创新”，以补充和完善迈农主义，直至提出非存在论的新的理论形态。还有一些人，重新回过头来反思否定的观点，发现其中并不是无懈可击的，由此深入进去，也收到了“发展”迈农主义的效果。

在迈农主义当今的支持者看来，迈农的思想深奥而复杂，属于真正的形而上学。既然如此，它便留下了可多样解释的空间。是肯定它，还是否定它，在很大程度上取决于解释者对它所作的解释。基于这一认识，许多人利用哲学和逻辑学研究的新成果，从例示逻辑和编码逻辑的角度对之作了新的阐释。而这一研究领域的重量级人物、在内涵逻辑研究中颇有建树的泽尔塔（Zalta）则在综合这些理解的基础上，提出了自己的“综合论”。迈农曾说过：方的圆肯定是圆的，就像它是方的一样。从字面上看，迈农在这里使用了形而上学的关键术语“是”。而既然用了“是”，就意味着他承认了“方的圆”这类对象的存在。但问题恰恰在于，“是”是可以有不同的理解的，如既可以根据例示逻辑，又可以根据编码逻辑去理解。根据前者，“是”的意思是例示，指的是例示了这类属性的对象。因此既然“方”“圆”等指的属性是真实的，而且它们是以例示的方式出现在对象中的，因此“是”所例示的东西就可以认为是存在的。对此，人们可能会提出这样的责难，非存在的对象怎么可能例示是方或是圆这样的属性呢？正是这类问题，导致了对迈农观点的另一种解释，即根据编码逻辑的解释。根据这一解释，这里的“是”只能理解为编码。而编码依赖于思考者或说者的“归属”“赋予”的活动。说一对象上编码了什么属性，就像在一符号上编码某种信息一样，带有约定的成分，并不表示对象本身所是的状况。因此，说某某“是”什么，并未断定它里面包含了什么，只是说它被归属了什么。泽尔塔的工作就是把这两种解释范式结合起来，同时调和迈农主义和胡塞尔思想的对立。根据他的理解，“方的圆是……”中的“是”指的既不是存在本身，也不是人们加之于所设想对象之上的东西，而是指思想或作判断的人所处的一种关系。在解释的基础上，他还论证了自己的这样的主张：意向状态所指向的不存在对象是一种“抽象对象”，这种对象在特定的意义上也是存在的。所谓“抽象对象”，类似于马里所说的“被限定项”，即属性语词所描述的对象。他说：“抽象对象是状态的这样的内容，由于具有它，那状态才能被描述。抽象对象是由于有编码的属性才有内容的。我们甚至可以说，抽象对象就是心理状态的内容，其根据在于，它们所编码的属性之特定集合以某种方式包含在那状态之中。”[①]

普赖斯特是当今研究和“弘扬”非存在论的最活跃的人物。他说：“非存在——不存在的东西——有确定和重要的结构。这种结构，正如我们所看到的那样，对理解许多事情尤其是意向性，是至关重要的。”例如，它是理解意向性的形而上学的基础，是意向语词语义学、模态语义学的基础[②]，同时还是建立关于世界的形而上学图景的一个条件，因为世界由存在对象和非存在对象两部分组成，如果不考虑后者，那么这个图景就是不完整的。他主要是从语义学的角度切入这一研究的，他说：“我试图对意向语境提供连贯的分析，这包括意向动词的语义学，语义学所产生的意向概念的逻辑原则，以及这种语义学的形而上学解释等。”[③]他的主要结论是，非存在对象在有时空特性的现实世界中的确没有存在地位。但现实世界并不是唯一的世界，除此之外还有可能世界。非存在对象正是存在于可能世界之中的。另外，它们的存在不同于实际对象的存在，而总与我们的表征有关系，也就是说，以我们表征它们的方式而存在，因此与我们的意向活动有关，是我们意向的一种特殊对象。在论证非存在对象时，他重点分析了意向语词，认为完整的意向句子一般由三部分构成，一是主词，二是意向动词，三是意向谓词。为什么说意向谓词所述说的非存在对象也是存在的呢？这首先是因为意向语词所描述的意向性是一存在的事实，而意向性是关系属性。既然是关系属性，那么意向态度和它所关于的对象如果缺少任何一方，这种关系就不会出现。因此，即使意向谓词所述说的对象，如“金山”“宙斯”等是非存在的，也一定是存在的。

---

① Zalta E. *Intensional Logic and the Metaphysics of Intentionality*. Cambridge: The MIT Press, 1988: 110.
② Priest G. *Towards Non-Being: the Logic and Metaphysics of Intentionality*. Oxford: Clarendon Press, 2005: 169.
③ Priest G. *Towards Non-Being: the Logic and Metaphysics of Intentionality*. Oxford: Clarendon Press, 2005: 6.

四、意向性的因果相关性问题

如果对于意向性或心理内容的本体论地位问题给出了肯定的回答，那么在进一步讨论它与行为的关系时就会面临两类问题。一是意向性领域内的具体问题，如心理内容对身体的行为、对外部世界的事变有无作用？如果有，其作用的过程、条件和机制是什么？二是在解答它们的过程中必然要碰到的这样一系列更棘手的形而上学问题：什么是因果关系、因果解释？两事件之间要具有因果相关性，其前提条件是什么？布洛克明确地提出了内容的因果相关性问题。[①]他强调：作为原因的事件同时具有许多属性，并非每一属性都对结果的产生发挥了原因的作用。例如，我相信美国很危险，因此离开了美国。在这里，信念是原因事件，其中有许多属性，如有信念内容，表述内容的字词有符号，信念有物理实现等。在这里，只有信念的物理实现才有因果相关性，而信念内容则没有。因为它不符合因果相关性的条件。在他看来，只有当两事件之间具有法则学关系时，才能说它们之间有因果关系。而法则学关系显然不等于逻辑关系。所谓逻辑关系，是指一事件先于另一事件且前者对后者在逻辑上充分的关系，如药物的催眠性对实际的入睡。他认为，两事件有这种关系，还不能看作是因果关系。例如，某人喝了一杯并不含有催眠作用的水，但别人告诉他这是催眠剂，于是他入睡了。在布洛克看来，两事件要成为因果关系必须具有内在的、法则学上的关联性，即一个事件合规律地且通过内在的机制实际地引起了另一个事件。心理内容尽管与行为有逻辑上的先后关系，但不具有法则学关系，因此对行为没有因果相关性。

米利肯进一步指出：根据意向内容对行为的解释不是因果解释，而是理由解释。而理由解释实质上是规范性解释。因为因果规律具有法则学特征，如原因与结果之间有普遍必然的关联。一旦有某一原因，如果知道它所从属的规律，便能由此推出其结果。而信念等与行为的关系并不具有法则学特征。所谓规范解释，就是诉诸功能的解释，而功能恰恰是选择的、自然设计的产物。例如，要解释行为的产生和存在，就必须说明有关的功能，而这又不过是要交代大自然

① Block N. "Can the mind change the world?". In Macdonald C, Macdonald G(Eds.). *Philosophy of Psychology: Debates on Psychological Explanation*. Oxford: Blackwell, 1995: 57-59.

设计的有关规范。要解释人工制品，如考古过程中发现的一个器皿的产生和存在，就必须交代它是怎么设计的，而这又不过是要说明有关的目的或功能。同样，用内容解释行为的产生，只是交代了功能，而并未交代原因。

塞尔则认为，意向状态与世界上的事态之间肯定存在着因果关系，有的人之所以怀疑意向状态的因果性，原因在于，他们对因果关系本身的理解有问题，即要么把因果关系理解为一物引起另一物，如台球与台球撞击那样的相互作用的关系，要么按法则学标准理解因果关系。塞尔不否认这些关系是因果关系，但反对把因果关系局限于这些形式。他认为，因果关系除了这些形式之外，还有这样的形式，如“原因是结果的一种表示”，以及“结果是原因的一种表示”。[①]例如，我想要喝水，于是我为了满足它而去喝水。前一事件造成了后一事件。在这里，愿望既是造成它的满足条件的原因，又表示了它的满足条件。有时，它只有以因果的方式起作用，才能得到满足，这便成了意向状态本身的满足条件的一部分。

福多像戴维森一样承认诉诸内容对行为的解释是因果解释，但同时又主张有涵盖它们的规律。他的逻辑是：要承认内容对行为有因果作用，就要证明存在着意向心理学规律，即有把信念、愿望与行为相互关联起来的规律。因为科学的解释离不开规律。他认为，规律有严格的、无例外的规律和松散的、包含余者皆同从句的规律之分，意向规律就属后者。[②]前者的特点在于：没有例外，前件发生是后件发生的充分条件。而意向规律则不同：一是它有例外；二是它包含保护措施，即余者皆同的附加条件；三是意向规律的实现不是靠自身的内在结构，而是借助于下一基础层次的属性与机制，这正如同父代将个子高这一表现型特征遗传给子代，使子代也有这一特征，不是靠父代的这种特征本身的作用，而是借它所依赖的基因型完成的。同理，心理符号的语义性对行为的因果作用是借该符号的形式属性完成的。

辛西娅·麦克唐纳和 G. 麦克唐纳提出了一种有别于福多同时又发展了戴维森理论的见解，认为内容有因果相关性，但不一定要有规律性。这主要表现在：他们试图根据“共例示”来说明心理属性的因果效力。他们认为，有些事

---

① 塞尔.《心灵、语言和社会——实在世界中的哲学》，李步楼译，上海译文出版社 2001 年版，第 100 页。
② Fodor J. *A Theory of Content and Other Essays*. Cambridge: The MIT Press, 1992: 22.

件的出现并不是单一属性例示的结果，而是多种属性共例示的结果，在这些属性中，有些具有法则学特征，因此具有直接的因果效力；有些没有，但借助那些有法则学特征的属性也能获得因果效力。心理属性的因果效力就是以这种形式表现出来的，它可以与物理属性一同例示，使一个事件出现。[①]例如，想喝酒作为一个事件，就绝不可能是一纯粹的心理属性的例示，它必然同时是某些物理属性的例示。后者有法则学特征，有直接的因果效力，因此可导致去找酒喝这样的行动事件的发生。

对于坚持内容有因果相关性的人来说，不具体说明内容因果作用的过程及条件，其目的是不可能达到的，因此这又成了当前研究的一个难点问题。之所以如此，是因为内容是由于人与环境的关系而获得的，所以有外在性，另外，行为不是由外在的东西引起的，而是由内在的东西引起的。正如女高音歌手的歌声震动了玻璃，不是由其声音的意义所使然，而是由其声音的物理属性所使然。同样，人的行为是由大脑内的物理过程所引起的，而与它所随附的意义无直接关系。因此，内容怎么可能有对行为的作用就很难说明了。对此，德雷斯基以纸币上的金额为例作了分析。信念类似于纸币，信念所关于的东西类似于纸币所标的金额。如果纸币上没有任何金额标记，即使把它插进售货机之中，后者也不会给货。同样，信念如果有内容，不同的信念有不同的内容，那么它们就会产生对行为的不同作用。这种不同的作用显然根源于信念所关于的不同内容。他不仅说明了信念内容有因果作用这一事实，而且还深入内在机制中揭示了有关系属性的信念内容为什么，又是怎样发挥它们的因果作用的。他强调，即使促使身体运动的直接原因和机制是内在事件的形式属性（就像一定金额的纸币要使售货机识别自己并售出相应的货物得靠纸币的大小、形状、水印、标记等一样），但是只有随附于神经生理属性的关系属性才能决定行为的具体方式和内容。也就是说，内在状态的内在属性只能解释身体为什么运动，而关系属性则能解释它为什么如此运动。

雅各布通过区分两类因果解释阐述了自己的观点。一是过程解释，如对于止痛片，可作这样的因果解释，即述及药物的化学属性。二是程序解释或功能

---

① Block N. "Can the mind change the world?". In Macdonald C, Macdonald G(Eds.). *Philosophy of Psychology: Debates on Psychological Explanation*. Oxford: Blackwell, 1995: 65.

解释，即通过叙述止痛片的功能属性而作出解释。他承认：语义属性 S 随附于物理属性 P，S 的例示对 P 的例示并无作用。但 S 的例示对个体行为 e 的产生来说不是遥远的因素。因为即使 S 在产生 e 中没有效力，但它的例示对于解释 e 的产生来说并不是无关的，因为它为 P 的因果作用编制了程序。

第三节 内容与意识的关系问题

内容或意向性与意识的关系问题是在反思布伦塔诺的有关观点的过程中出现的问题。布伦塔诺并没有碰到这个问题，因为他对心理现象已形成了统一的理解。在他看来，不仅心理现象不同于别的现象的独特性根源于意向性，而且个别心理现象之间的共同性、统一性也来自意向性。随着心灵哲学的深入发展，人们发现了两大反例：一是心理现象以外的事物也能表现出意向性，至少有派生的意向性；二是有些心理现象并没有意向性，如无名的、莫明其妙的烦恼。这些反例促使人们思考这样的问题，心理现象有没有统一性，有没有共同而独特的特征？如果有，是不是只有意向性一个？杰克逊和内格尔等哲学家经过探索发现：有些非命题的心理现象有一个独特的特征，即感受性质或现象意识。它们不仅是部分心理现象独有的，而且是证伪物理主义、证明属性二元论确凿无疑的根据。这一发现引发了心灵哲学的一个重大问题，即心理现象的统一理解如何可能，意向性与现象意识有何关系。其中主要有四类问题极难解决。第一类问题是心理现象有无统一性，或是否只有一个根本特征。如前所述，现在一般认为，心理现象有两大特征。如果是这样，两者之中是否有一个更根本？是否可根据一个解释另一个？如果有一个更根本，那么心理王国的统一体还没有解体，但问题是在意识与意向性两者中，哪一个可看作是心理现象的基本本质呢？如果不存在更根本的特征，没有统一性，那么问题就更难解决了，揭示两者的关系就更麻烦了。它们可能互不相关，没有派生与被派生的关系，也可能有关系。如此等等。正是这类问题，导致了可分离论（separatism）与不可分离论的论战。第二类问题是心理现象的解释问题，如意识和意向性能分开来解释吗？解释一方对另一方是否有用？如果有，其作用表现何在？第三类问题是内省和经验知识问题：意识与意向性的什么关系使意识在两者中有至关重要的认识论作用？第四类问题是人和别的动物生命的价值问题：意识和意向性的什么关系能成为我们和别的动物的共同的、非工具价值的基础？第三类和第四类问题涉及认识论和人学问题，超出了心灵哲学的范围，因此我们的考察将集中在前两类问题及其解答上。因为它们具有必然性和极端的重要性，所以随着研究的深入，一门十分专门的研究分支，即认知现象学便应运而生了。这里的认知主要指的是思维、信念、概念之类的有意向性或内容的心理现象。认知现象学的任务就是要探讨它们是否具有现象学性质，与后者是何关系。

一、可分离论

可分离论又叫对立论。它认为，意向性与意识分别是心理现象的两种根本不同的、互不关联、互不依赖的特征。换言之，它们分别是两类不同心理现象的独特标志，因此也可看作是划分标准。例如，如果一种心理现象具有意向性，就可认为它是意向状态或命题态度；如果它有现象意识特征，即是感觉经验、心像、意象。当然也有个别特殊的心理现象同时具有两个特征。即使在这种现象中，两个特殊仍是互不相干的。既然两者有本体论上的独立性，因此不能根据一个解释说明另一个，质言之，两者在解释上也是独立的。要予以研究，就不能采取偷懒的方式，而应各个击破，分别对之作出独立的、专门的研究。

鉴于这一观点强调两者各有自己的根源，应分别对待，霍根和廷森把它称作分离论。[①]罗伊·塞拉斯最先提出了这一观点。在他看来，现象意识是低级的，不需要概念，也不依赖于语言能力以及在此基础上的判断、推理能力，因此是人与低等动物共有的心理现象。而意向性依赖于概念、语言、判断推理，因此是人的高级的特征。具有这一特征的心理现象自成一类。赖尔、罗蒂、罗森塔尔等也赞成这一观点。

赞成分离论的人还有一个根据，那就是认为：意向性的产生和存在离不开与外界的关系，而感受性质在没有外在对象存在的情况下也可能出现。因此分

① Horgan T, Tienson J. "The intentionality of phenomenology and the phenomenology of intentionality". In Chalmers D(Ed.). *Philosophy of Mind: Classical and Contemporary Readings*. New York: Oxford University Press, 2002.

离论与外在主义有密切的关联。而外在主义在当今的强势发展又为分离论提供了有力的支持和动力。因为根据外在主义观点，意向内容是关于外部实在的，也是由之而个体化的，没有与外部世界的关系，就不可能有意向性。而现象性质则不然，它不是关于外部世界的，而是关于内在的质的体验的，不能根据外部世界而个体化，如两个人甚至同一个人在不同时间、地点面对同一对象可能有不同的质的感受。如同是听一首乐曲，一个人感受到的可能是噪声、烦，而另一个人体验到的可能是美的享受。

分离论有不同的形式。威尔逊（Wilson）认为，分离主义有两种形式，一是实用主义的分离主义，它强调：意向性更容易研究，而现象性质则不同，甚至对于人的认识来说是神秘的。二是形而上学的分离主义，它认为，从形而上学方面来说，意向性与意识根本有别。实用主义的分离主义隐含着这样的研究策略，这种策略可以不依赖于形而上学的分离主义而独立地发挥作用。再具体地说，实用主义分离主义又表现为两种赌博游戏。第一种是假定：从语法上把心理现象分为意向的和现象的两方面可以为心灵研究在概念上和经验上的进步提供条件。这种分离主义一般与古典的计算理论和人工智能联系在一起，因为它们主要撇开现象意识去建模意向性。第二种强调的是：应把意向性当作一种统一的现象来研究，当然人们可以在心理王国和非心理王国来探讨它，对之进行理论化。意向性的信息理论、目的论理论就是这种思路的产物。它们把心理状态等同于机械分辩装置和身体器官，就像恒温器和听觉系统一样。①

在分离论中，有一种较温和的形式，即部分分离论。它强调：意识的形式多种多样，如像布洛克所说的那样，有“存取性”“扫描性”“高阶性”“反省性”和“现象性”等形式。最后一种没有意向性，即与意向性是分离的，而前几种意识则可以说有意向性。西格尔就持此立场。他首先肯定并非所有心理状态都有意向性，如躯体感觉，无对象的情绪和情感。其次，他根据维特根斯坦对意识的二分法，即意识有及物和不及物两种，断言后者没有意向性，与意向性是分离的，但前者有意向性，因此两者的分离只是部分的。在他看来，意识并不内在地具有意向性，有无意向性关键要看它有无对象。如果没有对象，只是不

① Wilson R. *Boundaries of the Mind: the Individual in the Fragile Sciences*. Cambridge: Cambridge University Press, 2004: 243.

及物地使用意识一词，那么这种意识就没有意向性。如果意识指向了它的对象，或者有关于性，那么就有意向性。[①]

二、不可分离论

泰伊和皮科克等强调：意识与意向内容不可分离，正是有这一特点，意识才能为我们所理解。为什么是这样呢？因为意向内容的形式不是单一的，即不止概念的或命题的内容一种，除此之外还有非概念的内容，其特点是没有明确的概念表达，甚至难以名状，但都可以借经验或意识确切地知道其状况、"滋味"和特点，相应地，也可以把它看作意向性或表征的一种形式，即经验性的，体现在人的感觉、知觉、体验中的意向性。从根源和重要性来说，它不同于概念内容，但比后者更根本。同时，如果承认有这种内容，那么便为更好地说明意识提供了条件。根据这种观点，意识之所以为意识，一种有意识状态之所以有别于别的有意识状态，是因为它具有专属于某种感知觉的内容。不可分离论也有多种形式。

一是西沃特（Siewert）的看法。他强调，"思维尽管既不同于感性显现，又不同于纯粹的意象，但仍可从现象上被意识到"[②]，即有现象意识这一特点。也就是说，思维像感觉等一样，同时具有现象特征和意向性。另外，感觉经验也不只具有现象意识，而同时与意向性不可分地联系在一起。他的不可分离论有两大要点。首先，他认为，"感觉经验有它自己的不可能与现象特征分割开来的意向性"[③]。他的独特的观点在于：这里的意向性不同于判断的或思想的意向性。但这样一来，又引出了一个新的问题：这是否意味着把判断或思想从现象意识中排斥出去了呢？或者说，这是否意味着思想没有现象特征？为了回答这类问题，他又提出了他的第二方面的思想。这就是，有些思想有现象特征，因为思想很复杂，形式多种多样。从思想所涉及的对象的特征来划分，可以认为思想有"有图像的思维"（iconic thought）和"无图像的思维"两类。有图像的思维就是有意象、有形象的思维，也就是说，思维的对象、被思考的东西不是概

① Seager W. *Theories of Consciousness: an Introduction and Assessment*. London: Routledge, 1999: 181-182.
② Siewert C P. *The Significance of Consciousness*. Princeton: Princeton University Press, 1998: 274.
③ Siewert C P. *The Significance of Consciousness*. Princeton: Princeton University Press, 1998: 263.

念，而是经过视觉化、听觉化或意象化的生动的形象。例如，有这样的问题：你在想什么？如果你回答在想某个你很喜欢的人，那么你所想的就不是关于他的概念，而是他的形象的视觉化或他的声音的听觉化。当然这里的形象不是实际的存在，而是经验的观念化、意象的精神性的图像。因此，这种思维可称作图像化思维。所谓非图像化思维，即是纯概念的、无意象的思维。他说："只有在有非图像思维的地方，才可以正确地说到判断和作出判断。"①基于上述区分，西沃特指出：两种思维中都有可能发生意识现象。例如，在我图像式地思考天正在下雨时，我会经验到下雨的生动的形象和过程，会觉知到现象特征，如经验对我显现的特征，以及它与意向性的关系。而当我非图像地思维天在下雨时，我也会体验到意识，如意识到"天正在下雨"的意义。总之，不管是哪一种思维，都同时有两种特征，一是有意向性，二是有现象意识，只是具体的情形各不相同罢了。

二是以"非构造性解答"为特点的不可分离论。在麦金看来，"意识和意向性之间存在着明显的、密不可分的联系；意向性显然是有意识状态的一种属性，而且有根据说，只有有意识状态才有意向性"②。不同于当代主流看法的地方在于，麦金像布伦塔诺一样承认：意向性是心理现象的普遍共有的、独特的特征。因为心理现象不外两大类，一是经验，二是命题态度。它们都有意向性，当然两者的意向性各不相同。因此，意向性有两类，一是经验的，二是命题态度的。

麦金提出他的不可分离论的一个动机就是要消解意识的神秘性。他承认：意识有神秘的一面，但他并没有由此而走向悲观主义，而坚信它是可以认识的。其出路就在于把意识研究与意向性研究结合起来。既然两者连在一起，因此如果意识是神秘莫测的，那么内容也是如此。怎样解开这一难题呢？麦金首先强调，意向性并不神秘，与我们所知的物理世界没有不一致之处。这一点也可推广到意识之上。他说："在意识怎样从大脑中产生这一问题上，不存在什么奇迹。"③没有认识它，不是因为它神秘，而是因为"认知上的障碍"。不存在形而上学的心

---

① Siewert C P. *The Significance of Consciousness*. Princeton: Princeton University Press, 1998: 264.

② McGinn C. "Consciousness and content". In Bogdan R(Ed.). *Mind and Common Sense: Philosophical Essays on Commonsense Psychology*. Cambridge: Cambridge University Press, 1991: 71.

③ McGinn C. "Consciousness and content". In Bogdan R(Ed.). *Mind and Common Sense: Philosophical Essays on Commonsense Psychology*. Cambridge: Cambridge University Press, 1991: 76.

身问题，不存在本体论上异常的东西，存在的只是认识的不到位。心物联系并不比别的因果联系更神秘。基于此，他倡导一种新的解决方案，即“关于问题的非构造性解答”，其宗旨是，为了说明意识、意向性，不应再构造什么新的实在或属性，而应按世界上本来存在的东西去加以解释。在他看来，那些可以用来解释的属性肯定真实存在着，不然的话，意识、意向性就不会产生。当然由于认识的有限性，我们目前可能还没有认识到它们。现在的任务就是要找到意识和意向性两特征的共同的根源和自然基础，而不是构造各种虚无缥缈的、仍需要解释的构架。我们一旦找到了这种东西，那么就会认识到：“有机体身上的意向性并不比消化更神秘，意识也是如此。”①

麦金认为，意向性的本质问题至少对我们是封闭的，但个体化问题则是开放的。我们不能用自然主义术语说清楚意向性根源于什么，但可用这种术语澄清一种活动由于什么而有别于另一活动。因此，他重点分析了内容的个体化。他认为，在这方面，意向活动理论功不可没，因为它能告诉我们：是什么使我们的一种身体指向活动不同于别的活动。活动方向之所以不同，是因为每种活动的因果历史和对象不尽相同。例如，想到纽约之所以不同于想到伦敦，是因为两种思想的因果起源不同。总之，正是因果关系使思想指向不同的对象，特定的内容是特定的意向能力的逻辑产物，而这意向能力是由特定的因果关系以一定方式规定好了的。当然，这种能力不能还原为因果关系。因为因果关系只是把知觉经验的意向结构与特定的事态关联在一起，所以它显然不能成为那种结构的本质。

麦金还认为，已有的因果理论、目的论理论结合起来可以说明内容与意识的某些方面。例如，它们能说明有意识意向性的自然的先行事项。正是那些自然的、基本的关系借助意识转化成了真正的内容。例如，首先是前意识的状态，它有功能作用，能把这些状态与世界的事物关联起来，接着意识基于这些关系产生了意向关系。另外，这些理论还能说明主观性。根据前面的分析，内容的个体化是由因果历史决定的。既然如此，内容上的不同必然导致主观现象学上的特征的不同。例如，关于红色正方形的经验之所以在主观上不同于关于绿色

---

① McGinn C. “Consciousness and content”. In Bogdan R(Ed.). *Mind and Common Sense: Philosophical Essays on Commonsense Psychology*. Cambridge: Cambridge University Press, 1991: 77.

三角形的经验，是因为有不同的对象被呈现了。最后，“我们形成概念的能力也为我们揭示意识的那些主观特征的自然基础提供了部分方便”[1]。一方面，形成概念的能力是可以用自然术语说明的；另一方面，这种能力有主观性，因此只要说明了它就可帮助我们说明意识的主观性。

总之，根据麦金的初步研究，意向性和意识是同一实在属性或关系性自然属性的两个方面。正是由于有共同的根基，它们才成了两个不可分割的、密切联系在一起的特征。

三是二道不可分离论（two-way inseparability thesis）。它是在塞尔等的一道不可分原则的基础上发展起来的。所谓一道不可分，意思是有两类心理状态，一是疼痛、视觉经验等现象性状态；二是意向状态，如命题态度。这两种状态都有自己的独特特征，如现象性状态的特征是现象性意识，而意向状态的特征是意向性。两种状态的特征有无关系呢？它的回答是肯定的，但强调：命题态度所具有的意向性特征与意识是不可分的，必须以意识为基础，而现象状态的现象特征则不一定与意向性有这样的关系。可见，这种不可分是一道的或一方面的。

霍根和廷森在上述一道不可分论的基础上提出了“二道不可分论”。其意思是：意向性与现象性质不可分离。这种不可分表现在两方面：一是意向内容不可能与下述典型的现象状态的现象特征相分离，这类状态是疼痛、视觉经验等；二是现象特征不可能与典型的意向状态的意向内容相分离，典型的意向状态是指命题态度。在此基础上，他们论证了现象意向性理论。他们认为，存在着一种弥漫性的意向性，它纯粹由现象学性质所决定。这种意向性是窄的、个体主义的，但在许多方面它比宽内容更根本。[2]

不可分离论在心灵哲学中产生了较大影响，但也受到了许多人的质疑。例如，威尔逊指出不可分离论犯了简单化错误，因为这里存在着看问题的三个维度。根据不同的维度，对不可分离论的阐释会随之发生变化，关于意向性与现象性质之间关系的看法也会随之变得弱或强起来。第一个维度是量的范围。不

---

① McGinn C. “Consciousness and content”. In Bogdan R(Ed.). *Mind and Common Sense: Philosophical Essays on Commonsense Psychology*. Cambridge: Cambridge University Press, 1991: 86.

② Horgan T, Tienson J. “The intentionality of phenomenology and the phenomenology of intentionality”. In Chalmers D(Ed.). *Philosophy of Mind: Classical and Contemporary Readings*. New York: Oxford University Press, 2002: 524.

可分离论想适用的范围是某些心理状态，还是所有心理状态呢？第二个维度是模态的强度。意向的东西与现象的东西是同时发生的、物理上必然关联的，还只是法则学上关联的或概念上相关的？第三个维度是确定性的程度。不可分离论究竟处在什么样的具体层次？威尔逊认为，在次专门的层面上，它适用的是意向的属性和现象的属性。在最专门的层面上，它适用于特定的心理状态（如态度加内容）。

在威尔逊看来，从任何维度把不可分离论阐释为强的，都是不合理的。例如，从确定性上来看，几乎没有意向状态有专门的现象特征，而没有这些特征，意向状态又不可能有它们所具有的宽内容。这在人际的事例中表现得尤为突出。例如，我们可以从中抽象出命题态度，而不涉及伴随它们的现象特征。就一个人来说，有这样的情况，即他在两种不同情况下产生了同一个思想，但却有不同的现象性质，甚至有时有现象性质伴随，有时没有。例如，在进行纯概念的哲学思维时，就完全可以不伴随现象经验。还有这样的情况，一个人在相当长的时期内，一直在考察、琢磨一个问题，其思想内容都是围绕着这一点转的，但在不同时间，伴随这一思考的可能是完全不同的现象经验，有时甚至不伴随任何经验。再就模态的观点来看，不论是不可分离论的强阐释，即强调现象性质与意向性必然结合在一起，还是弱阐释，即强调它们有法则学的关联，都是有问题的，都不具有普遍必然的有效性。最后，从量的维度看，断言所有意向状态都伴有现象性质肯定是行不通的。因此，即使可以承认两者有不可分离性，也一定要有所限制，如哪些意向状态可能伴随现象性质，在什么情况下才伴随。

三、表征主义

许多论者不满足于说意向性与意识不可分离，而试图更进一步，即在承认两者的相对独立性的基础上，寻求对它们的统一的理解，即基于一方比另一方更根本这一看法，根据一个来解释另一个。这里主要有两种倾向，一是强调意向性或表征更为根本的表征主义，二是强调意识更根本的意识根本论。

表征主义的基本思想是：根据意向性就可以解释意识，因为有意向性就足以有意识，或者说可把后者还原为前者。它不仅强调命题态度有意向性，有表征内容，而且认为现象意识也有这一特征。当然后者的表征属性要复杂一些。

这也就是说，有两类表征，一是非现象性的表征，它表征的是对象的概念性的、非经验的内容；二是现象性的表征，它表征的是显现的性质，具有经验性的内容和质的特征，但它也可以同一于表征。

表征主义有两种倾向，一是强表征主义，它认为，所有心理状态都有意向性，即使是感觉到疼痛这样的经验，它不涉及反映，没有明确的概念内容，但也有意向性。二是弱表征主义，如罗森塔尔和福多等就持此立场，它认为：意向性和现象意识分别是两类心理状态的特征，如命题态度有意向性，而躯体感觉之类的体验有现象意识，但后者可根据前者来解释。或者说，经验的现象特征可还原于它的表征的或意向的内容。因为意识有两方面，一个是意识的对象，另一个是意识的活动。前者是活动所指向的东西，后者是能指向前者的东西。这意思是说，所有意识状态都指向对象，而这对象正是它所意欲的或所表征的东西。简言之，意识状态就是表征状态。

表征论似乎有充分的事实根据，哈曼（Harman）认为，大量的知觉经验足以证明这一点，如当你看到一棵树时，你可以注意你的视觉经验的内在特征。当你这样内观时，你一定会发现：你在那里所注意到的特征只能是被表征的树的特征。[①]表征论与物理主义一脉相承。它认为，经验的现象特征就是它的窄意向内容，亦即在头脑之中的意向内容。功能主义者一般坚持这一观点。在他们看来，现象性质可用表征状态来解释，而表征状态又随附于内在的功能组织及实现它们的物理化学构型。没有头脑之内的心理状态上的差异，就没有意向内容上的差异，进而就没有现象性质上的差异。另外，表征主义与今日流行的外在主义十分合拍。雷伊认为，要说明现象性质，在坚持表征主义原则的基础上，既要利用外在主义，又要利用内在主义。因为具体的经验是复杂的，有些经验是由于内在的过程、性质而得到个体化的，有些则是由于外在的对象而具有自己的个别性的。例如，在将彩色经验个体化时，有时应根据该经验所表征的颜色，有时应根据表征媒介的句法属性。[②]

同一论的表征主义是一种超强的表征主义，它不仅认为命题态度的实质是

① Harman G. "The intrinsic quality of experience". In Tomberlin J(Ed.). *Philosophical Perspectives 4: Action Theory and Philosophy of Mind.* Atascadero: Ridgeview, 1990: 31-52.
② Rey G. "Sensational sentences switched". *Philosophical Studies*. 1992, 68(3): 289-319.

表征，现象意识有表征的性质，不仅强调现象意识随附于表征内容，而且强调现象意识与特定意义上的表征内容是同一的。因此，这里的同一论不是强调心与身的同一，而是强调现象意识与表征内容的同一。其倡导者主要是十分强硬的物理主义者泰伊。他说:“表征主义是一种关于经验的现象特征、关于它们的直接‘感觉’的理论。在最低限度上，它是一个随附性的论点，即在表征内容上相同的经验，在它们的现象特征上必然相同……强或纯表征论更进了一步。它告诉我们的是，现象特征是什么……现象特征与能满足某些进一步的条件的表征内容就是同一个东西。”①这里所谓“进一步的条件”是指不通过逻辑的、概念的形式得到的东西，也就是说，满足这一条件的表征内容就是意识。因此，“现象特征就是一种非概念的表征的内容”②。这意思首先是说，体验到现象特征的人一定得到了特定的表征内容，而这内容是非概念的，即不用概念或不可能用概念来表述的内容，因为它是直接体验到的内容。说这内容是非概念的，也可以理解为它是抽象的。例如，有一幻觉经验，人们是无法说明它的具体对象是什么的，而只能知道经验所伴随的一般的、现象的特征。尽管如此，这种内容在心理因果网络中，在心与行为、与环境的因果关系中仍有其功能作用。

他倡导这种强表征论有两个原因，一是他有这样的观点：只有这样看待现象意识的本质，才能与外在主义保持一致。而外在主义在探讨心理内容的本质特征时是必须坚持的原则。二是基于他对各自特征的具体分析。他认为，现象意识具有表征内容的两个显著特征。第一是透明性，泰伊认为，现象意识也有这一特征。所谓经验的透明性，是指每个人通过自己的感知活动、内省活动所知道的东西是透明的，既能知道它们所关联的外在对象，又能知道与这对象有关的不同显现。他说:“借助内省，你能知道：在特定情境下，事物看起来像什么。通过内省，你直接晓得你经验到的各种性质……进而你由此又能晓得你经验到的现象特征。通过对外部性质的知晓，你会知道它对你看起来像什么……同样，通过注意你在外面经验到的东西，你可以知道内在的东西显现出来的样

① Tye M. *Consciousness, Color, and Content*. Cambridge: The MIT Press, 2000: 46.
② Tye M. *Consciousness, Color, and Content*. Cambridge: The MIT Press, 2000: 60.

子。”总之，“你的经验对你是透明的”。[①]第二是内涵性，“现象话语”也有这个特征。所谓现象话语，即指这样的表述形式，如“显现为”，“看起来像”。这些词语描述的尽管是人的经验过程及现象特征，但它们也有它们的内涵性。所谓内涵性，是指两个概念可能具有相同的内涵，但由于形式变了，而使用这些概念的人可能只知其一不知其二。如“柏拉图”和“《理想国》的作者”指的是一个人，但从一个推不出、看不出另一个，因此有的人可能知道“柏拉图”的内涵，但不能把它与后者同一起来。这是意向性或表征内容的显著特征。描述现象意识的话语也是这样，如两个描述同一对象的现象话语，即“某人肚子不舒服”和“某人胃酸过多”，就不能从一个推论出另一个，同样，知道一种描述方式的人不一定知道另一种描述方式。既然现象意识与表征在特征上有这些共同性，就更有理由把它们同一起来。

四、意识的多样性与现象论

在意识和意向性两个子领域，布洛克都作过专门的研究，且成绩斐然。既然如此，他对意向性和意识的关系问题当然最有发言权。布洛克在全面扫描关于这一问题的各种有代表性理论的基础上，通过对表征论和可分离论（对立论）的扬弃，最终形成了自己颇具特色的现象论。他说:“感觉除了有现象特征之外，常常有表征内容……我否认的是，表征内容就是有现象特征的全部东西。我坚持认为，现象特征比表征内容更多。我把这种观点称作‘现象论’。”[②]它不同于“对立论”者的观点。后者是罗森塔尔、福多等坚持的一种观点，他们认为：意向性和现象意识分别是两类不同心理现象的特征，而现象论则认为，命题态度之外的许多心理现象都可能有意向性或表征内容，如人们通过各种感官对实际存在对象所获得的经验。不仅如此，它还承认，表征内容的形式既有概念性的，又有非概念性的。例如，一个孪生地球人来到地球上得到了关于地球的知识之后，就既有关于地球水的概念性表征，又有关于它的视觉表征。另外，它还承认，这些表征既可以是内在地被决定的，即由表征的句法属性决定的，又可以

① Tye M. *Consciousness, Color, and Content*. Cambridge: The MIT Press, 2000: 47.
② Block N. “Mental paint”. in Hahn L E(Ed.). *The Philosophy of Donald Davidson*. Chicago: Open Court, 1999: 165.

是外在地被决定的，即由所表征的外在对象所决定的，因此，它同时赞成表征主义中的内在主义和外在主义观点。

现象论尽管承认表征主义的部分合理性，但在许多根本性问题上与表征论有重大分歧。首先，现象论认为，意识的形式多种多样，只有部分意识形式可用表征予以解释，而其他意识则抵制这种解释。在布洛克看来，意识至少有下述四种意识，而每一种都与表征有不同的关系：①自我意识；②注视性意识（内在扫描、高阶思维）；③路径意识（access consciousness）；④现象意识。[①]例如，现象意识就不能根据表征来解释，因为它是对生动呈现出来的主观的质的特征、经验的意识。并非一切现象意识都有表征内容，如极度的兴奋、躯体感觉等，因此表征并非说明一切心理现象的根据或基础。

在布洛克看来，要解决表征内容与现象特征之间不一致的问题，应从回答下述问题出发：在经验中，除了表征内容之外，还有没有别的东西？表征主义的回答无疑是否定的，而他自己的回答是肯定的。因此，他比表征主义走得更远，转而倡导现象论。布洛克通过比较他与哈曼的观点之间的区别说明了这一点。哈曼也是一个表征主义者。在哈曼看来，在经验中，我们知道的或觉知到的只是被表征的属性，而不是表征的媒介。例如，在看一个西红柿时，不管你下多大力气去反省经验的诸方面，你能做的不过是关注西红柿的红色本身。布洛克认为，他关于关注的观点是对的，但关于觉知的观点是错的，因为在这里有三方面的东西被搞混了。这三方面的东西分别是：①经验的意向内容，如我现在正在看西红柿，我的经验把它表征为红色。②经验表征了西红柿之红色的心理性质。这是一种心理的涂料。他说："在我看来，经验的现象特征就是这样的心理性质，它把西红柿表征为红色。根据我的看法，即使人们没有注意到这种现象特征，他们也能关注它，并觉知到它。"[②]③经验的这样的心理性质，即没有表征任何东西，它也是一种心理的涂料。他说："尽管我不知道在关于西红柿的正常经验中是否有这类性质，但我敢肯定，这些性质在极度兴奋的经验、

① Block N. "Consciousness". In Guttenplan S(Ed.). *A Companion to the Philosophy of Mind*. Oxford: Blackwell, 1994: 210-218.

② Block N. "Consciousness". In Guttenplan S(Ed.). *A Companion to the Philosophy of Mind*. Oxford: Blackwell, 1994: 210-218.

疼痛和别的躯体感觉中是会出现的。”[①]总之，在经验中，可以出现意向内容，也可以有意向对象，但这不是经验的全部，除此之外，经验还有自己的特殊材料，即有不依意向对象为转移的内容，因此经验可以在没有实际对象在场的情况下出现，如兴奋的经验、疼痛之类的躯体感觉，它们没有意向对象和表征内容，因此超出了表征和认知功能。

五、意识中心论

意识中心论又可称作意识基础论，由著名哲学家塞尔等所倡导。其基本观点是：意识和意向性是心理现象的两个重要特征，两者不是相互分离、互不相干的，而是相互依赖的。但两者的地位和作用又不可同日而语，因为意识比意向性更根本。从时间上说，意识先于意向性；从作用上说，意识优于意向性，前者是后者的基础，后者是前者的产物。我们先来看塞尔的论证。

塞尔明确站在表征主义的对立面，强调必须把解释关系颠倒过来，即应根据意识来解释意向性，因为意识先于意向性，比意向性更根本，所以意识是解释意向性的最好根据。从起源和存在上说，意识是由人脑这一生物系统最先产生出来的心理现象，同时又贯穿于各种心理生活和心理形式之中，甚至是主观性、意向性、合理性、心智因果关系的基础和根源。他承认：主观性、意向性、合理性、自由意识和心智因果关系等是心灵的特征，但它们都依赖于意识。例如，就意向性而言，他说：不参照意识而企图描述和说明意向性是一深刻的错误。[②]任何意向状态要么现实地、要么潜在地是一种有意识的意向状态。

接着塞尔借助他的著名的关联原则，排除了真正的意向状态是非意识状态这一可能性。在他看来，内在的意向状态一定潜在地是有意识的，或可进入意识。基于此，他认为，意识先于意向性。这里隐含着他的这样的看法，即认为：意识与意向性不能等同，因为它们是心理现象的不同特点。就意识来说，它既可以派生出意向性，因而表现有意向的特点，也可以不派生出意向性，即存在着没有意向性的意识，如无名的快慰和烦恼就是如此，它们是有意识的，但并

① Block N. “Consciousness”. In Guttenplan S(Ed.). *A Companion to the Philosophy of Mind*. Oxford: Blackwell, 1994: 210-218.

② 塞尔.《心、脑与科学》，杨音莱译，上海译文出版社 1991 年版，第 46-47 页。

不关涉任何东西。就意向性来说，既有有意识的意向性，又有无意识的意向性。如果是这样，他又有什么理由说意向性以意识为基础呢？这不仅是塞尔的难题，也是其他许多人的一个难题。弗拉纳根于1992年提出了一种奇特的理论，即“意识必要论”（consciousness essentialism）。它认为，现象意识对于各种意向性形式不仅是充分的，而且也是必要的。这种观点要站立起来，最大的理智障碍就是弗洛伊德的无意识理论。根据这一理论，心理王国除了思维、有意识的经验之外，还客观存在着无意识的心理现象。后一种心理现象尽管没有被人意识到，但仍有其意向性。如果是这样，即使没有被意识到，一种心理状态仍可有其意向性。为什么是这样呢？他无法回答。

塞尔深知这一问题困难，但还是作了自己的解答。他首先强调：必须认识到不同形式的意向性及其本质特征。如前所述，有两种意向性，而两种意向性之所以根本不同，就在于内在意向性是以意识为基础的，或者说，一种心理状态之所以有意向性，是因为它是有意识的。而派生意向性之所以是派生的，是因为我们解释者对某物作了相应的解释，它才仿佛有意向性，所以这种意向性是我们人为加上去的，从本质上说，仍根源于人的意识。现在的问题在于：塞尔也承认了无意识心理现象的存在，加之他也不否认这种心理也有意向性，因此它们的意向性如何可能呢？他的回答简单而明确：无意识心理状态之所以有意向性，是因为它同时具有潜在的意识。有意识心理状态之所以有意向性，理由当然更清楚，那是因为它有现象的主观的特征，正是这些方面决定了心理状态对有关对象的指向性。①

莱勒（Lehrer）表达了与塞尔大致相同的看法，他说：“在当代心灵哲学中，人类心灵的最显著也是最令人困惑的东西有两个方面，一个是意向性，另一个是意识。”②而这两个特征又是相互关联的，当然地位是不对称的，因为意识是意向性的基础，意向性是意识的产物。以对符号的指示意义为例，他说：“我们对（符号）含义的理解是意识的结果。当我们感觉或思维时，我们便会意识到心灵的种种作用。我们对这些作用的意识便产生了我们关于感觉或思想的概念，

① Searle J. “Consciousness, explanatory inversion and cognitive science”. *Behavioral and Brain Sciences*, 1990, 13: 585-596.

② Bogdan R(Ed.). *Belief: Form, Content, and Function.* Oxford: Clarendon Press, 1986: 52.

进而相信它们是存在的。基于意识的这种作用，感觉或思想便显示了自身，因为它自动地引起了关于自身存在的概念和信念。……结果，我们获得了对这种指示关系的理解。这种关系自然不局限于心理活动与外在性质及对象的关系，因为符号、感觉也能指示别的东西。我们对指示的理解进而对意向性的理解都是意识的一种产物。”①

目的论语义学的著名倡导者米利肯也支持意识中心论。她说：“意识在认识上是透明的、不可错的。意识就是或者说包含着一种不可错的觉知，即由意识本身内在地保证的觉知。这一观点特别强调的是：意识把握了它自己的意向性，或者说它的内在表征，而且具有不可错性。意向性是‘被给予的’，因此这种意向性不可能是由纯粹的事实甚至与世界的自然必然的外在关系构成的。”②从进化上说，生物从自然选择中获得了意识的功能，因而才有原始的意向性，即指向外物时，能有意识地知道这一点。

第四节　两大传统意向性学说的对立、“趋同”与融合

一、两大传统意向性学说的对立

必须承认，两大传统意向性学说尽管都重视对意向性问题的研究，但两者的提问方式和解决问题的过程及结论无疑存在着重大差别。

首先，分析传统不像现象学传统那样认为意向性是一切心理现象的共同、独有的本质特征。分析哲学中占主导地位的观点是，它充其量只是部分心理现象的特征。因为根据其与命题内容、经验两个维度的关系，心理现象可分为两类：一是由特定的态度（思想、信念等）和“that-从句”表达的命题内容所构成的心理状态，即通常所说的命题态度。二是“质的状态”。这类心理现象没有明确的命题内容，只有质的感受、体验或现象学性质，如疼痛、身体感觉、情感等。两类心理现象的独特特征分别是意向性和“感受的质”。尽管也有一些人

① Bogdan R(Ed.). *Belief: Form, Content, and Function*. Oxford: Clarendon Press, 1986: 52.
② Millikan R. *Language, Thought, and Other Biological Categories: New Foudations for Realism*. Cambridge: The MIT Press, 1984: 91.

坚持现象学的观点，即把意向性作为心理现象的普遍特性，不过又强调，作为经验的意向性或内容是以非命题、非概念的形式表现出来的。这里的问题和观点，不管是哪一种，都是现象学传统中所没有的。其次，在分析传统中，不仅意义研究有统一的趋向，即建立能说明一切形式的意义（如人生意义、语言意义、政治意义、经济意义、价值意义等）的统一的意义理论，而且还出现了这样的现象，即把意向性、内容、表征、语义性、意义等看作在本质上没有区别的心理属性或特征，进而作为一种统一的对象来研究。因此，以前分属不同学科、领域的研究及理论，如意向性理论、表征论、语义学、意义理论、内容理论，便合而为一了，或者说合流了。既然如此，有关的论者把自己的意向性理论称作语义学或表征论或内容理论就不难理解了。例如，目的论语义学实际上是米利肯等的意向性理论或意义理论。最后，分析传统的意向性研究主要是从物理主义和自然主义前提出发来解决由内容的"关于性"所引出的难题。属于这一传统的大多数哲学家，基本上都持物理主义或自然主义立场，认为世界上的一切事物、现象都是物理的、自然的。与此相应，分析传统的意向性研究与有关具体科学的研究结下了不解之缘，或以后者为基础，而且不同论者所依据的科学基础不尽相同。有的人紧跟计算机科学、认知科学和人工智能研究的发展，放弃传统的以常识隐喻为认识心灵的类比工具的做法，把计算机作为新的类比基础。克拉平（Clapin）说："20 世纪中叶，自动计算装置依据图林的重要理论成果被发明出来，人们便认识到机器也能加工和利用表征，这便为说明心灵的内在表征如何起作用提供了一个例证。"①而另一些热衷于生物学成果的人则强调进化论等生物学理论在认识意向性中的作用，似乎发起了一场"生物学转向"。戈弗雷-史密斯（Godfrey-Smith）概括说："许多当代的意义理论有这样的结论，即语义事实与过去、常常是遥远的过去有某种关联。""为了说明不确定性而往回溯，这是新近语义学思想的显著特征。"②

在意向性问题上，现象学的根本出发点是解决超越性问题。在它看来，人的意识之所以超越自身，根源在于人的意向性。在这种概念图式中，意向性便

① Clapin H. "Introduction". In Clapin H(Ed.). *Philosophy of Mental Representation*. Oxford: Oxford University Press, 2002: 1.

② Godfrey-Smith P. "A continuum of semantic optimism". In Stich S, Warfield T (Eds.). *Mental Representation: a Reader*. Oxford: Blackwell, 1994: 274.

获得了它的特殊本质：对世界的把握方式。既然如此，又应如何解释意向性呢？胡塞尔的独特之处在于：反对还原主义。而还原主义是现当代英美心灵哲学的主导思潮。现象学对用非意向的东西解释意向性不感兴趣。它关心的问题是意向性本来的结构和它自身的由来及发展。如以岩石与雕像的关系来说，还原主义为了解释雕像就把它还原为岩石加上雕刻师的活动。而现象学则是要说明岩石在雕像显现为雕像中所起的作用，说明岩石的潜在结构，说明它成为雕像的可能性，说明这种可能性变为现实性的条件。

二、两大传统意向性学说的趋同

尽管两大传统意向性学说有这样一些根本不同，但胡塞尔的意向性学说与现当代分析传统的同类理论仍有“趋同”的一面。当然，这种趋同只是形式上的，如关注的问题的某些内涵和形式方面有相似之处，至于对问题的解答和内容则很少有可比性。这主要是由两者的旨趣、宗旨、致思取向以及基本前提存在着根本分歧所决定的。

第一，在分析哲学中，现当代有一种主流的倾向，那就是在意向性的自然化进程中，根据表征来解释意向性。即使有些人不认为表征是意向性的基础，但一般不否认，意向性问题就是表征问题。因此如果能解决后者，那么就能解决前者。现象学也有这个课题和这样的倾向。例如，它称作“代现”“表象”的东西与表征有一致性，至少在符号上是如此。在 1894 年的《基本逻辑的心理学研究》一文中，胡塞尔对意向性的理解开始发生转变，即开始认为意识的意向性实即对外在对象的指向性。但是问题在于：一种内容或一种状态指涉另外一种不在意识中的内容是如何可能的呢？他认为是由于一种代表性的表象才成为可能的。他说：“单纯意指”意味着通过意识中的某些内容或其他所与物而对准未被给予的他物，意谓它，在一种方式中指向它，把它当作未被给予物的替代者而以一种理解方式来运用它们。[1]德布尔评述说：这种对替代性表象的分析对于描述心理学来说具有特别重要的意义，因为它最终导致了对意向性概念的基本修正。[2]

① 德布尔.《胡塞尔思想的发展》，李河译，生活·读书·新知三联书店 1995 年版，第 15 页。
② 德布尔.《胡塞尔思想的发展》，李河译，生活·读书·新知三联书店 1995 年版，第 17 页。

第二，现象学在意义问题上也有趋同的一面。胡塞尔已注意到："意义"成了多学科关注的中心问题。在英美分析哲学中，这种倾向也很明显。胡塞尔还讨论了另一相近的词"sinn"，即"含义"。他认识到，要解决这一问题，必然要进到意向性领域，具体而言之，必须探讨表达层的结构。而这种结构中一定有意向作用、意向对象，如有表达动机、目的、心理的活动，有被表达的对象，有表达的媒介（词语、概念）。在英美分析哲学的意向性研究中，意义问题也是一个经常要涉及的问题，有的人甚至把它等同于意向性问题。

第三，胡塞尔对作为行为之意向本质的质性与质素的探讨，类似于英美意向性理论中的关于命题态度的理论。

第四，分析哲学的意向性研究集中在心理内容问题上。胡塞尔的内容理论也涉及有关问题，当然要繁复得多。例如，他所说的"内容"比分析哲学意向性理论中的"内容"在外延上要广泛得多。它既指作为意指着的意义或者作为意义、绝然含义的内容，作为充实着的意义的内容，或作为对象的内容[①]，有时还可指含义体验，如说：在这种观念意义上的有关含义体验的"内容"完全不是心理学所理解的那种内容，即不是一个体验的某个实在部分或某一方面。[②]有的分析哲学家尽管把内容问题等同于意向性问题，但即便是这一类人，也像其他人一样，都抱有这样的信念，意向性问题必然涉及内容问题，因此对内容的分析至少是解决意向性问题的一个方面或环节。胡塞尔其实也有这样的想法。

在具体问题上，两者还有许多一致的地方，如都关心语词的这样的特征，即它是关于世界的；各自在按自己的原则推进自己的认识的过程中，尽管没有直接的沟通，但却不约而同地形成了一些共同的问题域，如都提出了关于意向对象的形而上学问题，都有对意向性的本体论探索，有自己的意向结构问题等；都重视意识与反省、意识与自我指向的意向性的关系的研究；都试图说明意向状态、现象意识与外部世界是否有必然关联，如果有，是什么样的关系，发生关联的方式是什么，等等。例如，现象学家在讨论胡塞尔的现象学还原时就大量涉及这一问题，而分析哲学家在批评弗雷格的含义、讨论外在主义与内在主

① 胡塞尔.《逻辑研究（第二卷）》，倪梁康译，上海译文出版社 2006 年版，第 60 页。
② 胡塞尔.《逻辑研究（第二卷）》，倪梁康译，上海译文出版社 2006 年版，第 109 页。

义的关系时，对此作了深入的探讨。

三、两大传统意向性理论的融合

值得特别注意的是，在最近的分析哲学发展中，出现了向现象学靠拢或将两大传统的意向性研究加以整合的新动向。先看丹尼特的异源现象学（heterophenomenology）。

丹尼特是美国当今十分活跃且极具影响力的心灵哲学家和认知科学家。他的许多论著以及关于三类意向态度的思想几乎是每一相关研究必讨论的对象。他的思想极为复杂，且变化极快，因此对其特点和实质有不同的概括，如工具主义、解释主义、温和实在论等。最近，他又提出了异源现象学。在笔者看来，他所倡导的这一理论并没有背离他原先的解释主义立场。因为在提出这一观点时，他不过是在不违背他关于意识、意向性的非实在论、工具主义原则的前提下，借用现象学的某些概念和方法，作了大胆的改造，将其转化成描述他人心理现象的方法论，在此基础上，通过对有关思想的融合，最终形成了既包含他的早期思想，又有新的改进的理论。

从动机上说，丹尼特提出他的异源现象学仍是为了解决他一直试图解决的问题，即如何调和常识心理学和认知心理学的对立。在他看来，现象学可以改造成为一种描述常识心理学所说的意识、意向现象的方法。当然这里的心理现象不是描述者本人可内省到的东西，而是他所描述的人用语言所报告的心理现象，正是在此意义上，他把他倡导的现象学称作异源或异种的现象学。但应注意的是，用这种方法所形成的描述并不是唯一的描述，也不能说是真实的。因为它在本质上只是一种工具、一种解释，或人为了某种目的和方便所作的一种归属。它不排除其他描述方式，也不拒绝进一步的解释，非但如此，它还必须作出科学的解释。因为光靠描述，不作解释，是不可能接近实在的本来面目和本质的。这可看作是他不同于一般现象学的一个特点。但问题是：现象学的描述与科学的解释能否靠拢、融合呢？他的基本看法是，常识心理学及其描述有与科学心理学甚至脑科学的解释一致的一面。

所谓异源现象学，实际上主要是一种根据行为主体的外在的行为表现构想关于行为主体内在经验的方法，或者说是根据行为主体关于他的内在经验所报告的东西，以及没有说出的东西来进行推论，以构造关于行为主体的意识内容的理论。简言之，是用第三人称的方式获得关于他人意识经验的方法。这有点类似于描述性现象学，但又有不同。因为它描述的不是有意识经验的描述者自身的经验，而是他人的，所以是"异源的"或"异种的"。[①]

异源现象学的立场是人的立场。它有不同于意向立场的一面，因为后者描述、解释的力度不及前者。以疼痛为例，后者就不能对人熟睡时的未报告的疼痛与他清醒时发生的、可报告的疼痛作出区分。而前者则能做到这一点。当然在其他方面，如有关的形而上学方面，两者又有一致之处。例如，意向观的形而上学认为，被解释者的头脑中并不存在信息之类的实在。异源现象学也是这样，它认为，在异源现象学的世界中，主体的大脑中不存在这样的状态，当然它包含着事物显现给它的方式。意向观把信念等归属于行为主体，不符合事实和科学，不符合真实的大脑状态，但符合行为、环境和历史。同样，异源现象学把关于自我、世界如何显现给主体的观点归属给他人，这不符合大脑的真实状态，但符合主体的行为、历史和环境。

异源现象学所显示的、他人所报告的东西，带有神话、虚拟的色彩。但报告本身是真实的，因而有与具体真实存在物的关联，可以对之进行转换。如果它们能转换成具体存在物，那么就是真实的；如不能，就是不存在的。丹尼特认为，它们是否存在于大脑中，或存在于灵魂中，这是"一个经验研究的问题"。如果能与真实存在匹配，那么我们就为这些常识术语找到了真实的指称。如果找不到，就必须予以抛弃。[②]

由以上晦涩的论述我们不难体会到，异源现象学并未违背原先的工具主义、解释主义立场，只是变得更加温和罢了。这里应特别注意的是，它在一定程度上承认了他人对意识经验的报告以及所报告的经验的真实性。

尽管异源现象学的世界相对于主观的、个人独有的世界来说是公共的、客观的世界，也是真实的世界，但它毕竟是借异源现象学方法加上推论而形成的世界，它只有经过解释，只有在我们把握了异源现象学报告的术语意指什么时

---

① Dennett D C. *Consciousness Explained*. Boston: Back Bay, 1991: 72.
② Dennett D C. *Consciousness Explained*. Boston: Back Bay, 1991: 98.

才能被我们接近。正像自我呈现的经验需要解释一样，报告人所报告的异源现象学世界中的经验材料、行为数据也需要解释。而要解释，首先必须有科学的材料，即要知道它们表示的对象、关系和理论是什么，即它们表示的世界是什么。进一步，得弄清它们与神经科学所描述的世界是什么关系。因此这里不可缺少的步骤是进行神经科学的研究。具体地说，第一步是异源现象学的阶段，即用现象学方法把关于意识的私人对象的范畴汇聚起来；第二步是神经科学的阶段，即用科学的方法确定是否可为那些私人的事件找到对应的神经事件。如果能找到，那么意识就是存在的；如果找不到，那么意识就是子虚乌有。

怎样在此基础上进到第二步即科学的解释呢？怎样说明异源现象学事实与科学事实的关系呢？丹尼特的首要的看法是：在科学的解释视野之下，异源现象学的世界不存在常识心理学所归属于它的那些小人式的意向状态，也没有小人式的意向性、意向作用。但人们在描述和报告自己内部发生的现象时所用的意向概念，尽管不是实在的反映，却是有用的。因此，丹尼特说："计算主义在下棋是否真的有信念和愿望这一问题上大做文章肯定是不妥的。因为我为意向系统所下的定义并没有这样的意义，即意向系统真的有信念和愿望，而只是说，人们能通过把信念和愿望归属于行为主体来对他们的行为作出解释和预言。"[①]这显然有工具主义的倾向。

建立在上述现象学描述、推论基础上的理论实在（意向状态、内容、意义等）能在科学理论中找到对应的东西吗？他的基本回答是：如果对意向习语的归属是真诚的，如我关于我自己的报告没有撒谎，他人在我用异源现象学方法考察他时也是如此，如果用这些习语对行为的解释和预言是正确的，那么，这些习语所表达的理论实在就可能对应着大脑神经系统中真实的东西。当然这有赖于有关具体科学的研究。他说：我断定我必须对日常语言分析的结果加以补充（甚至调整！），弄清大脑如何有可能完成心灵所做的工作。[②]经过研究，他得出的结论是：大脑唯一能做的事情接近于我们在日常的心灵主义言论中预设的对意义的应变（responsivity）。内容锁定于神经元网络节点的分布模式。具体而言之，内容、意向性、意义等可对应于神经系统的功能。他说：我的内容理论

① Dennett D C. *Brainstorms: Philosophical Essays on Mind and Psychology*. Cambridge: The MIT Press, 1978: 7.
② 欧阳康.《当代英美著名哲学家学术自述》，人民出版社 2005 年版，第 100 页。

是功能主义的，即内容的一切指派（归属）都要依据对有关条目在有机体的生物经济学（或机器人的工程经济学）中的功能角色作出评价。他这里所说的功能，既不是数学中的函数，又不是刘易斯等所说的“因果角色”，这个功能概念不仅在工程、产品设计中，而且在生物学中都是普遍存在的。[①]

总之，丹尼特的意向性学说是一种非常独特的理论。他表白说：对于内容和意向性这两大题目，我都持有激进的立场。[②]一方面，他与取消论、还原论界限分明，因为他的一个目的就是试图用工具主义和现象学从取消论的枪口下救出信念-愿望心理学。另一方面，他的哲学与维护意向状态的本体论合法地位的二元论、神秘主义以及自然主义理论又南辕北辙。他把意向状态救出来了，但又设法驱除覆盖在它们之上的厚厚的神秘主义、拟人论、实体论尘埃，要么把它们当作是为满足解释的需要而虚构出的一种理论预设（工具主义），要么把它们等同于引力中心、赤道一样的抽象的存在。如果说他有对意向状态的本体论承诺的话，那也只是一种非常奇特的本体论承诺。

再看拜尔斯（Byers）对现象学传统的意向性学说的辩护和发展。

正像胡塞尔对自然主义作了大量的痛斥一样，在英美，当然也包括在欧洲大陆，许多哲学家对胡塞尔的现象学传统的意向性学说也持否定的看法，提出了许多质疑。另外，又有许多支持现象学传统的哲学家对这些批评作出了反批评，并在论战中重新阐释和发展胡塞尔的思想。这里主要以拜尔斯的有关阐释为例作一简要考察。

胡塞尔本人也不否认，他的先验现象学必然是先验唯心论，因为即使是超越的对象，只要被意识到了，就一定是意识之内的、由意向行为所构成的对象，因此超越性是内在的超越性。这正是后来许多人批评的一个主要靶子。例如，德里达认为原始的时间化有两个结构，它最终会否认先验还原的可能性，而这种还原是现象学必不可少的方法论原则。另外，它必然导致构成动力学的改变，而这种改变是不可能在现象学上予以说明的。[③]拜尔斯承认，德里达对于胡塞尔

① 欧阳康.《当代英美著名哲学家学术自述》，人民出版社 2005 年版，第 105 页。
② 欧阳康.《当代英美著名哲学家学术自述》，人民出版社 2005 年版，第 120 页。
③ Derrida J. *Speech and Phenomena: and Other Essays on Husserl's Theory of Signs*. Evanston: Northwestern University Press, 1973: 61.

的批评涉及的不是细微末节的问题，而是触及了其要害处，如它不仅提出了胡塞尔关于意向作用理论方面的问题，而且触及了先验现象学是否可能这样要命的问题。德里达说，“如果瞬时的当下是一神话，是空间-机械性的隐喻，是继承下来的形而上学概念……如果自我呈现的出现不是简单的，如果它是在原初不可还原的综合中得到构成的，那么面对这一原则，胡塞尔的全部论证就成问题了。”拜尔斯指出：“如果德里达对胡塞尔的批评是正确的，那么胡塞尔的全部工作就是白费力气。”[①]不过，在他看来，问题没有这么严重，因为对“胡塞尔的工作可以作出整合，以应对德里达的批评”[②]。他对胡塞尔意向性学说的发展主要是从两方面进行的，一是反击德里达等的批评和进攻，二是对胡塞尔的思想作进一步阐发，尤其是对其中存在的问题作进一步的解答。

德里达从他的分析中引出了两个结论：第一，内在性的任何维度都没有表现自身，因此超越性并未出现，从而无法给予现象学的说明；第二，从上述结论必然推出怀疑论的结论，就是说，胡塞尔的最初动机是要解决超越性如何可能这一怀疑论问题，但最终他本人因无法冲出内在性的怪圈因而仍要受怀疑论的困扰。拜尔斯认为，德里达之所以得出这些结论，是因为他拒绝了胡塞尔在保持和重新组合之间所作的区分。因为忽视或否认了这样的区分，所以就不能理解胡塞尔对超越性的规定。在胡塞尔看来，超越性并不是隐含在自身的构成之中的。而德里达的理解相反，把胡塞尔所说的超越性理解成了隐含于它自己的构成之中的东西。拜尔斯强调：在胡塞尔那里保持与重新组合之间是有明确区别的，不能取消或混淆这种区别，否则就会带来不必要的理解上的麻烦。他说：“既然保持的内容确实不是‘实在的’，因此根据这一理由认为它是超越性的，就是不合理的……因为保持的那个时刻并没有表现出作为同一性被给予的内容，而保持的内容在别的行为中也不提供给再认的同一化。”[③]在拜尔斯看来，理解胡塞尔的现象学，关键是正确理解内在性、超越性和意向性三个概念，而且必须结合在一起才能理解其中某一概念。例如，必须根据超越性概念的原初

① Byers D. *Intentionality and Transcendence: Closure and Openness in Husserl's Phenomenology*. Madison: The University of Wisconsin Press, 2002: 171.
② Byers D. *Intentionality and Transcendence: Closure and Openness in Husserl's Phenomenology*. Madison: The University of Wisconsin Press, 2002: 172.
③ Byers D. *Intentionality and Transcendence: Closure and Openness in Husserl's Phenomenology*. Madison: The University of Wisconsin Press, 2002: 178.

意义才能理解内在性概念。同理，提出关于其中一个概念的问题，也就是提出关于其他两个概念的问题。他说："把超越性作为问题提出来，其实就是把内在性作为问题提出来，这也就是把意向性作为问题提出来。"①

当然，要理解上述概念，还有一点至关重要，即如果把它们作为现象学的范畴，就必须对它们作现象学的考察，以摆脱自然的态度对理解它们的影响。因为一般人心目中的意向性之类的概念，都是建立在自然态度基础之上的。根据现象学的观点，超越性的本质特点在于，它是构成性的，不是自然的实在，既然如此，超越性离不开内在性，因为构成是根源于内在性的。意向作用也是如此，它是作为"自我极"而存在的，它本身表现为同一性，而同一性无疑依赖于构成上述统一性的综合。

在胡塞尔那里，超越性、超越的对象等概念之所以与内在性概念不矛盾，是因为超越的对象本身是被构成的，而构成只能发源于内在的意识，所以意识、内在性有绝对的主体性。要理解这些，必须回到胡塞尔现象学的最初动机和内在逻辑进程之中。为此，拜尔斯从新的视角，对胡塞尔意向性学说提出了新的理解。

根据拜尔斯的理解，现象学的一个目的就是避免心理主义，说明所知东西的客观性。而要避免心理主义，将知者与所知者区分开来就是不可避免的，要将它们区分开来，就必须说明知者是如何超越自身而把握它之外的所知者。当胡塞尔完成了先验转向之后，知识问题便变成了超越性的问题，而超越性问题实质上就是意向性问题。拜尔斯进一步认为，意向性问题同时带有认识论和本体论双重性质。一方面，它是由认识论提出的带有认识论性质的问题。它包括如下内容：意向性是如何可能的，即主体如何超出自身而认识它之外的他物，这种通过超越、意向性而获得的认识是不是对客体或自在存在的东西的认识，简言之，这种认识有无客观性？如果有，是如何可能的？另一方面，意向性问题又带有本体论性质，其表现形式有：超越性是什么？使认识超出自身的意向性是什么？其存在地位如何说明？这类问题存在于认识论问题之后，并比后者更根本。

① Byers D. *Intentionality and Transcendence: Closure and Openness in Husserl's Phenomenology*. Madison: The University of Wisconsin Press, 2002: 181.

超越性问题之所以可归结为意向性问题，是因为知道意味着超越，而这种独特的超越即意向性。例如，人们说有什么知识、知道了什么，就表明他们超出自身、肯定自身之外有某物存在，并有所知，即使是自知，也有超越性。尽管自知的对象是知者本身，就此而言是内在的，但是自知一旦发生，也有特定意义的超越性，因为对于自知的知者来说，所知仍是它的异在，是“他者”。超越性是自然界中一种常见的现象，如一物体接近、撞击、渗透、穿过另一物。但认知这种超越性又有其特殊性，如它是自我超越，即可以主动地，无须他物推动、左右而完成超越。另外，它是一种对外在之物的指向，因而有与外在变化的相关性，能随着外在变化而变化。因为超越性有这些独特性，所以可称作“意向性”。

胡塞尔在对体验作现象学分析时意识到了这里所面临的超越性难题，于是在《逻辑研究》中自觉地回答了这一问题，所用的方法是“意向与充实”的辩证法。在这里，他找到了现象学的新的资源，据此，可以较好地解决超越性和主体性向它之外的东西开放、敞开的难题。简言之，在此基础之上，可以使他的现象学冲破内在性的封闭性，而使之发展成一种开放性的哲学。这种新的资源是什么？它为什么有这种作用？这种资源不在别处，还在意向性之中，具体而言之，意向性之中隐藏着揭示超越性奥秘的根据，这就是“充实”。他认为，在各种意向行为中，有两类行为，一是纯粹指示所意欲对象的行为，二是能现实地呈现或显现所意欲对象本身的行为。前者的特点是纯粹的指示，因而是空洞的，而后者的特点是所与、呈现，是让超越的对象以现实的相状，以它的“完全的”本体论——形而上学的存在形式呈现在意识面前。这种行为就是充实。简言之，充实就是超越对象的给予。在《逻辑研究》中，这种充实的经验或过程实际上是知觉的过程，而知觉就是一种解释行为。具体而言，知觉就是借助解释行为对行为的一种内在构成要素，即感觉材料或质素的解释，由于这种解释作用，那些内在的质素就被当作是超越对象的代表。可见，意识对超越对象的把握离不开两点，一是感觉材料，二是解释。正是通过第一点，即通过所予的内容或质素，知觉能接触、超越意识的某物，正是通过解释，超越的对象才现实地呈现出来。

拜尔斯清楚地意识到：尽管胡塞尔为建立自己的意向性学说煞费苦心，但它仍有深刻的内在矛盾。对此，英美许多关心现象学的哲学家从不同侧面作了揭示和批判。一般认为，其内在矛盾主要表现在：从这一学说的主观动机、实际论证过程和表现形式来看，胡塞尔是把意向性论证成主体实现自身超越的根本途径。他反对布伦塔诺把意向性规定为对象的内在存在性，强调意向性就是对超越对象的指向性。意识的超越性和对象性是以意向性为基础的，因此胡塞尔所理解的意向性不是内在的对象性，而是对外在对象的关于性。但是根据胡塞尔的一系列说明，意向所指向的对象并没有超出“如来佛的手掌心”，即没有超出意识的范围，仍禁锢在内在性的范围之内，这样一来，正如拜尔斯所承认的，“胡塞尔实际上把意向性封闭在自我的范围之内。它的超越性只是内在性中的超越性”[①]。他还说：“这即便不是一种矛盾，但难道不是一种失误吗？现象学试图在意向作用的内在性之外发现的基本领域难道不是隐藏在它自己本有的奉献之中吗？……自我学不是要在自我所圈定的内在性中发现它的基本领地吗？”[②]拜尔斯认为，这些是现象学必须进一步回答的问题。事实上胡塞尔后期已意识到了其中的一些问题，并作出了自己的贡献。但在拜尔斯看来，要令人满意地回答它们，还必须提出另一类问题，即继续坚持封闭性的根据难道仅仅只是这样的吗，即对象作为同一性是构成的产物，在知道对象时，意识并没有超出自身，而只是通过把自己集合在一起，而“停留在自身之内”？

拜尔斯以胡塞尔后期的有关思想为根据，加上自己的创发性理解和补充，对上述问题作出了新的辩解和回答。根据他的解读，胡塞尔为了澄清封闭性的意义，为了把超越论现象学建立成一种开放性的哲学，实际上从四个方面对构成问题作了分析。

第一，胡塞尔强调对象是无限开放的。因为对象的同一性并不是先在的，而是在综合中构成的。正是综合，通过确认流变中的一致性而确立了对象的同一性。既然同一性依赖于综合，而综合是一个过程，而且是一个永远也无终点的过程，那么同一性永远是开放的。在胡塞尔那里，对象对于流变的东西来说不过是一种无限的、有规则的观念，并不能对流变东西的总体性提供详尽无遗的描述。要形成这样的描述，必须有无限的综合过程，但是有了这个“作为规

① Byers D. *Intentionality and Transcendence: Closure and Openness in Husserl's Phenomenology*. Madison: The University of Wisconsin Press, 2002: 189.
② Byers D. *Intentionality and Transcendence: Closure and Openness in Husserl's Phenomenology*. Madison: The University of Wisconsin Press, 2002: 189.

则的对象”，向外的指涉、超越的意图才有其可能性。在拜尔斯看来，如果这样看问题，那么也就不难理解为什么胡塞尔把同一性本身看作是一个空洞的 x。基于对胡塞尔有关论述的解读，基于拜尔斯自己的发挥，他认为可以得出这样的结论：“同一性绝不可能完结，它们永远只能在构成中逐步实现。可以说，即使所有的对象是在超越性的意向作用中构成的，且是由之而构成的，但这些被构成的产物总是抵制对它们存在的概念总体化的。所有特殊的同一性以及作为构成它们之地平线的世界，都确实是超越的，因为同一性的存在总会超出在一个封闭体系中的适当代表（或代现）。这不是由于封闭体系所形成的限制，或主体性的内在限定，而是根源于同一性根本不可能完成这样的事实。”①

第二，因为超越的构成能力本身是发展的，所以构成必然有开放性。根据胡塞尔的论述，在综合中进一步要述及的是“前摄”（protention）。它是这样的维度，根据这一维度，综合得以为流变的将来的过程选择预期。但应注意的是，这个维度仅仅只是一种潜在性或可能性。它们不属于自在存在的事物，而根源于现实性，因为它们不是空洞的可能性，就内容而言，它们是意向地确定的可能性，就是说在现实的主观过程中表现出来的可能性。

第三，解决封闭性问题的又一因素是展延和现实化。展延是通过对尚未到来的事件的预言而完成的对将来的预先把握。胡塞尔承认，对象的现实存在不是根源于意向作用的综合活动。意识要构成超越自身的对象，一方面依赖于展延这样的预期，另一方面依赖于以感觉材料为基础的现实化。

第四，构成之所以可能，开放性之所以可能，还在于自我具有持续性。说自我具有持续性，其意思是说，它不是作为绝对完善的、凝固不变的实体存在的，而只能作为变化的，但又有同一性的东西存在。另外，它也不是一蹴而就的，因为它具有不完善性，本身会变化发展。尽管如此，因为它具有同一性、绝对性、不变性的一面，所以能成为综合、时间化的基础和源泉。因为它有不完善性，会不断地完善，所以就有开放性。

有了上述的先验自我，似乎能化解先前哲学中的一些矛盾。但在一些人看来，它似乎又带来了这样的结果，即让现象学变成了一种形而上学。因为拜尔

① Byers D. *Intentionality and Transcendence: Closure and Openness in Husserl's Phenomenology*. Madison: The University of Wisconsin Press, 2002: 191.

斯为了说明构成性，诉诸的是主体性，即先验自我，而这种自我实际上成了主体性的“他者”，正是借助它，自我首先实现了对内在性的超越，进而完成了对对象的同一化。尽管有这些作用并由此化解了许多矛盾，但这些论述一方面存在违背现象学基本原则的可能性，另一方面，如人们理解的那样，的确陷入了形而上学。而根据西方哲学的一种主流倾向，形而上学是应予克服或解构的。拜尔斯认为，这些解释“尽管有些是合理的，但应受到限制，尤其是当他们试图把它们看作是对胡塞尔思想最终意义的概括和评价时，更应如此”①。为说明他的这一看法，他从下述几方面作了阐述。第一，不应忽视的是，即使超越性被看作同一性的超越性，但显现的规范的力量则是它适合于各种可能主体的一种功能。对象的客观性依赖于它的丰富性，即它的无所不在的时间性。主体之所以在作出正确的存在判断时有权威性，根源在于主体表现出了同一性的功能。第二，即使胡塞尔倾向于把超越性理解为同一性，而同时认为同一性是在综合活动中构成的，但应注意的是，他所说的同一性并不是已完结了的。这也就是说，主体的超越的构成作用总是开放的。超越性作为显现，也注定是要超越的，意向作用作为其开放的不确定性来说，对于即将显现的东西来说，总是不够的或不充分的。第三，胡塞尔的思想实质上有反形而上学、超越形而上学的动机。因为他试图利用他的回到事物本身去的现象学原则，让在自发性、自由意志和自我中心性中表现出来的主体性服从它的“他者”，而这个他者是从外面来到它身上的。胡塞尔围绕空无与充实，对这种差异作了现象学的描述。不过，拜尔斯同时又承认，胡塞尔的主体性概念的确永远会面对被放弃的命运，这是因为证实性的综合既可能被证实也可能被证伪，而且在证实性的综合活动中，没有什么东西能保证它始终如一地前进。②

最后，再来考察两大传统的融合论。

许多研究心灵哲学的人意识到：西方关心意识、意向性问题的两大传统长期以来要么处在对峙状态，要么互相漠视、互不沟通。很显然，这是不利于认识的发展的。其实，它们之间有对话、沟通和相互促进的空间。基于这样的考

---

① Byers D. *Intentionality and Transcendence: Closure and Openness in Husserl's Phenomenology*. Madison: The University of Wisconsin Press, 2002: 196-197.

② Byers D. *Intentionality and Transcendence: Closure and Openness in Husserl's Phenomenology*. Madison: The University of Wisconsin Press, 2002: 197.

虑，有些人在两大传统之间作了一些沟通融合的尝试。例如，D.W.史密斯就赞成研究意向性的现象学视角，同时又不否认分析哲学的视角，甚至还认为，两种视角有互补性。[①]例如，在分析哲学的意向性研究中，心身是否能够相互作用，如何相互作用，语义性、心理内容如何与因果性统一起来等问题，一直是较难回答的问题。但如果从现象学角度描述和解释，就有可能消除上述笛卡儿式的形而上学问题。因为在现象学那里，心身不是两种不同的实体，而是两种现象，尤其是，现象学所说的“身体”是对某种意向性形式，如身体觉知的描述。这就是说，如果坚持现象学的观点，上述问题便会迎刃而解。这里我们重点分析吉勒特和马尔帕斯等的融合论。

吉勒特与麦克米兰明确地提出了自己的融合论，其宗旨就是把两种研究意向性的传统调和、结合起来。这里我们可以通过分析他们在意识与意向性的关系、“意向性悖论”和客观性难题等问题上的观点来说明这一点。

首先，在意识与意向性及其相互关系问题上，他们强调：分析哲学和现象学的代表人物，如维特根斯坦和胡塞尔的看法有一致之处。不仅如此，把它们结合起来，更有助于我们认识意识与意向性两概念的实质及其相互关系。例如，拿“意识”一词来说，他们通过对维特根斯坦和胡塞尔等关于意识论述的详细考察，认为：这二人的看法尽管有许多不同，但其基本精神却有一致之处，如都联系对象和意向性来规定意识。[②]其次，他们都关心这样的问题：怎样判断自己和他人是有意识还是无意识的。在这个问题上，维特根斯坦、现象学家和神经病学家之间也存在着一致的看法，如他们都承认可以作出这种判断，而且能回答这类问题的合格的意识理论也是可以建立起来的。[③]

对意向性的规定也是如此。吉勒特等还通过综合两大传统对意向性的规定形成了自己的看法。根据他们的理解，意向性有两个意义，一是有目的性，二是“关于性”。他们认为，第二种理解坚持的是“现象学传统”在讨论意识时所

---

① Smith D W. *Mind World: Essays in Phenomenology and Ontology*. Cambridge: Cambridge University Press, 2004.

② Gillett G, McMillan J. *Consciousness and Intentionality*. Amsterdam: John Benjamins Publishing Company, 2001: vii.

③ Gillett G, McMillan J. *Consciousness and Intentionality*. Amsterdam: John Benjamins Publishing Company, 2001: 9.

给出的关于意向性的定义。[①]对这种定义稍作引申，如把思考对象、关涉对象看作一种与对象的能动的、搜索性的关联活动，即把意向性看作与对象的关联过程、打交道的过程，那么就可以认为，这样予以规定是维特根斯坦、胡塞尔和萨特的共同看法。[②]

在意识与意向性的相互关系问题上，吉勒特等认为，他们提出的不可分离论也是融合两大传统的产物。他们指出："没有意识，我们就不能理解我们获得有内容思想的能力，而如果没有在获得思想内容时我们意向地与之发生关系的对象，意识就是没有用的或空洞的。这种对现象学和意向性的强调意味着：我们的计划在意趣上与大陆传统有许多共同点。"[③]与分析传统的一致当然是毫无疑问的，因为他们本身是分析哲学家。之所以说他们的计划中融合了现象学的思想，是因为他们认为，要理解意识及其内容，必须诉诸意向性，正是由于意向性，意识才有其对象和内容，否则意识就是空洞的、无意义的。反过来，如果撇开了意识，对意向性的理解同样是不可能的，因为只有在意识存在的情况下，人才能有指向对象，进而获得有内容的思想的能力。很显然，这些思想的基本方面都非常接近于胡塞尔的现象学。他们说："胡塞尔的观点是主张意识与意向性有概念的、内在的或先天的关系这一传统观点的组成部分，因此是对意识作出分析的有用的出发点。"[④]

一般都承认：关系的存在离不开两个以上的事物的存在，如 x 与 y 之间要有关系，必要的条件是 x 和 y 都存在。意向性也是一种关系属性，必须有能意指的主体 x 和被意指的对象 y。大多数意向性关系符合这一条件，但也有这样的情况，即有 x，而没有 y。例如，我想到了方的圆。这里被想到的方的圆压根就不存在。但是我确实想到了它，两者之间似乎有意向关系。而根据关系的要求，关系中的要件哪怕缺少一个，关系便不能存在。然而意向性居然被公认为是关

① Gillett G, McMillan J. *Consciousness and Intentionality*. Amsterdam: John Benjamins Publishing Company, 2001: 11.
② Gillett G, McMillan J. *Consciousness and Intentionality*. Amsterdam: John Benjamins Publishing Company, 2001: 13.
③ Gillett G, McMillan J. *Consciousness and Intentionality*. Amsterdam: John Benjamins Publishing Company, 2001: 1.
④ Gillett G, McMillan J. *Consciousness and Intentionality*. Amsterdam: John Benjamins Publishing Company, 2001: 1.

系属性。这怎么可能呢？这就是所谓的“意向性悖论”。[①]在解决这个悖论时，里德完全根据实在论的观点来说明意向关系，即认为只有主体和对象存在才有意向关系可言。不仅如此，他还将这种关系细化，指出其中有三个因素，缺一不可。一是心灵；二是心灵的运作，即用动词表述的活动；三是对象，而且这对象是真实存在的。因为人们在想到可怕的动物并产生害怕的意向状态时，人们想到并害怕的是真实的对象，而不是观念，更不是不存在的东西。[②]这是直接的实在论观点。还有间接的实在论，它认为，心灵借助对象的中介性表征而思考外部对象。另一对立的立场则认为，意向的对象可以是不存在的东西，如独角兽等，还可以是抽象的、理论的实在，如共相等。这些对象尽管在时空中不存在，但也有形而上学的存在性，因此是意向关系得以出现的一个基础。最后一种观点是唯心主义观点：心中所想到的东西只能是观念，如砖、大象等，实际的事物不可能进入心中，为其所思考。

在意向对象问题上，除了上述难题之外，还有一个难题，即如何理解意向对象的本质，如何理解意向对象与外部世界的关系。对此也有三种观点。一是里德的常识实在论观点：我们的意向对象就是实际存在的外部世界。二是康德和休谟等的怀疑论观点：我们对“外在于那儿”的世界究竟像什么没有任何印象或知识，对我们的观念是否相似于外在的东西也没有知识。三是间接实在论观点：我们能知道外在于那儿的东西是什么，其根据是，我们的观念就是这些事物所显现的样子，因为它们相似于真实的对象。这种观点显然是有问题的，因为要知道两者是否相似，必须知道这两者是什么，而我们能知道的只是观念。所以说“相似”是不能成立的。

根据吉勒特等的看法，要解决上述问题，最好的办法是把胡塞尔和作为分析哲学家的埃文斯的有关观点整合起来，然后作适当的改造和融合。为此，他们首先考察了胡塞尔和埃文斯的有关观点。

根据吉勒特等的理解，胡塞尔的现象学肯定内在经验有两种意向相关项，一是意向对象，它把经验统一起来，同时让经验与对象关联起来；二是现实的

① Gillett G, McMillan J. *Consciousness and Intentionality*. Amsterdam: John Benjamins Publishing Company, 2001: 72.
② Reid T. *Inquiry and Essays*. Indianpolis: Hackett, 1983: 14.

对象。胡塞尔的分析还表明：经验为什么具有统一性，以及经验中哪些因素可以作为经验统一体的组成部分，这都是由意向对象决定的。意向内容是意向的，不能还原或等同于现实对象。在主体心理活动中真实的、内在的东西是质素和意向活动内容，而不包含于其中的则是现实对象和意向对象，它们是超越的。在这里，胡塞尔之所以排斥意向对象于内容之外，是因为意向对象是客观的意义，但它决定了意向活动给予一个意向客体的内容。这说明，如果我们能为意向对象找到定位，那么我们就能解决共指称问题和对外部世界的推论问题。在胡塞尔看来，意向对象在意向指向现实对象时限定了现实世界的所指。如果我们在指称和超越个体心灵及其对指称的认知的意向活动之间能发现可靠的联系，那么就解决了意向性悖论。然而胡塞尔并没有完成这一任务。他即使拒绝怀疑主义，但并没有把意向对象与世界关联起来，就像没有说明意识与对象之间的语义或意向关系一样。

吉勒特等认为，分析怪诞的思想有助于化解上述难题。他们说：这种分析“将使我们摆脱在说明意向关系时陷入的僵局”。[①]所谓怪诞的思想，就是关于一个非常奇特的东西的思想，如某人想到了一个奇怪的雪人。在分析这样的事例时，要收到好的效果，一是要正确理解“想到关系或意向关系”，二是要承认在这里存在的某种“事实的联系”。他们认为，所有怪异的思想，包括涉及指向不存在对象的思想，里面肯定有一种关系或联系，即“心灵与意向地理解的对象”的联系。[②]对这种联系，无疑不能用简单的分析方法来分析，如用因果分析的方法就无法说明这里的关系，因为被想到的东西并不存在，或不知道是否存在。因此，“这种关系抵制简单的分析，例如因果分析”。[③]现在的问题是：怎样才能揭示这类思想中所隐含的联系呢？他们认为，要解决这些问题，有必要借鉴利用埃文斯的有关思想。

埃文斯认为，关于特殊个体的思想后面肯定存在着比因果关系更为复杂的关系。对所想到的对象，思想者肯定是亲知的（acquaintance），而在这种对象

① Gillett G, McMillan J. *Consciousness and Intentionality*. Amsterdam: John Benjamins Publishing Company, 2001: 88.
② Gillett G, McMillan J. *Consciousness and Intentionality*. Amsterdam: John Benjamins Publishing Company, 2001: 90.
③ Gillett G, McMillan J. *Consciousness and Intentionality*. Amsterdam: John Benjamins Publishing Company, 2001: 90.

和思想之间存在的关系则是一种“信息关联”（information link），也就是说，某人之所以想到某对象，如不存在的对象或古怪的对象，是因为他有有关的信息。信息组合不同，对象也不同。因此要进一步说明不同思想有什么相同和不同之处，这种不同是如何形成的，还得具体说明“信息”。如果做到了这一点，那么就有办法描述思想和对象的意向关系，更好地说明思想为什么能关于存在的和不存在的东西。埃文斯承认，有两类怪诞的思想，一是以认知为基础的思想，二是指示性思想。在这两种思想中，信息联系都表现得很明显。第一类思想是有格式塔的主体所具有的思想，而格式塔又是基于从对象中所搜集到的信息。指示性思想与人的思想经验有关，得益于我们学习概念的方式。例如，人们在学习和把握一个概念时，总是要从复杂的特征中挑出最典型的特征，它是该概念最重要、最根本的方面。把握了它，就基本上把握了一个概念。而特征又是作为信息集合而出现的。一个人要把握概念的根本特征，就必须有办法、技能从环境中搜集和选择相关信息。总之，根据这种观点，人是由时间、性别、地位等而个体化的。其他的事物则是由时空、形态特征等方面的信息而个体化的。就真实的思想对象而言，获得了我们所面对事物的特征方面的信息，借助我们的判断能力，就有对象出现在我们的思想中，就有关于事物怎样存在于世界中的理解。怪异的思想也不例外，我们之所以想到稀奇古怪的对象，是因为我们与那对象的特定的信息联系。因为人所搜集、选择的信息有真有假，有可靠和不可靠之分，对信息的组合、分解、判断更有真实和胡编乱造之分，所以基于信息联系而形成的对象当然有真实和虚构之别。

在借鉴上述有关思想的基础上，吉勒特等对这一问题也发表了自己的看法。其关于怪诞思想的观点既保留了“信息关联”这一基本概念，又作了一定的发挥。他们认为：怪诞思想和信息联系有这样一些属性。第一，怪诞的思想可能是有根据的，也可能没有。这是因为信息联系使思想者有可能在判断中犯错误。信息联系之所以有这种作用，又是根源于人有犯错误的可能性，以及业已形成的一些限定性规则。第二，信息联系并不包含信息的形成，但可以为信息的形成提供材料。因为信息有概念内容，所以这种材料在本质上也是概念性的。公共的符号和语词在哪里把约束加给概念的内容，在哪里便有限制内容归属的规范。这些规范一定会超出对个体内在状态的描述。第三，信息联系提供了不同的内容，它们有别于构成描述思想的内容，但在主体的概念系统中仍有其地位。这种差别根源于这样的事实，即信息联系一定与对象有关，而描述性思想则不同。信息联系的概念本质意味着：在运用概念过程中起作用的认知技能也会在形成信息联系中进而在形成怪诞的对象构念中起作用。他们说："决定含义（或概念内容）的一切必要的东西不知什么原因也内在于信息联系之中。"[①]

在他们看来，想到某东西（不管它是存在的还是不存在的），绝不可能是空穴来风。一方面是思想者有某种能力，相应地有某种活动，同时确实有被想到的东西，这东西尽管不存在于现实世界之中，但一定在思想者的头脑中有存在地位。因为被想到的东西有其信息，而信息有概念或语言的表达，有这种表达出现，在头脑内就一定有印记。他们把不断想到的东西看作一组概念集合，形象地说，它们在头脑中一定有相应的概念"槽"或"孔"（slot）。比如说 x 想到了一个奇怪的对象即雪人，这时他一定有相应的概念槽，这槽中包含他对下述概念的把握，如（白）（可怕）（似人的）（逃跑）等，它们合在一起就形成了（雪人）这一概念。他们说："说 x 想到一对象 a，就是把概念'槽'归属于他，而关于 a 的构念就存在于这'槽'之中，当然也等于说他有通过与世界的相互作用、运用学习语言时所锻炼出的技能去追踪 a 的能力。"[②]他们还认为，在这类例子里，"意向活动的内容是很明显的，但符合它的例示的存在则不明显，因此'我们知道语词所驻留的邮筒'"（维特根斯坦）。这便产生了一个空间，在这里，意向对象正好定位于我们关于意向对象世界的概念因素之中（胡塞尔），但 x 不能肯定他自己是不是在这种状况之中，也不能肯定它是不是他对之作出反应以满足有关意向对象描述要求的条件。[③]

下面我们再来看看吉勒特对"客观性难题"的解答。客观性难题实即表征难题，在胡塞尔那里表现为超越性问题。而在英美哲学中则表现为认识论难题。众所周知，洛克提出二重经验论以后，许多哲学家开始意识到：人们所得到的关于色声香味等的观念并不是关于外界实在属性的观念。后来，贝克莱把这一

① Gillett G, McMillan J. *Consciousness and Intentionality*. Amsterdam: John Benjamins Publishing Company, 2001: 96.
② Gillett G, McMillan J. *Consciousness and Intentionality*. Amsterdam: John Benjamins Publishing Company, 2001: 97.
③ Gillett G, McMillan J. *Consciousness and Intentionality*. Amsterdam: John Benjamins Publishing Company, 2001: 100.

思想推广到一切属性之上，得出了存在就是被感知的结论。再后来，休谟从根本上否认了人进入客观世界的可能性。康德为了调和这里的矛盾，对现象和物自体作了区分，认为能被认识的不是自在存在的事物，只能是现象。这一系列哲学探索，最终把这样一个哲学难题尖锐地摆在人们的面前：心灵怎么可能把握事物在真实世界中所是的方式？它能否认识事物的真实相状？如果能认识，是怎样认识的？

对上述难题，一般的观点是承认有外在客观世界，并认为它们能被人们认识。而对于如何把握客观性则有不同的看法，但不外有三种答案。第一种观点认为，之所以应断言被知觉的世界有不依赖于心灵的性质，其根据在于：加之于心灵的知觉有“被给予”的因素。第二种观点认为，经验中的规则和关系确保了知觉的客观性。第三种观点认为，世界对于心灵的独立性是根源于知觉的意向性。第一个观点是康德的观点。根据这一观点，被认识到的对象或现象不是纯主观的建构物，而有客观的因素。根据第二种观点，知觉的形成有客观的规则和过程，因此通过知觉所把握到的对象以及所得到的观念也便有其客观性。这在当今的模块性理论中得到了清晰的表达和论证。第三种观点正是吉勒特试图在融合现象学和分析哲学的有关成果的基础上要予以阐发的理论。

吉勒特明确指出：上述问题可通过重新阐发意向性学说而得到回答。当然，有这种作用的意向性学说必须是由他所重新阐发的意向性学说。他认为，“知觉的意向性通过受规则制约的公共词项运用的实践，把内容与主体间性关联起来了”[①]，从而可以化解表征的客观性难题。他还认为，人通过知觉所得到的认识以及相伴随而显现出来的对象具有客观性。尽管不同的人面对同一的对象会看到不同的东西，以至好像不存在同一的或共同的对象，但他仍认为，世界有统一性，对象有同一性。其根源在于：人们的认知能力中有共同的结构，如概念，而概念是在主体与主体的交往中，在交互实践中，在共同的活动中形成的。吉勒特说：“知觉是一种通过与世界发生感性联系而获得概念知识的能力。在知觉中，主体能进入他通过他的思想体系的结构所接触到的东西之中。当然，要做到这

① Gillett G. *Representation, Meaning, and Thought*. Oxford: Clarendon Press, 1992: 200-201.

一点，主体必须利用这样的事实，即他对概念的把握是在与他所进入的情境有内在关联的情境中逐渐形成的。”[①]例如，有两个人，一个是城里人，另一个是捕鹿者。他们走到了森林，看到前面有一个动物。后者问前者：“你看到了鹿吗？”前者说：“我只看到了一个毛茸茸的东西。”后者指着那动物说：“这就是鹿。”经过多次实践，前者终于形成了在不同环境下识别鹿（概念）的能力。这也就是说，经过情境的转换，前者掌握了一种标准，有了这个标准，他就能在各种环境中运用这个概念。可见，概念不是唯我论性质的东西，有外在的所指，而且是在人际的交往实践中形成的。基于这样的分析，吉勒特指出：意向性引起了客观性、共同性难题，但同时又是解开这个难题的钥匙。他说：“概念可用之于主体间可接近的对象，而借助概念形成对世界理解的知觉并不依赖于前概念信息状态。因此我们可以说，在知觉中，我们的思想直接锁定于世界之上（因为世界及其内容就是概念所涉及的东西）。”[②]

吉勒特自认为，他的论述有利于反驳怀疑主义，至少“大大缩小了怀疑论者所盘踞的地盘”。他说：“如果思想是一种与加工符号有关的活动，其功能在于建立与公共的受规则制约的用法的联系，那么知觉就不可能只涉及思想者和世界之间的空洞的近端状态。”[③]

内容与思想密不可分。在思想的本质问题上，吉勒特坚持的仍是融合论思想。他说：“意向性、规范性和结构是思维的固有属性。这就是说，思维能关于自身以外的事物，是受规则制约的……与关于表征的因果说明相反，我像康德一样认为，概念运用与判断有关，我又像维特根斯坦一样认为，这些判断都遵循语词运用的规则，而这些规则是人们在共同的实践中一定会学会遵守的。我已论证过，思维内容与概念的把握进而与自然语言密切相关。这种关联的关键环节就是人类活动中存在的规则和准则。”[④]这里有三点极为重要。第一，思想常常是关于世界上的某物的，对这些思想的描述一定会超出“内在”思想的范围。第二，对思想的准确理解一定有这样的方面，即承认经验内容遵循的是不依赖于主体反应倾向的约束的。一个人如此作出反应的倾向是按正确判断的标

① Gillett G. *Representation, Meaning, and Thought*. Oxford: Clarendon Press, 1992: 191.
② Gillett G. *Representation, Meaning, and Thought*. Oxford: Clarendon Press, 1992: 192.
③ Gillett G. *Representation, Meaning, and Thought*. Oxford: Clarendon Press, 1992: 194.
④ Gillett G. *Representation, Meaning, and Thought*. Oxford: Clarendon Press, 1992: 118-119.

准进行的。这种规范性特征确保了思想内容在推理、理解和行动中的作用。第三，存在着关于个别实在的思想，它所关于的东西一定是外在个别的存在，要说明它的内容不能没有这个个体。

马尔帕斯（Malpas）对戴维森的思想情有独钟，一直专门予以研究，甚至成了戴维森思想的追随者。例如，他十分推崇戴维森的解释理论，并花了很大力气对之进行阐发和发展。与此同时，他对现象学有浓厚的兴趣，并作了深入的研究，还自觉地把它融入自己的理解前结构之中，进而据此阐发戴维森的思想，在此基础上，又回过头来据以重新解释现象学。在许多问题上，他形成了自己融两者于一体的独特的思想。例如，在解释理论中，他把两者结合起来，提出了“视域-意向结构”，以此说明人的解释过程的结构和动力学。

意向性是马尔帕斯关注的一个重要问题。应注意的是，他更多的是在现象学的意义上使用“意向性”一词的。他认为，它有两个含义，即“指向性”与“关于性”。在这里，他的独特之处是把“指向性”与“关于性”两词区分开来了，而不像其他人那样把它们看作同义词。其区别表现在：心理的东西既有指向性，又有关于性，而行动只有指向性。质言之，“意向性”指心理状态“沉浸于”或“全神贯注于”所指向的东西，与它关联在一起，并占有它。

如前所述，马尔帕斯十分关注解释理论。这一态度决定了他的意向性研究，反过来，他的意向性研究又决定了他的解释理论研究，因为他对意向性的重视和研究是由对解释的研究所促发的。在他看来，要说明解释动力学和结构学之类的问题，必不可少的是探讨意向性。因为对意向性的说明，将使对解释过程的动力学说明更加具体，而且它还为说明解释结构提供了条件，因为解释结构依赖于心理现象的根本结构，而心理的东西的本质又决定了解释的本质。一方面，心理王国包含了解释所关注的对象如信念、行动，另一方面解释本身是心理的东西的一部分。总之，意向性概念有助于揭示心理的结构，尤其是解释的过程。

当然，在这个过程中，必然会涉及视域性范畴。在现象学中，视域性与意向性是密切联系在一起的。根据马尔帕斯的理解，视域类似于图式，意向性即指向性、关于性。它们还可结合在一起。一旦如此做了，它们就组成了“意向-视域结构。”

要理解意向性，要根据它去说明解释，还必须认识到意向性与整体论是统一的。在马尔帕斯看来，承认意向性就必然导致整体论，因为意向态度总是有对象的，如要确定信念的内容就要确定它的对象。而分辨信念的对象又必然涉及关于那对象和关于别的对象的其他信念。另外，整体论必然蕴含着意向性概念。没有这个概念，就没有办法让特定的信念从整体的信念网络中区分出来，因为意向性就是对对象的指向性，据此，就有可能从心理的整体中挑选出特定的项目，即根据不同状态的指向性把不同的状态区分开来。

怎样理解意向-视域结构呢？这一概念是马尔帕斯在借鉴胡塞尔的有关思想的基础上所提出的，也可看作是他对胡塞尔有关思想的一种创发性解释。如前所述，意向性和视域性是两个密切联系在一起的概念。前者指的是从一定的基底中分辨出一个形象，而视域性恰恰就是这个基底，那个形象就是相对于它而被分辨出来的。从构成上来说，视域是由一组对象构成的，而这组对象就是特定意向活动的视域。另外，这组对象具有整体论的特征，因此视域性与整体论也有内在的关联。

视域的构成不是凝固不变的，它因活动的类型的不同而不同。视域-意向性结构可根据视觉来分析，即类比于视觉可揭示这种结构。例如，观看面前的桌子，桌子就是观看这样的意向活动的对象，而视域则涉及各种信念和预期。这些信念、预期是观看的人一定会有的，它们包括房间的各个方面、桌子的位置、桌子的构成，另外还有关于观看的人自己的各种预设，如关于他的位置、能力等。

其实，解释活动也有这种意向性-视域性结构。它也可分析为对象和视域两方面。待解释的对象、文本，如对方说出的话语，作者所写的论著等，是解释活动的意向对象，可见，它也有意向性，而视域则是解释者在解释时已有的、已形成的各种信念和预期，亦即解释由以出发的心理图式。而这些心理的东西的视域性又可理解为一种整体论的特性，像意向性结构一样。在解释活动中，有关的意向性和视域性结合在一起，便形成了心理的东西的意向-视域结构。其不同于其他结构的特征在于：它不仅包括现实的可观察的方面，而且预期、预想、假定还会在其中起作用，因此意向-视域结构是由复杂的心理活动所建构起来的复杂的整体。由此所决定，意向-视域结构一定具有不确定性。①

解释活动离不开视域-意向结构。因为不管是解释者还是被解释者，其心理状态、意义、行动都是一种意向-视域结构。正是因为这样，解释者对被解释者的解释才是可能的。解释者有了上述结构，便一方面有明确的指向性，另一方面有解释的条件，因为借助有关在前的图式，如信念、预期，包括对解释者自己和被解释者的信念和预期，解释者就可完成解释。解释之所以可能，还依赖于这样的条件，即说者或被解释者及其话语也有意向-视域结构。任何个体及其信念、话语等都构成了一种局部化的意向-视域系统，而且它还是更大的系统的组成部分。如果说心理王国形成了一个统一体，那么它是包括许多小的统一体的大统一体，即由许多网络构成的网络，在整个网络中，有许多节点，它们可能成为别的网络的中心。

解释中的意向-视域结构既使解释成为可能，同时又使解释具有不确定性。"解释的不确定性"是戴维森解释理论的一个重要结论。它是在借鉴蒯因的"翻译不确定性"原则的基础上提出的。其要点在于：说者所说的话究竟意指什么，可能不存在客观的不变的事实。质言之，不同的人在解释同一话语时，可能产生不同的乃至相互对立的解释。为什么会有这样的现象？这是解释理论本身固有的一个难题。在戴维森看来，不确定性直接来源于心理学整体论。既然命题态度的个体化依赖于复杂的内外关系，而这种关系是不可能彻底认识清楚的，因此对心理、意义的解释必然具有不确定性。正像没有孤立的要素决定语言系统中的一个要素一样，任何心理现象都不可能是由一个孤立的方面决定的。因而在构成那个系统的要素方面的任何变化，必然影响系统的变化。由此所决定，对心灵意义就不存在唯一正确的解释。解释是一种变动不居的赌博性的过程。这也就是说，由整体论特征以及不确定性原则所决定，对心理或其中的某一部分的描述、解释不可能是全面的、完善的。任何解释理论都不可能对心理的东西提供完全的说明。因为解释可以理解为一个因变量，其变数太多，简直无法完全确定。在马尔帕斯看来，如果从意向-视域结构看，这一原则便能获得更好的证明和理解。首先，作为视域以及视域之组成部分的东西，本身是从属于解

① Malpas J. *Donald Davidson and the Mirror of Meaning: Holism, Truch, Interpretation*. Cambridge: Cambridge University Press, 1992: 119-123.

释的。一旦解释的注意力从原来的对象转向视域，那么那个视域本身又会变得可疑，新的视域又会建立。这说明视域本身是暂时的、变动不居的。解释的视域像对象一样是经常变化的。因此，解释必然具有不确定性。其次，说者或被解释者的意向-视域结构本身具有整体论的性质，这种整体论的性质不仅包括他自己的作为解释对象的话语是整体论性质的东西，因为它是一系列话语的一部分，而且还包括他的话语与他的有关的信念、预期组成了更为复杂的系统，更麻烦的是，在说者的意向-视域结构中还包含着这样的信念和预期，它们是关于变化着的世界的，甚至是关于解释者的。所有这些必然使解释者对他的话语的解释具有不确定性。

第十二章 感受性质、意识与认知现象学

感受性质无疑是当今心灵哲学在心理的深掘和地理大发现中所找到的一片“新大陆”。很多人根据大量奇思妙想的思想实验和论证提出，人身上别的一切都可能是物理的，但感受性质则是彻头彻尾的非物理的东西。如果是这样，世界便不能说是完全物理或物质的。随之而来的是一种“新二元论”形态的诞生，即基于感受性质的二元论。当然，唯物主义并未服软，也想方设法同化感受性质这一“反常”，以捍卫一切都是物理或物质的这一基本原则。休梅克评述说：“在过去一二十年中，心灵哲学中的大量争论都卷入了两类似乎对抗的理论之间的斗争。”[①]因为新发现的感受性质有难以言说的特点，所以人们往往从不同的角度、用不同的方式来阐述它，从而就产生了多种多样的表达方式，如感受性质（qualia，单数为 quale）、质的特征或内容、感觉或原感觉（raw feelings）、现象学性质、意识、质的意识或现象意识等。一般认为，最准确和标准的表述是内格尔所说的“经验感觉起来所是的东西”（What it is like to be experiencing），即人在经历一心理状态时所感受到的不同于大脑神经生理过程、心理过程的非物理的、有现象学性质的特征或属性。[②]有充分根据说，这一直是包括心灵哲学

① Shoemaker S. “Functionalism and qualia”. In Rosenthal D(Ed.). *The Nature of Mind.* Oxford:Oxford University Press, 1991: 404.

② Block N. “Consciousness”. In Guttenplan S(Ed.). *A Companion to the Philosophy of Mind.* Oxford: Blackwell, 1994: 210-211.

在内的相关学科的最热门、最富有成就的一个领域。新的进展之一是，人们一般不再完全把上述概念当作一实多名的关系，而在强调它们有差异的基础上，对它们分别展开深度解剖，进而认识到了它们各自更多的细节、构成和结构。新的进展之二是，对思维等过去认为只有意向性特征而没有现象学性质的命题态度究竟有无现象学性质，如果有，它究竟是什么，并展开了新的深入的研究。贝恩（T. Bayne）说："相对于受到密切关注的知觉和情感意识而言，有意识思维过去一直被可怜地冷落了。"当然，现在情况在发生喜剧性的变化。[①]例如，新的对立于传统的"保守主义"的"自由主义"认为，现象学特征不局限于知觉之类的现象，而可以为思维等命题态度表现出来。不仅如此，思维等还有一种专属的认知性现象学特征。

第一节　感受性质研究的兴起与最新发展*

"感受性质"这个词早已有之。据说，皮尔斯（Perice）于1866年创立了这个概念，但直到20世纪20年代，它才转化成了心灵哲学的永恒的具有标杆性意义的论题，其功劳应归属于C. I. 刘易斯。他不仅引入了该概念，而且对之作了自己的阐释，当然并未在当时引起太大反响。他认为感受性质作为直接经验中所与的主观因素，是相对于思维中的解释性或概念性因素而言的。他说："感受性质是主观的，在日常交流中，它们不可名状，但可用'感觉起来之所是'这样的表达式来表示。它们是不可言喻的……这就是说，在指称感受性质时能做的事情是，将它放到经验中，如把它看作是对再现的经验状况或与经验的别的关系的指称。这样的定位并未触及感受性质本身。……对于理解和交流来说，根本的东西不是感受性质本身，而是它在经验中的稳定的关系模式，当它被看作是一客观属性的记号时，这关系模式就是那被隐蔽地述说的东西。"[②]

尽管它已成了心灵与认知研究中出现频率最高的词，专门研究它的论著可

① Bayne T, Montague M (Eds.).*Cognitive Phenomenology*. Oxford: Oxford University Press, 2011: 1.

* 高新民，耿子普.《感受性质发微》,《哲学动态》2017年第6期，第87-95页。

② Lewis C I. *Mind and the World Order: Outline of a Theory of Knowledge*. New York: Charles Scribner's Sons, 1929: 124-125.

谓汗牛充栋，但一些基本问题仍悬而未决。人们除了在继续争论究竟什么是感受性质，其独特特征是什么等焦点问题之外，对过去视作同义词的一系列概念，如感受性质、现象意识、现象学性质等的细微差别展开了具体研究。

澄清其具体意义的一种方式是将它与相近概念加以比较。贝恩等认为，感受性质作为心理状态的一种性质或特征是相对于概念性质而言的。例如，可根据心理状态中出现的因素、性质的显现方式把它们分为两类，“一是经验的、非概念的东西，二是概念的、非经验的东西”。两者都能为人觉知到，只是前者被觉知为显现出来的经验的质，后者被觉知为概念性因素。总之，感受性质是相对于概念而言的性质。[①]另外，感性的特征是直接被经验到的，而思想及其所构成的概念则不是直接被经验到的。思想可以出现在意识流中，但却是间接的。[②]

普特南也赞成这样的区分和阐释，认为感受性质是印象、感觉和情感的显现方式，明显不同于概念出现在心理生活中的方式。他说：“当我们内省时，我们不可能知觉到‘概念’在心理生活中流动。……把‘概念’或‘思想’归属于人的方式是不同于把心理呈现或任何可内省的实在或事件归属于人的方式的。概念不过是内在地指向外部对象的心理呈现。”[③]

与感受性质密切相关的是许多“现象性质”的同源词所指称的东西。它们的修饰词是“现象的”或现象学的，如现象特征、现象意识、现象学性质等。在20世纪末，即在当代感受性质研究最火热也是最初的阶段，人们一般把它们看作是同义词，至少是近义词。如一种观点认为，用来表示新发现的现象性质的词是同义的，如感受性质、原感觉、经验、现象特征等，因为是从不同侧面表示知觉、情感之类的心理现象中共同显现出来的性质特征。相对于概念性心理内容而言，它又有其独特之处。布洛克和内格尔等认为，它的独特之处在于：当处在感知等状态时，有感觉起来所是的东西(there is something it is like to be in a state)。它不同于通达或路径意识。后者的特点是意识内容可自由地为推理、记忆等心理活动接近和运用。最近，因对心的认识不断由浅入深，由粗向细，由抽象向具体，所以一种新的倾向是，对感受性质作刨根究底的探讨，如追问

---

① Bayne T, Montague M (Eds.). *Cognitive Phenomenology*. Oxford: Oxford University Press, 2011: 6.
② Bayne T, Montague M (Eds.). *Cognitive Phenomenology*. Oxford: Oxford University Press, 2011: 7.
③ Putnam H. *Reason, Truth and History*. Cambridge: Cambridge University Press, 1981: 17-18.

究竟什么是感受性质，其独特特征是什么，感觉起来所是的东西究竟是什么，进而探讨过去视之为相近概念之间的差异。

众所周知，经典的说明感受性质的方式，就是内格尔的方式，即根据“感觉起来所是的东西”来加以说明。他认为，在感知不同对象时，经验的形式是一样的，而不同感觉的感受性质之所以不同，完全是由对象的显现方式、特征所决定的，如成为一只鞋感觉起来所是的东西不同于成为一只羊感觉起来所是的东西。有些人对此提出了尖锐批评，如利康认为，这种说明感受性质的短语或方式是“糟糕的、无用的”，其作用是让哲学家陷入混乱和无谓的争论，使本来不清楚的问题更加模糊。[①]新的观点认为，“感觉起来所是的东西”有不同的意义。例如，一种是限制性意义，它指的是感觉和知觉状态（不包括思想）的独特特征；另一种是是非限制性意义，它表示的是一切心理状态甚至包括命题态度及其内容所具有的现象学特征。[②]卡鲁瑟斯等也认为，它有两种用法：一是指“世界感觉起来是什么”，即对于人来说，世界或有机体的身体状态对于有机体来说感觉起来是什么；二是指心理状态感觉起来是什么。如有机体对世界的表征对于有机体来说感觉起来是什么。还有人对其用法作了这样的限制，即认为前者可称作“瘦现象性”，后者可称作“肥现象性”。[③]

再就过去经常用来规定感受性质的“经验”来说，新的倾向是努力对之作出更明确、更具体的限定，不再笼统地把它看作是感受性质的替换说法。一种观点认为，经验是相对于“思想”而言的，如经验到一个对象，就是指通过知觉而非通过思想亲知了它。许多人据此认为，“现象性质”专门用于表示经验，与非经验无关。另一观点认为，经验也可用于思想，即思想也有经验的性质，因为从这个词的广义意义来说，经验指的是意识流的这样的构成因素，即构成成为一生物感觉起来所是的东西中的因素。[④]

就感受性质与意向状态的关系而言，标准的观点是把它们看作是对立的关系，因此可相对于一方来说明另一方。例如，有一种观点认为，感受性质不同

---

① Lycan W. *Consciousness and Experience*. Cambridge: The MIT Press, 1996: 77.

② Georgalis N. *The Primacy of the Subjective: Foundations for a Unified Theory of Mind and Language*. Cambridge: The MIT Press, 2005: 69.

③ Carruthers P, Veillet B. “The case against cognitive phenomenology”. In Bayne T, Montague M (Eds.). *Cognitive Phenomenology*. Oxford: Oxford University Press, 2011: 35-38.

④ Bayne T, Montague M (Eds.). *Cognitive Phenomenology*. Oxford: Oxford University Press, 2011: 10.

于意向状态，或可以说就是非意向状态。从语言描述的角度说，只要一种状态不能用意向习语加以说明时，它就作为经验存在着，就是感受性质。而意向主义或表征主义认为，意向、表征比感受性质更根本，后者可由前者派生出来，因此可用意向习语说明感受性质。它的主要根据是：人们没办法把对对象的描述与对关于那些对象的经验的描述区分开来。泰伊说："现象性质并不在大脑之中。"要想知道感觉起来之所是的东西，人们必须关注那从意向上表征的东西。如此来看，经验并没有它自己的内在的、非意向的质。经验的质的特点完全取决于对象被经验所具有的质的特征。[①]意向主义也可称作表征主义。德雷斯基是表征主义的主要倡导者，他反对把心理生活的意向或表征方面与现象或主观方面区别开来。这不同于现象学。其表现是，表征主义有意回避困难问题。其逻辑是，如果现象性质问题就是意向性问题，那么只要能用因果关系或功能关系说明意向性，那么也可说明现象性质。利康等倡导的跟踪性表征主义也试图对现象意识作表征主义说明，但又有创新。这表现在，它对意识的说明有两个步骤：第一，根据意向性即心理状态的关于性来说明意识；第二，根据对环境的物理跟踪关系来说明意向性。它有三个原则。①每一现象属性同一于某种意向属性，质言之，现象意识不过是一种特殊的意向性。心理状态的表征本质包括了它的现象本质。②关于表征方式的还原论：表征方式是物理或功能属性。③关于意向性的跟踪理论：意向性或是来自一种跟踪关系。

就感受性质究竟是部分心理现象的特征还是全部心理现象的共有特征这一问题而言，标准的观点是，只有知觉、躯体感觉、情绪等部分现象才有感受性质。我们后面要讨论的认知现象学则不赞成这一观点，至少有一部分认知现象学家认为，思维等认知现象有感受性质。而弗拉纳根等则坚持调和的立场，认为有两种意义的感受性质。窄意义的感受性质只为感性经验状态所具有，而宽意义的感受性质可为一切心理状态所具有。这就是说，一切经验都有主观的、第一人称的现象性感觉，如思想、希望、命题态度等都有质的特征。[②]由此，认知现象学认为，困难问题并不是关于经验的非物理对象的存在问题，而是关于

① Tye M. *Ten Problems of Consciousness: a Representational Theory of the Phenomenal Mind.* Cambridge: The MIT Press, 1995: 151.
② Flanagan O. *Consciousness Reconsidered.* Cambridge: The MIT Press, 1992: 67.

主观经验本身的存在问题。

围绕感受性质的新的探讨与争论很多，除了继续争论这样的核心问题即感受性质是否存在之外，当前有这样一些热点焦点问题，如感受性质如果是存在的，那么它指的是什么？怎样对之作出个体化？感受状态的感觉起来之所是由什么所决定？是由外在因素所决定，还是由内在因素所决定？

过去一般认为，感受性质的指称十分明朗，因此对它的理解没有太大分歧，如内格尔所说的“感觉起来所是的东西”就将它的所指准确表达出来了。随着研究的细化，情况发生了新的变化。有些人明确主张，这个词不仅有不同的用法，而且过去所说的现象学性质的东西内部十分复杂，绝不只是由性质显现出来，还有内容、概念、信念、特征等不同构成和维度。就用法而言，有的认为，它还有一种严格的或较强的用法，即指经历一状态或过程感觉所是的东西，或个体经验的独特的质或现象特征或特定的感觉。较宽松的用法是指，对某经验特征有第一人称的观点。此外，还可有这样的用法，即指内在的、可内省的心理殊相或属性。这些属性只能由经验主体接近，不可能通过第三人称方式来把握。它们是独一无二的，不同于意向的、表征的、功能的属性。基于这些对感受性质的规定，有些人认为，感受性质就是关于心灵的逻辑上私人的、第一人称报告的内容。如果要认识这类属性，就应建立专门的关于意识的科学。

既然这里有这样的复杂性，因此当务之急是对过去所用的大量相关概念作出澄清和梳理。过去，人们常用“原感觉”或原感受性质解释感受性质，进而用非表征属性定义原感觉。最近，洛尔对此作了专门研究，反对这种等同，主张感受性质是“被指向的属性”（property-directed），因此也可称作“意向的感受性质”。这样说当然并不意味着对于每一感受性质都有这样的某个性质，它是一个表征所关于的东西。他认为，在不同情况下，同一个感受性质能包含在关于不同性质的表征之中，还可能有这样的情况，如缸中之脑携带感受性质的经验就可能没有表征任何属性。尽管如此，他坚持认为，感受性质基于反省把自己表征为有指向性的东西，即使它们可独立于所有指称属性来设想。[①]

休梅克根据他所坚持的内在主义（详后）对感受性质等概念的界定与关系

① Loar B. “Transparent experience and the availability of qualia”. In Smith Q, Jokic A (Eds.). *Consciousness: New Philosophical Perspectives*. Oxford: Clarendon Press, 2003: 84-96.

也发表了独创性的看法。首先，他也认为不能像过去那样把有关概念视作同义词，认为感受性质既不同于经验，也不同于经验的现象特征。因为感受性质指的尽管是经验中的东西，但由于经验有复杂的构成，感受性质只是其中这样的经验性质，即“让经验处在相同和不同关系中的性质”，因此不能混同于经验。其次，经验不可能从功能上加以定义，而感受性质则可以。如可以用功能术语说，一性质要成为感受性质，必要条件是能用功能术语说明它在决定经验的相同和不同中的作用。如果一性质属于决定经验相同和不同的属性家族中的成员，那么它就是感受性质。[①]很显然，这里强调的仍是内在主义的原则，即感受性质不是由表征性质决定的，而是相反，因为事物的性质如何被表征，主要是由经验的感受性质所决定的。至少可以说，经验中的质的相同性和不同性的部分功能作用就是授予经验以这样的内容，即表征了环境中的相同性和不同性的内容。[②]

从比较上说，休梅克对感受性质的新的理解与洛尔的看法相似，但又有不同。一方面，他承认感受性质有透明性、有指向性；另一方面又坚持内在主义。这就是说，感受性质有表征内容，如在对经验的现象特征进行内省时，所觉知到的东西就是它的表征内容。但这方面的表征内容又独立于经验所表征的客观属性。他不同于洛尔的最突出的地方在于：认为每一感受性质都有它自己构成上的、独立于情境的表征内容，即它表征了一种特殊的质的特征，这就是被觉知性质的一个特殊的主观的方面，这是与情境无关的东西。而在洛尔看来，感受性质表征的东西会随情境的变化而变化。休梅克自认为，他的观点既一致于现象学，又尊重了透明性、表征性直觉。当然，他强调他不同意洛尔的看法，即经验一定有表征内容，即使是幻觉经验也是如此。休梅克认为，经验指称的不一定是外部事物的对应的属性。例如，颜色经验就不一定指称这种经验事实上所指的颜色，因为它可以指不同的东西，颠倒光谱足以证明这一点。另外，缸中之脑有经验，但却不指称现实世界的属性。它们指的是大脑中的东西。[③]总

① Shoemaker S. “A case for qualia”. In McLaughlin B P, Cohen J D (Eds.). *Contemporary Debates in Philosophy of Mind*. Oxford: Blackwell, 2007: 324.

② Shoemaker S. “A case for qualia”. In McLaughlin B P, Cohen J D (Eds.). *Contemporary Debates in Philosophy of Mind*. Oxford: Blackwell, 2007: 324.

③ Shoemaker S. “A case for qualia”. In McLaughlin B P, Cohen J D (Eds.). *Contemporary Debates in Philosophy of Mind*. Oxford: Blackwell, 2007: 325.

之，在感受性质的指称问题上，他不同于洛尔的看法，洛尔认为，感受性质指称了外面的性质，而休梅克的看法是，“所谓的指称一定根源于它对于经验主体的显现”，而这一对经验呈现的依赖使它有别于对外在事物的表征。①

泰伊在概括各种不同理解的基础上阐发了自己的看法。他强调：既然人们对感受性质有不同的理解，因此对它的本质的看法就是不同的。例如，不同人所说的感受性质至少有这样一些不同的所指：①经验的内在的、可内省的属性；②经验的非表征的、可内省的属性；③经验的不可还原的、非物理的属性。丹尼特的感受性质取消论则认为，上述这些理解所说的感受性质是不存在的。泰伊也赞成这一观点。他说：“根本就不存在这类感受性质。在此意义上，应取消感受性质。”这就是说，如果按上述方式理解感受性质，那么他便赞成丹尼特在1988年提出的关于感受性质的取消论。当然，他又认为，感受性质可以有真实的指称，如可用它表示人在对经验作出内省时所觉知到的表征属性。他认为，如果这样理解感受性质，那么“我赞成说有感受性质”。②

但是这样理解感受性质，又让泰伊把感受性质与现象特征区别看待，即站到了标准的传统的观点的对立面。根据标准观点，两者是一个东西。他认为，两者之所以不同，是因为后者指的是经验本身的属性，而前者指的是经验的被内省到的“表征属性”，如在视觉经验中，经验所表征的方、红等属性就是感受性质，而现象特征则是经验本身呈现出来的东西，它不是任何属性，就像语词意义或信念的内容不是属性一样。相对于人的内省、觉知来说，感受性质具有透明性，如当我们有经验时，我们对之内省，就可觉知到经验所表征的红、圆之类的属性。在他看来，只要承认透明性，就不会取消感受性质，也不会取消现象特征。③总之，泰伊的表征主义把现象特征与感受性质区别开来了，认为感受性质就是对象的表征性质或经验的表征特征，如某性质被表征为红、热等，而现象特征就是拥有经验时感觉所是的东西。④

① Shoemaker S. “A case for qualia”. In McLaughlin B P, Cohen J D (Eds.). *Contemporary Debates in Philosophy of Mind*. Oxford: Blackwell, 2007: 325.

② Tye M. “New troubles for the qualia freak”. In McLaughlin B P, Cohen J D (Eds.). *Contemporary Debates in Philosophy of Mind*. Oxford: Blackwell, 2007: 316.

③ Tye M. “New troubles for the qualia freak”. In McLaughlin B P, Cohen J D (Eds.). *Contemporary Debates in Philosophy of Mind*. Oxford: Blackwell, 2007: 316.

④ Shoemaker S. “A case for qualia”. In McLaughlin B P, Cohen J D (Eds.). *Contemporary Debates in Philosophy of Mind*. Oxford:Blackwell, 2007: 319.

有人认为，感受性质之所以是复杂的，是因为伴随它会出现现象信念和概念。这就是说，这里不仅有经验发生，还会有概念性内容。在查默斯看来，现象属性是体现了下述特点的属性，即成为一主体所是的东西，或处在一心理状态中感觉起来所是的东西，而现象信念和现象概念不是语义学实在，而是心理学实在，它们有内容，但本身不是内容。先看现象概念，它是归属现象信念时所用的东西。例如，某人在相信自己有疼痛的现象经验时，一定会把此经验归属于自己，如说“我肯定我有某种疼痛”，而要如此就要用“疼痛”之类的概念。现象概念的内容可用他的双维度构架（第一性内容和第二性内容）来分析。所谓第一性内容，也叫认识上的第一性的内涵。如当概念 A 和 B 的同一是后天的时，那么 A 和 B 便有贯穿在认识上可能的铭文中的不同的、认识上第一性的内容，如果 A 和 B 是两个鲁棒概念，且同一是真的，那么 A 和 B 便有相同的虚拟的第二性内涵。根据这个构架，可以说对象之上的红、作为现象性质的红、共同体的红、纯粹的一般的红有不同的认识内涵，而有相同的虚拟的红。虚拟的红说的是所有世界中的现象的红。共同体的红的认识内涵在特定世界指的是由某些典型对象在主体的主流世界所引起的红，作为现象性质的红指的是那些对象在那个世界的个体身上所引起的性质。

现象信念指的是人们将现象属性归属于自己的过程，或所处的相信自己有某属性的状态。它有命题或表征内容。现象内容是由现象特征和表征内容所决定的，查默斯说：“一知觉经验的现象特征就是有那经验时感觉起来所是的东西。”[①]而知觉经验的表征内容是指那经验的满足条件。例如，知觉有真假、对错之分。它是真是假，取决于世界看起来像什么。当且仅当世界满足了那条件，那么那经验就是真实的。例如，如果树上真的有绿颜色，那么知觉经验所具有的“树是绿色的”这一表征内容便是真实的，反之即为假。总之，“知觉经验的现象内容就是表征内容，而表征内容则是由经验的现象特征所决定的”[②]。

---

① Chalmers D J. “Perception and the fall from Eden”. In Gendler T, Hawthorne J (Eds.). *Perceptual Experience*. Oxford: Oxford University Press, 2006: 49-125.
② Chalmers D J. “Perception and the fall from Eden”. In Gendler T, Hawthorne J (Eds.). *Perceptual Experience*. Oxford: Oxford University Press, 2006: 49-125.

现象属性与表征属性是什么关系呢？哪一个更根本？不外这样几种情况，即定推、等同、还原、不同等关系。查默斯坚持认为，两者的关系是定推关系。定推关系是指每当一事物有一个属性时必然有第二个属性，就可说从前者可定推出后者，具体而言之，对于每一现象属性来说，都有某种表征属性，必然使一心理状态有那表征属性，当且仅当它有现象属性。因此，从现象属性可定推出表征属性。[①]

很显然，查默斯在这里坚持的是关于现象经验的表征主义。其基本观点是：现象属性可等同于表征属性，而表征属性不外是以某种方式表征了某内容的属性。表征主义有还原和非还原之别。查默斯坚持的是后者，认为现象属性可等同于不能完全用非现象术语描述的表征属性。因此，非还原的表征主义是关于表征方式、表征内容的非还原主义。非还原的表征主义不同于还原的表征主义的地方在于：前者主张表征属性不可能是外部事物的属性，不能用大脑的物理和功能属性予以解释。因为真正的表征内容就是像弗雷格所说的“含义”一样的东西。它是关于世界状态的一种条件，表示的是思想视之为真的东西。他说：“非还原的表征主义是更加合理的观点。”[②]而还原的表征主义认为，表征属性是对象的属性，如知觉到一棵树是绿色的，此知觉的表征属性及内容都根源于那棵树。

普林茨强调，过去对感受性质理解确有片面性、局限性，其表现是未能看到其内的，如媒介和内容之类的复杂构成。于是他建议把感受性质放在相关概念关系网络中加以理解。他认为，所谓媒介，即内容和性质的载体，在自然语言中，它表现为被书写的句子中的符号。在头脑内，它表现为心理表征。内容则是媒介所关于或表征的东西。媒介的性质则是此媒介在被意识到时被感觉到的东西，或被感觉的方式，如它是怎样被感觉的，亦即通常所说的现象特征。[③]

---

① Chalmers D J. “Perception and the fall from Eden”. In Gendler T, Hawthorne J (Eds.). *Perceptual Experience*. Oxford: Oxford University Press, 2006: 49-125.

② Chalmers D J. “Perception and the fall from Eden”. In Gendler T, Hawthorne J (Eds.). *Perceptual Experience*. Oxford: Oxford University Press, 2006: 49-125.

③ Prinz J. “The sensory basis of cognitive phenomenology”. In Bayne T, Montague M (Eds.). *Cognitive Phenomenology*. Oxford: Oxford University Press, 2011: 175.

感受性质是物理世界内的现象或性质，还是它之外的东西？这是自这片“新大陆”发现以来一直存在激烈争论的问题。作为感受性质发现者之一的杰克逊一直坚持认为，它是物理世界之外的存在。人们之所以没有看到这一点，之所以否定他的知识论证，是因为人们没有理解知识论证的实质。他与其合作者澄清说：“我们部分地是物理的，这是没有争议的。……问题是：我们是否完全是物理的？关于我们的物理叙述是否是关于我们的完全的叙述？知识论证旨在说明：关于我们的物理或物质的叙事不是关于我们的完全的叙事，因为它遗漏了感觉的部分。”①而物理主义则坚持认为，即使承认有感受性质存在，但也没有理由和必要说它是非物理的。休梅克根据他坚持的物理主义强调，世界上例示的一切属性都一定是由物理的东西所实现的。根据这种物理主义，感受性质不是二元论所说的非物理的属性，而是由物理实在所实现的属性。②为什么是这样呢？根据功能主义，心理的东西都是功能作用，或可用功能术语来描述，如此描述，就是描述它是如何由物理的东西所实现的。感受性质也可用功能术语描述，即被规定为经验的这样的属性，由于它，经验的质上的相同和不同关系得以出现。当然，感受性质具有可多样实现性，如两个物理属性可实现同一个感受性质，不同的感受性质可为同一物理属性所实现。正是有此特点，感受性质才有“颠倒”的问题。休梅克的观点受到了种种责难，如有的人认为，他的观点陷入了自相矛盾。因为如果感受性质是内在的性质，不仅不受外在关系的影响，而且是决定外在关系的力量，那么它就不可能用功能主义方法由因果关系来个体化。而承认感受性质由因果关系而个体化，就是承认了关系的和非内在性的东西的作用，因此就违背了内在主义的原则。③

另一个相关问题是感受性质的个体化问题，即不同的感受性质肯定是不同的，甚至同一个人在不同时间、情境对同一个对象的感受性质可能差异很大，这不同是由什么决定的呢？是由外在环境决定的，还是由内在的属性决定的？很显然，这是意向的内在主义和外在主义争论在感受性质研究中的推广，或者

---

① Braddon-Mitchell D, Jackson F. *Philosophy of Mind and Cognition: an Introduction*. Oxford: Blackwell, 2007: 134.

② Shoemaker S. “A case for qualia”. In McLaughlin B P, Cohen J D (Eds.). *Contemporary Debates in Philosophy of Mind*. Oxford: Blackwell, 2007: 325.

③ Shoemaker S. “A case for qualia”. In McLaughlin B P, Cohen J D (Eds.). *Contemporary Debates in Philosophy of Mind*. Oxford: Blackwell, 2007: 328.

说是这一争论泛化的一个表现。只要留心，就可注意到心灵与认知研究中的这种泛化。许多人不仅将它们推广到内容以外的现象之上，如现象二元论建立了现象特征的内在主义（认为现象特征是经验的内在固有的、不受非经验因素影响的特征），而且还出现了一种最大的放大，即把它们推广到全部心理现象之上，这主要表现在倡导四 E 研究的人的观点中。例如，延展心灵观实际上就是关于全部心理的外在主义或"载体外在主义"。在感受性质的个体化的研究中，最近出现了现象意识内在论与外在论的争论。

感受性质内在主义的基本前提是物理主义，认为如果物理基础不变或一样，那么微观物理方面完全相同的两个人就不可能有不同的现象特征或意识。换言之，如果物理主义是对的，那么现象内在论的论点可归结为这样的观点：微观物理上的两个复制品在内在状态的现象特征方面就不可能是不同的。另外，既然没办法否认现象特征内在于经验这一事实，因此就只能得出感受性质完全由内在状态所决定这一内在主义结论。泰伊把坚持这一观点的哲学家称作"关于感受性质的顽固不化的怪人"。[①]

休梅克赞成这样的内在主义观点：经验完全由内在的东西所决定。其重要根据是：现象特征的相同和不同是内在地被决定的。[②]这种内在的决定因素是天赋的。正如蒯因所说，能知觉的生物一定有其天赋的性质空间。这空间的结构可通过决定该生物作出什么分辨、它有什么类型的认识能力、它倾向于作出什么感应，而得到映射。这结构是由该生物的知觉系统起作用的方式决定的。另外，我们的知觉系统的别的部分决定了事物尝起来像什么、听起来像什么、看起来像什么中的相同与不同。总之，知觉经验及其特征的相同与不同是由知觉系统的结构、运作方式所决定的。[③]这里有这样的情况，即被知觉到的性质的相同与不同与经验中的现象特征的相同与不同并不是绝对一致的。对此，休梅克的解释是：出现这种差异，完全是因为，经验中的相同与不同关系是以一种或另一种方式决定了什么被当作是被知觉事项中的相同与不同。他进而强调：现

---

① Tye M. "New troubles for the qualia freak". In McLaughlin B P, Cohen J D (Eds.). *Contemporary Debates in Philosophy of Mind*. Oxford: Blackwell, 2007: 304.
② Shoemaker S. "A case of qualia". In McLaughlin B P, Cohen J D (Eds.). *Contemporary Debates in Philosophy of Mind*. Oxford:Blackwell, 2007: 321.
③ Shoemaker S. "A case of qualia". In McLaughlin B P, Cohen J D (Eds.). *Contemporary Debates in Philosophy of Mind*. Oxford:Blackwell, 2007: 321.

象特征不是由外在世界的被表征的属性决定的，即不存在外在主义所说的那种外决定内的关系。相反，“内在决定的现象相似性和差异性关系在一定程度上决定了世界上的什么属性和关系被经验表征”。具言之，它们决定了这一点，进而确保现象的相似性与被表征的东西的相似性之间的一致。①

有没有这种可能，即经验中的现象相似性和差异是内在被决定的，但经验的现象特征是外在地被决定的？休梅克认为，他不能说明这一点，只能强调：不同的生物可能有结构上相同的性质空间，但又会在它们的经验的现象特征方面表现出整体的不同。他还认为，个体有何现象特征是由内在的因素决定的，与所表征的属性关系不大。他说：“什么属性被表征不足以决定该经验有何现象特征。”如果是这样，表征主义就是错误的。②

休梅克的内在主义还表现在强调内在的感受性质不仅不由外在事态及其表征所决定，而且反倒是决定表征的因素。他根据蒯因关于内在因素尤其是性质空间决定外在表征的观点作了发挥性阐释。蒯因认为，刺激之上的相同性和差异性关系是由一种性质空间所授予的。同样，质上不同的经验决定了主体的分别行为，而质上相同的经验则决定了主体的再认行为。因此，“一生物基于经验倾向作出的行为完全取决于经验中存在的相同和不同的关系”。质上相同的经验倾向于让主体相信环境中有客观的相同性，相反，质上不同的经验则倾向于让主体产生关于环境中存在着客观差异的信念。而且经验中存在的这类关系也会引起内省信念，如相信内容中存在着有如此关系的经验。③

现象外在论一般是持表征主义的人所坚持的观点，如泰伊就是其积极的倡导者。他说：“只要提出一个关于两个实在的例子，他们是某个可能世界 W 中的微观物理的复制品，但在 W 中两个实在又没有成为现象上的复制品，就足以驳倒上述主张。”④其否定结论是，“经验的现象特征就其本质来说既不是经验的内在特征，也不是非表征属性”；肯定的结论是，“现象特征是某种形式的表征内

① Shoemaker S. “A case of qualia”. In McLaughlin B P, Cohen J D (Eds.). *Contemporary Debates in Philosophy of Mind*. Oxford:Blackwell, 2007: 322.

② Shoemaker S. “A case of qualia”. In McLaughlin B P, Cohen J D (Eds.). *Contemporary Debates in Philosophy of Mind*. Oxford:Blackwell, 2007: 323.

③ Shoemaker S. “A case of qualia”. In McLaughlin B P, Cohen J D (Eds.). *Contemporary Debates in Philosophy of Mind*. Oxford:Blackwell, 2007: 323.

④ Tye M. “New troubles for the qualia freak”. In McLaughlin B P, Cohen J D (Eds.). *Contemporary Debates in Philosophy of Mind*. Oxford: Blackwell, 2007: 311.

容，而且它是一种外在主义的内容”。[①]他的表征主义基本观点是经验的现象特征就是经验所具有的某种表征或意向内容，用公式表示就是现象特征=表征内容。[②]

泰伊认为，这一观点根本对立于把现象特征与意向内容割裂开来的所谓现象二元论。因此，澄清和否证现象二元论就是展现他的表征主义的外在主义的一种绝佳方式。首先，他对现象二元论的怪人论证提出了否定。怪人论证是这样的：假设有一可能世界，那里有一个人是我的微观物理上的复制品。他与我在一切方面都是相同的，唯一不同的是，我们在疼痛时我有感受性质或现象特征，而他没有。这似乎可以说明：现象特征是不依赖于物理基础的。因为如果有依赖关系，那么只要我们有相同的物理基础，当我有现象特征时，他也应该有。其结论是：现象特征是与物理属性没有关系的非物理的、不能还原为物理属性的属性。泰伊设想，这个怪人可具体化为三种情况，一是那怪人对我来说是完全的怪人，二是部分的怪人，三是午餐时的怪人，即在其他时间与我完全一样，包括现象特征完全一样，只是在午餐时他没有我所具有的现象特征。接着，泰伊通过事实和推论说明，不可能存在着不可还原的非物理的现象特征。进而他得出了这样的结论：“如我所论证的，如果现象特征不是简单的、不可还原的非物理的属性，那么就不能有这样的形而上学的可能性，即对于任何个别特定的感受性质 Q 来说，不管它何时被标记，现象性质都得到了标记。”形而上学必然的东西是，不存在这样的形而上学的可能世界，在那里，如某人感觉疼痛但又没有感觉到任何东西，因此主张个别的感受性质是不可还原的非物理的属性的观点就是不能成立的。[③]另外，根据因果有效性的事实也能证明感受性质不可能是非物理的属性。如果它是非物理属性，它就没有任何因果作用。现在，它事实上是有因果有效性的，因此它就不是非物理的。他认为，正是这一因果上的考量“让我们拒绝关于现象特征的二元论”。[④]

经验的现象特征是不是内在的属性？经验的内在主义是否合理？泰伊强

① Tye M. “New troubles for the qualia freak”. In McLaughlin B P, Cohen J D (Eds.). *Contemporary Debates in Philosophy of Mind*. Oxford: Blackwell, 2007: 316.

② Tye M. “New troubles for the qualia freak”. In McLaughlin B P, Cohen J D (Eds.). *Contemporary Debates in Philosophy of Mind*. Oxford: Blackwell, 2007: 304.

③ Tye M. “New troubles for the qualia freak”. In McLaughlin B P, Cohen J D (Eds.). *Contemporary Debates in Philosophy of Mind*. Oxford: Blackwell, 2007: 306.

④ Tye M. “New troubles for the qualia freak”. In McLaughlin B P, Cohen J D (Eds.). *Contemporary Debates in Philosophy of Mind*. Oxford: Blackwell, 2007: 306.

调，这里的“内在”有二义。一指“本质的”，或某物所固有的。一般认为，所谓内在属性，就是一事物所具有的这样的属性，即不管在它之外发生了什么，它都有这一属性，意即如果某物有一属性不受外界的影响，那么它就是内在属性。二指相对于“外在属性”的特点，或随外在属性变化而变化的属性。还有人认为，某物有内在属性完全依赖于它自身，相对而言，外在属性即完全或部分依赖于它物的属性。基于上述的界定，可得出结论说，不同的事物，只要是复制品，就一定有第一种意义的相同的内在属性。泰伊认为，不妨把它称作 P 属性。现象特征是不是 P 属性呢？他的回答是否定的。他的推理如下。假设我有关于一道闪光的个例性的视觉经验，不妨称作 V，这经验即 V 的现象特征肯定不可能完全由内在的东西所决定，而受外在因素的影响。①如果 V 的现象特征是 V 的内在属性，那么它要么是 V 的 P 属性，要么是 V 的内在的不可还原的非物理属性。②不同环境下的几个微观物理的复制品在 P 属性方面是没有不同的。③V 是中枢事件或状态个例。④在培养皿中，V 的微观复制品没有现象特征。从①至④可得出结论说：⑤V 的现象特征不是 V 的属性。因此，⑥如果 V 的现象特征是一内在属性，那么它就是不可还原的、非物理的。但⑦V 的现象特征不是这样。因此⑧V 的现象特征就其本质来说不是内在的属性。[①]

经验的现象特征为什么是它的表征特征？泰伊的回答是，如果不承认现象特征是表征内容，那么就没办法解释这样一些事实。例如，我有关于红色的方形的经验感觉起来所是的东西，与我有关于红色圆形事物的经验感觉起来所是的东西，就有某种共同性。这就是说有些经验有共同性。同样，有些经验之间又有明显的不同。例如，我有关于红色方形和绿色三角形的经验感觉起来所是的东西，不同于我有绿色方形和红色三角形感觉起来所是的东西。他强调，只有承认现象特征或感觉起来所是的东西就是表征内容，才能解释上述经验的相同或不同。根据他的观点，经验的现象特征的相同或不同是由表征内容决定的。他认为，这些事实对于坚持现象特征就是表征内容的人来说都不存在解释上的麻烦，但“对于坚持经验的现象特征是经验的非表征属性的人来说，以及对于

① Tye M. “New troubles for the qualia freak”. In McLaughlin B P, Cohen J D (Eds.). *Contemporary Debates in Philosophy of Mind*. Oxford: Blackwell, 2007: 307-308.

回避感觉材料理论的人来说，则有巨大的难题”①。

与以上密切相关的又一新课题是，意向性与现象性或意识的关系是内在关系还是外在关系？这关系是本质的还是偶然的？这一探讨是意向性与意识关系问题的深化，也是内在主义和外在主义争论的继续。两种理论承认意向性与意识有密切关系，但对这关系的个体化有不同的看法，前者认为，它们的关系是内在地被决定的，就像一符号的内容完全由大脑内的状态所决定一样，与外在事态无关。后者的看法则相反。

根据麦金的媒介论，意识与意向性两者的关系就像表征的媒介和它所表示的信息的关系：一方面，我们有关于经验的媒介，如声音、形状等；另一方面，我们有意义与指称这样的内容。很显然，它们的关系是外在地被决定的，同时是偶然的，即意识仅仅是让意向性偶然居住于其中的媒介，或者说意向内容只是偶然表现于意识之中。既然如此，那么它们就是可以分开来予以研究的。②另一种观点强调意识经验与意向性有内在的、本质的联系，如小斯特劳森就持此论。他强调，意识经验是真正的关于性的必要条件。这是内在地被决定了的。

第二节 意识与感受性质

我们先来扫描当今以心灵哲学为先锋的多学科的意识研究。维尔曼（Velmans）等评述意识研究现状时说：“最近 15 年来，许多学者表现出对意识的强烈兴趣。它的某些特征已开始得到详细理解，而一些令人惊讶、震撼的发现陆续诞生。这种兴趣引起了一个被称作‘意识研究’的新的学科。它是一个表示关于意识的多学科研究的综合性术语，这些学科包括神经科学、心理学、哲学、人工智能、语言学。经过短期的发展，这个领域已变得十分广阔。”其繁荣的表现之一是，已发表了近 60 万项论著。③

毫无疑问，意识已成了一个多学科的研究对象。这些学科尽管目的、方法、

① Tye M. “New troubles for the qualia freak”. In McLaughlin B P, Cohen J D (Eds.). *Contemporary Debates in Philosophy of Mind*. Oxford: Blackwell, 2007: 309-310.
② McGinn C. *The Problem of Consciousness: Essays towards a Resolution*. Oxford: Blackwell, 1991: 35.
③ Velmans M, Schneider S(Eds.). *The Blackwell Companion to Consciousness*. Oxford: Blackwell, 2007: 1.

进路大相径庭，但有共同的问题意识，如都想弄清：意识是什么？在哪里？能做什么？关于意识状态的现象学特征怎样相关于大脑的作用？意识问题可通过经验研究加以解决吗？意识有没有这样的方面，不改变问题的概念化方面就无法予以理解？对这些问题，心灵哲学、认知科学和神经生物学分别形成了各具特色的理论。如心灵哲学理论主要包括五个方面。①各种表征论。②高阶思维论。③多草案模型即解释主义，认为意识只是“大脑中的名誉”，有无意识完全取决于我们说了什么，做了什么。这主要是由丹尼特提出的。在 20 世纪 90 年代，他开始切入对意识本质的研究。其结论是，主流的意识理论具有根本性错误，可概括为“笛卡儿剧场理论”。他自己的正面理论可称“多草案模型”，接近于全局工作空间理论。④感受性质实在论。⑤查默斯的“额外成分战略”。此外，还有塞尔的生物学自然主义（意识是一种生物现象）、麦金的神秘主义、意识的量子力学理论和意识的信息整合理论等。[①]

认知科学在其初创的一定时间内对意识问题漠不关心，因为它创立的初衷是要弄清认知的物理机制、基础等，而意识不属于典型的认知现象。近来，认知科学不仅积极介入研究，而且提出了许多独具特色的理论：全局工作空间理论；杰肯道夫（Jackendoff）的关于意识的“中间层次理论”，即心灵是一种等级系统，里面有高、中、低层次的差别，在每一层次中，里面又有高、中、低的差别，意识就出现在中层的加工系统之中；信息整合论。

关于意识的神经科学理论有，中枢共时性理论，神经元全局工作空间理论，埃德尔曼的再进入理论，等等。因为神经科学的意识研究有哲学的意趣，所以也可称作神经哲学，至少其中包含这样的内容。作为一种哲学，它不赞成这样的观点，即心理学是回答现象意识的种种问题的专门科学，其对现象意识的研究可独立于神经科学这样的科学。神经哲学的基本观点是，这里的专门科学只能是神经科学。由心理学所提供的理论要成为有效的理论，其判断标准就是看它能否还原为神经科学。就神经科学与自然化哲学的关系来说，前者包含于后者之中，是后者的一个子类。因为后者是与自然科学连续的事业，其目的是把神经科学介绍给哲学家，把哲学介绍给神经科学家，促进哲学与神经科学的交

① Velmans M, Schneider S(Eds.). *The Blackwell Companion to Consciousness*. Oxford: Blackwell, 2007: 287.

融。神经哲学对意识的研究集中在三个问题之上，即状态意识问题、传递意识问题、现象特征问题。具言之，有意识的心理状态与无意识的心理状态之间的差异在什么地方？当人有有意识心理状态时，他由此而意识到的是什么？当人有有意识的心理状态时，它表现出的现象特征是什么，根源于什么？

当今的意识研究已形成了许多有自己特色的研究走向，如认知走向、神经科学走向、第一人称走向、心灵哲学中有经验走向和形而上学走向等。就认知走向而言，它主要致力于解决这样的问题，即努力将意识放回到人的信息加工系统中去加以把握，如努力说明：意识出现前有什么加工发生，决定意识是否、何时发生的状态是什么，当它出现时有什么功能。一般来说，认知传统通常从研究注意开始，因为注意是达到人的意识的必经之路。另外，这一走向重视运用比较方法，如把有意识与无意识、前意识的加工与学习、记忆加以比较，尤其重视对有意识与无意识的比较。在这个过程中，所取得的重要成就是发现了认知无意识。它的发现受到了弗洛伊德的启发，但也有不同。弗洛伊德相信，心理现象并非都是有意识的，因为有意识之后或之下还有广大的无意识领域。这部分心理不仅存在着，而且更具根本性，是别的心理的基础、源头、动力。为此，他把他的心理理论称作“元心理学”。这其实是一种关于心灵的结构学、动力学，一种特殊的心灵观。“认知无意识”主要是认知心理学所发现的无意识现象，体现的是当今意识研究的新成果。[①]认知心理学认为：在知觉、记忆、行动中，存在着无意识的、自动的心理过程。阈下知觉这种词就表明了这一点，阈下即微小得难以觉察的，实即是潜意识的过程。阈下知觉指的是这样的状态，刺激的呈现可影响观察者随后的行为，即使刺激没有进入观察者的意识之中。

一些人不满足于各门有关科学孤军奋战、各自为政的混乱局面，而倡导建立能把各种意识研究统一起来的所谓“统一学科”。例如，兰开斯特（Lancaster）提出了“建立关于意识研究统一学科”的构想，并将此作为他的著作第一部分的标题。[②]他认为，当今的意识研究主要有四大走向，即神经科学、认知科学、

① Jervis G. “The unconscious”. In Marraffa M, Caro M, Ferretti F (Eds.). *Cartographies of the Mind: Philosophy and Psychology in Intersection*. Dordrecht:Springer, 2007: 147.

② Lancaster B L. *Approaches to Consciousness: the Marriage of Science and Mysticism.* London: Palgrave Macmillan, 2004: 1.

深层心理学和唯灵论-神秘主义。尽管不只这四个部门在研究意识，但可以说，它们涵盖了研究意识的主要的方法和解释构架。他的目的就是要把它们整合、统一在一起。它们之所以能统一，是因为它们有共同的对象、主题和方法。只要有这种共同性，就有统一的可能性。从科学学的角度看，许多研究领域之所以能组成一个单独的学科部门，就是因为它们有共同的对象、主题和方法。①

其实，现代的意识研究一直存在着分化与融合或扩展与整合两种走向，即一方面是拓展意识研究的视野、疆界，另一方面是整合。例如，1992 年于雅典举行的“科学与意识研讨会”就表现了这一倾向，它不仅提出了建立扩展性科学的理想，而且制定了这门科学的主要原则。兰开斯特不仅不否认这一点，而且对这门统一科学的原则作了概括，如认为主要有 11 个原则。①意识研究不仅应关心意识的界定，而且应描述、研究它的运作方式。另外，在研究意识时，不能只关心客观的材料，更应关心主体的活生生的经验，或经验着的方面。②这门扩展的科学应被设想为一个连续性的活动过程。其参与者包括从事自然科学、人文科学、艺术、神秘主义、宗教实践的各方面的人。这门科学认为，意识出现在很多地方，如创造性、符号、神话、隐喻的运用、历史的观点、跨文化、女性角色等。③这门扩展科学应涵盖、回应一系列人为的二元性或二分性。这种二分性根源于当代科学占主导地位的纲领，主要形式有人与自然、心与身、心与物、女性和男性、观察者和被观察者、科学与价值、归纳与演绎、哲学与科学等。④必须完成这样的转向，即从还原论所导致的碎片、分散过渡到整合，从“要么/或者”思维过渡到“两者/和”思维。应抛弃传统的局域性的、物理的因果关系概念，转向因果关系网络或非局限性相互联系的概念。新科学必须是对新的、多样化、多元化方案开放的科学。⑤应转变关于科学的传统观点，不再只把它看作是追求关于实在的客观真理的事业，而要同时认识到：科学的结论本身是依赖于情境的，所有关于实在的方案都是受价值影响，并指向价值的。应看到科学的限度，应承认内省获得的个人知识在世界观中的地位。直觉作为认知进步过程的重要因素，其重要性必须得到承认。⑥扩展性科学将超出传统

① Lancaster B L. *Approaches to Consciousness: the Marriage of Science and Mysticism*. London: Palgrave Macmillan, 2004: 41.

的界域，延伸至关于存在和情感的质的规定性的领域，既重视定量研究，又重视定性研究。这门拓展性科学应存在于无知和有知之间的领域。⑦新科学不应固守科学主义、教条主义，而应培养根本不同的态度，如对宇宙的敬畏、惊诧、感恩、欣喜的态度由于是科学的出发点因而应得到承认和发扬。在从事科学活动时，应倾听自然的无声语言，让现象自己说话，而不应把我们的假说强加于自然之上。对实验和研究者的自然考察必须成为科学过程的组成部分。唯其如此，对实在过程的描述才能变得全面。⑧在新科学中，科学共同体应担负新的角色，这也就是说，在科学中应反对个体主义，而重视集体的创造性，重视“群体的心灵”的作用，让它们在解决问题的过程中协同作用。⑨对意识的研究必须承认心与身的统一性与内在的一贯的整体性，不丢弃关于整体的人的观点，即坚持关于人的整体论观点。⑩当代科学的基础及其限度应得到所有科学工作者的理解。意识研究应当享有与物理科学一样的地位。⑪新科学作为关于意识和良心的科学将关注科学对个人、社会和整个世界的影响。新科学还应成为行动的科学，即能指导人的行动，并落实于行动之中。[①]

在当今的意识研究中，哲学与科学的意识研究尽管有相同之处，但也泾渭分明。例如，就问题而言，科学的意识研究关心的问题主要是：①是否有不同类型的意识？②意识有无生物学标志？③怎样判断意识出现了？④意识有什么用？而哲学尤其是心灵哲学关心的问题首先是语义学问题。在查明意识多种意义、样式的基础上将重点放在意识的困难问题即现象意识的产生问题之上，如追问哪些心理状态、过程有现象意识？一般认为，只有下述状态有：一是知觉经验，二是躯体感觉，三是被感觉到的反应、情感或情绪，四是被感觉到的心境。有的哲学家认为，下述心理过程也伴有现象意识，如突然对记起了某事的经验，以及理解一故事所伴有的经验等。

意识，至少其中的现象意识，是与感受性质密切联系在一起的一个研究课题，新近对它以及它与感受性质的关系的研究也有极大的发展。这首先表现在，对它的复杂多样的用法的认识又有新的进展。人们之所以重视这一表面上看来没有触及实在本质因而似乎没有什么意义的研究，是因为它触及了意识的多样

---

① Lancaster B L. *Approaches to Consciousness: the Marriage of Science and Mysticism*. London: Palgrave Macmillan, 2004: 57-60.

性、复杂性，有助于帮助我们认识意识内部不同样式的细微差别，所以这一语言分析方法也是揭示意识的复杂关系和内部结构的一个途径。关于意识一词多义性或意识的多样性的最有影响的观点是布洛克的关于意识的四分理论。它把意识区分为四种，即自我意识、路径意识、高阶意识和现象意识。查默斯对此的发展是认为，躯体感觉、关于事物的第一性质和第二性质的知觉以及情感体验等是不同于命题态度的又一类心理现象。其把它们与别的现象区别开来的本质特点则是它们都有“意识”的特点。这里要注意的是，他所说的“意识”有两种用法。一是指“自我意识”“读取意识”（如知道自己有某种心理过程、状态、内容，并可把有关的内容回忆、呈现出来）、“可报告意识”（如意识到某状态，并报告出来）、监控意识（知道自己的状态，并有意识地调节）等。二是现象学意义上的意识，即当下经验到的性质的显现或体验。它既不同于引起此经验的刺激，又不同于在有关经验基础上抽象出的概念。例如，一朵花上的红色，肯定不同于人的红色经验，换言之，用“红”表述的经验肯定不同于人们所说的花上的“红”。同样，人们从红的经验中抽象出了“红”的概念，它有抽象的表征内容，为语言共同体所共有，因此也不同于前两种“红”。这种作为经验的“意识”可用其他许多术语来替换，如“现象属性”“感觉性质”“经验的属性”“有意识的经验”等。[①]

最近有一种看法认为，“意识”一词有 10 种用法。每种用法都是正确的、适当的，没有哪一种是标准的或居统治地位的。例如，形容词“有意识的”就有及物与不及物等多种用法，它们不仅意义是相异的，而且应用范围也不同。有时可用于整个有机体或人，如当一个人昏迷之后可问他是否是有意识的。有时也用于特定的心理过程或状态，如问某人的知觉、记忆是否是有意识的。前者可称作“生物意识”，就是有生命事物作为整体所表现出的意识；后者可称作“状态意识”，就是某个心理状态的被觉知的特点。这两类意识中又有许多不同的意识子类，大致说，各有五类。先看前一类中的五种：有情识、苏醒或清醒、自我觉知或自我意识、现象经验或质的经验、及物意识。后一类中的五种意识分别是：①觉知到自己处在什么状态之中，如当有一信念时，就有处在信念中

① Chalmers D J. “Absent qualia, fading qualia, dancing qualia”. In Metzinger T(Ed.). *Conscious Experience*. Exeter: Imprint Academic, 1995.

的觉知状态；②质的状态，即经验到了事物的质的方面，如尝到了水果的甜味，体验到了牙疼的刻骨铭心的疼痛等；③现象状态，现象指的是事物在经验中的呈现、显现，不完全相同于被经验到的性质，与显现相应，就有关于现象的意识状态；④路径意识，这种意识状态指的是意识的内容可用不同方式被报告和加工，即意识内容可被人接近、处理；⑤叙事意识，在心理生活发生时，人有记录它们的能力，即有自叙事或自传的能力，有意识的状态可看作是能放入叙事中的东西。[①]

从意识所属的主体或要把握的对象来说，它至少有这样的形式：①婴儿、非人动物、成人、机器所具有的意识；②清醒、睡眠、梦中、昏迷中的意识；③疾病、药物导致或改变的意识，禅定意识，神秘经验中的意识，等等；④正常和异常的意识。

心灵哲学随着研究的深入，在研究现象意识时，不再停留于探讨现象意识的特殊性及其心身问题意义，而转向了对它的深度解剖，随之而来的是提出了许多别具一格的问题，如所有者问题（现象意识经验是否为物理有机体所具有）、观点的主观性问题、机制问题、复制品问题（怪人是否有现象意识，或如何解释怪人没有这样的意识）、颠倒问题、缺席问题、透明性问题、统一性问题、裂脑人的意识问题或分裂意识的问题。[②]新的一种倾向是强调，现象意识是有复杂构成的现象，因此不能再简单用一个词笼统予以称谓，而应作必要的概念区分。有的人认为，不应再像过去那样把现象意识、主观特征、有意识属性等当作同义词看待。泰伊认为，现象意识是附属于心理状态的，指的是觉知的活动或过程。而主观特征或质的特征则是经历该状态主观地感觉起来所是的东西。感受性质或有意识的属性是心理状态具有现象特征时授予心理状态的属性。[③]

现象意识的复杂性首先表现在，它有自己新的特殊的对象。这里不妨从维尔曼倡导的“反思性一元论”说起。它介于二元论和还原论之间，是解决意识困难问题的新尝试之一。以对面前的猫的知觉为例。这一理论一方面承认面前

---

① Van Gulick R. “Consciousness and cognition”. In Margolis E, Samuels R, Stich S (Eds.). *The Oxford Handbook of Philosophy of Cognitive Science*. Oxford: Oxford University Press, 2012: 20-23.

② Tye M. “Philosophical problems of consciousness”. In Velmans M, Schneider S (Eds.). *The Blackwell Companion to Consciousness*. Oxford: Blackwell, 2007: 23-35.

③ Tye M. “Philosophical problems of consciousness”. In Velmans M, Schneider S (Eds.). *The Blackwell Companion to Consciousness*. Oxford: Blackwell, 2007: 23-24.

有真实的猫，另一方面又强调，经过大脑的作用，主体面前便出现了一个被知觉到的现象性的猫。关于猫的信息、观念在大脑之内，但现象性的猫超出了大脑的范围，如图 12-1 所示。

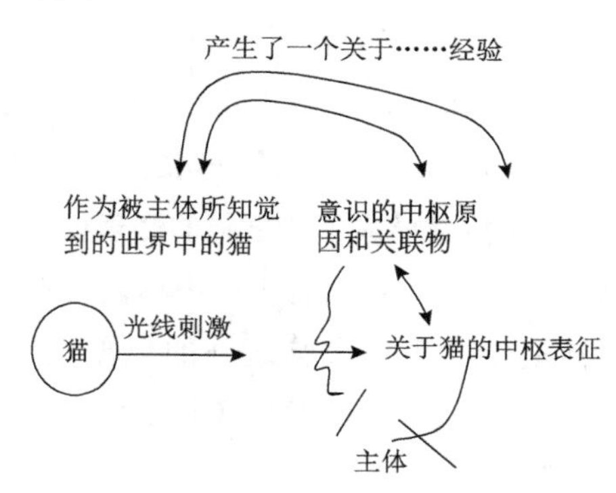

图 12-1　真实的猫与现象的猫的区别

这一理论的"新"主要表现在：①这被经验到的猫有不同于真实猫和头脑中的猫表征的特殊本体论地位；②其定位是不局限于大脑之内，而弥散于主客之间。其与二元论、还原论的区别在于：根据二元论，关于猫的经验只是思维的材料，而这材料是没有空间定位的。根据还原论，关于猫的经验是大脑的状态、属性或功能，它们可定位于大脑之中。在反思二元论看来，这两个模型都错误地描述了主体实际所经验到的猫。它们把面前真实的猫与人经验到的现象的猫混同起来了，以为人经验到的是真实的猫。

由上可知，反思性一元论在现象意识的本来就够繁复的概念体系中又增添了这样两对范畴，即真实对象与现象性对象、真实空间与现象性空间。[①]维尔曼说："我们在我们面前所看到的对象，在一种意义上是'物理的'，在另一意义上，则是'心理的'。"[②]之所以是心理的，是因为它们是显现给我们的对象，而非自在存在的对象。它们的本质在于：这些显现是对象本身的显现，它们以依赖于我们知觉作用的方式显现给我们，因而不再是自在的实在。这些现象的对

① Velmans M. "Dualism, reductionism, and reflexive monism". In Velmans M, Schneider S (Eds.). *The Blackwell Companion to Consciousness*. Oxford: Blackwell, 2007: 349-350.
② Velmans M. "Dualism, reductionism, and reflexive monism". In Velmans M, Schneider S (Eds.). *The Blackwell Companion to Consciousness*. Oxford: Blackwell, 2007: 351.

象及其内在结构是不同于物理学所说的东西的。现象性对象之所以是一种特殊的存在，是因为它们在显现给我们的过程中，增加了主体对之所施加的加工作用。维尔曼说："显现给我们的世界是我们当下以及最近的知觉加工的最终产物，而非这种加工的原因。我们知觉加工的真正的肇始原因是对象或世界本身。"[①]就物理对象与现象性对象的关系来说，前者是后者的一个原因或条件。他说："真实的外部对象（猫本身）是主体视觉系统所分辨的光性能量的源泉。一旦光中的信息被加工时，主体的心/脑就形成了关于猫的心理模型。从外部观察者的观点看，这种心理模型显然表现为主体大脑中的中枢表征形式。而从主体第一人称观点看，这个心理模型则在主体大脑之外的现象空间中表现为现象性的猫。……编码在心理模型中的关于外部对象（猫本身）的信息仍然是相同的，不管从哪种角度去看它。"[②]

在特定意义上，这现象的猫也可被看作是"物理的"，因为这猫就是看起来所是的东西，它看起来所是的方式告诉我们的是关于它实际所是的某些事情。当然，也可以说，这现象的猫是心理的，因为它是心灵构造的产物。就现象性对象的所在地来说，还是以猫为例，"现象性的猫似乎在世界中，即在外边，但现象猫的中枢原因和关联物在大脑中"[③]。经验肯定与大脑有关，但又不局限于此，因为"经验在大脑之外有其位置和外延"。[④]这样看经验，显然是反传统的。传统观点认为，如果经验的中枢原因在大脑中，那么经验也在那里。这实际上是局域性因果模型的反映。其实，物理学已放弃了这种因果观，根据是：电线中的电力能够作为电线之外的磁场的原因，星球之间可远距离相互发挥吸引作用。量子力学认为，非局域性的因果作用无处不在，总之，局域性的、碰碰球式的因果关系模型已不再被看作普遍有效的模型。

与现象对象密切相关的还有现象性空间与真实的空间。反思性一元论不仅承认有现象性对象，而且还提出在现象意识发生时还存在着现象性空间与真实

① Velmans M. "Dualism, reductionism, and reflexive monism". In Velmans M, Schneider S (Eds.). *The Blackwell Companion to Consciousness*. Oxford: Blackwell, 2007: 351.
② Velmans M. "Dualism, reductionism, and reflexive monism". In Velmans M, Schneider S (Eds.). *The Blackwell Companion to Consciousness*. Oxford: Blackwell, 2007: 351.
③ Velmans M. "Dualism, reductionism, and reflexive monism". In Velmans M, Schneider S (Eds.). *The Blackwell Companion to Consciousness*. Oxford: Blackwell, 2007: 352.
④ Velmans M. "Dualism, reductionism, and reflexive monism". In Velmans M, Schneider S (Eds.). *The Blackwell Companion to Consciousness*. Oxford: Blackwell, 2007: 355.

的空间。这两种空间的关系有点类似于现象性对象与真实对象的关系，前者是现象意识发生时现象性对象所依存的场所，后者是真实对象所在的自在的空间。

兰开斯特等指出：过去的意识研究有简单化倾向，如功能主义只注意到里面的功能方面，而现象学只注意到里面的现象特征。其实，意识不止这些方面，里面至少还有这样两方面，即一是意识的被动的现象的质（或它的所是性，its is-ness），二是它的能力的信息的质（它的关于性）。类似的区分还有很多，只是人们用了不同的表述方式而已。如有的强调，现象意识中有这样两方面，即一是经验本身，二是整合性的知道、觉知（借此，经验的内容在自相关情境下得到了解释）。有些人还在此基础上对此作了进一步的区分，如认为它有两种参数，一是可通达性，二是自我相关性。因此，有理由像前面那样说，最近的意识研究真的在里面获得了新的"发现"。

比夏克（Bisiach）认为，如果再把眼光放宽一点，那么可以说意识有三方面，可分别用 C_1、C_2、C_3 加以表示。C_1 指的是对信息的记录、加工、作用的过程或活动。这里的信息也可出现在似人的生物系统中。但他又自相矛盾地认为，有机体没有必要觉知到这些活动。C_2 即对某物的晓得、觉知，如对外部情景、心理状态、行为有明确的知道。这种意识包含意向性，或是与意向性结合为一体的。因为意识总是对某物的关于性。C_3 指没有任何内容的直接觉知，是伴随任何心理活动的主观的或现象的性质。现象经验与 C_1、C_2 相关。C_1、C_2 指的是一系统的某些部分或过程可通达于它的另一些部分或系统。布洛克认为，可通达意识指的是这样的状态，在这里，对内容的表征是有序地形成的，如它们可以被讲说，或可以成为正发生的思维的组成部分。如果一种状态有经验性质，即为现象意识。总之，新的看法是，经验性意识既是现象意识，又有与内容相关的信息意识，或者说有两种质，而不是只有现象的质。当然，不同的人，对它们的具体形式、表现和作用有不同的看法，如表 12-1 所示。

表 12-1　关于现象意识与信息意识的不同看法

倡导者	现象意识	信息意识
巴鲁斯（Baruš̌s）	C_3	C_2
毕士安（Bisiam）	C_1——现象经验	C_2——内在表征的监视
布洛克	现象意识	可通达意识

续表

倡导者	现象意识	信息意识
埃德尔曼	第一性意识：心性地觉知某物	高阶意识：对意识的意识
法辛（Farthing）	第一性意识：对知觉、情感的直接经验	反思性意识：对人自己意识经验的思考
福曼（Forman）	纯意识	无内容
马塞尔（Marcel）	一阶现象经验：感觉起来之所是	二阶觉知：通过亲知的一种觉知
拉奥（Rao）	主词意识	谓词意识
兰开斯特	意识 I：事物之内在	意识 II：通过 I 到达另一种心理状态
斯库勒（Schooler）	基本意识：关于知觉、情感、非反思性认知的经验	元意识：关于意识的再表征，在此意识中，人们解释、描述心灵的状态
瓦伦廷（Valentine）	现象意识	计算的或功能的信息加工的意识①

许多人认为，意识还有两种参数，一是自我，二是可通达性。例如，有这样一个意识，“我意识到了我手上的一支笔”。在这里，关于我的表征和关于我手上的笔的表征之间就出现了一种联系。这两种参数成了当今意识研究的一个焦点。巴鲁斯认为，有的意识可以被通达，而有的意识不能被通达。兰开斯特的看法是：意识有这样的两极，一是某些或别的内容要么是可通达的，要么是不可通达的；二是我要么出现，要么不出现。就前一参数来说，有许多心理内容出现在了心灵的边缘，它们既不是可通达的，也不是不可通达的。就内容与自我的关系来说，在不同时候对自我的经验感知是变化不定的。有的时候，甚至没有我的出现，如甚深禅定就不包含自我感。还有这样的情况，即出现关于无所不包的自我经验，在这里，对我的感知融入了对一个无所不包的统一自我的感知。

兰开斯特的基本观点是，只要是进入意识范围的东西就有与自我、可通达性的关系。就与自我的关系来说，有两种情况：①意识的内容属于我，这只会发生在核心区域；②超出这个区域，有的就是无我的，而有的则进入了全我或无所不包的自我之中。就可通达性来说，也有两种情况，在意识的核心区域，

① Lancaster B L. *Approaches to Consciousness: the Marriage of Science and Mysticism*. London: Palgrave Macmillan, 2004: 68-70.

内容是可通达的，而向外延伸则成了不可通达的。这也就是说，意识的核心区域实即规范的意识状态，亦即一般人都能进入的状态，在这里，有对自我的感知，有对内容的通达。而在意识向纵深、向更大范围的拓展中，自我感和可通达性就极其复杂，有时有自我感，有时有全我感，有时则无。就内容来说，它们不可被通达。

能否概念化，能否对概念形成明确的定义，是判断认识是否发展到较高阶段的一个标准。现今的意识研究不仅追求对意识的准确、明晰的把握、理解，追求意识的概念化，而且试图找到关于意识的科学定义。当然一般人都承认这是非常困难的，因为意识是一种特殊的存在，甚或是多态性的存在，难以包括在已知的上位概念之中。常见的定义、说明模式是，用实体、属性、功能、过程之类的东西来限定要予以说明的对象，而新的看法认为，它们都不适用于意识，如显然不能诉诸实体来定义意识。而诉诸功能之类似乎要么无关，要么不清楚、不明了。尽管如此，人们还是在苦苦探索着，并形成了许多尝试、方案。其中主要有几点。①诉诸功能的说明在今天十分流行，以致形成了所谓的功能主义。其问题是，在说明中遗漏了现象性经验或其内的现象因素。②诉诸“觉知”的定义，其问题是同义反复或循环，且“觉知”的神秘性不亚于“意识”。③现象主义方案。它尽管抓住了意识的关键的方面，但难以自然化。④分析哲学的观点是，“意识”在不同语境下有不同的意义，因此不可能形成关于意识的统一的定义，只能具体情况具体分析。于是，当今最为流行的是各种形式的“意识”多义论。如我们前面说到的布洛克的四重区分论，维特根斯坦等分析行为主义者的及物与不及物意识论等。巴鲁斯基于对语词的元分析，创造性地提出意识有三种不同的意义，他分别用 C_1、C_2、C_3 来表示。我们在前面已有分析，这里不再重复。有的人甚至认为，这种纯粹的没有内容的意识就是与神秘状态连在一起的经验。这当然是有争论的。大多数人认为，存在着没有对象或内容的意识经验，少数人否认这种可能性。

意识有不同形式，如及物意识、不及物意识、路径意识、现象意识、自我意识等，因此自然有这样一个不可回避的问题，即意识有无统一性？从概念上说，能否形成统一的、单一的意识概念？一种观点认为，意识在本质上是统一的；另一种观点认为，意识的统一性是幻觉。贝恩提出了自己的“统一性”理论或“地图学”。它认为，意识是统一的，当然不是通过一种方式，而是通过多种途径统一起来的。这些途径就像把分散的珠子串联在一起的线一样。能统一意识的共有四种统一关系。不同意识状态、形式之所以能组合在一起形成意识统一体，就是因为这些状态内部有统一性关系。

四种统一关系分别是主体统一性、表征统一性、途径统一性以及现象统一性。①主体统一性。当不同意识状态为同一经验主体所拥有时，它们就是主体统一的状态。②表征统一性。指的是表征内容的统一性，其统一的基础或根据是特定的知识对象，只要分散得到的表征内容都是关于同一个对象的，那么它们就能统一在一起。[①]例如，经验到一个对象的色、声、香、味、形状、大小等，最后通过整合，可以组成关于一个对象的统一的经验。③途径统一性。在认知中，有许多“消费系统”，它们各负其责，如意识行为、言语报告、信念形成、知觉范畴化、记忆整合、注意等，但同时又是经验内容到达消费系统的途径。它们是统一的，通过它们，有关内容就进到了主体之中进而获得了统一性。④现象统一性。当经验有一种结合在一起的现象学结构时，它们就成了现象上统一的东西。因为有不同的统一关系，所以关于意识统一性就有不同的构想。贝恩更看重的是“表征统一性”。[②]

著名新现象学家扎哈维根据第一人称的所与性说明了意识的统一性。他强调，两个时间上不同的经验是否属于我，取决于它们是否可以通过同一个第一人称自我所与性来描述，这不是它们是否是不间断的意识流的组成部分的问题。在此意义上，把我过去的经验与我现在的经验的关系比作同一条珍珠项链上的两颗不同珍珠的关系就是一个范畴错误，因为只有当两颗珠子事实上被一个不间断的链条串在一起时，它们才是相同项链的组成部分。

基于当前的论述，我们可以得出结论说，在自我和统一性之间的确有某种关系。自我既不主动地统一经验的分散断片，也不是附加于意识流之上保证其意识同一性的额外要素。关键之点就在于，具有相同的第一性呈现或第一人称自我所与性的经验都是属于我的。换句话说，经验的（历时的以及共时的）统

---

① Bayne T. “The unity of consciousness: a cartography”. In Marraffa M, Caro M, Ferretti F (Eds.). *Cartographies of the Mind: Philosophy and Psychology in Intersection*. Dordrecht: Springer, 2007: 201.

② Bayne T. “The unity of consciousness: a cartography”. In Marraffa M, Caro M, Ferretti F (Eds.). *Cartographies of the Mind: Philosophy and Psychology in Intersection*. Dordrecht: Springer, 2007: 202.

一性是由第一人称的自我所与性构成的。[①]

诺多夫（Noordhof）在现象意识的概念梳理中也作了有益的探索。首先，他不赞成布洛克把现象意识和路径意识看作是两种独立的意识形式的观点，而强调现象意识中包含路径意识。其次，他认为，现象意识、现象特征、觉知并不是同义词，而分别有不同的指称。质言之，现象意识有不同的构成方面，如现象特征和觉知就是它的构成成分。他不否认“感觉起来所是的东西”是现象意识的本质。他界定说：一状态有现象意识，当且仅当处在该状态中有感觉所是的某东西。如果一状态没有这种感觉，就不是现象意识。但这又不意味着现象意识是单纯不可分的东西，也不意味着它就是过去所说的感受性质或觉知。因为根据他的还原分析，它有这样两种因素：一是现象意识内容，或现象内容、现象特征。这个概念反映的是主体经历某过程，如疼痛时感觉所是的任何东西。二是主观的觉知，或主观的意识，即觉知到他所处的状态的现象内容及具体的过程、感受等。如果是这样，则可把主观觉知看作是布洛克所说的四种意识中的通达意识。诺多夫说：“关于通达意识的理论就是关于主观觉知的理论。”[②]

怎样看待过去描述感受性质时常用的“现象属性”呢？诺多夫的看法是，它不是感受性质或现象意识的同义词，而是现象意识中的构成，即它是决定我们心理状态的现象内容的那些属性。如前所述，现象内容是人在经历心理状态如疼痛、感觉到红等时所感觉到的东西，具体可指疼痛的疼、西红柿的酸味、光显现的色彩等。这些内容是由现象属性所决定的，如经验到拍打海岸的波浪时会出现现象属性，这属性决定了我经验的现象内容是拍打海岸的波浪。内容不同于属性。现象内容是显现出的现象特征，而现象属性是经验所关于的对象的属性。例如，在上述例子中，被经验的对象是波浪，属性是拍打。[③]

对现象属性的解释仍是当前研究的重点课题，只是聚焦点发生了一点变化而已。当前的研究主要集中在两个问题上。①能否对现象意识作物理主义解释，或者说，它是否抵制物理主义解释？如果抵制，那是为什么？其焦点问题是解

---

① Zahavi D.“Unity of consciousness and the problem of self”. In Gallagher S(Ed.). *The Oxford Handbook of the Self*.Oxford: Oxford University Press, 2011: 316-335.

② Noordhof P. “Current issues in the philosophy of mind”. In Garvey J(Ed.). *The Continuum Companion to Philosophy of Mind*. London: Continuum International Publishing Group, 2011: 254.

③ Noordhof P. “Current issues in the philosophy of mind”. In Garvey J(Ed.). *The Continuum Companion to Philosophy of Mind*. London: Continuum International Publishing Group, 2011: 254.

释鸿沟问题。②重视对专门的现象意识理论的讨论，如表征理论就是这类研究中的一个焦点。

解释鸿沟问题关心的是，现象属性是否可与物理主义相容？对世界的物理解释与人对自己现象属性的经验、认识（如玛丽看红时新得到的知识）是什么关系？两者是否是根本对立的？是否有不可逾越的鸿沟？另一个重要问题是：解释鸿沟是否意味着本体论鸿沟？查默斯认为，解释鸿沟暴露的是本体论鸿沟，或者说经验的鸿沟存在于我们的知识鸿沟、概念鸿沟之中。最流行的一种解决方案认为，解释鸿沟仅仅只是概念鸿沟。我们关于现象属性的概念的特征足以说明，为什么事实上没有本体论鸿沟，而只有解释鸿沟。这就是物理主义消解解释鸿沟的所谓“现象概念策略”，其内又有多种不同的理论形式。尽管不同人对问题有不同看法，但有一致的观点，如都承认，我们关于现象属性的概念，即现象概念指的就是这些概念所关于的属性。例如，经验到特殊的疼痛，就是关于这些状态的现象概念的标记。简言之，可以找到将鸿沟连接起来的桥梁。其基本论证是：

（1）M 有因果作用 R（这是先天真理）。

（2）A（P）占有因果作用 R（后天真理）。

因此

（3）M=A（P）。

这里的 M 表示的是现象属性，A（P）表示的是能实现现象属性的有物理属性的事物。[①]

对此，反对者针锋相对，提出了这样的否定性论证：

因为不存在先天被知道的对 M 为真的描述，我们不能先天知道 M 有因果作用 R，所以物理主义关于现象属性问题的桥梁理论是不成立的，即不可能找到连接解释鸿沟的桥梁。[②]这就是说，尽管解释鸿沟强调的是存着两类不同的概念，但因为两类概念对应的是两类本体论存在，如一是关于现象心理状态的陈述，二是相关的物理陈述，而前者是不同于关于大脑状态概念的概念，所以它

① Noordhof P. “Current issues in the philosophy of mind”. In Garvey J(Ed.). *The Continuum Companion to Philosophy of Mind*.London: Continuum International Publishing Group, 2011: 256.

② Noordhof P. “Current issues in the philosophy of mind”. In Garvey J(Ed.). *The Continuum Companion to Philosophy of Mind*.London: Continuum International Publishing Group, 2011: 256-257.

们之间找不到沟通的桥梁。[①]

物理主义应对解释鸿沟的又一方案是，通过揭示鸿沟得以产生的认识论根源来探讨化解的办法，如强调，我们对有些关键事实一无所知，因此才有解释鸿沟。一旦认识了这些事实，解释鸿沟就随之烟消云散了。一类无知表现在：对能解释那鸿沟的窄物理属性无知。如果以后的科学认识能弄清这类窄物理属性，那么就能消解解释鸿沟。倡导这一方案的人很多，如麦金、斯图尔加等。当然，他们的看法又有一些不同，分歧在于：对这里的关键事实的无知是永恒的，还是暂时的。斯图尔加认为，不具永久性，而麦金认为，因为认知的封闭性，我们没法理解足以说明把大脑与现象属性关联起来的那个属性，所以解释鸿沟不可能彻底消除。

第三类方案强调，我们需解释的东西是，我们关于具有窄物理属性的事物的经验为什么极不同于这样一些经验，它们被认为是那些具有物理属性的事物？只要我们有办法说明这些差异，我们就能填平解释鸿沟。这一方案的倡导者认为，这是可以做到的。因为这些事物极为不同的理由在于：当我们经验到具有窄物理属性（是它们实现了经验）的事物时，我们就有经验的一个不同的对象，它是那经验所关于的，如拍打海岸的波浪，正是后者体现了有那经验感觉起来所是的东西。[②]

表征主义的目的也是对现象意识特别是其中的现象内容提供解释。要予以解释，不外三种选择，即认为决定现象内容的东西要么是感受性质，要么是表征属性，要么是觉知的非理性的、非表征的关系。[③]表征主义认为，经验的现象内容是由该经验的表征属性决定的，德雷斯基、泰伊等就是这样看的。他们认为，表征就是这样的一类属性，它们使信念有真值条件，使愿望有满足条件，语句有成真条件（truth condition）。进而认为，它们都是说明现象内容的基础。对表征主义的批评主要有两个方面。第一，有这样的事实，即有些经验的表征属性相同，但内容不同；有些内容相同，而表征都不同。第二，信念和知觉都

---

① Noordhof P. "Current issues in the philosophy of mind". In Garvey J(Ed.). *The Continuum Companion to Philosophy of Mind*. London: Continuum International Publishing Group, 2011: 257.

② Noordhof P. "Current issues in the philosophy of mind". In Garvey J(Ed.). *The Continuum Companion to Philosophy of Mind*. London: Continuum International Publishing Group, 2011: 258.

③ Noordhof P. "Current issues in the philosophy of mind". In Garvey J(Ed.). *The Continuum Companion to Philosophy of Mind*. London: Continuum International Publishing Group, 2011: 260.

是以表征为基础的，但它们在内容、形式和主观体验等方面完全不同。

如前所述，当今意识、感受性质研究领域的一个重大变化是，看到了这类现象的复杂多样性，因而不再简单地把它们看作是同义或近义词。如一种观点认为，现象意识不同于感受性质，因为现象意识由现象内容和主观觉知所构成，而感受性质是决定现象内容的东西，如一经验感觉起来所是的东西，是由感受性质决定的，即使没有表征属性，即使没有觉知的任何对象，但只要有感受性质，就会有相应的现象内容呈现出来。[①]尽管它们之间有密切关系，但毕竟是两种不同的东西。

既然现象意识中包含主观的觉知这样的构成，那么该如何予以理解和说明呢？要予以说明，就必须找到人们经验内容的觉知所依赖的条件。不外两种选择：第一，认为对某状态的觉知、意识是内在的事实；第二，认为对某状态的觉知、意识是外在的事实。前者其实是内在主义，或对主观觉知的内在说明。它强调的是，意识的自反特征是我们觉知到的东西的组成方面。根据这种理论，意识、觉知不是经验状态之外或之上的，而是它的组成部分。内在主义者之所以强调这种说明是因为他们相信：无意识状态不能使一状态成为有意识的，然而如果认为高阶状态是有意识的，那么就有无穷倒退的麻烦。后一说明其实是对主观觉知的外在主义说明，其中，又有不同的走向。有的人强调知觉模型的作用。例如，利康说："有意识的心理状态就是受到内省知觉机制审视的状态，无意识的状态则没有这样的审视。"[②]有的人强调高阶思维。例如，罗森塔尔就是如此。

这里还有两个由现象学提出、由比较研究所加剧的问题。第一，现象意识中的觉知是此意识本身的一个本质属性，还是意识进行中额外增加的一个活动？换言之，是前反思性的，还是二阶的、反思性的过程？究竟是像洛克、罗森塔尔等所说的那样，是被观察的心理活动之上的又一活动，还是原来这个心理活动本身的自反特征？第二，有没有纯粹的、什么对象也没有、什么也不观照的纯觉知？对第一个问题，一些从事比较研究的心灵哲学家认为，东西方都有人坚持认为，觉知是心理活动本身的特征。例如，为了说明意识的自反本质，

① Noordhof P. "Current issues in the philosophy of mind". In Garvey J(Ed.). *The Continuum Companion to Philosophy of Mind*. London: Continuum International Publishing Group, 2011: 261.
② Lycan W. *Consciousness and Experience*. Cambridge: The MIT Press, 1996: 14-15.

佛教唯识宗的著名人物法称提出了几个论证。其中主要的一个论证是，烦恼和幸福并不外在于意识，而是我们对外在对象的觉知的组成部分。我们的觉知是和这样的情感形式一同出现的，它是快乐的，不快乐的，或中性的。然而，这一情感必须是注视性的，否则，我们就没法认识对对象的把握感觉起来是怎样的。因为要想不陷入无穷后退的困境，这种注视就不能是另一心理状态的功能，把握外在对象的心理状态同时成了对这种情感的觉知。在法称看来，这一结论强调的是心理状态具有双重本质：①客观的方面，它是外在对象的表征；②主观的方面（见分），它是对这种显现或自我认知的把握。一些比较学者认为，法称的观点近似于西方哲学家这样的观点，即意识隐含着自我意识。这些哲学家包括亚里士多德、笛卡儿、康德、胡塞尔和萨特等。[①]扎哈维的看法更加明确，他说："有意识可以等同于有自我意识。意识就是自我意识。"这就是说，觉知不是二元或二阶的，每个意识都既包含一个基本觉知，又包含另一个与之分离的意识，它在某种意义上不同于前者并以前者为对象。这里所说的自我意识是一种内在的自反性，由于它，每个意识的例示都不仅把握了被它觉知到的那个东西，并且把握了对那东西的觉知。它就像一道光，不仅照亮落入它的范围内的一切别的事物，还使自身成为可见的。这里所说的自反性仅仅是意识对自身的觉知。[②]

对第二个问题，传统的看法是，觉知不可能是纯粹的，只有当有对象或内容显现时，才会有觉知出现。新的观点是，可以出现纯粹的觉知，即不具意向性的觉知、什么也不觉知的纯觉知，就像什么坏人都没照到的探照灯的照耀一样。佛教早就看到了这一点，如强调觉知就其本身而言不完全是意向性的，只有当觉知与概念相结合时，觉知才是意向的。因此，只有在这个词的派生意义上才能说觉知是意向的。最明显的是，甚深禅定中照心就只是观照，它可以什么也没有照到。法称在描述一种禅定形式时说到了这种经验。在这种禅定中，我们清空了我们的心灵而不让它对外部世界完全关闭。在这种域限的觉知状态中，事物显现在我们面前，但我们并没有认识它们。我们只是让它们出现。[③]今

---

① Zelazo P, Moscovitch M, Thompson E(Eds.). *The Cambridge Handbook of Consciousness*. Cambridge: Cambridge University Press, 2007.

② Zahavi D."Unity of consciousness and the problem of self". In Gallagher S(Ed.). *The Oxford Handbook of the Self*. Oxford: Oxford University Press, 2011: 316-335.

③ Zelazo P, Moscovitch M, Thompson E(Eds.). *The Cambridge Handbook of Consciousness*. Cambridge: Cambridge University Press, 2007.

日接受佛教影响并有禅定实践的许多西方学者，如哲学家弗拉纳根、著名神经科学家戴维森等对此是深信不疑的。

第三节　认知现象学及其争论*

这里的“认知”是相对于情感而言的，“现象学”有二义，一是作为一种哲学理论的现象学，二是指人身上实在地表现出的现象学构造或特征或性质，或者说，指作为显现出来的实在的结构或性质的现象学，如思维过程中显现出来的现象学性质及其机理。因此，所谓的认知现象学就有二义，一是指探讨思维等命题态度有无现象学特征的专门的心灵哲学分支，二是指一种不同于感性的现象学特征的特征。根据这一新的看法，现象学特征有两种，即一是感性的、非认知性的现象学特征，二是认知性的、非感性的现象学特征。为了避免混乱，我们在下面的行文中将恪守这样的规范，即在涉及理论时，用“认知现象学”，而在谈论思维等命题态度表现出的特征时，则用“现象学特征或构造或性质”。

一、认知现象学及其可能性根据

根据其倡导者的看法，认知现象学就是专门研究思维等认知状态之现象学特征的一种现象学。要理解这种现象学，首先要知道一般的现象学。D.W.史密斯认为，它“是从第一人称观点把意识作为经验来研究的学问”。[①]而现象学眼中的意识是一个有三重构成的结构：①意识的现象特征，即有关特征在意识中的显现，或如此思维时所具有的、感觉起来所是的特征；②意向性，即通过命题内容或思想指向特定事态的能力；③内在的觉知，即人们借以知道自己如此思维的特征。三种构成的关系是相互关联。例如，有意识思维总是通过它的行为，通过专注它的主体，通达它的意义-内容，而从现象上指向它的对象，在这

---

* 高新民，赵小娜.《思维与“感受性质”：认知现象学的“发现”与探索》，《社会科学战线》2017 年第 11 期，第 11-18 页。

① Smith D W. “The phenomenology of consciously thinking”. In Bayne T, Montague M(Eds.). *Cognitive Phenomenology*. Oxford: Oxford University Press, 2011: 345.

个过程中，它自始至终贯穿着对自己的直接觉知。还应看到的是，每一构成又有复杂构成，如觉知，它包含这样的性质或因素，即现象性、反思性、自我中心性、时空敏感性等。[①]有意识经验的样式有意识感觉、知觉、思维。它们“每一个都有特殊的现象学特征或结构”。[②]这三种形式，一个比一个复杂，如每一个都有感觉到的特点。知觉中有有意识的看的特点，思维除了有这两个特征之外，还有自己不同于纯粹的看的特点。

根据D.W.史密斯的理解，一般的现象学早已在关注有意识思维及其现象学特征。有意识思维有三种形式。①思考人自己正在看的东西。②思考日常事情。③对抽象事物的思考。思维的现象特征与意向性密不可分，因此要把握思维的现象特征，就必须从分析思维的意向性结构出发。他认为，这种结构可用现象学描述的形式简化如下：我想到P。他说：“意向性的形式就是主体、行为、内容和对象之间的关系形式。”[③]其内容是命题，表征的是事态。这种描述承诺了内容和思维行为之对象的差别。而思维行为是思维对象所依之地。在这里，现象学与分析哲学是有区别的。分析哲学关注的思维、信念是倾向性的，而非现实表现出来的思维。而现象学关心的恰恰是后者。既然是后者，它就必定是包含复杂构成因素的整体，如佛教所说的，有见分、相分、自证分、证自证分。如前所述，现象学也强调有主体、行为、内容、对象等。

根据现象学，如果思维内容是命题P、概念之类，那么必然有这样的问题，即什么是命题？它怎样出现在思维之中？它与所表述的事态有无不同？如果命题P能以不同方式把握的对象性样式，那么就需进一步在内容与对象之间作出区分。所谓对象，是思考P时存在于世界中的客观构造，可称作事态或情境。思想的内容则是命题。从表现形式说，可把内容看作是我们意指事态所用的方式，这是一种内在于意识的特征。还可以说，“内容是事态的呈现方式”。[④]

如果说有意向的思维有现象学特征，那么就应关注这种呈现方式。这里有

① Smith D W. “The phenomenology of consciously thinking”. In Bayne T, Montague M(Eds.). *Cognitive Phenomenology*. Oxford: Oxford University Press, 2011: 345.
② Smith D W. “The phenomenology of consciously thinking”. In Bayne T, Montague M(Eds.). *Cognitive Phenomenology*. Oxford: Oxford University Press, 2011: 347.
③ Smith D W. “The phenomenology of consciously thinking”. In Bayne T, Montague M(Eds.). *Cognitive Phenomenology*. Oxford: Oxford University Press, 2011: 349.
④ Smith D W. “The phenomenology of consciously thinking”. In Bayne T, Montague M(Eds.). *Cognitive Phenomenology*. Oxford: Oxford University Press, 2011: 345.

值得注意的现象特征，因为这里有对象的以不同形式出现的呈现或被表征方式。而现象特征与内容密不可分，因为内容不同，呈现方式不同，现象特征亦不同。如有的内容指的是适当的属性或关系，有的内容表征的是属于一个种的属性，有的内容表征的是深层次的本体论关系。[①]

什么使思维成为有意识的？D.W.史密斯认为，有两个因素至关重要，一是意识对象的呈现样式，二是意识行为中呈现的程序性。前者指的是被意指事态的呈现形式，后者指的是思维行为是怎样被经验或被执行的。思维的很多附带特点都是由它决定的。[②]

新生的认知现象学对传统现象学既有继承，又有发展。其发展主要表现在以下两个方面。第一，关注的意识范围大大拓展了，不仅着力关注有意识思维的研究，同时关注一切命题态度。第二，对现象学特征的构成、样式、实质等作了大量新的探讨。其他的发展详后。D.W.史密斯认为，现象学特征指的是经验或意识是怎样被经验的，也就是经验的感觉起来之所是的东西。在这里，他把“what it is like”解释为“what it feels like”。它也可被称作感受性质。有的人把它看作是经验在意识中的显现或出现。质言之，现象性就在于经验对主体的显现，进而把现象性等同于对经验的内在觉知。D.W.史密斯不赞成这种合并，因为有意识经验肯定有其现象特征或现象性。这与觉知无关，因为不管有无觉知，有意识经验都会有其现象特征。他说：“现象特征出现在意识中是内觉知得以知道它发生的可能性条件。”[③]不管这些探讨是否合理，但有一点已很明显，即认知现象学已成了心灵哲学的焦点、热点问题之一。[④]

作为一门心灵哲学分支，这里的前提性问题是：认知现象学是否可能？有无必要、有无可能建立这样的学问？如果有，其根据、基础是什么？该怎样建构？有三类观点：一是认为没有必要建立这样的部门，也不可能建立；二是认为其成立既有必要性，又有可能性，有的认为，事实上已有这样的学问；三是

① Smith D W. “The phenomenology of consciously thinking”. In Bayne T, Montague M(Eds.). *Cognitive Phenomenology*. Oxford: Oxford University Press, 2011: 346.
② Smith D W. “The phenomenology of consciously thinking”. In Bayne T, Montague M(Eds.). *Cognitive Phenomenology*. Oxford: Oxford University Press, 2011: 357.
③ Smith D W. “The phenomenology of consciously thinking”. In Bayne T, Montague M(Eds.). *Cognitive Phenomenology*. Oxford: Oxford University Press, 2011: 359.
④ Bayne T, Montague M(Eds.). *Cognitive Phenomenology*. Oxford: Oxford University Press, 2011: 16-17.

谨慎的观点，即有希望建立这样的学问。

先看肯定的观点。一些人认为，这门学问成立的根据很多，可谓基础扎实。第一，内省。因为内省可告诉人们客观存在着认知性现象特征。既然有此对象，就有可能建立关于它的现象学。第二，现象对比论证。有这样的情况，如两个主体听同一个声音，但他们却有两种大不相同的经验，还有这样的情况，即两个显现的经验在现象特征上有区别，而在认知性特征上没有区别。在这里，如果不承认两种经验有不同的认知性现象特征，就不能解释经验上的差别。[①]第三，自我认知。这一对认知现象学的论证诉诸的是：认知性现象学特征在人的心理生活中有实在的作用，如要说明人们为何能到达有意识思维，为何有如此这般的认识通道，就必须诉诸这种现象学特征。例如，人们要认识自己的身体状态和知觉经验，就必须诉诸对这些现象性质的亲知。既然如此，人们要知道自己的思维之类的认知状态，也必须靠这样的亲知。戈德曼等认为，我们是根据我们所处命题态度的现象特征而认知这些命题态度的。因为人觉知自己的心理状态，既离不开内在的非关系性质，又离不开范畴的、非倾向的性质。而具有非关系和范畴特点的性质正好就是现象学性质。[②]第四，根据基础内容的论证。这一论证试图揭示思想内容与现象性质的内在关系，基本观点是：思想内容是现象性质的基础。既然如此，认知状态有思想内容就一定会派生出现象学性质。[③]

我们认为，心灵哲学中已实实在在地出现了认知现象学这样的分支，并成就斐然，因此再讨论它是否必要、是否可能，就是不必要、不可能的。

作为一个理论分支，其出现首先是根源于意识、现象学特征和意向性研究中新碰到的这样一些问题：有意识思维之类的认知现象是否像福多等所说的那样只有意向性、命题内容，而没有感受性质、现象学特征？如果有，它们是什么？与情感等所具有现象学特征有无不同？思维的现象学特征、构造中有无共同性？有无相似的类别？思维现象学据以构成的核心维度是什么？其中正在争论的困难问题是，有无不同于情感等所表现出的感性现象学特征的认知性现象学特征？思维等命题态度如果有现象学构造或特征，究竟是有感性现象学特征，

① Bayne T, Montague M(Eds.). *Cognitive Phenomenology*. Oxford: Oxford University Press, 2011: 22.
② Bayne T, Montague M(Eds.). *Cognitive Phenomenology*. Oxford: Oxford University Press, 2011: 23.
③ Bayne T, Montague M(Eds.). *Cognitive Phenomenology*. Oxford: Oxford University Press, 2011: 24-25.

还是有认知性现象学特征，抑或两者兼有？

在有意识思维是否有现象学特征这一问题上，正统的观点是持否定看法的。这里的争论不仅涉及它的结构问题，更涉及它的根本本质。正统观点认为，只有有意识经验才有这类特征。而有意识经验的样式是有限制的，主要有这样一些：①五种感官的经验；②各种形式的躯体感觉，如冷、热、软、硬、疼、痒、饥、渴等；③与情绪、情感相关的有意识状态，如恐惧、焦虑、害怕、畏、恼怒等；④音乐艺术表演、某种形式的沉思冥想、意识流中常伴有的经验等。杰克逊等认为，知觉、身体感觉、情感等有典型的现象特征或现象学性质、原感觉。而思维之类的认知状态则没有这一特征。[①]

这一观点受到了各方面的挑战。激进一点的观点认为，有意识思维，即被清楚觉知到的思维就伴有现象学特征发生。另外，在记忆等活动中也常伴有经验。它们的共同之处在于：处在这些状态中有感觉起来所是的某东西，即使尚未形成关于它们的完全充分的概念，但还是有把握对它们作出描述。这也不是说，伴随思维发生的现象学特征与情感所伴随的是不一样的，不存在两类不同的现象学特征。

泰伊等所倡导的是所谓的“保守的观点”。他们明确主张，有意识思维有感受性质，即有现象性的或直接被经验的感觉性质，这是因为它伴随感觉、印象、情感而发生，而这些心理状态正好是感受性质的载体。[②]当然，他们又认为，有意识思维本身没有现象性质。只是因为它伴随着感觉、情感而发生，感觉有现象学特征，所以它才附带地有现象性质。很显然，这一观点不同于前述的激进的观点，故被称作保守观点。这一观点已成了心灵哲学中占主导地位的看法，至少在分析性心灵哲学中是这样。

另一个稍带折中性质的观点就是所谓的自由主义。它认为，有意识思维的确没知觉所具有的那样的现象学特征，不妨把它们称作“感性现象学特征”，但却有一种特殊的现象学特征，即认知性的现象学特征或非现象性的意识，如思

① Braddon-Mitchell D, Jackson F. *Philosophy of Mind and Cognition: an Introduction*. Oxford: Blackwell, 2007: 129.

② Tye M. *Ten Problems of Consciousness: a Representational Theory of the Phenomenal Mind*. Cambridge: The MIT Press, 1995: 4.

维的有意识就是在非现象性的意义上而言的。[①]换言之，有意识思维有一种“特殊的”“专门的”现象学性质，这就是认知现象学的观点，可称作关于有意识思维的“自由”观点。[②]之所以被称作“自由”，是因为它认为现象学特征可超出感性状态的范围。这是一种新生的但影响呈上升之势的理论。

自由主义在现象学构造、特征上似乎有新的发现，即认为有两种现象学特征。一是感性现象学特征。这是感性现象学感兴趣的东西，它只承认并研究感知类的心理状态中的现象学性质。二是非感性的现象学特征，可称作认知现象学特征。它是专属思想的现象学性质，即非感性的现象学性质或纯粹的现象学性质，不同于情感、知觉等所具有的感性现象学性质。它是新生的认知现象学要研究的对象。在自由主义中，小斯特劳森的观点最有代表性。他说：“看红色的经验，现在看起来理解了这个句子的经验，想到人们没有相同的父母的经验……都属于经验过程的大范畴，这经验对于那些拥有它们的人来说都有某种质的特征。”[③]这里关键是不对经验作狭隘的理解。在他看来，经验的范围不仅延伸至感觉、知觉等，而且思维等理性活动中也有经验。既然有经验，就一定有其特定的现象学特征。

还有一种走得更远的观点。它认为，不仅存在着两种现象学特征，即一是感性的、非认知性的现象学特征，二是非感性的、认知性的现象学特征，不仅思维有认知性现象特征，而且情感、知觉和认知性情感等心理现象也有该特征。

先看情绪。情绪状态肯定包含感性现象属性，如体验到伤心就有感觉起来所是的某东西。这里的值得研究的问题是：情绪的现象特征能否用纯感知术语来把握。根据一些人的观点，情绪只能被理解为对我们发生在循环系统、消化系统、内分泌系统中的变化的知觉。还有人认为，情绪有认知构成，但情绪的认知因素又是独立于它们的现象特征的。还有观点认为，情绪有两方面的构成，一是认知状态（如判断），二是非认知的感性情感。很显然，这是一种保守的现象学。另一个相反倾向是自由主义现象学。如有人认为，各种情绪状态如生气、

① Bayne T, Montague M(Eds.). *Cognitive Phenomenology*. “Introduction”. Oxford: Oxford University Press, 2011: 4.
② Bayne T, Montague M(Eds.). *Cognitive Phenomenology*. “Introduction”. Oxford: Oxford University Press, 2011: 3.
③ Strawson G. *Mental Reality*. Cambridge: The MIT Press, 1994: 194.

高兴等，可体现为独特的、非感性的现象性质。还有人认为，情绪应理解为真正的意向状态，当然它们中的特殊的方面可用现象特征来解释，尤其是用所谓的“价值性、情感性现象学”来解释，这种解释学又应看作是非感性的。

再看知觉。这是可以找到认知性现象学特征的又一领域，因为知觉就是把某对象“知觉为……”。这本身表明知觉有认知性，或具有范畴性，即通过知觉把某对象放入某范畴，如“把某活着的事物知觉为一个人”。当然这种认知状态又具有特定的现象特征。作为知觉的认知状态很多，在看、听、嗅、尝、触等知觉活动中都会发生具有现象特征的认知过程，如某人把某物看作是一棵苹果树，等等。其中不可否认的一个活动是，把某物放进某一“高阶”概念或范畴中，如把“一棵树”放到“苹果树”中。但它们有现象特征吗？多数人作了肯定回答。因为这些知觉活动有这样的方面，即经验到某物感觉起来所是的东西。但该怎样理解这些话语呢？是否该用现象术语来理解？许多人认为，只有用有关术语的非现象意义，才能理解上述话语。

最后，在认识性情感中也可找到具有现象特征的认知状态，如伴随知道欲言又止的经验所出现的情感，伴随理解的经验，等等。这些情感状态的独特现象特征与它们的认知状态似乎有直接的关系。戈德曼说：“当一个人想说某事而又找不到词时，他便从现象学上晓得他有一种需要性概念结构，即有这样确定的……内容，它需要得到阐述。而缺失的东西是现象性形式：表达语词的声音。然而，缺少这种感性性质并不表明：在觉知时什么也没有发生。只要有那个概念单元，就一定有一种现象特征，且这现象特征不仅是感性的。”意为拥有那概念结构必然同时有两方面的性质，一是认知性特征，二是感性特征。[①]许多人认为，在上述欲言难开口的情况下，其中包含的经验只能用感性术语来说明，不能用认知术语来说明。根据这一观点，这里有一个缺乏声音表征的空白地带，而经历这空无的同时又有这样的现象特征，即经历那空无感觉起来所是的东西。[②]这就是说，知觉、情感等是否有认知性现象特征在目前还是一个有争论的问题。反对的声音仍很强劲，否定思维等认知过程有现象特征的人认为，只有经验才具有非概念内容，思维则没有这样的内容。同时，只有具有非概念内容的状态

① Goldman A. “The psychology of folk psychology”. *Behavioral and Brain Sciences*, 1993, 16(1): 24.
② Lormand E. “Nonphenomenal consciousness”, *Noûs*, 1996, 30(2): 242-261.

才是现象上有意识的。思维不是这样。卡鲁瑟斯等说:“就知觉而言,不存在认知性现象特征这样的东西。”①

为了证明认知现象学的必要性,其倡导者提出了许多论证。其中突出的有两种。在他们看来,论证认知现象学的可能性、必要性,关键是说明:除知觉等之外,有意识思维之类的命题态度确实有其现象学特征,有这些思想时确实有感觉起来所是的某物。如果能对之提供根据,那么就有理由承认认知现象学。

先看自我知识论证。其主要是根据对我们的怎样获得关于有意识认知状态的直接知识的最好解释来加以论证的,具体是这样展开的:在任何时候,每个人都同时有大量的信念和愿望,但很显然,我们对它们并不是都知晓,也就是说,它们大多是无意识的。但当我们使其中一个成为有意识的时,或当我们有意识地持有一个思想时,我便晓得我正在思想什么。更重要的是,这里的对我们正在思维的东西的直接觉知就是一种知识。如果我们知道了什么东西,那么我们便知道了我们正有意识思考的东西。怎样解释这类自我知识呢?认知现象学倡导者回答说,我们是借助亲历或经验有意识思维的现象特征而知道我们正在思维及所思维的东西的。因此,只要有关于认知状态的知识,就一定有相应的现象性经验。②皮特(Pitt)不赞成这一论证,但对这一论证的要点和逻辑作了较全面准确的再现。他描述说:人们在思维时,可以有意识地、内省地、非推论地直接做三件事:①把发生的有意识思维与别的有意识心理状态区别开来;②把一个人的每一有意识思维与别人的区别开来;③认识到每一有意识思维是有内容的思维。他还认为,这种意识、认知的条件是:人们在进行有意识思维时伴有现象学方面。他说:“除非每一发生的有意识思维都伴有现象特征,否则人们就不能做上述事情。”就是说,“仅仅是因为有意识思维有一种现象特征,它才把自己与别的有意识心理状态区别开来”。③在皮特看来,一个人有关于自己在想什么的知识,其实可看作是一种心理表征,或一种用心理语言所表述的句子,它表达了这样的事实,即某人在想他正在想的东西。而使这事实成

---

① Carruthers P, Veillet B. “The case against cognitive phenomenology”. In Bayne T, Montague M(Eds.). *Cognitive Phenomenology*. Oxford: Oxford University Press, 2011: 52.

② Bayne T, Montague M(Eds.). *Cognitive Phenomenology*. Oxford: Oxford University Press, 2011: 104.

③ Pitt D. “The phenomenology of cognition, or, what is it like to think that P?”. *Philosophy and Phenomenological Research*, 2004, 69(1): 4-5.

为直接知识的东西恰恰在于：这个句子个例不是推理过程的结果，而是一阶思维状态本身的直接结果。正是因为有关过程可靠地产生了表述那事实的高阶语句，人们才想到了作为知识的内容。“因此每种有意识思维都有其专有、唯一的、构成思维之表征内容的现象特征。”①

再看现象学论证。其主要是根据我们自己的经验来证明认知性现象学特征的存在。假如说，我现在想到了太阳在照射。如果我对发生于我身上的感觉起来所是的东西作出审查和评估，我会看到什么呢？能看到的东西肯定有这样一方面，即具有现象学特征的感知状态。这里被发现的现象学特征就是与思想连在一起的听觉或视觉意象，如近于“内部言语的声音”的东西。总之，在思维时，只要人们有对思维的自我审视和观察，就一定会得到关于思维的经验特征。对此，反对者也许会说，这里即使有现象学特征伴随，也只能说是伴随听、看之类的感觉、知觉而发生的现象学特征，而不是思维本身所具有的现象学特征。赞成者回应说：伴随知觉发生的是感性的现象学特征，而这里伴随思维发生的是认知性的现象学特征，两者是不同类的现象学特征。例如，某人小时候学了希伯来文的一些祷告词，后来，在一定的时候也会用这些祷告，可惜并不理解它们意思。当他长大并正式学了希伯来文时，只要他说或想象这些祷告，他就能理解它们的意义。在上述两种情况下，听到祷告且能理解，其感觉起来所是的东西，肯定不同于听祷告而没有理解时感觉起来所是的东西，即两种听的过程中所出现的现象特征肯定是不同的。后者中没有充斥意义理解，前者则包含这一方面。而有这一方面就是有认知性现象特征。赞成者可由此得出结论说：“如果是这样，那么就可看到这样的不同，即伴随对思想及其内容的现象特征的把握，一定有不同于只听到表述那内容的声音时所伴随的现象学特征。”②

莱文别出心裁地提出，自我知识有两方面，一是隐式自我知识，二是显式自我知识。后者是我们在明确地阐述像“我相信某地方很漂亮”这样的元认知思想时所获得的自我知识。某人问我，你是否相信这个地方真的很漂亮，我回答说，我相信。这个回答表明我有对我的信念及其所相信的东西的具体的、第一人称知

---

① Pitt D. “The phenomenology of cognition, or, what is it like to think that P?”. *Philosophy and Phenomenological Research*, 2004, 69(1): 7-8.

② Bayne T, Montague M(Eds.). *Cognitive Phenomenology*. Oxford: Oxford University Press, 2011: 105.

识。它之所以是显式自知，是因为它不是推论出来的。隐式自知不是反思和明确阐释的结果。它是这样的自知，即伴随对思想本身的思想而发生的自知。莱文说："隐式知道自己所想的东西，就是借助理解而想到它。"[①]他认为，它们都有现象学特征。例如，在理解语言意义这样的认知活动中，就可看到现象学特征的存在。他说："当你理解了你对自己所说话的意义时……你实际上以独特的方式说了它，这就是你所分辨到的现象学上的差异。"[②]所谓现象学特征，是广泛存在于一切心理现象之中的特征，可这样表述：处在一种心理状态中感觉起来所是的东西。这一内格尔式的表述强调的是质的特征的显现方式。如疼痛的现象学特征就是疼痛感觉起来所是的方式，视知觉的现象学特征就是视域内的事物看起来所是的方式。它不仅存在于知觉和情绪等非理性现象之中，而且也存在于思维等之中。例如，相信P也有感觉起来所是的方式，其现象学特征就是那感觉起来所是的东西。

当然，莱文承认，不同心理状态所具有的现象学特征是不一样的。大致说，可把现象学特征分为两大类，一是感性现象学特征，二是认知性现象学特征。它们共同的地方在于：其把握、显现方式是亲知，即从现象上被意识到。所谓"从现象上被意识到"实即"显现给"，具言之，就是"有意识主体被经验地呈现了有确定的质的确定的对象"。[③]基于这样的看法，他对现象学特征或内格尔所说的"感觉起来之所是"提出了新的理解。过去常用"感觉起来之所是"来表述现象学特征的实质。莱文认为，这强调的只是现象学特征的显现方式，不是其全总部，还应加上被呈现的东西的特质。他说："现象学特征不只是'感觉起来之所是'，而且更根本的东西是，它是经验中'被呈现的东西'。"[④]他自认为，他的这一看法带有表征主义色彩，即关于现象特征的表征主义。它对立于这样的观点，这观点把现象特征当作"心中的图画"，即被经验到的状态的内在的性质，否认这些状态有意向的、表征的特点。而表征主义则相反。[⑤]

---

① Levine J. "On the phenomenology of thought". In Bayne T, Montague M(Eds.). *Cognitive Phenomenology*. Oxford: Oxford University Press, 2011: 108-109.
② Levine J. "On the phenomenology of thought". In Bayne T, Montague M(Eds.). *Cognitive Phenomenology*. Oxford: Oxford University Press, 2011: 110.
③ Levine J. "On the phenomenology of thought". In Bayne T, Montague M(Eds.). *Cognitive Phenomenology*. Oxford: Oxford University Press, 2011: 111.
④ Levine J. "On the phenomenology of thought". In Bayne T, Montague M(Eds.). *Cognitive Phenomenology*. Oxford: Oxford University Press, 2011: 111.
⑤ Levine J. "On the phenomenology of thought". In Bayne T, Montague M(Eds.). *Cognitive Phenomenology*. Oxford: Oxford University Press, 2011: 111.

二、认知现象学的样式与分类

认知现象学的样式很多。从大的方面说，有两大类认知现象学。这样分类的根据是，对思维的认知性现象学特征的考察有两个维度，一是看这种特征是否纯粹，即它是纯认知性的，还是由别的因素（如感性现象学特征）所派生的，或掺杂着别的特征。二是看认知性现象特征是否具有透明性内容。从每一维度出发又形成了两种理论，属于第一维度的是纯粹认知现象学和非纯粹认知现象学，属于第二维度的是透明性与不透明性现象学。因此，一共有四种认知现象学。

先看纯粹认知现象学和非纯粹认知现象学。前者承认思想也有自己独有的纯粹的现象特征。换言之，其现象学特征不是来自它所依据的感觉材料。它是一种关于纯思想的现象学。它强调纯粹的思想也有其现象学特征，就是说，在人们想到一个有某内容的思想时，即使没有任何感性的现象特征的介入，没有受到感觉经验的影响，那思想中也有感觉起来所是的东西，即有自己独有的、不来自经验材料的现象特征。由于此特征不来自别的东西，是思想自身表现出来的，故被称作纯认知性现象特征。在莱文看来，现象学特征就是某种对象及其性质在主体自心中的呈现，思想因为这样的呈现，所以也有自己独有的、不依赖于感性经验的现象特征。[①]后者强调：只有感知觉、情绪等非理性现象才有现象学特征。思想即使有现象学特征，也不是因为它本身而使然，而是因为它建立在感觉材料的基础上，由于感觉材料有现象学特征，它才表现为有这一特征。质言之，它的现象特征其实不是它自己的，而是属于它所依赖的感觉材料的。两种认知现象学尽管都承认命题态度有认知性现象特征，但后者认为，这种现象特征总依赖于一种感性形式，正是通过这种感性形式，认知现象学特征才呈现于主体。从本质上说，认知性现象学特征其实就是一种以认知方式迂回得到的感性经验，即它是以认知的方式被人体验到的。一个人想到的东西会改变他知觉到的东西显现给他的方式，但不管怎么说，所有现象学特征所包含的是某种感性上被呈现的对象及其性质的呈现。从现象上经验认知内容的方式只能是这个样子，即借助该内容对某种感性呈现的作用。而纯认知现象学认为，

① Levine J. “On the phenomenology of thought”. In Bayne T, Montague M(Eds.). *Cognitive Phenomenology*. Oxford: Oxford University Press, 2011: 113-114.

因为思维等本身有认知性现象学特征，所以主体即使不依赖于感性形式也能独立地经验到认知性现象学特征。

再看透明性与不透明性现象学。前者是强版本，认为认知性现象特征有透明性内容；后者是弱版本，只承认它有非透明内容。所谓透明内容，是指认知状态所关于的东西就是它所关于的东西的“样子”，或它所表征的东西。就像在对红苹果的知觉中，心中所显现的红苹果的逼真的样子那样。例如，在经验到有一个信念时，一定有东西显现给我，这东西就是信念的内容，就像我经验到红苹果是什么样子一样。这样显现的内容是透明的，直接呈现的。其作用是让人了解他正相信、正思考的东西。非透明性认知现象学主张：认知性现象特征没有透明性内容，而只有不透明的内容。对这非透明性内容，人们有不同的理解。一种关于认知性现象学特征的“心理图画观”认为，在相信 P 时确实存在着某种感觉起来所是的东西，但这感觉起来所是的东西是这个相信经验的内在特征，与被相信的东西没有内在必然的联系。另一观点可称作呈现论，认为现象特征在本质上就是呈现，但被呈现的东西不是内容，而是心理状态本身。根据莱文的理解，非透明认知现象学要说的不过是：存在的不只是关于内部言语、意象的感性经验，而且还有许多类似于这种经验的东西，如对基础性心理表征的认知性“倾听”。同理，所有有意识思想，其实就是被呈现了正发生于心灵中的东西。①

从强弱上说，认知现象学有两大类，一是强版本，二是弱版本。前者的主要倡导者有：戈德曼、皮特、霍根和廷森。当然，他们的看法又有细微差别。大致说来，其内有两种形式：①纯粹认知现象学，它承认有不掺杂感性成分的纯思想，但它对立于强调思想是非纯的弱版本；②透明认知现象学，它承认思想有透明内容，但对立于强调思想有非透明内容的弱版本。弱认知现象学是莱文所赞成的观点，也有两种形式：①非纯认知现象学，强调有非纯的思想，即认为思想中有现象学特征；②非透明认知现象学，强调非透明内容。在莱文看来，两者是一致的，可结合在一起，即组成非纯粹的、有透明内容的认知现象学。它能得到现象学论证的支持，而强版本得不到这样的支持，因为“认知内

① Levine J. “On the phenomenology of thought”. In Bayne T, Montague M(Eds.). *Cognitive Phenomenology*. Oxford: Oxford University Press, 2011: 113-114.

容使自己显现于有意识主体的唯一方法只能这样实现，即通过影响某种感性杂多显现所用的方式”。[①]

也有人从强弱上把认知现象学分为限制主义与扩张主义。这两种理论都是相对于传统的保守主义而言的。保守主义认为，意识只能聚焦于感性经验，完全限制在知觉的范围之内，不能超出知觉的范围，不会成为思维等认知状态的觉知方式。换言之，现象学特征只会出现在知觉、情感等心理状态之中，不会出现在思维等命题态度之上。

扩张主义是激进的认知现象学，认为意识可超出知觉范围而把握认知状态，如意识到思维之类的认知状态，而这些状态不同于感知经验之类的感性状态。另外，扩张主义也是关于现象特征的扩张主义。它认为，认知现象特征不仅是知觉经验的特征，而且可以成为思维等认知状态的特征，如它断言：认知性心理状态有不同于各种有纯感性内容的状态的现象学特征。[②]

应看到，扩张主义内部是有分歧的，如有的坚持自由主义。它认为一切认知状态都有现象学特征。这种现象学特征同知觉所表现出的现象学特征是一样的，不存在只为思维等独有的现象学特征。而“认知现象学的节俭论”则认为，生理学上正常的人都有相同外延的现象特征，在每一种现象特征中，又有相近的样式。之所以称为认知现象学的节俭论，是因为有这样的有限制的主张，“现象特征是标准的经验论说明中的附带的东西”，即种种添加物。作为添加物的现象特征不同于别的添加物的特点在于：这些添加物是依赖于对我们自己经验的充分说明的。[③]这就是说，认知状态中，有些有现象特征，有些没有。如怀疑和惊诧涉及的可能是已过去的某些经验，在这些状态中，不可能有情绪出现，因此就不可能有伴随它们的现象特征。相反，确信或渴望则有其现象特征，因为它们发生时有情绪伴随。质言之，思维之类的认知状态本身没有现象特征，其中的有些之所以有现象特征，是因为它们伴有情绪、情感的发生，而情绪等一定有现象特征。[④]

① Levine J. “On the phenomenology of thought”. In Bayne T, Montague M(Eds.). *Cognitive Phenomenology*. Oxford: Oxford University Press, 2011: 116.

② Bayne T, Montague M(Eds.). *Cognitive Phenomenology*. Oxford: Oxford University Press, 2011: 181.

③ Robinson W S. “A frugal view of cognitive phenomenology”. In Bayne T, Montague M(Eds.). *Cognitive Phenomenology*. Oxford: Oxford University Press, 2011: 196.

④ Robinson W S. “A frugal view of cognitive phenomenology”. In Bayne T, Montague M(Eds.). *Cognitive Phenomenology*. Oxford: Oxford University Press, 2011: 202.

自由主义认知现象学和节俭论认知现象学的不同还表现在对突然领悟或“突然认识到”（sudden realization）提出了不同的解释。这类现象很常见，是经常发生在人们身上的客观经验事实，如在困惑了一段时间后，某人突然领悟了别人所说的某句话。另外，许多笑话也依赖于对场景（scenario）所暗含的意义的顿悟。但问题是，该怎样予以解释呢？它对证明认知性现象学特征有什么作用？自由论认知现象学认为：这是一种理解，当然是有意识的、以现象学方式呈现的理解，这理解既不是根源于意象的东西，也与情绪状态的变化无关，而是现象本身所具有的。节俭论则认为：这些突然领悟中正发生的、从现象学上出现的东西，要么与意象有关，要么是情绪的变化。①它赞成自由论的这样的观点，即突然领悟之前和之后的现象学状态是有明显不同的，并提出了不同的说明。节俭论认为，这种不同就是意象和情绪上的不同，而自由论认为，思维的现象学上的不同与意象、情绪无关，它本身有现象学特征。节俭论不赞成说“任何形式的现象学因素不会出现在突然领悟的那一刻”。②“突然领悟那一刻发生的东西正好是节俭说明中发生的东西。”就是说，自由论认为，除了意象、情绪有现象学特征之外，还有新的现象学特征。而节俭论否认这一点，是故坚持了如无必要勿增实在的节俭原则。③赞成节俭论的人很多。内尔金（Nelkin）说：“存在着命题态度，而且我们有时能非推论地意识到我们的命题态度。但是这种意识不会感觉起来像某事物。因此命题态度和关于它的意识没有现象学属性。”④泰伊也认为，命题态度本身没有感受性质，它们表面上具有的感受性质，其实是由伴随它们发生的感觉、情感、印象所携带的。只有感觉才是感受性质的真正的载体。⑤

怎样看待认知状态的感受性质？这里所说的认知状态即非知觉的、非情绪的状态，其范围很广泛，除思维等之外，还包括好奇、惊诧、相信、记住、预

① Robinson W S. “A frugal view of cognitive phenomenology”. In Bayne T, Montague M(Eds.). *Cognitive Phenomenology*. Oxford: Oxford University Press, 2011: 203.
② Robinson W S. “A frugal view of cognitive phenomenology”. In Bayne T, Montague M(Eds.). *Cognitive Phenomenology*. Oxford: Oxford University Press, 2011: 203.
③ Robinson W S. “A frugal view of cognitive phenomenology”. In Bayne T, Montague M(Eds.). *Cognitive Phenomenology*. Oxford: Oxford University Press, 2011: 203.
④ Nelkin N. “Propositional attitudes and consciousness”. *Philosophy and Phenomenological Research*, 1989, 49(3): 430.
⑤ Tye M. *Ten Problems of Consciousness: a Representational Theory of the Phenomenal Mind*. Cambridge: The MIT Press, 1995: 4.

言等。扩张主义特别是其中的自由主义认为，它们也有像知觉等一样的质的状态，因为这种质的状态自成一类，所以可称为“认知的感受性质”。这种感受性质是什么呢？希尔兹（Shields）的看法是：“它们以可认同和可重复的方式表现为这样的情感，如困惑和高兴时感觉起来所是的东西，渴求或厌恶时感觉起来所是的东西。”①认知现象学尽管都承认认知状态本身具有感受性质，但有不同的倾向。一种倾向承认各种认知状态有内在的质的特征，但不承认它们本质地具有这些特征。另一种倾向强调：认知状态既内在地有现象状态，又本质地、必然地具有这些特点。而希尔兹的更强的版本认为，这里的本质论是更强的本质论。②对此，他提出了所谓的关于认知感受性质的“平价”（parity）论证，即不需太大代价的论证，亦即一种简单性论证。可这样表述：“如果人们有理由承认某些心理状态有质的特征，那么人们同样有理由承认认知状态也有这类特征。”“既然认知感受性质有别的非认知的质的心理状态所具有的标记，那么便可说：从质的观点看，认知感受性质相同于别的质的状态。”③

普林茨的“限制主义”也不同于保守主义。其核心原则是：“一切意识都是知觉性的。”他认为不仅认知状态不能为意识接近、通达，连高阶知觉状态和运动控制也是这样。如果是这样，思想是怎样为自己所知晓的呢？他回答说：“我们思想的被感受到的性质完全是由于承诺了感性意象的结果。”④

为什么说概念、思想不能成为意识的对象？以概念为例，它本身是不能被意识的，通常说它是有意识的，其实不过是利用了感性印象这样的手段和途径。普林茨说：“概念是借助没有独特认知性现象学特征的感性印象而成为有意识的。”⑤上述说法也适用于思想。他说：“我们能通过形成关于思想所表征的东西的印象而使思想成为有意识的。”很显然，限制主义不同于扩张主义，因为后者认为思想能不需中介环节直接为意识所把握，如用不着相关的意象的帮助。而

---

① Shields C. “On behalf of cognitive qualia”. In Bayne T, Montague M(Eds.). *Cognitive Phenomenology*. Oxford: Oxford University Press, 2011: 218.

② Shields C. “On behalf of cognitive qualia”. In Bayne T, Montague M(Eds.). *Cognitive Phenomenology*. Oxford: Oxford University Press, 2011: 220.

③ Shields C. “On behalf of cognitive qualia”. In Bayne T, Montague M(Eds.). *Cognitive Phenomenology*. Oxford: Oxford University Press, 2011: 227.

④ Prinz J. “The sensory basis of cognitive phenomenology”. In Bayne T, Montague M(Eds.). *Cognitive Phenomenology*. Oxford: Oxford University Press, 2011: 174.

⑤ Prinz J. “The sensory basis of cognitive phenomenology”. In Bayne T, Montague M(Eds.). *Cognitive Phenomenology*. Oxford: Oxford University Press, 2011: 183.

限制主义则提出了严格的限制，即思想的被认知或意识，其实是离不开相关意象的帮助的。[①]如果说思想离不开语词意象，那么这不是说思维由语词意象构成，而只是说，语词意象常常是思维在意识中呈现给我们所用的方式。[②]

限制主义不否认思维有现象特征，但又认为这现象特征其实不是思维本身所具有的，而是因思维依赖于感觉的东西而有的。因为感性的东西有现象特征，所以当它们成为思维材料时，也便把现象特征带进去了。真正有现象特征的东西只能是感性经验。不难看出，限制主义与前述的节俭论十分相近。普林茨说："可以这样解释思维的现象特征，即诉诸内部言语对思维所表征的东西的模拟以及情感来加以解释。这些资源都可看作是感性意象的形式，足以包含意识思维的内省根据。"[③]这也就是说，限制主义有这样的"限制"，即现象特征只存在于感性经验之中，不存在于思维之中。思维的表面上的现象特征是思维中的感性因素带入的。就此而言，它是对立于时下流行的认知现象学的，尤其是其激进的扩张主义形式。普林茨说："如果扩张主义是对的，那么在感性性质之外就存在着现象性质。"而这在他看来是不可能的。[④]

三、命题态度的深度解剖

概括地说，认知现象学的结论建立在对命题态度的具体的、刨根究底的解剖之上。众所周知，命题态度有两个构成或维度。接下来，认知现象学就采取各个击破的策略，分别对它们作出考释。第一个维度就是态度，即对命题内容所采取的态度，如相信、思考等。这里的问题是，像相信、期盼这样的对命题内容的态度究竟包含什么？除了完成相信这类认知活动之外，里面还有没有现象学性质？如果有，是不是只有一种？罗素等早就认识到：不同的态度有不同的现象特征，如相信 P，感觉起来不同于记住相信 P、期望 P、怀疑 P。当然不同现象特征之间又有共性，如判断 P 与判断 Q 有共同的现象特征，同样，期望

① Prinz J. "The sensory basis of cognitive phenomenology". In Bayne T, Montague M(Eds.). *Cognitive Phenomenology*. Oxford: Oxford University Press, 2011: 183.

② Prinz J. "The sensory basis of cognitive phenomenology". In Bayne T, Montague M(Eds.). *Cognitive Phenomenology*. Oxford: Oxford University Press, 2011: 186.

③ Prinz J. "The sensory basis of cognitive phenomenology". In Bayne T, Montague M(Eds.). *Cognitive Phenomenology*. Oxford: Oxford University Press, 2011: 192.

④ Prinz J. "The sensory basis of cognitive phenomenology". In Bayne T, Montague M(Eds.). *Cognitive Phenomenology*. Oxford: Oxford University Press, 2011: 193.

P 与期望 Q 有共同的现象因素，这共同的因素在所有期望个例中都是共同的。

与此相关的问题：态度的现象特征对于态度类型的个体化有无作用？如果有，有什么样的作用？有三种观点，第一种观点是肯定的回答，第二种观点是否定的回答。前者认为，一态度之所以不同于别的态度，有不同内容的同一态度（如相信明天要下雨、相信不下雨等）之所以不同，除了与内容有关之外，还与各自的现象学特征有关。根据后者，命题态度的个体化是由命题态度的功能作用决定的，与它们的感受性质关系不大，因为感受性质只与它们有关，而不是它们的本质构成。其本质构成就是它们的功能作用。第三种观点认为，感受性质是命题态度的必然方面，是命题态度具有功能作用的必要条件。但只有功能作用才是使命题态度具有独特地位的东西。

命题态度的现象特征究竟是什么呢？普林茨等认为，尽管命题态度基于态度特征而具有感觉起来所是的独特性质，但态度的现象学特征在该词的究竟意义上是感性的。他们强调，态度的现象特征与情绪等的现象特征混合在一起，这些特征包括新颖性、好奇心、困惑等。根据这种观点，与期望取得比赛胜利连在一起的现象特征可根据强有力的预期来说明，与怀疑取胜连在一起的现象特征可根据游移不定的情感来解释。[①]

再看命题态度的第二个维度：内容。在认知现象学看来，研究命题态度的现象特征可从它的内容入手。事实也是这样，许多研究者围绕内容展开了大量的研究和争论。主要争论问题是：思想内容对思想的现象特征有无影响？有思想内容是否一定会伴有现象特征发生？一种观点认为，思想内容对它的现象特征没有直接影响。另一种相反观点认为，如果两个态度思想内容不同，那么它们的现象特征也常常不同。折中观点认为，并非所有思想内容都有这样的作用，只有思想内容的某些类型的差异才会反映在现象特征中。[②]

意向内容之间有无差别？哪些内容体现了态度的现象特征？这是认知现象学在从内容角度切入研究时所提出的又一个问题。一般认为，意向内容是多种多样的。有的认为应根据对象及其属性来设想意向内容，有的认为应根据事态

---

① Prinz J. “The sensory basis of cognitive phenomenology”. In Bayne T, Montague M(Eds.). *Cognitive Phenomenology*. Oxford: Oxford University Press, 2011: 174-196.

② Bayne T, Montague M(Eds.). *Cognitive Phenomenology*. Oxford: Oxford University Press, 2011: 15.

或可能世界的集合来设想，还有的认为，内容包含着呈现方式。更核心的问题是：随着现象特征变化而变化的那种内容是内在的（窄的），还是外在的（宽的）？例如，两个孪生地球人都有这样的有意识思想，即用“水是湿的”所表达的思想。如果他们关于水的思想有相同的认知现象特征，那么认知现象特征就一定是内在的内容。如果没有相同的认知现象特征，那么他们的内容就是外在的。这是有争论的，有的认为是内在的，有的认为是外在的，还有人持折中态度。

另一个争论问题是，认知现象内容是否是经组合而成的？是否有构成性？有理由认为，知觉的现象特征是构成性的。例如，看到一只狗，感觉起来所是的东西，包含了这样一种状态，在特定意义上，它是由涉及它的各种特征的现象状态构成的，这些特征包括它的形体、颜色、空间位置等。思想的现象特征是否也是这样，即由具有不同特征的不同的现象状态所构成的？一种观点认为，思想内容的现象特征也具有构成性，如有这样的思想，苹果比梨子甜，正像它由苹果、甜等概念构成一样，其现象特征也由相应概念的现象特征所构成。另一种观点认为，思想内容的现象特征是不依赖于构成它的概念的现象特征的。[①]

认知现象学在对命题态度的解剖中还发现，思维等的现象学特征有同有异。如果是这样，它就必须进一步探讨，这同与异的根源究竟是什么。

皮特认为，现象学特征在人的心理生活中具有至关重要的地位。其表现是：它是意识同异的随附基础。例如，感性的或非认知性心理状态之所以有共同性，之所以相互有区别，如视觉不同于听觉，红色视觉不同于白色视知觉，完全由现象状态所决定，或者说，完全是因为它们都是从现象性上被构成的。它们之所以有共同性，是因为各种经验形式有共有的现象学属性。每一经验个例都是这一属性的例示。皮特说：“有意识不可能发生，除非某种现象学属性得到了例示。”在每一子类的经验中也是这样，正因为有某一现象属性得到了例示，才有相应的一种有意识经验的出现，后者由前者所决定。总之，“意识随附于现象学的东西，意识中的差异蕴含的是现象上的差异，现象学上的相同性蕴含的是意识中的相同性”[②]。同样，意识之所以各不相同，也是由其后的作为随附

① Bayne T, Montague M(Eds.). *Cognitive Phenomenology*. Oxford: Oxford University Press, 2011: 16.

② Pitt D. “Introspection, phenomenality, and the availability of intentional content”. In Bayne T, Montague M (Eds.). *Cognitive Phenomenology*. Oxford: Oxford University Press, 2011: 144.

基础的现象学特征所决定的。

正在进行的有意识思维肯定都具有现象学特征，这就是“感觉起来所是的东西”。而且这种现象学特征是为思维所独有的，不同于视知觉等的现象学特征。这种特征可称“认知现象性特征”。不仅思维有不同于别的心理样式的现象学特征，而且不同的思维样式的现象学特征也是相互区别的。皮特说：“正在进行的不同的有意识思维不仅在内省上与别的类型的有意识状态相互区别，而且各种思维本身也相互区别。”最后，每一具体个别的思维的现象学特征有其个体性，这是因为“这个思想具有其独特的意向内容”。[①]思维的现象特征究竟是什么？他的独到的观点是：“正在进行的有意识思维的认知性现象学特征正好就是它的意向内容。”这内容像有意识疼痛的感觉内容一样，是由它们的内在现象本质决定的，而非由它们的关系属性所决定。[②]总之，思维不仅有现象学特征，而且有其专门的、独特的、个体性的现象学特征。这一观点可称作关于“思维的现象学意向性理论”。[③]现象学是自然主义的对立面，认为自然主义是“心身形而上学的独裁性的焦虑和野心”。[④]反对这一观点的人作了三种论证，一是莱文等关于思维的弱认知现象学，它不承认思维有纯粹的、不透明的内容；二是根据关于自我知识的回溯主义所作的论证；三是基于意向内容的可内省通达性所作的论证。皮特则坚持认为，思想的意向性本身有其专门的现象学构成。[⑤]

有意识思维的相同性和不同性由什么决定呢？众所周知，有意识的感性经验的同与异都与现象特征有关，后者是前者的必要条件，此观点可称“意识的随附论”。现象学特征在人的心理生活中具有至关重要的地位。其表现是，它是意识同异的随附基础。例如，感性的或非认知性心理状态之所以有共同性，之所以有相互区别，如视觉不同于听觉，红色视觉不同于白色视知觉，完全由现象状态所决定，或者说，完全是因为它们都是从现象性上被构成的。它们之所

① Pitt D. “Introspection, phenomenality, and the availability of intentional content”. In Bayne T, Montague M (Eds.). *Cognitive Phenomenology*. Oxford: Oxford University Press, 2011: 141.
② Pitt D. “Introspection, phenomenality, and the availability of intentional content”. In Bayne T, Montague M (Eds.). *Cognitive Phenomenology*. Oxford: Oxford University Press, 2011: 141.
③ Pitt D. “Introspection, phenomenality, and the availability of intentional content”. In Bayne T, Montague M (Eds.). *Cognitive Phenomenology*. Oxford: Oxford University Press, 2011: 142.
④ Pitt D. “Introspection, phenomenality, and the availability of intentional content”. In Bayne T, Montague M (Eds.). *Cognitive Phenomenology*. Oxford: Oxford University Press, 2011: 142.
⑤ Pitt D. “Introspection, phenomenality, and the availability of intentional content”. In Bayne T, Montague M (Eds.). *Cognitive Phenomenology*. Oxford: Oxford University Press, 2011: 142.

以有共同性，是因为各种经验形式有共有的现象学属性。每一经验个例都是这一属性的例示。正因为有某一现象属性得到了例示，才有相应的一种有意识经验的出现，后者由前者所决定。总之，“意识随附于现象学的东西，意识中的差异蕴含的是现象上的差异，现象学上的相同性蕴含的是意识中的相同性”①。这一随附论也适用于有意识思维吗？皮特对此作了肯定的回答。皮特认为，就有意识思维的共性来说，因为每种思维样式都以现象学的方式被意识到了，它们才成为有意识的思维。同样，它们的不同也是由被意识的具体方式的不同所引起的。皮特说：“如果这种意识方式不具有现象的性质，即不是现象学的意识方式，这种方式又能是什么呢？”②基于上述共性与个性关系的理论，必然可得出这样的结论：有意识认知状态既然自成一类，既然不同于别的有意识心理状态，因此“它们一定拥有它们自己专门的现象学”。正像色声香味有自己的专有的现象特征一样，“思维也一定有一种专门的有意识存在形式，即专有的认知性现象特征”③。这种特殊的现象特征就是“一种专门的认知显现方式，一种使一种状态成为认知状态的现象学”，它不同于其他的显现方式。如此类推，每一有意识思维的个例在享有共同的认知性现象特征的同时，还有自己独一无二的被意识形式。正是因为有这个特点，“不同思维类型的现象属性才能把它们相互区别开来”。④另外，他还赞成说，思维的个体性是由内容决定的，但他理解的内容就是认知现象属性。他说：“如果思维类型是由它们的内容而得到个体化的，那么思维内容就是认知性现象属性。每一思想，如想到P，想到Q，想到R……（P、Q、R…是不同的思想内容），都有专有的、不同的、个体化的现象特征，而此特征本身就是它的意向内容。”⑤

如果心理状态有认知性现象学特征和非认知性现象学特征，那么它们的被把握的方式有无不同？皮特的看法是，有两种内省或认识现象意向性的认知方

① Pitt D. “Introspection, phenomenality, and the availability of intentional content”. In Bayne T, Montague M (Eds.). *Cognitive Phenomenology*. Oxford: Oxford University Press, 2011: 144.
② Pitt D. “Introspection, phenomenality, and the availability of intentional content”. In Bayne T, Montague M (Eds.). *Cognitive Phenomenology*. Oxford: Oxford University Press, 2011: 144.
③ Pitt D. “Introspection, phenomenality, and the availability of intentional content”. In Bayne T, Montague M (Eds.). *Cognitive Phenomenology*. Oxford: Oxford University Press, 2011: 145.
④ Pitt D. “Introspection, phenomenality, and the availability of intentional content”. In Bayne T, Montague M (Eds.). *Cognitive Phenomenology*. Oxford: Oxford University Press, 2011: 145.
⑤ Pitt D. “Introspection, phenomenality, and the availability of intentional content”. In Bayne T, Montague M (Eds.). *Cognitive Phenomenology*. Oxford: Oxford University Press, 2011: 146.

式，一是认识性的内省，其对象是概念性内容，认识的结果是得到清晰的概念。二是非认识性的内省，它要知道的是内在状态的本质或“什么”。他说：“要得到有意识思维的直接知识，离不开知道是什么；而要知道是什么，又离不开独特的现象特征。因此知道是什么完全由思维的有意识出现所决定。”[①]总之，他坚持的是基于认知现象学弱版本（不透明的非纯内容主义）的自知理论。

皮特的观点不同于关于自知的表征主义。根据传统的自我理论，人们对知觉经验的质的内容的自我知识是由内省获得的，而内省就是对自己的内部感觉，可直接觉知人的经验及其内容本身。知觉经验的内容就是它所例示的质的属性或感受性质。根据关于自知的表征主义，对经验内容的自知来自某种追溯，即延迟的知觉。例如，人们可通过向外关注，得到关于自己经验及其内容的认知。所谓向外关注，即观察经验内容的对象及其属性，因为经验内容在本质上是一种表征内容，在很大程度上是由它所表征的对象的质的属性构成的。例如，要知道看晚上的天空的现象特征及内容，用不着向内观察，只需观察天空和看的经验就行了。很显然，表征主义的自知理论是反传统的观点，如它批驳说，经验内容的自知不能用传统方式来说明，因为它不是基于内部感觉或内省，也不存在神秘的内在的质的经验。

这也根本对立于皮特的观点，因为他的理论是以承认人有内在质的经验及其内容、人能通过内省获得关于它们的知识为前提的。他认为，不仅感觉经验及其内容是存在的，思想的认知性现象特征及内容也是如此，而且各种心理状态在有共同的现象特征的同时，还有各自专门的、个体化的质的特征，“它们以唯一的方式出现或显现于意识中”。[②]

皮特也论述过亲知这一认知方式。他认为，由于包括思维、经验在内的心理状态及其内容是特殊的对象，不能以向外知觉的方式来把握，只能诉诸亲知这样的把握方式。他说：“我的观点是，对人的思想内容的亲知以像亲知人的感性经验的感觉内容的方式起作用。经验一般以现象属性的方式得到例示和个体化。当现象属性在人的有意识经验中例示时，人便经验到了此现

① Pitt D. “Introspection, phenomenality, and the availability of intentional content”. In Bayne T, Montague M (Eds.). *Cognitive Phenomenology*. Oxford: Oxford University Press, 2011: 149.

② Pitt D. “Introspection, phenomenality, and the availability of intentional content”. In Bayne T, Montague M (Eds.). *Cognitive Phenomenology*. Oxford: Oxford University Press, 2011: 154.

象属性，进而人便亲知了人有意识地经验到的现象属性，对思想内容的亲知也是这样。”①

皮特在阐述意向内容与现象学性质及其关系的基础上，对意向性问题发表了新的看法，认为有三种意向性，即语言意向性、认知意向性和经验意向性。它们的关系是，“语言意向性来自认知意向性”，而“认知意向性具有现象性”。②现象属性的本质特点则是非主体间性。他说：“现象属性不是主体间可通达的。”即不具有主体间性，不能通过客观方式、第三人称方式认知。③

四、“what it is like”的理解与质的状态的意向性问题

认知现象学无疑深化了意向性与现象性的研究，这除了表现在对思维等认知状态的现象学特征及本质构成作了新的探讨之外，还对感受性质这一新生的研究课题本身作了有益的探讨，如对怎样理解“what it is like”提出了新的解答。众所周知，“what it is like”已成了对现象意识的标准界定。如布洛克说：“使一状态成为现象意识的东西是它里面的感觉起来所是的某东西。”④新的认识是，这个标准理解值得深化。

西沃特认为，尽管这个定义很有影响，但仔细考量是有问题的，即太宽泛了，可用于广泛的甚至非心理的事例，如可以说“某物看起来重达1000磅以上”。另外，同样是由榴莲引起的“感觉起来”，也并不都有现象意识的意义。例如，有两种情况，一是“某人吃榴莲看起来所是的东西”，二是“品尝榴莲看起来所是的东西”。只有第二种“看起来”才表达了现象意义。⑤看来，用“what it is like”来诠释现象意识是有歧义性的，因此必须对之作进一步的梳理和规定。西沃特强调，要使之成为表达现象意识的合理形式，首先必须加上这样的限制，即在

① Pitt D. “Introspection, phenomenality, and the availability of intentional content”. In Bayne T, Montague M (Eds.). *Cognitive Phenomenology*. Oxford: Oxford University Press, 2011: 164.
② Pitt D. “Introspection, phenomenality, and the availability of intentional content”. In Bayne T, Montague M (Eds.). *Cognitive Phenomenology*. Oxford: Oxford University Press, 2011: 172.
③ Pitt D. “Introspection, phenomenality, and the availability of intentional content”. In Bayne T, Montague M (Eds.). *Cognitive Phenomenology*. Oxford: Oxford University Press, 2011: 172.
④ 转引自 Siewert C. “Phenomenal thought”. In Bayne T, Montague M(Eds.). *Cognitive Phenomenology*. Oxford: Oxford University Press, 2011.
⑤ Siewert C. “Phenomenal thought”. In Bayne T, Montague M(Eds.). *Cognitive Phenomenology*. Oxford: Oxford University Press, 2011: 236-267.

“某物感觉起来怎样”时，加上“主体处在某种状态之中”或“采取了主体的观点”这样的限制，满足这一条件的“what it is like”才有可能成为对现象意识本质的揭示。假如你想知道品尝榴莲感觉起来是什么样子，要满足你的这一好奇心，就需要你要么亲自去品尝一下，要么能作出想象。[①]这就是说，要理解“what it is like”，关键是明白它的用法。它至少有两种用法，一是非派生的用法，如知觉等表现出的“what it is like”就是知觉本身所固有的，即非派生的；二是思想所具有的现象性质就是派生性的，因为思维中包含知觉等因素，由于知觉有现象意识，思维等便派生地有现象意识。

对于非派生的“what it is like”或现象意识，可这样加以定义：一种状态是现象上有意识的，当且仅当它是一种现象特征的例示。这里的现象特征有特定的含义，不同于另一相近概念，即品质（character)。特征的例子如感觉到眩晕，感觉到口渴。而品质更具一般性。如现象学的对象和性质都有现象品质。西沃特对“特征”的定义是：一特征 ϕ 是现象性的，当且仅当必然地，在某人有特征 ϕ 时存在着非派生的某物，就是说，ϕ 内在或必然地适用于非派生的主观知识。现象特征 ϕ 与 Ψ 在现象性品质上是不同的，即这些现象特征从现象上说是彼此有别的。因为一个人有 ϕ 时感觉起来所是的东西不同于一个有 Ψ 时感觉起来所是的东西，就是说这些特征在适用非派生性主观知识的方式时是不同的。例如，感觉到头晕表现出来的东西与感到口渴表现出来的东西是不同的，其原因在于它们是两种有不同表现方式的特征。[②]总之，“what it is like”的非派生的用法指的是这样的特征，正是因为人们有这些特征，所以他们就有感觉起来所是的非派生的某东西。[③]

思维是否有现象意识？西沃特的看法是，不能一概说有还是无，而应具体情况具体分析，因为有些思维是以现象上的有意识的形式发生的，有些则以非现象的形式发生。在前一情况下，思维有现象上的“what it is like”，即有现象意识；在后一情况下，则没有。如果思维有现象意识，它就一定是凭自身而具

① Siewert C. “Phenomenal thought”. In Bayne T, Montague M(Eds.). *Cognitive Phenomenology*. Oxford: Oxford University Press, 2011: 244.
② Siewert C. “Phenomenal thought”. In Bayne T, Montague M(Eds.). *Cognitive Phenomenology*. Oxford: Oxford University Press, 2011: 246.
③ Siewert C. “Phenomenal thought”. In Bayne T, Montague M(Eds.). *Cognitive Phenomenology*. Oxford: Oxford University Press, 2011: 247.

有的，即不是由其他状态派生的。他说：“思维时感觉起来所是的东西不能来自有某种进一步特征时感觉起来所是的东西。……因为当我们思维时，就有感觉起来所是的某东西，这某东西不完全来自纯感性，事实上思维内在地具有这种思维的现象特征。”①

包括认知性思维在内的一切心理状态是否都有现象意识？目前存在三种观点。一是全有主义，认为一切心理状态都有。二是排除主义，认为思维等认知状态应排除在有现象意识的状态之外。三是还原论。因为还原论认为思维的现象意识可还原为感性状态，所以可归并为排除主义。②在西沃特看来，两者的对立是表面的，因为它们有共同的根源。这表现在：两者都承认人们都有共同的理解力，如都能理解他们听到的、看到的……东西。另外，对于思维有无现象意识这一问题，他强调应看到，这里包含两个问题。一是还原问题，即思维的现象特征是否可以还原为感知觉的现象意识。二是变异问题，即思维和理解方式中主观上可分辨的差异是否就是我们有经验时感觉所是的东西的差异？前者是否是后者的变异或变种？对此，排除主义说不，全有主义说是，因为肯定变异就是否定还原。③西沃特倾向于全有主义，认为包括思维、理解在内的一切心理状态都有现象意识。他的结论及根据是：“如果我们将概念思维排除在意识之外，那么我们将会大大缩小经验的范围。”④

在质的状态是否有意向性这个问题上，传统观点认为，一切心理现象都有意向性，而有意向性，即为心理现象。福多等认为，不同心理现象有不同的特征。具言之，有两类心理现象：一是命题态度等，其特征是意向性；二是质的状态，如疼痛感觉、情绪等。它们的独有标志是感受性质或原感觉。这是20世纪末以来心灵哲学中的正统观点。异端观点是以泰伊等为代表的一批哲学家所持的这样的观点，所有质的状态都必然具有意向性。另外，当思维等被有意识地持有时，也一定有其现象特征。而现象特征有两种，一是感性的，二是认知

① Siewert C. “Phenomenal thought”. In Bayne T, Montague M(Eds.). *Cognitive Phenomenology*. Oxford: Oxford University Press, 2011: 247.
② Siewert C. “Phenomenal thought”. In Bayne T, Montague M(Eds.). *Cognitive Phenomenology*. Oxford: Oxford University Press, 2011: 247.
③ Siewert C. “Phenomenal thought”. In Bayne T, Montague M(Eds.). *Cognitive Phenomenology*. Oxford: Oxford University Press, 2011: 248-249.
④ Siewert C. “Phenomenal thought”. In Bayne T, Montague M(Eds.). *Cognitive Phenomenology*. Oxford: Oxford University Press, 2011: 266.

性的。这也是认知现象学的主张。

思想的现象特征是否一致于感性的现象特征？印象论的回答是：不一致。因为思想是印象的摹本，所以人有思维时所具有的现象特征就相似于印象论的现象特征，即这种现象特征来自印象的现象特征。此为弱思维现象学。强思维现象学认为，思维等有自己非派生的、凭自身而有的现象特征。

认知现象学的又一重要问题是意向性与现象意识谁更根本？如果意向状态有现象特征，那么就意味着意向状态同时有意向性和现象意识这两个特征。如果是这样，就有进一步的问题：它们的关系是什么？有无产生被产生、决定被决定、基础与随附的关系？一种观点认为，现象特征本身内在地包含意向性，因此对现象特征的最好说明就是把它还原为意向内容。德雷斯基等就持这一看法。另一种观点认为，现象特征是意向性的基础，人的意向状态不仅有现象特征，而且根源于现象特征。这一观点是“思维现象学”或“认知现象学”的核心内容。[①]

泰伊等承认思维行为有现象特征，但不赞成由此得出结论说思维有其固有的现象特征。因此他们有限制地说：“在特定意义上，不存在思维现象学这样的东西。”[②]因为思维等认知状态不适合有现象特征，即使有也是因为思维以感觉知觉为材料，它们有现象特征，因此才把现象特征带到思维中去了。思维本身没有这个东西。另外，如果思维有此特征，内省一定会注意到，但内省并没有认识到它。[③]

一般认为，并非一切心理都有现象特征，有这特征的只是现象性状态。它们的样式有限，即是四元组：①知觉经验，如视觉、听觉等经验；②有意识躯体感觉；③非语言形式的印象经验，如有意识地再现关于某物或某人的印象；④有意识的语言意象，如在用语词思维时出现的就是这种意象。泰伊等认为，还可增加情绪经验。[④]这些状态本身都不是认知性的或概念性的。有时，概念会

① Tye M, Wright B. “Is there a phenomenology of thought?”. In Bayne T, Montague M(Eds.). *Cognitive Phenomenology*. Oxford: Oxford University Press, 2011: 326.

② Tye M, Wright B. “Is there a phenomenology of thought?”. In Bayne T, Montague M(Eds.). *Cognitive Phenomenology*. Oxford: Oxford University Press, 2011: 326.

③ Tye M, Wright B. “Is there a phenomenology of thought?”. In Bayne T, Montague M(Eds.). *Cognitive Phenomenology*. Oxford: Oxford University Press, 2011: 328.

④ Tye M, Wright B. “Is there a phenomenology of thought?”. In Bayne T, Montague M(Eds.). *Cognitive Phenomenology*. Oxford: Oxford University Press, 2011: 329.

出现在这些状态中，但不是其本质的构成，因为根据外在主义，在两个可能世界，可出现这样的情况，即概念不同，但现象特征相同。

泰伊等还认为，主张思维有感受性质会陷入两难。他们说：“如果现象特征是思想内容的个体性特征，那么具有相同内容的思想就应该有相同的现象特征。但讲火星语和英语的两个人在想到同一思想时却有不同的现象特征。因此要么隐藏着两个人共有的现象特征……要么这个命题直接是错误的。”①他们不否认在思维时有感觉起来所是的东西。他们说：“尽管我们反对思维现象学的命题，但并不否定这一观点，即一主体在经历一思想时，存在着感觉起来所是的东西。”他们要说的是，现象特征不是思维专有的，即不是特定思维类型专有的、独特的、个体化的标志。这就是说，不能笼统地说思维有现象特征，笼统地说有感觉起来所是的某东西，只能说现象特征与思维行为有联系。他们说：“在探寻思维的现象特征时，我们看到的东西是一种与思维行为有联系的现象特征。这种现象特征不能成为赞成思维现象学的理由。”②

五、现象学特征的根源与新解释主义

承认命题态度有现象学属性，必然会碰到关于它的起源问题，即现象属性是根源于什么，是根源于思想内容还是相反？克里普克认为，现象性质有自己不可还原的性质，即不是根源于思想内容。因为人们是“通过关注自己经验的质的特征而直接地、非常精准地知道自己的经验的”。③另一种观点认为，有一种意向性的形式，可称作“现象性意向性”，它完全是由现象性质构成的。其极端形式认为，现象性意向性告诉我们的是关于意向性的详细的过程。根据这一观点，现象性意向性是意向性的唯一逼真的意向性形式。这一观点的温和版本认为，即使现象性意向性是意向性的根本形式，但仍存在着许多意向性样式，它们是由非现象性关系所成就的，而且与无意识意向性有关。④主张存在着现象

① Tye M, Wright B. “Is there a phenomenology of thought?”. In Bayne T, Montague M(Eds.). *Cognitive Phenomenology*. Oxford: Oxford University Press, 2011: 331.

② Tye M, Wright B. “Is there a phenomenology of thought?”. In Bayne T, Montague M(Eds.). *Cognitive Phenomenology*. Oxford: Oxford University Press, 2011: 343.

③ Kripke S. *Wittgenstein on Rules and Private Language: an Elementary Exposition*. Cambridge: Harvard University Press, 1982: 43.

④ Bayne T, Montague M(Eds.). *Cognitive Phenomenology*. Oxford: Oxford University Press, 2011: 16.

性意向性的人必须说明有什么理由主张存在着无意识的意向性。克里格尔认为，只要采取他所说的“解释主义”立场，就可化解上述难题。他的观点是：一种状态具有无意识的意向性，当且仅当把这一意向性解释为有相关的内容。他论证说，既然解释是一种有意识的活动，因此解释主义就有这样的主张：无意识意向内容根源于认知性现象特征。

克里格尔认为，常见的思维状态中所出现的认知性现象特征是十分特殊的东西，其特殊性在于，一方面，它是伴随思维的意象；另一方面它是伴随思维的专有的或自成一类的东西，它不能还原为别的特征。①

许多人论证了这种专门的现象特征，认为它们有存在地位。当然其本体论承诺的力度是不一样的。最强的一种认为，每一特定命题态度都有自己专有的现象特征，如相信的现象特征不同于愿望的现象特征。较弱的形式认为，认知现象特征只随态度变化而变化，不随内容变化而变化，如相信 P 在现象上不同于期望 P，但相信 P 与相信 Q 没有不同。最弱的形式认为，所有有意识的认知状态都共有同样的认知现象状态。克里格尔赞成的是最强的那种主张。其基本观点是：意向状态越具有现象特征，它就越具有现象性意向性，而相应地，主张所有意向性都来自现象性意向性这一观点就越合理。这就是说，他强调现象性意向性是别的意向性、内容的基础。②

克里格尔认为，尽管有许多人从不同方面对现象性意向性的存在地位作了论证，如从第一人称知识的角度进行论证，从比较角度进行论证，从现象学角度进行论证等，但都不能有力地还击取消论的进攻。要予以有力论证，关键一环是充分合理地说明“现象性”。他说：“现象意识最好被描述为‘可导致解释鸿沟的属性’。更具体地说，我们认为应这样描述‘现象性’的所指，‘在现实世界，有属性 P，就等于存在着物理属性和 P 之间的解释鸿沟’。因此任何种类的 P 都有资格成为一个现象属性。”③在他看来，认知现象特征之所以有存在地位，是因为它是无意识的意向性的根源，而后者又是解释有意识意向性的根据。

---

① Kriegel U. “Cognitive phenomenology as the basis of unconscious content”. In Bayne T, Montague M(Eds.). *Cognitive Phenomenology*. Oxford: Oxford University Press, 2011: 91.
② Kriegel U. “Cognitive phenomenology as the basis of unconscious content”. In Bayne T, Montague M(Eds.). *Cognitive Phenomenology*. Oxford: Oxford University Press, 2011: 91.
③ Kriegel U. “Cognitive phenomenology as the basis of unconscious content”. In Bayne T, Montague M(Eds.). *Cognitive Phenomenology*. Oxford: Oxford University Press, 2011: 93.

他说："无意识意向性从根本上说是根源于某种认知现象特征，即有意识解释的认知现象特征。"[①]其具体要点和推论是：①解释主义强调的是所有无意识内容从根本上说都根源于有意识解释，②所有有意识解释的内容都根源于有意识解释的现象特征，③所有有意识解释的现象特征都是一种认知现象特征，因此解释主义一定主张所有无意识内容从根本上说都根源于认知现象特征。[②]

克里格尔强调：这里的"根源"指的是意向属性对于现象属性的"形而上学的依赖关系"，或"非对称关系"。他说："现象意识状态的意向内容根源于这些状态的现象特征，这就是现象性意向性研究纲领的核心原则。"[③]根据上述原则，解释行为的意向性也根源于现象意识。不仅如此，正如触觉经验中包含现象共同性一样，在所有解释行为即有意识的意向归属行为中也有共同性，这种共同性可称作"解释性现象特征"，因为这些行为都把意向属性归属于某物。可见，存在着"解释性现象特征"这样的东西。当然，这些特征又根源于现象性有意识解释行为的意向内容。他承认，目前还没有关于解释性现象特征之本质的现象学分析。尽管如此，有理由断言的是，这种现象特征是认知性的。

什么是现象性有意识解释行为？它是什么样的心理状态？对此，有三种观点，第一种观点认为，所有有意识的解释行为都可看作是信念或判断或思想。根据这一观点，解释者解释某人相信天要下雨，其实就是他相信：被解释者相信天要下雨，即相信把这个信念归属于被解释者，就可对之作出解释。第二种观点认为，解释行为是知觉行为，即解释者作出解释其实是完成了一种知觉，如归属某人有相信天要下雨这一信念，就是他有这样的知觉。第三种观点认为，解释涉及的是一种自成一类的态度，即一种解释的态度。克里格尔认为，第一种、第三种观点不可取，可取的是第二种观点，因为解释者正是基于"看"，如看到一个人相信天要下雨，而把这个信念赋予了他。当然，这样说还不全面，

① Kriegel U. "Cognitive phenomenology as the basis of unconscious content". In Bayne T, Montague M(Eds.). *Cognitive Phenomenology*. Oxford: Oxford University Press, 2011: 94.
② Kriegel U. "Cognitive phenomenology as the basis of unconscious content". In Bayne T, Montague M(Eds.). *Cognitive Phenomenology*. Oxford: Oxford University Press, 2011: 94.
③ Kriegel U. "Cognitive phenomenology as the basis of unconscious content". In Bayne T, Montague M(Eds.). *Cognitive Phenomenology*. Oxford: Oxford University Press, 2011: 95.

还需予以补充。[①]

根据克里格尔的看法，解释行为是一种以知觉为基础的命题态度。它肯定是心理行为，当然是复杂的心理行为，其中既有认知性现象特征，又有解释性现象特征，“正是由于认知性现象特征，它们才表现出解释性现象特征。换言之，解释性现象特征是认知性现象特征的一种形式”。[②]总之，人对他人行为作出解释的行为是一种综合了认知、知觉、命题态度、现象特征的行为。他说：“知觉性解释行为是一种看到某事的行为，因此是一种命题态度行为，即是一种知觉性命题态度。”[③]

克里格尔认为，由此可引出新解释主义的结论。①“无意识意向性根源于认知性现象特征，当然必须通过有意识解释和解释性现象特征这个中间环节。”[④]论证无意识意向性的根源是他的新解释主义的主要任务。克里格尔说他的解释主义“将认知性现象特征看作是无意识意向性的根源”，因为有意识的意向解释的内容根源于认知性现象特征。“如果这是对的，那么认知性现象特征就是无意识内容的基础。”[⑤]②认知性现象特征不仅是无意识意向性的基础，而且还是有意识意向性的基础。③意向性有现象性因素或记号，但问题是，是什么东西将现象特征转化成了现象性意向性。答复是：是认知性现象特征使意向性有了现象特征。

这里有三个基本概念至关重要，必须准确理解，即现象性意向性、现象性意识状态、现象性无意识状态。“现象性意向性”这个概念最先由洛尔提出。他认为所有意向内容都根源于一种特殊的有意识的意向性。此意向性即现象性意向性。这就是说，思想内容依赖于现象性意向性。后者比前者更根本、更基础。可根据格赖斯等对意向性的二分法来理解洛尔的上述思想。格赖斯等认为，符号等的意向性是派生性的，来自更深层的非派生的意向性，因为后者凭自身而

---

① Kriegel U. “Cognitive phenomenology as the basis of unconscious content”. In Bayne T, Montague M(Eds.). *Cognitive Phenomenology*. Oxford: Oxford University Press, 2011: 97.
② Kriegel U. “Cognitive phenomenology as the basis of unconscious content”. In Bayne T, Montague M(Eds.). *Cognitive Phenomenology*. Oxford: Oxford University Press, 2011: 97.
③ Kriegel U. “Cognitive phenomenology as the basis of unconscious content”. In Bayne T, Montague M(Eds.). *Cognitive Phenomenology*. Oxford: Oxford University Press, 2011: 98.
④ Kriegel U. “Cognitive phenomenology as the basis of unconscious content”. In Bayne T, Montague M(Eds.). *Cognitive Phenomenology*. Oxford: Oxford University Press, 2011: 98.
⑤ Kriegel U. “Cognitive phenomenology as the basis of unconscious content”. In Bayne T, Montague M(Eds.). *Cognitive Phenomenology*. Oxford: Oxford University Press, 2011: 99.

表征其对象。克里格尔对洛尔的思想作了这样的解释，其实不如说借题发挥："只有现象性意识状态才能独自地即非派生性地表征它们的对象，而现象性意识状态的意向性，从根本上说又来自现象性意向性。"所谓现象性无意识状态就是这样的状态，在有"意识"的现象意义上的无意识状态。基于上面的分析，克里格尔认为，可对现象性意向性下这样的定义："只有非派生的意向性才是现象性意向性。"①他强调，致力于研究现象性意向性的计划和方案可称作"现象性意向性研究纲领"。这一方案是传统方案的反动。传统方案可称作"自然主义-外在主义的研究纲领"，基本观点是：意向性是存在于内在状态与外界事物之间的一种自然关系。代表人物有福多、米利肯、哈曼等。他们强调的是：意向性完全独立于意识或现象性质。而新纲领认为，不仅存在着现象性意向性，而且它具有根本性的地位。它不由别的派生，而可派生别的心理现象。

新纲领对于旧纲领的革命性观点是：一切意向性的根源不在于与外部事物发生了关系（就此而言，它反对外在主义），而在于：有意识状态所具有的现象特征。这意识状态可以是纯内在的事态。所有别的意向性都是基于与现象性意识状态的适当关系而发生的。

当然，新纲领也有自己的亟待解决的难题。①主张只有现象性意向性才是根本性的、非派生的，有何根据？为什么要这样说？②现象性意向性有何本质？授予这种意向性以意向内容的现象特征有何本质？③非现象性意向性有何本质？非现象事项为了表现出意向性必须具有的与现象性意向性的关系究竟是什么？④最困难的是关于无意识意向性的问题。无意识意向性概念是新纲领的更基础的概念，因为要说明现象性意向性的基础作用，必须诉诸这一概念。只有找到对无意识意向性的令人满意的说明，才能让新纲领获得稳固的基础。但什么是无意识意向性？对于任何现象性无意事项 X 来说，X 有意向内容，是什么使下述两个事实得以发生：①X 有它所具有的意向内容，②X 有一个意向内容？

克里格尔的回答是：使上述事实得以发生的东西是，基于解释，它有那内容。这就是他所倡导的新解释主义。其结论是：所有现象性无意识意向性都从

① Kriegel U. "Cognitive phenomenology as the basis of unconscious content". In Bayne T, Montague M(Eds.). *Cognitive Phenomenology*. Oxford: Oxford University Press, 2011: 80.

根本上源自某种认知现象特征。而认知现象特征要根据它在心灵与世界关系中的作用来说明。没有认知现象特征，就没有无意识的意向性。因此，它们的派生顺序可概括如下：认知性现象特征→现象性无意识意向性→现象性意向性→非现象性思想内容→其他的派生性意向性。[①]

综上所述，克里格尔对现象性意向性的说明坚持的是解释主义立场。这里的解释主义取自丹尼特的以“意向观”为基础的解释主义，其基本倾向是自然主义，即不承认意向性是超自然现象，认为可根据更基本的物理属性来予以说明。就其相对于物理属性而言，现象性意向性又是派生性现象。[②]在丹尼特看来，人们有意向概念的网络，如信念、愿望等，把它们运用到人身上，就能对他们作出解释。而一旦这样做了，即用意向概念对人的行为作了解释，就等于对解释目标采取了意向立场，这样一来，被解释的对象就被看作是意向系统。质言之，某人所具有的相信P之类的状态，不是因为他身上真的出现了这样的状态，而是因为解释者把这状态归属于他。同理，一意向状态有意向内容C，就等于那状态的主体被解释为处在有C的意向状态之中。丹尼特说：“成为一个意向系统说的不外是，真实地、真正地相信P，对于这系统来说，P在最充分（最具预言性）的解释中作为一个信念出现了。”这就是说，某人有某信念不是因为他真的有这个信念，而是因为解释者在解释他的行为时认为他有信念。因此，人有无信念是一个解释问题，而非事实问题。[③]

克里格尔当然没照抄丹尼特的解释主义，而是在其基础上作了自己的发展。他强调：即使是非派生性意向性，只要经过了解释，就一定有其派生性，即某人被解释有某意向状态及内容，来自解释者的意向状态及内容。因为“解释某人处在某意向状态中，本身就是解释者的一种意向行为，这行为的内容是：某人（被解释者）处在某意向状态之中。因此丹尼特的解释主义意味着：每一意向状态的意向性都来自另外某个意向状态的意向性，就是说，来自有关的解释状态（他自己的内容大概又来自第二阶解释行为的内容）。总之，丹尼特观点的结论是：所有意向性都是派生性的”。与其说这个结论是丹尼特的，不如说是克

① Kriegel U. “Cognitive phenomenology as the basis of unconscious content”. In Bayne T, Montague M(Eds.). *Cognitive Phenomenology*. Oxford: Oxford University Press, 2011: 81-82.
② Bayne T, Montague M(Eds.). *Cognitive Phenomenology*. Oxford: Oxford University Press, 2011: 82.
③ Heath A F(Ed.). *Scientific Explanation*. Oxford: Oxford University Press, 1981: 72.

里格尔自己的创造性发挥。[①]克里格尔认为，这个结论面对的困难是会陷入无穷后退，即某人有意向性依赖于解释者的解释行为，这解释行为作为有意向内容的意向行为又来自别的解释者，如此类推，以至无穷。能否跳出这个无穷后退呢？他的回答是肯定的，方法是："假定存在着一类有特权的意向状态。例如，它们的意向性不来自解释，或是它们有作为子集的解释行为。"这思想当然是他对丹尼特的超越，也可看作是他的新解释主义的突出表现。[②]但问题是：是否真的有这样的有特权的意向状态呢？他说："可把现象性的有意识状态规定为这样的状态，它们具有作为必要子集的现象性的有意识解释行为。""一旦它们这样做了，进而它们的一些行为成了解释的现象上的有意识行为，那么我们就能说明现象上的有意识状态的意向性是来自它们的解释。"克里格尔总结说："使无意识事项具有它所具有的意向内容的东西……采取意向立场就会导致一种解释，根据这个解释，那个事项获得了它所具有的意向内容。"[③]可见，要跳出无穷后退，关键是看到有这样一种解释，它本身不能有现象意识。因为只要它有这样的意识，就一定有别的解释，以至无穷。这样的解释就是特权解释。他说："这样的解释没有必要是有意识的，但它们又必须是有意识解释所组成的解释链的组成部分。"[④]上述关于特权解释的思想可这样予以简化：对于任何无意识事项 X 和意向内容 C 来说，X 有 C，当且仅当 X 是这样的，以至在某些条件下，理想解释者中出现了一种具有既小于 X 又小于 C 这样内容的有意识意向状态。

究竟什么是解释、理想解释者、理想条件？克里格尔深知：在这里若不对它们作进一步阐释，再努力予以简化也是无济于事的。很显然，解释的本质问题是解释主义的首要问题。解释主义之所以有不同版本，是因为人们对解释的本质有不同的看法，大致有三种不同理论。①理论理论，即认为人们据以解释行为、完成意向归属的资源是一种心灵理论。②模仿理论。它认为人们的解释

① Kriegel U. "Cognitive phenomenology as the basis of unconscious content". In Bayne T, Montague M(Eds.). *Cognitive Phenomenology*. Oxford: Oxford University Press, 2011: 83.
② Kriegel U. "Cognitive phenomenology as the basis of unconscious content". In Bayne T, Montague M(Eds.). *Cognitive Phenomenology*. Oxford: Oxford University Press, 2011: 83.
③ Kriegel U. "Cognitive phenomenology as the basis of unconscious content". In Bayne T, Montague M(Eds.). *Cognitive Phenomenology*. Oxford: Oxford University Press, 2011: 83-84.
④ Kriegel U. "Cognitive phenomenology as the basis of unconscious content". In Bayne T, Montague M(Eds.). *Cognitive Phenomenology*. Oxford: Oxford University Press, 2011: 84.

资源不过是一种模仿能力，对意向的归属的根据是模仿被归属者内部发生的过程。③理性理论。这主要是戴维森的看法。他认为，意向归属以宽容原则为基础。根据这一原则，每个人都是有理性的，或者说，被解释、归属的目标都是理性自主体。在三种对解释本质的说明中，克里格尔倾向于模仿理论，但他认为，要形成对解释的正确解释，还应借鉴别的方案的思想。他认为，解释包含理论机制和理性机制的共同作用。更具体地说，无意识意向状态的归属是分两步完成的：第一，向最好解释的推论可导致大量可能的归属，它们完全一致于解释项；第二，可借助宽容性原则在它们中选出一个归属，使之成为对待解释目标的最好的解释。他说："我的解释主义版本强调的是把作为解释要素的理论化和理性化结合为一体。"[1]理解了解释，就不难理解理想解释者。他说："理想解释者是这样的解释者，他能在一切条件下完善地执行意向策略。"要这样，他必须有这样一些特点，首先，他作为解释者能成为进入解释状态的主体。所谓解释状态，即把内容归属于某物的状态。其次，理想解释者还有认识上的优势，如有完善的知识，如关于非意向事实和所有现象性意向事实的完善的知识，有能力作出每一有效的演绎推理和有根据的非演绎推理，有能力避免作出无效的演绎推理。具备这些条件，就是理想解释者。[2]理想解释者之所以是理想的，是因为他有最好的解释资源，如有 FP、有有意识的意向性和无意识的意向性。他说："由于有有意识意向性，解释者便能追踪意向性，由于有无意识意向性，解释者就能构造意向性。"[3]理想解释者之所以能恰到好处地作出意向状态及内容的归属，是因为他有无意识事项。由于有它，它就一定有这样的倾向性、潜力，即在解释者身上产生出恰到好处的解释。这具有认识论上的必然性。他说："对于无意识事项 X 和意向内容 C 来说，X 从认识论上说必然有 C，当且仅当有一可能的有意识事项 Y，且有一可能的理解者 N，可能的条件 K，以至（1）Y 有内容＜X 有 C＞，（2）X 在 K 条件下从 N 中引出 Y。"[4]

① Kriegel U. "Cognitive phenomenology as the basis of unconscious content". In Bayne T, Montague M(Eds.). *Cognitive Phenomenology*. Oxford: Oxford University Press, 2011: 85.
② Kriegel U. "Cognitive phenomenology as the basis of unconscious content". In Bayne T, Montague M(Eds.). *Cognitive Phenomenology*. Oxford: Oxford University Press, 2011: 86.
③ Kriegel U. "Cognitive phenomenology as the basis of unconscious content". In Bayne T, Montague M(Eds.). *Cognitive Phenomenology*. Oxford: Oxford University Press, 2011: 87.
④ Kriegel U. "Cognitive phenomenology as the basis of unconscious content". In Bayne T , Montague M(Eds.). *Cognitive Phenomenology*. Oxford: Oxford University Press, 2011: 87.

至于理想条件的本质，克里格尔认为可这样予以定义：一条件对于主体 S 和任务 T 来说是理想的，当且仅当在有内容 C 的情况下，S 尽其所能最好地完成了 T。这就是说，理想条件是相对于被解释者 S 和他所要完成的行为任务 T 而言的，指的是被解释者最好地完成其任务所依赖的条件。[①]

既然克里格尔坚持解释主义，那么他就无法回避这样的解释的不确定性问题：对于同一个作出了某行为的被解释者，一个解释者在解释时归属的是内容 C_1，而另一个解释者归属的却是内容 C_2。对此，克里格尔的看法是，这类不确定性极为罕见，即使出现也无妨，因为它没有什么害处，尤其是在标准的情况下，不会出现一种以上的最好解释。例如，理想解释者在理想条件下所作的最好解释只能是一种。既然是理想解释者，他就一定知道一切现象性意向事实，他就能对被解释者的意向状态中的认知的、推理的相互作用作出清楚把握。

最后我们来分析克里格尔的思想的特点。他自认为，相对丹尼特、戴维森等的理论而言，他为解释主义阵营奉献了一种“更标准、更具整体性的解释主义”。一般而言，解释主义常与整体论连在一起，如它认为，只有有办法将内容归属于整个群体时，才能把内容归属于其中的某一个人。不过，克里格尔坚持的整体论有这样的特点，即强调存在着无意识的意向性和意向状态，因此他的整体论包含有关于无意识内容的整体论。他说：“关于无意识意向性的解释主义必然导致关于无意识内容的整体论。”[②]另外，他的解释主义既坚持一般解释主义所坚持的关于意向性的非实在论或工具主义，同时，在无意识心理问题上，他又有实在论倾向。非实在论的基本观点是，意向性是有用的虚构。这意思是说，它能帮人们对行为作出有用的解释和预言，但它并没有真实的存在地位，就像引力中心、经纬线一样。克里格尔的解释主义承认这一点，但他同时又强调：对无意识意向性的归属一方面有有用性，另一方面又有真实的存在地位，因此不虚构，而且有用性和真实性必须结合在一起来理解。[③]他认为，“促使我

① Kriegel U. “Cognitive phenomenology as the basis of unconscious content”. In Bayne T, Montague M(Eds.). *Cognitive Phenomenology*. Oxford: Oxford University Press, 2011: 87.

② Kriegel U. “Cognitive phenomenology as the basis of unconscious content”. In Bayne T, Montague M(Eds.). *Cognitive Phenomenology*. Oxford: Oxford University Press, 2011: 88.

③ Kriegel U. “Cognitive phenomenology as the basis of unconscious content”. In Bayne T, Montague M(Eds.). *Cognitive Phenomenology*. Oxford: Oxford University Press, 2011: 89.

提出这一观点的动机是：只有这样，才能对无意识意向性作出最好的说明”。其他的说明都行不通，主要有三种。第一，潜力论，如塞尔认为，无意识状态之所以有意向内容，是因为它潜在地包含现象特征。第二，推理论。霍根等认为，使无意识状态有意向内容的东西是，它从推理或功能上整合进这样的认知系统之中了，其中，有些意向状态是现象上有意识的。换言之，使它有某一特定意向内容的东西是它的特定的推理或功能作用。第三，取消论。基本观点是否认存在着无意识意向性。这些说明的问题在于：几乎抹杀了无意识意向性的存在地位。取消论自然是直接否定，其他两种理论表面上承认了，但由于没有给予适当的说明，实质上等于取消了它的存在地位。[①]克里格尔的新解释主义强调：应回答到解释主义的这样的结论上来，即某种无意识状态有意向性。这是意向性的一个特例。相信这一点的根据有两方面，一是认知科学的成果，二是FP的信念。在认知科学看来，承认某种无意识状态有意向性，从解释上说是有利的，当然他承认，我们没有办法亲知无意识的意向状态，“我们相信它们的唯一理由是：相信它们存在，从第三人称观点看既有理论上的利益，又有解释上的好处”。[②]

六、施动性现象特征

受发现认知性现象学特征的启发，许多人得出结论说，现象学特征有许多不同的种类，现在只认识到一种，并不意味着只存在这一种。例如，过去的主流思潮只承认感觉、知觉、情感有现象特征。通过最近的新的研究，人们发现思想等认知过程也有自己专门的现象特征，即认知性现象特征。现在认识到两种，并不意味着只有两种。也许客观上有很多种，当然有待我们去发现。

霍根似乎又发现了一种现象特征，即自主体执行任务、施动过程中所具有、所表现出的现象特征，可称作“施动性现象特征”。在他看来，经验（知觉）到一种红色，无疑会得到一种感觉起来所是的东西。同理，经验到一种行为，也

① Kriegel U. “Cognitive phenomenology as the basis of unconscious content”. In Bayne T, Montague M(Eds.). *Cognitive Phenomenology*. Oxford: Oxford University Press, 2011: 89.
② Kriegel U. “Cognitive phenomenology as the basis of unconscious content”. In Bayne T, Montague M(Eds.). *Cognitive Phenomenology*. Oxford: Oxford University Press, 2011: 90.

一定有感觉起来所是的现象特征。质言之，施动性现象学特征就是人们在行为、做事的过程中所体验到的又一种专门的现象特征。他强调，只要留心去体会，每个人在有意识地、深思熟虑地去完成某一行为，如将手臂举起来去摘树上的果子时，一定有特定的经验。但它不同于知觉等过程中出现的经验。它甚至比其他经验更复杂，因为它除了有伴随认知而发生的现象特征之外，还有身体的经验，可称作“现象特征的纯身体的方面”。此外，人在经验身体运动时，不只经验到了发生在身体上的某物，还能经验到自己的行动本身，经验到自己的手、臂等的运动是由自己操控和完成的。而这正是“作为根源的自我（self as source）看起来所是的东西”。[①]看起来之所是，或感觉起来之所是，恰恰是所有现象特征的共同本质。

根据霍根的看法，施动性现象特征之所以重要、复杂和特殊，是因为它是“作为根源的自我”之显现。证明这一点的最明显的根据是，“你能经验到你的行为是由你独自引起的”，形而上学的自由论者所说的“自由因”也能证明这一点。[②]

霍根承认，这里必然会受到对施动现象特征持怀疑论态度的人的驳难。如有的人承认行动、施动经验的客观存在，但不承认有专属这种经验的现象特征，其理由是，行动是由有通达意识的心理状态所引起的一种行为，有现象特征的是心理状态，而非行为。霍根通过思想实验说明了自己的回应。他的基本观点仍是，像思维等有其专属的认知性现象学构造一样，“施动经验”不仅有身体运动的感性方面，而且也有其独有的现象学构造，如会让人产生关于“作为根源的自我”的现象性经验。他认为，只要能找到施动性现象特征的构成、表现形式，就足以证明它的存在。在他看来，人在行动时，只要留意就能体验到行动中现象学特征，它至少有这样一些构成，一是关于身体运动的感知方面，二是关于“作为根源的自我”的现象学方面。“除这些之外，还有别的施动性现象特征”，如“各种与目的有关的现象学方面”。这里的目的有两种，即一般的或总的意图和某种行为所要达到的具体目的。而与目的有关的现象学方面包含认知

① Horgan T. “From agentive phenomenology to cognitive phenomenology: a guide for the perplexed”. In Bayne T, Montague M(Eds.). *Cognitive Phenomenology*. Oxford: Oxford University Press, 2011: 64.

② Horgan T. “From agentive phenomenology to cognitive phenomenology: a guide for the perplexed”. In Bayne T, Montague M(Eds.). *Cognitive Phenomenology*. Oxford: Oxford University Press, 2011: 65.

的因素，其中最突出的是行动者当下的信念和愿望。其表现是，目的总是指向行动者想要改变的世界状态，而为实现目的而作出的行动又是行动者相信能通过其让世界发生改变的行为。因此人所施行的全部现象方面中一定包含认知性现象学构造。①

霍根关注的行为范围很广，除身体运动之外，还包括看、听、写、理解符号的言语行为。他认为，这些行为中都有施动的现象学方面。

就施动现象学构造与认知性现象学构造的关系来说，他认为，前者比后者复杂，因为它至少由三方面构成，且主要不是与认知过程相关，而是与行为及其主体相关，所以它不同于后者。但是它又包含后者，与目的有关的现象学方面是行为的本质构成，而其内的现象学特征实质上就是认知性现象学特征。他说："施动性现象学构造具有目的性的方面，因此本身是一种认知性现象学构造。"其表现是，认知性现象学构造上的差异也出现在了有关的施动性现象学构造中。②"常见的施动性现象学构造有极强的认知性，因为它充斥着有目的的方面，如包含常见的信念和愿望。"③

霍根认为，承认有施动性现象学特征具有重要的心灵哲学意义：一方面，它有助于深化对现象学特征、意识、意向性的研究；另一方面，它有揭露功能主义局限性的作用。根据功能主义，心理状态的本质在于有功能作用。但根据认知现象学的研究，心理状态并不完全是这个样子。他说："感性经验从根本上说不是这个样子，它有内在的现象特征。"另外，在霍根看来，否认认知性现象学构造像否认感性经验的现象特征一样，都同样是错误的。④简言之，用功能作用说明心理现象犯了简单化错误。例如，现象意识或感觉起来所是的东西远非一个功能作用能说明的。莱文指出：它有复杂的构成，如"有两种基本构成因素，即主观性和质的（或现象性）特征"⑤。而主观性本身也有复杂的构成，一

① Horgan T. "From agentive phenomenology to cognitive phenomenology: a guide for the perplexed". In Bayne T, Montague M(Eds.). *Cognitive Phenomenology*. Oxford: Oxford University Press, 2011: 69.
② Horgan T. "From agentive phenomenology to cognitive phenomenology: a guide for the perplexed". In Bayne T, Montague M(Eds.). *Cognitive Phenomenology*. Oxford: Oxford University Press, 2011: 71.
③ Horgan T. "From agentive phenomenology to cognitive phenomenology: a guide for the perplexed". In Bayne T, Montague M(Eds.). *Cognitive Phenomenology*. Oxford: Oxford University Press, 2011: 72.
④ Horgan T. "From agentive phenomenology to cognitive phenomenology: a guide for the perplexed". In Bayne T, Montague M(Eds.). *Cognitive Phenomenology*. Oxford: Oxford University Press, 2011: 77.
⑤ Levine J. "On the phenomenology of thought". In Bayne T, Montague M(Eds.). *Cognitive Phenomenology*. Oxford: Oxford University Press, 2011: 103.

是其中有经验的主体，它是经验向其显示感觉之所是的东西，二是经验的方式。有主观性一定是从主体的角度去观察、体验。他说："在有一种经验时，感觉起来所是的某物就表现为主观性。"所谓质的特征，"就是呈现于经验主体面前的种种特征之混合"[①]。

① Levine J. "On the phenomenology of thought". In Bayne T, Montague M(Eds.). *Cognitive Phenomenology*. Oxford: Oxford University Press, 2011: 103.

第十三章

围绕感受性质的反物理主义与物理主义的最新争论

如果感受性质真的像其发现者所说的那样是实在世界中一种不能同一于、还原于物质实在的性质或存在，那么仅凭这一点，就可引出一种反物理主义的二元论的结论：感受性质是不同于非感受性质的东西，像物理性质一样也有自己的独立存在地位。可见，这种新二元论的直接本体论和认识论根源是人们“发现”了世界的一种“新性质”或新存在。当然，这只是它得以产生的一个条件。杰克逊说：“唯物主义无法说明有意识经验的诸方面。”[①]这里的逻辑是：如果物理主义能根据自己的原则把有意识经验也解释为物理的性质，那么就可以得出结论说，世界是物理的。如果不能如是说，那么就应肯定世界上还存在着非物理的东西，如至少存在着感受性质。如果是这样，那么其结论只能像杰克逊所说的那样，物理主义是虚妄的。这个逻辑看似完美无缺，但在“顽固的”物理主义者看来，其实隐含着把认识与实在混同的问题。因为已为物理主义认识到的东西肯定是物理的，但不能由此推论说它没有认识到的东西就一定是非物理的。今天无力认识，并不等于未来没有这个可能。至少可以这样说：在今天基于认识论根据得出上述本体论结论还为时过早。

---

① Braddon-Mitchell D, Jackson F. *Philosophy of Mind and Cognition: an Introduction.* Oxford: Blackwell, 2007: 4.

第一节 感受性质的发现及其反物理主义新论证

关于感受性质的发现过程、本体论地位以及在此基础上的二元论和反物理主义论证等，我们在以前的大量论著中作了较具体的考察。这里拟对21世纪以来物理主义和反物理主义围绕它的论战，再作挖掘和分析。

发现了感受性质的人不仅对物理主义发起了自认为致命的否定性论证，而且在此基础上论证了一种新二元论的形式，即感受性质二元论。它是在人们看到了传统二元论的局限和缺陷，并试图予以改进、修正的基础上建立起来的。在内格尔、查默斯等看来，传统二元论在强调心灵的存在地位和作用时，没有看到物质的基础地位。内格尔说："一个人怎样把有主观属性的实体包括在客观物理世界之中这一问题，像物理实体怎么可能有主观属性这一问题一样，是极其尖锐的。"[①]为解决上述问题，人们提出了感受性质二元论这样的、带有向自然主义让步的理论。这种理论的特点是超越，既超越于物理主义，又超越于传统二元论。鉴于此，怀特（S. L. White）把内格尔的心灵理论称作超越主义（transcendentalism）。[②]其对物理主义的超越表现在：以疼痛为例，人感觉到疼痛时，疼痛有向人的显现，这是处在疼痛状态之中必不可少的东西，换言之，没有前者，就没有后者。从解释上说，对疼痛的感觉是不可用物理状态来说明的，是超越于后者的。一个人处在疼痛中，是一种第一人称事实，不能还原为第三人称表述。述及主体的物理状态就像述及功能状态一样无助于接近主体所感觉到的东西。对二元论的超越表现在：以内格尔的二元论为例，它认为心灵实体不过是与客观的第三人称的因果关系链条有联系的一种实在，如果关于物理实体的事实不能告诉我们关于疼痛感觉起来像什么的事实，那么心理实体也是如此。当然这里超越的是实体二元论，而非属性二元论。[③]

一、知识论证及其新版本

知识论证的最原始的版本是由澳大利亚哲学家杰克逊构思出来的。这一论证

① Nagel T. "Subjective and objective". In Nagel T (Ed.). *Mortal Questions*. Cambridge: Cambridge University Press, 1979: 201.

② White S L. "Curse of the qualia". In Block N, Flanagan O, Güzeldere G (Eds.). *The Nature of Consciousness: Philosophical Debates*. Cambridge: The MIT Press, 1997: 697.

③ White S L. "Curse of the qualia". In Block N, Flanagan O, Güzeldere G (Eds.). *The Nature of Consciousness: Philosophical Debates*. Cambridge: The MIT Press, 1997: 697.

的矛头对准的是物理主义。物理主义的观点无疑是“知识”，如果它足够完善，就能说明世界上的一切存在。如果有它说明不了的东西，或有它的反例，哪怕只有一个，那么它就是错误的。如果它错了，它的反面即二元论就一定是对的。问题是：有没有这样的反例呢？为予以回答，杰克逊构想了一些思想实验，其中最著名的是所谓的“知识论证”。[①]由此所得的结论是，人在看到红色时，在有红的经验时，人的心理世界必然呈现出现象性质、内容或信息等，这些都是过去的物理主义知识所不能涵盖的。如果不能涵盖，就说明还存在着非物理的东西，因此“物理主义是虚妄的。这就是反对物理主义的知识论证”。[②]

面对杰克逊的知识论证，物理主义者承认：人们在诉诸直觉以观察现象性质时，的确看不到物理的东西，看不到现象性质与物理-功能性质有何关联，但从实在上说，两者内在地有关系，人们对之可以作出肯定的说明，如可通过分析两类对象的概念及其内在关系来达到这一目的。不难看出：物理主义论证心灵之物质地位的主要工具和方法是概念分析。它试图通过概念分析，在自然界中为心灵找到地位，并最终证明世界上的一切都是物理的这一结论。其论证图式是：①心理状态 M=功能作用的享有者 F（通过概念分析达到这种结论）；②功能作用的享有者 F=大脑状态 B（通过科学达到这一结论），因此 M=B（通过转换）。这是澳大利亚和美国的唯物主义的论证及辩护路线。[③]

物理主义在辩护中还强调：尽管用物理术语所作的叙述有遗漏或不全面，不能覆盖世界上的一切事物，但唯物主义有这样的预设，即自然界总有一天是完全可以用物理术语描述清楚的。如果是这样，心理学术语所涉及的就不可能超越于物理术语所描述的东西。

针对物理主义的反击，杰克逊指出，“这一辩护并没有告诉我们：概念分析在这种辩护中为什么一定有其作用”[④]。因为：①概念分析在语言哲学中有用，但在心灵哲学中不一定有用；②概念分析的历史是充满错误和失败的历史；③心

---

① 高新民，刘占峰，等.《心灵的解构——心灵哲学本体论变革研究》，中国社会科学出版社 2005 年版，第 7 章。

② Jackson F.“What Mary didn’t know”. In Rosenthal D(Ed.). *The Nature of Mind*. Oxford: Oxford University Press, 1991: 392.

③ Rey G. “A question about consciousness”. In Block N, Flanagan O, Güzeldere G (Eds.). *The Nature of Consciousness: Philosophical Debates*. Cambridge: The MIT Press, 1997: 462-470.

④ Jackson F. “Find the mind in the natural world”. In Block N, Flanagan O, Güzeldere G (Eds.). *The Nature of Consciousness: Philosophical Debates*. Cambridge: The MIT Press, 1997: 483.

与物的联系是后天必然的，而非先天必然的，所以概念分析无用。杰克逊还认为，即使诉诸概念分析，也不可能达到物理主义者想达到的目的。因为下述概念分析仍是有效的：现象概念在下述意义上是不能从概念上加以还原的，它们既不先验地蕴含着物理-功能概念，又不为后者所蕴含。由此可得出的结论是：现象性质不能还原为物理-功能属性。既然如此，它们就不是物理世界中的实在，而是非物理-功能的事实。物理主义想要解释它们，就必须修改对物理实在的看法。

在与物理主义的论战中，鲁滨逊提出了知识论证的一种新的、“最强的版本”，可用非形式化的方式表述如下：一个生来就耳聋的科学家 DS 最终成为一个在声音和听力方面的有世界影响的物理学专家。假如那时的科学比现在还要进步，DS 的生理学、物理学、化学、关于听觉的 AI-认知心理学知识都是完善的。即使如此，仍有某种他不知道的东西，如他不具备这样的信息，即声音可能是什么样的事物，或声音有什么样的现象本质或质的性质。既然他知道关于听觉的物理过程的一切应知道的东西，他不知道的事情就一定是非物理的事态，因此声音所具有的现象或质的性质一定是听觉的非物理的特征。上述论证可简化为下述推论：①DS 知道关于听觉的一切能用物理科学的词汇表述的事实；②不像那些能听见外界声音的人，DS 不知道声音的现象性质；因此，③声音的现象性质原则上不能用物理学词汇来描述；④任何物理的事物、状态或属性的本质都能用物理学的词汇来表述；因此⑤声音的现象本质不是物理的事物、状态或属性。

这一知识论证之所以是激进的、极端的，是因为它有这样的关键之点，即它强调：“关于物理事物的任何可能的知识都不是关于主观性维度的知识，或不能定推出这种知识。”后一种知识是另一种特殊的知识，因为它表达了物理知识无法表达的特殊事实，即主观性。[①]

著名心灵哲学家保罗·丘奇兰德在批驳知识论时指出：感觉过程以及人在此过程中所体验到的主观的特征都可以用神经科学的术语来说明，或完全可以被还原为中枢神经过程或状态。他还别出心裁地提出：知识论证既可以证明二元论，又可以用来批驳或证伪二元论。因为关于外质（ectoplasmic）材料的本质的知识是不可能为 DS 得到和利用的，就像关于大脑状态的知识不可能让他知道听声音

① Robinson H. “The anti-materialist strategy and the ‘knowledge argument’ ”. In Robinson H(Ed.). *Objections to Physicalism*. Oxford: Clarendon Press, 1993: 159-162.

可能是什么样子一样。[①]保罗·丘奇兰德这样说肯定不是为了说明二元论像唯物主义一样应予以坚持，而是要表明：一种同时能批驳唯物主义和二元论的论证肯定存在着某种错误。鲁滨逊承认：如果该论证真的是这样，那么的确是有错误的。但问题是该论证不仅没有批驳二元论的目的和作用，而恰恰是有助于论证二元论的。

如果知识论证有利于二元论，那么它是否同时有利于属性二元论和实体二元论？它有利于属性二元论，这是没有争论的，但是是否有利于实体二元论，则有不同看法。一般认为，知识论证是不利于实体二元论的。鲁滨逊不这么看，认为只要对“心理实体”作出新的界定，那么知识论证也可看作是对实体二元论的证明。在他看来，“心理实体”指的并不是由“幽灵式原子”构成的东西，而是某种不由任何东西构成的东西。就它有构成因素来说，构成它的完全是心理的东西，如能力、信念、愿望、经验等。在这些心理现象的本质问题上，正确的理论只能是二元论，因为能力、信念等的本质是非物理的主观特征。鲁滨逊说：“一个人如果不知道经验究竟是什么，那么他也就不能知道作为心灵之组成要素的能力、思想、经验的本质，不可能有关于这样一种心灵的纯科学的观点。”[②]。

尽管多数物理主义者对知识论证持批判态度，但也有少数物理主义者不仅承认它的合理性，而且根据知识论证指出的问题对物理主义作出修补，从而导致了“新潮”（new wave）唯物主义这样一种融合了二元论因素的唯物主义混血儿的诞生。其代表人物主要有洛尔、海尔（Heil）和麦克劳林等。其特点是承认知识论证和二元论的某些合理性，如承认有现象状态，但又不放弃物理主义原则，认为现象属性在物理一词的广义意义上同一于物理属性。它认为，基于内省，我们可用现象概念描述现象属性，这些概念指的就是自在存在的那些属性。现象概念不同于物理概念，后者描述的是现象属性的物理-功能本质。其基本观点是：只有一种属性，如大脑过程类型，它可以同一于疼痛类型，也可以在两种不同的概念（即现象的和理论的）之下来设想它。对于新潮唯物主义，一些人提出了否定性论证，可称作“解构性论证”。其要点是：①当一种现象属性在现象概念下被设

① Churchland P M. *A Neurocomputational Perspective: the Nature of Mind and the Struture of Science*. Cambridge: The MIT Press, 1989: 71-72.
② Robinson H(Ed.). *Objections to Physicalism*. Oxford: Clarendon Press, 1993: 186.

想时，这个属性就被设想为物理功能属性之外的东西；②当一种现象属性在现象概念之下被设想时，这个属性可直接予以设想，如被设想为其本身；③如果一属性 P 在概念 C 之下被设想时（不被设想为物理-功能属性），如果 P 在概念 C 之下被设想为它自身时，那么 P 就不是物理功能属性。“这就是说，它们一定不能被看作物理-功能属性的属性。”①这就是解构新潮唯物主义的论证。

二、“蝙蝠”论证及其争论

内格尔通过对“蝙蝠”的思想实验不仅说明了上述道理，而且进一步断言：主观特性不能用客观的方法去把握，只能从主观的观点出发，用非物理的方法才能认识。为了说明这一点，他提出了一个古怪的、后来引起了广泛而激烈争论的问题：“成为一只蝙蝠可能是什么样子？”或者说“蝙蝠的经验是什么样子？”它所处的经验过程、它的经验所具有的主观特征可能会是什么样子呢？

可以肯定的是，不管我们如何设想、想象，我们都没办法知道它的经验像什么。因为在它的经验中，有一个必不可少的维度，这就是它有它独特的主观观点，即从自己的角度去观察经验的维度。而这维度、这观察既是它的经验的条件，又是经验的构成。内格尔的思想实验和论证的确有新的发现，如主观的观点，由之所显现的经验的特殊性、观点及经验的主观性等。怎样看待这些东西？由之可引出什么结论呢？这些一直是有争论的问题。内格尔的结论不仅是二元论，而且还有泛心论的倾向。取消论和较彻底的物理主义要么否认这些现象的存在，要么强调：即使是存在的，也可诉诸科学理论而予以说明，因此物理主义未被证伪。这里我们拟考察一些介于这些极端态度之间的较温和的立场。

一种观点认为，主观性的重新“发现”的确证伪了还原主义。汉南（B. Hannan）认为，还原论完全“没有看到心理的东西的这样的属性，即对心理的东西在概念上是必要的属性——主观性，以及可从第一人称观点出发的可接近性”。要承诺这些东西，最好是选择属性二元论。而他所倡导的属性二元论是介于二元论和还

① Horgan T, Tienson J. “Deconstructing new wave materialism”. In Gillett C, Loewer B (Eds.). *Physicalism and Its Discontents*. Cambridge: Cambridge University Press, 2001: 311.

原唯物主义之间的中间立场，可称作非还原的唯物主义。但这种唯物主义又有二元论的因素，因为它毕竟承认了主观经验的独立存在地位。[①]应看到：他在主观性问题上的认识确有“发展”，这表现在：他不仅像大多数人那样从感受性质的角度去论证，而且重视基于命题态度的论证，还有把感受性质与命题态度结合在一起的特点。以信念为例，他说：“内容在本质上是第一人称的、主观的内容”，“信念是某人承认自己所相信的某东西”，有两种情况：一是有意识的，如果是这样，“那么信念的内容就是相信者主观地知道的某东西”；二是无意识的或倾向性的信念，这种被相信的内容存在于相信者的心中，但尚未现实地被他觉知到。[②]不过，只要条件具备，就会成为有意识的信念。他说：“正确地归属于一个人的命题态度依赖于那个人的实际的和倾向性的主观觉知状态。而主观觉知的倾向性状态则是这样的状态，即可能过渡到意识。”[③]最后，他对随附性也发表了新的见解，而这又使他的结论带有更多的二元论元素。他认为，主观状态尽管由大脑属性所决定，但毕竟不是大脑属性，一经产生，就有自己的独立性，如具有大脑其他物理属性所没有的主观性。他说：“心理属性在本质上是这样的属性，即处在特定类型的主观状态。”[④]

受内格尔关于“主观观点”的启发，许多人重新关注过去讨论较多的“第一人称观点”或“描述”，并进行了新的开发。西沃特像内格尔和塞尔等一样强调：要认识包括意识在内的心理现象的本质，必须坚持第一人称观点。他说：“如果我们抛开这种观点，而改用外在的‘第三人称’或客观的观点，那么我们将看不到意识的重要而有趣的东西。”[⑤]当然，西沃特并没有由此而走入笛卡儿主义的阵营，而是坚持中间路线。他对于第一人称的知识的讨论足以说明这一点。他认为，笛卡儿主义者对这种知识有四种不同观点。第一是知觉模型：把心灵实体及其上面所发生的东西当作独立的对象。要认识它们，只有借助第一人称的知觉或内省。第二是推理模型。第三是第一人称信念模型：有第一人称知识就是有关于认识流的信念，这种信念的内容使认识流无懈可击。第四是强调自知独立于他心知，优越

① Hannan B. *Subjectivity & Reduction: an Introduction to zhe Mind-Body Problem*. Boulder: Westview Press, 1994: 79.
② Hannan B. *Subjectivity & Reduction: an Introduction to zhe Mind-Body Proble* . Boulder: Westview Press, 1994: 81.
③ Hannan B. *Subjectivity & Reduction: an Introduction to zhe Mind-Body Problem*. Boulder: Westview Press, 1994: 81-82.
④ Hannan B. *Subjectivity & Reduction: an Introduction to zhe Mind-Body Problem*. Boulder: Westview Press, 1994: 103.
⑤ Siewert C. *The Significance of Consciousness*. Princeton: Princeton University Press, 1998: 4.

于他心知。对这些态度，西沃特认为，他“反对第一、二种观点，对第三、四种看法既不否定，又不肯定”。[①]因此，他对笛卡儿主义的态度是：既不绝对肯定，又不绝对否定。他说：“我认为，存在着非推论的、独特的第一人称知识，对于各种态度和经验，我也有权予以肯定。”“我认为，这对于理解意识至关重要。……具有有意识的经验对于保证某人具有他所具有的信念是必不可少的。”[②]他倾向于笛卡儿主义的地方在于：承认主观经验有独立的存在地位。他说：“要理解意识，人们不仅需要理解各种有意识经验共同具有什么，而且还要知道，它们在哪些方面相互区别开来。”共同的地方在于，各种有意识经验有体验的一面，有质的特征，有可报告性等；不同在于，它们各有特殊的“现象性”，或“主观性”或“质的特征”。[③]例如，不同的人感知的即使是同一对象，但他们所得到的现象意识也是不同的。他说：“说一个人是有意识的，即有现象性意识，就是说它在这种意义上有向他显现的某种方式。说它以各种不同方式向你显现，就是说你有关于变化着的现象特征的有意识经验。……说经验在现象特征上有不同，就是说它们只以有意识经验能够变化的方式发生变化。”[④]人作自我评价也能说明这一点，因为自我评价是一种客观的能力，既然如此，这种评价能力对质的特征（如食物的味道等）等的评价就不是子虚乌有。这就是说，评价所对应的、在意识中呈现出来的特点，也一定有其真实性。[⑤]

面对主观性，也有一些人引申出了主观主义、神秘主义的结论。布朗（J. W. Brown）强调：人的经验有主观性，这恰恰是客观的事实，科学如果是尊重事实的，那么就必须予以承认。他说：“关于世界的科学图景如果排除了主观性，那么就是贫乏的。”[⑥]如果科学无法说明主观性，那么就必须寻找其他的出路，如诉诸非科学的、宗教的方式予以说明，因为科学并不是万能的。他还认为，可把对主观性的强调称作主观主义，而唯心主义又是主观主义的结果。他说：“观察者的观点是人们形成关于世界的知识的源泉和基础”。[⑦]

---

① Siewert C. *The Significance of Consciousness*. Princeton: Princeton University Press, 1998: 19.
② Siewert C. *The Significance of Consciousness*. Princeton: Princeton University Press, 1998: 20.
③ Siewert C. *The Significance of Consciousness*. Princeton: Princeton University Press, 1998: 85.
④ Siewert C. *The Significance of Consciousness*. Princeton: Princeton University Press, 1998: 338.
⑤ Siewert C. *The Significance of Consciousness*. Princeton: Princeton University Press, 1998: 335-339.
⑥ Brown J W. *Mind and Nature: Essays on Time and Subjectivity*. Oxford: Routledge, 2000: 122.
⑦ Brown J W. *Mind and Nature: Essays on Time and Subjectivity*. Oxford: Routledge, 2000: 126.

三、经验鸿沟论证

经验鸿沟论证有两种形式。

（1）本体论的论证。它强调存在着两种事实，一是大脑中发生的可由客观观察证实的神经生理事实，二是人能凭第一人称观点直接知道的事实。这两者根本不同，似有一道鸿沟把它们隔开了一样。这个论证要说明的是，人的经验、意识根本不同于物质性的大脑状态，两者不能等同。这里的经验、意识不是指它的原因或它所导致的结果，不是大脑状态，与大脑状态有不可逾越的裂隙或鸿沟。这就是从本体论角度所作的“经验鸿沟论证”。

（2）现今流行的从认识论角度所作的经验鸿沟论证。其有两种情况：一是激进的形式，即由存在着认识论鸿沟（大脑内部过程、状态、事件可用两种方式去认识，进而导致两种不同的认识）推论出这样的本体论结论：被两种方式认识到的东西在本体论上也不同；二是温和的形式，它只强调认识论上的差异。沃纳（R. Warner）对此作了这样的概括：“心理的东西与物理的东西之间存在着根本的认识论上的差异。”例如，对前者的认识是直接的、不可错的，因而有优越的通道，而对后者的认识则是间接的、可错的。两种认识是不对称的。对于这一传统的看法，现今的论者有不同的态度：一是既赞成它的表述，又赞成它的精神实质；二是对两者采取全盘抛弃的态度；三是赞成它的表述，而修改对它的规定；四是只放弃它的文字表述，而赞成它的精神实质。沃纳就坚持第四种观点。他说：“我赞成传统观点的主要思想，即认为不可错性是概念解释的结果，或更准确地说，是认识能力起作用的结果。如此看来，不可错性最终是错误的有条件的可避免性。”[①]这就是说，有认识心理状态的不可错的能力是必然的，或者可以说，这种能力是一种模态属性，因为它必然不会错。而对外物的认识则不是这样。例如，人们常把草绳认作蛇，而对于疼痛这样的内在状态则不会有这种错误。沃纳说：“只要你认识疼痛的能力没有什么损伤，这就是必然的，由于运用了这种能力，你就会相信你处在疼痛之中，你就真的处在疼痛之中。这是疼痛的一种模态属性，而任何物理的事物没有这种属性。”[②]

---

① Warner R. “Incorrigibility”. In Robinson H(Ed.). *Objections to Physicalism*. Oxford: Clarendon Press, 1993: 185.
② Warner R. “Incorrigibility”. In Robinson H(Ed.). *Objections to Physicalism*. Oxford: Clarendon Press, 1993: 186.

这里的关键在于：对内在状态的认识或信念为什么必然是真的？这既是传统观点的难题，也是沃纳想深掘的课题。传统观点认为，对内部状态的信念一定是真的。这尽管有其合理性，但一直难以得到有力的辩护。因为错误的信念与认识能力有时也有某种联系，而这种关联其实是认知故障（failure to know）与认识能力之间关系的一个特例。错误的信念自然是认知的故障。例如，一个人可能真的相信处在疼痛之中，但有时又无法知道这一点。[①]沃纳提供的辩护是：人关于自己内部状态的认识、信念，只要是在神智健全的条件下形成的，那么就是不可错的。以疼痛为例，可这样表述他的“不可错”原则（*）：如果某人相信他处在疼痛之中，且此信念又是来自他严格地运用了他的没有损伤的能力，以至非推论地认识到了疼痛，那么他就必然处在疼痛之中。[②]由（*）又可推出这样的结论：“疼痛不是物理状态，或毋宁说，疼痛不是客观的而是主观的现象。”[③]他认为，由上述分析可引出下述结论，即心理与物理、主观与客观、疼痛和作为疼痛之基础的神经系统的活动之间是二分的。他说：认识到这种二分法，恰恰是传统的不可错学说的精髓之所在。

相对于内格尔等的蝙蝠论证而言，沃纳的这种认识论论证，既有共性，又有个性。共性表现在：他像内格尔一样承认内在的经验或认识是主观的，但同时又是客观存在的。另外，他像内格尔等一样，也由认识论论证引申出了这样的本体论结论，即如果主观的认识不可错，那么被认识到的东西一定有存在地位。个性在于：内格尔强调心理状态只能从主观观点出发才能被理解。既然如此，人们就无法把内在状态及其体验同一于或还原于物理的过程。另外，内格尔在论证时尽可能避免诉诸“不可错性”之类的概念，而沃纳的结论主要是通过这个途径得到的。

与上述论证相近的是解释鸿沟论证，因此后者有时也被划归关于感受性质的认识论论证的范畴。但如果仔细考究，它们之间还是存在着微妙的差异的。这主要表现在：经验鸿沟论证突出的是人们在用知觉、信念等方式去观照经验及大脑过程、行为时所存在的不同，而解释鸿沟论证要突出的是对上述认识及其所把握到的对象在解释或说明时所存在的差异。例如，莱文基于认识论的反同一论论证

① Warner R. “Incorrigibility”. In Robinson H(Ed.). *Objections to Physicalism*. Oxford: Clarendon Press, 1993: 189.
② Warner R. “Incorrigibility”. In Robinson H(Ed.). *Objections to Physicalism*. Oxford: Clarendon Press, 1993: 194.
③ Warner R. “Incorrigibility”. In Robinson H(Ed.). *Objections to Physicalism*. Oxford: Clarendon Press, 1993: 204.

就是如此。他说：“我的目的是把克里普克的基于形而上学的论证转化为基于认识论的论证。”[①]克里普克要阐述的原则是：“心脑同一论是错误的。”所依据的直觉是：关于有意识经验的陈述不能同一于关于物理事件的陈述。莱文认为，这个观点尽管重要，但不足以成为他要辩护的形而上学结论的根据。他说：“它可以支撑一个直接有关的认识论结论，即心脑同一论留下了重要的解释鸿沟，因此我们实际上没有办法判断——关于心脑同一的命题哪些是正确的。”[②]

他的具体论证是从分析克里普克对类型同一论的“疼痛是c-纤维的激活”这一具体命题的考察开始的。后者认为，如果它是对的，那么它必然是对的。正如“热是分子运动”这个命题一样，它正确，因此它必然正确。说它必然真，就是说，在一切可能世界中它都为真。就后一命题来说，的确找不到这样的不可能世界，但前一命题则是可以有反例的。例如，可找到这样的可能世界，在那里某人有疼痛发生，但大脑中却没有c-纤维的激活。因为疼痛的经验和感觉可看作疼痛本身，我们不可能在疼痛显现给我们的方式与那个现象本身之间作出区别。

相对于克里普克来说，莱文无疑有自己的发展。这表现在：从认识论上揭示了同一论的错误，这就是强调同一论无法面对解释鸿沟问题。他说：“现象性质是抵制物理（包括功能）解释的。”这就是说，由同一论等同起来的两端，一端如c-纤维激活可以进一步诉诸物理解释，而疼痛这一端是不能有物理的解释的。这是两者在解释上的巨大差异，因此不能同一。他不否认，像有意识经验这样的事件无疑是一种出现在高度组织起来的物理系统之上的现象，是可以而且必须给予解释的。但显然不能用纯物理的术语来解释，更不能等同于低层次的物理事件。以同一论的两个命题为例，“热是分子运动”这个命题没有解释上的鸿沟，而“疼痛是c-纤维的激活”则有解释上的鸿沟。它们的“不同可这样说明，后者不同于前者，留下了解释鸿沟”[③]。因为“对于c-纤维激活来说，如果我们不能确定有什么理由能解释下述断言，即有c-纤维激活就有它所具有的质的特征（疼痛），

① Levine J. “Materialism and qualia: the explanatory gap”. In Heil J(Ed.). *Philosophy of Mind: a Guide and Anthology*. Oxford: Oxford University Press, 2004: 772.

② Levine J. “Materialism and qualia: the explanatory gap”. In Heil J(Ed.). *Philosophy of Mind: a Guide and Anthology*. Oxford: Oxford University Press, 2004: 777.

③ Levine J. “Materialism and qualia: the explanatory gap”. In Heil J(Ed.). *Philosophy of Mind: a Guide and Anthology*. Oxford: Oxford University Press, 2004: 778.

那么可以想象，即使有 c-纤维激活，也可能不会出现疼痛，反之亦然”。[①]既然如此，就有这样的本体论的可能性，疼痛是不同于大脑过程的另一种存在形式。

第二节 现象意识的形而上学解剖与解释

感受性质的发现大大激发了二元论者和反物理主义者，他们围绕它做了很多文章。对此，我们过去基于跟踪性研究对分析性心灵哲学中的进展作了较多考察。这里拟对持现象学倾向的心灵哲学家的建树略作分析。D. W. 史密斯和奥肖纳西（O'Shaughnessy）等不满足于对现象意识的描述性分析和特点梳理，而试图从形而上学视角，如从本体论和认识论角度，挖掘其中所隐藏的更深刻的意蕴。客观地说，这一工作的确取得了积极的成果，如一方面揭示了现象意识更多鲜为人知的方面，另一方面又拓展和深化了形而上学的本体论、认识论研究。

一、D. W. 史密斯对现象学和本体论的“细心综合”

描述现象意识是一码事，如何予以解释、如何揭示它的构造和根源又是另一码事。D. W. 史密斯不绝对否认根据物理、化学过程解释意识经验的自然主义方案的必要性和合理性，但又强调仅有这种解释是不够的。因为这一类现象尽管依赖于物理过程和刺激，但由于在发生时又添加了新的东西，如至少有一个内在的流动的、伴随着体验的过程发生了，如果主体用第一人称观点去观察，那么还增加了内格尔所说的“主观的观点”这一成分或维度。由于它们的加入，物理基础之上所发生的内在心理状态便成了一个更新的东西。因为任何过程、状态或事件，只要其中有新的参数加入或减去，它就会变成不同于原物的东西。

这种东西是物理主义、行为主义所倚重的客观观察方法所看不到的，甚至根本接触不到的，只有诉诸现象学直观或第一人称观察才能接近。而一旦有现象学维度的介入，原有的物理主义的本体论就必然会被突破或超越，因为现象学视角下显现出来的东西是物理主义本体论所没法涵盖的。这样一来，建构更广泛、更

① Levine J. “Materialism and qualia: the explanatory gap”. In Heil J(Ed.). *Philosophy of Mind: a Guide and Anthology.* Oxford: Oxford University Press, 2004: 778.

全面的本体论便势在必然。例如，在意识中显现的东西，以及能显现的意识，显然不同于自然的存在，而是一种更复杂的、高阶的存在，是只有主体自己才能接近和体会到的存在。总之，为了客观真实地再现人身上尤其是心灵世界中真实发生和存在的东西，除了要有自然主义的框架、第三人称的视角之外，还必须有现象学和本体论的视角。D. W. 史密斯说："为了理解意识的本质，说明它是怎样结合在世界之中的，我们从哲学方面必须做的事情是，对细心做成的现象学和本体论作出更细心的综合。"①这就是说，要理解意识的本质及其在世界中的地位，不仅要有现象学和本体论这两种视角，而且还应把它们结合起来。

D. W. 史密斯所理解的意识是指广义的有意识的心理现象，换言之，任何心理现象只要是有意识的，都可称作意识。而有意识的特点，一是有可经验到的质的特征显现出来，二是有对特定意向对象的指向或"关于"或"关涉"（of-ness, aboutness）。人们对后一方面说得不多，有的人甚至否认意识有这一特征，因此 D. W. 史密斯对之给予了较充分的注意。在这个过程中，他表达了一种关于有意识心理的新的分类思想。众所周知，现在关于心理现象的流行分类是把它分为命题态度和有感受性质的心理现象两大类，而标准是感受性质和意向性。一般认为，这两者是不同心理现象分别具有的特征。如果一种心理现象有意向的特征，那么就可称作命题态度。如果一种心理现象体现的是感受性质，那么便可称作现象意识或经验。D. W.史密斯的新看法是，两类现象区分的标准是意向性及其所指向的对象。他说："意识就是'关于'某物的意识，这种'关于'——可称作意向性，就是一种把意识与世界捆在一起的绳索。"②这里的被关联的"某物"有不同的形式，因此意识或心理有不同的种类。如果某物是经验性的东西，如感觉、知觉、情感等，那么此意识即经验或现象意识；如果某物是命题内容，如信念、愿望等，那么此意识即命题性意识，亦即我们通常所说的命题态度。我们这里只分析他关于前一种意识的理论。

D. W. 史密斯认为，要揭示现象意识的构成、结构、本质、根源和特征，首先要有现象学视角和眼光。什么是他所理解的现象学？为什么要有这种现象学视角？他所理解的现象学与胡塞尔的现象学有渊源关系，但又有自己的赋义。他所

① Smith D W. *Mind World: Essays in Phenomenology and Ontology*. Cambridge: Cambridge University Press, 2004: xi

② Smith D W. *Mind World: Essays in Phenomenology and Ontology*. Cambridge: Cambridge University Press, 2004: 1.

理解的现象学是指关于我们正经验的意识的科学。这里作为对象的意识的范围比胡塞尔所说的要小，主要包括没有命题内容的心理现象，如情感、知觉等。从方法和操作上说，他所理解的现象学要做的工作就是从第一人称观点出发，将有意识的经验描述为当下的显现，其目的就是弄清现象意识的细密构造。他认为，为了理解“今日心灵哲学广泛讨论的意识现象，我们需要做的事是：建立更系统的现象学，对主观经验结构作出细致的分析”。[①]

心理生活的特点在于：“在我思中，有些东西是死的，有很多是活的。”[②]如果一种方法或理论只能把握到它的死的东西，那显然是不够的。只有如其所是地把握到的东西才是真正的意识。现象学视角之所以是必要的，自然主义方法之所以是不够的，关键就在于：前者能把握活的东西，如在意识起作用的当下再现、把握到真实的意识生活，而后者只能注意到它的死的、静止的东西。要对意识作现象学研究，关键是抓住“我思”。他说：“我思的核心，就是这样一个现象学原则，即我们对我们当下的经验有一种直接的觉知。”[③]既然如此，就应对我思展开全方位的透析。在这个过程中，可做的工作主要有：我思的现象学，我思的认识论，我思的逻辑学，我思的本体论，我思的语义学，等等。

当然，这不是说，研究意识只能靠现象学，别的方法毫无用处。D. W. 史密斯强调：要搜集到关于意识经验的没有遗漏、没有偏颇的材料，必须把现象学的第一人称方式和行为主义的第三人称方式结合起来。如果完全否认第三人称方式的作用，那也不对，因为意识有客观的基础，其作用会有行为的表现。

在 D. W. 史密斯看来，本体论的目的不仅是要把诸存在者的库存清单弄清楚，对世界上的各种各样的实在形式作出界定，而且要把这些存在者的关系梳理清楚，由多到少，再回到“一”，即回归统一性。D. W. 史密斯由此认为，本体论中有这样一个核心部分，即“基本本体论”。它的任务就是建立关于世界的最基本结构的理论，形成能反映一切存在的范畴体系。而要完成这一任务，又必须从最基本的分类开始。在他看来，本体论的范畴是表示抽象类别的概念，这些类别

① Smith D W. *Mind World: Essays in Phenomenology and Ontology*. Cambridge: Cambridge University Press, 2004: 290.
② Smith D W. *Mind World: Essays in Phenomenology and Ontology*. Cambridge: Cambridge University Press, 2004: 43.
③ Smith D W. *Mind World: Essays in Phenomenology and Ontology*. Cambridge: Cambridge University Press, 2004: 49.

对世界结构中具有根本作用的实在作出了没有遗漏的搜索和区分。

本体论范畴可从三个角度加以分类和排列：从现象学上看，有形式、表现和基质三类；从构成上看，有形式范畴（个体、属性、事态）和质料范畴（自然、文化、意识）两类；从关系、变化上看，有领会、意向性、模态、依赖性、统一性、多样式等。[①]世界上任何一个有存在地位的事物，都可同时用这些范畴来分析。而一旦作了这样的分析，实际上是从不同角度揭示了该实在的不同的存在样式。每种样式尽管是那实在的一个侧面，但也都有自己的存在地位。因此，如果忽略了某一范畴，即不从此角度去看那实在，那么就等于把实在中存在的该方面遗漏掉了。意识也是这样一种实在，它也会以不同的方式存在。如果仅从自然主义角度去看，便只看到了它的一个方面的存在，而忽略了它的其他存在方面。D. W. 史密斯还强调，他倡导的本体论有广泛的意义。他认为，如果记住这种划分的意义，那么“将改变我们研究心灵哲学甚至一般的本体论的方式”。[②]

我们这里重点剖析一下他的本体论构架的心灵哲学意义。根据他的范畴体系，意识有三个存在方面。这三方面的内容和结构如图 13-1 所示[③]。

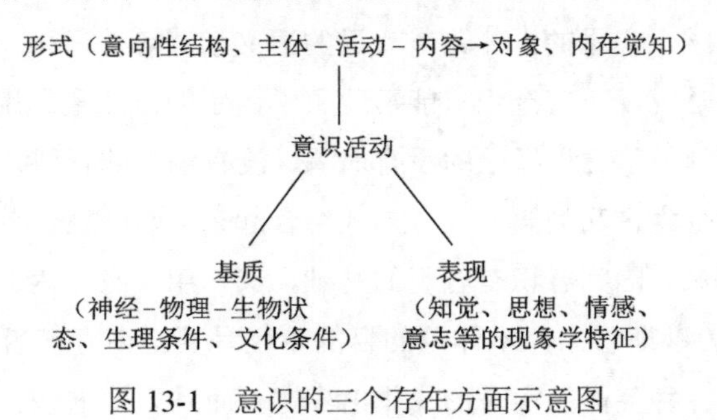

图 13-1　意识的三个存在方面示意图

由图 13-1 不难发现，意识活动有三要素或三种存在方式。它的形式即意向性，它的表现即我们的意识向我们显现的方式（如质的特征），它的基础是物理的、生物的和文化的基础。在经验中，这三个看似根本不同的方面实际上是完美地、

① Smith D W. *Mind World: Essays in Phenomenology and Ontology*. Cambridge: Cambridge University Press, 2004: 9.
② Smith D W. *Mind World: Essays in Phenomenology and Ontology*. Cambridge: Cambridge University Press, 2004: 3.
③ Smith D W. *Mind World: Essays in Phenomenology and Ontology*. Cambridge: Cambridge University Press, 2004: 23.

活生生地结合在一起的。如果用他倡导的现象学和本体论的“细心综合”方式，便能如实地把它的全部存在和活的特点再现出来。而如果用第三人称方法、自然化方法，就没法完好无损地再现意识的全部面目和本质。换言之，自然主义没有看到其他两个方面。而这两方面既是存在的，又是非物理的。就此而言，世界不是纯物理的，而存在非物理的方面。由此，D. W. 史密斯便得出了一致于二元论的结论。

用其他范畴看意识也可得出类似的二元论结论。例如，意识也适合用形式和质料两个范畴来分析。而这两个范畴中又有许多范畴，每一个都反映了实在中的某种存在方式。换言之，我们在日常生活中所知的东西都可用它们或其中的一种来描述。就形式范畴而言，它下面有很多子范畴，每一个都可描述一种存在方式：个体、种类、质、关系位置、量、依赖性、意向性、事态。质料范畴也是这样：对象、事件、空间、时间、植物、动物、人类、心灵、行动、实践、人造物、惯例、习俗。就意识来说，它也会以这些方式表现自身。如从形式上说，它可表现为个体、种类、质、关系、事态，而从质料上说，意识可关联于对象、事件、动物、人类等，以它们为质料。[①]因为意识表现于对象、人类、动物之上，或以之为质料，所以意识便有自然主义所看到的那种存在，即表现为基础的物质基质之上的随附性现象。但意识一经被物质实现，又表现为新的存在，即有自己的形式，如有自己的个体性，而有个体性的诸意识之间又会形成各种各样的关系。这关系作为高阶存在，不是子虚乌有，无疑有自己的存在地位。它们的个性和共性、个例与类型也是如此。

二、奥肖纳西论意识的“认识论优先性”

奥肖纳西论证二元论的思路和结论有趋同于前述的 D. W. 史密斯的地方。当然，从两人的文本中又看不出他们思想有相互影响的痕迹，因此最好是说，它们的思想有殊途同归的特点。

奥肖纳西不否认自然主义或物理主义在认识人的过程中的权利和作用，并认识到，它们的特点是：把那些有自我意识的存在也看作是像别的有生命的存在一样的物理系统。不过，奥肖纳西又认为，它们实际上是“令人讨厌的心理物理学”

① Smith D W. *Mind World: Essays in Phenomenology and Ontology*. Cambridge: Cambridge University Press, 2004: 187.

“取消主义”。[①]其最大的问题是：没办法说明人们普遍具有的经验、意识、自我意识等。而要认识到这些东西，必须有看待世界的现象学和认识论的方式。

在奥肖纳西那里，这两种方式是一致的，只是表述方式、侧重点略有不同罢了。所谓现象学方式，是指在人有内在心理过程、事件、状态发生时，主体自己可以直接地去反观显现在意识面前的东西。所谓认识论方式，就是以觉知的方式去把握意识面前出现的东西的方式。这种方式常被自然主义忽视，而它又恰恰是认识内部世界不可替代的主要方式，人的自我认识靠的就是它，因此他说，他将坚持“认识论的优先性”原则。[②]这里所说的认识论的优先性有多方面的含义。首先，这里所说的认识论指的是以知觉为基础的经验认识论。换言之，这种认识论突出的是知觉的作用。所谓知觉，指的不是人们通常所说的照相机式的认识手段，而是一种探测的工具，“是我们人到达世界的根本方式”。[③]因此，如果心灵和意识是存在的，那么其功劳首先应归功于知觉。就此而言，知觉是意识的基础。其次，意识、经验、自我意识等本身具有认识或认识论的性质，作为存在，它们是不同于自在存在的事物的，如不同于引起这些现象的对象，因此是具有认识论性质的存在。最后，在研究意识时，他关心的主要是它的认识论性质。他说：“我对意识的大多数探讨都集中在它的认识论属性上。”[④]他要研究的意识的认识论属性主要有四个方面，即意识的经验、知觉、意识在经验认识论中的解释过程和有意识的知觉中所碰到的世界。

奥肖纳西常用“意识”一词表示不同于物理实在的心理现象。而意识又有两大类：一是指向性意识，即经验，可放在本体论中的“过程”范畴之下，即以过程的形式存在；二是状态意识，可放在“状态”范畴之下，即以状态的形式存在。

作为过程的经验是一种什么样的存在呢？他回答说：当以现象学式认识论方式向内反观自己的心理世界时，一种不同于自然主义的心理现象的心理现象王国出现了：它们川流不息地流动，但又栩栩如生。既然如此，这另一个世界就值得我们去观察和研究。而要如此，又必须思索：当向内反观时，我们内部究竟发生了什么，有哪些现象出现了。而要回答这类问题，又必须对心理现象作出分类，

---

① O’Shaughnessy B. *Consciousness and the World*. Oxford: Clarendon Press, 2000: 171.
② O’Shaughnessy B. *Consciousness and the World*. Oxford: Clarendon Press, 2000: 681.
③ O’Shaughnessy B. *Consciousness and the World*. Oxford: Clarendon Press, 2000: 681.
④ O’Shaughnessy B. *Consciousness and the World*. Oxford: Clarendon Press, 2000: 683.

把它们归结为一些范畴。他认为，有两种归属方法：一是把它们归属于状态、事件和过程这三种本体论范畴中的一个之下，二是把它们归属于经验和非经验两范畴中的一个之下。前一方式更适合对非心理事物的分类，如对自然事物。当然也不尽然，即也可用它们来归属意识现象。后一方式没有前一方式那样广泛的适应性，因为它只适用于对心理现象作出分类。我们这里按后一方式来考察他的有关思考。①

非经验的心理现象主要指信念、意向等命题态度，而经验主要指知觉、心像、情感等现象。“经验”这个词常被使用，似乎无人不知，没有什么可深究的，其实不然。奥肖纳西通过独辟蹊径的探索，揭示了它许多鲜为人知的奥秘。他说：“进入意识的入口就是经验。这就是说，现在在你心灵面前的东西，就是你在这个世界上最熟悉的东西，如知觉、思维、情绪、映像等。它们是一个部落的成员。”②他承认：“经验”有不可定义性，甚至是不可分析的。③就他的目的来说，他也不需要为它下定义，只要知道它的所指就行了。在他看来，这对我们每个人来说是不难做到的，因为每个人经常会碰到它所指的东西。例如，当用眼睛看一种颜色时，人的内部一定有一种真实的不同于生理过程的过程或事件发生了。正是在此意义上，他认为，经验可放到事件或过程范畴之下。

如前所述，奥肖纳西研究经验的目的，不是为它下定义，而是要把常被人们忽视的一种存在样式、一种真实的过程展现在人们面前。他告诉人们：经验一经出现，一定有两方面，一是有东西显现出来或被经验到了，二是有一个中心，即接受、体验诸显现的主体。因此，“经验是向着一个中心的显现”。④

作为概念，经验像信念或感觉等一样是原始的，意即不能再用别的心理概念（如“状态”）来阐释和定义。它只能用纯事件/过程术语（如“注意到”“看到”“梦见”“听到”等）来说明。在这一点上，它们与“倾斜”“打滑”等非心理术语一样，指的只是事件或过程，而非状态。⑤

相对于其他心理现象而言，经验的特点之一是，其内容是流动的、变化的，经验本身也是这样。奥肖纳西说：“经验在本质上是一种必然的显现。”说它是显

① O'Shaughnessy B. *Consciousness and the World*. Oxford: Clarendon Press, 2000: 175.
② O'Shaughnessy B. *Consciousness and the World*. Oxford: Clarendon Press, 2000: 37.
③ O'Shaughnessy B. *Consciousness and the World*. Oxford: Clarendon Press, 2000: 39.
④ O'Shaughnessy B. *Consciousness and the World*. Oxford: Clarendon Press, 2000: 175.
⑤ O'Shaughnessy B. *Consciousness and the World*. Oxford: Clarendon Press, 2000: 177.

现，意思是说，它在每时每刻都存在着，而且在每一时刻，它又有新的表现。[①]经验的第二个特点是“它能与之前的过去发生联系”，即此时是与刚发生的过去直接连在一起的，他说：“这是经验的一个‘原始的’要素。”[②]除此之外，“时间上的共现”（co-presence）也是它的构成性属性。[③]经验的第三个特点是其像活火一样。心灵和身体都能假死，但经验的王国不会有这样的表现，它永远是活跃的。意识也是如此。他说：“生命的力量在这个领域内赤裸裸地表现出来了。”[④]

意识问题当然也是他关心的重要课题。众所周知，随着感受性质的发现及研究的深入，这一领域空前活跃，取得了大量新成果。奥肖纳西指出：在这里，有的人关心的是经验的本质问题，有的人重在以此说明心理现象的特点。他的目的和重点独具一格。奥肖纳西关心的则是“清醒的状态”。这也就是他所说的意识，其反面是昏睡、深睡、昏厥、麻醉、不省人事、无意识、没有意识等。

对于这样的意识，奥肖纳西提出的问题是：意识是否自成一类？他的回答是肯定的。如果是这样，还可进一步问：它是不是一个更大类别中的子类？回答仍是肯定的。如果是这样，该进一步探讨的就是它的同一性和逻辑特征问题。他把这称作个体化问题。[⑤]

就意识与经验的关系来说，两者的不同表现在，意识既属于状态，又不属于状态，而经验只能放在过程范围之下。就联系来说，“意识包括经验，是这样一种现象，即其中必有直觉性注意发生的现象”[⑥]。因此，意识属心理现象，而非生理、物理现象。意识有两类，一是作为状态的意识。作为状态，它当然是心理状态，即觉知状态。这觉知所涉及的不是对象，即不是世界或实在，而是状态自身。如果有对对象（世界、外物）的觉知，那么它就不是作为状态的意识，而是第二种意识，即指向性意识，即经验。[⑦]这就是说，意识有两类，一是状态意识，二是指向性意识，即经验。

既然意识比经验的范围大，因此当他转向对意识的研究时，他便进到了更为

① O'Shaughnessy B. *Consciousness and the World.* Oxford: Clarendon Press, 2000: 43.
② O'Shaughnessy B. *Consciousness and the World.* Oxford: Clarendon Press, 2000: 60.
③ O'Shaughnessy B. *Consciousness and the World.* Oxford: Clarendon Press, 2000: 61.
④ O'Shaughnessy B. *Consciousness and the World.* Oxford: Clarendon Press, 2000: 67.
⑤ O'Shaughnessy B. *Consciousness and the World.* Oxford: Clarendon Press, 2000: 72-73.
⑥ O'Shaughnessy B. *Consciousness and the World.* Oxford: Clarendon Press, 2000: 76.
⑦ O'Shaughnessy B. *Consciousness and the World.* Oxford: Clarendon Press, 2000: 78.

宽广的心理领域。当然我们这里更多的是关注他关于状态意识的思想。因为在前面我们已考察过他对经验的看法。

先看奥肖纳西对意识的构成要素的看法。构成要素也可理解为意识的必要条件。在他看来，意识有这样的要素：第一，连续的经验之流一定真的是流动的；第二，心灵的占主要地位的状态一定是理性的，以至那状态中出现了信念和有意识的行为；第三，出现了心理的能动性，特别是出现了思维的能动性；第四，有自知的能力；第五，有注意力，以至能通过知觉与外部现象发生关系。①

此外，他还论述过意识的这样两个看似矛盾的特征，即趋向或朝向实在（truth-orientation）的特征（即有指向它之外对象的特征）和封闭性特征。他说："意识的最根本特点是它在与世界联系时具有封闭性。"仔细考究，这两个特点是没有矛盾的，因为意识本身的确是封闭的，但它又包含表征，因此它又有朝向外在实在的特点。他说："既然表征对意识是必不可少的，那么就可以说，意识来自世界或实在，在它的映像中亦复如是。而且有意识的东西是以唯一的方式与世界'接触'的，大概可以把意识比作窗户，通过它，我们能真实地把握实在之光。"②

在他看来，意识不仅真实发生了，真的存在着，而且具有至关重要的作用。意识对它的所有者来说，是像生命一样不可或缺的。其作用表现在，它使动物的全部本质得以表现出来。很显然，没有意识这个环节，动物与外部世界发生联系就不可能以动物的方式表现出来，而只能以自然物的方式表现出来。因为意识有双重暴露的作用，或者说是动物的双重暴露的条件，通过它，动物活动于世界之中，同时，通过它，世界进入活动着的主体之中。③

从与内容、意义的关系来看，状态意识有如下特征：①否定性特征，即没有意向内容，因为它不指向、关于什么；②它与意义或含义无关，这就是说，不能把任何意义归属于意识，它之所以有此属性，是由其起源决定的。由于意识的根源完全是由身体决定的，因此是神经的、非心理的。"意识是完全无心理性的事物的产物。"④"意识没有心理的根源……因此不能把任何意义归属于这种现象，它属于没有意义授予的广泛的整体论网络，超出了'意义圈'。"这就是意识的否

① O'Shaughnessy B. *Consciousness and the World*. Oxford: Clarendon Press, 2000: 267.
② O'Shaughnessy B. *Consciousness and the World*. Oxford: Clarendon Press, 2000: 681.
③ O'Shaughnessy B. *Consciousness and the World*. Oxford: Clarendon Press, 2000: 94.
④ O'Shaughnessy B. *Consciousness and the World*. Oxford: Clarendon Press, 2000: 80.

定性属性。“意识一开始就没有指向，没有内容，没有意义。”[①]意识的肯定属性在于：它是一种显现的、现象的连续性，是显现式地利用了整合的力量而产生出来的，在存在的阶梯上，它属于规范心理的东西。

广义地说，如果意识是一种状态，是一种过程，如果它有存在地位，那么便不难推论出它的主体的存在，因为状态或过程都是某实在物的属性。现在的问题是：这主体是什么呢？他像笛卡儿一样承认：它是精神或心灵。他认为，意识、心灵一经在认识过程中出现了，就有独立的地位。“就像意识在知觉中表现自己的本质一样，心灵被带入种种实在之中。在那里，世界从精神上表现为一种构架，通过它，那些实在便在注意和理解它们是什么的过程中得以构造出来。”[②]

既然承认心灵存在，奥肖纳西便免不了要回答心灵与另一同样存在着的物体或身体的关系问题。他的看法是：心灵从认识论上说有对物理实在的依赖性，或起源于后者，因为前者是在知觉后者时不断产生出来并不断发展的。另外，两个领域都处在同一个时间系统之中。[③]再往前走，他的看法就十分接近笛卡儿了。当然他又认为，他与笛卡儿的关系只能表述为保护或拯救的关系。他说：“为了拯救笛卡儿关于内容和实体的学说，我求助的是心理规范性这一概念。对于这一概念，我不是从静态上予以理解的，而认为，它指的是我们所说的被授予了本质的和功能的事项。”这也就是说，心灵能以适当方式知道自己，这是一种规范性现象。[④]

第三节 “主观物理主义”的回应与理论创新

豪厄尔明确宣称，他创立主观物理主义的动机除了回应前述的各种反物理主义论证之外，就是要解决传统心身问题带给人们的种种困惑，如一方面，我们是物理实在，另一方面，我们身上又有一般物理实在所没有的主观经验。为什么是这样？它们怎样关联在一起？有关直觉之间的冲突也令他欲罢不能。一种直觉

① O'Shaughnessy B. *Consciousness and the World.* Oxford: Clarendon Press, 2000: 81.
② O'Shaughnessy B. *Consciousness and the World.* Oxford: Clarendon Press, 2000: 695.
③ O'Shaughnessy B. *Consciousness and the World.* Oxford: Clarendon Press, 2000: 686.
④ O'Shaughnessy B. *Consciousness and the World.* Oxford: Clarendon Press, 2000: 109.

是，有意识的心性以及它的全部明见性一定有客观科学描述所无法触及的方面；另一种直觉是，一切事物都是由物理材料构成的。两种直觉似水火不容，因为前者强调的是，世界上除了物理存在之外，还有特殊的东西，后者则认为没有这样的特殊性，一切都是物理的。鉴于冲突，许多人采取的办法是抛弃其中一个直觉。豪厄尔认为，这两者都有合理性，不能抛弃，只能通过深入的探讨来化解它们的冲突。这是可以做到的，如“只要把认识论问题与形而上学问题区别开来，表面的悖论就会烟消云散”。①他创立的主观物理主义正是这样做的。

一、“知识论证”的重读与“新版的”知识论证

作为物理主义者，豪厄尔承认各种反物理主义论证“发现”了新的本体论事实，即主观的东西或现象学性质或状态。他说：“现象状态是独一无二的，因为它们是通过基本的第一人称的知识方式而被知道的。”②这就是说，人的心理状态及其所组成的心理世界并不像以前所认识的那样，只有心理的、认知的、功能的状态。除此之外还有现象学性质或方面，它们是人在与外物打交道的过程中伴随心理状态发生的，与严格意义上的意识、体验、自我最为贴近的现象。它本身范围极其广泛，占据了人的心理生活的很大比例，同时它与浅层的心理现象和深层的自我意识有直接的关系。丹顿（Dainton）更明确地指出：心理世界以及所包含的每个心理事项都有两方面，即心理的或认知的方面和现象的方面。“如果一般心理状态都有某些现象方面，即它们以或直接或间接的方式对它们的主观意识作出奉献的能力，那么任何非现象的描述就都是有遗漏或不完全的。”③如果是这样，承认一切都是物理的物理主义该如何予以说明呢？豪厄尔创立主观物理主义的直接动机就是要提供一种说明，并对各种反物理主义论证作出回应。以杰克逊首创而后得到许多人改进的知识论证为例，豪厄尔不仅对它的内容、形式、特点和实质作了独到解剖和分析，而且还提出了可与物理主义保持一致的“新版”知识论证。先看前一方面。

---

① Howell R J. “The ontology of subjective physicalism”. In Alter T, Howell R J (Eds.). *Consciousness and the Mind-Body Problem: a Reader.* Oxford: Oxford University Press, 2012: 175.

② Howell R J. *Consciousness and the Limits of Objectivity: the Case for Subjective Physicalism.* Oxford: Oxford University Press, 2013: 153.

③ Dainton B. *The Phenomenal Self.* Oxford: Oxford University Press, 2008: 187.

经典知识论证基于关于玛丽的思想实验强调的是，既然原先精通一切科学、知道一切物理信息的玛丽第一次看到红色时，得到了新的知识，因此世界上存在着非物理的性质，如果是这样，断言“一切是物理的”的物理主义就被证伪了。对此，有不同的解释，也有许多改进或创新的形式，如“索引性版本”“两种认知方式”“现象概念策略”“连接策略”“能力分析策略”“意向谬误”“不可言喻论”等。从哲学倾向上说，对知识论证不外三种反应。①A 类物理主义：关于世界，不存在玛丽不能从物理事实中演绎出来的东西，如“不可言喻论”认为，它没有证明现象经验是非物理的，只是表明现象经验是不可言喻的，因此它没有证伪物理主义。②认识主义或 B 类物理主义：存在着某种不能从物理知识中演绎出来的东西，但这并不能证明物理主义是错误的。③非物理主义，其中有些是属性二元论，有些是泛心论，有些是中立一元论，共同之处是都认为知识论证有力证伪了物理主义，进而提出了自己的反物理主义理论。

豪厄尔认为，关于知识论证的讨论很多，但能抓住其精神实质的并不多。根据他的判释，知识论证试图表明的是，世界除了物理存在之外，还存在着关于有意识经验的某种特殊的东西。其特殊性在于，它本是客观存在的，本是物理属性中的本质的东西，但不借助主观经验的方式，又不能客观把握和再现。另外，它超出了以客观主义为基础的科学能说明的事物的范围。正是基于此，杰克逊才说：客观的理论不可能对世界作完全的描述。豪厄尔承认：知识论证有力地证明了我们除了有关于世界的物理知识、客观知识之外，还有在种类上不同的一种知识，即玛丽在看到红色时所得到的现象知识。所谓现象知识，就是关于某种感觉起来所是的东西的知识，这种知识的内容可表现为命题，因此也可称作命题性知识。问题在于：现象知识所反映的对象有没有不同于物理实在的独特本体论地位？如果承认有，那么就倒向了二元论，站到了物理主义的对立面。这正是反物理主义知识论证的立场。豪厄尔认为，的确有必要从本体论上说明玛丽的新知识、新信息的意义。而要如此，必须找到本体论上的某种新东西。在这里，他对知识论证提出了介于反物理主义和正统物理主义的折中解释，如认为这新东西是玛丽的新知识所对应的存在，但不是二元论所说的非物质实体及属性，同时又不是纯客观的属性，而是一种具有主观性的物理属性。基于上述分析，他对知识论证的实质作了这样的概括，认为它强调的是这样的事实，即关于感觉越来所是的东西的知识离不开获得有关的质的经验，而这种知识不能从物理知识中演绎出来。[①]总之，知识论证不适合用来证伪物理主义，因为物理主义的本体论是全面的，它关于实在、属性的库存清单是充分的，因为一切的确都是物理的。他说："知识论证最好被认为是这样的主张，即客观理论在某种意义上是不完全的，不管这些理论是物理主义还是二元论。"[②]质言之，它不具有证伪物理主义的作用，只是证明了客观主义是有严重遗漏的。

豪厄尔不仅对知识论证作了新的解读，而且还提出了有"小小改进"的新版本，可概述如下：玛丽是一直生活在黑白房间的一位杰出科学家。在离开这个似牢笼的空间之前，她通过黑白计算机屏幕学到了一切物理学、神经科学和生物学知识。结果，她通过这种方式得到了关于整个世界的一切信息。它们可以说是关于客观世界的客观信息。但是当她离开黑白房间时，她被送来了红玫瑰，于是她看到了红色，学到了某种新的东西，即看红色时看起来所是的东西（what is like to see red）。这新得到的信息显然是主观的，因此结论是，并非一切信息都是客观的。换言之，这个世界除了有客观信息之外，还有主观信息；除了有客观的实在之外，还有主观的方面。他的新版本的"新"表现在：第一，它的矛盾对准了这样的主张，即一切信息都是客观的，并作了有力的否定。从表面上看，它提出了一个新的本体论结论，即存在着与客观物理实在并列的主观的东西。其实不然，因为它承诺的主观的东西只是物理属性的一种表现或一个方面，因此它的本体论仍是物理主义的。[③]第二，它强调玛丽不仅有关于颜色经验的所有信息，而且还有关于世界的全部客观信息。第三，它得出的结论不是物理主义是错误的，而是世界不只有客观信息，即使得到了关于世界的一切客观信息，也不等于认识了世界的一切。客观性不等于完全性。因为还存在着主观信息以及把握它们的相应的主观方式。[④]从本质上说，如果说旧版知识论证要证明的是反物理主义的结论的话，那么新版知识论证则是彻头彻尾的反客观主义论证。他说："知识论证的反客观主义版本坚持的是，问题不在于材料的类型，而在于材料被知道的方式。玛丽关

① Howell R J. *Consciousness and the Limits of Objectivity: the Case for Subjective Physicalism*. Oxford: Oxford University Press, 2013: 138.
② Howell R J."The knowledge argument and objectivity". *Philosophical Studies*, 2007, 135(2): 145-177.
③ Howell R J. "The ontology of subjective physicalism". In Alter T, Howell R J (Eds.). *Consciousness and the Mind-Body Problem: a Reader.* Oxford: Oxford University Press, 2012: 176.
④ Howell R J."The knowledge argument and objectivity". *Philosophical Studies*, 2007, 135(2): 145-177.

于世界存在样式的清单之所以有欠缺，不是因为它遗漏了某种材料或属性”，“而是因为它是这样的清单，世界上有这样一些方面，它们不太适合用客观方式来描述，要完全予以把握，必须进入主观的状态”。①

二、客观、主观与物理主义“首要威胁”之解除

物理主义要想不被各种反物理主义论证所证伪，当务之急是要对反物理主义所“发现”的“主观的东西”作出物理主义的说明。豪厄尔说：“物理主义的首要威胁是有意识的现象状态。”②而要同化这一反例，又必须直面主观和客观及其关系这一古往今来的哲学谜团，对之作出清理，作出分析哲学和形而上学的考释，尤其是对新发现的主观的东西的表现方式、构成、存在地位、本质特征及其与客观的东西的关系等作出新的探讨。

他像当今许多认真研究过反物理主义者所说的主观经验或现象状态的人一样坦诚地承认：反物理主义者的确发现了传统物理主义所遗漏了的“事实”，如玛丽看到红色时所得到的主观经验或现象状态。一般来说，关于主观经验有两种对立观点：一是亲知理论，这是知识论证所依赖的理论，它认为亲知是知道我们自己经验的唯一可靠的方法，但亲知本身是主观的；二是客观主义，它认为，对世界包括对主观经验的完全客观的描述是可能的。根据豪厄尔的理解，客观主义的断言是关于理论的，或关于知道和表征世界的方法的，而不是关于世界本身的，因为它强调的是，在认识世界时不能让主观的东西渗透进来，否则就不客观。传统的物理主义坚持的是这一原则。如果客观主义错了，那么坚持客观主义的物理主义诸形态也是错的。在豪厄尔看来，以客观主义为基础的物理主义对主观经验是不可能作出全面的描述和正确的分析的。因为主观经验是一种奇特的对象，在这里，你愈是客观，你离它就愈远，若用主观的方法，你反倒会很客观。基于这样的看法，豪厄尔诊断说：要想将物理主义从各种反物理主义的枪口下拯救出来，出路只能是放弃客观主义原则，承认主观的东西的独特的本体论地位和作用，并

① Howell R J. “The ontology of subjective physicalism”. In Alter T, Howell R J (Eds.). *Consciousness and the Mind-Body Problem: a Reader*. Oxford: Oxford University Press, 2012: 177.
② Howell R J. *Consciousness and the Limits of Objectivity: the Case for Subjective Physicalism*. Oxford: Oxford University Press, 2013: 55.

对“客观的”“主观的”“主观的观点”“主观的方面”等概念形成正确的理解。

根据豪厄尔的概念梳理，所谓“客观的”，即用第三人称的方式或“他者”的眼光看问题。换言之，在把握对象时不进入主观状态，不让主观的因素起作用或加入到认识之中，或不带观点、成见看问题，或没有自己立场、视角的方法即为客观的。用 T.内格尔的话说，采取“无观点的观点”（view form nowhere）就是客观的。从比较关系上说，“客观的”与真实的或真的不可同日而语，因为根据豪厄尔的界定，前者指的不是世界本身的特点，而是认识、理论、理解、描述的特点。如果一种理论一致于实在，即为客观的。而后者指的恰恰是实在本身存在着的特点。同样，“客观的”也不能像通常那样等同于“独立于或不依赖于心灵的”。他认为，它们有根本区别，因为后者强调的仍是实在本身的特点。理论或知识的“客观性”究竟指什么呢？在他看来，这首先指的是，这种知识是不偏不倚的，即不偏向于某个人。它是关于公共的对象的，且又没有受到认识者个人观点、特点的影响，因此它对所有的人都是一样的。他认为，对物理属性和人的心理属性，我们都可以形成客观的理论。假如 T 是一类经验状态，我们就可形成关于它的客观理论，其必要条件是不能进入这类状态的任何个例之中，即不能根据个人的经验去把握它，因为进入了经验状态就背离了客观性原则。

豪厄尔不否认在认识中追求客观性的必要性和合理性，也承认客观方法可以描述整个世界，如能描述世界上的一切事物的一切属性。但客观方法有其局限性，客观主义有时行不通，在有些领域得到的客观的知识并不就是真实的、有用的知识。例如，在认识人的主观经验的世界时，完全坚持客观主义，或仅用客观的方法，是远远不够的，它们充其量只能把握这个世界的物理的基础，而完全没法描述和把握主观的东西，即对主观属性不能作完全、完善的描述和把握。因为事情的复杂性在于，有这样的一些属性，当它们被拥有时，它们上面存在着感觉起来所是的东西，而这恰恰是客观方法没法完全描述的属性。客观方法可以描述它们的物理上的必要条件，但其主观方面只有通过主观的方法来描述和把握。换言之，尽管世界都是物理的，但由基础物理属性派生出来的某些经验属性和状态则不适合用客观方法来描述。这就是说，世界有这样的方面，它们抵制客观的方法，只能通过进入主观的状态，才能完全把握它们。那么什么是“主观的”“主观的观点”“主观的方面”？

"主观的"即客观的反面。它指的不是实在本身的特点，而是人在认识世界时表现出来的特点。所谓主观的，是指人在把握对象时进入了特定的主观状态，并带有主观的观点。用双条件句表述就是，某种认识或理论是主观的，当且仅当它在本质上依赖于主体的表征或观点。这种依赖性又有三种情况：①一种理论是主观的，当且仅当它强调"没有主体，它断定的事物就不存在"；②一种理论是主观的，当且仅当它是内涵性的，即必须诉诸内在的心理属性来解释，换言之，一理论是主观的，当且仅当"相对于特定的表征集合，它才是真的"；③一种理论是主观的，当且仅当通过进入特定的经验状态才能理解这种理论。

豪厄尔在借鉴反物理主义论证的基础上强调：人不仅有主观的观点，有主观性，而且人的有些属性甚至有些物理属性还有主观的方面。主观的方面指的是属性在进入特定的现象学关系时所表现出来的只能为有此经验的人才能接近和把握的东西。它是一种现象学性质的东西，但它又不是非物理的，因为它以物理事物为基础，或者说是物理属性在进入某种关系时表现出来的东西。正是因为坚持了这一点，他的心灵哲学才被看作是物理主义。但它又不同于其他的物理主义，因为它承认有些物理属性（如人脑中的有些物理属性）有主观的方面。这些方面不同于通常所说的作为经验的质的感受性质。这是他的一个新的区分。在他看来，感受性质与属性怎样显现给主体密切相关。感受性质是向主体显现出来的质，而主观方面是属性本身所具有的本质特点，不体验它们，它们也存在于属性中。要让它们被认识，就必须用主观的方法。当然，在特定方面，两者又有相似性，即就主观方面通过经验而被认识到这一点而言，它也有主观性。这一点与感受性质是基本一致的。他说："属性和状态的这些方面是主观的，这与感受性质大略一致。"尽管如此，也不能把它们等量齐观，因为它们有根本的差别。他说："不像传统上所设想的感受性质，某些属性的主观方面并不享有独立的形而上学地位。它们不是对象相互区别的根据，与它们作为其构成方面的属性是不能分离开的。"[①]

承认并突出主观观点和方面的存在、作用，即为主观主义。新的问题是，豪厄尔为什么要冒天下之大不韪公然倡导主观主义而反对客观主义呢？其主要根

① Howell R J. "The ontology of subjective physicalism". In Alter T, Howell R J (Eds.). *Consciousness and the Mind-Body Problem: a Reader*. Oxford: Oxford University Press, 2012: 189.

据是他坚持的实事求是的原则。因为在他看来，对于像人的现象状态这样的特殊对象，不用主观的方法及观点，不坚持主观主义，就不能如实地、充分地、完全无遗地把握它们，因为它们事实上有主观的方面。他说："进入经验之中，亲身经历它，是理解它的必要条件。"①基于上述分析，他形成了这样的认识论上的基本观点：人们尽管可用客观方法知道世界上的一切事物，但其中有一些事情需要通过进入某些主观状态才能知晓。这些主观状态尽管可用客观方法加以研究，但我们不能用把握物理状态的方法去获得关于它们的完全的把握。

新的问题是，一旦用了这类方法，所认识到的对象是否还是原来的事物？是否会被歪曲？豪厄尔承认，随着它们的介入，对象必然不再是自在的东西，因为它们为对象之所是作了自己的奉献。不过，主观观点和方法的介入，也有客观的意义，因为正是通过它们，我们才知道了主观状态的性质和本来面目，尤其是认识到作为主观状态之基础的物理状态。主观方法的特殊性在于：它们是带着观点来把握对象的。正是由于有关于那些状态的观点，我们才有关于我们所知世界的内容更为丰满的看法。这些观点是主观的，直接与我们把自己看作"自主体"、看作能思存在的概念有关。

如果是这样，该怎样看待主观的观点及其所把握的主观经验状态的本体论地位呢？它们是不是二元论所说的非物理的东西？质言之，大脑的物理属性中的不能为客观方法接近的看起来所是的东西究竟是什么？从表面上看，面对它们的存在和作用问题似乎必然陷入两难，即要么会否定存在着人的经验心理及其现象状态，进而陷入取消论；要么会承认存在着非物理的、不能为物理学所把握的实在或属性，而这又陷入了二元论。从认识论上说，有这样的难题，即玛丽第一次看红色时所得的知识与以前所学的无所不知的科学知识之间的关系问题。新知识如果一致于原有知识，那么就意味着物理主义是对的；如果不一致，那么就要建立新的本体论。这新本体论只有承诺这新知的东西有本体论地位，才能顺理成章地解释玛丽的新知识。豪厄尔认为，主观物理主义没有上述两难问题，因为它有一种特殊的本体论，通过它，就可成功避免上述种种问题。

① Howell R J. *Consciousness and the Limits of Objectivity: the Case for Subjective Physicalism*. Oxford: Oxford University Press, 2013: 5.

根据豪厄尔的新观点，要弄清其本体论地位，必须分析主体在经历有关状态时所得知识的性质与特点。他说："主体的知识的本质和价值不仅依赖于被知的东西，而且依赖于所知的方式。"有些被知的东西是物理的事物，如物理学的所知，它们的本体论地位毋庸置疑。但是客观方法所知的事物及属性中的那些只对主体经验敞开的特征、状态有无本体论地位呢？他的回答是肯定的，因为它们本身是物理的，至少依赖于狭义的基本的物理的东西，只是它们只对主观的方式敞开，不能为客观的方法所接近。在用主观方式把握它们时，既要有对它们的亲历，同时还要动用主体固有的"主观的观点"。玛丽的知识之所以是新的，是因为这些知识的对象相对于她以前的物理学知识来说是新的。可见，新知识所对应的对象——新属性是有其特殊的本体论地位的。他说：玛丽在面对红色时可以摒弃过去知觉物理对象时所用的方式，"这表明她实际上知道了新的属性"。这新属性与物理属性是何关系呢？他的看法是，这新属性属于物理属性，只是它有这样的特殊性，就是在主观的观点面前所显示的带有现象学性质的东西。他说："玛丽并没有发现物理学所排斥的属性，她只是新知了这样的属性。"[①]这物理属性中的被以主观方法新知的东西，其实就是前面所说的属性中的特殊的"方面"，或"主观的方面"。它们依赖于物理属性，但同时又依赖于主观的观点及其观察，因而不再是物理属性本身，而成了一个物理属性中一种有新的本质的东西。

问题是：既然它们不是属性，又怎么可能成为属性本质的组成部分呢？豪厄尔通过类比方法作了说明。根据古典原子论，有空间属性的原子是我们世界的最小的组成部分。它们本身没有部分，但又是世界的组成部分。这怎么可能呢？要作出合理的解释，只有区分开两种"部分"，一是现实可分的部分，二是概念上可分的部分。后者在现实上不可分，只在心灵中可分。如果这样看问题，就不会有什么说明上的困难。据此，原子尽管现实上不可分，但可从概念上分割成部分，既然如此，它就能成为世界的组成部分。豪厄尔认为，在上面所说的物理属性与主观方面的关系问题上，也可用上述区分法来解答。他说："物理属性与主观方面的关系就像原子与概念部分的关系。"[②]这些方面是属性中的能由心灵来分辨的

① Howell R J. "The ontology of subjective physicalism". In Alter T, Howell R J (Eds.). *Consciousness and the Mind-Body Problem: a Reader.* Oxford: Oxford University Press, 2012: 188.
② Howell R J. "The ontology of subjective physicalism". In Alter T, Howell R J (Eds.). *Consciousness and the Mind-Body Problem: a Reader.* Oxford: Oxford University Press, 2012: 188.

特征。不过，它们又不能与它们作为其组成部分的整体区分开来。主观的方面尽管是物理属性的特征，但不能等同于后者，因为前者是后者在新的关系条件下新出现的新的本质。但两者又有依赖关系。他说："没有物理的属性，主观的方面就不能存在。"①在特定意义上，以主观方面为其本质的物理属性也有对主观方面的依赖性，正是因为有这一方面，它才成了不同于别的物理属性的东西，即成了突现心理现象的随附基础（详后）。

在豪厄尔看来，正确认识主观和客观及其关系既可避免传统物理主义的错误，又不致陷入完全否认客观的狭隘的主观主义、唯心主义。因为仅客观的理论和方法不足以完全把握世界，同理，主观方法又不适于把握纯客观的事物及属性。因此，全面的看法是：认识一切对象有两种方式，一是客观的，二是主观的。所谓主观的，是指在知道、把握物理对象时同时诉诸主观的观点，并通过一定方法进入其中或设法去体验它、经历它。主观物理主义的独有的、创新的主张是，通过经验物理对象去把握这一对象，是我们的一种必不可少的、特别有用的把握对象的方式。感受性质就必须这样来把握。它的特殊性在于它有物理属性作为其基础，但由于不带主观的观点去经历它，又不能把握它。而一旦把握了它，它就包含有主观的方面。

三、"物理的"、随附性与物理主义新解

齐硕姆等反物理主义者尖锐指出："物理的"以及同族概念，如"身体""物体"等的界限是不清楚的，也没法先天予以定义，因为心身、心物问题没法解决。还有人进一步认为，既然其基本概念有问题，因此就没有理由说物理主义是真的，当然也不能说它是假的。克兰等说："因为没法区分心理的和非心理的，所以物理主义本身成了严峻的问题。……物理主义是对基本上没有意义的问题的一种错误回答。"②

豪厄尔承认，上述驳难值得物理主义正视并严肃地加以回应，因为物理主义的基本原则是世界上除了物理的东西之外什么也没有，这里自然就有两个需进一

① Howell R J. "The ontology of subjective physicalism". In Alter T, Howell R J (Eds.). *Consciousness and the Mind-Body Problem: a Reader.* Oxford: Oxford University Press, 2012: 189.
② Crane T, Mellor D H. "There is no question of physicalism". *Mind,* 1990, 99(394): 206.

步回答的问题。①“物理的”指什么？什么使一属性成为物理属性？这里的麻烦在于不诉诸物理学方法或不诉诸属性被知的方式，就没法回答上述问题，而要这样去解答，又势必把认识论因素强加进本体论之中。其结果是，“物理的”与“非物理的”又难以划清界限。②“除……之外”，这个表达式也有需进一步探讨的问题，如该怎样用纯形而上学的外延上有利于解决争论的方法对之作出解释？“物理的”范围究竟有多大？其划界标准、方法是什么？在其内，物理的事物还有没有区别？心理的东西是否在其内？如果在其内，它们与物理的东西究竟是什么关系？如果在其外，它们又被纳入了非存在的范畴。而这大概又是除取消论者之外的大多数物理主义者都不会接受的。

豪厄尔认为，物理主义的“一切都是物理的”这个“平淡的”定义的确需要进一步探讨，其缺点在于它突出了一个需要进一步给予更多说明的概念（如“物理的”）。如果说“物理主义”本身有麻烦，那么其麻烦主要集中在“物理的”这个概念之上。他认为，要定义“物理的”，首先，需解决范围问题，如数、抽象对象是不是物理的？其范围、标准是什么？在豪厄尔看来，“物理的”一词不外两种用法，一是广义的，它既包括作为随附基础的物理属性，又包括被随附的高阶属性。这种“物理的”就是物理主义所承诺的一切东西。狭义的“物理的”，只指作为随附基础的物理属性。为区别起见，他用“物理的*”表示前者，用“物理的”表示后者。他分析的重点集中在后者之上。

先看“物理的”定义问题。要予定义，首先要解决不可知论提出的问题。克兰和梅洛尔（Mellor）等认为，不能也没有必要回答什么是物理的，因为它是不可定义的。[①]豪厄尔不赞成这类看法，根据是过去人们事实上已有许多对“物理的”定义，概括说有这样几种。①笛卡儿的定义：有广延的事物就是物理的。②根据物理学定义“物理的”：“成为物理的属性就是成为能用物理学谓词表述的属性”[②]，意为能为物理科学所承认的一切都是物理的。另外，还有方法论定义、证明性定义和否定性定义等多种形式。豪厄尔认为，这些定义都有局限性，因此必须推倒重来。他在借鉴过去探讨中包含的合理因素的基础上，形成了自己

① Crane T, Mellor D H. “There is no question of physicalism”. *Mind,* 1990, 99(394): 206.
② Howell R J. *Consciousness and the Limits of Objectivity: the Case for Subjective Physicalism.* Oxford: Oxford University Press, 2013: 15.

的看法。相比较而言，他吸收笛卡儿的思想较多，特别是赞成他把物理的事物与空间性紧密连在一起。他的新的看法是，电子之类的物理事物尽管无广延，但仍在空间中，即具有与空间的关系。顺着此思路就可把对“物理的”认识向前推进一步，当然还需作进一步探讨。根据他的探讨，一属性成为物理属性必须具备这样的必要条件：一属性是物理的，当且仅当它能根据这样一些条件来描述，即可以让人们把这个属性置入时空中的事物的配列中的诸条件。可通过思考下述问题来理解这些条件，如当属性在世界上得到例示时，该世界中发生了什么？如果你把一属性放入世界之中，就等于你对事物出现在世界中的方式设定了一个新的条件。属性被放入世界中的诸条件是与规律相关的，因为正是世界的规律对事物必定怎样出现于世界中设置了种种条件。基于上述分析，可作这样的定义：“物理属性就是加之于世界的时空条件。”[①]他自认为，这一物理定义可称作“关于物理属性的新笛卡儿主义定义”。其新表现在：它不赞成用“有广延的”来定义“物理的”，而创造性地提出：“空间性与物理性直接相关。”其意思是说，只有发生于空间中的属性才是物理的。[②]换言之，“物理属性强调的是事物在时空中的位置”，“即使物理属性不一定是广延性，但它与物理属性存在于时空中的方式紧紧地缠绕在一起”。[③]也可以这样理解，这个对物理属性的新的界定是“根据结构和动力学来描述物理的”。从反面也可以证明这一点，思想和现象状态之所以是非物理的，是因为人们不能从时空上对它们作完全的描述。[④]

在一篇新近的论文中，豪厄尔进一步从形而上学角度对“物理的”作了探讨。他认为，“成为物理的一定与具有空间性有关”，一定是空间中的存在，如“电子没有广延，但存在于空间中，电极不需要它的持有者有广延。……总之，物理事物和属性在本质上似乎都有空间意蕴”。[⑤]可用双条件句定义如下：一属性是物理的，当且仅当它能完全根据它的下述意蕴来描述，即事物分布于时空之中。他认

---

① Howell R J. *Consciousness and the Limits of Objectivity: the Case for Subjective Physicalism*. Oxford: Oxford University Press, 2013: 25.

② Howell R J. *Consciousness and the Limits of Objectivity: the Case for Subjective Physicalism*. Oxford: Oxford University Press, 2013: 38.

③ Howell R J. *Consciousness and the Limits of Objectivity: the Case for Subjective Physicalism*. Oxford: Oxford University Press, 2013: 39.

④ Howell R J. *Consciousness and the Limits of Objectivity: the Case for Subjective Physicalism*. Oxford: Oxford University Press, 2013: 38.

⑤ Alter T, Howell R J (Eds.). *Consciousness and the Mind-Body Problem: a Reader*. Oxford: Oxford University Press, 2012: 341.

为，这里的“描述”和“意蕴”需进一步说明。要这样，又必须有这样的背景理论，它足以说明属性的必要条件。这理论可表述如下：“一属性是物理的，当且仅当它的例示离不开这样的条件，在其之下，别的属性或事物能在时空中得到配列。”这里的条件就是对“意蕴”的具体说明。它告诉我们的是：当属性得到例示时，世界上会发生什么事情，总之，物理属性可通过这些条件、状态得到具体说明。①

基于对“主观”“客观”和“物理的”等概念的新的分析、梳理，以及对物理主义本身的新探讨，豪厄尔对理解物理主义发表了自己的新看法。他认为，过去对物理主义的理解有认识化的倾向，即过分关注从认识论角度定义“物理的”“物理事物”“物理主义”。由于有这一偏向，被理解的物理的东西中便包含一些认识论要素，被理解的物理主义与认识论难以划清界限，很难看到具有真正形而上学意义的物理主义。他的物理主义阐释和建构的目的，就是想通过适当方式真正建立形而上学的物理主义，或让物理主义回归它本应归属的形而上学。

豪厄尔认为，要实现上述目标，关键是让物理主义离开它原先常依存的认识论，建立在随附性理论的基础之上。他说：“为了避免物理主义的认识论化，我将阐发一种关于物理主义的随附性界定。”这个定义可这样表述：“物理主义是真的，当且仅当一切事物从形而上学上依赖于物理的东西。随附性的意思是，从形而上学上说，一切都完全根源于物理的东西，这就是物理主义的基本一元论倾向所要求的东西。”②

豪厄尔认为，尽管随附性理论还需探讨和完善，但形而上学的随附性仍能成为一种外延充分的检验标准，如可对一种理论是不是物理主义作出判断。因为物理主义的基本原则是：世界上除了物理的东西什么也没有，而随附性概念能对属性是不是物理属性作出判断。它告诉我们：除了被随附的东西是物理的之外，其他的属性只有在随附于物理属性的条件下，才能被看作是物理的。因此非基础的、高阶的属性有两种情况，一是物理的，二是非物理的。其区分标准是，看它们是否随附于物理属性。当然，随附性理论能否成为物理主义的一个基础或原则，与

① Alter T, Howell R J (Eds.). *Consciousness and the Mind-Body Problem: a Reader. Oxford*: Oxford University Press, 2012: 341-342.

② Howell R J. “The ontology of subjective physicalism”. In Alter T, Howell R J (Eds.). *Consciousness and the Mind-Body Problem: a Reader.* Oxford: Oxford University Press, 2012: 178.

如何理解它密不可分。根据他的看法，随附论应理解为这样的论断，即旨在说明什么属性是别的属性所必需的，它强调的是，被随附的属性离不开物理属性，因其基础属性是物理属性，所以被随附的属性也有物理性。

在豪厄尔看来，根据正确理解的随附论，不仅可以说明世界的多样性，如除了存在着基础的物理事物之外，主观的、心理的东西也有其特定的本体论地位，而且还能在有力地还击二元论的挑战的同时为物理主义的一元论作出令人信服的辩护。根据他的辩护，这种一元论无意说只存在着狭义的物理属性，其他都不存在，它说的不过是物理材料和主宰这些材料的规律能充分说明世界上的一切，质言之，狭义的物理的东西能说明一切。它显然不同于非一元论。后者认为存在的事物中有不可逾越的鸿沟，或事物的本质有根本的裂隙。而他辩护的一元论认为，世界是统一的，一切事物有共同的本质。相应地，物理主义只能这样理解，它强调的是，一切事物，包括一切属性、对象、事件等，都有物理的本质，一切事物从根本上说都以物理的东西为基础。之所以能用随附论阐释物理主义，是因为它更明确具体地说明了这个“根源”“基础”是什么意思，它为一元论要求的自然同质性提供了理论保证。

豪厄尔所说的随附性还有许多不同于别人所说的随附性的特点。为不致与别人的界定混淆，他特作了如下限定：“作为我们世界的物理复制品的任何形而上学上可能的世界，要么直接是我们的世界的一个复制品，要么包含我们的世界的一个复制品，它是其组成部分。”[①]这里包含这样的原则，即物理主义是一个可能性的命题。从直觉上说，物理主义就是关于我们的世界的这样的主张，一方面，如果存在着像我们世界一样的别的可能世界的话，这一主张在那里也是适用的。即使那里有鬼怪幽灵，也不能证伪关于我们世界的物理主义。另一方面，我们又不能完全忽视别的世界所存在的异于我们世界的东西。即便如此，物理主义仍是真的，因为在那些世界，一切都根源于物理的东西，一切都以之为基础。另外，这个随附性定义还隐含着这样的意思，即强调对“物理的”作广义和狭义区分。这已在前面作了交代。基于此，他认为，根据狭义的定义，过去对“物理的”定义是不可取的，因为它们常常把非物理的东西包括在物理的范围之内，如把随附

① Howell R J. “The ontology of subjective physicalism”. In Alter T, Howell R J (Eds.). *Consciousness and the Mind-Body Problem: a Reader.* Oxford: Oxford University Press, 2012: 178.

属性看作物理的。而根据狭义的定义，只有随附属性所依赖的属性才是物理的。例如，现象性质和意向性是随附性属性，尽管有存在地位，但显现不能被看作是物理的，而在说“一切都是物理的”时，就可能把这两种性质包括进去。

豪厄尔认为，基于随附性，可对物理主义下这样的定义：“物理主义是真的，当且仅当这个世界中的具体属性和事实随附于这个世界中的这样一些属性，即它们指的是事物在空间和时间中的分布。”[①]或者说，“物理主义是真的，当且仅当一切都从形而上学上根源于世界的那些本身是非心理的基本特征”[②]。从内容上说，这样的新物理主义只能是主观物理主义，它有这样的基本观点。①从形而上学上说，“世界完全根源于物理的东西（狭义的，即时空中存在的东西），属性和状态则随附于这样的偶然属性，即完全在时空中存在的属性。尽管如此，有些随附的属性和状态是‘主观的’，所谓主观的是指，这些属性和状态除了由进入其中的自主体把握之外，不能用别的方式来完全加以把握”[③]。这就是说，世界完全是根源于物理的东西的，这里的“物理的”是狭义的，即基本的物理事物。当然，它们只是世界的本原，而非世界的全部，因为由于随附性的存在，它们之上还被派生出了许多属性和事物，如数、共相、心理的东西等，而且随着基础属性的变化和新关系的建立，还会有更多新的高阶事物产生或突现出来。②许多随附发生的属性和状态不再是物理的，而是主观的。说它们是主观的，又有特殊的意义，即指它们不能用客观的方法完全予以把握。要完全把握它们，必须有主体对它们的经验。③尽管有这样的事实，即物理学或任何客观的科学不能提供关于世界的完全理解，但物理主义仍可以是正确的。这一论点可避免过去各种物理主义在面对感受性质、解释鸿沟等时所陷入的困境及种种混乱、矛盾。[④]④他受查默斯启发，对可能世界阐发了物理主义的见解，实即对物理主义的必然的真理性阐述了自己的看法。他说：“物理主义适用于我们的世界，任何作为我们世界复制品的世界，要么是我们世界的复制品，要么包含我们世界的复制品，将其作为它

---

① Howell R J. *Consciousness and the Limits of Objectivity: the Case for Subjective Physicalism*. Oxford: Oxford University Press, 2013: 53.

② Howell R J. “The ontology of subjective physicalism”. In Alter T, Howell R J (Eds.). *Consciousness and the Mind-Body Problem: a Reader.* Oxford: Oxford University Press, 2012: 178.

③ Howell R J. *Consciousness and the Limits of Objectivity: the Case for Subjective Physicalism*. Oxford: Oxford University Press, 2013: 102.

④ Howell R J. “The ontology of subjective physicalism”. In Alter T, Howell R J (Eds.). *Consciousness and the Mind-Body Problem: a Reader.* Oxford: Oxford University Press, 2012: 178.

的组成部分。”[①]说一世界包含我们的世界，不外是说，这个世界除了有我们的世界之外，还增加了我们的世界所没有的东西。这个世界复制我们世界的表现是：它也有同我们一样的物理属性，其他地方则不同。因为有不同，所以在那里就有这样的可能，即我们世界中的无思想事物在那里却能思考，或有能动的心理生活。例如，在别的世界中，我的复制品可以拥有我所没有的心理状态或生活，如有我所不曾有的疼痛。尽管如此，物理主义仍是真的，因为那些世界不管有什么不同，有一点是不变的，即一切都根源于物理的东西，或以之为基础。

四、分析与思考

主观物理主义无疑是物理主义多种形式中的一种最富个性而又有较多创新内容的形式。首先，它像其他物理主义形态一样坚持和发展了物理主义，如都承认一切都是物理的，同时对“物理的”概念、物理与心理的关系、物理主义的内容等作了新的阐释。当然，它在动机、侧重点和主要内容等方面又“根本有别于”别的派别，如关于属性的主观方面，它“几乎没有什么本体论承诺”（若有的话，便难与二元论划清界限），但同时，它又突出了主观性。豪厄尔说：“一般而言，主观物理主义独有的地方在于强调主观的东西，就是说，强调这样的事实，对于某些状态来说，人们只有进入其中，才能对之获得完全的理解……它坚持认为，我们基于我们的物理构造而有各种有意识经验，但这个事实从客观方面并不能获得完全的解释。”[②]由于它突出物理的东西中客观包含主观的方面，而在强调这些方面有特殊性、不可还原性（只有在进入主观状态时它们才出现，才能被认识和把握）的同时，又不承诺它们有不同于物理属性的本体论地位，便把它与别的物理主义尤其是取消式物理主义明确区别开来，使自己成为物理主义百花园中独树一帜的奇葩。

主观物理主义最有个性的、能体现当代唯物主义最重要成就的思想是，面对二元论对主观的东西的二元化和取消论对它的虚无化，从独特的视角对它的形

---

① Howell R J. *Consciousness and the Limits of Objectivity: the Case for Subjective Physicalism*. Oxford: Oxford University Press, 2013: 43.

② Howell R J. “The ontology of subjective physicalism”. In Alter T, Howell R J (Eds.). *Consciousness and the Mind-Body Problem: a Reader*. Oxford: Oxford University Press, 2012: 189.

成、构成、结构、作用和本体论地位作了既坚持了物理主义又发展了物理主义的说明。取消论认为，主观与客观的界限迟早会消失，因为主观的东西是不存在的，“完全的解释必然要求取消主观与客观之间的解释鸿沟”。而主观物理主义有力地论证说，这是不可能的，因为不可能得到这样的客观解释，它能把握有意识经验的所有主观方面。鸿沟尽管客观存在，但对于主观物理主义来说，不再是神秘莫测的，而可以通过它所倡导的方法予以铲除。①

当然，这不是说主观物理主义是圆满的，彻底化解了物理主义所面临的一切难题，结束了人类对心的本质及其与物的关系问题的探讨，相反，它仍为许多新的问题所困扰。豪厄尔正是看到了这一点，因此才在自己的论证中对许多问题作了自问自答的讨论。其中最大的问题之一是，不管它把“物理的”一词的外延的范围放得多宽，总是无法包含极高阶次、复杂阶次的属性或现象，如不同于指称的作为抽象实在的含义或心理内容，特别是相对意义的“非存在”（如作为观念的方的圆等）。如果是这样，要坚持一切都是物理的这一原则，就显然还有很多工作要做。看来，物理主义向更高阶段的发展还面临着许多根本性的障碍。

当代西方心灵哲学中的物理主义的发展为我们提供了宝贵的启示。第一，它发展物理主义的一个重要途径是创立尽可能多的理论形态。其合理性在于，不同形态的理论必然展开积极的竞争和争鸣，而这必然有助于认识的深化。第二，心灵哲学物理主义的发展除了得益于计算机科学、人工智能、神经科学等的推动之外，还主要建立在以此为背景的对心理现象的拓展性、深掘性研究之上。如前所述，当今对心理世界的认识较之以前发生了许多重要的变化：一方面，认识到了许多新的心理样式，如心理内容、作为意识的一种特种形式的明见性或前反思性自我意识等；另一方面，人们在对心理的解剖中发现，它们不仅有心理的、认知的、功能的方面，而且还有现象的方面，包括主观物理主义在内的许多物理主义形态都是为解释现象的方面而诞生的。因此，我们要发展唯物主义，一定要重视对心灵哲学问题的研究。第三，当代西方心灵哲学物理主义的发展是在与各种反物理主义、二元论的争论、斗争中实现的。纵观哲学史，唯物主义的发展不外是从两个方面实现的：一是通过总结有关科学的成果，深掘有关问题，修正和发展

① Howell R J. “The ontology of subjective physicalism”. In Alter T, Howell R J (Eds.). *Consciousness and the Mind-Body Problem: a Reader.* Oxford: Oxford University Press, 2012: 191.

已有理论而实现的自我发展；二是在迎接对立理论挑战、同化反常的过程中所得到的发展。可以肯定：我们在发展唯物主义的过程中，只要正视并认真研究各种反物理主义基于现象经验等反常而提出的挑战，对所涉及的前沿问题作出认真的研究，那么我国哲学的相应领域也将获得新的发展。

第四节　现象概念策略与后验必然物理主义

在物理主义阵营，无论是同一论还是随附物理主义都面临着反物理主义的“知识论证”“解释鸿沟”等的责难。以洛尔为代表的新唯物主义者提出并论证了“现象概念策略”，重新厘清了现象概念、现象知识和现象事实三者之间的关系，提出了融概念二元论和本体一元论于一体的后验必然物理主义。因为赞成从这个角度化解难题的人很多，所以斯图尔加准确地把这一物理主义路径称为“现象概念策略运动”，而查默斯则把它称作“B 类物理主义”，霍根和廷森则直接称为“新潮唯物主义”。

一、旧物理主义的困境

坚持“所有的现象包括心理现象都是物理的”这一命题的物理主义，最早可以追溯到 20 世纪 50～60 年代普赖斯、斯马特和阿姆斯特朗的同一论。他们认为，基于本体论节俭性和解释简单性，可得出心理状态与物理状态偶然同一的结论，这是科学探讨和哲学反思的相结合的产物。[①]随着物理主义在心灵哲学中地位的提升，许多反物理主义者指责说：物理主义如果是正确的，那么，它所坚持的命题就是一个必然的形而上学命题，即心理事物在本体论上或形而上同一于或随附于物理事物。戴维森明确地指出，物理主义如果为真，它应当必然地为真。[②]也就是说，假设 P 是对物理世界中的事物的本质描述，S 是对整个世界的甚至可能世界的本质描述，那么，物理主义为真的条件就是：

（1）假设 P，则 S（也就是 P→S）。

---

① 高新民，储昭华. 《心灵哲学》，商务印书馆 2002 年版，第 26 页。

② Davidson D (Ed.). *Essays on Action and Events*. Oxford: Clarendon, 1980: 207-233.

只有（1）是必然的，我们才能说物理主义为真，因而（1）是否具有必然性将会影响到物理主义的形而上学地位。

对于（1）的必然性理解一般认为是先验的，即凡是必然的都是先验可分析的。所以，杰克逊在《玛丽不知道什么》一文中说，物理主义应当从物理的知识中先验地推导出现象经验或主观经验知识。杰克逊设计了一个思想实验来论证他的这一结论：玛丽是一名从出生起就被关在黑白房间中的女孩。通过自己的努力，她成为一名优秀的科学家，知道了关于这个世界的所有物理知识。终有一天，当她走出房间时，面对外面色彩斑斓的世界，从直觉上说，她将会获得了一种不同于以往的新的现象体验，而这种体验无法从原来的物理知识推导出来。也就是说，关于现象经验的知识不能先验地从物理知识中推导出来，它一定是非物理的。由此可以得出，物理主义肯定遗漏了现象事实，因而是错误的。后人把这种反物理主义论证称为知识论证。

有些物理主义者认为这种知识论证并没有想象的那么大的威力，因为知识论证只能反对同一论式还原物理主义，而物理主义还可以采取别的形式，如用更为宽容的随附性原则来解释物理主义命题，坚持说所有的事物都逻辑上随附于物理的。对于这种物理主义，查默斯认为同样没有先验必然性。他设计了一个可想象性的僵尸论证：如果物理主义是正确的，它就要排除一个可设想的僵尸世界的存在，这个世界与我们的世界在物理上完全相同，但那里的人们没有意识；物理主义无法先验地排除这种可设想的僵尸，因而这种存在物具有形而上的可能性，物理主义是错误的。也就是说，只要我们可设想 $P \wedge \neg S$ 的存在，那么（1）就是假的。

总结以上反物理主义论证，我们可以这样表述其论证：

（2）物理知识无法先验地推导出现象知识，或者可以设想没有现象知识下的物理知识。

（3）物理主义为假，二元论是可能的。

以上论证关键在于（2），即物理主义如果为真，我们通过内省所形成的现象知识应当可以从物理知识推导出来，然而基于现象概念的现象知识无法先验推导，因此只能得出二元论的结论。因此，物理主义与反物理主义争论就集中于如何看待表述心理现象或状态的概念以及与物理现象或状态的关系。所以，反思心理或现象概念已经成为捍卫物理主义面临的首要任务。巴洛格指出："现象概念在近来的心灵哲学中引起了越来越多人的关注，源于它们经常出现在二元论论证和物理主义反对二元论的论辩中。"①帕皮诺也说：现象概念成为几乎所有研究意识的当代哲学家的通用货币。

自20世纪90年代以来，以希尔、洛尔、麦克劳林为代表的哲学家开始指出，现象概念不同于其他概念，然而反物理主义者忽视了这一点，因而得出了二元论或其他结论。麦克劳林认为，反物理主义论证必须回答关于现象概念和物理概念的关系问题，而不是像常识心理学那样为现象概念设定一个实在。洛尔指出，要弄清现象概念的本原及其与物理概念的关系，关键是要关注当代脑科学的成果，着力探讨现象概念的真实指称和神经基础。斯图尔加把这一捍卫物理主义的运动称为"现象概念策略运动"，而由此提出的物理主义则被霍根和廷森称为"新唯物主义"。新唯物主义的主要任务是：①解释为什么存在解释鸿沟？它是一个本体论问题，还是一个认识论问题？②如果是认识论问题，现象概念在其中充当了什么角色？它与物理概念之间有何区别与联系？③如何保证物理主义命题的必然性？

二、现象概念策略的基本思路与"识别性概念"

现象概念策略是物理主义为回敬反物理主义的各种论证，特别是前述的"解释鸿沟论证"而创立的一种理论。不同的人对现象概念有着不同的理解，因此其内又有不同的走向。其关键词是"现象概念"，强调不能把概念与事实混同起来，反物理主义发现的也许只是现象概念，而并未发现什么新事实或心理"新大陆"。这一策略有这样的基本观点。①不存在解释鸿沟。诉诸两类概念，即现象概念和物理概念，对人脑内部的解释不仅不是对两类本体论事实的解释（没有这样的事实，因此不能由解释鸿沟得出本体论鸿沟的结论），而且两种解释之间也没有认识论鸿沟。②现在的认识有欠缺，因而有鸿沟，随着认识的发展，鸿沟迟早会被填平。③解释鸿沟源于我们思考意识的方式。鸿沟存在于我们关于物理事物的概

① Balog K. "Phenomenal concepts". In McLaughlin B, Beckermann A, Walter S(Eds.). *The Oxford Handbook of Philosophy of Mind*.Oxford: Oxford University Press, 2009: 2.

念和我们关于意识的概念之间，而不是存在于物理事物与意识本身之间。现象概念即关于意识状态的概念，有其特殊本质。现象概念与物理概念有鸿沟，但后者可说明前者。我们具有这些充满着特殊本质的概念是可以用物理术语来说明的。尽管对意识本身不会有物理的解释，但对我们为什么会碰到解释鸿沟却能作出物理的解释，因为解释鸿沟的存在与物理主义的事实是一致的。既然如此，从解释鸿沟的存在不能推论出物理主义错误这一结论。

在这里，理解的关键在于把不同的“鸿沟”区别开来。因为至少有这样几种鸿沟。第一，本体论鸿沟。物理实在与意识是两类根本不同的实在，可分别用 P 和 Q 表示。它们之间根本不同。承认有这样的鸿沟，即倒向了二元论。物理主义断然否认有这种鸿沟的存在。第二，认识论鸿沟。关于 P 的知识与关于 Q 的知识之间具有不可还原性。由这一鸿沟出发可得出两种结论，一是二元论，如知识论证、怪人论证就是根据知识的不同推出了实在之间存在着鸿沟的二元论结论；二是一元论，即认为即使存在着认识论鸿沟也不意味着存在着本体论鸿沟。第三，解释鸿沟。它来自对这样的问题的回答：既然 P 是事实，Q 是事实吗？进一步思考会发现，没办法从 P 推论出 Q，于是便有解释鸿沟，如只能用物理等解释 P，不能用物理解释 Q。从 P 也推不出 Q。二元论的一个新的路径是，由解释鸿沟推出本体论鸿沟。而物理主义则相反，当然其内有这样的差别，即类型 A 唯物主义不承认认识论鸿沟、解释鸿沟。B 唯物主义承认有鸿沟，即承诺有两类概念——现象概念和物理概念，但不认为可从解释鸿沟推出本体论鸿沟。

究竟该怎样理解现象概念？霍根和廷森对反物理主义的理解作了这样的总结：①当以一个现象概念设想一个现象属性时，这个现象属性被认为是一个与物理功能不同的属性；②当以一个现象概念设想一个现象属性时，这个现象属性被认为是它自身；③如果以一个概念 C 设想一个属性 P 是一个与物理功能不同的属性，而以概念 C 设想它是它自身，那么，P 不是一个物理功能属性；④现象属性是一个非物理功能属性。因而，物理主义要证明反物理主义不能成立，就需要具体而明确地回答：什么是现象概念，它与物理概念有什么区别。

新潮唯物主义者承认①②的有效性，即相信人身上存在着认识上的鸿沟，但否认由此可以推出本体论上的鸿沟。在他们看来，现象概念和物理概念分属两种不同的概念系统，它们以不同的方式来指称属性，因而在认知中扮演着不同的因果角色。换言之，概念上的不同对人们形成关于心理与物理关系的看法是有影响的。内格尔在他著名的论文《成为一只蝙蝠感觉起来是什么样子？》中明确地提出，以感知想象和以移情想象方式所使用的概念系统是不同的，进而影响到我们对其后所描述事实的判断。

新潮唯物主义的代表性人物洛尔在内格尔的基础上推进了这一思路。在他看来，我们确实有两套不同的概念系统：一种是第三人称的物理概念，它是用理论语词来表述的；另一种是第一人称的现象概念，它是用识别性概念（recognitional concept）来表述的。因此，现象概念具有与理论语词不同的概念角色，这种概念角色使得现象概念直接指称对象，而无须固定的高阶指称对象。洛尔说："用什么来解释现象和物理概念的概念独立性？简单的答案就是，识别概念和理论概念通常在概念上是相互独立的……这两类概念具有完全不同的概念角色。毫不奇怪，一个物理属性的一个识别概念应当可以分别出它，而无须用科学术语进行分析。"[①]麦克劳林说："这是因为它们的概念角色如此不同，以至于我们能同时在没有与感觉状态相关联的物理-功能状态下来想象和设想感觉状态，反之亦然。"[②]他还认为，属性有一个神经本质或功能本质，人们在内省中不可能通过现象概念的使用而将它们揭示出来，原因在于，现象概念既不是神经的也不是功能的概念，且不具有物理概念的角色或作用，然而，现象概念可以通过现象的表征模式指向物理属性的类的方面。

为了说明现象概念的因果角色，我们必须了解现象概念与现象经验之间的关系。巴洛格认为现象概念有如下九个特征。[③]①亲知性。现象概念是通过亲知而非推论从现象经验中获得的，这给了我们对现象经验本质的直接、无中介的认识。②非对称性认识。我们可以直接知晓到我们的意识状态或现象状态，但其他人却无法知道我们的意识状态或现象状态。③不会出错的直觉。我们对涉及现象概念的判断在直觉上是不会出错的，我们是唯一的裁定者。④透明性，即当某人关注于他自身的意识或现象经验时，他就知晓到此感知对象的特征。⑤经验命题。只有经历过或至少当下经历过的经验主体才能获得相关的经验。⑥细微性。经历具有

---

① Loar B."Phenomenal states". *Philosophical Perspectives*, 1990(4): 84.
② Koons R C, Bealer G (Eds.). *The Waning of Materialism*. Oxford: Oxford University Press, 2010: 320.
③ Balog K. "Phenomenal concepts". In McLaughlin B P, Beckermann A, Walter S(Eds.). *The Oxford Handbook of Philosophy of Mind*. Oxford: Oxford University Press, 2009: 294-295.

细微性，它不能被经验主体所拥有的概念完全捕捉，甚至于也不能被思维中使用的概念所捕捉。⑦语义稳定性。现象概念可以独立于日常语境而指向相同的属性，即它的外延可以独立于经验观察而得到确认。相反，类似物理概念则是依赖于日常语境的。由此，便有这样的结果：⑧僵尸的可设想性。这是因为以物理概念所形成的认知无论如何也不能从逻辑上排除这种可设想的僵尸。⑨解释鸿沟。因为现象概念有独立性，与物理概念缺乏先验的关联，所以不存在推理上的关系。

当然，对于现象概念的因果角色，不同的物理主义者有着不同的看法。有人认为是标识概念，即某人思考到的意识状态的概念；有人认为是指示性或说明性概念，即在具体条件下能够证明适用的概念；有人认为是索引概念，类似于“我”和“现在”；有人认为是条件概念，即现象概念是非物理的现象性质还是物理性质，这完全取决于我们的现实世界究竟是怎样的；有人认为是那些不能完全表明“我知道不是什么”，但是在一个特定的“真实和决定方式”下能够展示的意识状态的概念；有人认为是用于以“感觉概念”为基础的认知结构的概念，它继承了感觉概念的表征简单性。[①]

这里不妨重点剖析一下洛尔对现象概念不同于物理概念的因果角色的说明。洛尔认为，现象概念和物理概念的区别在于一个是识别性概念，另一个是理论概念。理论概念是自我指称的，它表述的是由我们指称的分辨能力所分辨的属性，如长度、宽度、质量等，而现象概念不是一个自我指称的概念，它不能还原为自我指称的识别概念。有着自我指称的概念并没有现象性质，如盲视病人，他们虽然感知不到面前的物体，然而却能准确地“猜出”面前的物体。洛尔说：“据我们所看，现象概念并不能通过偶然的表征模式而设想为它们的指称。因此，它们可以被直接视为可设想的现象性质。称这个是对本质的理解，对我来说是正确的，因为现象概念不能通过它们偶然的属性而设想为它们的指称。”[②]因此，现象概念是一个识别概念。所谓识别概念，就是一种类型说明性概念。洛尔说：“现象概念属于我称为的识别概念这一广义类别的概念。它们有一个这样的形式——‘X是那类中的一个’，它们是类型说明性的。这些类型说明性是基于归类的倾向性，即通过感知区分、特定的对象、事件、情境……这些倾向性典型地关联于形成图

① Sundström P. “Phenomenal concepts”. *Philosophy Compass,* 2011, 6 (4): 267-281.
② Loar B.“Phenomenal states”. *Philosophical Perspectives,* 1990(4): 81-108.

式的能力，其概念角色似乎侧重于关于一个在缺少当前可感知的例子中的可以确定类的思维。”它具有以下特征：①原初识别性，即不需要专业术语和知识来理解事物，而只需要原初的概念；②无具体指称性，只需要判断为某些类型中的一个；③格式塔分析，不依赖于部分的分析；④透视性，即根据不同的观察角度而得出的概念。作为识别概念的现象概念，它与物理概念是在概念角色上独立的，“这两类概念有完全不同的概念角色。毫不奇怪，一个物理属性的一个识别概念应当可以分别出它而无须用科学术语进行分析”[①]。不同于物理概念是在理论上设想它们的指称，现象概念具有一种殊型的表征模式，能够辨识出现象性质。“给定了关于认知能力的正常背景下，有了特定的识别或辨识倾向就有了某个识别概念，这就是说，它就有了基于那些特定的识别倾向来作出判断的能力。这类简单的判断具有这样的形式：该对象（事件、情形）a 是那种类型中的一个。对其中谓词 a 的支撑认知正是一个识别倾向，它是统一地归于对象的倾向，它常常（但并非一定）与特定的想象能力联在一起，识别倾向足以产生出有着特定概念角色的心理谓词，并以这样的方式产生认知内容。这是一个有关我们认知构造的基本事实。”[②]

一般认为，把现象概念界定为识别性概念，是现象概念策略中的标准形式。因为根据这一理解模式，现象概念是借助非偶然的呈现形式把握它们的对象的识别性概念或分辨性概念。所谓识别性概念，是在我们把一个对象分辨为那些对象中的一个时，即使不求助于理论知识和别的背景知识，也能使用的概念。例如，对于仙人掌，我们可以形成一个识别性概念。当然人们对之也可形成理论性概念。可见，对一对象可同时形成两个概念，即分辨性概念和理论性概念。由于呈现方式不同，两概念指涉的对象中的属性是不一样的。关于仙人掌的识别性概念关注的是这样的属性，即引起人们有如此经验的属性。洛尔还认为，现象概念不是标准的识别性概念，因为那作为指称的属性也可看作是呈现形式，现象概念的这一特征能以与本体论一元论一致的方式解释特定的认识论鸿沟。

洛尔认为，知识论证中玛丽所缺乏的知识就是一种在现象或经验描述下识别

① Loar B. “Phenomenal states”. In Block N, Flanagan O, Güzeldere G(Eds.). *The Nature of Consciousness: Philosophical Debates*. Cambridge: The MIT Press, 1997: 602.
② Loar B.“Phenomenal states”. *Philosophical Perspectives,* 1990(4): 87.

的物理功能类的概念。因此，当玛丽看到红色时，她并不是知道一种新的类，而只是知道一种已经为她所知的新的设想方式。洛尔认为，我们的问题就是如何理解玛丽在走出黑白房间之后得到的描述和表征模式的新奇性。这种表征模式的不同可以解释为由特定概念的属性表达之间的差异。比如，CH_3CH_2OH 和酒精，它们都指向相同的类，然而它们表达的属性是不同的。前者表达的是作为构成 CH_3CH_2OH 分子的属性，然而后者表达的是作为酒类中易醉成分的属性。所以，假如你知道这个瓶子中包含着 CH_3CH_2OH，并且你知道了瓶子中是酒精，你的信息中增加了一种关于 CH_3CH_2OH 的新属性，即这是各种酒精中的易醉的成分。这个例子说明两个独立的概念的差异是表达方式和概念角色的不同。

总之，新唯物主义认为，现象概念与物理概念是两种不同的概念：第一，现象概念与物理概念之间不存在推理的关系，如由单纯物理特征不能推导出现象特征，依据分析现象概念的因果指称也无法推出物理概念，因而存在着"解释鸿沟"；第二，现象概念是经验上独立的，即为了拥有某种意识状态的现象概念，必须要亲自有那种经验。假如现象概念是经验上独立的，那么就可以解释，一个缺乏经验的主体如何知道所有物理的东西而不知道（因为缺乏相关的概念）看到红色像什么（现象上可设想的）。

三、后验必然的物理主义

既然新唯物主义相信概念二元论，那么如何保证现象或心理的就是物理的呢？前面我们说过，物理主义求助于先验必然性时会遇到解释鸿沟问题，所以我们知道选择第二种必然性，即克里普克所说的后验必然性。克里普克否认凡是先验都是必然的，凡是必然都是先验的的认识：我们已经断定，当名称之间的同一陈述确实是真时，它就必然为真，即使人们可能不是先验地知道它。[①]这个断定来自科学的验证，以科学研究的结果为前提，因而是后验必然的。例如，长庚星就是启明星，这个同一性陈述就基于科学研究而指向金星。克里普克表明：虽然两个严格指示词之间的等同关系是后验建立起来的，但这种等同实际上指称对象自身等同的逻辑必然关系。然而，这种后验必然性要求同一性陈述两边的术语是

① 克里普克.《命名与必然性》，梅文译，上海译文出版社 1988 年版，第 110 页。

严格的指示词或自然类，表达心理的概念并不是这样的概念，因而具有偶然性。按照杰克逊的说法，作为一个后验必然的句子是如何通过经验活动和认知来达到必然的呢？这类似于罗素假说，我们如何通过经验来否定世界不是五分钟之前存在的呢？[①]因为经验证据具有偶然性，我们理解这些句子无须知道它们为真的条件，而只需进行先验性的推导。

对于这种偶然现象问题，新唯物主义继续对现象概念的指称能力进行了分析。他们认为导致反物理主义二元论直觉的根源在于：除了现象概念的特别角色之外，还有现象概念的指称问题。现象概念并不直接指称某种属性，它通过经验自身的呈现模式来指向物理属性。巴洛格认为，现象概念并不直接与指称有关联，我们可以设想在疼痛不在场的情况下，疼痛概念仍有所指，即某人的内在标记。洛尔认为，现象概念不是直接指称经验而是以呈现模式指向经验的。帕皮诺认为，因为呈现模式，我们不会有一个相关描述能描述我们已想过的东西，并用来指向一个具有描述所归属的属性的实在。帕皮诺说，现象概念是由具有加前缀的“经验_____”算子这样的感知经验所形成的。卡鲁瑟斯虽然也承认现象概念没有任何描述的呈现模式，但是他仍认为类似呈现模式引导现象概念指向它的指称，即一种经验的高阶经验引导现象概念指向它的指称，这是因为他认为现象概念的说明应当有我们这样的感觉，我们直接知晓现象概念应用的基础，以便不涉及与非现象概念的先验关联。这个高阶经验是建立在我们一阶经验的基础上的，当一阶经验被心灵阅读能力所经验到时，它们自身获得了高阶类似内容，如一个红感的内容的表征状态也就是类似红感的经验内容表征。[②]还有人认为，现象概念是由它们指称的现象经验所构成的，此即构成性说明。它能说明，当前对任何概念的讨论都是由标记现象经验所构成的。现象概念与经验关系比因果关系更为紧密。物理概念并不是由概念所指称的东西构成的。

因此，新潮唯物主义坚持本体论上的一元论。洛尔认为，“这里我要捍卫的观点是：现象概念是一个识别概念，它拣出特定的内在属性；它们是大脑的物理功能属性”“它们是我们在现象反思时采用的概念，没有充足的哲学理由

---

① Jackson F. *From Metaphysics to Ethics: a Defence of Conceptual Analysis*. Oxford: Clarendon Press, 1998: 71.

② Carruthers P.“Phenomenal concepts and higher-order experiences”. *Philosophy and Phenomenological Research*, 2004, 68(2): 316-336.

去拒绝下面的说法：即使它看上去合理，这些现象概念揭示的属性仍是物理功能属性——当然不是物理功能描述下的东西……它作为拥有特定的经验像什么的属性只不过是大脑特定的物理功能属性。”[①]洛尔继续说：“要说明在什么样的抽象条件下，现象概念会在认知上独立于物理或功能概念，同时由前者引入的属性却完全是物理或功能属性，这一点并不难。下述这一图式能够对此作出说明：①关于大脑状态的物理功能概念所指称的恰好也是物理学理论语词所指的事物，并且②现象概念具有独立于‘理论’语词不同的概念角色。这种概念角色使现象概念能直接指称，从而无需高阶的指称方式……现象概念直接指称的那种属性，恰恰会是那些通过物理功能理论语词来把握的属性。”[②]因此，现象概念和物理概念是直接指向物理功能属性的，只是它们从不同方面反映了物理功能属性类的不同或本质属性。

洛尔认为，由两个直接指称共外延的概念所表达的属性必然是同一的。我们假定P有两个本质不同的F和G属性，那么在F和G之间必定存在着必然关联。因为，假如F和G的关系是偶然的，那么P可能是F而不是G，这意味着P将不会必然作为G；也可能P可能是G而不是F，这意味着P可能不必然是F。假如我们假定F和G是两个不同的属性，就难以明白F和G之间的关系可能是必然的。在这个意义上，洛尔认为属性并不是由概念构成的，也不能从概念上的独立性推导出形而上的独立性，即属性的独立，所以概念上的鸿沟不可能反映出表达属性的鸿沟。概念的独立性是概念现象，我们应当能够解释它，因为它们是概念层次上的不同以及概念功能的不同，而并不表达属性层次上的不同。布洛克说：“一个现象概念在基本的用法方面个体化，即涉及通常现象属性的出现。在这些基本用法方面，一个通常出现的经验被用于思考那种相应的经验。没有人能够有一个这样的现象概念，即假如它们不在某些方面关联于这种基本用法的概念，其中对象通常具有一个现象性质的例示。”[③]巴洛格等否认现象经验指向某种类型的经验，而坚持认为现象概念适用于把握对象的经验属性。例如，现象概念“红”

---

① Loar B. “Phenomenal states”. In Block N, Flanagan O, Güzeldere G(Eds.). *The Nature of Consciousness: Philosophical Debates*. Cambridge: The MIT Press, 1997: 601-602.

② Loar B.“Phenomenal states”. *Philosophical Perspectives*, 1990(4): 84.

③ Block N. “Max Black’s objection to mind-body identity”. In Alter T, Walter S(Eds.). *Phenomenal Concepts and Phenomenal Knowledge: New Essays on Consciousness and Physicalism*. Oxford: Oxford University Press, 2006: 127.

指的是成熟的西红柿和火花塞的属性，而不是由这些对象所引起的经验的属性。

新潮唯物主义承认，不是先验不一定意味着不同一，这并不必然导致二元论或反唯物主义的结论。例如，帕皮诺说，现象概念和物理概念是两类不同的概念，但均指向同一属性，即大脑特性，原因有两点：①在近年的神经生物学研究中，并没有发现可以还原为基础物理力之外的其他特殊力，而且通常我们认为像疼痛这样的意识经验对我们的躯体有因果作用，所以疼痛这样的意识经验现象属性同一于物理属性；②如果科学的发现证明现象属性就是大脑物理属性，那就是一个原初事实。按照克里普克的后验必然性条件，假定 a 和 b 是两个严格的指示词，它们在一切可能世界都指称同一个对象，也就是说，a=b 在一切可能世界里都是真的，因此“a 存在着和 b 存在着都蕴含着 a=b”这个命题在一切可能的世界里都是真的，因而这是一个必然真理。例如，温度等于分子的平均动能是一个后验必然命题，因为它是通过科学研究发现的，而且“温度”和“分子平均动能”又是严格的指示词，所以，我们可以得出：①现象属性同一于物理或功能属性；②现象概念是一种识别概念，它通过完全说明的方式而指向物理或功能类的本质，因而现象概念独立于共同指称的物理概念，表明在人类思维中不同的概念角色；③现象概念和物理概念的独立性反映了现象概念和物理概念的同一性陈述是一个后验的陈述。

当然，新唯物主义认为由于概念具有独立性，因而可将现象属性和物理功能属性分开加以设想。例如，可以合理地设想物理功能属性在没有心理属性例示的情况下得到例示，同样，也可以设想存在着与我们物理上相似的生物，而且环境也相似，它们的内在状态是现象状态，与我们的经验的现象特征是完全相反的（颠倒感受性质），也可以设想存在着这样的生物复制品，环境也是我们世界的复制，但是它们却根本没有现象特征。不过，现象概念和相关的物理功能概念是严格的：它们不但在日常世界而且在可能世界都有共同指称。这样分离的背景就是形而上的不可能，尽管它们可以设想，尽管事实上的相关的心理物理同一是后验的，可设想性不能推出可能性。[①]洛尔认为，我们能够解释也确实解释了一个特定现象概念如何能够完成识别一个具体的物理功能属性而没有剩余物：这个概念分辨出属性而不是通过一个偶然表征模式分辨出的。以此方式就弥补了现象和物理之间

① Koons R C, Bealer G(Eds.). *The Waning of Materialism*. Oxford: Oxford University Press, 2010: 307.

的解释鸿沟。我们理解“如此这般现象性质”如何能识别出物理属性 P，尽管“如此这般现象性质=P”并不能用物理术语提供一个（先验）解释，即为什么一个给定的现象性质感觉到它是如此。既然当我们归纳时前者应当推导出关于现象性质的物理主义是真的，而且我们理解这两个事物，因而我们理解了物理主义如何为真的。总之，①现象概念直接指向现象属性，②现象概念并不是物理功能概念，③现象属性同一于物理功能属性。这三个命题是一致的。[①]

四、其他策略与初步思考

现象概念策略除了上述强调现象概念是识别性概念这一标准阐释形式之外，还有许多样式。这里略述一二。

有这样一种现象概念策略，它强调现象概念是推理中的一种概念角色，质言之，现象概念在推理中承担的是不同于物理概念的推理作用。它由内格尔、希尔等倡导。他们认为，现象概念和物理概念总是与不同的推理能力和形式关联在一起，在推理中，分别起着不同的概念作用。既然它们的差别只存在于推理作用之上，而不意味着存在着两种不同的本体论事实，因此概念上的差别或解释上的鸿沟就可诉诸它们概念作用上的差别来加以化释。

把现象概念解释为索引性概念也是现象概念策略中一种有影响的形式。根据这一策略，现象概念是类似于你、我等的一种索引性概念，它指的是物理概念所指的实在中的特定的方面，因此承认有这样的概念及其与物理概念的差别，并不能得出反物理主义的结论。

还有人把现象概念解释为一种引证性概念。根据这一方案，现象概念的特殊性在于：它们的所指就是现象状态，而这类状态本身又成了概念本身的构成部分。帕皮诺和布洛克认为，只要如此理解现象概念，就可化解解释鸿沟。

尽管诸现象概念策略有如此差异，但它们的共同性也是十分明显的，如它们有共同的结构，即都指出了一个命题 C，它把某些关键的心理特征归属于人。它们论证说：①C 是真的；②C 能解释我们的与意识有关的认识状态，如能解释我们为什么会碰到解释鸿沟；③C 本身能用物理语言解释。因此，现象概念策略想

---

① Koons R C, Bealer G(Eds.). *The Waning of Materialism*. Oxford: Oxford University Press, 2010: 328-329.

强调的不外是：不应思考经验本身，而应思考经验是怎样在语言和思维中被表征的。换言之，只要想阐释各种反物理主义论证，就必须使用与疼痛经验有关的现象概念。这些概念有某些独特特征，当人们充分地注意到这些特征时，人们就会发现，反物理主义的论证是错误的。

我们还应看到，现象概念策略在回应反物理主义进攻时作了新的积极的探讨，在认识现象意识方面取得了一些成果，其表现是多方面的。

首先，它们看到，如果物理主义在还击时还是采用以前的直觉和信念论证，那么它就难以对反物理主义作出强有力的反驳。这类方案没有回避困难，如它借用反物理主义所擅长的概念分析，围绕必然与先验的关系，提出了后验物理主义主张。它认为那些任何试图用可设想论证来证明可能性的推论都将涉及现象概念的采用与拥有，如疼痛、痒感等，但这些概念有着具体的特征，当这些特征被充分注意到时就可以证明这些论证是错误的。

其次，这类方案区分了认识上的物理主义和形而上的物理主义，更具有包容性。现象概念与物理概念在认知中的因果角色不同造成了我们认识上的不可通约性，但这并不能构成否定物理主义的依据。物理主义作为一种世界观已经被当代哲学家所广泛承认，然而受到我们原来概念图式的影响，不可能在认识上贯彻到底。当我们接受了概念二元论和本体上一元论的时候，就会承认现象知识和现象事实的存在，唯物主义就具有更强的包容性。

最后，这类方案对心身问题提出了新的解释策略。新唯物主义认为心身是同一的，但不是先验的同一，而是后验的同一。这里的后验指的“不是在于世界这一面，而是在于心灵的另一面，可根据不同方式思考或想象，或根据不同的概念去解释”。[①]总之，这种新唯物主义其实是想说，只存在着一种属性，即一种大脑过程，它同一心理过程，但是我们可以用两种不同的概念即现象和物理概念去设想它。因为这些概念是不同的类型，所以不可能先验地知道它们指向相同属性的概念，我们只能后验地认识。在这个意义上，新唯物主义承认心理现象的特殊性，但是这个特殊性在于我们所采用的理解概念图式不一样。所以，心理现象并不神秘，它只是概念上的不同解释的结果。

---

① Koons R C, Bealer G(Eds.). *The Waning of Materialism*. Oxford: Oxford University Press, 2010: 311.

然而，由于新唯物主义对于二元论反击作出了妥协与退让，即承认现象概念的认识论地位，进而便不得不承认，它们有不同于物理概念的指称，如果是这样，那么现象概念策略就必须进一步回答：这个所指究竟是什么呢？如果它就是物理属性，那么为什么用指称物理属性的物理概念无法予以把握和思考呢？总之，现象概念策略的问题是不容忽视的。正因为如此，批评之声不绝于耳。有的人批评道：①不存在该策略所需的那类现象概念，②有现象概念这一事实与具有感觉这一事实对于物理事实来说有不同的关系。

第五节　弗兰克·杰克逊“变节”与知识论证的症结

在当代西方心灵哲学之中，能够在有生之年敢于挑战自我的哲学家，除了维特根斯坦、普特南等之外，弗兰克·杰克逊也是屈指可数的人之一。他早年提出了著名的“黑白玛丽”的知识论证，并被反物理主义者津津乐道，然而近年来他却公然质疑自己的知识论证，倡导和论证表征主义的物理主义。这一转变对于反物理主义者特别是物理主义者来说是一个很有意思且值得深刻反思的现象。本节将从杰克逊的公然反水“变节”谈起，研究杰克逊反对知识论证的依据与论证，分析知识论证的存在前提预设，指出知识论证的根源在于人们潜在承认一种错误的常识心理观，得出知识论证并不能证伪物理主义的结论。

一、“黑白玛丽”论证的“裂隙”

杰克逊于 1986 年提出“黑白玛丽”论证旨在否定一直占主导地位的物理主义，他认为物理主义应当从物理的知识中先验地推导出现象经验或主观经验知识。可这样用形式化方法表述这一思想实验及反物理主义的知识论证。

（1）玛丽（被放出前）知道他人所知道的任何物理的东西。

（2）玛丽（被放出前）不知道他人所知道的任何东西（直觉知识）。

（3）存在其他人（和她自己）无法用物理主义描述的事实。[①]

---

① Ludlow P, Nagasawa Y, Stoljar D(Eds.). *There's Something about Mary: Essays on Phenomenal Consciousness and Frank Jackson's Knowledge Argument*. Cambridge: The MIT Press, 2005: 54.

杰克逊在倡导知识论证时坚持的是："知识论证是一种有效的论证，它从合理的前提出发得出了物理主义为假的结论，即使前提是公认的不可证明的。"①根据杰克逊的论证，前提（1）和（2）是本体上中立的，但是只要坚持（1）和（2）就不能不拒绝物理主义的本体论承诺，而接受二元论主张。当然，他又不想回到笛卡儿的二元论，因为笛卡儿二元论认为心理与物理之间有交互作用，所以陷入了心理因果性难题。他认为，感受性质对物理世界不能产生因果作用，虽然它是由某物物理地引起的。这样一来，他得出了有限制的副现象论结论，即认为尽管不是所有心理现象都没有因果作用，但感受性质却是这样。可这样表述：

（4）感受性质不能成为物理的原因，副现象论为真。

然而，进入到20世纪90年代末，杰克逊对知识论证的态度发生了变化。他不无忧虑地说："我现在想，（这个论证）从表面上看是正确的，再一反省则是错误的。"②那么杰克逊作了什么样的反省？是什么让他后来态度发生如此转变？在1998年的《感受性质附言》③中，杰克逊强调，我们对感受性质和心理学的感觉方面的知识有一个因果根源，即"看到红色和感受到疼痛威胁我们，进而留下了记忆线索，以致我们后来在多种场合，即使既没有看到红色也没有感觉到疼痛，也能有关于看到红色和感觉到疼痛的知识"。④既然我们的感受性质的知识有其因果起源，因此就应从根本上思考什么样的东西才有真正的因果作用。⑤也就是说，杰克逊开始注意到当代心灵哲学中所盛行的物理因果闭合原则：只有物理的东西才有因果作用。换言之，一个由物理事件所引起的事件也必然是物理的。"没有什么选项能推翻这些选项的因果起源的最好理论所需要的东西。"⑥就关于心理或感觉状态的知识而言，它们也有纯粹的物理原因，同理，心理或感觉状态如果能对我们产生作用，进而形成知识，那么就不是非物理的。于是，他这样补充了他

① Ludlow P, Nagasawa Y, Stoljar D(Eds.). *There's Something about Mary: Essays on Phenomenal Consciousness and Frank Jackson's Knowledge Argument*. Cambridge: The MIT Press, 2005: 54.

② Ludlow P, Nagasawa Y, Stoljar D(Eds.). *There's Something about Mary: Essays on Phenomenal Consciousness and Frank Jackson's Knowledge Argument*. Cambridge: The MIT Press, 2005: xvi.

③ Alter T, Walter S(Eds.). *Phenomenal Concepts and Phenomenal Knowledge:New Essays on Consciousness and Physicalism*. Oxford: Oxford University Press, 2006: 58.

④ Alter T, Walter S(Eds.). *Phenomenal Concepts and Phenomenal Knowledge:New Essays on Consciousness and Physicalism*. Oxford: Oxford University Press, 2006: 58.

⑤ Alter T, Walter S(Eds.). *Phenomenal Concepts and Phenomenal Knowledge:New Essays on Consciousness and Physicalism*. Oxford: Oxford University Press, 2006: 58.

⑥ Alter T, Walter S(Eds.). *Phenomenal Concepts and Phenomenal Knowledge:New Essays on Consciousness and Physicalism*. Oxford: Oxford University Press, 2006: 60.

的知识论证：

（5）感受性质可以对我们产生作用，因此物理因果闭合是最好的选择，物理主义为真。

（6）根据（3）（4）（5），可以推出：知识论证与上述原则之间是存在着裂隙的。

杰克逊由此说："这就是我现在认为知识论证为错的原因。"①

二、知识论证之直觉知识

既然前提（1）（2）本身是正确的，那么知识论证为什么会得出错误的结论呢？杰克逊开始了自己的新的思考，认为"知识论证之谜根源于这样的解释，即我们为什么有这样强的直觉，玛丽新学到的某些知识如何能推翻我们从事物的物理陈述中推导出来的东西"。②也就是说，造成知识论证之谜的原因在于我们利用了直觉知识，而这又是由于在思考心灵问题时，我们对原有的物理故事或知识不能作出完全的解释。直觉知识是相对于理性知识或科学知识而言的，它有着深刻的人类心理学基础，即心灵的偶然结构导致我们倾向于认定存在着某种事实，它向我们呈现出某种原初的模态事实，或可能事实，因此对于某些人来说，在闻到玫瑰花香味时，他们可能知道所有的物理事实，但不知道感觉起来是什么样子。③

既然杰克逊注意到根据直觉知识来作出反物理主义论证是错误的，那么这是否意味着应接受当代各种物理主义的方案呢？在当代各种物理主义反知识论证方案中，代表性的观点是后验必然的物理主义。必然物理主义尽管承认玛丽在放出去以后获得了一种新知识，但是否认玛丽获得了一种新事实，也就是说，否认可以从物理中先验地推导出新知识，而只是强调通过后验的过程获得了关于旧事实的新知识。杰克逊不同意这种看法，他认为，处于知识论证之后的认

① Alter T, Walter S(Eds.). *Phenomenal Concepts and Phenomenal Knowledge:New Essays on Consciousness and Physicalism*. Oxford: Oxford University Press, 2006: 60.

② Alter T, Walter S(Eds.). *Phenomenal Concepts and Phenomenal Knowledge:New Essays on Consciousness and Physicalism*. Oxford: Oxford University Press, 2006: 59.

③ Ludlow P, Nagasawa Y, Stoljar D (Eds.). *There's Something about Mary: Essays on Phenomenal Consciousness and Frank Jackson's Knowledge Argument*. Cambridge: The MIT Press, 2005: 2.

识直觉是，“玛丽不能从物理信息中先验地推导出她要处理的色彩视觉的现象学”。[①]因此，这种物理主义只能证明感受性质必然是物理的，而不是从物理先验地推导出来的。

对于后验物理主义，杰克逊提出了二维模态的反对意见：对后验必然的二维分析。后验必然物理主义对直觉知识的概念分析采用的是一种因果历史指称理论，因而仍然无法解释现象概念与物理概念同一的偶然性现象。杰克逊指出：“概念分析追求的是先验的结果。”[②]他把必然性分成概念必然性和形而上必然性。当后验必然性采用概念上的必然性时，我们就要寻找它的真值条件，即它的外延在任何世界都固定指向某个对象。然而，后验物理主义都是指向现实世界中的某个对象，因此并不具有必然性。如果是这样，我们就只能采用形而上学的必然性，即解答直觉知识的先验推导性。杰克逊举了一个例子：气体的温度等于分子平均动能。按照后验物理主义的分析，气体的温度后验地必然同一于分子平均动能，解释这个后验的条件就需要给“分子平均动能”以相关联的条件，而这依赖于一定的语境。但是要给出这种语境，又需要一系列的前提。没有这些前提，我们就无法理解“分子平均动能”的条件句，而这些前提则先验地预设“气体温度”这个结论。杰克逊的二维模态分析表明，后验必然仍然是以形而上学必然为前提的，即只承认一种先验的必然，而这又回到了直觉知识的问题。

知识论证之谜在于，当我们坚持物理主义是先验推导出来的时候，为什么物理世界的经验或感觉方面是个例外。[③]这是一种宇宙的启示，还是一种“幻觉”呢？[④]杰克逊认为知识论证之谜如同罗素的这样的假设，即我们只能靠经验的证据去证实世界是不是在五分钟之前存在的。如果采用证据的“追溯”，那么这种证据本身是不可靠的，也许会导致错误的结论。但是，“我们有资格拒绝罗素假说，是因为它违背了好的理论是特别建构的原则”。[⑤]同样，对于知识论证之谜，

---

① Alter T, Walter S(Eds.). *Phenomenal Concepts and Phenomenal Knowledge:New Essays on Consciousness and Physicalism*. Oxford: Oxford University Press, 2006: 63.

② Jackson F. *From Metaphysics to Ethics: a Defence of Conceptual Analysis*. Oxford:Clarendon Press, 1998: 56.

③ Alter T, Walter S(Eds.). *Phenomenal Concepts and Phenomenal Knowledge:New Essays on Consciousness and Physicalism*. Oxford: Oxford University Press, 2006: 64.

④ Alter T, Walter S(Eds.). *Phenomenal Concepts and Phenomenal Knowledge:New Essays on Consciousness and Physicalism*. Oxford: Oxford University Press, 2006: 65.

⑤ Alter T, Walter S(Eds.). *Phenomenal Concepts and Phenomenal Knowledge:New Essays on Consciousness and Physicalism*. Oxford: Oxford University Press, 2006: 64.

我们应当相信一种纯粹的物理主义（bare physicalism），它断言世界确实在所有方面都是物理的，没有任何东西不能从物理的陈述中先验地推导出来。这一假说并不是临时添加的，而具有我们理性需要的解释力和简单性；任何物理主义者都没有理由超越这种纯粹的物理主义的假设。

不过，后验物理主义者仍然会说，这种纯粹的物理主义不能先验地推导出现象知识。杰克逊承认：也许是这样，但又认为这一说法只说了纯粹物理主义在概念上或认识上的可能性，而我们不能忽视纯粹物理主义也有其形而上学的可能性。例如，在上帝没有后验必然性的情况下，并不能因此而否认它的形而上的可能性。也就是说，我们可能找不到存在的现象知识与物理知识的普遍规则，因为它可能超出了我们的能力，但是从对物理知识的了解可以先验推导出现象知识来。所以，杰克逊给出的物理主义解决知识论证之谜的条件是："它应当允许我们看到从物理到色彩本质的通道可能是可能的，且在某种程度上是先验的。"[①]

三、直觉知识的幻觉

按照杰克逊上面的主张，解决知识论证问题只能采用先验物理主义策略，如果是这样，物理主义该如何看待直觉知识呢？杰克逊首先探讨了直觉知识的来源问题。

对于现象或感觉的直觉知识一般都赞同摩尔的透明性命题（diaphanousness thesis），即我们的经验的性质特征是公认的经验对象的特征，它构成了我们的直觉知识。然而，关于公认的经验对象却有着不同的看法。一种是以摩尔为代表的感觉材料理论。感觉材料告诉我们，感觉是对产生一定性质的感觉材料或对象的直接觉知，因而我们经验或感觉到了一个对象。由此透明性命题告诉我们：这些对象的性质决定着我们感觉性质的本质，感觉材料理论把经验的特性视为某物存在的例示属性。杰克逊采用的是第二种方案，即哈曼的"经验的内在本质"之内涵说。根据这一理论，感觉并不是一个直接对象，它会受到形而上的误导。[②]比

① Alter T, Walter S(Eds.). *Phenomenal Concepts and Phenomenal Knowledge:New Essays on Consciousness and Physicalism*. Oxford: Oxford University Press, 2006: 65.

② Alter T, Walter S(Eds.). *Phenomenal Concepts and Phenomenal Knowledge:New Essays on Consciousness and Physicalism*. Oxford: Oxford University Press, 2006: 64.

如，我们说，我们直接意识到视域中有长方形的存在，并不是说有一个长方形直接进入了我们视域中，而只是说我们的视域经验有这样的表征，即某长方形事物存在于我们面前。因而，我们的“长方形”单词描述的经验并不是拥有单词代表的属性的某物与我们之间的关系，而只是一种经验表征或呈现某物存在的方式。就此看来，经验中长方形只是一种内涵属性，而不是例示属性。

如果按照感觉材料理论所讲的感觉性质是一种例示属性，它需要“存在着例如某种红和黄的东西为我们直接意识到，当然，需自动地借助或部分借助表征性概念”。[①]但是，我们可以设想，在没有某物存在的情况下，我们仍然可以想到红色和圆形的某物，如苹果。因此，当玛丽走出黑白房间而看到事物时，所看到的并不是某物的例示属性，而是我们从感觉材料理论出发而形成的误解，或者是对透明性知识的错误理解，即一种把意向属性当成了例示属性的幻觉。杰克逊指出，这种本质对于一般人来说就是关于属性的信息的本质，类似于说我知道那张桌子是房间最大的物体。“相应地，感觉经验呈现在我们面前的好像是关于内在本质信息的获得。”[②]但是，杰克逊说：“非常明显，它不是关于内在本质的信息，由此玛丽获取的信息呈现给我们的好像是关于物理之外的某些东西的信息。”[③]他还认为，玛丽在被放出后获得新知识的直觉是一种强烈而错误的直觉，它根源于我们的“幻觉”。知识论证之谜的答案在于，“（玛丽）获得的特定关系功能信息具有鲜明的非典型本质”。因此，可以说：

（7）玛丽被放出后错把内涵属性当成了例示属性。

四、直觉知识的表征主义

揭示直觉知识“幻觉”的真相之后，杰克逊转向了对感受性质的内涵分析。在分析之前，他需要回答这样的问题，即构成一个感觉经验的现象本质的各方面是否都是它的内涵本质的表现？如果不是，为什么我们不能说感受性质既有内在

---

① Alter T, Walter S(Eds.). *Phenomenal Concepts and Phenomenal Knowledge:New Essays on Consciousness and Physicalism*. Oxford: Oxford University Press, 2006: 64.

② Alter T, Walter S(Eds.). *Phenomenal Concepts and Phenomenal Knowledge:New Essays on Consciousness and Physicalism*. Oxford: Oxford University Press, 2006: 59.

③ Alter T, Walter S(Eds.). *Phenomenal Concepts and Phenomenal Knowledge:New Essays on Consciousness and Physicalism*. Oxford: Oxford University Press, 2006: 59.

属性又有内涵属性呢？

杰克逊的看法是，可以从两个方面来说明感受性质的本质是内涵或意向的。第一，只要现象特征存在着不同，就有它们被表征的性质的不同，如红性的亮度上的不同；反之，没有后面的变化，也就没有前者的不同。第二，感受性质的表征方式不同于纯粹的认知表征。认知表征类似于地图或语句表征，其作用是把表征的事物与表征的特征区分开来，如区分开气象图中的气压梯度和等压线。然而感受性质的表征方式不是这样。当我们有一个关于红色的有形对象的视觉经验时，经验就是它表征的一切。我们可能或不可能承认事物以这种方式被表征，但是这种方式是经验的特征的一部分，“我们只能以内涵属性来理解经验的性质”。①

就经验的内涵属性来看，根本不存在内格尔所说的“成为这种感觉是什么”的问题。例如，对于红色的感觉，它意味着红性的存在。这种红性只是一种事物如何被表征出来的特征。在被表征的过程中，事物会呈现出一种共同性模式。有时它是静止的，有时却是非常不明显的，甚至出现错误的表征。因此，颜色经验是获取高度不明显的关系和功能信息的一种独特的“方式”。②从起源上看，这是我们在进化过程中适应存在的必要方式，不这样，就不能生存下来。结果是，颜色经验总是呈现给我们的，好像由此获得了关于我们环境的内在特征，基于此，人们往往以为，它好像提供了关于非物理特征的信息，这也是二元论产生的基本原因：错把不明确的信息模式误认为是一种非物理信息，它超出了我们能够识别的复杂关系。③因此可以说：

（8）色彩经验的现象特征其实是这些经验的表征状态。

基于此，杰克逊提出：物理主义面对知识论证应当坚持说，感受性质的本质可能是从物理先验地推导出来的，而表征主义满足了这种需要。按照表征主义，感觉状态就是一种特定的表征状态，这种表征能让我们从物理的陈述中先验推导出感觉状态，也就是说，我们的“共变、各类因果关联、进化选择史以及类似各

① Alter T, Walter S(Eds.). *Phenomenal Concepts and Phenomenal Knowledge:New Essays on Consciousness and Physicalism*. Oxford: Oxford University Press, 2006: 64.
② Alter T, Walter S(Eds.). *Phenomenal Concepts and Phenomenal Knowledge:New Essays on Consciousness and Physicalism*. Oxford: Oxford University Press, 2006: 64.
③ Alter T, Walter S(Eds.). *Phenomenal Concepts and Phenomenal Knowledge:New Essays on Consciousness and Physicalism*. Oxford: Oxford University Press, 2006: 62.

类要素的陈述都从纯物理上先验地被决定了”[①]，感觉状态也可由此而推论出来。可这样表述：

（9）玛丽可以在放出前先验地从物理事实推导出经验状态的事实。

接下来，杰克逊的表征主义要做的工作是，揭示感觉的表征方式以证明表征主义的可行性。此前，不同的表征主义有不同的看法，如有的是通过内容的概念化来说明“感觉”，认为“感觉”是非概念内容，与信念截然不同。杰克逊认为，所谓的非概念“内容”定义本身存有争议，与概念有没有必然联系也需探讨。因此，不能用这种方式来揭示感觉。他说：“表征主义应当询问，当某物看上去是或感觉为某种方式时，所出现的具体表征究竟是什么？”[②]

杰克逊的回答是：第一，这种表征是丰富多样的，如视觉经验是通过色彩、形状、位置、外延、方法和运动等来表征的；第二，这种表征的丰富多样性是由众多因素相互构成的，如对苹果的视觉表征是由红感和图感构成的，你不能把图感悬置一旁而单独表征或呈现红感；第三，这种表征是直接的；第四，这种表征中存在内容上的因果关联，表征世界是我们在与之相互作用时产生的，感觉某物就是部分感觉到它与某人身体的交互作用；第五，感觉经验具有一种特别的功能角色。虽然在缪勒层次图形中，我们事实上相信两根线段是相等的，但是我们同时会坚持一根长而另一根短的信念，因此感觉经验以直接而简捷地获得内部发生关系和功能属性信息的方式，而拥有调节不同信念的特殊功能角色，“它自身并不是一种信念状态，不需要把一个主体移入另一个表征它存在的信念中，主体可能知道它们是幻觉或虚幻的主体或者已经相信事物是作为经验表征它们，但这将决定信念状态映射到另一信念状态的对应关系”。[③]因此可总结说：

（10）五种特征分别解释了现象表征。

（11）这五种特征是物理上可解释的，且可从物理事实中先验地推导出来。

---

① Alter T, Walter S(Eds.). *Phenomenal Concepts and Phenomenal Knowledge:New Essays on Consciousness and Physicalism*. Oxford: Oxford University Press, 2006: 62.

② Alter T, Walter S(Eds.). *Phenomenal Concepts and Phenomenal Knowledge:New Essays on Consciousness and Physicalism*. Oxford: Oxford University Press, 2006: 62.

③ Alter T, Walter S(Eds.). *Phenomenal Concepts and Phenomenal Knowledge:New Essays on Consciousness and Physicalism*. Oxford: Oxford University Press, 2006: 58.

五、重新回到知识论证

如果承认感觉是一种丰富的、不可分开而直接的表征内容，且有因果功能角色，那么可断言：玛丽在被放出后就会具有各种表征状态。杰克逊认为，玛丽获得的直觉知识就是能够识别、记忆和想象这种状态。如此说来，玛丽就类似于内米罗和刘易斯提出的能力假说，即获得了一种新的能力。但杰克逊反对能力假说，因为内米罗等强调的是获得新的命题知识的能力，而他的表征主义认为，这里的表征不是指示性的表征，它只有感觉经验的直接内容。

然而，奥尔特（Alter）认为表征主义只是一种“烟幕弹”，知识论证在这里的变化不过是从追问“意识经验是物理的吗？”转变成了追问“现象表征是物理的吗？”。[①]表征主义关注的是意识经验的表征方面，但如果存在着非表征方面，那么它得回答：它是物理的还是非物理的？比如，我们面前有个红苹果，可能不同的人有不同的感觉，有人会感觉到红色诱人，有人会感觉到饥饿难耐，但如果这是由表征属性决定的，那么就只能有相同的经验特征。这里之所以有不同，是因为存在着心理与物理的关联，即存在着非物理方面。可见，这里仍存在着物理主义必须回答的难题。

杰克逊回应道，知识论证根源在于，如何先验地推导出感受性质，而不是能否被表征的问题。他承认确实存在着表征方式无法表征感受性质的问题，但是区分表征方式和表征内容并不能证明表征主义是错误的。另外，把弱和强表征主义区分开来，也有助于化解这里的麻烦。弱表征主义承认，有些感觉不能被表征，这会让人们以为感觉经验是由表征部分和非表征部分构成的，“我们可能在没有改变它如何表征事物存在的情况下而改变了经验的本质”[②]。但是在原则上，弱表征主义并不否认感觉经验是被表征的，将它向前推进一步就是强表征主义。

为了说明强表征主义，杰克逊重新引入了感受经验的透明性命题。根据透明性命题，可以说，经验的本质就是经验对象的属性。我们不妨假设：经验对象的属性是 E，它表征某物具有某种属性 P，E 与 P 如何关联呢？如果 E 是时空对象

---

① Alter T, Walter S(Eds.). *Phenomenal Concepts and Phenomenal Knowledge:New Essays on Consciousness and Physicalism*. Oxford: Oxford University Press, 2006: 74.

② Alter T, Walter S(Eds.). *Phenomenal Concepts and Phenomenal Knowledge:New Essays on Consciousness and Physicalism*. Oxford: Oxford University Press, 2006: 58.

的属性，那么 E 要么不同于 P 的属性，要么是 E 同一于 P 的属性，前者无法关联，因为属性不同；后者违背了透明性命题，因为 E 的本质是表征性的。而 E 只能作为意向或内涵对象才表征 P，由此可推出，经验属性永远是事物如何被表征为存在的属性。经验性质的变化就是表征事物的变化，这里用不着再用别的属性去表征它，也就是说，经验的本质是由经验内容以及不同感觉表征内容的方式所决定的。看到红色的感觉，可以由它的内容来穷尽，但是这个内容不是部分内容，而是整个内容。于是，可以得出结论说："感觉经验的本质可以从弱表征主义角度以及根据透明性如何表征事物来加以说明。"①这就是强表征主义。

强表征主义没有知识论证的问题。因为知识论证认为，我们的感觉经验依赖于非物理的内容，这种非物理内容是一种例示的属性。但如果是这样的例示的属性，那么它就不在我们的物理世界中，这样一来，如何予以说明就成了一个难题。而强表征主义否认存在着例示属性，只承认意向或内涵属性，因此它只有如何被正确表征的问题。如何正确表征是弱表征主义讨论的问题。对于强表征主义来说，它必然可以得到表征，并能决定感觉经验的本质，而不需要扩大我们的属性理念以涵盖它。

六、知识论证的症结：本质主义

杰克逊关于知识论证的新的反思和论辩确实触及了该论证存在的深层次的问题，甚至提出了关于感受性质的新的问题，他还强调，直觉得到的知识只是一种把内涵属性当作例示属性的幻觉。当然，我们同时应看到，他看到了有关研究中的幻觉，并没有深入分析产生这种幻觉或错觉的根源。丹尼特对此给出了进一步分析。他说："至于说玛丽学到某些东西的标准假设，也就是说玛丽不能正确理解对她来说看到红色感觉是什么样子，这只是常识心理学的一部分，迄今为止，除了能支持传说之外，别无其他。"②因此，知识论证特别是黑白玛丽论证只是"生动地引出和阐释了隐含于许多人（可能是大多数人）之中的普遍的思维方式，它

---

① Alter T, Walter S(Eds.). *Phenomenal Concepts and Phenomenal Knowledge:New Essays on Consciousness and Physicalism*. Oxford: Oxford University Press, 2006: 61.

② Dennett D. "What RoboMary knows". In Alter T, Walter S(Eds.). *Phenomenal Concepts and Phenomenal Knowledge: New Essays on Consciousness and Physicalism*. Oxford: Oxford University Press, 2006: 21.

可能只是一个有用的人类学训练，是一个公开的常识心理学调查”。[1]这种朴素的直觉知识深深地影响着相信知识论证或者反对知识论证的人。笔者认为，在这个直觉知识没有澄清之前，就贸然得出反物理主义或二元论的结论都是不明智的。

丹尼特强调说，这种直觉知识有两种：第一种是把日常不可言说的东西拓展为形而上存在的信息，也就是说存在着一种从第一人称来看的现象学知识；第二种是现象性知识不能由基本的要素推导或派生出来。这两种直觉知识都与洛克和休谟的观点有关。如洛克曾经提到，由于我们器官的组织不同，它们可能让同一时间的同一物体在不同的人心中产生不同的观念，同时还可能让不同物体在不同的人心中产生相同的观念，如某个人看到紫罗兰在其心中产生的观念和一朵金盏花在另一个人心中产生的观念是相同的，因为他或她的色谱与你的色谱正好相反。这种颠倒光谱论证是丹尼特在洛克哲学中所发现的知识论证的最早版本，它足以表明：我们的直觉知识只能借助主体的内在体验才能为人所知晓，因此具有秘密性、第一人称性和主观性。但是，这种直觉知识到底是一种什么知识呢？

笔者认为，这种直觉知识根源于一种基础主义或本质主义。所谓基础主义或本质主义就是这样的学说，它相信本质存在，并且认为它构成了现象的基础。亚里士多德认为，一个事物的本质就是决定它是其所是的东西，每个个体的事物都同一于它的本质。这种本质主义在物理知识中表现为，基础物理的实在构成了物理事物的运动的原因；在心理知识中表现为，心理的实在构成了人类行为的原因。常识心理学给我们提供的就是一幅关于心理本质主义的知识结构理论。我们认为，只要坚持本质主义，就不可能正确认知显现在我们面前的事物的本来面目。

按照这个思路，我们看一看杰克逊的反知识论证能否达到其目的。根据前面所说的（5），杰克逊从感受性质具有因果作用和物理因果闭合原则这两个前提出发展开了自己的论辩。只要剖析这两个前提，就会看到：它们都蕴含着本质主义的倾向，即认为或预设感受性质像其他作为物理结果的原因一样具有因果地位，既然具有因果地位就一定是实在，进一步来说，它是作为本质而存在的。但是杰克逊又没有进到物理内在属性，所以就推出了（7）。根据（7），玛丽出来以后错把内涵属性当成了例示属性，即把一种关系属性当成了内在属性。如果感受性质

① Dennett D. “What RoboMary knows”. In Alter T, Walter S(Eds.). *Phenomenal Concepts and Phenomenal Knowledge: New Essays on Consciousness and Physicalism*. Oxford: Oxford University Press, 2006: 17.

是一种关系属性，那么就可以得出（8），即我们的现象状态就是一种经验表征状态。这样一来，接下来的问题是：经验表征状态是如何表征给我们的呢？比如，我们看到姚明高，高是一种关系属性，并不是姚明本身有高的属性，它需要和我相比，因此需要一种参照系。这种参照系从哪里来？杰克逊只好从他自己那里得出，即（9）玛丽本身可以先验地得出这样的知识，她通过原有的物理知识，借助概念分析得出了这种知识。当玛丽在进行概念分析时，她所采用的概念仍然指向一种自然类，一种指向本质主义的知识，否则她就无法进行比较。

然而，杰克逊是知道克里普克所批评的自然类概念的，所以他采用了克里普克的因果指称的概念，指出现象概念具有丰富的内容，包括多种感觉表征的因果角色。这里的多种感觉表征被分析形成了一种因果角色网络。如果是这样的话，各种感觉表征最后就成了一种感受质状态。由此，多种表征状态还可突现出一种高阶状态。这便走向了突现主义。突现主义虽然可以说明感受质状态产生的原因，但是无法解释它存在的理由，甚至又回到了二元论。因此，杰克逊只好说感受性质是可以先验推导出来的，即（11）。先验推导需要概念分析，而概念肯定指向一种自然类语言，否则无法进行分析。杰克逊无法在这里自圆其说，因此他的论证只能回到原来的起点，即（3）这个结论。

笔者认为，杰克逊提出的知识论证并没有证伪物理主义的力量，充其量只对常识中所蕴含的本质主义和基础主义作了批判。他本人并没有看到这一点，虽然认识到知识论证存在着不一致性，以至于又回到了他所反对的命题。事实上，我们在认识事物时总期望找到一个本质的存在，因此便导致了心理与物理、主观与客观、事实与价值的分离。即使是二元论或者多元论者也都受到本质主义的影响，他们把心理、物理或者其他实在当成一种本质上的存在，当作不可变化的、静态的存在，因而表现为原子主义、孤立主义、单子主义，在此基础上再寻找这些实在之间的关系，最终便会面临各种无法自圆其说的难题。因此，笔者的结论是：世界本身就是统一的，本质的思维后于世界的存在，不是抽象先于存在，而是存在先于抽象。

第十四章
心灵哲学中的认识论问题

心灵哲学中的认识论问题就是如何得到关于有意识、有理智的心灵及其内在活动和状态的认识的问题。[①]它包含两个方面的问题：一个是所谓的自我认知的问题，如有意识的存在怎样得到关于自己的感觉、情感、信念、愿望等的直接的知识？这种知识是如何可能的？另一个就是他心知问题（knowledge of other minds），我们能否认识自己以外的他心？如果能认识，是怎样认识的，其基础、根据、性质和过程是怎样的？

第一节 自我认知

在心灵哲学中，自我认知通常是指人们对自己的感觉、思想、信念和其他心理状态的认知。人们对自我认知的讨论涉及心灵哲学、认识论和形而上学诸领域的问题。

自我认知的历史可以追溯到亚里士多德、奥古斯丁。一般认为，笛卡儿的二元论对现代心灵哲学有着很大的影响力，表现在自我认知上，自笛卡儿始，大多数的哲学家相信对自己心理状态的认知明显地不同于对外在世界（包含对他人思

---

① 高新民，沈学君.《现代西方心灵哲学》，华中师范大学出版社 2010 年版，第 171 页。

想）的认知。但是，对于是什么准确地把自我认知与其他领域的认知区分开来，人们少有共识。由此所决定，哲学家对本领域的探讨便见仁见智。目前，根据人们进行自我归属的基础和过程是什么这一核心问题的回答，探讨自我认知的模式分为三类：亲知理论（acquaintance theory）、内感觉理论（inner sense theory）、理性主义理论（rationalist theory）。[①]

亲知理论将第一人称权威理解为一种认识论现象，主张理解自我心灵状态的唯一途径就是借助第一人称的方法，即内省的方法。最关键的是它主张人们在内省中直接地意识到，即亲知自己的心灵状态。也就是说，在心灵状态与自己的意识之间不存在任何的中介环节，因而，亲知理论下的内省意识便具有形而上学的直接性。

内感觉理论虽然也承认内省的重要性，不同于亲知理论的是，这一理论认为，内省在许多方面类似于知觉，内省状态是由它们所表征的状态导致的，因而内省是一个因果过程。

上述两种理论共同的地方在于，它们都把自我认知看作是经由观察得到的关于内在状态的认知，在这个意义上，它们都属于经验主义的自我认识理论。

理性主义理论尽管也承认我们对自己的心灵状态具有权威性，但它否认第一人称权威源自对自己心灵状态的观察，认为经验主义对自我认知过程的刻画是片面的、不准确的。在它看来，主体的权威性源自我们是自主体。它认为，如果自我认知仅仅是一种观察的话，那么下述情形就变得不可理解了，即我内省地观察到我在被一场暴雨淋透的同时，仍旧相信今天是一个晴天。

自我认知之所以在哲学上成为一个长盛不衰的热点问题，部分是因为它不同于其他类型的认知，这类认知似乎是通过某种特殊的方法达到的。而自我认知的特殊性反映了其认知对象——心灵的特殊性。根据有关观点，心理的东西与非心理的东西之间存在巨大的差异。基于心理与非心理之间的划分，有些哲学家主张心身二元论，这方面最著名的例子就是杰克逊的“知识论论证”，这一论证的特别之处在于，它是从亲知的认识论差异中推出两者的形而上学差异。而内感觉理论则不能接受这种观点，它强调心灵与非心灵之间存在着连续性，也就是说，内

① 格特勒.《自我知识》，徐竹译，华夏出版社 2013 年版，第 4 页。

感觉理论的一个主要特征就是把心灵自然化。理性主义则强调，自我认知之所以成为一种较为特殊的认知，并不是因为我们拥有一种独特的、直接观察自己状态的方式，而是因为我们获得自己的命题态度的能力源于我们形成态度的能力。

一、亲知理论

按照自我认知的亲知理论，因为我们与心灵处在形而上学的直接联系之中，所以我们无需中介，就能直接地认知我们的心灵状态。这种对心灵状态的亲知使得内省在认识论上特别安全、牢靠。

1. 亲知理论的基本观点

通过亲知而知道我们的心理，这一类表述可以追溯到笛卡儿，而罗素在这一方面提出了详细论述。他说："我们所有的知识，包括对事物和真理的知识，都以亲知作为基础。""我们应该说我们对于我们直接明悉的任何东西都具有亲知的关系。这种直接的明悉是不依赖于任何推理过程或不以关于真理的知识为中介的。"①

当代亲知理论继承了罗素的核心观点，即一个人与他的心灵状态之间存在着形而上学意义上的直接通道，在我们的明悉与心理状态自身之间不存在中间环节。同时，它在认识论上也是直接的，因为我并不是通过明悉其他事情而明悉自己的心理的。赞成亲知理论的当代代表人物有邦茹（BonJour）、查默斯、格特勒（Gertler）、皮特、福莫顿（Fumerton）等。

因为主张自我认知在认识论上和形而上学上是直接的，所以亲知理论对于现象状态如痛的解释非常有说服力。"痛……并不是通过偶然的属性而被识别的，而是通过痛本身的属性，即通过它即刻的现象品质而被识别的。"②"就感觉来说，表象与实在没有区别。"③当然，有一部分哲学家是在认识论而非形而上学的意义上使用"亲知"概念的。总的说来，当代大多数的亲知理论家没有将亲知的范围限定在疼痛这些现象状态之内，而是扩大到"在我们心灵中发生的所有的事件"之上。

---

① Russell B. *The Problems of Philosophy*. New York: Henry Holt, 1912: 75.
② Kripke S. *Naming and Necessity*. Cambridge:Harvard University Press, 1980: 152-153.
③ Hill C. *Sensations: a Defense of Type Materialism*. Cambridge: Cambridge University Press, 1991: 127.

对于一些哲学家来讲，亲知理论很有吸引力，他们主张我们所有的知识都是基于被辨识了的具有高度安全性的信念。亲知理论所主张的认识论和形而上学上的直接性，为信念的安全性、可靠性提供了保障。如福莫顿认为，当一个人正拥有那种经验时，这一经验可以直接辨识信念，信念为真的原因就是使之成为真的心理状态，如“我痛”为真的原因就是痛本身。“人们在意识之前（形而上学直接）希望有一为真的制作者，以一种方式就人们相信的真理提供完全理智的保证（认识论直接）。”[①]

必须指出的是，尽管亲知理论承诺自我认知在认识论上、形而上学上的直接性，但并不能由此推断出我们的自我认知既是不可错的，又是全知的，它允许自我归属获得一个较高程度的确定性。皮特对此有明确的论述：如果一个感觉感觉起来是疼的，那么它就是疼的，因为它感觉起来是疼的和它是疼的有相同的性质。这些关于意识的心灵殊相的事实并不像人们有时设想的那样能推出内省的不可错性或全知。意识的心灵殊相只能显现为它们自己所是的样子，但这一事实无法推出一个人关于它们所是/所显示的方式的信念不会出错——就如同一个外部客体即使必然地具有它看起来具有的属性，也不能推出一个人对它的属性的知识是不可错的。这些关于意识的心灵殊相的事实也不能推出一个人对他的意识心灵的内容是全知的。[②]

不仅如此，一些批评者甚至认为亲知理论将内省信念解释成离它们的客体太近的关系因而使它不能成为真实的实质性知识。实际上，这种反对意见否认的是，内省关注现象品质能够为理解真实的实际知识提供足够的东西。有这样一个著名的例子：一位早期的秘密社团成员被迫害，他眼睛失明，并且被告知，他的手将被香烟来烫。然后有人把一个冰柱放到他的手上，这位成员尖叫，似乎很痛。显然，这位成员错误地把冷当成了痛。在认识论上，对他来说，他的现象感受就是痛。这种错误就是斯维茨葛贝尔（Schwitzgebel）反对亲知理论的一个原因。

通过亲知而了解我们的感觉这样一种观点仍存在相当多的争议，我们通过亲知而了解我们的思想、信念更具有争议。正如詹姆斯所认为的，自我认知不仅要求与心理状态有关联，它还要求人们正确地将心理状态概念化，将它分类为一种

① Fumerton R. “Speckled hens and objects of acquaintance ”. *Philosophical Perspectives*, 2005, 19(1): 122.
② 格特勒.《自我知识》，徐竹译，华夏出版社 2013 年版，第 115 页。

特殊的状态（如痛或冷）。对于亲知理论来讲，最困难的问题是，如何解释这种概念化及其产生过程，尤其是，对心理状态的明悉为什么是直接的、即刻的，但在认识论上又是基本的。

2. 质疑与回应

亲知理论受到许多质疑，首先，让我们来看看戴维森提出的质疑。

戴维森对亲知理论的这样一种观点提出了质疑：感觉的在场能够辩护关于这一感觉的内省判断。但戴维森却认为，"一个感觉和一个信念之间的关系不可能是逻辑的，因为感觉不是信念，也不是其他命题态度"。[①]戴维森认为，只有命题态度才能够辩护信念或判断，感觉不是命题，因此不具有辩护信念所需的形式。举例说来，命题苏格拉底是人，并且凡人都会死，可以辩护判断苏格拉底会死。前一个信念的真蕴含后者的真。因为感觉是非命题状态，无法处于逻辑关系中，所以不能辩护判断。在戴维森看来，疼痛只能导致主体作出他痛的判断而不能辩护这一判断。

戴维森的观点对亲知理论提出了挑战。按照亲知理论，疼痛的在场有助于我有疼痛这样一个内省判断。但我对我的疼痛的意识本身是非命题的，亲知理论把它理解为一个事件，不能判断真假。在戴维森看来，它不能辩护某人疼痛的判断。

亲知理论要回应戴维森的挑战，就必须表明，辩护一个内省判断的不仅仅是心灵状态的在场，也不仅是对心灵状态的意识，而是主体把握到他的内省判断符合他当下的经验。在这一方面，福莫顿提出了自己的看法："我的主张是，一个人拥有一个得到非推理的辩护的信念 P，当他拥有思想 P，并且他亲知事实 P、思想 P，以及事实 P 与思想 P 之间的符合关系。"[②]也就是说，亲知的内省知识要得到辩护，必须满足三个条件：①通过亲知，某人意识到 F 状态；②通过亲知，他意识到 F 在场的判断；③通过亲知，他意识到 F 状态和判断 F 在场之间的符合关系。

其次，让我们再看看所谓的斑点母鸡问题。

斑点母鸡问题是早期对亲知理论提出的一种挑战。它是由赖尔与艾耶尔在讨论感觉材料时构造的。它讲的是这样一个问题：假设在最佳视觉条件下，你看到

① Davidson D. *Subjective, Intersubjective, Objective*. Oxford: Oxford University Press, 2001: 143.
② Fumerton R. *Metaepistemology and Skepticism*. Lanham: Rowman & Littlefield Publishers, 1995: 75.

48 个斑点的母鸡，每个斑点都清楚地分布开来。然后你看到一只几乎一模一样的母鸡，它有 47 个斑点。可以说，你对第二只母鸡的视觉经验与第一支母鸡的不一样。我们可以把两种视觉现象的属性分别称为 48 斑点性和 47 斑点性。现在，你通过亲知直接意识到它。可以说，你满足条件①，你对这一感觉的把握，使你不大可能将它辨认为 48 斑点性。

斑点母鸡的例子说明一个现象属性的显现有时小于它的实在。这一现象的实在是 48 斑点性，但我们没有能力将它辨认为 48 斑点性。这个例子威胁到亲知理论的一个核心观点：一个感觉的显现直接地、完全地揭示了它的实在。

面对难题，亲知理论家一般会搬出“弱实在论”，如承认认识的显现小于它的实在。“这种观点构成了一个关于现象状态的弱实在论，因为现象属性可能超越一个主体作出关于它们的得到辩护的判断的能力。”[①]

与其说斑点母鸡问题就把亲知理论给驳倒了，倒不如说它给亲知理论提出了一个任务：我们的内省知识的范围为我们的分辨能力所限制，亲知理论必须说明，内省主体如何能够遵从那些限制。也就是说，亲知理论家必须说明，拥有现象概念，如疼痛或斑点性，到底包含了哪些东西，一个人如何能够直接把握到对某个状态的概念化是准确的。简言之，亲知理论必须解释：在亲知中，现象概念是如何运作的。

一些哲学家提出了可能的解决方案：

（1）裁剪认知显现。为了对现象概念是如何运作的作出说明，首先需要说明裁剪认知显现是如何实现的，以清除那些有问题的认知显现，如避免 48 斑点性或 50 斑点性的显现。利用认知显现的柔韧性，亲知理论家设计了一个方案来避免我们内省判断的错误：通过当事人采取多虑且谨慎的态度来注意避免错误，我们就可以避免那些潜在的误导性的认知显现。例如，对一个谨慎的人来说，当他在内省一只斑点母鸡的视觉经验时，不会冒险相信至少 50 斑点性在场，而是倾向于许多斑点性在场。

（2）为什么认知显现不会误导一个谨慎的内省者？亲知理论的解释是，在相关例子中，经验的认知显现扮演了双重角色。它既是经验的现象实在的一个方面，

① Fantl J, Howell R. “Sensations, swatches, and speckled hens”. *Pacific Philosophical Quarterly,* 2003, 84(4): 380.

又是内省判断的一个组成部分。它的前一个角色，即形而上学的角色，保证了认知显现匹配现象实在。后一个角色是认识论角色，能解释感觉在内省判断中如何被概念化。

这里面关键的是第二个角色，解释现象属性如何被概念化，比如说要解释为什么一个人要把一种感觉识别为痛而不是痒。

唐纳伦（Donnellan）举了一个著名的例子来解释这一问题。假设一个人在一个酒会上看到一个很有意思的人拿着一个马爹利酒杯，他问道："在喝马爹利的那个人是谁？"实际上那个酒杯里装的是水，但那个人仍然问了一个具体的人的问题。这个例子不仅仅被用来讨论语言指称的问题，还被用来解释认知显现如何能被用来将对象概念化。假设我处于上述情形之中，我不知道拿酒杯的人是史密斯，也不知道他喝的是水。尽管我是用一个误导性的认知显现把史密斯辨识出来了，但不管怎样，我仍然能用它来构造一个关于史密斯的思想。这是运用注意力的结果！我用史密斯的认知显现将他概念化——把史密斯辨识出来，认知显现为正在喝马爹利的人。

查默斯用"直接现象概念"来描述现象概念是如何被构造的："直接现象概念的最为清楚地出现的情况是，当一主体关注到一个经验的性质，并完全基于对这种性质的关注而构造出一个概念时，他将这个性质'吸收'进了这个概念。"[①] 亲知理论家认为，这一类型的现象概念对于感觉的内省判断来说，扮演着认识论和形而上学的双重角色。

很显然，查默斯的主张解释了前述的条件①，即通过内省，某人关注到F状态是如何认识地显现的。它还解释了注意力如何产生一个关于F在场的判断。但是，我们还是未看到条件③是如何被满足的。

再次，让我们来看看维特根斯坦的反私人语言论证中所包含的关于自我认知的思想。

亲知理论主张，认知显现在内省中扮演形而上学和认识论的双重角色。但这一主张受到一种强烈的质疑，这种质疑指出，没有任何东西能够同时扮演双重角色。这种质疑体现在维特根斯坦著名的"反私人语言论证"中。设想有人说"我

① Smith Q, Jokic A(Eds). *Consciousness: New Philosophical Perspectives*. Oxford: Clarendon Press, 2003: 235.

当然知道我个子多高！”同时把手放到头顶上来标志这一点。[1]在维特根斯坦看来，把手放到头上说“我个子这般高”类似于私人判断这（现象属性）在场。手与地面的距离似乎证实了陈述。但维特根斯坦认为这个人的表现并不表明他有关于身高的知识。类似地，内省判断这属性在场也是自我证实的，但它并不构成某人对当下经验的认知。

但在亲知理论家看来，这两个例子里的关键部分并不相似。在身高的例子中，身高指示可以是盲目的：一个人可以通过将手放到头顶来指示身高，而不需要真正知道那个距离。但相比之下，现象判断中的“这”是由内省注意力来把握的，它不是盲目的。

实际上，维特根斯坦的批评是以罗素的观点为靶子的。维特根斯坦否认现象概念可以通过内省注意力产生。他设想这样一种情形：一个人每天都在日记中记下自己的一种特殊心理感受，每当这种感觉发生时，他就记下一个符号 S 作为标记，那么，这个人如何才能保证在不同时间记下的 S 代表的是同一个感觉？在维特根斯坦看来，这是办不到的。有人在这里也许会说：只要我觉得似乎正确的，就是正确的。而这只是说，这里谈不上“正确”[2]。

维特根斯坦挑战了“私人性”证据的认识论意义。他认为，一个涉及那种“只要我觉得似乎正确，就是正确”的东西，就不能构成一个真正的认识论证据，这种证据必须是公共的、客观的。

当代一些哲学家赞成维特根斯坦的观点，即现象概念不能同时扮演形而上学和认识论上的双重角色。

最后，让我们看看对反发光论证的批驳。这是由威廉森（Williamson）提出的一种新奇的反自我认知论证。一般观点认为，人们经验到一种感觉就能知道他正在经验这种感觉，也就是说，感觉是“发光的”。设想一个主体，他在早上感觉到冷，但逐渐暖和起来，到中午时他感觉暖和了。在某一点上他几乎感觉不到冷，但却真诚地相信他感觉冷。在下一个时刻，他感到比前一时刻要稍微暖和一点。但由于前一时刻他感觉到不冷，后一时刻，他事实上没觉得冷。事实上，在后一时刻，“我觉得冷”就是一种错误的暗示，即先前的想法不足

---

① 维特根斯坦.《哲学研究》，陈嘉映译，上海人民出版社 2001 年版，第 147 页。
② 维特根斯坦.《哲学研究》，陈嘉映译，上海人民出版社 2001 年版，第 141 页。

以保证成为知识。假定感觉通常被认为是可以把握的，一个人并不总是（处于一个位置）知道他是否在经验一给定感觉的事实表明，他并不总是知道他是否有一个给定的心理。

威廉森的论证似乎表明，人们并不总是知道自己的感觉，尤其是人们并不总是能探测到一些空白的或临近空白的感觉。但是亲知理论并不蕴含任何心灵状态都是自发光的这一观点。还有就是，一个主体的内省判断会受到他的分辨能力的影响。

3. 对亲知理论的简评

亲知理论将内省解释为认识论和形而上学意义上特殊的东西。在认识论上，亲知理论认为，由内省产生的信念具有极高的可信度。这种可信度源自形而上学方面，因为亲知理论强调，在内省时，一个人直接面对心灵状态而不需要一个因果过程作为中介，任何人只要处于一心灵状态，并且拥有相关概念，就可以亲知这一心灵状态。

但亲知一个心灵状态并不等于自我认知。心灵状态是不能自我归属的，除非主体能将它概念化，把它归为某个特定的种类的状态。对亲知理论来说，最大的难题就是解释这一概念化过程。亲知理论面临维特根斯坦的指责，因为他认为，没有任何一种将心灵概念化的方式既能保证形而上学意义上的直接性，又在认识论上是充分的。

二、内感觉理论

当亲知理论将自我认知理解为严格意义上的直接性和认识论上的安全性时，内感觉理论采取了相反的策略：将内省理解为在许多方面类似于知觉的东西，强调内省状态是由它们所表征的状态导致的，所以内省状态与对象之间存在一种因果关系。这一理论的代表人物有阿姆斯特朗、戈德曼、利康、斯蒂克等。

1. 内感觉理论的基本观点

洛克是一位早期的内感觉主义者。他主张，自我认知是通过内省而获得的，洛克称这种能力为“内感觉”。他这样描述内省功能：内省是“观念的根源……尽管它不是感觉，与外在客体没什么关系，但它很相似，也能足够正确地被称之为内在感觉。”[①]我们的知觉指向外部世界，但内感觉则指向认知者自己的心灵。尽管如此，洛克反对笛卡儿天赋观念的观点，而认为我们的心灵开始时是一块白板，然后通过内感觉和外感觉而填满各种观念。洛克对心灵有一个大胆的论断，即人们总能意识到自己的思想。这一观点在当代哲学家那里被发展成为一种关于意识的高阶理论。

需要指出的是，洛克的观点与当代内感觉理论的一个重大区别在于，洛克在认识论上是持内在主义的立场的，强调真正的知识要求人们的信念与理性一致。而当代内感觉理论则持一种外在主义立场，如阿姆斯特朗就说内感觉就是“信息或信念的单纯流动”。在他看来，基于内感觉，我们关于自己的信念才成了知识，这又是因为上述过程是可靠的，而不是由非理性所担保的。

内感觉理论将内省描述成“内在扫描过程”（阿姆斯特朗）或“转换”（戈德曼），具言之，将心理过程理解为输入，把产生这些状态的表征作为输出。内感觉理论认为，内省类似于外知觉，因为内省状态和它的对象的关系类似于外知觉与外物的关系。而内省状态与它的对象的关系实即因果关系，这与亲知理论明显不一样，因为后者认为我们可以直接把握心灵状态。

内感觉理论与亲知理论之间的差异很大，主要表现在三个方面：首先是形而上学方面，它认为，内省状态与作为内省对象的状态之间的关系既然是因果关系，那么中间就有中介的作用，这样一来，内省从形而上学上说就是间接的；其次是在认识论上，亲知理论用认识论的内在主义词语来描述内省，而内感觉理论则用外在主义的词语来加以描述；最后，亲知理论与内感觉理论对内省中的现象学性质也持不同观点。亲知理论承认人对心灵状态的直接意识中包含着特定的现象感受，而阿姆斯特朗将内省描述为“不过是信息或信念之流”，因此就否认内省里面包含有现象感受。

内感觉理论尽管认为内省类似于知觉，但同时又承认它在许多方面不同于知觉。例如，知觉是通过相应器官，如眼睛、耳朵来完成的，但内省没有（严格的）内省器官。内省器官的作用就是关注，它的定位就是将主体置于与目标、状态的适当关系中。另外，知觉通常关涉感官经验，但没有人认为人们会通过拥有感官

① Locke J. *An Essay Concerning Human Understanding*. Oxford: Oxford University Press,1975: 105.

或感官经验而清楚自己的信念和思想。

内感觉理论将内省理解为一个因果过程，使得它们非常适合认识论上的外在主义者对自我认知的套路。如阿姆斯特朗就将内省过程描述成只是信息或信念的流动。在自我监控中涉及的因果关联不必为主体所知，内感觉理论通常将基于内省的知识看作是非推断性的。因为扫描或监控机制只是直接向着自己的状态，内省就是一种排他的第一人称方法。但有些坚持内感觉理论的人认为，路径的不对称只是偶然的，阿姆斯特朗发现“通过一种心理感应扫描，我们对他心具有直接的明悉是完全可以理解的”。[①]

当代内感觉理论家都拒斥二元论，主张心灵与心理性存在都是物理的存在。而二元论主要是通过强调内省与知觉之间的认识论差异而推出它们的本体论上的差异。当代内感觉理论由于认为内省也是一种知觉，从而堵塞了通往二元论的通道。许多学者认为，内感觉理论的首要好处是，它提出了一种广义的自然主义的心灵图景，如果内省只是一个因果过程，那么原则上它就可能同一于某个神经过程。据此，心灵是自然的一部分，与非心理领域广泛相连。试以阿姆斯特朗的内感觉理论为例稍作说明。

在阿姆斯特朗看来，心灵状态是“一个人的状态，它倾向于带来特定的身体行为”。也就是说，我们并不是通过内省的方式来把握心灵状态的特性的，而是由于把它理解为行为的潜在原因而理解了心灵。“我们通过身体知觉认识到，一类叫作‘身体疼痛’的不适，共同具有某种东西。但身体知觉并不告诉我们那个共同特性是什么。……在描述身体不适时，我们能做的只是说，总体上，这种不适的身体知觉正好唤起了一种比人类其他知觉唤起的愿望更大的愿望，即想让这种知觉停下来。”[②]阿姆斯特朗认为，疼痛就如冰山一样。冰山的真正基础部分被水淹没，我们的视觉无法看到，同样，疼痛的固有特性，即物理属性是内省无法通达的。

阿姆斯特朗又是怎样来理解意识的呢？他认为，在日常语言中，“意识”被用作“觉察”，内省状态属于觉察的觉察，是一种高阶觉察。阿姆斯特朗用一个例子来阐述他的高阶理论：当人们开车时，他们有一系列知觉状态，如看见其他

① Armstrong D. *A Materialist Theory of the Mind*. New York: Routledge, 1968: 314.
② Armstrong D. *A Materialist Theory of the Mind*. New York: Routledge, 1968: 314.

车辆、红绿灯等。但阿姆斯特朗认为，这些状态不需要有意识，这就像自动驾驶一样，人们可能在某个时刻“苏醒”过来，发现自己已经驶过了数公里而没有意识到自己在驾驶。人们当然有知觉状态，但这些作为觉察的状态本身并不需要有意识。

阿姆斯特朗还运用他的内感觉理论来化解心身难题。众所周知，在笛卡儿那里，心身二元是由两者在认识论上的差异导出的。人们常认为，心灵对象不同于物理对象。但阿姆斯特朗却不同意这种观点，他否认人们对心灵的预设。他的策略是，一方面将心灵对象同化为物理对象，将心灵过程——内省同化为物理过程——知觉；另一方面，他还要解释为什么心灵看起来是特殊的。对此，阿姆斯特朗说这是由我们的神经机制决定了的，并且他还认为，由心灵的这种物理特性所决定，我们对他人的心灵状态的认识也没有什么障碍。

总之，阿姆斯特朗试图将现象感受还原为非现象事实，这样做的目的就是要实现一个更大的目标，即捍卫自然主义的心灵观。

2. 质疑与回应

对内感觉理论的质疑以它的认识论的外在主义立场为目标。皮科克就认为，内感觉理论的认识论路径无疑假定了“亚人层面上的一种（对人的自我归属的）实质性解释”。皮科克担心，这种外在主义的认识论太素朴，以至于无法合理解释我们是如何知道自己的心灵状态的。这种担心由齐默尔曼通过一个通灵者的思想实验很好地表达了出来。他认为，设想有一个通灵者，他关于未来的信念是完全可靠的，但却不是基于证据。这种情况在内感觉理论那里是不好解释的。齐默尔曼就认为，内感觉理论并没有真正把握我们同心灵状态之间的认识论关联。

在对内感觉理论的众多批评中，休梅克的“自盲”（self-blindness）论证最有名。他提到，如果我们是通过内感觉知道自己的心灵状态的，那么下述这种情况是可能发生的，即一个理性生物可能无法辨别自己的思想和感觉。也就是说，这样的生物是自盲的。然而，休梅克却认为这种情况实际上不可能发生，所以内感觉理论是错误的。具体说，如果内感觉理论是对的，那么自盲就是可能的。内感觉理论将内省理解为类似于知觉，知觉的盲视不仅可能，而且现实存在。正如视觉的盲视一样，无法内省的自盲也是可能的。由于内感觉理论将内省与内省状态之间的关系解释为因果关系，如果生物的内部扫描器发生了故障，无法内省，那么他就是自盲的。

但休梅克认为，自盲事实上是不可能发生的。在他看来，我们疼痛概念的有效性在于疼痛的主体有去除疼痛的愿望。而要说一个生物想去除疼痛，就预设了他相信他处于疼痛之中。所以一个持有疼痛概念的理性生物如果感到疼痛的话，那么就蕴含了他要去除疼痛，这也表明他相信自己处于疼痛之中，也就是说，一个理性生物，如果经验到疼痛，会觉察到疼痛，那么他就不是自盲的。

在休梅克的论证中，认为自盲不能发生有三个重要理由。首先，心理状态像痛，部分地通过理性化的行为，如服用阿司匹林而得以定义；除非主体意识到痛，否则这些行为就不是理性的。其次，他认为，在某些情形下，理性主体有能力认识其信念，并认识到这些信念应该修改。拥有这种能力的人一定会觉察到他的信念。“作为一个理性存在，人从根本上说对自己的信念-愿望系统的内容是敏感的：使其内容在面对新的经验时能够得到修正和更新，使其内容中的不一致和不融合能够被剔除。”[①]想象一个有正常感觉能力的生物相信“今天天气晴朗”，如果他被暴雨淋湿了也不抛弃这一信念的话，那么他就不能算是理性的。最后，休梅克从他人的视角来论证不可能有自盲。他认为，一个理性主体，如果断言 P，就会表现出他相信 P 的行为，这就表明，他不是自盲的。具体说，如果理性主体断言“天在下雨”，那么他就准备好了断言“我相信天在下雨”，因为说“天在下雨，但我不相信在下雨”就陷入了摩尔悖论。在这里，休梅克引入他人视角来论证自盲不可能，即证明某人觉察到其信念的正确的行为证据，可以推断出他事实上觉察到了他的信念。休梅克的这一观点也是维特根斯坦的观点，即关于我的状态的判断不可能由只有我理解的私人语言作出。

面对休梅克的批评，内感觉理论家作了种种回应。坎德抗争道，这些论据并没有直接威胁到内在感官表述。她认为，休梅克充其量只是表明理性动物通常都能明悉，但既然结论并没有讲到明悉如何产生，那么就不能排除这种可能性，即它是通过内部感官而获得的。利康就指出，休梅克在他的论证中混淆了“疼痛”的两层不同意思：“疼痛”的一层意思是指给定状态的现象特征，另一层意思是

① Shoemaker S. “Self-knowledge and ‘inner sense’: Leture I: the object perception model”. *Philosophy and Phenomenological Research*, 1994, 54(2): 285.

指对这一状态的觉察。这种混用使得休梅克得出不可能自盲的结论。实际上，休梅克的自盲的不可能性依赖于“疼痛”的意思。作为回应，休梅克承认“疼痛”的两层意思，他进而还提出，理性概念的一部分就是，一个理性生物能够觉察到它的现象状态。

3. 对内感觉理论简评

内感觉理论的最大好处是与自然主义的世界观保持了一致。根据自然主义，心灵与非心灵领域是连续的。通过将内省同化为知觉，内感觉理论将心灵解释为在认识论上与非心灵是连续的。因为有连续性，所以就有这样单一的认识论机制，它既可以运用于对外部世界的认知，又可以运用于对我们自身心灵世界的认知。

内感觉理论的另一个优点就是，它为一种意识理论，即高阶知觉理论提供了基础。它认为有意识的心灵状态不过是人们通过内感觉把握到的。

但是，内感觉理论也遇到许多挑战。一些批评者就说，内感觉理论由于蕴含了第一人称通道的特殊性是偶然的这一结论而难有说服力。另外，因为内感觉理论否认了心灵具有认识论特性——具体而言，就是现象的特殊性，强调内省“不过是信息之流”，所以它不承认心灵的本质有什么特殊之处。而这与事实、直觉是相悖的。

三、理性主义

理性主义既批评亲知理论，又批评内感觉理论。在它看来，这两种理论的差别不大，都把自我认知看作是通过观察获得的——要么是通过内省中的一瞥，要么是内感觉的扫描，因而它们都把自我认知看作经验知识。理性主义则采取一种完全不同的进路，强调自我认知的真正特征在于它是合理的、批评性的知识。例如，看见天空中有几片乌云，人们就由此相信今天会下雨。理性主义强调我们每个人都处于合理评价并修正自我态度的特殊位置上，因此，自我认知就有规范性，即自我认知的内容涉及的是对我们应该做什么或该如何思考的考量。例如，反思雇主对你的态度，会促使你决定换一个工作。而其他自我认知理论只是聚焦于我们通达心理的路径，把认知者在自我反思中对自我认识的作用看作是被动的，即只是把他看作是认知展现的旁观者（或探测者）。理性主义认为，我们是主动的行动者，如意向这样的状态是一种态度，是一种人们要负责的承诺。

1. 理性主义的基本观点

康德的思想极大地影响了自我认知中的理性主义。区别于笛卡儿、洛克把自我认知看作是纯粹观察性的知识，康德引入了一种新的、能动的自我意识类型。在康德看来，经由内感官得到的对自己思想的把握，与经由“纯粹统觉”达到的对思维活动的把握，两者之间存在巨大的差异。因为内感官不是纯粹统觉，不是对我们正在做的行动的意识；而这种意识只能根源于思想的力量。所谓思想的力量，指的是人通过理性、思考所具有的能动的作用。布鲁克对自我认知中的能动性作了这样的阐述：如果一个人是通过认知的或知觉的行动才具有自我意识的，那么，他的自我意识也是一种把自己看作是自主的、理性的、自我规约的、自由的行动者，而不是把自我看作表征内容的被动接受者。[①]能动者意味着他拥有创造思想的力量和决定行动的选择。据此，一个思考者最基本的自我概念就是行动：将自己看作“我”就是将自己看作思考的作者，而非思考在其中产生的东西。这种自我概念也是将自己看成理性的概念，看成基于理性去相信、去意欲的东西。

当代理性主义的代表人物有伯奇和莫兰（Moran）等。他们从康德那里获得了灵感，即把先验推理运用到有关问题的解决之中。理性主义者主张，我们的理性先验地确保了获知自己态度的能力。如果我们不能获得信念和态度的相关知识，那么我们就不会是那种对自己的信念和态度负责的理性能动者。

理性主义的自我认知理论来源于这样一种观点，即我们是批评性的思想者。批评理性以理由为自我态度作辩护。比如，看见天空有大片乌云，你就会相信今天将会下雨。以理由作为信念的辩护基础，具有重要的规范性意义，它意味着我们作为批评的思想者，需要满足理性规范。

理性主义强调，我们有责任让自己的态度符合理由，正是这种责任使得自我认知区别于其他类型的认知。以下三点表明我们与自我态度的关系很重要。

（1）我们的态度是可以修正的。理性主义强调，作为批判性的思考者，我们有责任按照推理规范来形成并持有态度。只有把自己的态度面向理性开放并随之能作出修正，才能说承担了这份责任。伯奇举了一个例子，有人问：为什么你相信那个嫌疑人有罪？你会考量自己的理由，并意识到这个信念是基于一个很弱的

① 格特勒.《自我知识》，徐竹译，华夏出版社 2013 年版，第 56 页。

证据，这种意识本身就构成了抛弃该信念的理由。所以说，在理性的规范下，人们实际上把自己的信念当作可以修正的了。

（2）我们对自己态度的把握不是通过观察获得的。理性主义说命题态度是可以修正的，这就意味着观察模型，即亲知理论和内感觉理论有缺陷。对某个对象的观察性理解并不包含把它理解为变化着的对象。仅有观察，我们并不能把某个心灵状态确认为具体的态度。理性主义并不否认我们观察自己的态度，但它强调，这种观察仅仅处于自我认知的边缘，只有人类的理性能力才使自我认知变得如此特别。

（3）自我的态度对于我们是通透的，因为我们能够直接思考对象并把握它们。埃文斯对信念的通透性作了这样的描述："在对信念作自我归属时，我们的目光偶尔也会实际地指向外部的世界。如果有人问我'你认为将会发生第三次世界大战吗'，那么我的回答与我对另一个问题'将会发生第三次世界大战吗？'的回答，都将确切地指向同一个外部现象。"[①]关于第三次世界大战的信念之所以被称为"通透的"，原因在于：为了确认这一信念，人们必须直接思考信念的对象——第三次世界大战的可能性。对于莫兰而言，通透性之所以重要，是因为它调动起我们的理由，并允许我们基于这个理由而认可某个态度。"我之所以是一个理性的能动者，是因为我自己的信念，也就是意识到我承诺该信念为真，即承诺了某种超越任何心灵状态描述的东西存在。而体现这一承诺的事实就是，我对于自己信念的报告应当遵从通透性条件：我能够通过考量 X 本身（而非任何其他东西）来报告有关 X 的信念。"[②]也就是说，通过通透性方法，直接思考对象，从而产生态度。莫兰认为，我们作为理性的能动者，就是参与批判性推理而形成其态度的人。

按照一般的理解，自我认知理论的核心任务就是要解释我们对自己心灵状态所具有的认识论路径。但理性主义对自我认知问题有自己不同的看法。因为，"对自我认知的现象而言，即便不考虑第一人称与第三人称的不对称性，它们本身也已经是以责任和承诺的不对称性为基础的，而不仅仅是以能力上的或认知通路方

---

① Evans G. *The Varieties of Reference*. Oxford: Clarendon Press, 1982: 226

② Moran R. *Authority and Estrangement: an Essay on Self-Knowledge*. Princeton: Princeton University Press, 2001: 84.

面的差异为前提”[1]。在理性主义看来，自我认知的主要特征就是批判性。获得自我认知的能力依赖于我们对自己态度的规范的能动性：通过慎思来形成态度的能力，和我们为此而承担的责任。因此，理性主义认为，自我认知理论的核心问题是，解释规范的能动性何以构成了我们对自我态度的理解。理性主义的这一重担在奥布莱恩对莫兰的评论中很好地表达出来了，“在我看来不清楚的一点是，莫兰的理论是否解释了能动性如何给我们以知识，是否提供了某种认识论模型，用来替代以前那些被证明是不充分的那些模型”。[2]

伯奇和莫兰都试图通过先验推理来达到自我认知。他们先确认某种不容置疑的、与心灵相关的事实，然后论证某种特定的功能或能力是这一事实的必要前提条件，最后得出结论说，我们必须具备这种能力或功能。在两人的论证中，不容置疑的前提是“我们都是批评的思想者，对我们的态度负有责任”。结论是我们必须能够获得关于这些态度的知识。

理性主义与经验论理论在自我认知的理解上存在很大的差异，经验主义（包含亲知理论和内感觉理论）主张自我认知是通过某种对自己心灵状态的观察、探求而得到的。理性主义则主张，我们并非只是观察自己的信念与愿望，实际的情况恰恰是，通过考察那些我们主动慎思的态度，我们就承诺了某些态度，也拒绝了另一些态度，因此得到了非观察的、批评的自我认知。

伯奇和莫兰都持有理性主义这样的核心观点。第一，我们是理性的思考者，能够通过慎思来形成自己的态度。第二，态度的形成是一项彻底的规范性事业，我们有责任使自己的态度与合理规范保持一致。第三，只有我们能获知自己的态度时，我们才能承担这一责任。因此，我们作为理性思考者的地位就从概念上要求我们有获知自己态度的能力。这三条构成了一幅关于人作为理性思考者的图景。第四，如此理解具有合理性，能解释那种最高、最显著的自我认知类型，即关于态度的批判性自我认知。

伯奇与莫兰之间最大的差异表现在，他们对确认自己态度的方式有不同的看法。莫兰认为，就我们把自己看作理性人而言，我们就有能力仅凭反思自己的理

① Moran R. *Authority and Estrangement: an Essay on Self-Knowledge*. Princeton: Princeton University Press, 2001: 64.
② O'Brien L. “Moran on agency and self-knowledge”. *European Journal of Philosophy*, 2003, 11(3): 377.

由而了解自己的态度，这就是他的通透性方法。莫兰的这一图景与伯奇的下述主张存在着矛盾和张力：伯奇主张理性的思考者也从事合理性审视，即把某人的态度与他自己的理由相比较。因为通透性方法的运用，除非通过某人所持的理由，否则就不能确认他的态度，所以这就从原则上排除了对态度和理由作比较。

伯奇和莫兰都采用先验论来说明批判性自我认知如何得到辩护。正是这个先验论产生了认识论上的理性主义。先验论的起点是，我们都是理性的思考者。批评的思考者有责任使自己的态度与理由保持一致，并且，如果我们没有能力获知自己的态度，我们就不能承担这一责任。因为我们的自我认知能力对于责任而言是必要的，所以我们就有“认识论权利”去判断自己拥有某个具体的态度。这种责任使得这些判断成为“认识论上可许可的”。责任与可许可性这两种规范性特征最终来源于我们的理性本质。两者从根本上构成了批判性自我认知的认识论基础。

2. 新叙述主义

新叙述主义（neo-expressivism）与理性主义有许多相近的观点，如它也反对自我认知的观察模式，强调理性关联的主要意义，所以把它放在这一部分论述。

新叙述主义也试图重新考察自我认知问题。探讨自我认知问题的传统模式是讨论主体对自己心灵状态的认识论路径，而新叙述主义则把探讨的焦点转换为自我表达，认为“我想喝水”之类的宣告就是自我认知，不仅强调这种方式在个体心灵中的作用，还强调它在社会生活中的作用。

新叙述主义认为“我痛”这一宣告直接表达了它所归属的心理，它强调直接性，认为心理可以直接在宣告中显露，它主张宣告表达了而非报告了主体自己的心灵状态，所以在我痛与话语“我痛”之间并不需要一种判断来作为中介。新叙述主义的代表人物有巴昂（Bar-On）、芬克尔斯坦（Finkelstein）等。

新叙述主义试图解释的核心问题是第一人称权威性。我们通常毫不犹豫地接受“我痛”之类的宣告，并不要求主体提供痛的证据。在新叙述主义看来，第一人称权威性源自这样的事实，即仅有主体自己才能通过宣告直接表达其状态。

亲知理论和内感觉理论会把宣告的这种特性归于主体对其心灵状态的特殊通道。但新叙述主义拒绝这种解释，认为宣告的权威性乃是因为我们每个人都处于表达自己心灵状态的独特位置。

芬克尔斯坦提出一种独特的逻辑空间来表述心理、表达同环境融为一体的关系。他说："我们在这里可能会谈到的是一种特殊的逻辑空间。我们在这一空间中安置心理词项及其表达，同时也包括某些环境因素——正是在这些背景的前提下，那些心理词项与表达才会具有它们所应有的那种意义。"[①]他强调，"逻辑空间"并不意味着我的高兴将宣告理性化了。相反，我的宣告像我的微笑一样，同我的高兴一起才有意义，就像狗的痛及其呻吟一起在"动物生命的逻辑空间中"有意义一样。

由于狗通常并不被认为拥有自我认知，这一类比提出了这样一个问题："我高兴"这一宣告代表了我高兴这一认知吗？新叙述主义否认宣告是那种能被证实的东西，因为人们通常都接受宣告，并不需要主体出示证据来支持宣告。宣告具有权威性，不是因为宣告的主体有什么特别的认识论通道让他到达它们归属的状态，而仅仅是因为宣告直接表达了心理状态。

不同于芬克尔斯坦，巴昂认为，解释第一人称权威是不同于解释自我认知的认识论维度的另一件事情。"我很高兴"的宣告能表征"真实和特权的自我认知"，尽管宣告主体并没有在某些基础上"形成积极的判断（他高兴）"，并不能提供他高兴的证据。

巴昂阐述了一种新的方法以揭示新叙述主义所赞成的认识论及其根源。根据这一方案，我的高兴赋予我的宣告"我高兴"以积极的认识论地位，而这又是因为我的高兴是此宣告的理由。这一方法利用了一重要观念，即意识状态能直接证实自我归属，无须通过一个判断的中介来说某人处于那一状态。一个宣告P的主体会"接受P，一经考虑它"。由于我的高兴就是我宣告的原因，通过信念表达"我很高兴"而被保证了。"宣告主体享有特别的认识论保障。……只有当人们对正在发生的心理进行现在事态的自我归属时，且只有当他们以宣告的模式这样做时，即当他们运用其第一人称特权时，这一特别保障才能发生在主体身上。"[②]第一人称特权根源于唯有主体能直接表达其状态这一事实。

对新叙述主义的怀疑集中在这一问题上，即它是否真实地解释了我们心理的知识。人们或许会疑问，宣告是否能代表与自我认知有关联的认识论成就。它源于直接归属的状态（内在主义很可能对此有疑问）。但正如我们所看到的，对于

① Finkelstein D H. *Expression and the Inner*. Cambridge: Harvard University Press, 2003: 126.
② Bar-On D. *Speaking My Mind: Expression and Self-Knowledge*. Oxford: Oxford University Press, 2004: 405.

新叙述主义者来说，解释主体对自我归属的心理态度为什么有资格成为知识，最多只是一个外在的目标。

新叙述主义同别的理性主义一样都具有颠覆传统认识论的倾向。因此，这一理论同样也面临着如何从认识论的角度来说明主体何以能到达自我认知的问题。实际上，无论是巴昂还是芬克尔斯坦都没有很好地回应这一问题。也许从根源来讲，新叙述主义关注的是一种能力，或者说是一种关于如何做事的知识，而不是对具体命题的知识。另外，新叙述主义关心的并非认识论问题。尽管内感觉理论认为自我认知的特殊性在于其认识论特征，而理性主义则认为自我认知的规范性才是造成其认识论特殊性的根源，但对新叙述主义来讲，最重要的是要承认自我归属在交往与社会中的作用。因此，新叙述主义不会特别在意宣告的认识论问题，也就不奇怪了。

3. 对理性主义的简评

理性主义与亲知理论、内感觉理论在有关自我认知的核心观念上差异巨大。后两种理论主张自我认知是通过对自己心灵状态的观察而获得的，理性主义则主张规范性对于当下态度的认知意义，而这一点恰恰是对理性主义的最大质疑。

应该说，理性主义对不可还原的规范性承诺与当今占主导地位的自然主义是不相容的。自然主义认为心灵与非心灵过程处于同一个连续过程之上。而理性主义则强调心灵、合理慎思的心灵过程内在地富有价值，并因此区别于非心灵过程（如一般的因果过程）。这样一来，理性主义尽管提出了新的思想，但却面临着如何与当今占主导地位的自然主义相协调的麻烦。

四、自我意识

自我意识是识别自我（“我”）的能力，即能够把自我区别于其他东西。或者说，自我意识作为一种能力，反映的是一种有意义地使用“我”这个词项的能力。

1. 自我意识的本质

关于自我是否可以被认识这一问题，休谟给出的回答是：自我内的经验是可认识的，但这些经验后是否有作为主体、实体的自我则是不可知的。休谟认为，人们只能内省具体的心灵状态，如对“冷、痛”的感觉，而不能内省那个处于这些状态之下的实体，即那个作为基质的自我，那个拥有思想与感觉但本身不是思想和感觉的东西。

许多哲学家都赞成休谟的观点，但齐硕姆（Chisholm）提出一种方案认为，我们可以通过意识到事物的属性来获得对事物的意识，同样，我们可以通过对自我的属性的意识而内省地意识到自我。但问题是是否有基质性自我的存在，这一问题在哲学家中引起巨大争议。

休谟采用一种经验的方法来证明自我不可内省。有些哲学家认为这种方法没有意义。詹姆斯就把自我一分为二，即一方面我们能够内省自我，这是把自我仅仅当作客体来认识；另一种自我观念就是把自我理解为主体，并强调，即便两者有着基本的差异，但主体的自我与客体的自我的同一性仍然是常识中不容置疑的信条。

关于自我意识的特殊性问题，人们首先强调的是其索引性本质。一种观点认为，自我意识在本质上是索引性的（indexical），索引性信息就是某个语境的信息，如具有该信息的个人或地点、时间等。自我意识之所以被认为具有索引性，就是它必定包含上述方式指示的信息。佩里讲了一个名叫林根斯的故事来说明索引性。林根斯是一位失忆症患者，他在斯坦福大学图书馆中迷失了自我。他在图书馆中读了很多东西，包括他自己的传记，以及对图书馆的详细介绍。然而他就是在这个图书馆里忘记了一切。他不知道自己是谁，自己在哪里，无论他在图书馆积累了多少知识。除非他在某一个时刻，说出“这个位置是斯坦福大学图书馆的六楼第五个过道。我就是林根斯”这样的话。根据有关观点，自我意识的第二个特征就是它的可免错性，这一点在前面论述较多，在此不再详述。

2. 各种自我意识理论

围绕着自我意识的基础、来源是什么，产生了多种自我意识理论。首先，内省论理论主张，自我意识是经由内省达到的，按照这种观点，我们把自我理解为思想的拥有者。这一理论利用了在自我认知中的亲知理论对内省的描述。因为它认为自我意识是从对心灵状态的观察中得到的，所以它把自我意识看作认识的对象。

最关键的是，在一些哲学家看来，内省论理论因为是一种观察性理论，如把自我看作是认识的对象而不是认识者，所以它只能解释客体自我意识，不能解释作为主体的自我。该如何应对这一难题？安斯科姆提出了一种紧缩论方案。它针对这样一种观点，即主体自我意识不能从对性质的观察中获得，因为这样做就是把它对象化了，所得到的只是一种客体自我意识，而不是主体自我意识。在许多哲学家看来，自我不可能既是认识对象，同时又是认知者。早期的赖尔用了一个比喻来说明我们不可能把自我观察作为主体。他认为，主体自我如同我们头部投下的影子，我们总是试图赶上它，却总是赶不上。实际上，它看起来根本不在追寻者的前面。

这样一种观点启发了安斯科姆，她大胆提出，由于对自我的主体性理解不可能通过对属性的把握的方式来进行，我们就无法真正指称主体的自我，也就是说，主体自我无指称。在我们日常生活中，所谓的主体自我的陈述，实际上指称的是客体的自我。“自我是关于客体的知识，是关于我们所是的那种人类动物的知识。‘内省’只是一种辅助性方法，甚至是一种有争议的方法，因为它更多地是在阐述自我的意象，而非关注那些有关自我的事实。”①

安斯科姆的观点对内省论理论提出了挑战。为回击这一挑战，休梅克提出了主体立足论。他说：“我们必须认识到，那些其他类型的指称之所以是可能的，恰是因为这种包含了‘作为主体’的‘我’的用法的自我指称本身是可能的。我认为，这具有重要意义。正是在这个意义上，每个人才能把他自己作为锚定指称体系的原点。”②这里面包含主体立足论的基本意思，它强调自我意识相对于其他意识的优先性，是其他意识的出发点。用林根斯的例子来说，在他知道自己是林根斯之前，他也具有那种主体自我意识所需要的自我意识，他可能会说，“我忘记了自己的名字”，“我想知道自己在哪里”。如果林根斯还能作上述思考，那么表明他明白自己是这个世界上存在着的某个具体事物，即他意识到自己“立足”了。必须指出的是，一个立足了的主体并不需要把自己确认为具有某些属性的事物。

按照内格尔的理解，一个没法“立足”的人，就是在这个世界上抽身而出的人，实即“微不足道、无意义的生物”。“如果自我并不能成为任何具体的东西，那么自我就不是从世界之中的视角来理解世界的，而是立足于世界之外去理解世界的。”③立足性主体自我意识包含着把自我看作一种具体事物的意义，并且这种

① Anscombe G. “The first person”. In Guttenplan S(Ed.). *Mind and Language: Wolfson College Letures 1974*. Oxford: Clarendon Press, 1975: 62.
② Shoemaker S. “Self-reference and self-awareness”. *The Journal of Philosophy*, 1968, 65(19): 567.
③ Nagel T. *The View from Nowhere*. Oxford: Oxford University Press, 1986: 61.

事物与其他具体事物之间存在某种关系，哪怕我并不知道是哪种事物。

总之，主体立足论主张自我意识就是把自我作为具体的立足了的事物的意识，作为立足了的主体，处于与其他对象的某种关系之中。并且，自我在这一关系中处于“锚定点”的特殊位置。

主体立足论是如何应对安斯科姆的挑战，怎样解释我们是如何获得自我意识的呢？休梅克的回答是，获得自我意识的能力就隐含在指称体系的使用中。他认为，其他类型的指称之所以可能，就是因为自我指称是可能的，而这种自我指称中包含主体的自我。休梅克认为，如果某个人指示性地指称了某个对象，那么他也能潜在地作自我归属。如果我能思考“有只猫正进入我的院子”，那么我就能思考“我正感知到一只猫”。在这里，自我意识是相对于猫而立足的。

主体立足论主张自我意识并不存在于把自我看作具有特定属性的事物的意识，在这一点上，它不同于内省论；它坚持认为存在真正的主体自我意识，在这一点上，它又不同于紧缩论；它主张，只要能把自己看作是指称体系的锚定点，我们自己就是认识者，而不仅是认识的对象。它把自我立足了的主体理解为一种基本的自我意识能力，认为它是对任何对象的意识的前提条件，因此，在主体立足论中，主体自我意识从未缺席，并且成为关键。

在理性能动论者看来，自我意识的内省论是有缺陷的，因为自我不仅仅拥有思想和态度，而且还形成了这些思想和态度，并对他们负责。所以，理性能动论者认为，最基本和最重要的自我意识就是主体自我意识，主体对相关思想具有能动作用。

感觉论主张，我们基本上把自己当作公共的对象，当作处于空间中、以其物理存在感知环境的对象。感觉论批评内省论忽视了感觉信息对自我意识的关键贡献，同时又批评理性主义没有把自我看作是对象。持这一观点的代表人物有埃文斯和贝穆德斯（Bermúdez）等。

埃文斯认为真正的自我意识要求把自我意识理解为众多对象之一，即是一个公共对象的意识，而其他理论都没有做到这一点。要符合这一条件的话，必须满足“罗素原则”，即我们必须对自己所考虑的东西具有识别性的知识，以便把它从众多东西中分辨出来。

埃文斯主张，自我意识存在于下述倾向之中，即我们倾向于持有受某些信息来源恰当控制的主体自我判断，倾向于根据这些来源透露出来的信息而行动。那些控制主体自我判断的来源包含内省、外部知觉和记忆。从这些来源中透露出来的信息构成了客体自我意识，并且这些信息促使我们把自我与其他事物区别开来，因而具有了符合罗素原则的主体自我意识，这就是根据信息而行动的能力。所以，在埃文斯那里，自我意识既要求客体自我意识，也要求主体自我意识。按照埃文斯的观点，这两种自我意识都与信息的使用相关联。在对痒的刻画中，他认为，“我们这样就可以看到，如果主体感觉到痒，那么他就是以某种方式感知（或看上去感知）其身体的一部分。这种感知方式使他非常想去抓挠”。[①]

而贝穆德斯则认为，自我意识反映了我们在环境中与环境互动的能力。他主张自我意识是把自我作为对象的意识。

3. 对自我意识理论的简评

自我意识理论旨在解释基本的自我理解，并弄清：使主体自我区别于其他事物的究竟包含什么。在这些理论中，一个主要的划分标准就是自我意识究竟是包含作为对象的自我意识还是作为主体的自我意识，或是两者都有。

内省论理论认为基本自我意识来源于对心灵状态的内省性把握。按照这种观点，我们把自我理解为思想的拥有者。这一理论利用了在自我认知中的亲知理论对内省的描述。因为它认为自我意识是从对心灵状态的观察中得到的，所以它把自我意识看作是认识的对象。

紧缩论认为我们不可能有真正的自我意识，或者说不会有意义地拥有自我意识。进一步说，紧缩论主张自我意识与其他人对我的意识之间不存在任何实质性的差异。这种观点由于过于激进，接受它的人较少。

主体立足论则把自我理解为某个具体定位了的东西，它是我们对其他事物的意识的出发点。它主张的是一种主体自我意识，而非被意识到的对象。这种观点否认自我意识是通过对自我的观察得到的。它把自我意识的能力看作是对其他东西的意识的先决条件。

理性能动论非常重视理性慎思的作用。它认为，基本自我意识就是把自我作为对思想施加理性能动性的思考者的意识。这种自我意识从慎思中生发出来，在

① Evans G. *The Varieties of Reference*. Oxford: Clarendon Press, 1982: 230-231.

慎思中把理由当作形成态度或抉择的理由。由此，我们获得了能动者的自我意识。这一观点的问题是赋予自我意识以过多的内容，且忽略了自我作为对象的意义。

第二节 他心问题

一、他心问题概述

他心（other minds）问题现在一般被放大为既有认识论意蕴又有本体论诉求的研究领域。所谓他心问题，最初表现为怀疑论，关心的是一个贝克莱式的问题：除了我自己的心灵以外，我如何知道还有其他心灵存在？如何把一个有心灵的他人与一个无意识的自动机区别开来？就此而言，这里的他心问题与其说是认识论问题，倒不如说是本体论或形而上学问题，如我以外的他人是否有心灵、心灵的本质是什么、心身有何关系等。纵观他心问题的研究历史，大致可分为三个阶段，在每一阶段，人们对它的理解都不一样。

第一阶段是把他心问题看作认识论问题，即我们能否认识自己以外的他心、他人的心理活动、状态和事件？如能认识，是怎样认识的？其基础、根据是什么？从其缘起来讲，一般认为，他心问题是笛卡儿二元论思想的遗产。尤其是，笛卡儿式的心灵概念，不仅构成了近代以来西方哲学的第一原则，同时也是西方文化一系列二元区分（如主观与客观、事实与价值、内在与外在的区分）的基础。二元论将心身二分，并且赋予自心认知的优越性，强调对他心的认知只能基于推断，获得的只是不确定的知识。

笛卡儿生活在一个新旧知识交替的时代，摧毁旧的经院哲学体系，为理性时代制定“游戏规则”是他的任务，怀疑论是他的武器。笛卡儿认为，现有的一切知识都是不可靠的，因为它们建立在不可靠的基础之上。为了重建知识体系，必须运用怀疑的方法。根据这一方法原则，凡是不能通过怀疑的推敲的知识，都必须排除在真理之外，包括关于周围世界、身体和数学的观念。通过普遍的怀疑，最后只剩下一种可能性：思想能否怀疑自身？笛卡儿的回答是否定的，他认为，思想可以怀疑外在对象，也可以怀疑思想之内的对象，但不能怀疑自身，也就是说，思想可以怀疑一切的对象和内容，但不能怀疑“我在怀疑”。并且，怀疑活动一定要有一个怀疑的主体，由此知道，作为怀疑主体的“自我”是确定存在的。当然，普遍怀疑并不是笛卡儿的目的，而只是手段，知识如何可能这一问题，才是笛卡儿最关心的。

在确立起“自我”这个认知的支点后，笛卡儿引入上帝，并借助上帝观念又建立起一个新的知识体系。在这一体系中，自我认知由于其自我证成而成为真理，而关于外在世界包括他心的知识被认为是次一级的知识。更为关键的是，笛卡儿的理论将主客二分的思想引入哲学，影响巨大。其中，主客二体不仅存在着鸿沟，而且它们的地位是不平等的。而知识被认为是跨越主客鸿沟的方式、手段。笛卡儿有段话被看作是他心问题的一个经典表述，“正如我刚才碰巧做过的，朝窗外看去，看到有人正走过广场，通常我会说，我看到的是一些人……但是难道我看到的不过是帽子和外套掩盖的自动机吗？我判断他们都是人”[①]。看到的那些是不是自动机？笛卡儿认为，作出关于那些是人、他们有心的判断似乎并没有什么困难。因为他有上帝来给予保证，当然，这些保证只是道德上的，并非逻辑上的。

由上可知，他心问题是内在于二元论的：它将整个世界一分为二，一方为孤独的心灵，另一方为包含身体在内的外在世界。并且二元论认为，人只有到达自心的直接通道，而没有通达他心的直接通道，因而只能观察他人的身体和行为，通过间接的方式来推断他心，也就是说，对于自心和他心的认知，存在一种不对称性。自我认知被赋予特权，这直接导致了唯我论；同时，对自心之外的世界包括他心的存在提出质疑，表现为怀疑论。

对他心问题最常见的回答是类比论证。首先，我知道我心是存在的，并且我知道我心与我的行为之间存在着关联。我在他人身上观察到了类似的行为，于是推断他人也有心。但是，类比论证对于他心的存在只能提供一定程度的确定性。对他心的认知是基于自心、参照行为而推断出来的，在这一前提下，他人可能是自动机，他心永远是可疑的。

第二阶段是把他心问题看作是概念问题而非认识论问题，这是分析哲学兴起和发展的结果。维特根斯坦是其代表人物。作为概念问题的他心问题不是“我如何了解他心”，而是“对我来讲，心是一私人领域，如何首先形成他心观念？”[②]

---

① Descartes R. *The Philosophical Writings of Descartes*. Vol.2. Cambridge: Cambridge University Press, 1984: 21.
② Avramides A. *Other Minds*. New York: Routledge, 2001: 219.

或者说，一个人是如何理解这一思想的，即在自己之外的他人拥有感知？之所以说他心问题是一个概念问题，是因为在传统的二元论框架下，人们把心灵归属给自己和他人的方式是不一样的：根据第一人称经验把心灵归属给自己，而根据第三人称身体行为把心灵归属给他人。由此，同一心灵却在不同人称下有着不一样的意义。概念问题又与统一性问题紧密联系在一起：如果关于他心的观念是根据可观察行为而得以定义的话，那么当我谈论自心这一私人的、内在领域时，如何让心具有相同的意思？或者说，假如我们从一个内在领域出发，我们怎样才能理解一般的心的概念呢？在笛卡儿范式中，以自心为一般的心的标准来认识他心，无异于缘木求鱼。

为了解决这一问题，必须建立起一个跨越第一人称和第三人称的统一的心的概念，这成为维特根斯坦解决他心问题的着力点。坚持把他心问题看作概念问题的还有斯特劳森、卡尔纳普和石里克等。

第三阶段是最近的他心问题研究。它呈现出以下一些特点。

首先，欧洲大陆哲学也介入对他心问题的讨论中。不同于英美哲学把它理解为认识论问题、概念问题，欧洲大陆哲学把它理解为伦理问题。[①]如果说英美哲学多倾向于如何从知识、逻辑的层面来证明、认识他心的话，那么欧洲大陆哲学主张从社会、历史、文化的层面来看待他心问题。在欧洲大陆哲学看来，作为伦理问题的他心问题，需要探讨我们与他人是一种什么样的关系、他人如何影响自我同一性的构成、主体间性何以可能、对待他人的态度应该怎样等问题。

其次，随着当代科学技术的飞速发展，对他心问题的讨论不再专属哲学了，自然科学也加入对这一问题的研究之中。①在人工智能高速发展的今天，以计算来类比心灵是一个新的认知方式。计算主义是人工智能中的主流研究范式。图灵机理论是现代计算主义的基石。计算主义的核心观点是，心理状态、心理活动和心理过程就是计算状态、计算活动、计算过程。如果这一观点得以成立的话，那么，对他心的认知就是对一个物理系统及其结构的计算特性进行认知，事情就变得相对简单了。当然，计算主义也面临许多挑战。②镜像神经元（mirror neuron）是神经科学研究最新发现的成果。它从生物神经层面印证了主体间性。科学家通

① Reynolds J. “Problems of other minds: solutions and dissolutions in analytic and continental philosophy”. *Philosophy Compass*, 2010, 5(4): 326-335.

过测试动物大脑运动前区皮质脑细胞的电活性发现，神经元让观察者在大脑中直接反映出他人的行为。这一研究可能达到的一个效果是，人们只要激活大脑中的同一区域，就可以领会他人的思想。也就是说，镜像机制可以把动作与庞大的动作语义网络连接起来，从而确立起通达他心的基础。

最后，使用现象学方法来探讨他心问题。①近年来，具身认知成为思考心身关系的一个新视角。与经典的认知观点相比，具身认知的理论洞见在于，人类的认知活动不再局限于大脑、心灵，而可扩大到包括大脑在内的活的身体。梅洛-庞蒂的知觉现象学可算是早期的例子。这种观点在20世纪末的拉考夫（Lakoff）和约翰逊那里得到彰显，在21世纪得到更多的支持。②主体间性和叙事能力也是从现象学的角度来破除心身二元论，强调可以直接认知他心。③从现象学的视角解读维特根斯坦。

二、FP与他心问题

FP认为，人是一种意向性的存在，其行为由意向性心理状态引起，并且我们每个人都有一种心理状态归属的能力，即将内部心理状态当作行动的原因或理由归属于我们自己以及他人。如果是这样，那么在日常生活中，我们是怎样作出他人的心理状态归属，从而解释或理解、预测他人行为的呢？心理归属的基础、认知机制究竟是什么？最近的FP研究对这些问题作了新的解答。因为人们对FP究竟是什么不同的人有不同的看法，所以新的FP研究对他心问题便有不同的回答。如本书上篇所概括的，心灵哲学对FP这种资源大致有两种理解，即理论理论与模仿理论。

根据理论理论，探测他人心理状态的能力是依据理论进行推理的。它认为在主体心灵中，心理状态与行为输出间的合法关系是以一种基于逻辑规则与因果关系的理论形态被真实地表征的。理论理论的一些支持者认为，人们关于心理现象领域的知识是一种特殊理论，具有像科学理论那样的结构和功能，包含类规律的常识心理学概括以及指称命题态度（如信念和欲望）的理论术语。

所有的理论理论都认为，当探知他人心理时，主体根据理论以推理的方式获知他人心理状态。事实上，我们关于自己心理状态的知识和关于他人心理状态的知识都是同一个理论的结果。我们认知他心时依赖这些知识，依赖于我们关于自己的经验和关于他人的经验。也就是说，自我认知的推理和探测过程与认识他心的推理和探测过程都依赖相同的理论，正是这个心理理论使人们能够认知他心。总之，理论理论最基本的特点是通过理论进行心理阅读，理论机制就是心理状态归属的基础认知机制。

相反，模仿理论的支持者强调“第一人称意识”的至关重要性。因为我们可以直接通达我们自己的心理，没有必要运用一种所谓的理论去理解我们的心理状态。戈登提出，人们不是像理论理论所说的那样以心理理论来了解他人的心理活动并解释和预测他们的行动，而是利用我们自身的心理资源来认知他心，所以模拟才是他人心理状态归属的基础认知机制。哲学家希尔、戈德曼，心理学家哈里斯是这种观点的支持者，他们分别提出了自己的模仿理论。虽然他们的理论有重大差异，但是他们都承认类似的模拟机制：我们模拟他人时，我们想象自己处在他人所处的情景，产生信念和欲望，然后把信念和欲望输入我们自己的实践推理系统进行离线处理。

模仿理论坚持通过心理模仿来理解他人的心理状态和过程，其基本观点是，我们自己用来指导我们行为的心理资源，可以修改为对他人的表征。因此，我们不必储存使得人们运转的一般信息，我们只要让它们运转就行。因此，模仿就是由这一过程驱动的，而非由理论驱动的。对于模仿来说很重要的不是我们把另一个人的状态范畴化，而是将其具身化。模仿通常等同于角色扮演，或者是想象地“把自己置于他人的位置”。在担当角色中，自己的行为控制系统被用作是其他系统的操作模式（它不是说“人”在模拟这一模式，而是大脑可按照他人模式被操作）。这一系统是离线的，因此，其结果不是实际的行为，而只是行为预测，输入与系统参数不局限于这些规范自己行为的东西。

模仿理论的倡导者戈德曼认为，对他心的理解首先根据我们有到达自心的内省通道，我们将 FP 归属自己，然后再根据他人身上表现出的相似于我们的特征，进而将 FP 归属于他人。简言之，自我归属的能力先于他心的归属能力。

我们之所以能知他心，是因为我们有能力将自己想象地投射于他人。例如，我要解释他人拿雨伞的行为，便让我自己进入他的情景，看我自己有哪些心理出现，然后，再将它们归属于他人。这样，他人就被归属于相应的心理。

概括说，模仿理论有三个步骤：第一，让自己通过想象进入他人的状态；第二，让自己身上出现的信息之类的状态进入心理结构之中，看它们怎样起作用，会产生什么新的状态，尤其是看会作出什么决定；第三，把自己身上看到的状态归属于他人。

作为FP的两种理解模式，理论理论和模仿理论在他心问题上差异很大，但这不妨碍它们分享一些共同的观点：首先，它们都认为他心是隐匿的，无法直接认知；其次，它们都关心并回答这样的问题，人们为什么又是怎样把隐匿的心理实在或过程归属于某个公共的可观察的身体；最后，因为都否认直接把握他心的可能性，所以都强调必须用间接的方法去把握。

必须指出的是，20世纪90年代以来，由于得到认知神经科学的支撑，特别是镜像神经元的发现，模仿理论的发展态势盖过了理论理论。

近年来，一些人根据神经科学的成果，如镜像神经元的激活、共有表征或更一般的共振系统等，来论证模仿理论。根据这一理论，心理模仿是隐匿的，看不见、摸不着，自发发生在大脑之中，故被称作模仿理论的“隐版本”。根据这一看法，我们对他人的理解事实上是以一种隐匿的、自动的模仿过程为中介的。

脑科学的这种发现被看作是支持隐模仿理论的：人在遇到他人时，人的运动系统会发生反应或共振，如当我知觉到别人在完成意向行为时，我的运动系统就会被激活。又如，我在完成专门的工具性行为时，在前运动皮层和人脑的布洛卡区域的镜像神经元就会被激活，而当在我观察别人完成同样的行为时，相同的镜像神经元也被激活了。加莱塞（Gallese）认为隐模仿理论得到了神经科学的支持，“每当我们看到某人完成一个行为时，除了各视觉区域得到激活外，还有运动回路的共生的激活，这些是我们自己在完成那个行为时会利用的回路……我们的运动系统得到了激活，好像我们在执行我们在别人身上所看到的那个行动……行动观察意味着行动模仿……我们的运动系统开始秘密地模仿被观察主体的行为”①。在他看来，模仿是人的一个由自动、隐匿和非反射的模仿机制产生的过程。

① Gallese V L. “The ‘shared manifold’ hypothesis: from mirror neuron to empathy”. *Journal of Consciousness Studies*, 2001, 8(5-7): 37-38.

三、维特根斯坦与他心问题

说到他心问题，维特根斯坦是不得不提到的人物。首先，他在哲学史上有巨大的影响力，特别是对分析哲学的影响巨大。其次，维特根斯坦在他心问题研究历史上是一个里程碑式的人物。他在这一方面的主要贡献在于，由于他的努力，人们对他心问题的理解实现了范式的转换，即强调他心问题是一个概念问题而非认识论问题。

千百年来，表现为唯我论、怀疑论的他心问题对人们的智力提出了挑战。这一问题之所以难以解决，是因为在笛卡儿理论范式下，它表现为一个悖论：人们事先假定了主体与客体、心灵与身体二分，然后又试图搭建起沟通主客鸿沟的桥梁。实质上，心身关系问题成为解决他心问题的关键，在维特根斯坦那里，语言分析成为他解决心身问题的利器。不同于其他思想家的是，维特根斯坦将他心问题理解为一个概念问题而非一个认识论问题，打破了主客二分的传统思路、建立起一个跨越第一人称和第三人称的统一的心的概念，成为维特根斯坦解决他心问题的着力点。通过研读维特根斯坦的著作，我们发现他在解决这一问题上存在双重旨趣：既可以通过行为主义的途径，即将心灵还原为行为建立起一个统一的心的概念；也可以通过现象学途径，即建立起向他者开放、心身合一的人的概念来建立起一个统一的心的概念。[①]

1. 作为行为主义者的维特根斯坦

将他心问题仅仅看作是一个认识论问题，这是笛卡儿范式的局限性。只要人们受到这些观念的影响，必然就像关在瓶子里的苍蝇一样，看到了外面的光明，却找不到逃脱的出路，只能四处碰壁。因此，要解决他心问题，必须从二元论入手。行为主义就是其中的一种尝试，它反对将心灵神秘化，坚持一种还原论的唯物主义立场，主张采用一组关于可见行为或行为倾向的陈述来替代对心的状态和过程的陈述，从而消解“机器中的幽灵”。

维特根斯坦被归为哲学行为主义者之列。不同于斯金纳、华生这些心理学行为主义者，维特根斯坦要人们关注语言，他认为哲学混乱的最初来源就在于我们

① 沈学君．《维特根斯坦他心知理论的双重意趣》，《自然辩证法研究》2015 年第 2 期，第 21-26 页。

一开始就受到那种构造心理现象的错误图像的诱惑，而这种诱惑是由我们概念的语法表现出来的。语言既是产生哲学问题的根源，又是克服问题的手段。哲学是针对借助我们的语言来蛊惑我们的智性所做的战斗。[①]在《哲学研究》中，他将自己从事的这种研究描述为“一种语法研究”，亦即去了解那些概念实际是如何发挥功用的，这种研究通过澄清我们语言的用法来解决哲学问题。

要破解他心问题，首先就要对自我认知的特权进行清算，这是通过“反私人语言论证”来进行的。维特根斯坦是这样来定义“私人语言”的，但是是否也可以设想这样一种语言：一个人可以用这种语言写下或说出他的内心经验——他的感情，情绪，等等，以供他自己使用——但我的意思不是这个，而是：这种语言的词语指涉他的直接的、私有的感觉。因此另一个人无法理解这种语言[②]。简单地说，私人语言就是这样一种语言，它只有语言的使用者才能理解，它被用来表示他人都感知不到的对象（如自己内在的情感）。“私人语言”实际上是指哲学中的“自我”观念。在笛卡儿的理论中，思维主体及其内部状态是他人不可接近的“自我”，而语言又是思维的外壳，那么，人们用来描述自己心理状态的语言也应该具有私密性。但维特根斯坦却认为，不存在只有一个人才能知道的心理状态，人们也不可能用只有他才能理解的语言来描述其内心活动。维特根斯坦指出，心理现象并不意味着隐私。在什么意义上我的感觉是私有的？——那是，只有我知道我是否真的痛；别人只能推测——这在一种意义上是错的；在另一种意义上没意义。[③]为什么说它是错误的呢？当一个人说“其他人不能有和我相同的痛”时，他不外乎说“其他人不能有和我相同的痛”。但在日常生活中，我们却能有意义地说：“其他人的痛和我的痛是相同的。”因为我们有判断痛是否相同的标准，如痛的部位、痛的程度等。同样，说“只有我具有我的痛”是没有意义的。因为按照语言的惯常用法，当某人说他有什么东西时，就意味着我们能有意义地说别人也能有这个东西。为什么说“只有我知道我是否疼痛”这个命题是无意义的呢？因为按照惯常用法，“知道”一词包含着其对立面“不知道”“怀疑”和“猜测”。我们可以声称自己知道某件事，但实际上并不知道。任何知识的对象都是可以怀

---

① 维特根斯坦.《哲学研究》，陈嘉映译，上海人民出版社 2001 年版，第 72 页。
② 维特根斯坦.《哲学研究》，陈嘉映译，上海人民出版社 2001 年版，第 135 页。
③ 维特根斯坦.《哲学研究》，陈嘉映译，上海人民出版社 2001 年版，第 136 页。

疑的，但是我的疼痛却既不是知识的对象，也不是怀疑的对象。我们可以说“我疼痛”，但不能说“我知道我疼痛”。另外，在日常生活中，当我们说“知道”时，我们都能给出一定的理由。人们准备好给出令人信服的理由时才说“我知道”。“我知道”是同证明真理的可能性相关联的。[①]但对于“我知道我痛”或者“我知道我有两只手”这样的命题，我们却不能给出理由，对此不存在证明。

其次，维特根斯坦对语言本身所必须具备的公共性进行了论证。在现实生活中，使用语言是一种遵守规则的活动。这种规则是由社会实践、生活方式、社会成员之间的“约定”所规定的。如果私人语言也是一种语言的话，它也必须有自己的规则。由于它不具备公共标准，它就 必须“自己制定规则，自己遵守规则”。维特根斯坦用一个形象的比喻说明这一私人规则是不可能的。假如一个人每天都在日记中记下自己的一种特殊的心理感受。每当这种感觉发生时，他就记下一个S符号作为标记，只有他本人才能理解S代表的是怎样一种感受。那么，这个人如何才能保证在不同时间里记下的S指的是同一种感觉？怎样才能保证S没有用错？也就是说，他要有一个衡量标准。但他却没有这么一个标准，因为有人在这里也许会说：只要我觉得似乎正确，就是正确的。[②]因为标准是人的主观感觉，所以人就永远不会犯错。每次写下S时，他总能找到一种特殊的感觉，并感觉到它与上次的感觉是一样的。没有一个客观的、公共的标准，实际上就等于取消了标准，取消了对错的差别。这样就不存在任何意义上的语言。

维特根斯坦还进一步探讨了“私人语言”这种错误观念的起源，他把它归结为“奥古斯丁图画”。按照这幅图画，每一个词语都指称一个事物，词的意义是通过指物定义的方式确定的。把这种原则推而广之，人们自然就认为，心理语词（如“疼痛”）也指称了内在的事物，并且只有感知者本人才能感知其内容。这种为心理语词下定义的方法也可称为“内在直接指证”。

维特根斯坦指出，“疼痛”之类的心理语词并不是事物的名称，它们也不是通过“内在直接指证”的方式获得其意义的。他用两个比喻来进行论证。第一个比喻是“甲虫”比喻：设想每一个人都有一个盒子，盒子里装着一种被人们称为“甲虫”的东西。维特根斯坦认为，每个人的盒子里的甲虫可能不一样，也许有

① 维特根斯坦.《论确实性》，张金言译，广西师范大学出版社2001年版，第39页。
② 维特根斯坦.《哲学研究》，陈嘉映译，上海人民出版社2001年版，第141页。

些人的盒子里根本就没有甲虫，但这并不妨碍他们谈论自己盒子里的甲虫。虽然每个人都看不到彼此的甲虫，但他们可以根据自己盒子里的东西而知道别人盒子里装的也是甲虫。如果我们用身体代替盒子，用“疼痛”代替甲虫，那么就可以看到：虽然每个人从自己的感觉中理解了“疼痛”这个词的意思，而且他也观察不到别人体内的“疼痛”，另外每个人所感知到的“疼痛”不尽相同（就像每个盒子里的甲虫不尽相同一样），或许有人假装疼痛（好比有的盒子里根本没有甲虫），但所有这些都不妨碍我们用“疼痛”这个共同概念来谈论每个人对“疼痛”的感受。因为“疼痛”并不指称一个内在心理事物，说“我痛”与流泪、哭喊一样，是对疼痛的一种自然表达，只要我们具有共同的表达疼痛的自然方式，我们就不可能用一个只有自己才能理解的符号来表达疼痛。由此，维特根斯坦否定了奥古斯丁图画，否定了“疼痛”所指称人内心中的事物，也否定了用私人符号代替“疼痛”这一日常的公共概念的可能性。

维特根斯坦的第二个比喻是水壶比喻。他说，当我们用图画来表示一壶沸水的时候，我们只需画一个喷着蒸汽的水壶，而无须把壶中的沸水也画出来。[①]同样，我们用“疼痛”一词来表达疼痛状态，也只需描述可观察的“疼痛”行为，而用不着描述他的内在心理。疼痛状态是使用“疼痛”一词的前提。正如沸水是水蒸气的来源，却不包含在图画中一样，“疼痛”的意义并不指示内在事物，被指示的都是在经验中被大家所观察到的。“内在指证”的事物是不存在的。

通过以上论证，维特根斯坦指出，不可能存在“自己制定规则，自己遵守规则”的语言，也不可能存在“私人语言”指称的实在。这样，“私人语言”赖以存在的基础就被铲除了。

在奥古斯丁图画中，内在的心理与外在的行为是被割裂开来的，内在的东西可以脱离外在的行为而隐藏起来，也可以互为因果，相互作用。对此，维特根斯坦从正反两方面进行了批判。

他认为，在奥古斯丁图画中，内在与外在的关系是一种“经验的联系”，也就是说，它们只是两种相互独立的东西之间的联系。既然如此，我们可以设想将两者断开的情景，即我们可以内在地痛，却不必有外在的行为表现。由此我们可

① 维特根斯坦.《哲学研究》，陈嘉映译，上海人民出版社2001年版，第154页。

以设想：我变成了石头，而我的疼痛仍在继续，这使得他心问题更加难以解决。维特根斯坦指出，要从源头上解决他心问题，必须重新思考内在过程与外在行为的关系。他说："心理"对我来说不是形而上学的名称，而是逻辑的名称。[①]作为逻辑的名称，心灵并不意味着独立的实体，它强调的是心理与行为之间有必然的联系。这联系可这样概括：一个"内在的过程"需要外在的标准。[②]换言之，我们对外在行为的描述就是对内在过程的描述。所以，维特根斯坦认为，意识在人的脸上和行为中与在自己身上一样清楚。因为内在过程与外在的表现有这样的逻辑关联，所以我们只要看看其他人的脸，在其中就会看到意识以及意识的某种特别的投影，在其中看到欢乐、冷漠、有趣、激动、沉闷等。[③]因为维特根斯坦有这种全新的心身观，所以我们对他心的认识不再是黑箱认识，因为人的身体是人的灵魂的最佳图像。[④]由此可得出结论说，维特根斯坦是一个行为主义者。

2. 作为现象主义者的维特根斯坦

他心问题的根源在于二元论，破除二元论成为解决这一难题的突破口。行为主义是其中一种方案，它试图通过将心理还原为行为或行为倾向来回答他心问题；现象学途径是另一种方案，它通过建立起向他者开放、心身合一的人的概念来解决他心问题。通过研读维特根斯坦的著作，我们发现在他心问题上，维特根斯坦持双重旨趣：除了哲学行为主义的维度外，还存在现象学的维度。

解决他心问题的关键在于对心身关系的理解。在维特根斯坦的努力下，我们不再是与身体和世界相分离的孤独的"心灵"，而是心身合一的活生生的人。在这层意义上，维特根斯坦的途径是现象主义的。他重新描述了我们是一种什么样的存在，类似于其他现象学家，如胡塞尔、梅洛-庞蒂和海德格尔。

阿尼塔（Anita）将这样一个包含世界与他者及主体体验的起点称作"生活立场"。与传统的以孤独的心作为起点的笛卡儿范式不同，当我们选择了"生活立场"，就不会产生概念问题，认识问题也会迎刃而解。

根据维特根斯坦，我们关于他心的哲学任务必须是去理解生活立场是如何可能的。维特根斯坦认为，我们与他人的关系不是基于认知，而是基于一些更基础

---

① 维特根斯坦.《哲学研究》，陈嘉映译，上海人民出版社 2001 年版，第 238 页。
② Wittgenstein L. *Remarks on the Philosophy of Psychology*. Oxford: Blackwell, 1980: 927.
③ 麦金.《维特根斯坦与〈哲学研究〉》，李国山译，广西师范大学出版社 2007 年版，第 185 页。
④ 麦金.《维特根斯坦与〈哲学研究〉》，李国山译，广西师范大学出版社 2007 年版，第 185 页。

的东西。在他看来，主体间性要比认知现象、判断、怀疑和证实更为基础。我们不必构建起认知的桥梁来通达他心，比认知更基础的是我们对他人的直觉态度。“我对他的态度是一种对灵魂的态度。我的意思不是说他有灵魂。”[①]我们已经居于一个主体间的世界，与其他人相调和。这一点先于观点、认知、怀疑和证实，因而也早于怀疑论者的游戏。

在现象主义者看来，我们只有通过彻底地重构主体性——它抛弃了心与身、世界的概念二分，才能理解生活立场的可能性。胡塞尔将我们的存在理解为肉身的主体，它使得主体间性可以理解：从一开始，我就发现与他人共在，并且一开始，我就是以肉身的心灵，去从事活动。

主体的肉身本质使得生活立场的可能性变得可理解。维特根斯坦通过对心与身、内在与外在关系的重新理解来确立生活立场。因而他要做的就是把我们关注的中心从关于主体之内（要么在其心灵中，要么在其大脑中）发生的东西的沉思转向这一概念的语法（即这一概念发挥功用的方式）。当我们观察它实际发挥功用的情况时，我们看到，理解概念并不描述某种内在机制的确定状态，而是依赖于它在其中被使用的独特生活形式的背景才获得其意义的。

在《哲学研究》中，通过对心理概念如何实际发挥功用的语法研究来反抗我们关于心理现象之本质的错误图像的这种关注，便成了维特根斯坦的主导论题。我们错误地应用一种内在与外在、心理过程与行为区分的图像。维特根斯坦让我们设想在遭受可怕的疼痛的过程中变成石头的情形，为我们呈现了一幅关于我们如何设想疼痛与身体之关系的图像。他借此让我们看清，我们拥有这样一幅关于疼痛的图像，据之我们实际无法将它归于某个身体，或许我们会说，疼痛并不属于身体，而属于灵魂。我们可以说一块石头有个灵魂，而且正是它拥有疼痛吗？灵魂或疼痛与一块石头有什么关系呢？[②]假如我们把身体当作一个事物，而把疼痛作为一种具有纯现象本质的私人对象，那么我们就不能把疼痛同身体建立起联系，我们看到的是两种互不相干的分立存在，人体（石头）就完全同疼痛失去了关联。[③]

---

① Wittgenstein L. *Last Writings on the Philosophy of Psychology*. Vol 1. Chicago:University of Chicago Press, 1982: 324.

② 维特根斯坦.《哲学研究》，陈嘉映译，上海人民出版社 2001 年版，第 149 页。

③ 维特根斯坦.《哲学研究》，陈嘉映译，上海人民出版社 2001 年版，第 149 页。

如果将人体归入与感觉概念缺少关联的物理事物的范畴，那么我们便把它完全置于疼痛概念的范围之外，将疼痛归于这样的身体并不比将它归于一块石头或一个数更有意义。我们一旦去观察我们的心理概念实际是如何发挥功用的，便可看出，由我们的语言作出的这种分割并不存在于身体之内——不是私人性的疼痛和公共性的身体之间的分割，而是存在于完全不同类型的身体之间：疼痛概念可以接近那些身体与疼痛概念而不可以接近那些身体。石头和苍蝇之间的分界线并非经验的（我们发现了石头内部没有疼痛，而苍蝇内部则有疼痛），并未反映出存在于某些物理对象和这一特定种类私人对象之间的某种经验关系。宁可说，它是一个概念的分界线，反映出我们语言中的心理概念和一类很特别的身体——有生命的人及类似于他们的东西之间的概念关联。因而，说一块石头感觉到疼痛是没有意义的，而这样说一只苍蝇则是有意义的。我们因为错误应用内在与外在图像而作出的物理领域与心理领域的虚假区分，被生命体与非生命体之间的区分所取代，所以，这种区分深深植根于我们语言的语法。

于我们语言中作出的生命体与非生命体之区分，进入了我们的生活形式的基本结构，它表现着我们世界的形式。它不只是和我们所说的，而且也和我们所有的行为方式及对世界作出反应的方式密切联系在一起，从而，我们对活着的东西的态度和对死了的东西的态度是不一样的。我们所有的反应都是不同的[①]。

在《哲学研究》第 285 节中，维特根斯坦探讨了关于活物的经验的一个方面，揭示了这种“质的转换”的本质。如把一张脸认作友善的、讨厌的或受伤的，就是识别出对方面相的意义。我们对面部表情的描述被赋予某种特定的意义，“一个友善的微笑”等。我们观看或描述的并非处在相互的物理关系中的物理器官，而是人的面部，其表情具有我们熟知的意义。模仿某人的面部表情，并不要求我对着镜子把自己的五官摆放得跟他的一样。

活物的移动也区别于物理对象的移动，只要它们拥有一种本质进入我们关于它们的描述的意义，这种意义将作为一种独特的现象范畴的生命体同非生命体区分开。这样一来，生命体便和一块石头区分开来。身体是活着的，不仅说它能移动，而且说其移动的持续进行有着某种特定的意义。如果我们把意向这个概念归

① 维特根斯坦.《哲学研究》，陈嘉映译，上海人民出版社 2001 年版，第 149-150 页。

属于悄悄靠近一只鸟的猫，那么我们会发现，这种意向还同那专注的神态、小心的移动等关联在一起。正是在这个意义上，才有理由说人的身体是人的灵魂的最佳图像；同理，意向、期待、悲伤疼痛等概念根植于人和其他生命体的表情和行为中。在进行心理学语言游戏时，我们并不是在我们内部完成某种隐私的识别过程，而是参与到交织在我们错综复杂的生活形式中的日趋复杂化的行动和反应模式中去，并识别出其意义。我们心理学概念关联于生命体的复杂生活形式中的个别模式，而无关乎某个隐藏着的内在状态和过程的领域。因而，当维特根斯坦说"内在的过程需要外在的标准"[①]时，他并非要从反对私人语言可能性的论证中得出行为主义的结论。宁可说，他的任务是对这样的本质关联作语法观察，这关联就是，我们在日常语言中的心理学概念与人及动物的生活形式中可分辨出的个别模式之间的关联。这种评论纯粹是描述性的，而非规定性的。

因而，我们疼痛的概念，并不描述隐匿于物理躯体之内的"某个东西"，却在下述意义上同生命体相关联：它表达了或描述了其哭叫或姿势的意义。在《哲学研究》第285节中，维特根斯坦指出：但是，说一个身体有疼痛，难道不是很荒唐吗？我们的心理概念，在语法上，同一个主体的概念联系在一起，而这一主体并不是我的身体，而是"我"。这里又有一种巨大的诱惑促使我们认为，在身体之外有另一个对象，如灵魂，它才是疼痛的真正主体。维特根斯坦想让我们看清楚的是，这种由身体向感觉疼痛的主体的转换，并非在实体间的转换，而是一种语法转换，一种在语言游戏之间的转换。

我们并不是通过内省或通过发现存在于身体之内的某种东西来解决心理概念问题的，而是通过参照我们语言游戏的语法。我们只要观察我们描述有生命的人的实践，便可发现，人体进入我们的语言游戏，不只是作为物理和心理描述的对象，而且也作为肉体化的主体：一个统一的心理归属中心。乍一看，似乎是实体之间——从物理躯体到灵魂的转换，实际是两个语言游戏之间的转换。就像我们已经看到的，我们语言中用于行为描述的客观语言与用于心理描述的主观语言之间的这种二元性，不仅引出了关于内在与外在的图像，而且还导致了对它的一种灾难性应用。维特根斯坦在此表明，想以内在与外在图像去解释行为概念与心

① 维特根斯坦.《哲学研究》，陈嘉映译，上海人民出版社2001年版，第238页。

理概念之间区分的愿望就落空了。我们力争作出的那种区分，一直就在我们眼前，就存在于我们语言游戏之间的语法差异中，这些差异揭示了我们所描述现象的本性。而就在这种情况下，我们费尽心思构造出来的，却是一个让我们无能为力的神化实体——脱离肉体的灵魂。

如此看来，维特根斯坦并非想证明疼痛概念的可理解性有赖于应用的行为标准的存在，而该词的第一人称用法可参照这些标准加以检验。当我的语言训练使我掌握了一个表达式的用法之后，我就不去寻找理由了，而只是不假思索地依照我受训练的那种实践去使用语言。正是我对以疼痛一词玩的那种语言游戏的掌握，赋予了我按照我自己的方式使用它的权力，而并不是某个内在的辩护动作。因而，根本就不存在“依据标准识别我的感觉”这么一个动作。我只不过像我被训练的那样，用“我疼痛”这些词来作为表达我的感觉的工具。我们可以把这叫作“描述我的感觉”，或者“描述我的心灵状态”。维特根斯坦用日常生活中的简单例子来说明为什么人们将感觉归属于人、猫甚至苍蝇，而不是石头。维特根斯坦的回答很简单：好生看着一块石头，并且设想它有感觉。[①]如果我们要这样做的话会非常困难，现在看一下一只蠕动的苍蝇，这个困难立刻消失了，就像疼痛在这里有一个立足点，而在这之前的一切，对疼痛来说都太光滑了[②]。维特根斯坦似乎让我们停止问一些无用的问题，他似乎把我们的注意导向日常生活中的确切事实。“‘我们看见情感’——它反对什么呢？——我们不是看见了面部扭曲，就作出推断他正感知快乐、悲伤、无聊。我们将一张脸立即描述为悲伤、喜悦、无聊，即便当我们对特征无法给出其他描述——人们可以说，悲伤在脸上是个人化的。”[③]

总之，维特根斯坦对揭穿关于私人对象的哲学神话的贡献主要体现为，他承认在我们关于人及其他动物的经验与我们关于机器及其他无生命对象的经验之间存在着质的差异。我们的语言游戏所展现的本体论分裂，并不是内在领域与外在领域之间的分裂，而是其生活形式使之可作心理描述的那些身体与同心理概念没有关系的那些对象之间的分裂。这种在构成我们世界的现象范畴之间所作的基

① 维特根斯坦.《哲学研究》，陈嘉映译，上海人民出版社 2001 年版，第 149-150 页。
② 维特根斯坦.《哲学研究》，陈嘉映译，上海人民出版社 2001 年版，第 149-150 页。
③ Wittgenstein L. *Remarks on the Philosophy of Psychology*. Oxford: Blackwell, 1980: 570.

本划分，对我们有一种意义，这种意义进入了我们关于它们的经验，并实质性地出现在我们关于所看见、所听见的东西的描述中。他对心灵的这种理解与后来的解释主义已经比较接近了。

维特根斯坦不是把内在与外在、心与身对立起来，而是把有生命的人与无生命体对立起来。作为感觉、思想和感知的主体，有生命的人并没有隐藏，他并不只对自己开放。他是世界中的生命，被他人感知，被外界影响。这样一种生命并不是众多他者中作为客体的人，或者只是根据物理行为而加以理解的人。相反，按照维特根斯坦的观点，人本身就是一个基础的、非还原的形而上学概念。因而，维特根斯坦反对类比论证他心，因为它把人分裂为心身两部分。在维特根斯坦看来，他人的心理状态和意识在他的肉身表现中得以展示，不需要推断。

维特根斯坦花了大量的精力来向我们描述我们是一种什么样的生命。这种描述是现象学的，因为他的主要目的就是如事物向我显现的那样描述他们。[①]很显然，维特根斯坦重构了主体性，由此，一个向他者开放的世界便成为可能。

维特根斯坦把我们从关于他心的怀疑论中解救出来。他的哲学论著为我们认识与他人的关系提供了一种新的方案，使得生活立场成为可能。我们都是人，而不是非物质的心灵或机械的肉体；我们的心灵也不是私人的，尽管它呈现给我们自己的方式不同于他人的方式。这一范式与笛卡儿范式相比，生活立场不再神秘，他心不再是问题。因为我发现自己最初并不是作为一个孤独的心，需要与肉体和外在世界建立联系，而是一个生活在世界中的人，栖居于一个主体间的共同体中。

四、大陆哲学对他心问题的研究

传统观点认为，他心问题是英美哲学关注的焦点。实际上欧洲大陆哲学对这一问题也很重视，并且开辟出了不同于英美哲学的新的研究路向。不同于英美哲学把它理解为认识论问题、概念问题，大陆哲学把它理解为伦理问题。如果说英美哲学多倾向于如何从知识、逻辑的层面来证明、认识他心的话，那么欧洲大陆

---

① Overgaard S. "The problem of other minds: Wittgenstein's phenomenological perspective". *Phenomenology and the Cognitive Sciences*, 2006, 5(1): 53-73.

哲学主张从社会、历史、文化的层面来看待他心问题。一般而言，欧洲大陆哲学将人看作是社会存在，在最深层次上，我们被看作是作为一个共同体存在。我们自身的存在、对自我的感知都依赖他者，对他者的意识构成自我意识的重要部分。因而欧洲大陆哲学的重点不在于如何去证明他心存在，而是讨论意向性、主体间性。因此，在欧洲大陆哲学看来，他心问题需要探讨我们与他人是一种什么样的关系，他人如何影响自我同一性的构成，主体间性何以可能，对待他人的态度应该怎样等问题。所以，他心问题在大陆哲学那里最终是一个伦理问题。这与英美哲学将自我意识看作与他者无关，与将自我封闭起来的观点有很大不同。两种不同的哲学路向导致它们对人的存在、人与人的关系、生活方式存在不同的看法。

1. 从“同一”走向“他者”

在西方哲学史上，他者、他心问题成为哲学主题也只是近现代的事情。长期以来，欧洲哲学都非常关注“同一性”问题。[①]古希腊时期，从泰勒斯到赫拉克利特，都在具象中寻找终极原则，都隐含世界“同一”的假设。自巴门尼德开始，西方哲学达到了一个新的自觉的高度。首先，抽象取代了具象；其次，提出“存在是一”的观点，从而决定了西方哲学的走向。这种“把他者还原为同一的本体论”一直代表了西方哲学的努力方向。希腊化时期，人反求诸己，独善其身，无求于世，在“自我”中寻求“同一”，是求圣之道的根本途径。普罗提诺提出“知己则亦知其源”的主张，其中蕴含此“一”的内在化倾向。奥古斯丁彻底完成了“同一”与“自我”之间的勾连。

近代哲学把探究世界存在本质的活动转变为认识主体自身的活动，笛卡儿用现代的方式重新以“自我”作“同一”的基础，从而建构了近代哲学的框架。但笛卡儿只是通过自我反思确立“自我”的存在，并没有详细论述他者。笛卡儿的“自我”在康德的先验哲学中得到了进一步的体现，因为康德把“我思”当作一切经验得以确立的保证。康德通过先验统觉“对所有人普遍有效”这一方式，消除了在纯粹理性的领域中如何面对他者的困境。这里的“先验自我”与其说是一个个体自我，不如说是一个普遍自我。

在西方哲学史上，发现“他者”哲学价值的哲学家正是“同一”哲学的最大

① 孙向晨.《面对他者——莱维纳斯哲学思想研究》，上海三联书店2008年版，导言。

代表黑格尔。与单纯地追求“同一”的哲学家不同，黑格尔认识到差异的重要性，要在世界的“差异”中求“同一”，这为“他者”的出现开辟了空间。黑格尔把精神定义为“在绝对他者中的纯粹自我认识”。在他看来，自我从来不是孤立地存在的，自我只有通过他者才能达于自身。在《精神现象学》中，黑格尔努力表明绝对知识的历程即是所有向度的“异在”逐步得到统一的过程。可以说，黑格尔追求“同一”，而专注于“他者”。

实质上突显“他者”问题的是现象学传统，因为它明确提出了“主体间性”这一概念。但在胡塞尔那里，要一分为二地看待这个问题：一方面，胡塞尔的哲学可以被视为近代主体性哲学思维的极致；另一方面，正是因为胡塞尔关于“他者”的论述，也即他所谓的“主体间性”探究，这一问题才在现代哲学主流话语中真正蔚为大观。

在自然态度中，他人与外部世界一样，对我们朴素地存在着，这是我们的信念。但在现象学中，他者的存在必须经过悬置和还原，才能从经验的意向构成中重获存在。胡塞尔希望通过“现象学还原”或“先验还原”来实现“回到事物本身”的愿望，他把所有可怀疑的对象，如外在世界的存在、他人意识的存在等，都放在括号中，剩下的便只有意识了。这也使胡塞尔自己感到，必须解决先验自我在对世界的建构中如何摆脱唯我论的阴影这一问题。胡塞尔提出要解决认知的客观性和达到一种普遍共享的实在性概念，主体性必须迈向主体间性。

在《笛卡尔式的沉思》中，胡塞尔是这样处理“他者”问题的：首先，自我通过我的知觉感知他人的身体，然后通过自我的“类比统觉”，将他人的身体现象学地归为我的同类；其次，我不单单把他人感觉作为一般的物体，而是基于本己的源始体验，通过“结对联想”（paarungsassoziation）来设想这样一个也有着心灵的身体，并以自我所本有的体验来预期他人身体所作的反应。当预期的反应得到证实之时，便证明那是一个与我同类的他人。毫无疑问，胡塞尔的论述都是基于“同感”这个概念，并且在面对“他者”问题时，胡塞尔的出发点依然是“绝对自我”。此外，主体间性虽然提出要把他人当作一个平等的主体，但“主体间性”这一概念本身就是从一个总体的角度提出的。也就是说，总体与无限是关联在一起的，它容不下一个不同于此的“他者”。

对此思路，一些哲学家作出了批判。首先，他们都尖锐地指出，单纯在认识论层面讨论他者问题乃是局限所在。如果我与他人依旧停留在认识的关系上，那么从根本上讲就无法摆脱唯我论的纠缠。列维纳斯就认为胡塞尔的主体间性没有真正解决问题，只是再次强调了问题，因为胡塞尔的“同感”概念是以反思自我为前提的，胡塞尔最终涉及的只是“自我”，通过回到“自我”而认识“他者”。

在胡塞尔之后，海德格尔对“他者”问题的研究作出了巨大贡献。不同于胡塞尔将现象学构造成一种内在性哲学、纯粹意识哲学，海德格尔将它改造成一种存在哲学。在《存在与时间》中，海德格尔抛弃传统哲学从先验自我出发来建构世界的进路，着力探讨此在“在世”的基本结构。当胡塞尔用悬置法把“自我”从人的全部生活中超拔出来的时候，海德格尔则设法对在世界中的自我作出生存论的描述，或者说追问“自我”的存在结构。在这个意义上，海德格尔深刻地意识到，从来没有一个先在的、孤立的自我，然后通过与他者的联系走进世界，克服自我的孤立性。在世的澄清曾显示：一个无世界的空洞主体从不最先“存在”，也从不曾给定。同样，无他人的孤立的“我”归根到底也并不最先存在。[①]此在在世之中存在的基本立场使近代以来先验自我的首要性的合法地位受到撼动。海德格尔反对胡塞尔以“同感”概念作为理解他人的关键。“同感”意味着“他人就是自我的一个复本”。海德格尔从本体论上来认识他者的在场。海德格尔用独有的“共在”概念来表达此在在世是与他人同在的。

由于这种共同性的在世，世界总是我和他人共享的世界。此在的世界是共同世界。“在之中”就是与他人共同存在。[②]但是海德格尔的“共在”关心的是此在存在的样式，而不是具体地、经验地与他者“相遇”的事实。“共在”和“与他者相遇”有极大的不同。“共在”只是此在在世的结构，无论如何，共在是每一自己“此在”的一种规定性[③]，它远不是一种实际的“相遇”。“共在”不是一个独特的个体与另一个个体之间的关系，“共在”中关系项可以互换，我与他的差异被忽视了，各主体表现为一种无差别的合并，我没有与他人的对立。人与人之间具体、复杂的关系在海德格尔那里被简化了。在列维纳斯看来，从根本上来讲，海德格尔的哲学与胡塞尔的哲学有着一样的毛病，都还是从自我的角度来分析他

① 孙向晨.《面对他者——莱维纳斯哲学思想研究》，上海三联书店 2008 年版，第 67 页。
② 孙向晨.《面对他者——莱维纳斯哲学思想研究》，上海三联书店 2008 年版，第 67 页。
③ 孙向晨.《面对他者——莱维纳斯哲学思想研究》，上海三联书店 2008 年版，第 67 页。

者，没有注意到真正的“作为他者的他者”。

在哲学史上，萨特对他者问题研究的贡献是强调他者意识构成了自我意识的条件。不同于海德格尔，萨特的立场是在我的生存中遭遇那个具体的他者。这个他者具有自己的主体性。接下来，萨特要面对的问题是，如何把握我们与他者关系的基本类型。既然人首先是一种存在，就不能只从意识层面来谈他者问题，人们是遇到了他者，并非构成了他者。所以萨特要做的既非“给出”他者，也不是单纯指出与他者“共在”，而是要进一步指出如何共在，或者更确切地说是如何与他者“相遇”。萨特为此找到的是“注视”。在“注视”中包含着人与人相遇的种种特征。在具体的现象学描述中，萨特通过说明引起羞耻体验的原因及过程，描述了自我意识在他人在场情况下的出现。当在我偷窥的时候，自我就隐匿在世界之中，这时他人突然出现在那里，并注视着我，这时我会以他人的方式来对自己显现自己。在他人的注视之下，我变成了被看的对象性某物。在意识结构中的这种“为他存在”的概念，是通过羞耻之心而为我所领悟的。羞耻感承认了我就是他人注意和判断的那个对象，由此，我的自由脱离了我，成了给定的对象。可见，我的“为他存在”，如同“自在存在”“自为存在”一样，是我的内在属性，是一种前反思的内在结构，是我与生俱来的一种意识结构。通过“注视”，我的“自为”凝固成了“自在”。他人不是我意向的产物，而是我自身被构成的条件，他人成了我与自己之间的中介。这是一种“为他存在”的自我，因为我不是把自己视为自在之物，或自为之物，而是意识到自己是另一个意识的客体，所以我对于其他人来说是一种明确的自在存在。同时，我也意识到其他人是具有意识的，是与我不同的自我，是另一个自由的主体，但与我相对立。如果说，胡塞尔是在主体性中构成他人，那么萨特的“主体=他者”恰恰是以我的主体性的丧失为代价而出现的。但在他者这种强势的出现面前，包含着我与他者的一系列冲突。最终，他人即地狱。

2. 列维纳斯：他者的伦理向度

在列维纳斯那里，他者的出现、处境则完全不同。不同于萨特的“注视”，列维纳斯重视的是他者的“脸”。他认为自我在“享受”世界时，必然会与他者相遇。当我与他者相遇时，他人之“脸”就是他者的显现。列维纳斯以“脸”作为与他者的相遇的概括，体现了“他者”是我所不是。“他人之脸”以一种原初的、不可还原的关系呈现在我面前。这绝不是一种单纯的“注视”，因为他人之“脸”作为我“注视”的对象，已经不仅仅是知觉的对象，他人之“脸”“破坏”和“超过”了“脸”的可见性。因此，列维纳斯认为，“脸”是不能被“注视”的。“脸”的特点不在于“注视”，而在于“言说”。“脸”所显现的“他者”本质上不是一个经验的对象，而是一个“对话者”，在“面对面”中，我接受、感到某种不同于我的东西。他人之“脸”是一种在“我”之外的意义源泉。“言谈”意味着必须“回应”，面对他人之“脸”的“表达”，我必须有所“回应”，这种“回应”在列维纳看来就是“责任”。如果说，萨特在这种“为他存在”中，发现了我与他者的根本关系是“冲突”，那么列维纳斯发现的恰恰是对他者的“责任”。

列维纳斯把与他人之“脸”的“相遇”置于“我”的世界之外，是他者之他性不可还原的范式。他人之“脸”使“我”的世界、“我”的权力发生疑问。在列维纳斯看来，“他者”首先不是理解的对象，而是“对话者”。与“他者”的相遇离不开“言说”，我们对他人述说自己，聆听他人的声音。我与他人的关系不是存在关系，不是理解关系，而是一种“召唤”关系，是我对他者的“致意”。由此，“脸”奠定了“伦理之为第一哲学”的基础。

在列维纳斯那里，“他者”概念的提出，意味着传统哲学所缺失的相异性、外在性和多元性。在“自我”与“他者”之间的关系中，可以展现更多的非对称性、开放性、对话性以及各种各样的可能性。更为关键的是“面对他者”，列维纳斯强调伦理先于存在，伦理学是第一哲学。列维纳斯的哲学中并没有一条通往知对错、明善恶的道路，也没有通过道德律令、人生指引来约束人，只是确立了生存中“为他”的向度。面对他者意味着对我与世界的占有性关系提出疑问，意味着裂解自我的“同一性”，意味着我必须对他者作出回应，从而肩负起责任，由此他者奠定了我作为主体的伦理本质，他心问题也由此成为伦理问题。

五、计算主义对他心问题的理解

随着当代科学技术的飞速发展，他心问题的讨论不再专属哲学了，自然科学也加入对这一问题的研究之中。在人工智能高速发展的今天，以计算来类比心灵是一个新的认知方式。

1. 计算主义概述

计算主义是人工智能中的主流研究范式。图灵机理论是现代计算主义的基石。在 1936 年发表的论文中，图灵提出了著名的图灵机概念。他认为，人的大脑应该被看作是一台离散态机器，尽管大脑的物质组成与计算机的物质组成完全不同，但它们的本质是相同的。1950 年，图灵发表了《计算机器和智能》的论文，对何谓智能给出了自己的定义。他提出了“图灵测试”概念，论证了心灵的计算本质。

在图灵的影响下，西蒙、明斯基、麦卡锡（McCarthy）等沿着人工智能这门新兴学科继续前进。1956 年，在剑桥和达特茅斯召开的两次会议上，他们提出了认知主义的基本思想：认知应当被理解为基于符号表征的计算。其基本假设可以概括为三点：①大脑类似于计算机的信息处理系统，包括感觉输入、编码、存储、提取的全过程；②认知功能与大脑就如同计算机软件与硬件的关系，软件在功能上独立于硬件，因此软件可以存在于不同的硬件之上；③表征是外界信息在人脑中的存储形式，认知就是对内部表征的加工。

20 世纪 80 年代，由于神经科学的发展，学界兴起了一股联结主义的思潮。它从模拟大脑结构方面探索智能的本质。联结主义认为，人类的认知是从大量并行的神经元的相互作用中产生的。联结主义虽然不把符号的操作看作是认知最重要的方面，但仍然把每个神经元都看作是一个计算单元。在联结主义看来，智能不是别的，它是神经元网络整体突现出来的特性。神经网络的突现机制尽管跟物理符号系统不同，但神经网络的本质仍然是计算。

总之，计算主义的核心观点是，心灵就是一个计算系统，大脑事实上是执行计算的机构，计算对于智能来说是充分的。[①]

2. 塞尔与格伦南（Glennan）的争论：计算可以引起意识吗？

计算主义介入他心问题的探讨，其主题是计算理论在何种程度上能够给我们一个好的理由来相信自主体是有意识的，或者说，计算理论在何种程度上让人们相信行动体是另一个心灵。[②]当然，这样一个问题的回答在很大程度上依赖于人们怎样去理解行动体有意识意味着什么。由于当代计算主义的理论和实践都处于

---

① 高新民，付东鹏. 《意向性与人工智能》，中国社会科学出版社 2014 年版，第 88 页。

② Glennan S S. “Computationalism and the problem of other minds”. *Philosophical Psychology*, 1995,8(4): 375.

蓬勃发展的时期，其中涉及的范围很广，争论也很多。在这里，鉴于篇幅限制，我们只以塞尔与格伦南之间的相互批判为典范来介绍这一领域的发展。他们是有代表性的，塞尔对心灵持“生物学自然主义”立场，格伦南则是一个计算主义者。

塞尔曾经提出一个著名的“硅制大脑”的思想实验。他设想一个人的大脑开始恶化，以至于逐步变盲。医生想出的办法就是用一个硅条植入大脑。当硅条逐步地植入大脑时，病人发现意识在退化，但在行为上没有表现出来，并且对外部行为逐步失去控制。当医生测试视觉时，听到医生说，“我们在你前面放了一个红色的东西，请你告诉我你看到了什么。”病人本想说，“我什么也没看见，我正在变盲。”但最终从病人嘴里说出的却是“我看见一个红色的东西在我前面”，直到最后意识消失了，但外部行为仍旧一样。

塞尔认为，这个思想实验说明的是从本体论上讲，行为、功能性作用和因果关系与有意识的心智现象的存在无关[①]。在他看来，一个硅脑，即便它能产生类似于我们行为的行为，并且有一个类似于我们大脑的计算结构，也不必然使一个硅脑有意识。

在计算主义者格伦南看来，塞尔的思想实验令人困惑，甚至最终陷入了逻辑矛盾之中，但格伦南又认为，塞尔的思想实验及所得结论有其合理性，例如他认识到了意识与行为之间并无直接的概念关联。为了让这一主张更加清晰，格伦南对塞尔的实验作了一些调整。假设不是用硅条逐步地替代大脑，而是造一个同等功能的硅脑。被试者突然被击倒，大脑损伤了，但身体无恙。我们用硅脑替代其大脑。他看起来跟先前一样好。这样设计的一个好处就是避免了塞尔实验中的意识与行动不同步的问题。这个实验要问的问题是，此病人还是一个有意识的自主体吗？

在格伦南看来，这个思想实验表明，使得自主体有意识的不仅是他展现了似乎有意识的行为，更重要的是这一行为有适当的因果关联。当然，人们可以假定人的行为很大程度上是由意识心理引起的，意识心理在大脑中有物理因果作用。也就是说，使一自主体有意识的不是他以某种方式行动，而是其大脑具有类似于使人具有意识的特征。既然意识心理被看作是在产生行为中具有因果作用的东

① 塞尔.《心灵的再发现》，王巍译，中国人民大学出版社2005年版，第61页。

西，如果我们发现一个自主体，其行为有类似的因果作用，我们就认为它也可能具有这些引起意识的特征，因此自主体有意识。这一来，对意识来讲，重要的是大脑有适当类型的因果力。

但是，塞尔以因果力为条件的表述，又引起了这样一个问题：大脑的何种特征具有引起意识的力量？说大脑拥有产生意识的因果力，只是说有一些大脑的特征，它在合适的环境中产生意识。它并没有说这些特征是什么。于是，接下来的问题是分清大脑的何种特征产生意识，自主体的大脑是否具有类似的特征。

塞尔认为，硅脑具有产生意识的因果力在“经验上是荒谬的”，因为他相信这些因果力来源于有机物质的特征，是它构成了我们的大脑。但是，计算主义者相信硅脑就能再生这些因果力，他们相信，是计算的而非生物特性引起了意识。

塞尔的硅脑思想实验表明，类似有意识的行为本身并不构成意识。在这一点上，塞尔和心灵计算理论的观点是一致的。但是，计算主义者相信根据其拥有某种计算属性，一自主体才会有意识。但是，塞尔相信仅根据计算属性，自主体不可能有意识，因为计算属性不是真的物理属性。自主体必须有物理属性才可能拥有因果力。[①]而格伦南则认为，例示计算程序自身对于一个系统的意向状态来说是充分的。

怀疑计算属性的因果作用的人的理由是，这些属性可以多样实现。他们的推理是，首先，根据其真实的物理属性，系统具有因果力；其次，计算属性能被具有不同物理属性的系统实现，因而，因果描述的正确层次是物理层次，最好是微观物理层次。这个观点的问题在于它假定了在计算的和物理的属性之间存在一道无法弥合的鸿沟。

格伦南举了酵素的例子，说计算属性与酵素一样都是以相同方式而多样实现的。它们都是结构属性——一个系统根据组织而非成分构成而有的属性。因此，不同构成的实体会例示一个结构属性，只要他们满足结构限制。如果结构属性在物理科学中像结晶机制那样以因果机制分析的那样发挥作用，人们就不能在物理与计算属性之间作出区分，或者认为根据计算属性，物理系统不能拥有因果力。格伦南认为这一论证足以表明计算属性就是物理属性。尽管塞尔承认物理属性是结构的，并因此可以多样实现，但他还是将计算属性同物理属性割裂开来了。

① 塞尔.《心灵的再发现》，王巍译，中国人民大学出版社2005年版，第164-189页。

塞尔相信计算属性不是物理属性，因为他认为，“句法对于物理来讲并不是固有的”，真正深层的问题是句法基本上是一个相对于观察者的观念。在不同的物理媒介上多样实现的计算过程不过是抽象的符号，而且它们对系统来说不是固有的，它们依赖从外部的解释。[①]

格伦南认为，在某种意义上，塞尔是对的。一个物理过程的句法（和语义）属性依赖过程发生于其中的语境。语境“解释”一个物理系统拥有句法属性。但他认为塞尔从中得出的结论不对。塞尔相信：①句法属性不像其他结构属性，②将句法属性归于物理系统的观察者必定是像我们一样拥有固有意向性的自主体。对此，格伦南说①相对于观察者，（语境依赖）完全是结构属性的一般特征；②句法（或其他高阶）属性归属，可以由所有物理系统方式来进行。这些系统不必拥有某种特别的“固有意向性”。

塞尔认为，句法特征的真正观察者必须要有固有意向性。对此观点的否定则是要表明，普通物理系统能辨别句法。例如，信号处理装置，它接受物理信号，并以某种方式辨认它，就是一物理句法探测者。其他例子还有CD机、中央处理器（CPU）等。

塞尔当然不赞成说这些装置能识别句法。而格伦南举了电压开关（调节器）的例子来展示“辨识句法”。电压开关表明非意向物理装置能辨别并回应物理过程的句法特征。事实是，改变探测者行为的物理特征的唯一变化是这些改变了的句法。既然探测者的行为只对句法上重要的物理变化敏感，根据句法的（或计算的）属性，输入就获得了因果力。

总结一下两人的争论就是，塞尔说计算属性与其他物理属性之间存在根本差异。格伦南说这是错的，在他看来，无论是语境依赖，还是多样实现都不是计算属性特有的。也许计算属性比其他结构属性更加抽象，这只是程度的差异而非种类差异。因此，如果说一个系统根据其结构属性而有因果力，那么他们是根据计算属性而有因果力的。这一结论反驳了塞尔的观点，即例示计算程序绝不会引起意识。

总的说来，计算主义相信，是我们大脑的计算状态而非神经元的因果力让我

① 塞尔.《心灵的再发现》，王巍译，中国人民大学出版社2005年版，第175页。

们有意识，并且我们能运用这一理论来解决他心问题：如果我们认为一个自主体（A）与我们的行动相似，且其行为由技术力量（类似我们解释自己行为的理论）来解释，那么，不管自主体的物理基础是什么，我们都有好的理由相信自主体具有意识。

值得指出的是，塞尔的中文屋论证也非常精彩，引起的争论特别是与计算主义的争论非常多，鉴于篇幅限制，此处不再述。

六、镜像神经元与他心问题

神经科学、脑科学的发展也为他心问题的研究提供了新的思路和方法。20 世纪 90 年代中期，神经科学家瑞佐拉梯（Rizzolatti）等发现了一种新的运动神经元。它们位于恒河猴腹侧前运动皮层所谓的 F5 区。这种新的运动神经元的神奇之处在于，当猴子执行一个行动，如伸手去拿一个香蕉时会产生放电现象，而且当它被动地观察另一个猴子作出类似的举动时也会产生放电现象。[①]由于这种神经元具有映射其他个体动作的能力，这类神经元便被命名为镜像神经元。

通过实验，人们发现镜像神经元对抽象意义的编码也可以从视听镜像神经元激活模式得以证实。在实验中发现，F5 区的镜像神经元在听到与手部动作相关联的声音（如剥花生、撕纸等）时也会被激活。这也说明镜像神经元并非仅对单一感觉通道的信息作出反应，而是一种多通道的，对抽象意图的编码过程。

这些实验表明，在观察其他个体达到目标的动作时，猴子大脑中的镜像神经元也模拟了这一动作，处于观察地位的猴子仿佛自己在执行这些达到目标的动作，以此达到对他人动作的识别和理解。

人的理解和认识过程是否也存在类似于猴子的神经机制？镜像神经元发现之后，许多学者开始在人身上寻求类似于镜像神经元功能的神经机制存在的证据。通过脑成像研究，以及对动作知觉和动作执行神经活动的比较，研究者普遍认为人类大脑腹侧前运动皮层、后额下回岛盖部是恒河猴镜像神经元 F5 区的对应物，而喙状顶下小叶是恒河猴后顶叶皮层 PF/PFC 区的对应物，人类大脑皮层的这两个区域的神经细胞具有与恒河猴镜像神经元同样的功能，这就证实了人类

---

① Heyes C. “Where do mirror neurons come from?”. *Neuroscience and Biobehavioral Reviews*, 2010, 34(4): 575.

镜像神经元的存在。

镜像神经元的发现在心灵哲学上很有意义。首先，它为解释人们的想象、模拟行为提供了科学基础。人们在想象的时候仿佛身临其境，想象中一个关键方面是进行模拟。模拟指的是，由对物体的观察而诱发的运动系统的激活。当观察过程进行时，观察者本身的运动系统进入活跃的状态，而这种活跃状态模拟了操作特定动作时运动系统的激活模式。从观察和操作两种过程都激活同样的神经生理机制这一点上来说，模拟、想象实际上就是镜像神经机制的激活过程。

其次，镜像神经机制为他心问题的解决提供了科学依据。通过镜像神经机制，人类可以模拟他人的行为和心理状态，从而达到对他心的理解。具身模拟的研究表明，模拟过程由于镜像神经元的作用而与身体感觉和运动系统紧密联系在一起。模拟的必要条件是"共情"（empathy）的态度，"共情能力是以具身的模拟机制为中介的，也就是说，共情是通过激活我们自身同样的运动、情绪和感觉经验的神经通路而实现的"[①]。

神经科学的研究表明，个体心灵之间可以通过镜像神经元而架起一座沟通的桥梁，从而在解决他心问题中发挥重要的作用。虽然这可能并非人类相互理解的唯一机制，但是却可以为这种理解和认知过程提供一种可能的解释。

七、现象学视野中的他心问题

现象学在心灵观上坚持具身性、主体间性以及叙事能力，因此不同于传统看法，它强调人有可直接知觉他人心理状态的能力。

1. 解决他心问题的前提条件：建立正确的心灵观

在现象学看来，过去的理论之所以不能解决他心问题，甚至提出所谓的他心问题，是因为它预设了心与身二元论。在这种理论框架下，人们把心灵归属给自己和给他人的方式是不一样的：根据第一人称经验把心灵归属给自己，而根据第三人称身体行为将心灵归属给他人。由此，同一心灵却在不同人称下有着不一样的意义。为了解决这一问题，必须建立起一个跨越第一人称和第三人称的统一的

① Pineda J A(Ed.). *Mirror Neuron Systems: the Role of Mirroring Processes in Social Cognition.* Berlin: Springer, 2009: 163.

心的概念，也就是说，要解决他心问题，必须舍弃心身二元论。

传统的二元论对心灵作了错误的构想，认为心是行为之外的、封闭于脑内的单子式的实在。现象学在心身关系上抛弃了二元论，提出了主体间性、具身性等概念，从而消除了他心问题。它强调："我们应避免把心看作是只能为自己看到的不能为别人看到的某物这样的观点。心不是某种绝对内在的东西，不是与身体和周围世界割裂开来的东西，仿佛心理现象都是相同的，甚至没有姿势，没有身体表现等。"①在现象学看来，心理现象沿着不同方向延伸至身体和世界，进而有许多公共可观察的东西。例如，脸红是羞愧、害羞的组成部分，而非后者的结果。这说明心与身是不可分割的，心一定有其身体的表现。

现象学反对把心与行为绝对地割裂开来，这样一种观点接近于维特根斯坦的看法。维特根斯坦认为，行为是心的外在标志，而不是与心并列的另一个东西。但现象学的观点不同于哲学行为主义，"这不是行为主义，这个观点并没有把心理状态等同于行为，或没有把它们还原为行为，它也不排除某些心理状态是外显的。如果主体间性有充分的根据，那么所有经验就不会没有自然的表现"②。是故加拉格尔等说：主张行为不是表现的观点是错误的，就像主张行为是心灵的结果一样是错误的。它们承认行为是心的表现，但又强调，这里没有这样的意思——行为表现了隐匿的某东西，或将其外在化了。"在加拉格尔等看来，二元论和行为主义的观点都是错误的，都没有认识到行为的本质，提供的是关于心灵的错误的构造。它们认为心与身是割裂的，心是纯内在的隐私性的实在。他心问题正是由此而起的。

2. 现象学对基于 FP 的他心理论的思考

首先，现象学反对模仿理论。因为它认为，人在与他人相互作用进而理解他人时，根本就没有模仿这种经验发生。

有人认为，现象学的观点虽然不同于理论理论的方案，但同模仿理论是一致的。加拉格尔等的看法是，这说法有部分的合理性。因为现象学在强调自我经验的具身性时一直在关注和解决困扰模仿理论的问题，即关于他心的概念问题。这

① Gallagher S, Zahavi D. *The Phenomenological Mind: An Introduction to Philosophy of Mind and Cognitive Science*. New York: Routledge, 2008: 186.

② Gallagher S, Zahavi D. *The Phenomenological Mind: An Introduction to Philosophy of Mind and Cognitive Science*. New York: Routledge, 2008: 186.

一问题是这样来的，理论理论认为把心理状态归属于自己与归属于他人，是对称的，而模仿理论认为是不对称的。坚持不对称性就有这样的麻烦，即如果我们承认心不同于行为，如果我们的经验是纯心理的，我们关于他人的经验在本质上属于行为，那么我们就得回答：我们为什么要认为存在着别的有心的生物。换言之，如果他人的心理状态是通过他人的行为和别的外在表现而被知道的，而关于自己的心理状态则不是这样认知的，那么我们为什么要认为我们自己的心理状态相同于别人？

实际上，加拉格尔指出了 FP 在理解他心问题上存在一个致命问题，即概念问题。它指的是，如果我自己的经验具有纯粹的心理本质，我的身体不会出现在心理状态的自我归属中，而我们把心理状态归属于他人完全是在于他人的行为，那么是什么保证把同一个心理状态归属于自己和他人？我们是怎样得到这个同时适用于我和他人的关于心灵的概念的？很显然，FP 是难以回答这一问题的。

现象学对于基于 FP 的他心理论的反思首先集中在这个问题上，即对该问题提出的方式、方法作了探讨，认为这个问题本身有问题，即它是基于对心身的线性划分，针对缺乏关于心身的现象学视角而提出的问题，尤其是没有关于心的具身性、主体间性观点。因此，在现象学看来，不管是根据理论理论还是模仿理论都无法对他心作出合理的回答。

在现象学看来，要解决概念问题，关键是改变传统的心灵观，即不再把心看作是居住在脑内的小人，而认识到心有具身性的特点。在它看来，具身性、环境镶嵌性对于有心灵具有不可或缺的作用。如果自我经验是关于纯心理本质的，如果自我经验只以直接的、唯一的、内在性的形式出现，那么我不仅没有把他人身体认作具身主体的手段，而且还没有在镜子中认识自己的能力。梅洛-庞蒂就说，“如果主体的经验就是我通过与它的协调而得到的经验，如果心灵像通常定义的那样被看作是‘外在的旁观者’，只能从内加以认识，我一定是单一的，不能为他人具有的”[①]，那么我们就不能认识它，充其量只能去推论它、猜想它。

3. 具身认知与他心问题

笛卡儿的二元论使得他心问题几乎无解，因而消解二元论成为历史的必然。

① Gallagher S, Zahavi D. *The Phenomenological Mind: An Introduction to Philosophy of Mind and Cognitive Science*. New York: Routledge, 2008: 184.

现象学的发展是其中的一个方向，以现象学为其哲学基础的具身认知在近20年的发展中尤为引人注目。它为解答他心问题提供了一种新的方案。胡塞尔的意向性原则打破了近代意识哲学的主客对立。它强调世界是所有意向地显现的对象的总体，世界是意识意向地给予意义的世界，这种理论后来成了现象学解释世界、解释心身关系的出发点。

1）具身认知概述

与经典的认知观点相比，具身认知的理论洞见在于，人类的认知活动不再局限于大脑、心灵，而是扩大到包括大脑在内的活的身体。梅洛-庞蒂的知觉现象学可算是早期的例子。他反对“离身之心”。他认为，身体不是一种行为主义意义上的生理机体，也不是心灵的容器，而是一种能动的机体。（身体的）任何功能严格地说都不能被定位，因为每一区域都只有在全面活动的范围内才能够起作用……身体绝没有哪一部分是纯粹的事物，也没有哪一部分是纯粹的观念。[①]梅洛-庞蒂认为，身体和心灵不是彼此分离的实体，经验是具身的，身体和世界是弥漫式的相互融合。这种观点在 20 世纪末的拉考夫和约翰逊等那里得到彰显，并且在21世纪得到详细阐述。

说到具身认知，回答以下两个问题最关键：①何为认知？②何为身体？这两个问题一个是关于认知过程本质的问题，另一个引发了我们对身体特征问题的思考。

何谓认知？认知是否就是一种信息处理过程？人的知觉及活动是否类似于计算机的信息处理？如果同样的程序可以在不同的计算机上得到执行，这是否意味着认知是一种完全脱离于计算载体的活动？认知的对象与认知的主体是完全分离的吗？对上述问题作肯定回答的是经典认知理论。简单说来，它将人类的认知看作是一个独立于身体活动和环境的内在表征和计算。

具身认知理论批判了长久以来占据着统治地位的经典认知理论。具身认知理论强调了身体经验在认知过程中的重要作用，而这些经验来自人类具有感知运动的身体。首先，构成心灵的基本概念、范畴是由人类的身体经验形成的。拉考夫和约翰逊认为概念通过身体、大脑和对世界的体验而形成，特别是通过感知和肌

① 怀特海.《思维方式》，刘放桐译，商务印书馆 2004 年版，第 134-135 页。

肉运动能力而得到，并只有通过它们才能被理解。例如，我们一些概念如“在……前面”“在……后面”等词语，都是以身体为中心而发展出来的。我们有内在的前和后：我们通常往前看，向脸朝向的前方运动，并且在我们的前方与物体和他人打交道；后面是前面的对立面，我们并不直接感知自己的后面，我们也一般不向后运动或与在我们后面的客体和他人打交道。[①]空间关系并不是一个在我们视觉场中的实体，它不过是具身的想象投射。

其次，身体的物理属性和运动方式也会影响认知的形成。心理学家威廉姆斯（Williams）和巴奇（Bargh）通过手捧咖啡的实验证实了身体对温度的感受会影响对人的评价。那些手捧热咖啡的被试在评价一个中性人物时更倾向于认为该人物是友好的，而手捧冷咖啡的被试则倾向于更为负面的评价。[②]

再次，具身认知理论认为个体的感知运动能力处于一个广泛的生物、心理和文化情境中。认知主体所处的情境对认知活动具有重要的影响。身体是与环境紧密相连的，身体是嵌入环境的，身体是包含了环境因素的身体，身体和环境的相互作用决定了认知的形成。经典认知理论将认知看作是抽象的内部状态，是外部世界的内部表征，或一些静态的事实或规则。但具身认知强调了身体与世界的互动是大脑、身体与环境相互作用的结果，是一个动态的过程，环境中的信息也是我们认知过程中所要操作的对象。

最后，具身认知理论以发展、进化生物视野看待认知。一方面，人类的认知是一个进化的过程，高级的认知活动必然在低级感官运动能力的基础上产生。拉考夫和约翰逊从人类理性能力与感官、运动能力的进化连续性上来理解认知活动，认为理性是进化的。另一方面，这种进化的观点进一步表明了认知对身体的依赖。以身体为基础的进化是认知形成和发展的根本条件。人类作为一个物种，其身体是处于不断进化中的，大脑、神经系统、身体姿态都在进化的过程中持续地改变，这些变化也必然会影响人类认知的发展。

具身认知理论强调，人类的认知活动不再局限于大脑、心灵，而是扩大到包括大脑在内的活的身体。“认知过程根植于身体，是在知觉和行动过程中身体与

---

① 费多益.《寓身认知心理学》，上海教育出版社 2010 年版，第 46 页。

② Williams L E, Bargh J. “Experiencing physical warmth promotes interpersonal warmth”. *Science*, 2008, 322(5901): 606-607.

世界互动塑造出来的。”[①]一般说来，具身认知理论的核心主张是，身体即主体。“非具身”的理论视大脑为认知发生的场所，身体仅仅是一个“载体”或“容器”。心灵是物质性大脑的一种功能，认知是大脑的一种功能状态，类似于计算机的软件，而大脑则类似于计算机的硬件。硬件虽然承载着软件，但是无法从根本上改变软件的性质。换句话说，包含大脑在内的身体虽然承载了知觉、记忆和思维等认知过程，但是身体和大脑并不能影响和改变认知。认知作为一种机能属性是大脑内部的一种状态，与承载它的身体无关。也就是说，非具身的观点把身体看作是被动的。但具身认知却不这样看。

梅洛-庞蒂将身体区分为客观的身体和现象的身体，并以此来解释具身性，“客观的身体被看作是生理实体的身体，而现象的身体不仅仅是某种生理实体的身体，而且是我或者你体验到的我的身体或者你的身体。……对客观身体和现象身体的区分，是理解现象学的具身性概念的核心”。[②]这种现象学中的身体既不纯粹是物理结构，也不纯粹是概念结构，而是一种主动的身体。

具身认知还强调身体的处境性，其意思是，身体不仅不是单纯的大脑与孤立的身体的二分，而且还与他人身体、外部环境互动。正是由于对处境中的身体的强调，心灵不再被看作是某种抽象实体或者对应于大脑内某种生理构造的东西，而被解释为取决于大脑动态活动嵌入肉体和环境的方式，即具身的、嵌入的心灵，这正是具身概念的关键所在。

近年来大量的心理学实验证明身体介入了认知过程，影响了我们的思维、判断、记忆、分类和概念的形成。社会心理学实验证实，被试在典型的内疚、后悔的身体姿态下，比在傲慢、自负的身体姿态下，更愿意承认自己或群体内成员的过失行为，更愿意对过失行为采取补救措施。

人们不应当从机械的角度来看待身体，而应当从能动的和体验的角度看待身体。因此身体不再是一个只具有物理属性的“客体”，而是一个不断与环境相融合的“主体”，认知的产生正是“主体”活动的结果。

---

① Alban M W, Kelley C M. “Embodiment meets metamemory: weight as a cue for metacognitive judgments”. *Journal of Experimental Psychology: Learning, Memory, and Cognition*, 2013, 39(5): 1628-1634.

② Audi R. *The Cambridge Dictionary of Philosophy*. Cambridge: Cambridge University Press, 1999: 258.

2）具身认知理论在心灵哲学上的意义

可以说，“具身认知”观念的提出意义重大：它是一种视角的转换，也是建构知识的一种新的方式。从心灵哲学层面来说，具身研究为正确认识所谓的“身心关系”，从而为他心问题的探讨提供了新视角。

长期以来，心身二元论经过笛卡儿的论证一直支配着西方文化思想。“离身心灵”成为西方哲学和科学的主流，并且二元论把心灵神秘化。千百年来，表现为唯我论、怀疑论的他心问题对人们的智力提出了挑战。这一问题之所以难以解决，是因为在笛卡儿范式下，它表现为一个悖论：人们事先假定了主体与客体、心灵与身体二分，然后又试图搭建起沟通主客鸿沟的桥梁。以第一人称的自心作为一般的心的标准，导致作为客体的他心永远只能在认知的彼岸，中间的桥梁从未真正搭建起来过。实质上，心身关系成为解决他心问题的关键。

而具身认知理论首先在本体论上反对心身二元论的预设，反对将心灵视作一种独立的、幽灵化的实体或属性，它通过对主体、对象、心身关系以及认识活动的辩证理解，展示了一种身中之心的非笛卡儿主义的心灵观念。它把认知置于大脑中，把大脑置于身体中，把身体置于世界中。[①]在认识论上，具身认知理论反对个体主义，反对经典认知理论把认知仅仅看作是大脑内部的信息加工过程，它坚持一种整体主义的认识论，把情境、文化、历史因素也考虑进去了。“任何个体的、部分或元素的意义或性质都不是个体、部分或元素本身自我包含或内在的东西，相反，其意义和性质来源于同其他的部分或元素，同更大的整体或情境的关系，因为它们置身于这个情境中。就人的心理过程来说，这一观点告诉我们，心灵和世界是一个更大的意义或整体的共同组成部分，相互分享着它们的特性。”[②]由此，我们不再是与身体和世界相分离的孤独的“心灵”，而是心身合一的活生生的人，他人的心理状态和意识在他的肉身表现中得以展示，不需要推断。

4. 主体间性、叙事能力与他心问题

现象学在心灵观上不仅坚持具身性，还坚持主体间性，强调叙事能力，认为

① 孟伟，刘晓力.《认知科学哲学基础的转换——从笛卡儿到海德格尔》，《科学技术与辩证法》2008 年第 6 期，第 31-34 页。

② Slife B D, Reber J S, Richardson F C. *Critical Thinking about Psychology: Hidden Assumptions and Plausible Alternatives*. Washington, D. C.: American Psychological Association, 2005: 172.

人们有可直接知觉他人心理状态的能力。

主体间性是认识他心的前提条件。“在大多数主体间性情况下，我们对他人的意图有直接的理解，因为他们的意图就明确地表现在他们的具身行动和语言行为之中。这种理解不需要我们假定或推论隐藏在他人心中的信念或愿望。”①

人的这种能力得到了科学、特别是发展心理学的证明。发展心理学的研究表明，人在获得心灵理论之前，就开始形成这种主体间的理解能力，方式是具身性实践。这些实践是情感的、身体运动性的、知觉的、非概念的。正是这些实践成了人理解他人的最初途径。

婴儿还有与他人相互作用的能力，如被大人逗乐，与人捉迷藏，模仿大人的行为等。有的把这种能力称作“最初的主体间性”。加拉格尔等说这些能力就是“舍勒所说的直接知觉他人意图与意义的基础”。②正是有这些最初主体间性的早期能力，人们就用不着通过推理来知他心。

说到主体间性，人们一般把它分为两种，即第一性的或最初、原始的和派生的主体间性。

最初的主体间性不仅是人一出生就表现出来的东西，而且贯穿其整个人生，因而是基本的、基础性的，它是后来一切发展的基础。最初主体间性的表现是，婴儿到了一定的年龄就有与人互动的能力。这种互动表明，人与人之间有公共的东西。除了婴儿所表现出的与人的交互能力之外，它还“包含婴儿姿势和表情与照顾他们的人的姿势与表情的情感协调”。他们能完成这种的协调说明它们不仅知觉到了他人的行为、情感，而且明白了它们的意义。这些能力说明，要了解他心，“对隐藏的心理状态（即信念等）的推理是没有必要的”。“最初主体间性所涉及的能力表明，在我们有可能思考别人相信或期待说明之前，我们就有对他人感觉到什么的知觉性理解……在最初的主体性中存在着一种共同的身体意向性，它们是能知觉的主体和被知觉的他人共有的。”③

---

① Slife B D, Reber J S, Richardson F C. *Critical Thinking about Psychology: Hidden Assumptions and Plausible Alternatives*. Washington, D. C.: American Psychological Association, 2005: 187.

② Gallagher S, Zahavi D. *The Phenomenological Mind: An Introduction to Philosophy of Mind and Cognitive Science*. New York: Routledge, 2008: 188.

③ Gallagher S, Zahavi D. *The Phenomenological Mind: An Introduction to Philosophy of Mind and Cognitive Science*. New York: Routledge, 2008: 189.

总之，因为有最初的主体间性，所以“我们在有能力模仿、解释、预言他人的心理状态并对之理论化之前，我们就已有能力根据别人的表情、姿势、意图和情绪与他们相互作用，并理解他们”。[①]

基础的主体间性只能是为理解他人提供了初步的条件。人之所以有对他人的复杂的理解，如在人故意没有面部表情的情况下，也能理解他们的内心，靠的就是这种派生的主体间性。这种能力也出现在了婴儿身上。它们的出现根源于婴儿对他人怎样与世界发生关系的关注。其出现的标志是婴儿能把行为与情景联系起来，加拉格尔等说：“当婴儿开始把行动与实用否认情景关联起来时，他们就进入了派生的主体间性，大约在一岁时，婴儿就超出了基本主体间性的对人的直接性，进到了共同关注的情境——共具情境——正是在这里，他们学到了事物有何意义，它们是为了什么。”[②]

由于有这种主体间性，儿童就有较高级的理解他心的能力，如他们能理解他人想要什么食物，或打算开什么门。他们不是通过推理知道这些的，确切地说，意向性是在别人的情景化行动中被知觉到的。

在新现象学看来，人之所以能对他人为什么做某事，一个人为什么知道另一个人不知道的事情等形成更复杂、更细致入微的理解，是因为人有叙事能力。这是比基本知觉、情绪和具身性相互作用更复杂的能力。

叙事能力包含理解别人讲的故事的能力，以及自己编造有情节的故事的能力，人在大约两岁时开始发展这种能力。其作用是“提供了理解他人的更细致入微的方法”。这种能力为证明我们关于他人所具有的细致入微的理解和误解提供了更好的方法。相应地，因为叙事能力的形式不同，所以“不同形式的叙事能力就使我们以不同的方式理解他人”。[③]例如，FP 的叙事能力为我们理解他人的意向行为提供手段。

这类理解他人的能力不同于类比推理之类的方法。因为它们“不关心发生在头脑中的事情，而关心发生共同世界中的事情，关心人们对世界怎样予以理解，

① Gallagher S, Zahavi D. *The Phenomenological Mind: An Introduction to Philosophy of Mind and Cognitive Science*. New York: Routledge, 2008: 210.

② Gallagher S, Zahavi D. *The Phenomenological Mind: An Introduction to Philosophy of Mind and Cognitive Science*. New York: Routledge, 2008: 189.

③ Gallagher S, Zahavi D. *The Phenomenological Mind: An Introduction to Philosophy of Mind and Cognitive Science*. New York: Routledge, 2008: 215.

怎样作出反应。在这个意义上，我们对他人的常识理解并不是由FP理论促成的，而是由以成熟的叙事为基础的训练有素的实践推理所使然”。[①]

以叙事方式理解他人的形式既有显性方式，又有隐性方式。“叙事的隐性运用指的是，当我理解他人的行为时，即使我们认识到我的理解包含着一个叙事构造，也能予以理解。”[②]显性理解是指对他人的故事有明显的知识，基于此完成对他人的理解。

现象学在他心问题上的方案是强调主体间性、具身性和叙事能力，可称作“非心理化的、具身性的、知觉性的方案”。它认为，他人的身体以完全不同于别的物理实在的形式呈现出来，进而认识到，我们关于他人身体呈现的知觉不同于对物理事物的知觉。他人是以“活的身体”的形式在它的身体呈现中被给予的，并且他人身体能动地沉浸在世界中。正如萨特所述，把他人的身体看作是生理学所描述的身体，这是极大的错误。别人的身体是在一种语境下或有意义的情境下给予我的，这情境是由行为和身体共同决定的。

因为心灵具有具身性，或者说，我既有内部，又有外部，所以是“可通达于他人”，“如果只有关于我自己的绝对的意识，那么意识的多样性就是不可能的”。[③]既然心不是单子性的东西，既有内又有外，因此是可以为他人直接经验的，就像我能直接地经验他人的心一样。另外，我与他人之间客观存在着主体间性，即有共同的、非内在主义的东西，因此，对他心的认知就没有什么鸿沟。

加拉格尔等说，“既然主体间性在事实上是可能的，因此我自己的亲知与对他人的亲知之间就有连接的桥梁；我对我自己主观性的经验一定包含着对他人的预感”。“如果我认识到他人的身体被看作是主体外的具体化的东西，那么我就一定得到了让我如此做的某东西。当我经验他人时，事实上存在着一个共同的东西。在两种情况下，我都碰到了具身性。我的具身的主观性的一个特征是，它根据定义，包含着在世界中的行为和生活。”[④]所以，当我进行身体的自我考察时，当我

① Gallagher S, Zahavi D. *The Phenomenological Mind: An Introduction to Philosophy of Mind and Cognitive Science*. New York: Routledge, 2008: 215.
② Gallagher S, Zahavi D. *The Phenomenological Mind: An Introduction to Philosophy of Mind and Cognitive Science*. New York: Routledge, 2008: 215.
③ Merleau-Ponty M. *Phenomenology of Perception*. New York: Routledge, 1962: 373.
④ Gallagher S, Zahavi D. *The Phenomenological Mind: An Introduction to Philosophy of Mind and Cognitive Science*. New York: Routledge, 2008: 185.

接触或观察我的身体时，我碰到是我自己存在的那些也能为别人看到或接触到的诸方面。总之，我能经验他人，他人也能经验我。

八、简评

通过以上对当代他心问题研究的一个基本梳理，我们不难发现其中一些发展规律。首先，他心问题所涉及的本体论讨论从二元论向一元论发展。如果我们把他心问题理解为认识论问题的话，那么我们就必须优先讨论心灵的本质是什么、心身有何关系这些形而上学的问题。二元论尽管曾经占据主导地位，并且也契合FP，但就近几十年的发展态势来看，心灵的自然化是主流。其次，这一主题的研究范围从传统的认识论、知识论领域向价值论领域拓展。欧洲大陆哲学对他心问题的探讨就是从这一层面展开的。欧美的这一趋势恰恰与重伦理主导的中国传统思想有异曲同工之妙。最后，解决问题的方法层出不穷，除了早期的类比论证、科学推理以及传统的语言分析、现象学方法外，当代学界还大量运用了自然科学的成果、方法来认识他心。

说到中国自己的心灵哲学发展，一条基本的原则是“洋为中用、古为今用”。首先，我们要充分利用语言分析的方法来解决他心问题。这是维特根斯坦给我们的最大启示。心身问题被有些人看作是最后一个形而上学问题，对于这一问题的研究必须关注语言。维特根斯坦认为哲学混乱的最初根源就在于我们一开始就受到那种构造心理现象的错误图像的诱惑，而这种诱惑是由我们概念的语法表现出来的。语言既是产生哲学问题的根源，又是克服问题的手段，语言分析必不可少。其次，重视自然科学的发展。研究心身关系现在不再是哲学的专利，自然科学，特别是计算机科学、脑科学、神经科学、认知科学等都在当代获得巨大发展，为拓展心灵哲学研究提供了方法、视角和材料的支持。我们需要密切关注和追踪相关领域的发展。最后，对于当代中国学界来讲，我们不仅要关注他心问题的英美哲学路向，强调研究这一问题在求真方面的意义，同时还要关注欧洲大陆哲学路向在求善方面的意义。因为它契合伦理主导的中国传统思想，并且对于当下的中国具有现实意义、借鉴意义：一个和谐、自由的社会不可能在一群单子式的个体上建立起来，它必须包含各种差异性的他人（他心）。所以对这些基础问题的讨论完全有必要了：世界的结构是怎样的，以至于主体间性成为可能？他人（他心）与我的关系如何建构？这些问题的讨论恰恰是坐在书斋的学者介入现实生活的恰当方式。

第十五章
情绪：内在经验与认知评价

第一节 情绪的内在经验与情境重构*

早在古希腊时期，柏拉图就意味深长地问道：我们之所以爱某物是因为它可爱，还是由于爱它而觉得它可爱？[①]是先有爱这一情绪，然后认识到爱的对象可爱，还是先判断爱的对象可爱，其次才有爱的情绪呢？前者的主张预设了情绪生成的外在条件，而情绪只是察觉、反映了这些实在；后者则将情绪的生成回溯至人的主体特质，认为某物不过是情绪自身的投影。

一、情绪作为一种认知评价

对于情绪与认知的关系，2000 多年前，哲学家们就已开始进行思考。有的认为，情绪受到认知约束，但又想挣脱认知的控制，柏拉图就持这样的态度；亚里士多德则把情绪看作高级认知与低级的纯感官欲望相结合的产物，并且一种情绪与另一种情绪的根本区别不在于生理层面，而在于信念。而到了近代，斯宾诺莎主张，情绪是认知的结果，尽管他也将欲望和感觉看作情绪中重要的方面。例如，

---

* 费多益.《情绪的内在经验与情境重构：基于心灵哲学的视角》，《哲学研究》2013 年第 11 期，第 110-117 页。
① 柏拉图.《柏拉图对话集》，王太庆译，商务印书馆 2004 年版，第 14 页。

他认为，爱是为一个外在的原因的观念所伴随着的快乐，恨是为一个外在的原因的观念所伴随着的痛苦。[①]显然，这些身体反应只有按照某种方式进入我们的认知过程，才能被称为情绪。

情绪认知论（cognitive theory of emotion）认为，情绪产生于对刺激情境或对事物的评价，认知过程是决定情绪性质的关键因素。情绪认知理论呈现以下多种形式，如阿诺德（Arnold）的评定-兴奋说强调，任何评价都带有感情体验的成分，评价补充着知觉并产生去做某事的倾向，情绪是认知评价的结果；沙赫特（Schachter）的认知-归因理论认为，任何一种情绪的产生，都是由外界环境刺激、机体的生理变化和对外界刺激的认识三者相互作用的结果，而认知过程又起着决定的作用；拉扎勒斯（Lazarus）的认知-评价理论认为，情绪是个体对环境事件知觉到有害或有益的反应，在情绪活动中，人们需要不断地评价刺激事件与自身的关系，从而认知评价成为情绪状态的构成基础和组成特征。

从上述理论可以看出，无论情绪发生在认知之前还是之后，认知都是情绪产生的必要条件。情绪认知理论的核心词语是评价，即情绪源于对情境、事件、事实等作出的评价。情绪必须包含一种判断或信念。例如，如果我害怕熊，那么我不仅仅会体验到手脚冰凉，而且我相信或判断熊是危险的或对我有威胁。这一恐惧情绪发生的必要条件或主要原因是，我判断或我相信我处于危险之中。对于情绪本质的认知解释显然强调了其理性的一面。作为一种动态水平的描述，评价不仅仅涉及神经生理相关事件，而且涉及外界环境；它不仅仅与当前状况相关，而且会延续较长的一段时间。这些并不意味着评价不客观，而只是表明对于情绪不能作简单、直接的解释。

情绪认知理论有助于我们解析日常生活中难以理解的情绪现象。人们常常发现各种情绪之间会互相冲突，他们的情绪反应也会摇摆不定，认知理论对情绪的这种复杂性与微妙特征都作出了较为清晰的解释。由于情绪是一种评价或判断，那么信念和判断等的改变就会改变情绪状态或使情绪消除。比如，我听到你说我“口吃”，然后发现你实际想表达的是“口齿”，那么我的生气情绪会缓解或消除。

---

① 斯宾诺莎.《伦理学》，贺麟译，商务印书馆 1997 年版，第 153-154 页。

虽然最初的判断引发了不快的情绪，但随后我判断出你说话的意思，相信你并没有取笑我，所以不再生气。认知理论坚持行为源于认知，正是后者帮助我们判断愤怒、焦虑、紧张等行为的特征。例如，人们节食很可能是担心发胖，而非认知主义理论却没有把它们联系起来。情绪认知理论还能很好地解释情绪的动力性和情绪行为的理智性和固定性。例如，一个人被无辜伤害，他可能愤怒地进行报复；相反，如果施害人使他产生了特定个人特征的评价，如漂亮、迷人、善良等，复仇者很可能产生动摇。总之，情绪认知理论不但考虑到行为背后的动机，而且考虑到微妙的、理智的、得到合理调节的动机对于情绪的重要意义。[①]

既然情绪包含判断的成分，那么就存在着判断的标准或依据问题。情绪评价所依据的是人们自己的需要、欲望、价值和目标等，即情绪的对象是对个体有意义的内部或外部环境的事件——外部环境是除自身以外的周围事件，内部环境就是自己的思想、记忆和意象。里昂斯（Lyons）指出，情绪是包含对我或与我相关的一系列对象、事件或情境的判断，也可以是根据自己的判断标准对其他人所处情境进行的判断。[②]因此，我们不仅可以体验到自己的情绪，也能理解他人的情绪，从而使得情绪具有人际交往的功能。情绪的识别、命名与分类需要借助特定的概念、信念和判断：生气是判断一个人被冒犯，悲伤是判断一个人遭受了损失，恐惧是判断一个人处于危险之中，等等。

但是，评价和判断能否作为情绪的起因，认知被置于情绪发生的核心地位又是否合理呢？是否存在不具有认知性的情绪现象呢？设想一下：我的朋友考了高分，此时认知判断告诉我要为朋友感到高兴，但是我的情绪却是嫉妒——认知判断和情绪状态在此时并不一致。日常生活中，我们也经常看到，对于厌食症、强迫症、恐怖症等，认知是无法控制它们发生的；莫名的恐惧和焦虑，其间完全没有认知评价，甚至连情绪的对象和目标都不存在，但是人们确确实实体验到了这类情绪。再比如，无缘无故地讨厌一个人，毫无理由地爱一个人，虽然有情绪的对象，但没有认知判断，纯粹是一种无意识的情绪。这些都是情绪认知理论无法解释的。

上述情绪的发生，有些有认知参与，有些则没有，而有些相同的判断导致的

① 卡尼曼.《情绪和认知的哲学基础》，阳志平译，首都师范大学心理学系，2000 年。
② Lyons W. *Emotion*. Cambridge: Cambridge University Press, 1980: 23.

情绪结果却大不相同。无论是哪种，人们都体验到了情绪，并且他们的生理和肌体都发生了变化，而认知理论恰恰忽略了情绪的这个方面。那么，为什么情绪的身体反应可以独立于认知状态？情绪与认知之间的关系究竟如何呢？

二、非认知情绪与现象学考察

情绪的认知理论是典型的笛卡儿模式。在这样的情绪概念中，人们不需要与外界的客体直接接触，仅仅是通过（主观地）评价客体的方式产生情绪，身体在情绪的体验中不是一个必要的元素。也就是说，评价是离身的（disembodied），环境条件的认知表征无须满足情绪体验的基础。但是，日常经验告诉我们，情绪的含义并不仅仅依赖于情绪主体的心理表征。

在反对情绪被还原为认知评价这一点上，詹姆斯的情绪理论再一次引起人们的重视。詹姆斯认为，情绪只不过是对于身体所发生的变化的感觉，如果没有身体变化，如肌肉紧张等，也就没有什么情绪；身体变化在先，情绪体验在后。认知是无法产生一个情绪状态的，只有生理变化才把情绪性（emotionality）带到情绪中。人们无法控制情绪所伴随的生理变化，如心跳、体温等，后者是自动发生的。有实验表明，恐惧和悲伤比厌恶产生更快的心跳速率，愤怒比恐惧产生更高的手指温度，而认知却无法使恐惧和厌恶产生相同的心跳速度。也就是说，认知不能控制生理变化的产生及其程度。

那么，是否可以把情绪定义为自主的或自发的生理变化呢？因为无论是否有认知判断参与，情绪中都存在心跳、血压、体温、激素等生理变化，而且不同情绪的生理变化各不相同。答案是否定的。因为那些生理变化完全可以由运动引起，而没有情绪的面部表情也的确是存在的。

情绪的发生不只伴随着生理变化，还有肌体活动，其中最主要的是面部表情。艾克曼（Ekman）等发现，生气、恐惧、愉快、惊讶、沮丧、厌恶等基本情绪的表达具有跨文化的共通性。[①]对于表情正常的人来说，每种情绪的发生必然包含特定的面部表情——情绪不同，面部表情也不相同。此外，人为地操纵面部肌肉运动表现某种面部表情，能导致与其相应的情绪体验的产生或增强，即对情绪体

① 艾克曼.《情绪的解析》，杨旭译，南海出版公司2008年版，第12页。

验具有反馈效果，这就是“面部反馈假设”（facial feedback hypothesis，FFH[①]）。研究者把被试分为2组，第一组用嘴含住一支铅笔，第二组用牙齿咬住一支铅笔。被试报告体验到的情绪，并接受生理变化测试。第一组被试报告体验到生气的情绪，第二组被试报告体验到高兴的情绪，而且，两组被试体验到的皮肤温度和心跳速度分别接近于生气和高兴。也就是说，用牙齿咬住铅笔的人，面部不得不形成微笑的动作，嘴角向上并向后拉，同时面颊自然上提，从而体验到高兴的生理变化；而嘴唇含着铅笔的人，聚拢双眉并使之向下（皱眉），同时咬紧牙关并使嘴唇紧闭，会体验到生气的生理变化。此外，研究人员还发现，面部表情受限或缺乏的被试，其情绪感也不同程度地受到了影响。

情绪过程中的生理变化和认知评价拥有各自的持续时间。埃尔斯沃思（Ellsworth）曾提出情绪流的概念。他认为，情绪就像在河流中一样，随着认知评价、行为倾向、身体状态和感觉的改变而改变。比如，前面那个“口吃”和“口齿”的例子，我起初是生气的，在判断是发音不准造成时，会评价自己“不该生气”，但是生气的生理变化不会立即消失，情绪也不能立刻中止。又比如，当某一危险已经结束，你仍会感受到内心翻腾，那些感觉要10～15秒才会逐渐平息，你无法缩短这段时间。也就是说，认知评价在情绪的过程中扮演了一个裁判的角色，起到监督情绪的作用：认知一吹哨，警告终止情绪，但是情绪具有持续性，只能慢慢地减弱，如生气缓解的表现是心跳逐渐减速，人们逐渐冷静下来等。

不论情绪是否得到控制，也不论情绪是自发的还是刺激引起的，面部表情的变化都反映了情绪的强度以及激发情绪事件的细节，同时它产生了一些生理活动和情绪的主观经验。具体情绪在意识中出现，即情绪的主观体验的产生，依赖于表情模式快速的、具体的感觉反馈。表情是情绪的外显行为，也是情绪的发生机制。当然，做鬼脸不是情绪产生的一般情况，而且，人们在没有体验情绪的情况下也可以作出虚假表情。但有一点可以肯定的是，人们在无认知判断参与时依旧可以体验到情绪。

从情绪发展的角度来看，人类早期的情绪也是不需要复杂的认知的。弗里达（Frijda）提出了情绪的“非习得性（unlearned）刺激”。他指出，包括人类在内的

---

① Adelmann P, Zajonc R. “Facial efference and the experience of emotion”. *Annual Review of Psychology*, 1989, 40(1): 249-280.

很多动物对于陌生和新奇的刺激都会本能地进行情绪反应。例如，婴儿害怕陌生人或不熟悉的环境，引起恐惧的这些刺激在他们出生时并不存在，但却很容易获得，几乎不需要学习（对蜘蛛和蛇的恐惧就是典型的例子）。其他恐惧情绪只是对于最原始恐惧情绪的一种迁移，或是对于原始恐惧情境的一种共鸣和共情。人类在出生时就拥有或内嵌了原始情绪（基础情绪），以后更为复杂的情绪只是对于原始情绪的再加工，而原始情绪是不需要认知判断的。尽管按照弗洛伊德的观点，情绪自婴儿出生起就被不断地释放与压抑，但它作为一种本能并没有改变，情绪种类的发展只是对于最基础的本能的一种修饰或完善。

然而仅仅用本能论来说明情绪可以独立于认知，似乎缺乏足够的说服力。因为人类的本能是无法观察和描述的，况且，研究对象是新生儿，未涉及成人被试，其结论也难免片面。作为一种理论假设，它需要更多的实验证据。而扎荣茨（Zajonc）的一系列研究恰恰弥补了这一不足，他通过实验验证了情感优先假说，即对刺激的简单情绪属性加工比更高级的认知属性加工的速度要快得多。

（1）纯粹接触效应（mere exposure effect）。研究人员先向被试快速展示一组不规则的多边形，接着又快速展示另一组多边形，并让被试选择更喜欢其中哪几个。被试所挑选出的两个多边形恰好是第一次看过的。由于展示的速度非常快，被试来不及对刺激进行认知加工和判断，此时表现出的喜好纯粹是一个自动的、无意识的反应，它直接由一个频繁接触的刺激引发。这就是单纯接触效应：一个刺激越频繁，你就会越喜欢它，即使人们不能识别它。①

（2）无意识情绪启动（non-conscious affective priming）。实验让被试对“中性”刺激产生情绪反应。这里的中性刺激是汉字（被试不懂汉字），“启动”的刺激是一些带有高兴或生气等面部表情的图片。先给被试快速呈现一幅表情照片，然后再呈现一个汉字，由被试判断喜欢哪些汉字，实验发现，被试对于跟随在愉快表情图片后的文字表现出好感。但是，当将文字前面的表情照片慢速展示时，被试能有意识地识别表情图片，他们对汉字喜好的选择则很少受到面部表情的影响，即启动效应消失了。②表情图片作为被试判断汉字的根据，未被被试觉

① Zajonc R B. “The interaction of affect and cognition”. In Scherer K, Ekman P(Eds.). *Approaches to Emotion*, New York: Psychology Press, 2009: 239-246.

② Zajonc R B. “Evidence for nonconscious emotions”. In Ekman P, Davidson R J(Eds.). *The Nature of Emotion: Fundamental Questions*. Oxford: Oxford University Press, 1994: 293-297.

察到，但确实引发了被试的情绪，这类情绪称为无意识情绪。该实验表明，情绪的产生可以脱离认知的参与。

（3）“阈下知觉”（subception）。实验展现给被试 10 个单词。被试在看到其中 5 个单词时被给予电击刺激，另外 5 个则没有。实验者以很快的速度向被试呈现单词，并让被试识别哪些单词是先前实验已经看过的，当被试再次看到有电击刺激的那 5 个单词时，会有增强的皮肤电反应。[①]皮肤电反应加强证明被试是讨厌或抵触这些单词的，但是这种负面情绪没有经过认知的加工，它独立于认知，是意识无法识别的。此效应称为“阈下知觉”效应，即这类知觉是发生在意识之下的，人们意识不到它。

无论是艾克曼、扎荣茨还是弗洛伊德，他们都反对这样一种观点，即认知发生在情绪的身体变化之前。不过，他们的情绪学说是以内省观察为基础，并从现象学角度进行描述的，而神经生理学的实验结果则为相关结论提供了更为精确的依据。勒杜（LeDoux）以老鼠为实验对象进行研究发现，大脑中的杏仁核是恐惧反应的中枢，恐惧的情绪意义在这里进行登记（catalog）。丘脑是大脑的“感应中转站”，它接受输入的刺激，并把这些刺激传输到皮质的不同部分，负责不同感觉模块（视觉、听觉等）的高级加工。老鼠听到蜂鸣后，听觉信号传入听觉丘脑，听觉丘脑被激活。这时接收的信号有两个并行的传输路径：一个是信号传输到听觉皮质，听觉皮质对听觉信号进行识别并进行认知加工，然后把加工后的信号传输到杏仁核，由后者评估是否产生恐惧的情绪反应。另一个是听觉信号绕过皮质，直接把听觉信号传输到杏仁核。听觉刺激经丘脑-杏仁核这一直接通路到达杏仁核要用 12 毫秒，但是经皮质通路却要用两倍的时间。换句话说，杏仁核可直接获取感觉输入并赶在皮质思维中枢作出决策之前抢先作出反应。

勒杜由此揭示了大脑中恐惧情绪的两条神经通路：一个是“快速加工系统”，反应非常快，提醒有机体周围哪些事情是危险的，但却不能仔细地识别这些事情。另一个是慢速而更具识别性的加工系统，是通过皮质操作的，能计算出丘脑-杏仁核的“无意识情绪”是否合适。后者相当于对无意识情绪的再评价。也就是说，恐惧情绪最初产生是通过杏仁核的“非认知评价”，随后较慢的“认知评价”再

① Lazarus R S. “Appraisal: the long and the short of it.” In Ekman P, Davidson R J(Eds.). *The Nature of Emotion: Fundamental Questions*. Oxford: Oxford University Press, 1994: 208-215.

来评估先前自发情绪的适合性，以此指导有机体后续的反应。如果两个评价不一致，就要修改最初的“非认知评价”；反之则不用。值得一提的是，他根据化学递质追踪的结果发现，恐惧切断了丘脑向杏仁核传递的通路，从皮质传来的信息有可能证实或否定直接从丘脑-杏仁核传来的信息，从而确认“情绪评价”是否合适以及所产生的情绪反应应当保持还是中止。[①]这说明，恐惧或其他原始情绪，在信息到达大脑皮层进行评价和作出反应前就已经被激活。

以上考察表明，身体对与自己有关的事情或刺激有一个非认知的或无意识的情绪反应，这类反应是自发的。换句话说，没有认知的参与，情绪依然能够发生，认知对于情绪不是必要的，因为意识阈限之下的情绪的确出现了，人们不能因感受不到或意识不到它们而否定其存在。

三、无意识层面与情绪的自主性

如前所述，情绪可以独立于认知而存在，这意味着我们需要在意识层面把情绪区分为有意识情绪和无意识情绪。它们是情绪的两个水平，不需要认知参与的是无意识情绪，它经由认知监督和约束形成意识情绪，有意识情绪是日常生活中可以用语言表达的情绪。无意识情绪既可以独立存在，也可以作为意识情绪的一部分。认知则是情绪从意识阈限之下向意识阈限之上过渡的“监督者”，它负责协调情绪由低层次向高层次转化。比如，判断哪些无意识水平可以进入意识水平，哪些不能进入，哪些还需经过修改以及依据何种标准，等等。如果把情绪比作球员，认知就好比是裁判，在认知吹哨的一瞬间，有些球员继续比赛，有些球员被黄牌警告，而有些球员却被红牌罚下，中止比赛。能继续比赛的，是经过认知允许并让人们体验到的情绪；红牌罚下的，是被禁止进入意识的情绪；黄牌警告的，则是被通知修改和完善后方可进入意识的情绪。无意识的自主反应是情绪发生时必不可少的一环，而认知是意识情绪发生的中介，但它不是必需的。

既然情绪存在无意识的情形，那么即使人们刻意掩饰自己，他们的声音和面部表情也会泄露其所隐藏的情感。艾克曼正是通过现象学方法分析了微表情所暴

① LeDoux J. *The Emotional Brain: the Mysterious Underpinnings of Emotional Life*. New York: Simon and Schuster, 1996: 28.

露的真实内心感受。微表情是最原始的情绪表达，它一闪而过，持续的时间只有1/25～1/5秒，而表情的持续时间要长一些，如微笑一般持续2秒。微表情对应的是非认知评价，表情对应的是认知评价。微表情难以被发现，它往往被表情掩盖，这意味着认知评价掩盖了非认知评价，所以情绪的真假需要通过比较两个评价是否一致进行判断。尽管如此，微表情这种独立于认知的无意识情绪恰恰是真实的心理体现。

无意识情绪尽管没有产生意识的感觉，但这些反应仍能促使人们达到所期望的状态或行为。例如，人们在经历了严重的车祸、火灾等创伤事件之后，会出现选择性遗忘——遗忘对于人们伤害较大的情境，这就是认知把创伤记忆从意识压入潜意识中。但我们的身体或情绪对于这类痛苦事件的记忆是永久存在的，情绪会唤醒人们对事件或情境的记忆。假如在判定车祸或火灾凶手时，给被试设置一个模拟火灾现场的情境，被试可能逐渐回忆起事发的情形。此时，情绪冲破了认知的封锁，使模糊的记忆逐渐变得清晰，这就是由无意识情绪引发的陈述性记忆。当然，对于过去情绪场景的回忆，既可能出自主观的意愿，也可能是脑中突然想到的，但不论何种途径，都有可能引起当下真实的情绪反应。艾克曼等通过引发情绪记忆研究了各种情绪的特殊表情和生理反应。他们原本以为，被试知道自己正被观察，并且身上缠绕着测量心跳、呼吸、血压和体温的各种装置，因而很难重新体验过去的情绪。结果完全相反，大部分人重新进入过去的情绪情境，甚至有些人是立刻产生情绪。不过，情绪这种打破认知禁锢的能力，并非必然表现出来，而且还需在特定条件下才会发生。

从进化的观点看，无意识情绪是生存适应的结果，这也是情绪的一项重要的生物学功能。作为对外界环境一种最迅速、最直接的反应，情绪使我们有效地调动自己的认知资源去处理问题——它可以让我们从众多的竞争因素中，选择对于自己的需要、目标和利益重要的事物；它会在几毫秒内指挥我们的行为、言语和思想，告诉我们当下的处境是安全的还是危险的，随后肌体的活动和自主神经系统的改变则为有机体未来的行为作准备，如转动方向盘，以避开其他车辆，并用脚踩下刹车，同时脸上会闪现害怕的表情：眉毛抬高、双眼圆睁，嘴唇向耳后方拉长。虽然没有做出费力的动作，不需要增加血液循环，但心脏还是开始快速跳动。这是因为在进化过程中，那些反应有助于我们在害怕时作好逃跑的准备。这些情绪体验是我们对外界环境或需要处理的问题的直接投射和自我保护，使我们在尚不知道发生什么时就作出反应，帮助我们诊断和处理紧急的情形。情绪的这一功能把我们的注意力集中在环境的某些方面，判断这些方面对于我们的意义和价值。

但是，情绪提示的防卫往往会有过当的情形，这是因为认知有时无法控制瞬间爆发的情绪。一些“激情犯罪”的人常常说“我当时脑子一片空白”，这正是无意识情绪失控的后果。一种非正常的情绪状态，需要有某事件的情绪记忆和一个特定的刺激。例如，玛丽曾滑雪摔倒，对此她有痛苦的记忆。现在，即使在一种非常安全的情境下（如干燥的路面），一个轻微的滑动也会使她害怕。这个例子中特定的刺激是“打滑”，它能引起一种无意识的或是自动的情绪反应。虽然这一特定刺激和自动情绪反应之间的联结是错误的，但却是认知无法改变的。与此相似，汤姆对有权威的女性充满了怨恨，这是因为他母亲是一个女强人，他从小就没有感受到母亲的爱。后来，汤姆参加了工作，刚入职的他就对自己的老板珍妮产生了怨恨，然而之前他对她的情况一无所知——对母亲的异常情绪扩散到了其他女性的身上，权威母亲成为其他权威人物的一个原型。同样，对父母和兄弟姐妹早期的正反情感并存的体验也可转移给同事、下属、领导、爱人、朋友等。[①]以上两例中先前的情绪已经被固定在记忆中，并在以后生命中的类似情境中重新产生，即便人们不愿让它们发生。

类似的情形还有，很多人不相信这世界有鬼，但是半夜到了墓地，却仍然感到害怕，虽然相信世界没有鬼，但是孩提时的情绪惯性一时无法改变。类似事例还有后怕、沉醉于梦境。生气、害怕、快乐的理由或对象已经消失，但是情绪仍然存在或者转化为别的情绪（如喜极而泣）。情绪的这一现象意味着情绪具有自主的动力，不是认知的附属，不会随着认知而起灭。与情绪惯性相似的现象是情绪的自展（bootstrapping）。例如，假戏真做或弄假成真（本来没有情绪，也没有情绪对象，伪装之后却有了情绪），推波助澜、放任情绪使之增强（悲痛欲绝、借酒浇愁愁更愁），自我安慰（精神胜利法、沾沾自喜、为赋新词强说愁），等等。

综上可见，无论在实验研究还是现实生活中，无意识的、不自觉的反应都是

---

① Smelser N J. “The rational and the ambivalent in the social sciences”. *American Sociological Review*, 1998, 63(1): 1-16.

存在的，它们完全不受认知的控制，这也是心理治疗和心理障碍旨在解决的重要问题。目前很多研究都在致力于寻找认知掩饰和修改下的无意识情绪，以期找到真实的情绪以及情绪的本质，从而充分地认识自我。不过，这样一来，又产生了新的问题：无意识情绪已经发生，为什么还需要认知来改变呢？如果没有认知，无意识情绪将会怎样？什么原因促使认知参与了情绪的发生？这就涉及社会和文化的因素。

四、情绪与典范场景

情绪产生后，我们会在记忆中对它进行登记并将它编入某类情绪中，同时也需要对与情绪相关的一系列事件或情境进行登记，这在很大程度上依赖于情绪概念的界定及其所处的文化背景和社会规则。

许多研究证实某些情绪的确是跨文化的，但这并不表示所有文化的情绪经验是类似的。不同文化的情绪经验也不同，文化是理解和预测其多元化的重要模式。文化的差异造就了不同国家和民族情绪的不同特点。人们在识别和表达情绪时除了依据普遍的情感系统（universal affect program），还要凭借独特的情感系统（specific affect program）。普遍情感系统存在于所有文化群体中，来自不同文化地域的人都能理解，而独特情感系统存在于每种特定的文化群体中，它受文化和环境的影响，使不同文化背景下的人在表达情绪时会产生细微的差异。埃尔芬拜因（Elfenbein）等提出了方言理论。方言在发音、语法、词汇等方面具有不同程度的差别，他们认为，普遍情感系统像一类语言系统，具有通用性，不同文化群体在其中可以相互识别；而每种独特情感系统就类似于“方言”，受到历史传统、教育背景等后天环境因素的影响，并且独立地执行相应的功能。[①]

社会文化和情绪核心的联结之一是如何获得概念的问题。[②]某些情绪的出现必须以拥有某些概念作为前提。譬如，有了死亡的概念才能经验到死亡的恐惧，

① Elfenbein H A, Beaupré M, Lévesque M, et al. “Toward a dialect theory: cultural differences in the expression and recognition of posed facial expressions. *Emotion*, 2007, 7(1): 131-146.

② Solomon R C. “The cross-cultural comparison of emotion”. In Marks J, Ames R T (Eds.). *Emotions in Asian Thought: a Dialogue in Comparative Philosophy*. Albany: SUNY Press, 1995: 263.

要体验背叛的感受必须有“背叛”的概念，等等。而人类的许多概念又是在社会文化中习得的——学会了“人道”“公平”等概念，面对虐待、仗势欺人或恃强凌弱等情形，才能够产生不平、义愤等相关感受；只有学会了尊严、自我、生命权等概念，施暴者才可能产生内心的不安、懊悔或罪恶感。

既然某些情绪必须依赖于某些概念才能出现，而这些概念只有在某些文化中才能获得，那么，其他社会文化中的人要感受这些情绪就可能面临困难。试想，一个普遍盛行奴隶制度的社会，要主人对贩奴行为感到羞愧或有罪的话，除非他具有普遍人权或类似的概念。在一个缺乏个人财产制度的社会中，要社会成员产生偷或被偷的感觉或情绪似乎不大容易。这也正是某些情绪在某些社会特别受到珍视或贬抑的原因。我们通常以为“怒”是人类普遍的情绪，人类学家却发现某些因纽特人不会感到生气，而且所使用的词汇也没有“怒”这个字；与此类似，伊法鲁克（Ifaluk）人经验到的 fago（同情、爱与悲伤的混合情绪），是我们亚洲人所无法理解的。[①]

文化在这里无疑起到了典范场景（paradigm scenarios）的作用。典范场景包含两个方面：第一，提供特定情绪类型的特征对象的一个情境类型；第二，对这一情境的一系列“标准”反应。所谓“标准反应”，首先是一个生物学的事件，随后变成了文化上的事件。在很大程度上，正是借助于对该典范场景的反应成分，情绪才通常被认为是动机性的。不过，在某种意义上，这是从后到前的，因为情绪通常由反应倾向而得名，只是随后才被假定为引发了这种倾向。前面我们谈到，快速的非认知评价可以粗略地区分最基本的情绪，如恐惧、生气、悲哀等，然而对于诸如羞耻与愧疚、猜忌与嫉妒之间的细微差异却无法进行精确识别，这些细致的区分是由认知参照具体情景完成的。例如，笑可以分为微笑、嘲笑、奸笑、苦笑等，对于这四种笑的命名和分类就要借助情绪的场景——不同的场景引发了不同的笑，我们根据场景进行判断和理解，并对照个体的生活和文化背景，进而在意识中区分笑的含义。有些情绪只有依靠典范场景才能得到理解。比如，在日本文化中，有一种被称作“依赖”（amae）的情绪，它是一种被动的爱，一种类似于儿童对母亲撒娇的特殊的依恋。欧美国家

---

① Solomon R C. “The cross-cultural comparison of emotion”. In Marks J, Ames R T (Eds.). *Emotions in Asian Thought: a Dialogue in Comparative Philosophy*. Albany: SUNY Press, 1995: 277.

的人们感受不到如此这般的情绪，而在日本，依恋是其国民社会心理最突出的特点，即“依靠他人的爱”的倾向，如孩子对母亲的依赖、下级对上司的依赖等，不仅人们能够很敏感地觉察，甚至日本的国人性格以及社会结构都是围绕着这样一种依赖建立起来的。①

典范场景与情绪的真实性紧密相关。人们有时会克制自主的情绪而把外部的肢体语言隐藏起来，甚至表现出相反的情绪动作，也就是说对情绪进行掩饰或修改。例如，通常喜悦的表现是笑和心跳加快——笑是面部表情，心跳加快是生理变化，二者都是反应倾向；老板责备我，我面带微笑，心跳也加快了，而我的情绪却是愤怒。笑的表情可出自内心的喜悦，也可以是矫揉造作或强颜为欢。显然，仅仅依靠简单的反应倾向来定义情绪是不完备的，喜悦的情绪概念必须包含能引发喜悦的情境，也就是说，场景成为定义某类情绪的主要元素。那么，如何判断当下情绪状态是否真实呢？这需要区别该情绪状态是认知还是态度。例如，你听到某人说“我生气了！”，可是她并没有真实的生气状态，没有产生自动的情绪反应，也未体验到生理变化。相同命题内容的判断，为什么有时能导致生理变化并产生情绪，而在另一些情形中却没有？因为上述所谓的“生气”涉及的仅仅是一个认知状态，它告诉人们在某一特定情境下应该有什么样的标准情绪反应，但却不识别人们自身体验到的情绪状态，或者说认知已经意识到真实情绪与适当情绪的矛盾，但却无力改变。人们经常会说“我应该生气的，为什么不生气呢？”，认知判断是“我应该生气”，我也努力表现出生气的样子，但依旧无法使自己体验到生气——情绪反应不受意识的控制，因此，认知评价需要依靠典范场景使个体产生标准的情绪反应，只有当二者一致时，情绪才是实际的、真实的。

综上所述，情绪的存在与意义，是由个体与其社会情境互动形成的。人类最原始的本能或内驱力表达了他们最基本的需要和欲望，然而文化为情绪设定了边界并构建起不同的典范场景，以此来约束和协调情绪的发生，使之变得更加合理、更具可交流性，从而使人们能更好地理解他人并融入整个社会。

① 土居健郎. 《日本人的心理结构》，阎小妹译，商务印书馆 2006 年版，第 16-27 页。

第二节　情绪的因果性分析*

情绪是普遍而深刻地影响着人类其他精神活动的重要精神现象。20世纪后半叶，科学家开始重新审视情绪在认知中的意义和地位，情感现象及其与其他认知过程的相互作用构成了当代认知科学研究的前沿领域，并由此开启了人类心智研究的新阶段。与之相应，对情绪的本质及其因果性的探讨也成为心灵哲学的重要话题。

一、情绪的感受质

提到情绪，人们通常想到的是一种生理或心理上的感觉。例如，爱的情绪使人有温暖而甜蜜的感觉（受），紧张的人会感受到心跳加速，恐惧者往往感到毛骨悚然或不寒而栗等。因此，这里首先要问的一个问题是，假定把这些生理、心理的感受去掉，情绪还存在吗？

在西方哲学史中，笛卡儿和詹姆斯是比较重视情绪的感觉或感受的两位。笛卡儿极其强调情绪所涉及的身体因素，在他关于情绪的长篇论述中，最引人注目的也许就是他对各种情绪的身体表现以及对血液流动和“生命精气”的各种运动的描述。例如，爱的客体在人脑中留下的印象引导着动物灵魂，这种灵魂通过第六感官的神经，通过肠、胃对食物的消化，营造并传递着新的血液，快速地、不断地向心脏运行，然后再通过心脏传至全身四周。当人充满爱的激情时，血液运动的速度比平时要快，其运动力量比平时要大，它给心脏提供充足的热量；血液把灵魂送至大脑，人的情绪变得比平时更为愉快。①这是因为，在他看来，这些激情的成因不仅存在于大脑，而且也存在于人的心脏、脾、肝和所有服务于血液生产和最后形成心灵的身体的各个部位。

值得一提的是，尽管笛卡儿强调情绪是对生理性骚动、兴奋等的知觉，甚至以血气的运动作为引起、维持与强化情绪的原因，但是，他仍然认为能够知觉或感受的却是灵魂。相比之下，詹姆斯则把精神体验看作仅仅是生理变化的主观意

---

* 费多益.《情绪的哲学分析》,《哲学动态》2013年第10期，第98-104页。
① 笛卡尔.《论灵魂的激情》，贾江鸿译，商务印书馆2013年版，第76页。

识，认为唯一真正的内在知觉是机体知觉。詹姆斯主张，情绪是对外界事物所引起的身体变化的感知。如果没有了身体变化，如肌肉紧张、心中加剧等，也就没有什么情绪。他说："我们一知觉到使我们激动的对象，身体上就立刻发生变化，我们对这些变化的感觉，就是情绪。"他强调，"对于刺激我们的对象的知觉心态，并不立即引发情绪；知觉之后，情绪之前，必须先有身体上的表现发生。如果没有身体的变化跟随在知觉之后，那么这种知觉只是纯粹暗淡无光的认知，而毫无情绪性的暖流"。[①]

于是，在情绪中，只有有机体的变化才是我们真正感觉到的。知觉及生理反应等与情绪的关系是内容同形式的关系。也就是说，不是一个精神事件引起一个生理事件，或者相反，而是机体的知觉和生理变化只构成情绪的内容。既然只是内容，它们就不足以用来定义情感，但是，如果没有感觉或机体的变化，情绪也不可能形成，因为形式不可能离开内容而存在。[②]

但是生活中，我们常常发现，不是所有的情绪都有身体的变化。比如，处于恋爱中的人，其"爱的情绪"可以长时间保持着，但身体变化不会持续很久。也许一个人的身体感觉已经回到了唤醒水平的基准线，但是他却能赋予爱情美好的理解和描述，甚至在爱人已经逝去的时候，仍然可以说 "我还在爱着她"。长期存在的情绪使它的主体具有某种身体变化的倾向，但它本身进入了一个平稳和安静的阶段。[③]由此可见，情绪作为一种对身体变化的感知的观点是不充分的。

同时，情绪与感觉之间也有着明显的不同。情绪不是外部知觉，而是一种内感知。外部世界可以区分为表象与实在。我们只能知觉到事物所呈现的现象，却无法发现存在于现象之后的实在。但是，情绪是一种我们所感觉或体验到的精神状态，它所呈现给主体的那种质性感受就是它的本质。只要情绪是一种有意识的状态，一种我们感觉自我的方式，那么感觉的对象和感觉的方式就是同一的。在这里，表象就是实在，情绪的存在成为被感觉到的存在——感到惊恐就是处于惊恐的情绪中，正如我们不可能在处于惊恐状态时不感到惊恐一样。同样，我们也很难区分怀有痛苦与感到痛苦的差异。因为，具有某种情绪与感受到某种情绪并

---

① James W. *The Principles of Psychology*. Vol. 2. Cambridge: Harvard University Press, 1981: 306.
② 阿然奎.《笛卡儿和维特根斯坦论情感》，贺翠香译，《哲学译丛》1998 年第 2 期，第 40-48 页。
③ Prinz J. "Embodied emotions". In Solomon R C(Ed.). *Thinking about Feeling: Contemporary Philosophers on Emotions*. New York: Oxford University Press, 2004: 49-50.

没有实质的差别。

这并不是说，我们所具有的到达我们情绪状态的路径是不可错的，然而，即便如此，这一路径仍然是独一无二的。你对喜悦或痛苦是有自我意识的，而我只能对发生在你的内部的事件进行推理。你到达你的情绪状态的途径是直接的，无需任何中介，我到达你的情绪状态的途径则是间接的。当你喜悦时，你无须借助证据或观察的帮助，就可以直接意识到你的情绪是喜悦，而我即使看见你的脸部表情和手脚挥舞雀跃的动作，也看不到你内心的“欣喜若狂”和内心想要大声叫的“冲动”那个心理状态。我只有通过观察你的行为来推断你的情绪状态，而行为与情绪是两种不同的事物。某些类型的神经活动与某些类型的心理活动是相互关联的，从而使得我们能够基于对大脑的活动的观察来推测心灵的状态。但是除了我们自己的心灵之外，我们还是无法观察或测量心灵本身的那些状态。

对情绪的第一人称认识与第三人称认识的区别在某种程度上可以说是一种知识论的区别，也就是说，它涉及我们关于这些事物的知识的特征。情绪的这一感受质是我们通过所谓的亲知能够把握到的，而对于我们周围的世界或实验室中所观察到的物质对象的质，我们就不可能有这种亲知。正因为如此，感受到某种情绪以及“有意识地觉察到”这种感受，不是“意识到脑中的情绪系统处于活动状态”（尽管这种系统是能够具有这些情绪的因果条件），而是感受情绪本身（爱、嫉妒或羡慕）并意识到这些感受，因为我们在感受情绪时并不知道与脑的活动相关的确切状态。例如，情绪变化导致循环系统活动速度和强度发生变化，但如果不用血压仪进行测量，我们自己是无法得知相应的血管舒张和收缩状况的；同样，我们也不知道心跳速度或强度改变的数值以及血糖、血液含氧量等方面的变化。

我们对自己情绪状态的了解与对别人的这种状态的把握之间具有本质的区别，这意味着，对情绪的任何说明都必须给自我意识以一定的地位。外部实在通过知觉给予意识，而内部实在是通过情绪给予意识的。意识作为有机体对自身的自我和周围环境的一种觉知，与情绪之间存在这样的关系：首先，有机体拥有一种情绪状态；其次，它能感受到这种情绪状态；最后，则是意识到这种感受状态。[①]快乐得忘乎所以或悲伤得不能自拔，就是一种情绪状态，但有时我们感受到自己处

① 达马西奥.《感受发生的一切：意识产生中的身体和情绪》，杨韶刚译，教育科学出版社 2007 年版，第 218 页。

于焦虑或兴奋之中，却并不一定意识到，仅当处于一种被意识到的感受状态时，才有意识的出现。

此外，我们所有的意识状态都是以这种或那种情绪对我们呈现的。我们总是处于某种情绪之中，即使这种情绪并不用“兴奋”“抑郁”这样的名称来表示。例如，此刻我并不特别“兴奋”，也不特别“沮丧”，甚至也不是感到“无聊”。然而，我的经验确实有某种可以称之为乏味的东西，这种乏味其实就是我们所说的“情绪”。你所具有的任何意识状态始终带有某种色彩。这一事实在一个戏剧性的转变过程中就显得更加清楚明白——如果我突然得到某种很坏的消息，那么，它就会使我陷入沮丧的状态；或者我得到某种极好的消息，它就会使我进入兴奋的状态——在这些情况下，我会非常确切地知道我的情绪的变化。[①]

二、情绪与行为

作为了解情绪过程的一个方面，对行为的关注无疑是重要的。一个人说他心中有某种情感，未必真是如此，而他的行为常常是在表达这个情绪，因为情绪活动引起了机体多方面的反应，除了外表的变化和体内的生理反应，它还决定了知觉和认知过程的选择性以及随后的行动。这在关于情绪的语言分析中体现得尤为明显。逻辑实证主义主张，心理状态无非是用行为或行为倾向来表征的，后者正是物理事件的一种。例如，卡尔纳普认为，“他是兴奋的”可用物理语言表述为，他的身体（尤其是中枢系统）具有高度的冲动性，也就是说，“兴奋”可以转换成快速脉动、呼吸频率增加等。他相信可以用描述躯体外部行为的语言来描述一个人的内心活动。而在语言哲学中，赖尔等试图纠正概念范畴的错误，他们从语言分析出发剖析了日常用语对情绪一词的含糊用法。按照这一思路，如果说婴幼儿具有羞耻情绪似乎概念上是有问题的，因为首先需要弄清他们是否已经拥有自我的意识或概念。赖尔从概念角度讨论词语“情绪”与“感受”被使用的方式。他不认为情绪是内在或私人的经验，而认为它具有行为倾向（disposition）的意义。他认为，涉及我们精神过程和观念有意义的分析在于倾向的过程。例如，爱并不是心中一份特别的感情，而是倾向于做某种日常的和可观察到的事，如将其

---

① 塞尔.《心灵、语言和社会：实在世界中的哲学》，李步楼译，上海译文出版社 2001 年版，第 74 页。

他事情置之脑外而只是与某人交谈、对他不怀任何防御心、以种种极端的方式去博得他的喜欢等。[①]正是在这个意义上，我们承认，情绪是行动的反应，力图刺激或引起情绪而不顾与此情绪相应的活动，等于导致一种不健全的和病态的心理状态。[②]

那么，行为对于情绪是否是必要的呢？如果身体的可见运动以及作出这些运动的倾向是必需的，假设某人既没有行为发生，也没有显著的外在反应，所有能用于描述可见的躯体外部行为都不具备，那么，他的情绪该怎样解释呢？行为主义显然没能解释机体内部所正在发生的一切。也许你会说，一个自主体之所以被认为拥有某种情绪，不仅仅是因为主体做了什么，还因为他能够做什么或“倾向于”做什么。但这样一来，我们便遇到了一个新问题：什么是“倾向于”一种特定的行为方式？主体在具有一个倾向的同时，完全可以不把这种倾向表现出来。例如，感到痛苦时，你可能会倾向于呻吟、紧锁双眉。然而，你也可以不作出上述行为。譬如，你不愿让别人知道你痛苦，在这种情况下，尽管你倾向于用某些特定的方式去行动，但实际上却没有采取这样的行动，而是表现得很平静，或者用其他行为去掩饰。倾向的独特性在于，它是一种介于我做和我希望做之间的东西。我可以做我倾向于做的东西，也可能倾向于做许多由于时机不成熟或受到其他相反倾向的支配而从未做过的事情。

这就是说，情绪被“还原成”行为（或行为倾向）时，对行为的分析是末端开放的。心理状态与行为之间是因果关系，而不是相互等同。这种因果关系可以改变，使应该出现的行为被压抑，或不应该出现的行为因别的因素而产生（如伪装或模仿）。当你怀有某一种情绪时，你可能做或倾向做的事情有无限多。你做什么将取决于环境，而环境在许多方面是极不相同的。由于新的信念或愿望的作用，某种行为并非必然伴随着某种特定心灵状态的出现而出现。此外，在你倾向做的那些事情中，显然包括形成新的信念和获得新的愿望，而这些信念和愿望又需要新的行为分析。真正的困难不是这些其他的心灵状态中的每一个都需要进一步的行为分析，从而使分析的任务变得过于复杂和宽泛，而是在于，任何对心灵

① Ryle G. *The Concept of Mind*. New York: Routledge, 2009: 304.
② 杜威.《杜威文选》，涂纪亮编译，社会科学文献出版社 2006 年版，第 382 页。

的既定状态所可能产生的行为的陈述都不可避免地会涉及心灵的其他状态。[1]只有在你具有其他心灵状态的前提下，并且处于某一种特定的心灵状态，你才会倾向于以特定的方式去行动。试图通过行为分析"除去"心理性的东西，注定是不可能实现的。行为或行为倾向不是心灵的内在本质。

另外，行为也不能构成情绪认定的充分条件，它们或许只是某个情形中情绪扰动事件的综合特征的一部分。某人的手会因为疲劳而颤抖，某人会因为炎热而出汗——这些都不是因为他害怕；某人可能会流泪（因为他正在给洋葱削皮），某人可能会呻吟（由于疼痛），某人的目光可能显得呆滞（由于困倦）——这些都不是因为悲痛。情绪性激动的身体伴随物分为主观感受到的感觉和客观的生理特性。主观的身体伴随物存在于某种确定情绪的感觉中（如对跳动的脉搏和怦怦跳的心脏的感觉、紧张的感受，神经质的发抖），它们表现了害怕、希望和激动的特性。客观的身体伴随物典型地体现了情绪扰动特征的生理变化，如脑部的神经兴奋、内脏的活动和腺体的分泌物、心理电反射等。这些反应是不是某种情绪的表现，取决于具体的情境和主体对于自己身处其中的环境所知道、所相信或所关注的东西。

同时，我们也无法罗列情绪发生时所有的行为状况。因为把一种情绪分解为"在情况 P 下对方式 A、B、C 作出反应"，是很难操作的。我们不可能清楚地对某种特定情绪的相关行为加以区分。例如，咯咯地笑可能意味着紧张，而抽泣或许意味着悲伤减轻。相同情绪引起的行为表现并不一致，一个人生气时，可能砸门、掀桌子或大喊大叫，另一个人则可能沉默不语、小心地关门离开；一个人愤怒时，可能脸红、哭泣、双目怒视，也可能拍门、大喊大叫或面部肌肉抽缩。情绪的行为千变万化，这取决于个体的性格、教养和文化背景等多种因素。

情绪的行为表现有多种形式，既有属于行动的行为，也有不属于行动的非自主行为（脸红、出汗），而前者又包含了自主的、非自主的或部分自主的（微笑、皱眉、呜咽、扮鬼脸），还有作为行动的心境或态度的行为（说话的音调、手势）。根据与心灵的相关程度，我们可以把行为进一步细分：一些行为与心智是没有关

---

① 海尔.《当代心灵哲学导论》，高新民，殷筱，徐弢译，中国人民大学出版社 2006 年版，第 63 页。

系的，如反射动作等，它们是生物本能的展现；另一些行为是受到环境制约而产生的，是无意养成的习惯；还有数不清的行为是通过对自己的经验与想法进行反省，透过思想或意向状态而产生，这类行为属于“意向行为”，它们是与内心状态密切相连的。[①]行为主义（注：这里的行为主义有别于心理学中的行为主义，此处特指分析哲学和语言哲学中的行为主义）显然忽略了意向行为这一情绪中比较核心的特质。例如，就身体状态的知觉或感受来说，如果只是哭泣而没有意识到运气不佳，很难说是感到难过，因为也可能是喜极而泣；只是逃跑和颤抖，而对野兽带来的危险却一无所知，很难说是感到害怕，因为也可能是因极度兴奋发狂奔跑。类似地，如果把羞耻与血压及皮肤毛细血管两者的变化简单等同，或者把它简化为脸红、低头、不敢见人等行为倾向，却一点也不涉及一些意识或态度，如我不应该这样做等，也似乎与个人的体验不尽相符。如果情绪本身不完全等同于生理感觉、行为模式或其生成条件的话，任何不触及情绪本身的情绪解释都将是有缺失的。

总而言之，无论是在心理学还是哲学领域，试图用行为去解释情绪的做法都遭遇了下列质疑。第一，情绪本身与情绪的表达或情绪所导致的行为是否同一？换言之，二者之间的联结可能是实证上偶然的因果联结，而不是概念上必然的同一关系。譬如说，突受惊吓的人可能会呆若木鸡，人在欣赏美景时会达到忘我的状态。如果是这样，就不能说情绪只是行为上的反应倾向而已。第二，即使情绪与行为或表达之间具有必然的联结关系，针对同一情绪，随着成长环境、文化教育等因素不同，其行为与表达也会有很大的差异。第三，如果承认生活中有模仿、不真诚等现象存在，那么我们就更加难以认为情绪只是行为或其倾向。[②]

三、情绪的意向性

意向性是许多心理状态和事件所具有的一种特征，通过这种特征，心智指向（direct at）或关于或涉及世界上的对象和事态。它可以表现为信念、愿望、希望、

① 丹尼特.《心灵种种——对意识的探索》，罗军译，上海科学技术出版社 2010 年版，第 65-77 页。
② Strongman K T(Ed.). *International Review of Studies on Emotion.* Vol. 2. Chichester: Wiley, 1992: 304-305.

恐惧等。心智与世界的关联就是通过这些不同的意向性状态来实现的。比如，我有所担忧，那么，它必定是对某样东西的担忧，或者害怕某件事情会发生；假如我有一个愿望，它一定会是要做某件事情的愿望，或者是关于某件事情应该发生的愿望；假如我有一种意图，它必定是一种想要去做某件事的意图。对于其他大量情形来说，情况也是如此。[①]只有当意识的意向性投射于外部事物，而外部事物成为意识的对象时，它们才有了意义和秩序。比如，爱一定是建立在某人对所爱对象所具有的信念和愿望基础之上的，即由意向性联结到其意向性对象——被爱的人对所爱的人的产生了价值或意义。

作为心理状态的一种，情绪也是有意向的（intentional）[②]，是关于某事物的。例如，我生气，这不是无缘无故的，而是因为某人侮辱了我。意向性不是仅仅指向某事物，而是涉及我的主动诠释，也就是我以某种方式看待某事物。[③]在同一经历中，情绪和意向共同存在，没有意向性就不是情绪，而只是生理感觉。例如，我发现先前是我误以为他侮辱了我，我就立刻不再生气了，但是感觉却存留下来——一些逐渐消退中的面红耳赤、悸动、暴躁等。有时候，当我们发现情绪目标消失或自己的情绪缺乏理由时，我们的情绪会转变成其他情绪（由悲转怒）甚至相反的情绪（由悲转喜）。

情绪的意向性一方面包含了指向事物这一特征，另一方面也反映了主体被外部世界所影响或改变的方式。因此，情绪的意向性与情绪的对象密切相关。在情绪中被意识到的事物即为情绪的对象。如果某人害怕，他是怕某个人或某件事，或者怕某事已经发生或即将发生；如果某人感到懊悔、内疚或遗憾，那么它们的对象就是自己所做的事情；如果某人感到嫉妒，那么这是嫉妒别人的好运气。情绪的对象必须与它的原因区别开来。例如，你的义愤之举让我自惭形秽，但我羞愧的是我自己的不良行为；机会的变化可以让某人感到有希望，但他所期望的是最后的胜利。情绪的对象是某种指示性的外在表现所涉及的对象；而情绪的原因是导致情绪产生的事件或事物状态等，它可以是事物，也可以是一个突然的想法、

① 塞尔.《意向性：论心灵哲学》，刘叶涛译，上海人民出版社 2007 年版，第 1 页。

② Solomon R. "From emotions and choice". In Solomon R(Ed.). *What Is An Emotion?: Classic and Contemporary Readings*. New York: Oxford University Press, 1984: 226.

③ Nussbaum M C. *Upheavals of Thought: the Intelligence of Emotions*. Cambridge: Cambridge Oxford University Press, 2001: 27.

一条不经意的评论或者一个暗示，情绪本身即是对这些事件的一种情意性或规范性的判断。

情绪的对象与它的原因在某些例子中是一致的（如某人既因雷声和闪电而惊恐，也对雷声和闪电感到惊恐），但在另外一些例子中并不一致——当害怕、希望或激动的对象存在于未来（可能发生，也可能不发生），或者这个对象不存在（如某人害怕鬼），他害怕、希望或激动的对象就不可能是这种情绪的原因。例如，我穿过公园时，处于一种恐惧的状态，路人问我被何事困扰，我说：一只狗将会追我……显然，“一只狗将会追我”不是一个实际事件、事物或状态，因此，它不是引起我恐惧的原因。不过，狗的追逐或攻击却可以是恐惧的意向性对象。更严格地说，恐惧的意向性是指向该事件的价值意义——即将到来的危险。即使去除事件上的价值意义，情绪的原因也并不一定是情绪的对象，因为情绪的原因发生在情绪出现之前，而情绪的对象则内含于情绪意识之中。

并非每种情绪都有对象，但主体无论如何必须相信它的存在。对于很多意向状态来说，我可以处于这种意向状态，但该意向状态所指向的对象或事态却根本就不存在。我可以希望天正在下雨，即使天没有下雨；我也可以相信半夜看见了鬼，尽管事实上根本不存在鬼。因此，当我们说到某人感受到某种确定的情绪是因为如此这般时，这个“因为”所提供的解释有时是指情绪的对象，有时则代表情绪的原因。这可以通过更进一步的辨析得到区分。例如，某人对于他应该知道或相信的情况的命题的真实性，是否是一个必要条件？如果这不是必要条件，那么所指明的是他感受情绪的原因；如果是必要条件，那么所指的就是情绪的对象。[①]

由此我们不难看出，由于情绪的意向性，当人们感受到某些情绪时，感受者的信念、欲望以及感受的预备状态等已经内含于其中，这正体现了情绪的主体性或内在性。换言之，感受者对什么事物感到害怕或羞耻，是与感受主体对事物或情境的诠释逻辑地相互关联的。事实或情境本身是一回事，而感受者对该事物或情境的看法却可能不同。情绪的主体在情绪的意向性之中显示出如何评价事物或事物如何对行为者显现。意向性形成了心灵的深层结构，起着某种心灵构架（frame of mind）的作用，它能使人们倾向于以某种方式来解释情境，进而影响到个人如

① 贝内特，哈克.《神经科学的哲学基础》，张立，高源厚，于爽，等译，浙江大学出版社 2008 年版，第 230、218 页。

何产生何种即发性（occurrent）情绪。[1]意向性这种具有影响力的心灵状态是人类存在的深层基础。

不过，情绪的意向性观点也引起了一些争议，反对者指责它将某些不指向特定事物与没有什么特定意向对象的情绪排除在外。例如，幸福感、忧郁、沮丧等都是当代很重要的社会现象与议题，但是却被意向性理论排除在外。也有人认为意向性观点忽略了心理感觉在情绪中的重要性（如读书觉得很兴奋），而心理感觉可能是无意识的。然而，这不足以否定情绪的意向性，它只是表明我们有可能不知道意向的对象为何物——由于无意识的心理感觉的存在，我们可能不知道自己的情绪指向什么。例如，我生气，但是我可能不知道我生你的气，或甚至不知道我在生气。那些被视为心情而非有意向性的情绪，如忧郁、沮丧等，在我们看来仍然是有意向性的，只是由于无意识的遮蔽，当事人自己不知情绪所指或误认情绪（如无意识的自欺），甚至会产生替换现象，包括情绪的替换（如恼羞成怒）或情绪所指对象的替换（如迁怒）。

四、情绪的评价性

基于情绪的意向性，情绪本身就具有了认知的内涵。换句话说，体验到某些情绪，其实已经包含了感受者的某种认知。事实上，大部分情绪中的认知不仅是事实性的描述，而且还包括价值性的评判，包括信念、判断、诠释、评价等。譬如，自己的名字被对方遗忘了，这件琐碎的小事却可能引发愤怒，因为当事人认为它代表了疏忽与轻视。可见，情绪中蕴含着当事人对情境的评价，而且，这种评价性认知本身就是情绪的组成要素。[2]

当我们被外界的某一种刺激所影响时，情绪的神经生理层面、动作或行为表现层面以及主观-经验层面几乎同时作用，同时影响个人。然而引发不同情绪的因素除了与外在或内在情境刺激有关外，个人对情境的评价与关心的差异，更是决定人们经验到的情绪种类与特征。在评价的基础上，每一种情绪都承担了适应

① Warnock M. “The education of the emotions”. In Cooper D E(Ed.). *Education, Values and Mind: Essays for R.S. Peters*. London: Routledge, 1986: 182-183.

② Nussbaum M C. “Aristotle on emotions and rational persuasion”. In Rorty A O(Ed.). *Essays on Aristotle's Rhetoric*. Berkeley: University of California Press, 1996: 309.

情境的功能。以生气为例，当个人判断某刺激是在反对自己、冒犯自己时，他会出现生气情绪，并试图面对或逃避这种冲突——当他评估自己的回应不具有危险性时，他可以直接对生气对象作出反应；反之，则往往会逃避或压抑自己，以免遭受进一步的伤害。个人生气的程度如果符合实际刺激引起的程度，此时的生气是一种状况提示，用以帮助他应付情境的负面刺激，这就是所谓的适应性情绪。

评价显然是一种主体性的活动，一个事物是主体性的，表示它是依赖于主体的，但并不意味着这些属性不是客观的或它们不是事物的真实属性。相反，事物的一些真实属性，只有通过主体的评价才能发现。比如，我感到某物令人厌恶，那么我厌恶的是这个客体，而不是我的感觉本身。简言之，评价必然要依赖于主体，但被评价的是客体，因此评价的性质是属于客体的。

那么，相比于纯粹理智上的认知，这种带有评价性的情绪有何独特之处呢？生活中可能遇到这样的情形，你知道壁虎是无毒无害的昆虫，而且告诉他人不必害怕它。可是，当你看到壁虎时却吓得惊慌失措——理智上相信壁虎无害且不可怕，情绪上却害怕壁虎。又如，“明知山有虎，偏向虎山行”，还有一些情绪没有合理理由或充分理由（如杞人忧天、过分强烈或过度冷淡）。为什么会有这种情况呢？这一情绪-信念冲突提醒我们，蕴含于情绪意向性的认知并不一定是完全概念化的、清楚表达的信念，它可能具有一种先于述说的（pre-articulate）、前反思式的（pre-reflective）性质。这可以用来部分地解释类似的情绪现象，即虽然感到伤心或高兴，却无法明确地说出对象，或者虽然感到后悔，但无法明确说出我们的行为错在哪里。①

情绪判断具有描述之外的意义，有些情绪判断建立了一个情境或场景。当一个恋爱中的人说她的恋人是世界上最好的人，她不是在陈述他真的是世界上最好的人这个事实，而是在陈述另一个事实——他在她的经验里占有非常重要的地位。她在她所陈述的事实里建立了一个场景，也因此创造了某些意义，作为思考关于他的各个方面的相关脉络。②这与其说是在描述事实，倒不如说是在提供意义的脉络。维特根斯坦就强调，关于情绪的字词是一种描述还是一种表达取决于

① Taylor C."A most peculiar institution". In Altham J, Harrison R(Eds.). *World, Mind, and Ethics: Essays on the Ethical Philosophy of Bernard Williams*. Cambridge: Cambridge University Press, 1995: 134-135.

② Solomon R."On emotions as judgments". In Solomon R(Ed.). *Not Passion's Slave: Emotions and Choice*. Oxford: Oxford University Press, 2003: 100-101.

整个语境，取决于一种语言游戏。例如，“我大怒” 这个命题通常不是自己观察的结果，也不是描述我在愤怒，而是在表达它。“情感”术语的含义不是通过实指定义确定的，而要通过它们的描述性和表达性作用之间的逻辑关系加以判断的。情绪的内容不是抽象的命题，而要依赖于情境或场景。

综上所述，当我们分析某种情绪时，以下几个方面是基本的：主体在某环境中的某个恰当的情绪对象，他与情绪对象相关联的特点（为什么与他有关）和随之产生的他可能具有的行动理由，通过相关的评估或评价提供的动机，与情绪对象相关的行为或行为倾向，以及对于相关的思考、幻想和愿望的了解或信任。正是在识别某种情绪的适当对象的情形中，在对它关注的情形中，以及在对该对象表现适当的某种形式的行为或倾向（如主体的目标与信念）的情形中，主体的感觉与行动反应才可以被称为情绪的表现。我们不断地对周围及与自己有关的事物进行分析和判断，这些行为是自动的。除非评价的过程很长，否则我们不会意识到自己正在进行评价。一旦最初的评价过程结束，情绪出现了，我们就可能意识到自己的情绪或情绪化，之后，我们就能够控制自己的情绪，并且对当时的情况重新进行评价。从这个意义上说，情绪是我们与世界关系的显示及我们看待这个世界的表达，它以一种超越了理性的方式证明了我们在这个世界的存在，并由此决定我们在这个世界的存在方式。

第十六章
天赋研究的心灵-认知维度

西方的天赋研究在现当代经历了从认识论向心灵-认知哲学的转向。由之而成的转型天赋论不再只关心人生来有什么样的认识、能力之类的认识论问题，而将目标放大至一切天赋的心理资源，最终又落脚到“天赋心灵”（心灵结构中的天赋部分或生来就有的、原初的心灵结构）这一带有心灵-认知哲学性质的课题之上。与之相应，它的目的、重心、问题域、理论基础、方法论和思想内容与传统天赋论相比都发生了重要的，有的地方甚至是根本性的变化。就效果而言，它已将认识推进到了这样的地步，即用不着再花太大力气来对付过去需作为前提来探讨的有无天赋资源之类的问题，进而连对立的经验论、行为主义都改变了态度。当然，转型天赋研究仍处在初创阶段，我们在关注、吸收其积极成果的同时，有必要作出我们的反应和原创性研究。

第一节　天赋论研究的一般进程

在西方哲学史上，心灵的天赋论表现为三种典型形式：柏拉图的“回忆说”，理性主义者 17、18 世纪天赋论的辩护和当代认知科学天赋论的复兴。在东方哲学史上，没有纯粹而独立的天赋论，或者说没有创立这种理论的主观动机，但它对西方人关注的天赋问题乃至现当代意义的天赋问题都有涉及和解答。

一、天赋论发展历程

在古代，东方哲学和西方哲学各自沿着自己的路径发展，天赋论或天赋观念都带有各自明显的特点。中国天赋论独有的特点在于：为了追本溯源，不仅在习俗之知能之后找到了作为它的先天根源的本源之知能，而且还追溯了本源之知能的根源，这就是心性，进而用性尤其是心性说明天赋心理的根源和机理。这就是说，天赋心理的存在离不开心性，相应地，天赋论包含在心性论之中。佛教的天赋心灵论像中国的天赋论一样，是它的主题性理论（如人生解脱论等）的副产品。但它在切入这个问题研究的过程中，又像西方的转型的天赋心灵研究一样，既对个体生命开始之初的那个原初心灵作了探讨，也对人现实具有的整体的心灵结构中不来自后天经验而属先天本有的心灵构成发表了深刻的看法。在西方，最早提出天赋知识论的是古希腊哲学家柏拉图，他的“回忆说”认为知识是从天上掉下来的，是人的大脑所固有的。柏拉图将先验的形式当作真理性知识的唯一对象，但从未确切地说明那是什么形式，也未说明我们对这一形式的理解力在一般认知中起何作用。尽管古希腊的认识论思想还处在西方认识论思想发展的幼年时期，但影响深远，留下了许多有关认识本身的宝贵成果。后来，中世纪的经院哲学家们分别发展了柏拉图和亚里士多德的认识论思想，以宗教的形式表现出来两种不同的理论倾向：“唯名论”与“唯实论”。

随着世界步入近代，尤其是西方世界体系通过摧毁一切世界体系来维护其霸权的时候，西方哲学似乎成为哲学的代名词。这个时期天赋论的辩护与论证带有强烈的西方色彩。17 世纪法国著名哲学家笛卡儿是最先明确提出天赋观念概念的人，他的“潜存说”认为天赋观念是潜在的，只有在外部经验的影响下，潜在的观念才变成现实的观念。随后，德国哲学家莱布尼茨提出了“大理石花纹假说”，认为人的心灵是能动的，心灵是有花纹的大理石，花纹是大理石能雕成什么雕像的内在根据。康德受其影响，在探讨“先天综合判断何以可能”中得出结论，认为个人在认识的初始就具有一定的、在认识之前就已形成的认识形式。到了近代，中国被迫打开国门后，西方哲学思想流入中国。国人在寻求国家出路的过程中，接触和引进了西方哲学思想，其中对天赋论思想也稍有涉及。如严复翻译的《天演论》，详细介绍了西方进化论思想。

而当世界步入现代，马克思主义理论在俄国的实践，使得马克思主义哲学在世界范围内迅速传播，成为与西方哲学思潮抗衡的一种学说。人们在研究马克思主义哲学的同时研究西方哲学，在中国两者都受到了足够的重视。但自 1950 年后，中国哲学界深受苏联日丹诺夫关于哲学史的定义的影响，用阶级分析方法对待哲学，把哲学史看成是唯物论与唯心论相互斗争的历史。这个时期，西方哲学和中国哲学都成为马克思主义哲学批判的对象或提供例证的附庸。天赋论被贴上了西方哲学的标签，被马克思主义哲学所抛弃。且在20世纪70年代，大量的反对先验论的文章和书籍开始一致攻击天赋论。如《欧洲哲学史上的先验论和人性论批判》《哲学史上的先验论》和《唯心论的先验论资料选编》等都是针对天赋论而编制的一批材料。基本观点是：用马克思主义实践观和认识论反驳天赋观，认为人的正确思想只能从社会实践中来，而不是人脑所固有的。因此这一时期对天赋理论几乎是一边倒的状态，天赋理论研究也几乎无人问津。

在东方与西方对立的这个时期，西方哲学迅猛发展。其中，天赋理论华丽变身，像复仇女神般强势回归，几乎冲击了所有的学科领域。现代脑科学、认知神经学、神经语言学、生物遗传学以及医疗科技发展的最新研究成果表明，人类的知识虽然不是先天就有的，但主体在认识世界时，先天因素也在起作用。传统天赋理论复兴后，表现出多种天赋论形式：语言天赋论、模块天赋论、基因天赋论、进化天赋论和新综合论等。

二、当代天赋论的研究现状

在国内，1978 年底中国哲学界“芜湖会议”的召开使西方哲学的研究重获生机。20世纪80年代以后，天赋论的地位和命运逐渐发生变化。由于天赋论的多学科性、交叉性、分散性等特点，哲学界、心理学界、语言教育学界以及生物学界等都从自身领域出发探讨天赋论。比如，高新民教授的《人自身的宇宙之谜——西方心身学说发展概论》一书在研究西方心身学说发展时，对原始人的灵魂观念和古代、中世纪的天赋论思想及现当代天赋理论表现形式作了述评。魏屹东教授在《认知科学哲学问题研究》中从认知科学的角度，分析了笛卡儿、洛克、莱布尼茨、休谟、康德、孔狄亚克、怀特海、维特根斯坦、波普尔、海德格尔、皮亚杰、福多、普特南等的认知科学思想，并探讨认知建构论和心理模块论。曹剑波教授对天赋理论的发展脉络进行了梳理，并阐发了先验论的合理因素。熊哲宏和田平两位教授分别对模块性及泛模块性进行了专门研究。姚鹏和冯俊两位先生着眼于笛卡儿天赋思想研究，系统辩证地阐述了笛卡儿天赋思想的含义、理论基础及其哲学基础，以及天赋论之争对于整个外国哲学的影响，等等。徐烈炯、蔡曙山、陈嘉映、刘小涛、李侠等对乔姆斯基及平克等语言天赋思想尤其是生成语法理论、学习理论论证与模块性假设的关系等进行了深入研究。虽然天赋问题研究有了一定发展，并呈现出多学科性、交叉性、分散性等特点，但是仍然缺乏整体把握，需要进一步梳理和规范。总之，这一时期成果丰硕，但也有遗憾：一是对传统天赋理论研究较多，而对当代天赋理论关注较少；二是没有打破学科局限性，研究领域有些窄；三是过于强调理论论证，科学事实论证较少。

在国外，先天与后天、天赋论与建构论是当代唯理论和经验论的争论焦点。西方心灵哲学一直关注这一论战，并将天赋论的发展作为其研究课题，形成了各种形式的天赋论。同时，很多学者对已有成果作出了反思，并进行了总结性研究。例如，斯蒂克主编的《天赋观念》（*Innate Ideas*）囊括了天赋论发展中的经典之作，既包括柏拉图的《美诺篇》，亚当斯对洛克与莱布尼茨等的经典评论，还包括乔姆斯基、古德曼（Goodman）、普特南、哈曼等围绕语言天赋论所展开的争论。考伊（Cowie）的《里面有什么？再思天赋论》和埃尔曼（Elman）的《天赋再思考》将天赋论作为其主要内容予以专题研究和介绍。卡鲁瑟斯等的《天赋心灵》三卷本更是对现当代天赋论作了全面系统深入的考察。首卷“内容与结构”围绕天赋心灵结构对天赋思想作综合性评价，涉及如下几个问题：一是天赋的结构是什么？什么样的能力、过程、表征、偏好和关系是天赋的？二是这些天赋因素在我们成熟的认知能力发展中起什么作用？三是这些因素哪些是动物与人类共享的？第二卷“文化与认知”关注文化与天赋心灵的相互作用，回答文化和天赋在多大程度上影响认知，其主要涉及以下几个问题：一是如何理解我们的文化自我与生物自我的关系？二是成熟的认知能力是如何通过先天因素与文化相结合而获得的？三是心灵是如何产生文化的？文化是怎么由心灵加工的？第三卷“基础与未来”关注天赋论的基本问题及天赋论研究发展趋势，其中收录的问题有：是什么使得某种东西成为天赋的？天赋性与可遗传性、遗传信息以及认知发展理论等是如何联系的？支持和反对天赋论的论证有何地位？如何更好地理解基因在发展和继承中的作用？还有很多百科全书、心灵哲学和认知科学文选都把天赋论论著作为其重要内容进行收录。另外，很多哲学家、心理学家及语言学家等也直接或间接参与了这场论战，天赋问题真的成了多学科关注的焦点。

当然，已有研究也有其不足，比如，西方学者围绕天赋论的研究大多侧重于局部领域的天赋问题的研究，全局性、整合性、反思性研究相对较少，而相对于西方而言，国内的研究无论是广度还是深度与其都有较大差距，利用最新天赋论的研究成果来丰富发展马克思主义哲学的有关理论更属阙如。

第二节　当代天赋论的转向及特点*

传统天赋观念论在行为主义、自然主义、逻辑实证主义占据主导的思潮中渐渐失去了光环，被认为是与形而上学或神学联系在一起的唯心主义，渐渐被人们所抛弃。20世纪上半叶，整个思想理论界几乎被经验主义所统治。不过随着新兴的脑科学、神经科学以及人工智能等最新科学成果的出现，逻辑实证主义以及行为主义在理论上遇到了难以克服的问题。20世纪60年代之后，波普尔、费耶阿本德、汉森等对逻辑实证主义提出种种批判，否认存在纯粹的感觉经验可以成为知识的基础。而另外一批哲学家如乔姆斯基、皮亚杰以及法国的结构主义者们又开始重新提出天赋论，并在语言学、心理学等多个学科领域对其进行研究。

一、当代天赋论的转向

西方现当代的天赋研究发生了一种重要转向，其理论成果不妨称作转型天赋论。它不再只关心心灵之内生来有什么样的认识、能力之类的认识论问题，

---

* 高新民，李艳鸽.《当代转型天赋论的理论创新与特点》，《自然辩证法研究》2016年第10期，第23-28页。

而将目标放大至一切天赋的心理资源，最终又落脚到“天赋心灵”（心灵结构中的天赋部分或生来就有的、原初的心灵结构）这一带有心灵-认知哲学性质的课题之上。与之相应，它所作的研究完全是心灵哲学和认知科学性质的工作。由之而出现的理论不再是一种认识论理论，而是一种心灵哲学理论或认知科学理论。

这一转向肇始于乔姆斯基，他通过对语法、语言能力及知识的研究提出的语言天赋论不仅扭转了经验论在天赋研究中定于一尊的局面，而且在探索天赋语言资源的过程中涉及超出认识的天赋根源的更多的天赋资源，因此为这一转向指明了方向，开启了后来更大规模转向的先河。正是沿着他的思路，后来的心灵哲学家和认知科学家将天赋心灵研究扩展到共相、数、动物、人造物、道德等探索之中，许多人还进一步将天赋心灵放在一般心灵的结构和本质问题中加以探讨，试图在此基础上提供关于人类心灵的历时性和共时性的整体图景，从而使该研究具有名副其实的心灵哲学意义。

二、当代天赋论的特点

根据所讨论的问题域及理论原则，当代天赋论可以和传统天赋论区别开来，具体而言，有如下特点。

其一，从建立的基础来看，当代天赋论是以当代遗传学、生物学为基础的。当代天赋论不是简单地重复传统天赋观念，而是将天赋具体化为遗传基因编码到我们的大脑中的东西。“有机体的天赋特性就是由这个有机体的遗传天资编码、表征，并从信息上加以规定或编程的特性。未被编码的特征不是天赋的，而是获得的。”[①]因此，当代天赋论更多地依赖于现代科学的进步。一方面它将进化的概念引入天赋性解释中，另一方面它将发展的观念也用于天赋性，认为天赋是进化的结果，同时天赋也不一定是生而就有，是不断发展形成的。

其二，从涉及的学科来看，当代天赋论是一个涵盖哲学、认知科学、生物学、伦理学、计算机科学等诸多学科的综合性理论。当代天赋论不再局限在认

① Godfrey-Smith P. “Innateness and genetic information”. In Carruthers P, Laurence S, Stich S.(Eds.). *The Innate Mind:Foundations and the Future*. Vol.3.Oxford: Oxford University Press, 2007: 56.

知的来源问题上，而是更细致地探讨认知的结构问题、认知与遗传进化的关系、人与动物的相似性与相异性、文化的本质以及道德伦理的天赋基础等。所谓天赋论理论化，是指调动多学科的资源，对天赋论的新结论作系统的理论论证和实验建基。辛普森（Simpson）等说："天赋论的理论化为我们提供了关于我们的认知能力，以及我们在自然界的地位的最好的理论。""哲学、心理学、人类学、发展理论的研究都支持天赋论的理论化。"可以预言，"随着工作的继续，对天赋论理论化的支持还会迅速增加"。[①]

其三，从讨论的问题域来看，当代天赋论者与经验论者的根本分歧在于对天赋机能及其形式的数量、种类及性质有不同的看法。他们不再执着于有没有天赋、有没有经验这类问题，而是更进一步探讨这样的问题，如果在认知发展过程中，先天后天都起到了一定作用，那么到底谁付出的更多一点。也就是说，天赋论者认为天赋基础在心灵发生作用的过程中数量丰富且作用重大，而经验论者却认为天赋基础数量少且作用有限。正如比克利（Beakley）所说："目前关于天赋论的很多争论，不是关于天赋知识的一般论证，而是对认知科学中研究的具体个案的关注。……最后争论成了对是否有天赋的心理器官的讨论。"[②]当代天赋论所关注的问题的最大的变化是，它不再只关注少数几个认识论问题，而是涉及广泛的形而上学、语言哲学、认识论、心灵哲学、发展心理学、进化论、人类学等问题。由于问题众多，因此有理由说，它们形成了由众多问题构成的有严密逻辑结构的问题域。

其四，从讨论的理论原则来看，当代天赋论更加开放，包容性更强。这可能与当代天赋论的参与者本身有关，因为支持天赋论的不仅仅是哲学内部成员，还有来自心理学、认知科学、人类学、语言学等多个学科领域的专家都参与其中。他们既带来了各自研究领域的最新研究成果以便进一步论证天赋性，又相互吸取有利成分为其理论辩护。所以当代天赋论者抛弃了过去与经验论对立的态势，将经验论的现代成果和方法积极应用于天赋论证中。而现代经验论也不再排斥先天的基础，也将心灵研究中的合理因素带入经验论发展中去。当

① Carruthers P, Laurence S, Stich S(Eds.). *The Innate Mind: Structure and Contents*. Oxford: Oxford University Press, 2005: 15-19.

② Beakley B, Ludlow P(Eds.). *The Philosophy of Mind:Classical Problems/Contemporary Issues*. Cambridge: The MIT Press, 2006: 685.

代天赋论与经验论出现了某种融合趋势。哲学界和心理学界长期对立的观点，如理性主义对经验主义、本能对学习、心对身、遗传对环境等，也不如从前那么针锋相对了。现在人们所说的天赋或环境都只是强调其中一个侧面罢了。

其五，从研究的方法来看，当代天赋论重视实证方法的运用，重视对具体科学所取得经验材料的挖掘、分析、梳理和推论。过去对心灵黑箱中的事物包括天赋认识的研究主要建立在类推、隐喻的基础上，西方哲学史上家喻户晓的比拟，如心灵=蜡块、心灵=白板、“大理石花纹”等足以说明这一点。转型的天赋研究尽管难有根本的突破，但试图有所超越。卡鲁瑟斯等说：“如果说在最近 50 年，我们获得了关于心灵本质的真实理解的话，那么这主要得益于它深深扎根于经验研究之上。”[①]解剖具体的天赋能力或知识是当代天赋论论证的又一重要特点。

其六，从研究的重心来看，当代天赋论所关心的重点、热点问题不再是过去的纯认识论问题，而转向带有“求真性”的心灵哲学-认知科学问题。转型天赋论对天赋心灵的探讨主要不在于回答认识论问题，而在于找到解释现实心理的初始的心理条件。用塞缪尔斯（Samuels）的话说，要找到心理结构中的“原初”资源和根据。其最具体明确的特点是“直指心源”，或向心灵本身和深层机制进发，即直指心灵及其后面的深层结构、机制和条件，着力研究心灵的结构，进而从结构中寻找天赋的东西。

第三节 天赋概念的自然化

转型天赋研究一直在做的一项工作是，对“天赋”概念进行自然化。这既是由英美心灵哲学的大背景所使然，因为得不到自然化的概念在科学社会是没有地位的，又是由天赋研究的现实所决定的，因为天赋概念本身的确很混乱，需要诉诸科学的方法加以清理。其直接的诱因是反天赋论这样的责难，天赋论提出的是缺乏经验根据的假说，其核心概念理解即对“天赋”的界定存在着根本性缺陷，

① Carruthers P, Laurence S, Stich S(Eds.). *The Innate Mind: Foundations and the Future*.Vol.3.Oxford: Oxford University Press, 2007: 6.

是一个“混乱透了的概念”。[①②]有的人还认为，天赋论的传统失误的根源在于它的核心概念是完全错误的，由此便出现了所谓的天赋概念取消论。这是反思天赋概念过程中出现的激进、极端的倾向。塞缪尔斯把这类激进主张称作“概念挑战”：“如果概念挑战能够得到坚持，那么认知科学将面临严峻的问题。”[③]

“天赋”概念尽管早已进入科学和哲学的视野，但它首先是一个日常用语，就像“水”一样。既然如此，就有必要用科学概念来对之作出说明，以便让其指称更加准确和明了，就像用 H_2O 来说明“水”一样。这样用科学概念说明常识概念的操作就是通常所说的自然化。许多人认为，应像对 FP 的概念和理论进行自然化一样，对“天赋”这个常识概念进行科学化，即要用更科学的术语来表述、解释这个概念。马戈利斯（Margolis）等说：“认知科学哲学家花大力气做的工作是对概念作出澄清，说明它在科学理论化中的作用。”[④]当然在具体的自然化过程中，出现了不同甚至明显对立的倾向。

在考察天赋概念自然化的具体方案之前，先简要讨论一下“天赋概念混淆论”。其基本观点是，传统的天赋概念包含许多独立的、不相容的属性，因此是混乱的、应予抛弃的。格里菲斯（Griffiths）认为，“天赋概念是一个混乱透顶的概念”，因为它把许多独立的、不相容的属性包含在一个词语之下了。这些属性有：①可用进化或适应加以解释的属性。②对发展过程中的外在因素不敏感的属性。③一出生就有或生来就有的属性。④两种意义的普遍属性。其一，泛文化的属性（即出现在各种文化中的属性），其二，单形属性（即在物种成员中只采取一种形式的特质）。⑤不是通过学习获得的东西。⑥根据传统的界定，这些属性既是天赋的，又是各自独立的。格里菲斯认为，天赋概念之所以应予取消，是因为它充满着混淆甚至矛盾的内容，把一些各自独立的概论“合并”在一起或“混淆”在一起，这对认知发展理论有“不幸的”、致命的危害。[⑤]

① Griffiths P E. *What Emotions Really Are: the Problem of Psychological Categories*. Chicago: University of Chicago Press,1997: 59.

② Griffiths P E. “What is innateness?”. *The Monist*, 2002, 85(1): 70-85.

③ Samuels R. “Is innateness a confused concept?”. In Carruthers P, Laurence S, Stich S (Eds.). *The Innate Mind: Foundations and the Future*. Vol. 3. Oxford: Oxford University Press, 2007: 18.

④ Margolis E, Samuels R, Stich S. *The Oxford Handbook of Philosophy of Cognitive Science*. Oxford: Oxford University Press, 2012: 12.

⑤ Griffiths P E. *What Emotions Really Are: the Problem of Psychological Categories*. Chicago: University of Chicago Press, 1997: 186-192.

面对天赋概念取消论，首先必须回答这样一个对天赋论生死攸关的问题，即有无科学上合法的天赋概念？如果有，它是什么？一种观点是，有这样的概念，但要分析、挑选，或要重塑天赋概念，进行“概念革命”。这是当今天赋研究的主旋律和亮点。当然其内部由于构思路径各不相同，所强调的科学模板因人而异，因此重塑天赋概念的策略和方法也不尽相同。马梅利（Mameli）和贝特森（Bateson）认为，有27种可供选择的天赋概念。[①]一种建议是：以生物学为榜样，即根据生物学的有关成果和原则来理解天赋。有两方面的工作可做，一是抛弃传统的理解，二是根据遗传、基因等重新予以界定。按这一思路理解的天赋据说是不同于习得的过程。相应地，天赋特质就是不同于习得的特质。两者的区别可用信息术语来说明。例如，有机体的天赋特征就是由有机体的基因排列而得到编码和表征的特征，或由之编程、由之得到信息专门化的特征。此特征即天赋特征。相反，不是被编码的特征就不是天赋的，而是习得的。在这一方案内部，又有不同的走向，如：①将天赋还原为生物学所认识到的自然类型。这里又有不同的还原方式，一是根据信息和编码来分析天赋。二是根据表型限渠道化来分析天赋。基本观点是：一个表型限渠道化特征就是某些有机体在面对环境的根本变化情况下仍能稳定表现出的特征。②把天赋看作是一个族概念或家族聚合概念，强调它汇聚了许多各自独立的属性，如不是习得的、由遗传而来的、生来即有的等。③用“多学科记号”说明天赋的原初主义（详后）。④考伊断言：天赋特征是基于专有目的机制所获得的特征，根本不同于非天赋的特征，后者是基于领域一般化的学习机制而获得的。[②]⑤天赋就是“来自自然选择的适应性”。[③]

心理原初主义（primitivism）是其中最有影响的自然化尝试。它由考伊和塞缪尔斯各自独立阐发，其目的就是通过归纳有机体获得一种特征所用的方式，改进前述的“不变性”方案。它强调，天赋特征不是通过学习获得的，而是原始的、原来就有的，即具有原初性。只要心理特征不是通过后天心理过程获得的，就可看作是天赋的。塞缪尔斯对原初主义的最早的表述是：“某种心理结

① Mameli M , Bateson P. “Innateness and the science”. *Biology and Philosophy*, 2006, 21(2): 155-188.

② Cowie F. *What's Within? Nativism Reconsidered*. Oxford: Oxford University Press, 1999:56-57.

③ Bouchard T J. “Genes and human psychological traits”. In Carruthers P, Laurence S, Stich S (Eds.). *The Innate Mind: Foundations and the Future*. Vol.3.Oxford: Oxford University Press, 2007: 70.

构是天赋的，当且仅当它从心理学上看是原始的。”从解释上说，原始的特征只能为生物学等科学所解释，不能为心理学所解释。[①]简言之，所谓原初，是相对于心理学而言的，因为天赋的认知属性相对于别的心理现象来说，是最原始的、基本的，是源泉。但由于它依赖于来自分子的、生物的因素，因此可对之作非心理学的或别的科学的解释。[②]他强调：原初的心理不是白板，因为它是一个体在开始他的心理发生发展时最初所具有的东西，或作为前提与出发点的东西。这初始不可能什么也没有，什么也不是，否则，后来心理的发生和发展就不可能。

原初主义是当今十分有影响的一种理论，也是转型天赋论中一种最有个性的理论。其他天赋论都是根据天赋特征怎样获得来肯定地描述天赋特征的，而原初主义则是根据它们不是怎样获得的来否定地予以描述的。只要心理特征不是通过后天心理过程获得的，就可看作是天赋的。从发生顺序上说，原始的特征是科学心理学理论所承认的结构，更是别的一切心理的初始条件、出发点或基础，因此是科学心理学的逻辑前提。从解释上说，它的获得不能为心理学解释，而只能为生物学、进化论等非心理学解释。

由于这一规定受到了许多质疑，后来，他又对之作了改进，其表现是突出“正常情况”的作用。他说：“某种心理结构对基因型是天赋的，当且仅当它是心理学上原初的结构……是在事件的正常过程中获得的。”根据原初主义，天赋是个体发生发展史上的心理的初始性或原初性，是个体在开始他的心理发生发展时最初所具有的东西，或作为前提与出发点的东西。这初始不可能什么也没有、什么也不是，否则，后来心理的发生和发展是不可能的。如此理解的天赋显然不同于常识所说的天赋。这里的“原初的”，可这样界定，一种属性是原初的，当且仅当对这种属性的获得不可能有正确的科学解释。因为它是初始的，不是由科学所能说明的别的因素所促成的。质言之，“说一种认知结构S是原初的，就是主张：从科学心理学观点看，S有必要被看作是这样的结构，对它的获得，不可能形成科学的解释。这不是说，没有什么理论解释S的获得。事实真的或大概是这个样子，别的科学分支，如神经生物学或分子化学能对之作出

① Samuels R. “Nativism in cognitive science”. *Mind and Language*, 2002, 17(3): 246.
② Samuels R. “Nativism in cognitive science”. *Mind and Language*, 2002, 17(3): 246-247.

解释。确切地说，心理学不能成为这样的解释理论。简言之，所谓原初，是相对于心理学而言的，因为天赋的认知属性相对于别的心理现象来说，是最原始的、基本的，是源泉。但由于它依赖于来自分子的、生物的因素，因此可对之作非心理学的或别的科学的解释。格罗斯（Gross）和雷伊等说："人一生下来就有的东西是一种具有某种表现力的系统，它有一系列的原始要素（primitives）。由于与世界的因果关系，这些要素便获得了它们的内容。它们还有逻辑结合的原则，正是它们让无限多样的逻辑上复杂的表征构造从中产生出来。这些原始要素和它们的逻辑组合决定了人可能想什么。"①

自然化中的中间或折中立场是一种关于天赋概念的批判性、紧缩性理论。一方面，它不赞成近来流行的用基因编码或编程，用封装了专门信息的特征来说明心理特征和语言能力的天赋；另一方面，又有限制和有条件地承认天赋的存在，如认为关于信息和编码的概念可与关于天赋的观念结盟，并对之作遗传学的阐释。②另一个折中方案的特点是，一方面，不承认有与天赋概念对应的单一的现象；另一方面，如果说"天赋"有其指称的话，那么最好认为它是一个族概念，即包含许多属性于一身的概念。③

第四节 当代天赋论的形式

从激进或温和程度上分，当代天赋论有强天赋论和弱天赋论加上中间型三大类形式。从所依据的科学基础分，有计算主义的天赋论、联结主义的天赋论和进化生物学的天赋论等不同形式。从关注的领域看，转型天赋论有这样一些新形式：语言天赋论、道德天赋论、概念天赋论、"心灵理念"（FP）天赋论、美学天赋论、输入输出系统天赋论和中心认知系统天赋论等。这里我们主要按照不同的认知科学理论框架对天赋理论进行分类整理：一是计算主义视野下的天赋论，包括符号

---

① Gross S, Rey G."Innateness". In Margolis E, Samuels R, Stich S(Eds.). *The Oxford Handbook of Philosophy of Cognitive Science*. Oxford: Oxford University Press, 2012: 352.

② Godfrey-Smith P. "Innateness and genetic information". In Carruthers P, Laurence S, Stich S (Eds.). *The Innate Mind: Foudations and the Future*. Vol. 3. Oxford: Oxford University Press, 2007: 5.

③ Godfrey-Smith P. "Innateness and genetic information". In Carruthers P, Laurence S, Stich S (Eds.). *The Innate Mind: Foudations and the Future*. Vol. 3. Oxford: Oxford University Press, 2007: 68.

主义范式下的语言天赋论、模块天赋论和联结主义范式下的基因天赋论；二是目的论视野下的天赋论，包含进化天赋论；三是折中性视野下的天赋论，包括具身认知论和自然主义走向的天赋论。

一、语言天赋论

乔姆斯基将计算主义符号系统引入语言学研究。他认为，人脑就是通过一个内存的符号规则系统（普遍语法）来反映语言的。乔姆斯基认为目前对于人类语言如此相似的唯一解释是，人类具有特殊的天赋语言官能，正是这种特殊的官能决定了结构上的依存性或普遍特征。有关语言天赋论假说的主要争论都依赖于“普遍语法理论”，其中包括语法普遍性存在与否、最初语言习得者语法错误的模式、刺激贫乏论、第一语言容易习得、语言习得的相对独立性与普遍智力以及语言程序的模块化的争论等，以下作简单介绍。

1. 句法基本结构原理

乔姆斯基的普遍语法理论是语言知识天赋论的强力论证。不过乔姆斯基认为更重要、更有价值的事实是普遍性来自交流的有效性或简单性标准。由普遍语法决定的那些现存语法并不是事实上最有效、最简单的，但是人类的语言都受到普遍语法的限制。既然交流环境、交流任务都无法解释这一现象，那么只有通过心灵结构来理解了。事实上，普遍语法先天地存在心灵中，并限制人们学习语言的能力。

但是，语言经验论者认为人类语言的这些偶然普遍性的存在有其他解释。一是普特南认为，这些普遍性可以解释为一个普遍的祖先语言，而后代继承了其语言特征。[①]二是哈曼认为，尽管目前缺乏直接证据，但事实上普遍语法确实保证了交流的有效性和简单性。[②]三是蒯因认为，普遍语法的存在也许就是逻辑附属物。任何有限固定的结构都有某些共同特征。既然语言是有限的，它们必然存在共同的特征。另外，普遍语法的许多特征是相互依存的，所以事实上世界语言共同的基础原则可能相当少。这样即使存在天赋决定，天赋在母语习得者

① Putnam H. “The ‘innateness hypothesis’and explanatory models in linguistics”. *Synthese*, 1967. 17(1): 12-22.

② Harman G. “Linguistic competence and empiricism”. In Hook S (Ed.). *Language and Philosophy*. New York: New York University Press, 1969: 2-4.

所需的整个普遍语言知识中所占比例微乎其微。[①]

天赋论者对这些反驳一一作了回应。就乔姆斯基及其转换生成理论而言，无可置疑的是他对整个语言学界的贡献，提出了急需解决的问题。但是这一理论有一个基本假定，即用一套完整的规则生成无限的句子不现实。同时用这样的观点研究语言会导致抽象化，与语言本身及现实世界脱节。同时乔姆斯基有关理论的论据并不充分。我们首先假设存在语法普遍性，那么是否有理由断定一切可能的人类语言都必须符合这些原则呢？很明显，如果我们不能证明人类有与这些原则相符的语言，那么我们就有理由暂且不同意乔姆斯基关于形式普遍现象是天赋的假设。

2. 语言知识获得模型

乔姆斯基在《规则与表征》（*Rules and Representations*）一书中首次提出刺激贫乏论，指出语言环境与语言知识系统之间的差异，即语言缺陷说。他认为语言输入有限，但每个正常人都能有完善的母语能力。而儿童为什么能在两三年内掌握复杂的语言，这只能用语言的天赋来解释，即句法特性是与生俱来的，并且仅仅在相应环境诱因下引发。

经验论者对刺激贫乏论作了有力的反驳。他们认为这一论据不足以说明语言能力的天赋。虽然我们确实学会了词义和科学理论，但是认为所有正确的科学理论或语义符号学知识都是天赋的确实荒诞。福多也对刺激贫乏论进行了批评，他认为其错在将知觉的封装性问题和计算复杂性问题混淆在一起了。认知渗入只是一部分渗入，只有一部分背景知识渗入知觉整合中，这就直接反驳了刺激贫乏论。

天赋论者认为一般语言的学习依赖于普遍智力，并且以大致相同的速度获得一样的句法水平。然而事实上一个没有语言缺陷的智力低下者也可以和正常儿童获得在时间和程度上一样的先天语言。但是经验论者却反击这种论据忽略了一点，智力低下儿童及他们的父母会更加关注他们语言的获得，而且天赋论者过多地强调智力低下儿童和正常儿童语言获得的相等性。约翰·埃克尔斯根据儿童早期语言习得的实验数据提出，婴儿在头一年就有不同寻常的语言发

① Quine W. "Linguistics and philosophy". In Hook S(Ed.). *Language and Philosophy*. New York: New York University Press, 1969: 60-61.

育，是婴儿精神发育和语言发育之间正反馈的互动结果。他说："即使婴儿与语言环境只有极有限的接触也仍然能够学会说话，这表明语言能力是生物遗传的。语言能力作为一种天赋的习性和对语言的天赋的敏感性是有遗传基因作为基础的。"①

3. 语言进程模块化

语言进程模块化是语言能力先天性的强有力的论证。福多认为，大量事实证明促使语言获得、理解和产生的过程明显独立于那些促成一般认知和学习的过程。这就是说，语言学习、语言加工机制以及人们所具有的相关知识是领域专门化的。一是语法及语法学习和应用机制不在语言进程之外，它们是信息封闭的。二是只有语言信息才与语言获得和进程有关。三是语言学习和语言过程是自动的，不受意志支配。同时，语言由特殊的专属神经结构实现，一旦这一神经结构损害必将系统地伤害语言功能，而不是一般认知功能。用乔姆斯基的话来说，为了使语言成为可能，一个特有的"神经器官"已经进入人类认知体系。相应地，这一器官的特定结构限定了人类可能语言的范围，引导儿童学习目标语言，然后快速使实时语言成为可能。模块论主张，特有的"神经器官"构成了人类先天语言知识。语言进程模块化理论的进一步证据来自大量婴幼儿研究。这些研究表明婴幼儿有选择地注意有韵律倾向的声源，并且在分句处停顿，容纳语言许可的音韵句。

当然模块论在当代认知科学中也是有争议的理论。反对者（普特南）认为，语言获得和加工仅仅是普遍学习策略的例子罢了。它们是通过训练获得而非天生的，亦即是被自动化的过程。根据乔姆斯基的语义理论，心灵或大脑中有语义表征，它们是天赋的、普遍的。我们的概念根源于它，并可分解为它。语义表征之所以有天赋性，是因为心灵是自发的功能作用的集合，具有模块性。与上述观点密切相关的是"布伦塔诺论点"，即"意向性是一种原始的现象，是真正把思想与事物、心灵与外部世界关联起来的现象"。②普特南有时把这种观点称作心理主义，因为它是这样一种倾向，它认为概念是心灵或大脑中发生的、可从科学上描述的实在，所以是心理学上真实的东西。普特南毫不留情地指出："这

① 埃克尔斯.《脑的进化：自我意识的创生》，潘泓译，上海科技教育出版社 2007 年版，第 85 页。

② Putnam H. *Representation and Reality*. Cambridge: The MIT Press, 1991: 1-2.

种倾向是错误的。”[①]因为其没有注意到“我们的概念还依赖于我们物理的、社会的环境”。[②]由于有这一外在主义约束，意义、内容像进化一样具有不可预言性。

4. 语言输入假设

美国当代著名哲学家、认知心理学家福多在《思维语言》（*The Language of Thought*）一书中最先明确提出“思维语言”的概念，并在其后许多论著，如《表征：论认知科学的哲学基础》和《心理语义学》等中加以进一步阐发，形成了比较系统的理论。福多认为，思想的媒介是一种天生的语言，它与所有的口语都不同，而且它对语义的表达是完全的。所谓的心理语言被认为是一种天生的语言，它包含了用于任何命题的所有必要的概念资源，而且人类能够掌握、思考与表达它，总之，它是思想和意义的基础。正是因为思维语言是天赋的、普遍的，所以对于使用不同自然语言的民族来说思维语言是共通的。

语言输入假设认为思维语言不仅是客观存在的，而且在我们的心理生活中起着不可或缺的作用，因为一来思维语言是思维的直接的、名副其实的媒介；二来思维语言是先天的，是习得母语的中介。在西蒙看来，思维语言实质上就是乔姆斯基所说的深层句法结构，而深层句法结构正是人们习得母语的基础。最后，思维语言在人作决定的意志活动中还起一定的作用，它为我们说明心理状态的因果作用、解释行为的发生提供了条件。FP 常用信念、意图等解释人的行为的发生。而在福多看来，信念之类的心理状态对行为的因果作用取决于心理表征或思维语言的性质，这些性质不用提及头脑之外的事情就可得到描述。

思维语言假说虽然能深化语言与思维的研究，但毕竟有需要进一步完善之处，也有不少人对此提出了批判和质疑。经验论者，如普特南批判思想语言假说是建立在一个误导且毫无根据的语言习得模型上，认为语言获得特别是语词意义的获得是整套技能获得中首要的，是知道如何做的一部分。丹尼特等更是对思维语言作出了否定性的论证。他认为，“头脑中的句子”表现为用大脑粉笔写在大脑黑板上的铭文，这种观点不说是怪诞的，起码是想象出来的。另外，主张有

① Putnam H. *Representation and Reality*. Cambridge: The MIT Press, 1991: 7.
② Putnam H. *Representation and Reality*. Cambridge: The MIT Press, 1991: 15.

思维语言的观点还必然碰到这样的问题：关于思维语言，除了已有的那些类比说明之外，我们还能说些什么呢？总之，在他看来，“关于心理表征的思维语言模型以这样和那样的方式已成了指数爆炸的牺牲品”①。

5. 语言进化假设

关于人类语言进化之源有两种观点。一种认为语言是随着人类大脑的增大而产生的一种能力，是人的独特特征，是晚近时期才迅速出现的。第二种认为口语是在非人的祖先中通过各种作用于各种认识能力的自然选择而进化的。所以语言是随着人的进化而开始的，是人类史前时期逐渐进化而来的。语言学家乔姆斯基及其同行支持第一种观念，认为在人类历史早期寻找语言能力的证据是没有什么用处的。而那些试图通过计算机和任意的词形教猿猴用符号进行某种形式的信息交流的人，强烈反对第一种观点。②

按照乔姆斯基的观点，语言的出现是历史的偶然事件，是一种一旦越过某种认识门槛就会出现的能力，我们无须指望自然选择成为语言的根源。平克在《语言本能》中，反对乔姆斯基的这种观点。他收集了有利于口语遗传基础的证据，认为脑量的增加更可能是语言进化的结果。他说：使得语言产生的是脑的微型电路的精确的接线，不是总的大小、形状或神经元的组装。

接下来的问题是，有利于口语进化的自然选择压力是什么？不可否认，其压力就来自我们的祖先进行狩猎和采集时，语言能够提供有效的沟通。随着社会协调需要的增加，语言的沟通价值越来越明显，这样就需要进一步提高语言能力。奥克利（Oakley）的《人——工具制造者》（对这一看法进行了高度的概括，他认为现代人的出现是由于语言“完善”到我们今天经历的水平而引起一连串的连锁反应。换句话说就是现代语言造就了现代的人。

二、模块天赋论

在认知科学中，心理模块是指心灵由独立封闭并且领域特殊的模块组成，如视觉模块和语言模块。心理模块论是新计算主义范式下的一种认知理论。

① Heath A F(Ed.). *Scientific Explanation.* Oxford: Oxford University Press, 1981.
② 利基.《人类的起源》，吴汝康，吴新智，林圣龙译，上海科学技术出版社 2007 年版，第 238 页。

1. 经典模块论

福多心理模块理论以官能心理学为基础，即认为心灵存在一定的先天功能并且生物学上的脑器官倾向于执行特定计算过程。他并不认为整个心灵都是模块的，由认知模块组成的输入系统具有模块性，而范围非特异性的中枢系统不具有模块性。福多模块理论的提出对心灵哲学、认知科学、心理学等相关领域产生了广泛影响。

不过模块理论在大获成功之际却被它的首个倡导者废除了。福多在 2001 年出版的《心智不是那样工作的》一书中提出，虽然模块理论将心智解析为分立的计算模块，从而为其作了较好的解释，但是它仍然不能说明心智是如何工作的。[①]福多认为心智能够从大脑的一些部分所提供的信息出发作外展的全局推理，思考是一个整合视觉、语言、移情和其他模块在内的通用活动。因此，作为模块而运作的机制没有预设，不作为模块运作的机制，同时对这些机制本身我们知之甚少。不过有一点还是可以肯定的，就是在形成具有各种能力的大脑时，这些机制造就了各种分立的回路，这些回路容许执行适当的计算。在人类心智那里，有的模块在人的一生中都在调整，有的则随经验快速变化然后定型。

我们认为，福多的模块理论是经典的标准模块理论，也是一种强的极端的天赋理论。这种理论虽然能很好地说明自闭症等心理现象，但是无法解决认识的发展问题，如记忆等。针对福多的标准模块理论，不同学者对模块有不同的理解。有的认为模块不是天赋的，是一个逐渐模块化的过程，即“温和模块性”；有的认为不仅输入系统具有模块性，中枢系统中的全部或者大部分也具有模块性，即“泛模块性”；还有的认为心灵认知系统都不是模块性，主张抛弃模块性概念，即“反模块性”。

2. 温和模块论

如何对福多的标准模块理论进行发展呢？其实福多模块论标准太强，强在其封闭性、不可通达性、领域特殊性和天赋性上。这些过强、过严密的定义使得其模块化无法解释心理运作过程。卡米洛夫-史密斯（Karmiloff-Smith）在《超越模块性——认知科学的发展观》（*Beyond Modularity: a Developmental Perspective*

---

① Fodor J. *The Mind Doesn't Work That Way: the Scope and Limits of Computational Psychology*. Cambridge: The MIT Press, 2001.

on Cognitive Science）一书中探讨了领域特殊性和领域一般性以及先天后天关系问题，提出了一种调和先天论和建构论的温和模块性理论。她既不认同福多的强模块性，把所有的模块都认为是先天的，也不认同后成建构论。

卡米洛夫-史密斯的表述-重述模型理论是对福多模块性和皮亚杰建构论的超越，综合了二者的优点。她一方面肯定了领域特殊性的先天倾向性思想，认为人有先天的语言倾向。另一方面她强调了发展的重要性，为语言习得与一般认知之间打开了通道。不过总体上看，卡米洛夫-史密斯更偏向于先天论和领域特殊性。当然渐进模块性概念的提出引起很多认知心理学家的争议，她本人也承认很多论点只是推测，需要更多的研究。

3. 泛模块论

在福多的模块性无法解释心智过程的情况下，有些研究者认为心智中大多数信息加工系统也是模块的。例如，20 世纪 90 年代人类学家约翰·托比（J. Tooby）和心理学家丽达·科斯米德斯（L. Cosmides）发展了模块概念。他们认为心智就像一把瑞士军刀，既有视觉模块、语言模块，还有移情模块。就如同瑞士军刀的各种工具一样，这些模块也都是有目的的。[①]心智就是由适应过去环境的一组内容特定的、处理信息的模块构成的。斯帕伯（Sperber）也认为虽然模块的性质还需要不断研究才能得出，但是实际上人的心灵几乎完全是由认知模块构成的。平克认为模块应由它们接受信息的具体操作界定，而不是取决于功能，中枢系统也是模块性的。这就是泛模块性论题，这一理论的提出很快引起了极大争议。

泛模块性论题是在承诺达尔文主义的基础上提出的，认为认知机制是在借助进化解决我们人类祖先适应性问题的过程中形成的专门认知适应器。但是泛模块性自身也存在严重的问题。一是将功能专门化作为模块的概念，使得模块概念本身更加模糊。因为正如福多所说，模块性的关键在于信息封闭和与之相关的领域专门化的性质，虽然这两个性质可能蕴含功能专门化的性质，但是这两个性质却并不为功能专门化的性质所蕴含。因此，仅仅表明一个系统是功能专门化的，并不足以表明这个系统的模块性。二是泛模块性论证并没有解决思维

① Prinz J. “Is the mind really modular?”. In Stainton R(Ed.). *Contemporary Debates in Cognitive Science*. Malden: Blackwell, 2006: 22.

模块进化及文化多样性等问题。尽管泛模块性是针对福多的模块性问题所提出的，但是其模块性的概念太强了，因为实验证据证明，人的心灵有非模块性的中枢系统，如概念整合、思想能力的通用性、推理的整体性等。我们可以自由地组合概念，可以从理论和实践的思考中作出判断，可以执行范围广阔的任务，等等。不管如何，泛模块性论题使我们通过进化的视角来理解心智问题，有一定的理论价值。

4. 反模块论

反模块性认为，心灵认知系统的输入系统和中枢系统都不具有模块性，模块性是一个容易引起歧义的概念。因为心灵中并没有表现出福多所列举的模块性的特征，如普林茨所说："我认为，'模块性'这个词语应该抛弃，因为它暗示了许多系统在福多的理论的意义上都是模块性的，但这个命题缺乏根据。"[①]反模块性用人类认知的实证观察来宣告这些观察和模块性主题的蕴含不一致。

反模块性提供了大量的数据来证明模块概念应该被抛弃，并提出了输入系统和中枢系统都并不具有模块性。但我们还是可以在低层次知觉中找到模块性，并不能完全否定模块性的存在。而泛模块性夸大了模块的范围却没有找到强有力的证据来支撑，也很难解释模块问题。因此，合理的立场就是中间立场。不过后福多式模块化不是空洞的，模块化为概念工具提供了解决各种类型争论的方法。例如，我们可以通过对特殊化的研究来告知实证研究，模块化的进化研究还增加了一种额外的成分，限定了空间模块是功能模块（两者之间是似是而非的）的假设，认为它们对人类祖先的成功繁衍一定是有利的。而且按照模块化理论，新的概念框架对人们进一步研究进化心理，揭示专门功能的机制也有积极意义。

三、基因天赋论

在《天赋理论再思考：关于发展的联结主义观点》（*Rethinking Innateness: a Connectionist Perspective on Development*）一书中，贝茨（Bates）、埃尔曼等研究

---

① Prinz J. "Is the mind really modular?". In Stainton R(Ed.). *Contemporary Debates in Cognitive Science*. Malden: Blackwell, 2006: 34.

了基因与环境的相互作用。他们反对乔姆斯基、平克及伊丽莎白·斯派尔克（Spelke）等的强先天论。他们认为基因有可能通过决定系统的“建筑上的限制”来影响大脑发育。通过建立一个系统物理结构，他们认为基因实际上通过决定系统所用的学习算法来响应环境，系统的具体命题信息由系统对环境刺激的结果所决定。

1. 基因决定论

发展生物学中激进的天赋论者主张基因决定论。比如，语言学家平克和认知神经科学家斯坦尼斯·德阿纳（Dehaene）认为，存在语言基因和数字基因，正是这些基因使婴儿会说话、会数数。发展心理学家伊丽莎白·斯派尔克主张婴幼儿天生就有感知物体、人类及方位等的能力。我们的思维功能来源于大脑结构，发展生物学的研究实例表明，在出生之前大脑的结构已经决定了我们的思维。

但是我们的大脑结构又是从何而来呢？基因组能够构建思维或者大脑吗？这个一直是争论的问题所在。反对者认为与基因组相比基因的数量过于庞大，在新生儿的头脑中有约 1000 亿个神经细胞，在成人基因组中只有 30 000 多个基因，不可能出现单一基因对应所有基因组这样的情况。也有反对者认为基因组的精确性无法说明人类大脑发展的灵活性。更有甚者认为大脑本身可以重组，大脑细胞有时会被转化成视觉细胞。因此，天赋论就难以置信。埃尔曼、贝茨、约翰逊、卡米洛夫-史密斯等就以此反对典型天赋论，认为有机体的发展离不开大量经验的输入。[①]很多哲学家认为，基因决定论在讨论行为的基因时太过随意，没有看到基因在最开始影响行为时的不确定性和复杂性。比如，有的哲学家认为，基因应该与其他原因居于同等地位，其作用取决于具体情境。心理是在发展过程中突现出来的。有的动物学家指出：遗传程序是灵活的，不同的基因有可能达到相同的结果；在生物群中每个基因都有非常多的不同版本，它们构建有机体的时候并非直接进行。

基因中心论认为，天赋根源于基因编码。而基因是能够解释家族内部表型变化的唯一的东西。反基因中心论的人认为，各种铭记机制也能解释家族内和父子两代之间的遗传现象。还有人认为，把天赋界定为基因编码过于简单，因

① Carruthers P, Laurence S, Stich S(Eds.). *The Innate Mind: Structure and Contents*. Oxford: Oxford University Press, 2005: 24.

为有这样的事实，即基因并没有“顺流的”表型结构，如没有身体器官和认知机制，天赋性太复杂了，因此“编码”的观念派不上用场。[①]应注意的是，转型天赋论尽管主要用遗传、基因来解释天赋，但其解释极有分寸。比如，它不说天赋属性“完全由遗传所决定”，不说它们完全由基因组所表征，而强调“这属性必须在某个重要方面从遗传上去加以说明”[②]，即应根据基因组来加以解释。新的解释的特点在于强调：要解释天赋的属性，必须诉诸基因组或遗传因素，但新天赋论又“不首先表现为一个关于认知属性只有孤立的遗传根源这样的命题”。它强调“遗传说明”只是要表明：在解释有关天赋属性时，适当的基因组比环境条件是更合适的东西。[③]

2. 基因天赋论论证

基因真的能产生大脑或思维的根本组织吗？它又是如何构建如此复杂的结构的呢？遗传学神经网络也许能找到答案。赫梅尔与毕德曼提出了一个详尽的高人工智能的视觉网络模型，这一模型充满信息的封闭性，与先天基础有关。这一结构可能成为先天学习的一个实例。问题是这一系统的先天部分是如何出现的呢？首先，建立一个神经遗传模拟程序，即将基因组作为其输入、生产作为其输出的神经网络系统。这个系统包含了所有传统神经网络系统所考察的要素，同时考察基因协调和编码。这样就可以考察并论证天赋理论。

认知神经科学的最新研究表明，动物出生时即有映射能力。新生大鼠是怎么找到路的？这很简单，两个团队给出了答案，对空间的勾画似乎并不需任何经验即可存在，他们报告了这一现象的一些基本要素。研究者们记录了新生大鼠第一次探索未知世界时脑内三种神经元的活动情况。汤姆·威尔斯（T. Wills）、弗朗西丝卡·卡库其（F. Cacucci）和他们的同事报告了头部方向神经元，这种神经元会因动物头的朝向不同而特定性地被激活，当幼兽第一次离开窝去探险时，这种能力已得到充分发展。而负责进行空间定位的空间细胞的基本特性此时也已具备。相反，第三种负责空间方向的细胞——网格细胞在晚一些的时候

① Carruthers P, Laurence S, Stich S (Eds.). *The Innate Mind: Foundations and the Future*. Vol. 3. Oxford: Oxford University Press, 2007: 8-9.

② Carruthers P, Laurence S, Stich S (Eds.). *The Innate Mind: Foundations and the Future*. Vol. 3. Oxford: Oxford University Press, 2007: 133-134.

③ Carruthers P, Laurence S, Stich S (Eds.). *The Innate Mind: Structure and Contents*. Oxford: Oxford University Press, 2005: 134.

依然没被激活。挪威科技大学的研究者非常同意这一观点，但他们认为当幼兽第一次探险时网格细胞的原始功能已经具备。这两项研究均指出动物刚出生时可能已具备空间认知能力。

20 世纪 80 年代，神经心理学家本杰明·利贝特（Libet）在《脑》（*Brain*）杂志上的一篇论文中的实验结果让整个科学界和哲学界哗然。实验过程是这样的，本杰明·利贝特将研究志愿者与脑电图连接在一起，用脑电记录装置监控他们的脑电活动，然后给他们下达指令：无论何时，只要起念头，就动动你的手指。本杰明·利贝特记录到人们在表现出有意识地移动手指意图前数百毫秒的脑电活动情况。当志愿者“意识到自己要动手指”时，大脑早已发出动手指的指令。也就是说，先是出现“相关脑区活动，运动皮层发出指令”这个事件，过了大约 300 毫秒以后，才出现“意识决定要动”，接着又过了 200 毫秒左右，“手指动”了，如图 16-1 所示。

无意识活动→有意识决断→选择是否行动→行动

图 16-1　本杰明·利贝特的实验

当然，本杰明·利贝特的这一实验结果受到了很大的非议。因为这个结论所揭示的人类自身运动本身是没有自由意志可言的，意识仅有叫停行动的权利。许多科学家根本就不相信本杰明·利贝特的结果。然而，随着类似实验的重复开展，结论越来越明晰，本杰明·利贝特现象的确存在。

当然相关类似的实验还有很多，几乎结论都是一样的，也就是说认为大脑下意识活动要早于有意识的行为决定。此类实验已经改变了我们对于意识和潜意识思维之间关系的观点，认定后者具有主导责任。把意识想作一个聚光灯，而潜意识来控制何时开灯，光束照到哪里。“有意识的心灵并不自由”，我们所谓的“自由意志”实际上出现在潜意识中。这些实验结果无疑是对基因天赋论的再次证明。

四、进化天赋论

新目的论很好地解释了以前进化论无法说明的问题：最初的有机体是如何产生的。它认为生命进化发生之前经历了漫长的甚至无限的前生物进化过程，正是由于存在着前-进化，有机体及其目的指向性才诞生。当最简单的生命诞生之后，是进化和选择不断推动有机体向前发展。一旦目的指向性出现之后，进化就有了生物进化的形式，就开始玩新的自然选择的游戏。除了自然选择之外，新目的论还经常述及理智的选择、文化的选择、学习的选择甚至性的选择。所有这些选择形式都是推动目的性由低到高、由简单到复杂发展的动力和机制。那么，人的认知也是由自然选择进化而来的。同时人的认知也在不断进化当中进一步发展。所以理解信息加工系统的次序应该是：系统被选择的目的→面对的信息任务→完成任务的程序→运行程序的结构和机制→认知任务的理解。

1. 动物天赋心理

动物进化的一个重要特征就是有机体与神经系统共同进化，这样我们可以看到：高级哺乳动物的神经系统要比低等动物复杂且完善得多，高等脊椎动物都有复杂的心理活动。现代心理学家也普遍认为，心理现象不是人类独有的，高等动物也有。一般动物通过遗传获得其先验心理，与人类先验心理的传承有类似之处。

动物通过遗传获得天赋先验心理不仅可以在动物进化史中找到例证，而且科学实验也提供了验证。发展心理学家哈洛（Harlow）以实验探索了幼猴和代理母猴之间的依恋关系。他将幼猴单独放在一个房间里，这里有两个代理猴妈妈。一个是铁丝做的，能提供食物；另一个是绒布做的，不提供食物。如果幼猴对妈妈的依恋来自食物，那么应该与铁丝做的妈妈建立依恋关系。实验结果却是幼猴对绒布做的妈妈产生依恋。由此可见，动物内在性的情感等先验心理是客观存在的，遗传基因不仅规定了动物的形态特征，而且大部分决定了动物的心理发生。

丹尼特认为所有的心智都有两个共同的特征。其一，有关于环境的表征；其二，具有表征的造物能接受表征的引导，对表征加工处理。人和其他非人类造物在心智上的区别就是程度上、方式上的不同。因此，丹尼特将心智划分为四个等级。第一等级的心智就是达尔文式的心智，只对环境作出反应。最简单的生物就是这种心智。第二等级就是斯金纳式的心智，能借助操作性条件反射进行学习，有一定的可塑性。第三等级是波普尔式的心智，能表征环境。斯金纳式的学习是在试错中学习，而波普尔式的学习是在对经验的预测中学习。第四等级就是格雷戈里式的心智，能有意识地表征，能形成关于表征的表征。通过以上对智能的分析可以看出，人类的智能是高级的、具有普遍性的，而非人类生物智能是粗浅的。[①]

2. 进化认识论

进化认识论是20世纪60年代出现的一股认识论思潮。它从进化的角度，从生物进化论的基本原理出发对人的认知能力和认知结构进行研究。德国学者福尔迈（Vollmer）在《进化认识论》一书中，详尽阐述了其进化认识论思想。按照进化认识论，认识论重点要回答的是以下几个问题：我们为什么刚好并仅仅有这样的认识；我们的认识的效力有多大；认识的确定性根据何在；等等。而对于这些问题，进化认识论都试图通过进化论来解答。

福尔迈认为，康德既没有给先天综合判断下一个明确的定义，也没有直接给出先天的直观形式和概念从何而来的答案。但是他认为进化认识论可以进行解答。其给出的答案是：存在人类认识的结构……这些结构是进化的产物，它们属于个体的遗传装备，属于个体的认知的“存货库”，因此在宽泛的意义上是遗传的或天赋的。[②]也正是在此意义上，先天综合判断才得以可能。另外，康德在我们假设性地获得的科学真理上提出了两个诘难：一是我们不知道我们判断中主观份额有多大；二是这些主观成分会使范畴失去必然性。福尔迈认为可以在进化认识论中将这两个诘难一一驳倒。福尔迈认为，第一个诘难不符合进化认识论的原则。他说：哪些结构是主观有效的？对这个问题的回答可简述为：人在进化中为保全自己所需要的结构。[③]对于第二个诘难，福尔迈认为先天综合判断、范畴都没有必然性，只有进化认识论才能很好地解决这一难题。他说：直观形式与范畴，也是作为主观的、我们天生的禀赋适应这个世界的，以致“它们的运用，是与自然法则恰好一致的”，因此是简单的，因为它们是在适应这个世界和这些法则的进化过程中形成的。这种天赋的结构，也使我们理解到，我们能够做出恰当的、同时独立于经验的、关于世界的陈述。[④]

---

① 高新民，刘占峰，等.《心灵的解构——心灵哲学本体论变革研究》，中国社会科学出版社2005年版，第105页。
② 福尔迈.《进化认识论》，舒远招译，武汉大学出版社1994年版，第178页。
③ 福尔迈.《进化认识论》，舒远招译，武汉大学出版社1994年版，第179页。
④ 福尔迈.《进化认识论》，舒远招译，武汉大学出版社1994年版，第181页。

五、概念天赋论

概念天赋论是当今认知科学中十分流行的一种天赋论，由福多首创，后得到杰肯多福、莱尔德等著名学者的大力支持。[①]福多阐发的概念天赋论有两部分。第一，关于人的大脑的最适当的模型是通用数字计算机模型。这种计算机如果真的能"学习"的话，那么它一定有能使用它的生来就有的机器语言的天赋的机制。第二，大脑能学会运用的每个谓词，一定能翻译成大脑的计算语言。基于这两点，他得出结论说，没有概念是习得的，一切概念都是天赋的。

1. 福多的原型触发理论

福多的论证是从对学习的分析入手的。通常认为，学习不过是假说的确证过程。例如，在一个经典的分辨实验中，一个动物能按不同的路径、通过对假设的确认来学会对诸对象 Rs 作出不同的分辨。

其验证是按这样的路线进行的：

（L）X 是 R，当且仅当 X 是红的，有三个角。

它是这样完成验证的，如跟踪那些是红的三角形的例子，以及那些不是红的三角形的例子。即使这是动物获得（L）这一信息的完全明显的途径，但似乎不是获得红的概念、三角形概念或它们结合在一起的概念的途径。因为为了确证（L），动物必须有接受它的手段。福多在此基础上进一步提出：如果没有已经具有的、作为它的构成要素的概念，那么动物就不可能完成上述行为。天赋概念的出现当然需要诱因，而经验的作用恰恰在于此，如红、三角形的刺激就将已具有的概念触发出来。

总之，如果学习是假说确证，那么有机体就不会学到任何概念。如果学习是假说检验，那么在那个假说中，它就离不开概念激活。就上面的例子来说，那个动物学到了某物是 R，当且仅当它是红的、有三个角，因此，可以说它事先已有概念（R）。福多说："作为触发及结果而出现的简单概念无疑是在经验的结果中学到的；而经验不管是直接还是间接的，都属于概念的原因。但概念不是从经验中学来的。"这就是说，概念是天赋的，但依赖于经验中发生的学

① Gross S, Rey G. "Innateness". In Margolis E, Samuels R, Stich S (Eds.). *The Oxford Handbook of Philosophy of Cognitive Science*. Oxford: Oxford University Press, 2012: 354.

习，而学习不过是触发的。[①]福多认为，概念是被诱发出来的，而非经学习得来。在这里，原型功不可没。原型不是构成概念的东西，但在将概念诱发出来的过程中起关键作用。 当然，他不否认知觉刺激、学习在概念出现中的作用。他强调，概念不仅是被诱发出来的，而且是由概念与知觉刺激之间的、理性的关系所“引起的”。就此而言，概念又有依赖于学习的一面。不过，这里的学习，仍具有诱发的意义。

2. 普林茨等的代型论

普林茨等将传统经验论与现当代的天赋理论结合起来，提出了代型论。普林茨认为，代型（proxy type）是一个混血儿，是综合所有有关概念的说明而来的。当然，这一理论是对以往理论的综合和创新，更具有解释力。它的基本主张是“概念即代型”，“概念是一种探测机制”。

普林茨等认为概念的形成，是因为人心中有代型。代型是一种特殊的知觉表征，存在于人的认知系统的记忆网络中，同时又具有经验性和具体性。代型的对象所表征的内容既可以是性质、特征，又可以是完整的事物或关系，它们可称为所表征对象的代理。所以，这表证在没有被称为概念之前，只是有成为代型的可能性。正如普林茨所说：能够成为概念形成所用的表征的不是记忆网络中全部的信息或表征，而是在工作记忆中被激活被当作一个范畴或一类对象之代表的表征。而一旦有一个知觉表征被当作是这样的代理，那么它就是代型。普林茨的代型理论仍有经验论的倾向，这样他就不得不解释与经验无关的一系列概念。普林茨认为他所提倡的是新经验论，并不根本对立于天赋论。例如，新经验论承认有特定认知功能的细胞、儿童生来就有的 FP 等。他认为既然有天赋的知识，那么其中肯定有天赋的表征，而这些都有可能成为代型的表征，“概念经验论承认这些类型的天赋表征”。通过以上对代型的界定，就足以说明那些与后天无关的概念是如何形成的。例如，神经元或神经元群天赋地连接在一起，能对相同的事物作出探测或分析，这就可以说明并证明以上观点。

---

① Fodor J. "The present status of the innateness controversy". In Fodor J. *Representations*. Cambridge: The MIT Press, 1981: 304.

六、道德天赋论

道德天赋论的基本观点是，人之所以有这样那样的道德行为和判断，之所以表现为有不同德性的人，是因为其心灵深处有其天赋基础，即有天赋的德性。可从五个方面加以论证。第一，基于建构主义的论证。建构主义本来不承认有天赋的道德内容，充其量只承认有天赋的道德学习机制。海德特（Haidt）等对之作了改进，认为建构主义也可用来证明存在着某些天赋的道德准则。第二，根据联结主义的论证。他们也按上述方式对其作了改进，以便让它能证明道德准则的天赋性。第三，根据“关系模型”的论证。“关系模型”理论是为解释广泛文化领域中的跨文化的相似性和多样性而建立的，认为之所以有文化的相似性，是因为人内部有相关的、共同的模型。将其运用于道德天赋问题，可得出结论说：人之所以有德性上的共同性，是因为其内部有共同的、天赋的模型。第四，根据大规模模块论的论证。第五，根据浇铸（teeming）模块性的论证。[①]道德天赋论有不同的样式：①规则天赋论主张，人生来就有能力理解规则，对规则作出推论。②道德原则天赋论认为，人除了有理解规则的能力之外，还有关于不同道德原则的知识，其中有些原则就是天赋的，一些普遍的道德原则，如不准强奸、不准谋杀，反对暴力等，就是如此。③道德判断天赋论认为，人在很小的时候，就能把标准的、违反道德的行为与标准的、习惯的行为区别开来。尼克尔斯（Nichols）赞成规则天赋论，认为关键的能力就是能识别并推论无条件规则的能力。这能力不是来自经验学习。这一理论适合用乔姆斯基的“刺激贫乏论证”来证明。[②]相应地，尼克尔斯不赞成道德知识天赋论。他说：“任何关于天赋道德知识的论证都不可能成功。不过，可合理地说，天赋的情感机制可以形成我们的道德能力。”“能影响道德判断的某些情绪是可描述为天赋的。”[③]因为人的情绪系统是由进化所设计的。他承认，道德判断的能力肯定是天赋的。这应根据天赋的情感系统来解释，而不应根据天

---

① Carruthers P, Laurence S, Stich S (Eds.). *The Innate Mind: Foundations and the Future*. Vol. 3. Oxford: Oxford University Press, 2007: 374-391.

② Carruthers P, Laurence S, Stich S (Eds.). *The Innate Mind: Foundations and the Future*. Vol. 3. Oxford: Oxford University Press, 2007: 351.

③ Carruthers P, Laurence S, Stich S (Eds.). *The Innate Mind: Foundations and the Future*. Vol. 3. Oxford: Oxford University Press, 2007: 367.

赋道德知识来解释。[①]

第五节　当代天赋论的缺陷与走向

一、当代天赋论的缺陷

当代天赋论在总结概括人工智能、认知科学研究的成果的基础上丰富和发展了传统的关于天赋观念问题的探讨，其积极的意义不可小视。但来自外界的批判使得天赋论阵营中存在着强烈的压力，其自身确实有亟须克服的理论缺陷，表现如下。

一是缺乏有力的论据，因而论证不充分。就语言天赋论而言，乔姆斯基的普遍语法更多的是哲学上的思辨，平克的语言本能和福多的语言模块也都只是假说，缺乏实验实证数据。比如，平克所提出的语言基因，到目前为止也没有有力的科学证据来说明语言基因的存在。相反，脑科学技术的发展证明并没有所谓固定的语言区，别的基因也参与了语言过程。另外，对于思想语言这种假说，很多学者对于现有的论证提出质疑。例如，有学者指出这种假说太肤浅、太不完善，要学习一种语言，一个人必须已经知道了一种语言。这种蕴含本身就是对思维语言假说的归谬。因此，天赋理论还需要进一步扩大自己的解释力度，并寻找更有力的证据。

二是过分强调天赋，忽略后天环境。天赋理论学者中也分弱天赋理论、强天赋理论以及极端天赋理论。虽然大多数天赋理论者都承认经验和环境的作用，但仍有少数极端天赋论者否定后天因素作用。比如，平克认为语言就是一种人的本能，不是文化的产物。他说：语言的使用，就像苍蝇产卵的合理性一样，根本不是我们自觉的活动。[②]福多认为输入系统的模块也是先天的，这就忽视了输入系统在发生发展过程中环境对其的作用。卡米洛夫-史密斯在批评福多的模块理论时说：人脑不是用已有的表征事先构造起来的；它是通过和外部环

---

① Nichols S. "Innateness and moral psychology". In Carruthers P, Laurence S, Stich S (Eds.). *The Innate Mind: Structure and Contents*. Oxford: Oxford University Press, 2005: 353.

② 平克.《语言本能——探索人类语言进化的奥秘》，洪兰译，汕头大学出版社 2004 年版，第 27 页。

境及它自己的内部环境的互动而逐渐发展表征。……重要的是不要把先天性和出生时就已出现或有关成熟的静止的遗传蓝图的观念等同起来。不论我们强调什么先天成分，它只有通过和环境的互动才能成为我们生物潜能的一部分；在它接受到输入以前，它都是潜在的。而输入又反过来影响发展。[①]

三是混淆天赋概念，定义不明确。不同文化背景、不同研究领域的天赋论者给天赋的定义五花八门，在论述过程中也出现了前后混淆，在与经验论论战中，时而是这个意义上的天赋，时而又是那个意义上的天赋。如此纠缠下去最后都没有说清楚天赋到底指什么。例如，乔姆斯基的普遍语法有时指的是天生的语言知识，有时指的又是天赋语言知识的具体看法。乔姆斯基的语言直观指的是“不言自明的语言能力”。语言能力是说话者具有关于语言的知识，怎么能是不言自明的呢？这样就会出现歧义，另外还混淆了“命题知识”和“技能知识”的概念。这两种知识差异性很大，赖尔在《心的概念》中专门对其进行了区分。例如，“我知道天在下雨”就是“命题知识”，“我知道怎么弹钢琴”就是“技能知识”。哈曼对乔姆斯基的“不言自明的语言能力”这个句子本身提出质疑，认为他混淆了“命题知识”和“技能知识”的概念。因为语言能力是技能，不是“不言自明”的知识。“不言自明”的知识应该是“命题知识”。乔姆斯基使用“语言能力”这个短语至少包含了两种混淆。他混淆了“命题知识”和“技能知识”的概念；他将知道某些句子在语法上是不可接受的、有歧义的等与知道这些语法规则——这些句子是由于它们而不可接受、有歧义——混为一谈。[②]

四是陷入理论悖论，解释不给力。就如同福多后期对自己模块理论的否定一样，天赋论是一个逐渐成熟的过程。在现有的一些理论中不可避免地出现理论上的悖论和难题，这也为经验论者的反驳提供了契机。例如，我们承认语言是伴随着思维一起进化的结果，是适者生存的产物，那么现代人的语言和思维也应该继续进化。这样就有人提出了互联网的进化理论，即用互联网扩展人类思维。但关键的问题是人工智能并不是真正的人类智能，如何实现进化？另外，

---

① 史密斯.《超越模块性——认知科学的发展观》，缪小春译，华东师范大学出版社2001年版，第10页。

② Harman G. “Psychological aspects of the theory of syntax”. In Stich S(Ed.). *Innate Ideas*. Berkeley: University of California Press, 1975: 172-173.

泛模块性论者从进化角度分析思维机制，认为思维是模块性的，而模块性是一种进化的必然性。但他们对于思维模块性的论证也导致了一个悖论：自然选择决定思维领域的特殊性，并将其领域的特殊性限定在祖先生存环境中的适应性问题上，但是思维领域特殊性的进化论却蕴含着对思维领域特殊性的否定。正如斯帕伯所说："许多，也许大部分现代人类思维的领域都过于新颖、过于多样，而这不可能是通过遗传所规定的模块的特殊领域。"[①]因为很多领域是新世纪才出现的，与人类基因组的变化不相关。所以如果根据进化论，现代文化新颖而多样的领域与他们的生存无关，那么思维领域就是非特殊性的。

五是主要考虑智力因素，很少考虑其社会影响。天赋论潜在地影响我们对自身及社会的看法已经非常明显。天赋论改变了解释的重点，从经验进入基因，即从可知的、可操作的到无法计算的、不变的，似乎支持社会政治态度的更普遍的变化。种族、民族及性别的不同越来越被看重；社会福利制度无法治愈社会疾病得到更广泛的认识；对平等和个人权利观点的抵制；传统道德和家庭观念复苏的要求；这些观点可以在新天赋论中找到丰富的基础。对于"先天""权利"和"必然性"这些概念，保守主义的政治家、道德学家及法官们可以很轻易地找到许多。如果城市的贫困和暴力是由居民的基因组所造成的，那么政府部门企图改善这一种现状是毫无意义的。如果少数儿童成绩差是由他们低标准的基因所造成的，那么忘记启蒙教育以及其他任何教育改革吧。如果我们社会延续的一夫一妻制度破坏了某些男人的繁殖的生物权利，那么我们应该放宽离婚条例。如果女人天生比男人更少野心，而野心是获得社会地位和经济成功的关键因素，那么性别上的不平等及女人无形的晋升障碍就得到公认。当然以上种种说法也是有问题的，因为天赋并不意味着完全不受环境调节的影响。尽管事实上当代天赋论支持者们有时承认从天赋到政治、伦理或者经济药方没有论据也许毫无论据，但是从某些先天的事实得出它是正确的这样的推理一直都有，并伴随着潜在毁灭性结论。这样就有必要弄清楚什么是天赋论，以及在何种条件下其主张具有可信度。如果我们不得不从天赋论中得出社会政治结论，

① Sperber D. "The modularity of thought and the epidemiology of representations". In Hirschfeld L, Gelman S (Eds.). *Mapping the Mind: Domain Specificity in Cognition and Culture*. Cambridge: Cambridge University Press, 1994: 40.

也许我们的倾向是天生的，我们至少务必做到考察这些主张的有效性。

二、当代天赋论的走向

其一，当代天赋论与相关具体科学联系更紧密。多数天赋论者都试图通过生物学、遗传学、脑神经科学等研究将天赋性纳入自然主义、物理主义的框架之内，在自然次序中为天赋心灵找到一个合适的位置。乔姆斯基说：我们把人的心理看作是一个特定的生物系统，其中包括各个组成部分、各种成分，应该像研究物质世界任何其他部分一样来对它进行探索。当代天赋论中的核心重大问题的解决要最终依赖于现代科学研究成果。当然不同的研究者所依赖的具体科学有所不同，这样他们可以从不同的论点出发促进天赋论的深入。比如，有学者从计算机科学、人工智能等研究出发，用计算机作类比，探讨人类智能内部结构和机能。如克拉平所说："20 世纪中叶，自动计算装置依据图林的重要理论成果被发明出来，人们便认识到机器也能加工和利用表征，这便为说明心灵的内在表征如何起作用提供了一个例证。"[①]还有学者从遗传学、神经网络学等理论成果出发，把当代进化论思想引入天赋理论研究之中，以此探讨人类起源、大脑进化及文化进化规律。

其二，当代天赋论不再拘泥于谁是谁非、谁多谁少的问题，而是着力研究先天因素与后天环境相互影响、相互促进的关系。当代天赋论关注的不是简单的谁对谁错的问题，而是更深一层研究各自的作用，以及两者之间的互动的问题。当然一般的天赋论者和经验论者虽然都相互承认天赋和经验的作用，但是他们都毫无隐瞒地把对方的问题扩大化，并不是真正的融合。这样就出现了一种新的趋势，认为天赋和经验共生共存、彼此缺一不可、相互干扰或共进，也就是新综合论。

其三，当代天赋论虽然直接面对的就是经验论，矛头直指物理主义、行为主义的软肋，但是最终的结论却不是理性主义的。不论是语言天赋论还是模块天赋论，都提出了经验主义无法解决的问题。比如，为什么向人类学习语言的各种高级动物始终无法真正掌握语法呢？而天赋论最终是要通过语言、知识等揭示人的本质，人的本质又依赖于人脑结构身心问题的解决。对人类的起源、大脑

① Clapin H(Ed.). *Philosophy of Mental Representation*. Oxford: Oxford University Press, 2002: 1.

进化的认识，根本上是依赖于现代自然科学。由此可见，当代天赋论最后走向了唯物论，而不是唯心主义。

第六节　天赋问题解决路径的思考

首先必须承认，转型的天赋心灵研究已将认识推进到了这样的地步，即用不着再花太大力气来对付过去需作为前提来探讨的有无天赋资源之类的问题，因为即使今日仍存在着经验论对天赋论的质疑和挑战，但如前所述，新经验论不再绝对否认天赋的东西，连行为主义对天赋论所说的有天赋资源的观点都表示敬重。但又应看到，当前的天赋研究仍处在初创阶段，有必要且有可能加以推进。而要如此，当务之急是对多而混乱的问题加以梳理。大量研究已证实，人在形成之初就有作为后来发展之出发点和前提的“原初或原始心灵”，现在需要进一步具体探讨的是，它究竟是什么？有何内在构成和结构？最后，如果有天赋心灵、原初心灵，那么它们与人后来形成的现实的心灵是何关系？天赋心灵在现实的心灵中居于何种地位？是变化还是不变的？

第二，在天赋的范围问题上，我们可以采取灵活、变通的态度。根据天赋的一般界定，我们可以像东方的天赋论那样承认，人的后天的所有一切，如吉凶祸福、性格特点、运动能力等都有其先天的根据。质言之，天赋的范围可以放大到心理和生理的一切方面。但是，不同的学术部门只需要也只能关注与它的学科性质相对应的那一部分天赋资源。例如，心灵哲学就只应研究天赋心灵，认识论就只应研究天赋的认识上的“种子”，如此等等。

第三，在心灵哲学切入对天赋心灵的研究时，应采取各个击破、具体问题具体分析的策略，即用西方现在比较流行的个案研究的方法，先弄清天赋心灵的个例、具体样式，如天赋的道德资源，天赋的数学资源，天赋的本体论知识或能力，天赋的FP，天赋的语言能力、思维能力、情感能力、意志能力等，然后采取形而上学思辨和具体实证科学相结合的方法，对它们具体的存在方式、构成、结构、机制等，既作形而上学的推断，又利用脑科学的无创伤技术作直接的观察和研究。

第四，正如许多心灵哲学家注意到的，心灵哲学研究尽管离不开相关具体科学的帮助和滋养，但它毕竟首先且主要是一项形而上学的事业，其中特别突出的是本体论的探究。对天赋的心灵哲学研究也莫不如此。在这里，最突出的心灵哲学问题就是东方天赋心灵论所突出的心性问题。因为人身上之所以有天赋的东西，其最终的根源在于：人形成时尤其是心灵在产生（此为“性”之直接指称）时大自然的赐予或选择。这应成为天赋的形而上学研究的一个突破口。

第十七章
新计算主义与人工智能的若干问题

经典计算主义在受到塞尔等的否证而经历一段时间的低谷之后，经过一些人的不懈努力，最近又出现了所谓的新计算主义。其新的表现是：不再像经典计算主义那样只关注心智的形式或句法方面，而承认其遗漏了语义性这种心智的根本特性，进而在如实解析人类智能的基础上将建构像人类智能那样的语义机放在突出地位，强调要完成上述任务，必须深入具体地研究人类的心智及其运作原理，在弄清语义性的必要条件和机制、探讨具体的实现途径的基础上，建构相应的模型。新计算主义尽管从理论和工程技术上对计算主义发展中的种种问题作了创造性的探索，但仍不尽如人意。当务之急是更进一步师法自然，探讨人类语义机的内在奥秘。

第一节　计算主义的创新与发展

新计算主义在20世纪末和21世纪初的产生和发展，是人工智能研究和计算主义发展历程中一件颇值得深思且带戏剧性的事件。20世纪80年代，一度占统治地位的经典计算主义及以之为理论基础的人工智能研究，受到了塞尔和彭罗斯的致命打击，几近被彻底颠覆，看似无生还希望。但到了20世纪末，一大批认知科学家和哲学家经过冷静的思考，又公然打出了计算主义的旗帜。他们认为，计算主义的确有这样那样的问题，但它是有韧性的；对认知的计算解释尽管有缺陷，但经过重新阐发，仍不失为认知科学和人工智能研究的可靠的理论基石。按照这一思路所形成的计算主义就是所谓的“新计算主义”或朔伊茨（Scheutz）所说的“计算主义的新方向”。其“新的主张”是强调，“计算不是抽象的、句法的、无包容性的、孤立或没有意向性的过程，而是具体的、语义的、包含的、相互作用的和有意向的过程。有了这一观点，我们就有这样更好的机会，即把关于心灵的实在论观点作为我们的可能基础”[①]。

一、经典计算主义及其问题

计算主义把人类心智尤其是思维之类的认知现象解释为计算，而计算不过是依据规则对形式结构所作的加工，实即从输入到输出的一种映射或函数。其工程技术上的主张是，只要能造出依据一定规则对有限种符号序列的有限长操作的机器，就等于造出了有智能的机器，因此他们的工程实践就是建造这样的计算系统。基于对人类心智的新的理解，计算主义提出了自己关于心智的模型。它有两个要点，一是提出了关于思维或认知的解析性模型，认为人的思维就是一种按照规则或受规则控制的纯形式、纯句法的转换过程。这里所说的“纯形式”就是符号或表征，或心灵语言中的心理语词。这里所说的“规则”就是可用“如果——那么”这样的条件句表述的推理规则。例如，如果后一种状态或命题蕴含在前一种状态或命题中，那么可以推断有前者一定有后者，这种转换或映射是必然的。二是提出了关于智能及人工智能的工程学理论。它试图回答这样的问题，即怎样构造一种机器，让它像人一样输入和输出，从而完成认知任务。它的答案是：只要为机器输入人的认知任务的一个形式化版本，它就会输出一个计算结果。这结果像人的智能给出的结果一样。

问题是：人的理性能力是否是受规则控制的？是否可从计算上实现？计算主义的回答是肯定的。它强调：人类的推理过程是受规则控制的，因此可用计算术语予以解释，也可由计算机以计算的、纯形式转换的方式实现。因为结论是否来

① Scheutz M(Ed.). *Computationalism: New Directions*. Cambridge: The MIT Press, 2002: Ⅹ.

自某些前提，推理是否是有效的，这是一个纯形式的问题。决定推理有效的东西，与实际的内容或前提，与结论表达的意义，没有必然的关系。换言之，结论是否能从某些前提逻辑地推论出来这个问题，可依据推理的有效性来说明。推理是有效的，当且仅当它的前提的真足以保证结论的真。特定推理的有效性依赖于它能例示的逻辑形式的有效性。从技术上说，只有推理的逻辑形式才有有效和无效的问题。逻辑形式是有效的，当且仅当不存在这样的例示，即它有真的前提，却有假的结论。

计算主义有多种表现形式，如福多等的关于心智的表征和计算理论，纽厄尔和西蒙的“物理符号系统假说”及联结主义。

福多的心理表征理论强调，自然语言的意义的确根源于意向状态的意向性，而意向性又是根源于心理表征。什么是心理表征呢？福多回答说：“心理表征是类似语言的东西。”[①]从在认知结构中的地位来说，它是构成命题态度的主要成分。命题态度是人与命题的一种关系，或对命题的一种态度。认知结构中的命题不是以自然语言表现出来的，而是表现于心理表征。换言之，心内的命题是由心理表征表达的。而心理表征有这样一些特点。①既有句法性又有语义性。②从层次上说，表征有原子表征和分子表征之别。每个层次的表征同时具有自己的句法性和语义性。③分子表征的个例包含着它由以构成的每一个表征的一个个例。④分子表征的意义是它的组成部分的意义和这些部分结合在一起的方式的函数。⑤存在着这样的计算机制，它们对心理表征的结构是敏感的。

福多的心理计算理论强调，思维之类的心理过程就是计算过程，而计算过程是一种由句法驱动的过程，或只对句法敏感、只转换句法的过程。他说：“心理的计算理论（=由句法过程所完成的理性心理学）：i. 思维由于其逻辑形式而有其因果作用；ii. 思维的逻辑形式随附于对应的心理表征的句法形式；iii. 心理过程（典型形式是思维）就是计算，即是说它们是对心理表征的句法的加工，在许多不同情况下，它们有可靠的保真性。”[②]福多认为，这个计算理论回答了理性心理学的两大问题：思维的逻辑形式是由什么决定的？它们又是如何决定

① Fodor J. *The Mind Doesn't Work that Way: the Scope and Limits of Computational Psychology*. Cambridge: The MIT Press, 2000: 2.

② Fodor J. *The Mind Doesn't Work that Way: the Scope and Limits of Computational Psychology*. Cambridge: The MIT Press, 2000: 19.

它们的因果力的？答案很简单，即这里起决定作用的东西是句法。在福多的计算理论中，句法或“句法属性”一词至关重要。之所以如此，是因为它有这样的特点，即它既是内在的，又是外在的。所谓内在的，指句法是表征的局域的属性。所谓局域的，就是说句法完全是由表征的部分构成的，完全取决于这些部分是怎样排列的。所谓外在的，是指一种表征的句法还有决定它与其他表征之关系的作用。[①]

物理符号系统假说实质上是一种符号主义。它坚持认为，在计算系统中，存在着符号和符号结构以及规则的组合，而符号是真实的物理实在，是个例，不是类型；符号表示什么由编码过程所决定，而与所指之间不存在必然的关联，因此是人为的。思维是依据程序处理符号的过程，或对符号的排列和重组。总之，对符号的处理，对于智能来说，既是必要的，又是充分的。

在 20 世纪末以来的认知科学和人工智能研究中，联结主义发展迅猛。它承认计算概念的合理性，并试图拓展、重构计算概念。就此而言，可把它看作是广义的计算主义中的一员。但同时又必须看到，它又有许多区别于经典计算主义的地方，如强调符号或计算层面的描述对于计算主义的确是关键的，但不可能成功。要成功，除了要研究计算之外，还必须直接研究大脑过程本身，而要如此，又必须诉诸生物学和脑科学。在它看来，这是认识心灵的根本出路。

尽管联结主义承认计算概念的合理性，但断然反对经典计算主义对它的形式主义阐释，强调要根据动力系统来重构计算概念。众所周知，有许多计算形式，每一种形式都有其特定的计算工具和信息载体。例如，珠算计算，其工具是算盘，信息载体是算珠；符号计算的工具和载体分别是符号计算机和符号；生物计算和 DNA 计算的工具分别是生物计算机和 DNA 计算机，载体分别是生物信息编码和 DNA 生化物质。尽管有这些不同，但各种形式中又有共同的一面，换言之，不同的计算有共同的本质，即计算是计算模型中信息流动变化的过程。联结主义倡导的计算是模拟计算或神经计算（neural computation），即神经计算模型中的神经信息运动变化过程。而神经计算模型则是从细胞水平模拟生物神经系统结构和功能的人工系统。它有许多特点，如它是生物神经元的模型，其构成是输入端口、

① Fodor J. *The Mind Doesn't Work that Way: the Scope and Limits of Computational Psychology*. Cambridge:The MIT Press, 2000: 21.

输出端口、局域记忆单元、局域学习单元、整合运算单元、激发运算单元，此外，还有联结性、分布效应、并行性、容错性、自组织等。格尔德指出：计算概念必不可少的东西是有效的程序，而后者又离不开算法中的具体步骤，这种具体性既体现在时间方面，又体现在非时间方面，因此是一个动力学现象。他还认为，在根据动力系统重构计算概念时，最重要的是模拟真实的动力系统，如人的认知系统。①

经典计算主义主要表现为符号主义，曾风靡一时，一度成了认知科学和人工智能研究的霸权话语。联结主义直到今天仍极有市场，但 20 世纪 80 年代之后，它们受到了许多严峻的挑战。

在众多有力的批评中，塞尔的“中文屋论证”影响最大。他的直接动机尽管只是批评尚克（Schank）所设计的一个程序，但其意义远不止于此，因为它客观上将矛头对准了 20 世纪 50～70 年代关于人工智能的流行看法，尤其是各种形式的认知主义、计算主义，当然也涉及根据这些思想所取得的一系列成果，以及在此基础上所形成的乐观和狂热情绪。塞尔说：这些论证同样适用于威诺格拉德的 SHRDLU，当然还有图灵机对人类心理现象的各种模拟。②塞尔指责说：即使那种程序式人工智能系统在听到故事之后能回答关于故事的提问，但也不能说它有理解能力。它的那种形式转换能力不能叫作理解力或思维力。因为包括理解力在内的人类智能的特点是：不只是形式的转换，还同时涉及对意义或内容的处理，涉及把符号与符号所指的世界关联起来。图灵机和尚克的程序所做的事情并不能说明它们有智能。因为智能不在于形式转换，而在于能处理内容或有意向性。人类的智能之所以是真正的智能，根本原因在于它有意向性。他说：大脑产生意向性的那种因果能力，并不存在于它例示计算机程序的过程中，因为无论你想要什么程序，都能够由某种东西来例示这个程序，而它并不具有任何心理状态。无论大脑在产生意向性时所做的是什么，都不可能存在于例示程序的过程中，因为没有一个程序凭借自身而对于意向性来说是充分的。③

美国人工智能专家，掌上型电脑、智能电话及许多手持装置的发明人霍金斯

① Van Gelder T. “What might cognition be，if not computation?”. *The Journal of Philosophy*, 1995, 92(7): 381.
② 博登.《人工智能哲学》，刘西瑞，王汉琦译，上海译文出版社 2001 年版，第 93 页。
③ 博登.《人工智能哲学》，刘西瑞，王汉琦译，上海译文出版社 2001 年版，第 119 页。

（Hawkins）等沿着与塞尔既相同又有区别的方向对人工智能研究作了严厉的批判反思，得出了许多极端的结论。比如，霍金斯说：人工智能正面临着一个根本的错误，因为它无法圆满地解决什么是智能的问题，或者说"理解某个事物"到底意味着什么。回顾人工智能的发展史及其建立的原则，我们可以看到这一领域的发展偏离了正确的方向。①尽管已发明了文字处理器之类的装置，"但智能机器却仍不见踪影"。②他还说：多年的努力带来的只是无法兑现的承诺和毫无说服力的成果。人工智能头上的光环开始慢慢褪去。……尽管有人相信，可以通过速度更快的计算机来解决人工智能的问题，但大多数科学家都认为以前所有的努力都是有缺陷的。③

人工智能之所以有这样的问题，根本原因是它的理论基础和运作原理有根本的缺陷。例如，20 世纪 40 年代就有人提出，自然智能的本质在于对形式符号进行转换。而这一特点可以为数字计算机模拟。有人认为，大脑神经元的工作原理与电脑工程师所说的逻辑门一样。计算机的芯片是由上百万个逻辑门构成的，它们被合成精确复杂的电路，一个中央处理器就是一个逻辑门的集合体。逻辑门可以处理简单的逻辑关系，如"与""否""或者"等。有人设想，大脑也是这样构成和工作的，如由逻辑门和其他的逻辑节点所构成，神经元就是活的逻辑门。如果是这样，如果人脑有确定无疑的智能，那么只要能造出由逻辑门构成的足够复杂的装置，就可用人工的方法造出智能来。④在霍金斯看来，这些理论完全没有抓住人类智的本质及特点。

著名脑科学家、诺贝尔生理学或医学奖获得者埃德尔曼等认为，从接受信息上看，脑能从各种变化多端的信号中归结出一些模式来，它不需要预先规定的代码就能把它们分成一些相关的类，而计算机没有这种能力。⑤他还说："计算机不

---

① 霍金斯，布拉克斯莉.《人工智能的未来》，贺俊杰，李若子，杨倩译，陕西科学技术出版社 2006 年版，第 7 页。

② 霍金斯，布拉克斯莉.《人工智能的未来》，贺俊杰，李若子，杨倩译，陕西科学技术出版社 2006 年版，第 34 页。

③ 霍金斯，布拉克斯莉.《人工智能的未来》，贺俊杰，李若子，杨倩译，陕西科学技术出版社 2006 年版，第 12 页。

④ McCulloch W S, Pitts W. "A logical calculus of the ideas immanent in nervous activity". 转引自霍金斯，布拉克斯莉.《人工智能的未来》，贺俊杰，李若子，杨倩译，陕西科学技术出版社 2006 年版，第 9 页。

⑤ 埃德尔曼，托诺尼.《意识的宇宙——物质如何转变为精神》，顾凡及译，上海科学技术出版社 2003 年版，第 55 页。

能解决语义学的问题的理由已十分清楚了，既然它的运作不可能进至意识，因此这种运作就不可能是适当的。”[①]可见，他们也看到了人类智能与计算机的根本差别之所在，即一个有意向性，另一个没有。许多人工智能专家也承认意向性对于智能的核心地位。斯蒂沃特·威尔逊是这一领域有影响的科学家，他认为，已有的智能机器有这样的问题，它们不会直接从周围环境中汲取所需，而只能坐在那儿，直到人们给它们信号，然后也仅仅是复制这个信号而全然不知它的意义。[②]

计算主义承认塞尔的中文屋论证及其他人的类似的批评的确给它提出了最为严峻的挑战，甚至认为，给了它致命的一击，几近是判决性的证伪。因为作为它的基石的计算概念据说有根本性的错误。新计算主义的主要倡导者朔伊茨说：“当前对计算主义的大多数批评都有共同的看法，即认为，作为心灵之解释框架的计算据说只能用抽象的术语来定义，因此必然否定认知系统内在地与之相关的、有真实时间性的、具体的真实世界的约束。”[③]简言之，“形式符号处理不足以关涉世界”[④]。因此，已有的计算概念有根本性的缺陷。新计算主义的另一位倡导者 B. C. 史密斯也承认这一点，因为这一概念要么依赖于“形式符号处理”，要么依赖于“有效的可计算性”，要么依赖于“算法的执行”。而这样做的结果就是使计算不具有计算主义所需要的意向性。[⑤]豪格兰德（Haugeland）指出：意向性与响应性、责任能力有复杂内在的关联，而计算主义的计算概念恰恰忽视了这一点，或不能说明这一点。[⑥]朔伊茨承认：上述问题恰恰是许多认知科学家放弃计算主义的原因。[⑦]

肯定塞尔中文屋论证的人之所以承认它的合理性，主要是因为他们认为，该论证的确揭示了人类智能有意向性这一根本特征，而人工智能之所以陷入了这样那样的危机和困境，重要的原因之一是没有抓住这一特征。佛罗赞（Forouzan）指出：计算机实际上不知道所存储的位模式表示哪些种类的数据，如它们究竟是

① Edelman G. *Biologie de la Conscience*. Paris: Editions Odile Jacob, 1992. 转引自 Nualláin S, Kevitt P M, Aogain E M (Eds.). *Two Sciences of Mind*.Armsterdam: John Benjamins Publishing Company, 1997: 388.

② 弗里德曼.《制脑者：创造堪与人脑匹敌的智能》，张陌，王芳博译，生活·读书·新知三联书店 2001 年版，第 10 页。

③ Scheutz M(Ed.). *Computationalism: New Directions*. Cambridge:The MIT Press, 2002: 1.

④ Scheutz M(Ed.). *Computationalism: New Directions*. Cambridge:The MIT Press, 2002: 18.

⑤ Smith B C. *On the Origin of Objects*. Cambridge:The MIT Press, 1996, Ch. 1.

⑥ Haugeland J. “Authentic intentionality”. In Scheutz M(Ed.). *Computationalism: New Directions*. Cambridge: The MIT Press, 2002: 159-174.

⑦ Scheutz M(Ed.). *Computationalism: New Directions*. Cambridge:The MIT Press, 2002: 18.

文本，还是图像或音频，“计算机存储器仅仅将数据以位模式存储。至于解释位模式是数字类型、文本类型或其他的数据类型，则是由输入/输出设备来完成的”。另外，计算机在读入、转换和输出时所做的事不过是：“当数据输入计算机时，它们被编码，当呈现给用户时，它们被解码。”[①]它里面根本没有“知道”“意指”“理解”之类的事情发生。

豪格兰德也认同塞尔的部分观点，指出：“语言符号只是因为我们给予它们以意义才有意义。它们的意向性……是派生的。……计算机本身不能用它的符号意指任何东西——它们只意指我们认为它们意指的东西。”[②]

对当代认知科学建立和发展作出了奠基性作用的玛尔对人工智能的现状作了这样的描述。人工智能的成果是由以下方面组成的：分离出特殊的信息加工问题，系统阐述用于该问题的计算理论，构造实现这一理论的算法，以及通过实践证明算法是成功的。[③]在这些领域中，我们的知识还相当贫乏，我们甚至还无法开始归纳出恰当的问题，更不用说解决它们了。这里的问题指的是信息处理问题。而这一问题相当关键，因为要造出理想的人工智能，首先必须“离析出信息处理问题”。[④]然而已有的人工智能研究没有认识到这一点。玛尔说：早期研究本身几乎没有归纳出任何可解的问题。[⑤]根据他的研究，造成人工智能研究不令人满意的主要原因是人工智能研究者研究人工智能的主要工作是编写程序。他说：研究工作，特别是对自然语言理解、问题求解或记忆结构的研究，很容易蜕化成为编写程序，这种程序只不过是一种没有启迪作用的、对人类行为方式的某个小方面的模仿而已。[⑥]因为被编写出来的、让机器执行的程序不过是一种形式上的指令，其加工的符号本身并不意指任何东西。要意指什么，计算的结果究竟有什么用，都有赖于使用计算机的人的解释，因此计算机有无智能也是一个解释问题。

持强人工智能观的麦克德谟特（McDermott）也承认：“‘理解’自然语言方面的研究几乎没有什么实际的进展。信息抽取模型似乎不能说明人们能听意想不

① 佛罗赞.《计算机科学导论》，刘艺，段立，钟维亚，等译，机械工业出版社 2004 年版，第 12 页。

② Haugeland J (Ed.). *Mind Design: Philosophy, Psychology, Artificial Intelligence*. Cambridge: The MIT Press, 1981: 7.

③ 博登.《人工智能哲学》，刘西瑞，王汉琦译，上海译文出版社 2001 年版，第 181 页。

④ 博登.《人工智能哲学》，刘西瑞，王汉琦译，上海译文出版社 2001 年版，第 188 页。

⑤ 博登.《人工智能哲学》，刘西瑞，王汉琦译，上海译文出版社 2001 年版，第 188-189 页。

⑥ 博登.《人工智能哲学》，刘西瑞，王汉琦译，上海译文出版社 2001 年版，第 192 页。

到的事情的能力和能听超出了以往所知范围的东西的能力。”[①]他的独特之处在于，他尽管承认计算主义以及以之为理论基础的人工智能研究存在着上述问题，但他不仅不放弃计算主义，而且不畏艰难地对之作新的、积极的探讨。

现有人工智能只有句法特点而没有语义性这样的结果应是必然之事，因为计算主义的纲领和计划中本来就是这样设想的。尽管它强调：应对人工智能的处理作语义解释，或把语义性赋予人工智能加工，但这种赋予不是一种反映论式的确认，而是具备了某种迹象后的强加。皮利辛在谈语义性的标准时强调，一个系统要能从语义上加以描述，必须满足两个条件：第一，系统的全部行为能用形式规则来描述，这些规则适用于该系统的所有状态；第二，系统有这样的合规则性，它们都不违背给予该系统的语义解释。[②]很显然，语义描述的根据并不是客观存在的语义性本身，而是行为的形式。

B. C. 史密斯尽管也是一个计算主义者，但对经典计算理论的计算概念也表达了与塞尔大致相同的看法，如认为，这个概念是根本错误的，没有抓住计算的实质和特点。在他看来，计算并不是抽象的过程，“从根本上说是离不开质料的”，“真正的计算总要涉及关系、语义学和非效能的东西”[③]。因此，对计算的研究一定要研究机器，研究什么事情被具体的、物质的过程做出来了。他也承认，已有的计算理论表面上也涉及语义学，因为它是用语义学的术语，如函数、回答、数值等表述的。其实不是这样，如图灵机纸带上所刻的记号只是一种抽象的符号，并不指示任何数字。至少，对记号作出读取和处理的机器本身不知道它们表示的是什么。它们要有表示力、指称力，离不开它之外的人的解释。总之，“今日被称作有效计算的理论……与语义学没有任何关系”[④]。

还有一些人在探讨中文屋论证的基础上作了进一步的引申和发挥，得出了从根本上否定计算主义和以之为基础的人工智能的结论。在他们看来，人类智能除了有意向性、意识之类的质的特征之外，并不具有形式化特征，因此不能服从形式化建模的要求。既然如此，传统的人工智能研究再继续走下去就只能是死路一

① McDermott D. *Mind and Mechanism*. Cambridge:The MIT Press, 2001: 80.
② Pylyshyn Z. *Computation and Cognition*. Cambridge:The MIT Press, 1984: 66.
③ Smith B C. “Reply to Dennett”.In Clapin H(Ed.). *Philosophy of Mental Representation*. Oxford: Oxford University Press, 2002: 250.
④ Smith B C. “Reply to Dennett”.In Clapin H(Ed.). *Philosophy of Mental Representation*. Oxford: Oxford University Press, 2002: 251.

条。有的人把人工智能研究与炼丹术相提并论。这样的结论尽管过于激进，但无疑提出了值得注意的问题，如究竟该怎样理解智能和思维，它们是不是计算、是否有形式化的方面等。他们对这些问题的看法是：只有一些智能行为、认知任务有形式化特点，如逻辑推理、数字计算，而大部分认知任务并非如此，如归纳、直觉、经验等。既然有一些认知任务，其功能不可能根据形式系统的运作来说明，或者说不能归结为这种运作，因此将心智定义为计算就是错误的。以下棋计算机为例，它要决定下一步最好走什么，常常要进行大量的搜索，如每秒钟两亿次的搜索。而人类冠军则没有这个必要，也不可能如此。因为人在下棋时并不是以形式系统的角色出现的，人也不可能成为纯粹的形式系统。海姆认为，今天的计算机几乎都是以现代逻辑为基础的，他说：今天大部分计算机都采用初级的布尔逻辑进行搜索和查词。[①]所谓布尔逻辑，是现代符号逻辑的一部分，其特点是只关注纯符号本身。在布尔之前，逻辑所研究的是有关事物的直接和直接所指的陈述。在布尔之后，逻辑成了一种纯符号体系。[②]传统逻辑始于直接陈述……我们所说的都是眼前的事，而谈话的语境或上下文也让他人都能知道我们所说的是什么……现代逻辑则相反，它模仿现代数学，对实际存在的世界没有任何兴趣。[③]而人的自然心智则不同，它所想、所思、所言的，都是关于世界的，与世界是有密切关联的。

二、新计算主义概说

新计算主义认为，计算主义的确有这样那样的问题，但它是有韧性的；对认知的计算解释尽管有缺陷，但经过重新阐发，仍不失为认知科学和人工智能研究的可靠理论基石。质言之，计算主义的问题不在于计算本身，而在于我们对计算的理解。因此，新计算主义的新的工作就是对计算作出新的阐释。朔伊茨在自己新编的《计算主义：新的方向》（*Computationalism: New Directions*）这本论文集

① 海姆.《从界面到网络空间：虚拟实在的形而上学》，金吾伦，刘钢译，上海科技教育出版社 2000 年版，第 12 页。
② 海姆.《从界面到网络空间：虚拟实在的形而上学》，金吾伦，刘钢译，上海科技教育出版社 2000 年版，第 14 页。
③ 海姆.《从界面到网络空间：虚拟实在的形而上学》，金吾伦，刘钢译，上海科技教育出版社 2000 年版，第 18 页。

中把自己所写的《计算主义——新生代》放在首篇，的确耐人寻味。他把持这种新的倾向的人统称为“计算主义的新生代”的确是恰到好处的。他说：“这种观点不是将计算看作抽象的、句法的、无包容性的、孤立或没有意向性的过程，而是看作是具体的、语义的、包含的、相互作用的和有意向的过程。有了这一观点，我们就有这样更好的机会，即把关于心灵的实在论观点作为我们的可能基础。”[①]

新计算主义者承认经典计算主义的确是漏洞百出，如它没有为我们提供能合理理解心、脑、身及其相互关系的概念工具。尽管它正确地强调要根据计算解释心智，但经它解释的心智仍像 50 年前一样“神秘莫测”。[②]另外，它把计算看作是抽象的、句法的、没有包容性的、孤立的或没有意向性的东西，这显然没有抓住计算与心智的根本特点。既然如上所述，经典计算主义受到许多人的毁灭性打击就有其必然性。在新计算主义看来，要摆脱旧计算主义的局限性，就必须把计算看作是“具体的、语义的、有包含性的、相互作用的、意向的过程”，这种观念可以成为关于心灵的实在论的基础。从工程实践上说，真实世界的计算机应像心灵一样，也能“处理包容、相互作用、物理实现和语义学问题”[③]。

尽管作为经典计算主义基础的计算概念有问题，但不能因噎废食，没有必要予以抛弃；尽管计算主义在本质上是机械论，也不能因此而将其打入冷宫。新计算主义者从计算主义的产生发展历史说明了这一点。

计算概念是文艺复兴后伴随机器制造而出现的一个概念。当时人们造出了许多机器，如织机、手表、时钟等。为了描述机器的行为，人们发明了“计算”一词。尤其是后来不久，帕斯卡和莱布尼茨造出了数字计算机，它们可以完成加法运算。在这种情况下，要描述它们的行为，“计算”一词就更加必要了。当然，当时的计算机既不是自动的，又不是自主的。由于它们没有自己的能量，因此需人从外面不断给它充实能量，同时它们没有控制机制，因此它们的运行得靠人的随时随地的干预。

机器诞生之后，人们不仅将它们应用于有关领域，让它们为人类自己服务，而且充分挖掘它们的潜力，将它们作为理解、解释人的类比工具，如用它们的组

① Scheutz M(Ed.). *Computationalism: New Directions*. Cambridge: The MIT Press, 2002: Ⅹ.
② Scheutz M(Ed.). *Computationalism: New Directions*. Cambridge: The MIT Press, 2002: 175.
③ Scheutz M(Ed.). *Computationalism: New Directions*. Cambridge: The MIT Press, 2002: Ⅹ.

成方式解释人的构成，用它们的作用说明人的身体行为，或用机器论述语描述人的构成与行为。拉美特利甚至将机械论解释推广到心灵之上，提出了“人是机器”的著名口号。

18～19 世纪，德国唯心主义极力反对机械唯物主义，认为人及其心灵是不可能根据机械力学原则来说明的。但仍有一些唯物主义坚持自己的方向，强调研究心灵的机械论路线，并作了大量的新的探索，从而使计算概念有了新的发展。例如，许多人在机器计算上作出了新的探索，从而使机械装置的计算能力获得了极大的提高。当然他们对计算概念的认识仍停留于直观的层面。这种状态一直持续到 19 世纪末。到了 20 世纪以后，随着电子计算元件，如晶体管、集成电路等的发展，人们对计算的认识开始发生质的变化，如开始注意对计算进行逻辑分析，从而出现了一些新的概念，如形式系统、可证明性、循环功能、可计算的功能、算法、有限状态自动机等。再进一步地发展，就是计算概念的分化，即计算概念向两个不同方面发展。一是逻辑或理论的方向，它侧重于从逻辑上说明计算的直观概念，从理论上界定可计算性的范围。二是强调“技术逻辑”或实践的方面，侧重于探讨在建立各种计算装置时可能碰到的各种问题。

在理论探讨的同时，数字计算机的发展为计算概念的巩固和发展提供了有力的支持。众所周知，数值是抽象的，因此是机器无法直接处理的东西。要处理数值，必须找到某种代表它们的物理中介。这个中介也是物理对象，有物理属性，且遵循这样的规律，即由一致于计算中实现的操作所控制的规律。例如，事物的量是加成的或加性的，把两个事物放在一杆秤上，它们的量就会加到一起，同样，把物理维度（如长、宽等）的量值与数字关联起来，计算就能通过对物理对象的物理加工来完成，如把这些对象排成一行，测量最终的量值，如用尺子去量它们的长度。中国用算盘完成的计算所依据的原理也是如此。这里最重要的是人们在算球与数值之间所作的关联或约定。比如，桥上面一粒代表 5，下面一粒代表 1。从初始状态（如 0）开始，通过物理的运作，如拨动算球，所出现的是一种物理的格局。再基于事先的约定或编码，人们就知道这种物理的状态所代表的是具体数值。这是计算机发展的原始阶段。

第二阶段的起点是“表征”概念的引入。由于它的引入，原先的那种粗笨、易错的计算就让位于用表征所作的加工。这种转化的意义非同寻常，可看作是从

“类似物”向“数字”表征的迈进。表征性计算的特点是：在计算中，人们用标记符（如 0、1 等）代表数字，而不再是把数值与物理事物（算球）关联起来。这种跳跃实际上是从直观思维到符号思维的飞跃。由于它有巨大的优越性，因此后来成了关于计算的一般模式。在许多人看来，不仅计算是对表征（代表）的处理，而且思维也是一种加工表征的过程。

总之，经过几百年的发展，计算概念成了许多人把握、说明、思考心灵本身的一种方式。从早期的对于心理的天真机械论设想到现在的人工智能和认知科学的计算模型，在本质上都没能跳出机械论的窠臼。从一定意义上可以说，用机械论模式构想心灵的观念一直渗透在对心理的研究和解释尝试之中。这已是一个客观的事实。不仅如此，计算主义及其计算概念在与计算机科学技术的互动中，在得到它的支持的同时，也客观上发挥了它的理论独有的巨大指导作用，并创造过举世公认的辉煌。如果是这样，完全否定它，把它说得一无是处，无疑是站不住脚的。

新计算主义不掩饰旧计算主义的缺陷，但认为，这缺陷不是不可克服的。例如，如果让计算在形式转换的过程中也表现出意向性，那么一切就迎刃而解了。朔伊茨说：“新生代最需要的、必须说明的是意向性和响应性之间的内在关系。”[①]豪格兰德也强调这一点，他说：“一系统能表现出真正的意向性就是它有能力表现他称之为‘真正的响应性’的东西。”[②]

新计算主义认为，要实现上述计划，有很多艰难的工作要做，如要说明计算主义图式中的计算、机制概念及其历史发展，图灵机和计算主义在人工智能研究中的作用问题，怎样理解关于心灵的计算理论视域中的计算概念，怎样理解意向性的本质和语言起源等[③]。朔伊茨还设想：新计算主义还应该探讨关于计算的新的概念在计算主义图式中的可能应用。从工程实践上说，还要探讨程序与处理的区别，执行概念，物理实现的问题，与真实世界的相互作用，模型的应用及限制，具体与抽象的区别，复杂结果的专门解释，计算与意向性的关系，关于“宽内容”与“宽机制”的概念，局域性与因果性概念。新计算主义强调：这些问题的解决

① Scheutz M(Ed.). *Computationalism: New Directions*. Cambridge: The MIT Press, 2002: 19.
② Scheutz M(Ed.). *Computationalism: New Directions*. Cambridge: The MIT Press, 2002: 20.
③ Scheutz M(Ed.). *Computationalism: New Directions*. Cambridge: The MIT Press, 2002: x.

是有希望的，当然有赖于哲学家和科学家的共同努力。

总之，新计算主义的特点是强调：计算不能像旧计算主义所理解的那样是抽象的、句法的、缺乏联系的，而必须是具体的、连续的、语义的、充满联系的、进行性的。由这一根本特点所决定，它的新的计算概念还有这样的特点：①内涵更丰富，如既强调句法转换，又强调语义性；②更重视实践的可行性，而不只是理论的可能性；③有更大的解释力；④更加关注计算与心灵之间的联系。[①]

三、麦克德谟特对计算主义的改铸

许多人认为，人工智能有暗淡的前景，还有一些认为，人工智能大概是不可能的。因为人工智能尽管成功模拟了人的一些能力，但那些能力并不是人的智能的全部，尤其是没有抓住智能的根本方面，如创造性等。麦克德谟特说："这些怀疑是完全合理的。人工智能中的已有进步并不能成为证明一般的智能理论的根据。"已有的理论只是在说明、模拟某些狭隘的心理能力方面取得了一些成功。他说："人工智能的主要游戏计划之一只触及了问题的皮毛。"[②]

人工智能研究领域的悲观主义与塞尔、彭罗斯等的否定论证有密切关系。麦克德谟特承认：塞尔的中文屋论证是"最有影响的论证之一"，彭罗斯的论证也是如此。[③]不过，它们尽管有影响，但在麦克德谟特看来，它们也有偏颇，如中文屋论证"似乎不是一个反对机器有意识的论证，而是反对机器能'理解'的论证"[④]。

要拯救计算主义，就要反思基于它而进行的人工智能研究实践及其经验教训。就机器的自然语言理解来说，让机器理解自然语言是一项极其复杂而困难的工作，因为人的话语以声波为载体，而声波变化很大、很快，其形式、构成因素极其复杂。但同时又不能不看到，声波既然是物理的实在，这便为对它们作出客观、机械处理提供了可能。麦克德谟特概述说，"要识别言语，我们要做的事情似乎是：(a）把声音流分成细小的组成要素，然后对每个要素作频率分析；(b）扫描

① Scheutz M. "Computaionalism-the next generation". In Scheutz M(Ed.). *Computationalism: New Directions*. Cambridge:The MIT Press, 2002: 1-2.
② McDermott D. *Mind and Mechanism*. Cambridge:The MIT Press, 2001: 80.
③ McDermott D. *Mind and Mechanism*. Cambridge:The MIT Press, 2001: 380.
④ McDermott D. *Mind and Mechanism*. Cambridge:The MIT Press, 2001: 162.

音位目录表，以找到与之最匹配的音位。问题是，要作出这样的目录是很困难的。因为一个音位可对应于许多不同的频率形式，还受到嘴型、背景噪声等的影响”。在解决这类问题时，一般的做法是诉诸对言语材料的概率分析，如用统计分析技术寻找对声音流的最可能的解释。[①]目前，言语理解方面的最成功的计算模型是隐马尔可夫模型（Hidden Markov Model，HMM）。[②]除此之外，还有许多言语识别系统，它们都转向了商业应用。在识别单个单词时，准确率很高，而在识别连续的话语时，效果要差得多。不过有一个公司声称，它们的系统能在一分钟内识别 160 个词，而且识别连续的语词系统的准确率高达 95%。[③]

再看语义处理。这是一个十分活跃的研究领域，已产生了许多模型和程序。[④]其一般的处理过程是，开始的阶段主要是对句子作句法分析。在分析时，关键是把正确的句子结构弄清楚。因为一般的句子常有多种可能的句法分析结果，有时还有可能作出错误的分析。接下来是抽取信息，即通过把句子中的关键短语弄清楚进而抽取信息。因为信息的抽取依赖的总是局部的分析，而不可能将一个句子的所有细节都注意到。一般来说，该注意哪些部分，不注意哪些部分，总是有标准模式的。在一个句子中，要抽取的信息总是关于时间、地点、谁、做什么等问题的信息，因此选取的短语总与之有关。它们是对上述问题的部分回答。

在麦克德谟特看来，要使计算主义回到正确的航道，首先，要正确认识人工智能的实质。在他看来，人工智能模拟的不是人的智能，而是人的思维。他说：“以为人工智能与智能有关，实属误解。”[⑤]在他看来，这门科学对计算在思维中的作用十分关注，而几乎没有涉及它在智能中的作用。其次，要正确认识人工智能这门学科的根源、性质和特点。他说：认知科学和人工智能将计算机科学应用于认知科学就产生了所谓的人工智能。认知科学就是试图用科学方法认识大脑和心灵的科学。再次，要正确认识大脑与计算机的异同。有些人认为，数字计算机是人脑的滑稽的模型，其实不是这样。例如，计算机一次执行一个简单指令，如从储存器中提出一组数据，送至中央处理单元，后者对之作出变换或操作，再把

---

① McDermott D. *Mind and Mechanism*. Cambridge: The MIT Press, 2001: 75.
② McDermott D. *Mind and Mechanism*. Cambridge: The MIT Press, 2001: 76.
③ McDermott D. *Mind and Mechanism*. Cambridge: The MIT Press, 2001: 77.
④ McDermott D. *Mind and Mechanism*. Cambridge: The MIT Press, 2001: 212.
⑤ McDermott D. *Mind and Mechanism*. Cambridge: The MIT Press, 2001: 29.

结果送至储存器，或作为输出发送出来。计算机所做的事情就是以极快的速度，如一秒数亿次或更多次，周而复始地重复上述操作，而大脑或心灵显然不是这样工作的。他说：根本不可能把大脑看作是数字计算机。因为大脑是用神经元来进行计算的。这一假说的意思是：神经元中重要的不是它秘藏的化学物理学，或不是它产生的电极，而是它在那些物理媒介中所编码的信息内容。如果你能在另一种物理属性中编码信息，并让它作同样的计算，那么这样的机器才可以说接近于人脑。最后，要更宽容地理解计算和符号。麦克德谟特承认，一种理论只要是计算主义，就一定会根据计算来解释思维。但计算并不局限于对人造符号按规则所完成的转换，真实的人和人工神经网络的加工也是计算。尽管后者不能以硬件形式存在，只能作为软件、程序起作用，但它也有数据结构，有输入、输出。所不同的是，一些数据表征权重，另一些表征输入和输出等。对符号的理解也应如此。一般认为，人工神经网络是“非符号的”或“亚符号的”，而传统的系统是符号的。他不赞成这种观点，认为任何计算系统都离不开符号。而符号有两类：一是记载信息的状态，如动物所看到的敌人的影像传到大脑中，一定会被记下来，这个记录的状态就是一种有信息的物理状态，可看作是符号；二是人造的符号。另外，他不赞成有解释主义倾向的学者把符号看作解释的产物或抽象的存在的观点，而认为它们有实在性，因为我们都承认符号能指示对象，如果是这样，它首先得存在着。因为除非它存在，否则，它不能意指任何东西。[①]

麦克德谟特对句法也提出了新的理解，认为句法是指符号类型的同一性，或者说是在两个地方出现的相同的符号类型。例如，当我在 FS 和 SF 中写出 F 字母时，我指的要么是两者是同一个个例的不同表现，要么是它们能通过与符号的以前的关系而关联起来。[②]

计算机的符号转换是否有语义性呢？麦克德谟特的看法是：计算系统是句法机，意义在它运作时是没有作用的，因为计算是对物理状态的一系列形式处理。这里有译码过程发生，但译码并不是意义。[③]就此而言，语义学并不像句法那样是客观的。他说：“计算机的数据结构仅仅是因为人们把意义归属于它们，即用

① McDermott D. *Mind and Mechanism*. Cambridge: The MIT Press, 2001.
② McDermott D. *Mind and Mechanism*. Cambridge: The MIT Press, 2001: 195.
③ McDermott D. *Mind and Mechanism*. Cambridge: The MIT Press, 2001: 195.

各种方式解释它们，才意指某物。”[①]在符号与语义性问题上，他的结论是：①某物是不是计算机，是相对于解码而言的，所谓解码，是从它的物理状态到计算王国的映射；②每个计算系统中都有符号，尽管不是所有符号都有意义，但有些符号有意义；③符号结构的意义依赖于它们出现于其中的系统与它的环境的关系。④发现这些意义，就是要对符号系统找到协调的解释。[②]可见，他在这里又背离了意义实在论，而倾向于丹尼特和皮利辛等的解释主义或投射主义。

与此相关的问题是意向性问题。麦克德谟特的看法是，只要计算机对信息作出了处理，就可解释为它有意向性。他说：“计算机能处理信息，而某些信息则有‘因果的’而不只是纯‘描述的’特征。”[③]当然，他承认：已有的人工智能系统尚未表现出真正的意识和意向性，他预言，这在较长的时期内还是不可能的。他认为，“我的顾虑是：现在就给计算机以意识，这完全是枉费心机”，但又不是完全没有可能性的。他说：“只有当计算机在复杂的、随机的环境中有足够好的表现，以至有必要建立关于它们如何适应世界的理论时，计算机有意识才有其可能性。”[④]因此，让机器具有意识不是没有可能的，只是现在还没有可行性。

怎样让计算系统有意识-意向性？麦克德谟特的回答是，关键是要弄清它们的实质。按此思路，他对意识和意向性的奥秘作出了自己的解答。他认为，意识就是自建模（self-model）。既然如此，如果能让系统有自建模的能力，那么就能让它表现出意识和意向性。他说：“有意识的实在就是有自建模能力的信息加工系统。我们必须仔细对它作出考察，以弄清它是否有这类模型，它的符号是否能指向自身。”[⑤]总之，意识是计算智能的必要构成要素，是能建构关于自我的模型的能力。一种计算实在要拥有意识，就必须能够在应对环境时，在与自己发生关系时，有办法形成关于自己的模型，并把它作为感知器和决策器。他说：“一个有这类模型的实在就能表现我所说的那种虚拟意识。简单地说，我们要做的事情不过是，把虚拟意识与真实事物同一起来。”[⑥]因此，人工智能研究解决意向性难题的一个可能的出路就是着力解决自建模的理论和技术问题。只有解决了这类问

① McDermott D. *Mind and Mechanism*. Cambridge: The MIT Press, 2001: 144.
② McDermott D. *Mind and Mechanism*. Cambridge: The MIT Press, 2001: 167-168.
③ McDermott D. *Mind and Mechanism*. Cambridge: The MIT Press, 2001: 3.
④ McDermott D. *Mind and Mechanism*. Cambridge: The MIT Press, 2001: 144.
⑤ McDermott D. *Mind and Mechanism*. Cambridge: The MIT Press, 2001: 214.
⑥ McDermott D. *Mind and Mechanism*. Cambridge:The MIT Press, 2001: 215 .

题，才有希望让机器人像人一样学习、生活和工作，甚至像人一样有灵魂，能欣赏音乐，有审美判断。到了那一天，它们的行为也应像人的行为一样受到道德的评价和约束，同时，它们也能模拟人的道德推理能力，对自己、其他机器人及人的行为作出道德评价。

四、克拉平对计算主义的“宽泛理解”

在克拉平看来，经典计算主义者之所以会碰到塞尔等提出的难题，根本原因是他们对计算与认知的理解太狭隘。例如，他们认为，对计算过程、功能作用的描述是与执行硬件没有关系的。在说明人的思维时，只要揭示了人的思维的认知结构就够了，无须分析认知过程的执行细节。因此，认知科学家在揭示认知的本质时，没有必要探讨思维是如何从物理上实现的，就像计算机在进行乘法运算时没有必要知道有关的程序是怎样从物理上被执行的一样。福多和皮利辛还强调：认知有语义性，而认知的完成过程没有语义性，因为它们是纯形式的转换，是功能构造的变化。

克拉平认为，构造的变化也有语义作用，因为它们会“导致语义上的变化”，会对“整个系统的语义学产生影响”。例如，在学习过程中，常见的是范式变化、概念变化。这些变化尽管是内在构造、图式上的变化，但会影响整个系统的语义属性。他说：“只要我们承认表征系统的构造中包含内容，我们就不难发现，我们得到了关于计算和认知的更宽泛的概念。”[①]心理学的事实也说明：内在的构造并不像传统计算主义所认为的那样是固定不变的。例如，儿童的基本的认知能力是发展的，这种发展肯定离不开内在功能构造的变化。即使是观点、认知结构已经基本形成的成人，其内在功能结构也处在变化之中。由此，他得出了这样的结论：“只有承认有隐结构内容，才能更好地说明认知概念逐渐复杂化的方式。”[②]

克拉平认为，要拯救计算主义，关键是对计算概念作出更宽泛的阐释。他赞成表征主义根据表征解释计算的策略，但又强调要把表征区分为隐表征与显表

① Clapin H. “Tacit representation in functional architecture”. In Clapin H(Ed.). *Philosophy of Mental Representation.* Oxford: Oxford University Press, 2002: 306.
② Clapin H. “Tacit representation in functional architecture”. In Clapin H(Ed.). *Philosophy of Mental Representation.* Oxford: Oxford University Press, 2002: 307.

征，然后主要根据隐表征来说明计算。众所周知，这对范畴最先是由丹尼特在《心理表征的样式》（“Style of Mental Representation”）一文中提出的。[①]在丹尼特看来，这两种表征的区别有两方面。第一，隐表征是系统内在具有的一种“知道怎样”的知识，从作用上说，系统由于有这种知识，便能对显表征进行处理。第二，系统所具有的与世界的关系，系统的能够可靠地与之协变的某些状态，可以隐式地表征世界的这些状态。这也就是说，显表征是符号性的表征，是系统计算过程的对象，能表达外界事态的性质、特点，因此是有对外指称能力的表征。而隐表征是系统具有加工显表征能力的内在条件，以“知道怎样”的知识形式表现出来。例如，水陆两栖生物要决定自己是待在水里还是留在岸上，会根据不同的规则或倾向来加以判断，这种判断所依据的东西就是隐表征。从两者的关系来说，显表征以隐表征为前提条件，因此后者在认知解释中的作用更为根本。例如，要说明显表征的产生，就必须诉诸隐表征，因为后者是前者产生的一个条件。另外，后者对前者也有依赖性，因为没有显表征的存在，隐表征永远只能以潜在的形式存在，不可能现实地显现出来。

克拉平在借鉴和融合丹尼特、卡明斯（Cummins）、B. C. 史密斯和豪格兰德等的有关思想的基础上，一是进一步阐发、规定了这两个概念，二是对它们的关系作了新的说明，三是对隐表征的作用作了新的阐释。

我们这里重点剖析他对隐表征的阐发。他认为，应把丹尼特的隐表征概念与皮利辛的功能构架这一概念结合起来。皮利辛认为，认知系统之所以为认知系统，其内在根据是它有功能构架。没有这种构架的系统就不是认知系统。所谓功能构架，可理解为表征之基础的资源。最低层次的功能构架就是系统能理解编码在机器中的指令的能力。也就是说，一般的功能构架其实就是计算系统得以起作用的内在知识条件。一个计算认知系统之所以能表现这样和那样的智能行为，离不开两个条件，一是表征，二是功能构架。两者的关系类似于钥匙与锁的关系。计算过程得以发生，两者的同时存在、密切配合是不可缺少的条件。

在克拉平看来，皮利辛所说的功能构架其实就是隐表征。因此，克拉平所理解的功能构架实际上是从符号的层面对计算系统内发生的加工过程的一种描述。

---

① Dennett D C. “*Style of mental representation*”. *Proceedings of the Aristotelian Society*, 1982, 83(1): 213-226.

对这一过程还可从电子层面进行描述。当从前一种角度予以描述时，我们看到的其实是一种虚拟的图式，即抽象层面的功能过程。至于它是怎样被实现、怎样被执行的，那是无关紧要的，至少不属于这个层次描述的对象。当从符号层面予以描述时，我们所看到的就是系统的功能构架及其作用。而在功能构架中，最重要的因素就是系统所完成的对符号的原操作，如把两个符号加在一起，从存储器中把符号提出来，或将符号放进去，读取下一个程序指令，等等。这一虚拟构架的描述与执行过程没有任何关系。克拉平强调：把这一概念与丹尼特的隐表征结合起来就可为认知科学提供一个有力的概念工具，即建立关于功能构架如何进行表征的观念。它可能告诉我们：功能构架不仅可以显式地表征外部事态，而且可以隐式地进行自己的表征，形成特定的隐知识、隐内容。

经过克拉平的结合和改铸，他形成了这样一个新的隐表征概念，它指的是功能构造中的一种特殊的知识，其一般特点是：有这种表征，系统在获得了相应的信息时就知道怎样按照指令来作出加工，知道为什么要表征。由此说来，表征的目标也是这种隐表征的一种形式。他说："目标可以看作是结构性内容的一种形式。"[①]从内容上说，隐表征所包含的东西不同于符号显式地表征的一切东西，如在威诺格拉德的人工智能程序 SHRDLU 中，有许多符号表征，而系统对符号的一系列约束就属隐内容，它们不是由显表征的外在对象决定的，而是由功能构架决定的。这些约束包括：什么是或不是合法的符号，从原子符号中应形成多么复杂的符号，从一个符号向另一个符号的什么样的转换是被允许的，等等。

克拉平还用康德的时空直观形式和先验范畴来说明隐表征。他说："康德的范畴和'纯直观形式'可以看作是认知构架的隐内容的一种表述方式。"在克拉平看来，隐内容不仅存在，而且可以与显内容相互作用。他说："一旦我们承认功能构架有语义学，那么我们就能认识到，这种隐内容可以以复杂的方式与显内容发生相互作用。前者不仅使后者成为可能，而且还能改变显内容对整个系统的作用。"[②]这里所说的语义学实际就是指内在功能构架的内容，即各种各样的条件、约束、形式规定、规则等。

---

① Clapin H. "Tacit representation in functional architecture". In Clapin H(Ed.). *Philosophy of Mental Representation*. Oxford: Oxford University Press, 2002: 310.

② Clapin H. "Tacit representation in functional architecture". In Clapin H(Ed.). *Philosophy of Mental Representation*. Oxford: Oxford University Press, 2002: 301.

隐表征的一个重要作用就是规定认知系统怎样用符号显式地表征世界，如在表征颜色时，把一种颜色表征为红色或蓝色。要完成这种显式的表征，内在的功能构架中就必须事先有颜色的分类，以及有对每一种颜色的特征、标准的形式规定，也就是要对“被表征的世界以被划分的方式作出规定”。这也就是说：“建构在系统构架中的本体论假定就成了该构架的语义意蕴的重要的活生生的方面。”①质言之，人的认知系统也是形式系统，它之所以有意向性，根源在于它有功能结构，而功能结构又有隐表征（知识），因此可有语义性。换言之，人的认知系统之所以有意向性，根源在于它有特定的隐表征。因此人工智能的未来发展方向就是进一步研究隐表征及其作用和实现机理。克拉平认为，功能构造能表征认知系统的重要假定和技能，这种看法根源于这样的观点，即“符号之所以有内容，是因为符号有其物理性质。符号的物理形态是句法的具体化，而句法又使它有广泛的语义意蕴。因而功能构造携带隐内容这个观点是一种深刻的、具体的见解，各种物理约束都有语义意蕴”②。

克拉平还根据隐表征阐发了计算概念。他说：“隐内容这个概念对于我们理解计算有重要的作用。”③因为“程序语言，包括机器编码，就其能让计算机以某种方式运作来说，是具有表征意义的”④。而程序语言显然不是由反映了世界上的事态的显表征构成的。数据结构是由显表征构成的，而显表征是常见的语义学，因为它关联着世界上的事态。尽管隐表征没有这种直接的关于性，但是由于显表征之现实的出现离不开隐表征，因此隐表征也是计算具有语义性的一个条件。当然，他并不绝对否认传统的计算主义，而主张把它与新的关于隐表征的观点结合起来。他说：“正在运行的程序……构成了数据结构的功能构造，正是后者使数据结构变成了现实。正如我们已强调的那样，这样的各种功能构造使隐内容出现在由显数据表征所表达的世界结构之中。因此程序就是表征，当然它们并不表征

---

① Clapin H. “Tacit representation in functional architecture”. In Clapin H(Ed.). *Philosophy of Mental Representation*. Oxford: Oxford University Press, 2002: 300.

② Clapin H. “Tacit representation in functional architecture”. In Clapin H(Ed.). *Philosophy of Mental Representation*. Oxford: Oxford University Press, 2002: 303.

③ Clapin H. “Tacit representation in functional architecture”. In Clapin H(Ed.). *Philosophy of Mental Representation*. Oxford: Oxford University Press, 2002: 303.

④ Clapin H. “Tacit representation in functional architecture”. In Clapin H(Ed.). *Philosophy of Mental Representation*. Oxford: Oxford University Press, 2002: 304.

它们的显符号所表达的东西。”[①]

通过这些分析，克拉平认为可以得出他的下述结论：“要理解计算，必不可少的条件是要认识到，程序的语义意蕴就是它们隐式而非显式地携带的内容。”[②]

总之，基于隐表征所阐发的新计算主义有这样四个要点：①隐表征在符号表征与其具体化之间架起了由此达彼的桥梁；②要对符号计算作出充分说明，就必须把显表征看作是具有流变性的动力结构，而不能再把它规定为纯形式化的语言；③要对符号计算作出充分的说明，还必须认识到隐藏在计算过程中的表征的作用；④应把认知理解为包含着结构变化的过程。

基于上述关于人类心智及其意向性、语义性特征的认识，克拉平为人工智能的当前研究开出了这样的“处方”：它的当务之急就是要进一步研究人类的显表征能力，在弄清其运作原理和机制的基础上，发展和完善计算机的隐表征能力。人之所以有意向性、语义性，就是因为有隐表征。如果让人工智能也有隐表征，那么它就会拥有像人一样的语义能力和意向性。在他看来，这不是没有可能性的，因为计算机的中央处理器硬件中已有初步的隐知识，众所周知，它是一种由电子元件组合在一起的功能结构，里面包含着隐表征知识，即知道怎样做的（know-how）知识，其功能就是知道怎样执行指令，并能以一定的方式被显表征当程序指令使用。例如，这里的指令就是这样的命令：先将两个二进制数字加在一起，然后检验特定的数字是否表征了，最后过渡到新的指令，把二进制数字从储存库中移出来，或放进去，等等。既然如此，今后的前进方向就是完善和发展这样的隐知识，使其真正具有人所具有的各种各样的隐知识。

五、计算主义需要的是非图灵计算概念

长期以来，人们一般不注意图灵机与计算机之间的区别，因此往往把计算主义所强调的计算概念等同于图灵主义的计算概念。斯洛曼认为，两者不能混同，它们之间存在着差异，正是这种差异使图灵机无关于人工智能，甚至与计算主义也没有

① Clapin H. “Tacit representation in functional architecture”. In Clapin H(Ed.). *Philosophy of Mental Representation.* Oxford: Oxford University Press, 2002: 305.

② Clapin H. “Tacit representation in functional architecture”. In Clapin H(Ed.). *Philosophy of Mental Representation.* Oxford: Oxford University Press, 2002: 306.

关系。斯洛曼论证认为，人工智能中的计算机不同于图灵机，它们分别是两种历史过程发展的结晶：一是驱动物理过程、处理物理实验的机器的发展；二是执行数字计算操作抽象实在的机器的发展。机器完成对数字抽象实在的操作能力可从两方面进行研究，即理论和实践。图灵机及其理论化只对理论研究有意义。

机器要模拟人的认知，必须弄清楚认知有哪些特点。如果机器能表现这些特点，那么它就能完成人的认知任务。斯洛曼认为，有11个特征（详见下文）是认知不可缺少的。然而图灵机不具备其中任何一个特征，因此图灵机不能表现出智能特性，进而当然不可能在人工智能研究中有什么实际的意义。

众所周知，计算就是计算机所做的事情，这一概念来自图灵机及其构想。从作用上说，它在人工智能的计算机和认知科学中具有至关重要的作用。斯洛曼说："计算这一数学概念及其相关概念与计算机几乎或完全没有关系……即使计算机与人工智能极有关系，但与图灵机是没有关系的，从历史事实看，人工智能的发展并不依赖于图灵机概念。"①斯洛曼认为，至少有两种计算概念，只有一个与人工智能有关。一个概念涉及的是某些形式结构的属性，这些形式结构是理论计算科学（数学的一个分支）的主观材料；另一个是与信息加工机有关的计算概念，这种机器能与其他物理系统因果相关，在其中，可以产生复杂的因果关系。只有这个概念在人工智能（及心灵哲学）中有重要作用。②最重要的是，如果人工智能以第一个计算概念为基础，那么它永远不可能有人类心智那样的意向性。可见，图灵机的计算概念不是关于人类认知的模型。反过来，如果以第二个计算概念为基础，那么人工智能表现出意向性就有希望了。对此，他从多方面作了说明，第一，从图灵机与自然智能、人工智能的关系看，他说："图灵机与解释、模拟或复制人类或动物智能的任务毫无关系，但不否认它们与描述某些专家独有的能力这一任务有关系。"③第二，图灵机是线性的、串行加工的，依赖于线索的、不定长度的纸带，其速度呈下降之势。这些都不是人脑的特点，因此与人工智能不可能有关系。

---

① Sloman A. "The irrelevance of Turing machines to artificial intelligence". In Scheutz M(Ed.). *Computationalism: New Directions*. Cambridge:The MIT Press, 2002: 88.

② Sloman A. "The irrelevance of Turing machines to artificial intelligence". In Scheutz M(Ed.). *Computationalism: New Directions*. Cambridge:The MIT Press, 2002: 89.

③ Sloman A. "The irrelevance of Turing machines to artificial intelligence". In Scheutz M(Ed.). *Computationalism: New Directions*. Cambridge:The MIT Press, 2002: 102.

当然，在特定意义上又可以说图灵机与人工智能有关系，斯洛曼说："如果人工智能的任务是发现单一而最一般的信息加工能力，那么由于这种一般性，可以说图灵机与人工智能有关系。"[①]但问题是，无论是在理论还是实践研究中，人工智能的模拟并不需要这种一般能力，人和有机体中也不存在这种能力。

从人工智能研究的实践来说，图灵机事实上并未成为计算机科技的基础。近代以来，人们为了减轻计算的负担，一直梦想建立能代替人类计算劳动的机器，即能对数字之类的抽象实在进行抽象处理的机器。这种机器后来变成了现实，之所以能如此，主要得益于映射技术。所谓映射，就是"将那些抽象实在、抽象操作映射到物理机器的实在与过程之上"[②]。在这种映射中，实际上有两种事情发生了：一是发生了真实的物理过程，如齿轮转动或操纵杆的移动；二是我们常描述为发生在虚拟机器中的过程，如数字的加、乘等。此外，还有能把两者关联起来的人。正是这个人，一方面建立一些约定，如某一物理事件或过程代表什么（数字、加减等）；另一方面，当物理过程产生出结果后，他及时地对之作出解释，说它代表的是什么样的计算结果。可见真实发生的是物理过程，至于它有什么意义完全取决于人的解释或映射。

斯洛曼认为，尽管现在流行的计算机和图灵机及以此为基础的传统计算机都以计算概念为基础，但两种概念之间存在着很大的差别。他通过分析计算机的演变发展说明了这一点。比如，19 世纪诞生的能完成布尔逻辑演算的机器是一种受布尔启发的机器，它能对真值和真值表等抽象实在进行运算。相对于以前的机器而言，其原理并没有大的变化，如这些抽象的东西也必须被映射到物理结构和过程之上。新的发展表现在只用执行了布尔运算的元素就能执行数字运算，这一方法导致了快速的电子计算机的诞生。而机器的速度和灵活性的提高又使它的处理范围大大拓展，如它不仅可以处理数值和布尔值，而且还能处理抽象的信息，如语言信息、图表、图画信息、指令、程序等。

现代计算机的发展根源于能量和信息的结合。没有能量，机器不能创造、改变、保持原有状态，也不能变换出新的状态。没有信息，物理的变化便没有方向。

① Sloman A. "The irrelevance of Turing machines to artificial intelligence". In Scheutz M(Ed.). *Computationalism: New Directions*. Cambridge:The MIT Press, 2002: 102.

② Sloman A. "The irrelevance of Turing machines to artificial intelligence". In Scheutz M(Ed.). *Computationalism: New Directions*. Cambridge:The MIT Press, 2002: 90.

信息的作用在于确定下一步应作出什么样的物理变化，或要保持哪一种状态，等等。然而信息不可能以抽象的形式发挥上述作用。它必须通过特定的形态才能发挥作用。在 19 世纪，信息是通过编码在穿孔卡片中发挥它的指导作用的，而现在的电子计算机则通过磁盘和光盘等的储存，通过主机的读取来发挥它的指令作用。这也就是说，信息技术的发展是离不开材料科学和电子工程的发展的。斯洛曼说："电子技术在 20 世纪后半叶的发展使人们能构造出这样的机器，它们在运作时能随时改变内在的控制信息。"①

最初的计算机是没有自主性的，它要作出什么物理变化，有赖于人随时提供的能量；它下一步要做什么，离不开人所发的指令信息。现在的计算机在特定的意义上有较高程度的自主性，如它的运算、加工过程用不着人的直接干预；它甚至还有一定的自由度，如能根据具体情况自主地从多种可能步骤中挑选出一个步骤。但严格来说，它没有真正意义上的自主性，因为它的所有行为都是按程序运行的，即使是自主地从多种可能步骤中挑出了一个步骤，那也是在程序许可的范围内。这里的奥妙在于，人编制的程序像自然神论或莱布尼茨前定和谐说中所说的上帝的设计和第一因作用一样，它把一切都安排好了。

斯洛曼认为，计算机发展到今天，无论是硬件、软件，还是作为其基础的计算概念都发生了重大变化。他把这些变化概括为 11 个方面，认为它们是新计算机的 11 个特征。其中，前 6 个特征是第一性的，后 5 个是第二性的。这 11 个方面如下。①状态可变性：有大量可能的内在状态，它们具有可转换性。②状态中编码着行为规律：存在着由内在状态诸部分所决定的行为规律。③基于布尔测试的条件转换。④指称性的"读""写"的语义学：系统要通过内在状态控制行为，系统的有关能动部分就应有办法读取有关的内在状态及其部分。这些"读""写"不是纯符号性的，而有相应的关联性，如能指称系统的某一部分。⑤行为的自修正规律。⑥借助物理转换装置关联于环境：系统的某些部分与物理转换装置相连，因而感受器和运动器便因果地关联于内在状态。⑦程序控制：它能解释一种加工，支持它的状态，控制别的行为。⑧间断性处理。⑨多重加工，即系统能并行加工许多信息。⑩更大的虚拟数据块。⑪自我控制。

---

① Sloman A. "The irrelevance of Turing machines to artificial intelligence". In Scheutz M(Ed.). *Computationalism: New Directions*. Cambridge:The MIT Press, 2002: 98.

斯洛曼认为，现代计算机所表现出的这些特征保证了计算机的广泛的应用，同时为研究人工智能和认知科学提供了条件。因为人工智能的种种工作和作用是靠计算机来实现的。此外，这些特征也有助于我们认识人脑及其心灵的工作原理。

现代计算机已从根本上超越于图灵机及其智能观，如它们的前6个第一性的特征完全与图灵机的知识无关，“一点也不依赖于这种知识”。①因此，“把计算机看作是图灵机……是完全错误的”②。即便将图灵机在物理上加以实现，它也只能成为一种特殊类型的计算机，而不能成为现今流行的那种数字计算机，因为它不可能具有他所列举的计算必备的11个条件。另外，计算机未来的发展“也不需要像图灵机这样的东西”。即便理论和实践的研究有许多不足和空白，但“图灵机似乎不足以弥补任何空白”。③

总之，传统的计算概念对于人工智能没有什么作用，因为“这个计算概念的核心是形式化”，而20世纪50年代以后的计算机和人工智能的特点是成为有物理实现的机器。这是一种根本有别于图灵机的机器。它有斯洛曼所说的11个特点。“这些特点不能相对于递归函数、逻辑、规则形式主义、图灵机等来定义”，因为这些特点表现出了一定的语义性，并能以一定的速度和灵活性，用机器来产生和控制内外的复杂行为。④更重要的是，这些特点与人脑有关，而图灵机的特点与人脑无关。

六、B. C. 史密斯对计算概念的发展

B. C. 史密斯在《计算的基础》一文中指出：过去的计算概念的确存在着严重的缺陷，应予重新阐释。他所作的新的阐释是，计算不应是纯形式的，而应内在地具有意向性、语义性。如果这样理解计算，那么计算主义就可以重新焕发生机。⑤

他认为，计算概念本身没有任何问题，问题在于对它的阐释。一般把它归结

---

① Sloman A. “The irrelevance of Turing machines to artificial intelligence”. In Scheutz M(Ed.). *Computationalism: New Directions*. Cambridge:The MIT Press, 2002: 113.

② Sloman A. “The irrelevance of Turing machines to artificial intelligence”. In Scheutz M(Ed.). *Computationalism: New Directions*. Cambridge:The MIT Press, 2002: 124.

③ Sloman A. “The irrelevance of Turing machines to artificial intelligence”. In Scheutz M(Ed.). *Computationalism: New Directions*. Cambridge:The MIT Press, 2002: 111.

④ Sloman A. “The irrelevance of Turing machines to artificial intelligence”. In Scheutz M(Ed.). *Computationalism: New Directions*. Cambridge:The MIT Press, 2002: 107.

⑤ Scheutz M(Ed.). *Computationalism: New Directions*. Cambridge: The MIT Press, 2002: 24-33.

为形式，然后用非形式的术语来解释形式，如说形式是非语义的、句法的、数学的、适用于用分析方法分析的、抽象的、明晰的（对立于模糊性、歧义性）和非隐晦性等。他说：“人们之所以不能认识计算的本质，是因为他们有上述前理论假定。”[①]根据他的梳理，过去对计算的阐释一共有下述七种。①数学家、逻辑学家的看法是，计算就是形式符号处理，不涉及内容。②计算就是有效的可计算性，这是基于机器类比所得的结论。③计算就是算法的执行或遵守规则。④计算就是求出函数，即基于输入，产生输出。⑤计算就是数字状态的转换。⑥计算就是信息加工。⑦物理符号系统假说或符号主义的观点。这些是传统的计算主义的主要内容。由于对计算的理解不同，计算主义有不同的形式。

B. C. 史密斯认为，过去的看法都是错误的，这主要表现在它们都未抓住计算的一个重要特征，即意向或语义的特征。所谓意向特征，是人这样的系统所具有的特征，有了它，人就能模拟或表征别的状态，让内在的状态携带关于别的状态的信息。就拿人的计算来说，人对数字的计算并不是指向数字本身，而是关于外在的事物，因此它是一种因果关系，即从对象到内在状态的因果关系。由于有这种关系，意向性也便有它的物理有效性。而已有的计算理论并未抓住人的计算的这些特点。传统的计算理论的特点在于：撇开具体的实现过程，抽象地设想设计过程，似乎计算是一个纯抽象的概念，完全无视意向问题。[②]因此，要形成关于计算的科学理论，必须关注意向性。他说：“计算机科学……像认知科学一样期盼着关于语义性和意向性的令人满意的理论的发展。”[③]根据他的阐释，“计算应是非形式的”[④]，从经验上说，计算是“意向现象”。[⑤]

计算理论事实上应该是一种关于物理世界的一般理论，而不应像传统那样，将它阐释为形式加工理论。它应说明的是：“将一种世界构型中的世界状态变成

① Smith B C. “The foundations of computing”. In Scheutz M(Ed.). *Computationalism: New Directions*. Cambridge: The MIT Press, 2002: 43.
② Smith B C. “The foundations of computing”. In Scheutz M(Ed.). *Computationalism: New Directions*. Cambridge: The MIT Press, 2002: 46.
③ Smith B C. “The foundations of computing”. In Scheutz M(Ed.). *Computationalism: New Directions*. Cambridge: The MIT Press, 2002: 33.
④ Smith B C. “The foundations of computing”. In Scheutz M(Ed.). *Computationalism: New Directions*. Cambridge: The MIT Press, 2002: 45.
⑤ Smith B C. “The foundations of computing”. In Scheutz M(Ed.). *Computationalism: New Directions*. Cambridge: The MIT Press, 2002: 42.

另一世界构型中的状态，有什么困难，需要做什么事情。”他认为，这种阐释不仅适用于计算机，也适用于所有其他物理实在。就此而言，“它就是物理学”。[①]

怎样重构计算概念呢？B. C. 史密斯认为，最需要的东西是非形式的东西，即关于表征和语义学的理论。所谓“非形式”，他指的是渗透性的、包容性的、具体的、情景的、反映性的。“只有根据它们，才有可能重构关于计算的充分概念。”[②]这也就是说，对计算的新的理解要有语义学的维度。他强调：一定不能像对计算的纯形式阐释所设想的那样，把内在符号世界与外在所指王国分离开来，因为在下述意义上，真实的计算过程是参与性的，它们包含着符号和指称之间、之中的因果相互作用的复杂路径，包含着人内在和外在以复杂方式的交叉耦合。基于这一认识，他在重构时，便把表征和语义学放在首要的、理论焦点的位置。

当然，仅此还不够。因为要重构计算概念，还要有本体论的立场。他说：“在阐发关于计算的充分理论的过程中，本体论问题像语义学问题一样至关重要。”因为本体论问题与表征问题是“密不可分地缠绕在一起的”。过去的教训也有助于说明这一点。关于计算的形式理论之所以行不通，根本的原因在于：它“没有关于本体论的充分理论”。这就是说，传统的理论面对着一道不可逾越的障碍，那就是它无法越过“本体论的墙”，他说：“一旦本体论的墙被越过了，穿过了，拆除了，或用某种方式被踏平了，那么我们就可以进入计算、表征、信息、认知、语义学或意向性的心脏。”[③]

计算主义语境中的本体论之墙，主要是关于“计算”的一些本体论问题，即究竟该怎样看待计算、它有无存在地位、怎样界定它的本体论地位等。B. C. 史密斯承认计算的本体论地位，并作了这样的说明：“计算处在物质与心灵之间，是作为有中等复杂性的具体事例的供给者而存在的。”[④]另外，要解决传统计算主义的问题，还要研究人的意向性的条件、根据和机制。而要如此，又必须把这个研究与本体论研究结合起来。不能离开一方面孤立地研究另一方面，因为“本体

---

① Smith B C. “The foundations of computing”. In Scheutz M(Ed.). *Computationalism: New Directions*. Cambridge: The MIT Press, 2002: 42.
② Smith B C. “The foundations of computing”. In Scheutz M(Ed.). *Computationalism: New Directions*. Cambridge: The MIT Press, 2002: 46.
③ Smith B C. “The foundations of computing”. In Scheutz M(Ed.). *Computationalism: New Directions*. Cambridge: The MIT Press, 2002: 48.
④ Smith B C. “The foundations of computing”. In Scheutz M(Ed.). *Computationalism: New Directions*. Cambridge: The MIT Press, 2002: 50.

论理论和关于表征及意向性的理论要关注的东西都是内在关联在一起的现象”[①]。B. C. 史密斯认为，“作为方法论承诺的最终的观点根源于下述经验主张：关于本体论的理论和关于表征、意向性的理论都是关于内在相互联系的现象的理论。研究一方面而不研究另一方面，就像研究时间而不管空间一样”。本体论关心的问题是“事物是怎样的”，表征及意向性哲学要研究的是“我们怎样看待它们”，这两个问题尽管不是同一个问题，但从许多内在的方面来说，则是有共同性的。他自己的经验教训也足以说明这一点：在20世纪80年代，他对表征问题作了大量专门研究，但结果并不令人满意。究其根源，就是没有同时关注其中的本体论问题。他说：通过这些实践，“我最终不得不承认：某物是否是对象的（本体论）问题，如果不同时关注某物是否为表征或认知主体对象化这一（认识论）问题，就不可能被回答”。于是，后来他就将表征与本体论问题放在一起加以探讨。[②]

就意向性一方来说，本体论的概念及其重构可以为意向性问题的解决提供更多的资料。例如，“特征位置”（feature placing）这一概念就极为有用。这一概念是他从斯特劳森那里借用过来的，指的是逻辑上比属性更简单的东西。相同于属性的地方是，特征也能在时间上被例示，因而有具体性；不同之处在于特征概念不包含对个别的、可再认的对象的承诺。特征有自己的统一性或同一性或个体性，可作为属性类型或特征类型或抽象类型的例子或持有者。如果我们看到了大雾，便问：“以前曾看到过同样的个别的雾吗？”“有没有相同的雾的类型？”很显然，这里的问题不是认识论问题，因为无法去看它们。对于雾的特征是找不到个体化的标准的，也无法将它们分解为具体的个体。

B. C. 史密斯认为，按照传统的哲学理论和方法是无法说明特征位置问题的。但如果按照他倡导的方法，把它与意向性问题结合在一起来思考，则有望作出合理的说明，因为“本体论事实从一定意义上说是从意向上构成的”。[③]例如，要回答雾是怎样的等问题，唯一的方法不是去研究世界的结构本身，而是要探讨人们面对它们所作的投射，尤其是投射的欲望和偶发的事件。如果你想爬山，你对一

① Smith B C. “Reply to Dennett”. In Clapin H (Ed.). *Philosophy of Mental Representation*. Oxford: Oxford University Press, 2002: 238.

② Smith B C. “Reply to Dennett”. In Clapin H (Ed.). *Philosophy of Mental Representation*. Oxford: Oxford University Press, 2002: 238-239.

③ Smith B C. “Reply to Dennett”. In Clapin E(Ed.). *Philosophy of Mental Representation*. Oxford: Oxford University Press, 2002: 240.

座山不同于别的山的区分标准就会受到你的愿望的影响，如果你是地理学家，你的看法又会是另一个样子。总之，期望、背景信念、要求等如果不同，那么面前的对象及特征就会随这种变化而变化。

由此说来，传统的本体论应像意义、意向性、语义学和内容一样被自然化。而要将本体论自然化，首先要重视物理学在形而上学中的作用，因为诉诸物理世界的结构，可以解决形而上学的问题。而在物理学中，B. C. 史密斯又特别重视物理学的场论阐释。他的自然化的本体论的一个重要结论是：抽象的、纯形式的东西不可能有任何实际的作用。意向性作为一种真实存在的属性，既有它的因果根源，如来自真实的存在，又有它的因果作用，如指称它之外的东西，能引起身体和外界的变化，因此意向性不可能是一种抽象的、形式化的东西，也不可能根源于这样的东西。它必然是根源于“点对点的对应关系”（point-to-point correspondence）。他说：“物理的相互作用实际上具有相同的点对点的对应结构。现在发生的东西引起现在发生的东西；那时出现的东西引起那时出现的东西；下次将出现的东西引起下次发生的东西。这种点对点的对应关系（既是时间性的又是空间性的）内在于物理规律的结构之中。”[①]

意向性之所以有指向对象甚至创造或构造世界的作用，首先在于它是真实具体事物的属性。B. C. 史密斯认为，“我们在将事物对象化的过程中碰到的事情是：我们把世界的一个区域或一个范围组合为一个统一体。要如此，必要的条件是拓展上述对应模式，即把简单的点对点关系……发展为更具体的、有等级结构的扇入（fan-in）和扇出（fan-out）关系。我前面所说的那类关系，即特征位置包含着比简单的点对点对应关系更复杂的对应形式”[②]。

就意向性的内在条件来说，它要存在和起作用，离不开两个条件，一是要有真实的、具体个别的主体，它真的有作用，因此纯粹的符号转换、形式系统不能看作有意向性。二是必须有再认的、保持时间上的同一化的能力。例如，在现实生活中，人们能在不同的时间和地点把同一个对象（已在内外诸方面发生了重大变化）识别出来，即有再认的能力。这种复杂的意向能力根源于内部的“点对点

① Smith B C. “Reply to Dennett”. In Clapin E(Ed.). *Philosophy of Mental Representation*. Oxford: Oxford University Press, 2002: 258.

② Smith B C. “Reply to Dennett”. In Clapin H(Ed.). *Philosophy of Mental Representation*. Oxford: Oxford University Press, 2002: 258.

的关联能力”。B. C. 史密斯说：“再认要出现，有关的个例就必须在时间的延扩中保持一致。”这种能保持一致的能力就是意向性的一个条件。[①]换言之，再认的必要条件是有这类交叉组合和展开的能力。

七、其他新计算概念举隅

（一）威尔逊的宽计算主义

宽计算主义是外在主义的一个新的变种，是由威尔逊阐发的观点，其要点有三方面。

（1）它不一概否定窄内容的存在，不仅如此，威尔逊还认为，这一概念必不可少，因为有一种现象，没有它就无法表述和说明。例如，一个地球人与另一作为他的复制品的孪生地球人尽管所处环境不同，宽内容不同，但在使用“水”一词时肯定有相同的内容，如都相信水是液体，可以止渴。这种共同的东西就是窄内容。换言之，窄内容指的是“从语境到真值条件的一种映射功能”。宽内容则表征了外部实在的内容，即通常所说的意向性或关于性。他说：“将窄内容与头脑外的语境相加，便有了宽内容。”[②]因此他说：“我们不能没有窄内容概念。不管它是别的什么，它至少是这样一种类型的内容，即物理上的两个孪生人一定具有的东西，不管他们所处的环境多么不同。”尽管他承认窄内容的存在，但在内容的个体化问题上，他坚持的仍是外在主义的基本立场。[③]他说：“日常所说的心理状态的意向性是内在于头脑中的东西与外在于头脑中的东西之间的某种关系。可以合理地认为，这种关系从宽泛的意义上说，在本质上是一种因果关系。”[④]

（2）威尔逊对现象意识这种外在主义深感棘手而少有问津的问题作了外在主义的说明。

（3）否定窄计算主义，倡导和阐发宽计算主义。传统的计算理论是窄计算主

---

① Smith B C. “Reply to Dennett”. In Clapin H(Ed.). *Philosophy of Mental Representation*. Oxford: Oxford University Press, 2002: 259.

② Wilson R. *Boundaries of the Mind: the Individual in the Fragile Sciences*. Cambridge: Cambridge University Press, 2004: 90-91.

③ Wilson R. *Boundaries of the Mind: the Individual in the Fragile Sciences*. Cambridge: Cambridge University Press, 2004: 90-91.

④ Wilson R. *Boundaries of the Mind: the Individual in the Fragile Sciences*. Cambridge: Cambridge University Press, 2004: 91.

义。它认为，计算系统封闭于头颅，计算过程既始于又止于头颅。他倡导的宽计算主义则认为，计算系统能超出皮肤而进到外部世界，计算不完全发生在头脑之内。因为计算既然是过程，就一定有其步骤，如先分辨表征性、信息性形式，这些形式既可以是脑内的，也可是脑外的，它们构成了相关的计算系统；接着，在这些表征之间进行模拟、计算；最后，是行为输出，它是宽计算系统的组成部分。

威尔逊认为，宽计算主义在一系列问题上都坚持宽政策，如主张宽计算系统、宽定位（定位在头脑与世界之间）。他为什么要倡导这样的宽计算主义呢？他认为，建立宽计算主义是认知科学中的一项有价值的工作，甚至是一个重要的研究纲领。他说："在引进和辩护作为认知科学研究纲领的宽计算主义时，我利用了这样一些现成的成果，它们可以合理地看作是关于认知加工的宽计算主义观的范例。"[①]

他的宽计算主义，以及他对个体主义和外在主义之间的争论的解决，是建立在他对外在主义所作的新的区分之上的。他说："化解这种冲突的一种方法就是在分类学的外在主义和局域性的外在主义之间作出区分。"[②]所谓局域性的外在主义，指的是承认心理状态在人脑之内有它的定位这样的观点，而分类学的外在主义则强调：心理状态的个体化及分类必须参照它所关于的外在原因或事态。此外，他的宽计算主义还利用了联结主义的分布性认知、巴拉德（Ballard）关于动物视觉研究的成果以及布鲁克斯关于能穿越障碍的智能机器人的研究成果。[③]

在建立自己的宽计算主义时，威尔逊重点做的一项工作就是为外在主义提供更可靠的科学根据。而这一点是过去的外在主义所欠缺的。因为传统的外在主义过多地强调人与世界的关系及心理内容受外部事态所决定这一方面，而不注意研究心理状态及内容本身，不注意揭示它们为什么及怎样通过心理内容去指涉外部世界，一句话，未能揭示宽心理内容的心理学机制。在探寻心理内容的内在机制或实现的过程中，他把主要精力倾注在对心理表征、实现、计算等这些概念的分析和探讨之上。众所周知，这些是个体主义比较关注、经常利用的概念，也是个体主义最有建树的领域。威尔逊认为，它们并不是个体主义的固有领地，有关内

① Wilson R. *Boundaries of the Mind: the Individual in the Fragile Sciences*. Cambridge: Cambridge University Press, 2004: 179.
② Wilson R. *Boundaries of the Mind: the Individual in the Fragile Sciences*. Cambridge: Cambridge University Press, 2004: 178.
③ Wilson R. *Boundaries of the Mind: the Individual in the Fragile Sciences*. Cambridge: Cambridge University Press, 2004: 176-179.

在心理过程、计算过程的成果并不是只能为个体主义所独享的成果，经过一定的改造，也可为外在主义所利用。他所做的正是这样的工作。他说：“在拓展、重新规定这些概念的过程中，我为外在主义心理学建立了一个空间。”[①]就表征来说，认知心理学已对表征的结构和本质，以及它们如何被加工、储存、转换、相互作用作了大量有益的探讨。他认为，外在主义完全可以借鉴、利用这些成果。经过他的努力，他提出了“利用性表征”的概念，在此基础上，经过拓展，他又提出了关于表征的利用的观点（the exploitive view of representation）。其核心思想是：表征不只是一种编码形式，更是一种信息利用形式，而编码只是这种信息利用的一个特例。没有必要把表征看作是外部世界的内在摹本或代码。因为，“确切地说，表征是个体在提取和利用必然为行动进一步使用的信息的过程中所实施的一种活动。正是通过表征活动，主体才得以置身于世界，才得以跟踪世界，而不是让自己游离于世界之外”。[②]他自认为，这是表征认识史上的一次转折，即从摹本性的、代码性的表征转向利用性的、活动性的表征。在他看来，这种转折的意义非同小可，因为它为建立一种新的认知观，即以对称的方式看待头脑之内和之外的东西，开辟了道路。

所谓“对称的方式”，就是同等地看重头脑之内的东西和之外的东西的作用。威尔逊认为，只有坚持对称的方式，才能克服内在主义和传统的外在主义各持一端的片面性。因为在他看来，要形成心理内容，这两方面都不可偏废。当然，要形成内容，不仅要同时重视两方面，而且还必须说明两者是如何结合在一起的。他认为，在表征过程中，认知者之外的环境中的东西有时采取符号的形式（如书本的文字），有时以实在事物、事态的形式表现出来。即使是采取后一种形式，也没有关系，它们照样可以为认知系统所利用，因为认知系统是信息采集者，可以根据因果的、概念的依赖关系在头脑中经过内在的作用形成关于它们的表征。这里的表征不是纯粹的代码，不是纯形式，而是宽表征，即超出了头脑的表征，这里的活动或计算也不是纯粹的句法、符号转换，其转换与世界无关，而是宽计算，亦即认知系统对信息的加工既是对符号的纯转换，同时还是对外部世界的把握。

---

① Wilson R. *Boundaries of the Mind: the Individual in the Fragile Sciences*. Cambridge: Cambridge University Press, 2004: 183.

② Wilson R. *Boundaries of the Mind: the Individual in the Fragile Sciences*. Cambridge: Cambridge University Press, 2004: 145.

从具体内容来说，他的宽计算主义由一系列带有“宽”的概念所组成，如宽表征、宽计算系统、宽计算。由这些“宽”所决定，便有宽内容。这些“宽”强调的方面不同，但实质、主旨只有一个，就是强调尽管人的心理状态局限于人脑之内，与所随附的或实现它的大脑结构有不可分割的联系，有由内在因素决定的一面，但是人的心理状态、人的计算既由其本性所决定，又可以超出头脑而进至外部世界，进而把自己与外部世界关联起来。人之所以能超出自身之外完成关于环境的加工，即宽计算，是因为人有宽计算系统。他说：“宽计算系统因此包含的是这样的心灵，它可以自由地超出头脑的限制而进至世界之内。……而心灵又是宽实现的，”[①]即由复杂的物理系统宽实现的。在他看来，宽实现之所以可能，是因为心灵后面有物理系统，借助这种系统及其运作，内部过程、计算便与外部环境关联起来了。

在威尔逊看来，人们通常所说的表征也是宽的。首先，他强调，表征并不像传统的表征主义所说的那样，是作为一个独立的符号或表达而储存在大脑某一局部位置的，同时它也不能以一个独立的单元被提取和加工。他说：“认知表征分布在许许多多的节点之上，而不是局域化于它们之中的。”这是联结主义的新的观点。[②]其次，“表征不是某种内嵌于个体之中的东西，而是个体在知觉与行动的循环往复的过程中利用他们的环境的丰富结构所形成的东西”[③]。因此，表征既是宽的，又是利用性的。他认为，它在一个主体所做的事情与世界是怎样的之间建立了“一种恒常的、可靠的、因果的或信息的关系”[④]。

在心理状态如何个体化的问题上，宽计算主义与个体主义也有根本的不同。尽管个体主义像他的外在主义一样，承认心理状态可根据其局域性，即起作用的定位来予以个体化，因为它们都认为心理状态是在有机体的内壳之内发生的。这也就是说，在承认这种个体化方式方面，个体主义与他的外在主义没有不同。而它们的不同主要表现在他的外在主义强调：除此之外还有另一种个体化方式，即

---

① Wilson R. *Boundaries of the Mind: the Individual in the Fragile Sciences*. Cambridge: Cambridge University Press, 2004: 165.

② Wilson R. *Boundaries of the Mind: the Individual in the Fragile Sciences*. Cambridge: Cambridge University Press, 2004: 174.

③ Wilson R. *Boundaries of the Mind: the Individual in the Fragile Sciences*. Cambridge: Cambridge University Press, 2004: 178.

④ Wilson R. *Boundaries of the Mind: the Individual in the Fragile Sciences*. Cambridge: Cambridge University Press, 2004: 164.

从分类上加以个体化的方式。正是基于这两点，宽计算主义主张：有两类心理状态，一是局域性的，二是分类性的（taxonomic）。后一种心理状态是大多数外在主义经常述及的状态。根据他们的论述，有时有这样的情况，即两个个体在内在的方面完全相同，但他们的心理内容不同，很显然这是由外在的对象所使然，或者用威尔逊的话说，是“由于计算系统的宽实现”，即由它们的非内在的部分的不同而造成的。①

在说明了表征的两种个体化方式的基础上，威尔逊对作为探讨认知的、战略的外在主义提出了新的理解，即认为，这种外在主义既是可局域性，又是分类学的。前者承认认知有内在的实现机制，因而其个体化离不开内在的作用。后者强调：由于计算系统、表征、实现等都可以是宽的，因此认知及其内容的差异、个体化又有外在的奉献；这些内容之所以彼此不同，与它们关联的事物的类别、细微差异是有千丝万缕的联系的。在他看来，人工智能未来应模拟的计算必须是宽计算，所拥有的系统必须是宽计算系统，表征等也必须是宽的。至于如何让人工智能表现这些宽的特点，方向也应是很清楚的，那就是努力弄清人的意向系统表现这些宽特点的原理、过程和条件，然后研究如何在人工智能中加以实现。

（二）宽机械论

如前所述，传统计算主义的实质是机械论。它根源于图灵等的思想，强调内在符号转换，而忽视了符号与外在对象的关系，因此科普兰（Copeland）将它正确地称作“窄机械论”。如果它是错误的，那么就有必要建立一种宽机械论，其特点是不能为图灵机模拟。事实上，已诞生了这样的理论，它强调：图灵-丘奇的论证及结论不应根据窄机械论理解，而应根据宽机械论予以阐释。因为他们的理论的实质不是主张机器和大脑就是按照一系列固定的步骤运行的简单装置，而是可以表现出随机特点甚或自由意志的自主体。它们所做的事情不只是简单的形式转换，而具有更宽的功能。另外，从发展上说，宽机械论本身是开放的，因为它强调：对怎样模拟认知行为后面的机制的经验探讨是没有完结的。

宽机械论有多种形式。卡卢德（Calude）等的非传统的计算模型（unconventional

① Wilson R. *Boundaries of the Mind: the Individual in the Fragile Sciences*. Cambridge: Cambridge University Press, 2004: 166-167.

models of computation）认为，该模型对认知的解释超出了以前对图灵机械论的窄阐释的界限[①]，因此是宽机械论的一种形式。格尔德提出的“动力假说”（dynamical hypothesis）也倡导宽机械论，认为动力系统的行为不能为图灵机模仿。[②]它还认为，不确定性、有依赖性、时间性等应是计算的本质特点。例如，就情境这一特点来说，许多人认为，人的智能的特点在于与情境的协变。于是“情境 AI”（situated AI）概念应运而生。它甚至可看作是促进人工智能发展的巨大的推动力量，至少有助于促进下述观点的诞生。这种观点认为，智能系统是包容的，即有一控制性的躯体，它是世界的组成部分，同时还应是嵌入性的，即渗透在它们的环境之中。总之，动力学方案加之于智能系统的种种约束和限制抛弃了那些理论上可能而实践上不可行的解决方案。这一点在理论计算机科学从递归理论转向复杂性理论的过程中鲜明地表现出来了。

科普兰也赞成上述思路，认为传统的图灵机阐释把机械论规定为窄机械论，即认为心灵就是图灵机，至少能为图灵机模拟。他尽管承认心灵是机器，但又认为，这种机器是信息加工机器，其行为不能为图灵机模拟，因为它的信息加工过程是宽的。具体而言，有这样的要点：①机械论并不能衍推出窄机械论；②图灵本人并不是窄机械论者；③图灵的观点及其他有关理论，并不认为窄机械论优于宽机械论；④窄机械论的论证是不能成立的。[③]

（三）朔伊茨的“开放态度”

朔伊茨的特点在于：反对根据心灵来理解计算。理由是，如果这样理解，就会像过去一样人为地限制计算概念。他强调：应坚持开放的态度，如重视来自虚拟机的资源和例证，用基于更加广泛的资料而形成的研究来回答关于认知和心灵的更深层次的哲学和概念问题。他还强调，应把计算王国作为检验哲学理论的基地。这意味着，未来的计算主义应是包括哲学、心理学、计算机科学等在内的一个广泛的研究领域。[④]

---

① Antoniou I, Calude C S, Dinneen M J(Eds.). *Unconventional Models of Computation*. Singapore: Springer, 1998, Ch. 1.

② Van Gelder T. “The dynamical hypothesis in cognitive science”. *Behavioral and Brain Sciences,* 1998, 21(5): 615-665.

③ Copeland B J. “Narrow versus wide mechanism”. In Scheutz M(Ed.). *Computationalism: New Directions*. Cambridge:The MIT Press, 2002: 63-65.

④ Scheutz M(Ed.). *Computationalism: New Directions*. Cambridge:The MIT Press, 2002: 185-186.

在如何对待 FP 概念的问题上，他既反对实在论、乐观主义结论，又反对取消主义，而倡导一种新的观点，即认为“心理学概念就是虚拟机概念”。他自认为，这是上述两种对立理论之间的“中间路线”。[①]在他看来，心理概念是群集概念，它抵制传统的根据充分必要条件所作的分析。正确的分析方法是：把这些概念看作是依赖于、相对于结构基础的东西。例如，可把“感觉到什么”定义为某种认知过程。

新计算主义在坚持以虚拟机为研究模型的同时，还应研究这样一些关系，如心理状态、心理概念与物理状态、物理概念的关系，虚拟状态、虚拟概念与物理状态、物理概念之间的关系，最后应研究两种关系的关系。因为研究虚拟状态与物质的关系有助于我们理解心与物的关系。他通过研究得出的结论是：“心理状态就是虚拟状态。”[②]他还认为，心理概念对于物理概念的关系，也可诉诸虚拟机概念对于物理概念的关系来说明，当然他不赞成把虚拟机概念还原为物理概念的还原主义。

基于上述分析，他提出了“纯属猜想、纯属预言性的”计算概念，即将来的计算概念应成为的东西。他设想：有三个概念可能出现在未来的计算概念之中，如分布性计算、资源限制、局域性。

（四）豪格兰德论表征内容的根源

著名心灵哲学家豪格兰德承认：人工智能所能做的事情就是对形式进行处理或转换，但对形式的转换不是与语义绝对隔绝的，因为人的心智的形式转换就同时具有语义性，因此接下来应做且可以做的工作，就是探讨如何让形式句法有语义性，就是建模意向性。

要完成上述任务，无疑应研究人类的心智及其运作原理。很显然，人类对表征的理解、加工离不开人的意向能力。正是人的这种独有的能力使我们能够意识到表征中的真实内容。他的内嵌概念也说明了这一点。他反对笛卡儿把心与身割裂开来的二元论，而主张心与身的统一论。这种统一就表现在心智具有内嵌性，即渗透在身、世界之中。而这种内嵌性、渗透性又是根源于心的意向性。在他看

① Scheutz M(Ed.). *Computationalism: New Directions*. Cambridge:The MIT Press, 2002: 15.
② Scheutz M(Ed.). *Computationalism: New Directions*. Cambridge:The MIT Press, 2002: 14.

来，人的智能不只是形式转换，而且与意义有不可分割的联系。他说："智能居住在有意义的东西之中。"①

表征问题是认知科学的基本问题。豪格兰德主要是依据他的客观性和意向性理论来解决表征问题的。在他看来，心灵以某种方式表征世界，而这些表征只有遵循真、意义和客观性原则才是关于世界的真实表征。例如，正是表征的意义使命题有真假之分，并指向它们所关于的对象。问题在于：怎样知道一个系统一致于客观性原则？他认为，真和客观性都是需要说明的认识成果。根据传统的观点，对象是被给予的。而他认为，意向地指向对象依赖于某种实践或技能，这种技能实际上就是某种责任能力。可见他的客观性带有构成性的特点。根据这一原则，尽管世界对我们的表征实践有制约作用，但它只有与人的别的方面结合起来才能如此。也可以这样理解，客观性并不是纯粹的对象所与性，因为它离不开人的意向性。因此，他常说：意向性和客观性是同一枚硬币的两面，而意向性是人的独特性的表现。他认为，"只有人，才可能有对象、客观性和意向性"，只有在人身上才能找到真正的意欲者（intender）这样的机制。②

为什么说意向性和客观性是同一枚硬币的两面？他的回答是，意向性涉及的问题是：目标是怎样形成的？或者说，是什么决定了表征在特定运用时所要表征的目标？而客观性涉及的问题是：特定系统可能有什么目标？要理解客观性，我们就必须理解一种表征怎么可能指向某个特定的目的。同样，要理解意向性，又离不开客观性。理解了一个就理解了另一个。

第二节 自然语言处理研究的历史过程与语义学转向

自然语言处理人工智能研究领域的任务就是建造能模拟人类语言能力的机器系统。而人的语言能力不外两方面，一是对输入的书面或口头语言形成理解，二是生成作为反应的语言表达式。既然如此，自然语言处理便有两大研究课题，

① Haugeland J. "Mind embodied and embedded". In Haaparanta L, Heinamaa S(Eds.). *Mind and Cognition: Philosophical Perspectives on Cognitive Science and Artificial Intelligence*.Helsinki: Philosophical Society of Finland, 1995: 230.

② Haugeland J. "Reply to Cummins on representation and intentionality". In Clapin H(Ed.). *Philosophy of Mental Representation.* Oxford: Oxford University Press, 2002: 140.

一是研究自然语言理解，二是研究其生成。从语义学的角度说，前者要解决的问题是如何完成从文本到意义的映射，后者要解决的是如何完成从意义到文本的映射。在两者之中，前者最为重要，处于基础地位，因为要生成语言无疑离不开理解。同时，前一个任务比后一个任务要难解得多。朱夫斯凯（Jurafsky）等说：语言的生成比语言的理解更容易一些……正因为如此，语言处理的研究集中于语言理解。[①]其原因在于：自然语言有多义性、上下文相关性、整体性、模糊性、合成性、产生性、与环境的密切相关性等特点。就人来说，不管是语言理解，还是语言生成，都必然涉及三个方面，即语言表征、语法表征和语义表征。例如，要说出语句，就涉及这三个方面的表征传递，即先要有交流的意向，有思想传达出去，然后要考察用什么样的词、句法结构去表达，进而用什么样的声音去表达，既然如此，自然语言处理的两大领域也都要研究这三个方面的理论和技术问题。传统的计算主义从动机上说也注意到了这三个方面，只是在效果上未能真正涉及语义性。它认为，它可以用计算术语说明人的语言理解和生成过程。因为人的言语行为是一个由规则控制的过程，同理，让机器完成语法判断也是可能的，因为产生语法判断的机制可以从计算上实现。[②]

在人类认识和改造世界的活动中，自然语言处理是名副其实的新生事物，人们对它的关注充其量只有六七十年的时间。大致来说，它经历了这样几个发展阶段。一是 20 世纪 40 年代末至 50 年代初的萌芽时期，其重点是研究人机对话。但由于人们对人机对话的理解过于肤浅，因此以失败告终。二是 20 世纪 60 年代的初步发展时期，研究的主要成果是形成了关键词匹配技术，建立了以此为基础的语言理解系统。这些系统包含大量关键词模式，每个模式都与一个或多个解释相对应。在理解和翻译时，一旦匹配成功，便得到了对某句子的解释。这种系统的优点是允许输入句子不规范。即使输入句子不合语法，甚至文理不通，它们也能生成解释。问题是这种系统忽视了非关键词和语义及语法的作用，因此对句子理解的准确性极差。到了 20 世纪 70 年代，出现了以句法-语义分析技术为基础的系统。这一研究所用的方法是基于规则的方法，即将理解自然语言所需的各种

① 朱夫斯凯.《自然语言处理综论》，冯志伟，孙乐译，电子工业出版社 2005 年版，第 470 页。

② Carter M. *Mind and Computers: an Introduction to the Philosophy of Artificial Intelligence*. Edinburgh: Edinburgh University Press, 2007: 152-153.

知识用规则的形式加以表达，然后再分析推理，以达到理解的目的。这一方法在语言分析的深度和难度上较以前有较大进步，事实上也取得了积极的成果，如产生了一些句法-语义分析系统：SHRDLU 等。

20 世纪 80 年代后，自然语言处理在经历了因一些人的否定而出现的短暂阵痛之后，发生了极富革命意义的语义学转向，即从原来的以句法为中心的研究（至少在实际效果上是这样）转向了以语义为中心的研究。其表现是人们的确从句法层面进到了语义层面，不仅关心单词、短语、句子、语音的形式加工问题，而且着力探讨意义的形式表示及从语段到意义表示的映射算法，为此，又深入到了言语的意义分析之中，探讨语素的意义怎样结合到这一级语言单位的意义之中。基于大量的探讨，各种关于语义分析的理论和方法便诞生了。另外，如何消解单词意义之歧义性、如何将信息检索从句法级提升到语义级等应用问题也受到了特别关注，促成这种转向的动因是多方面的。

第一，到了 20 世纪 80 年代初，一大批有后现代精神，热衷于解构和颠覆，喜欢批判的哲学家、科学家，如上面所说的塞尔、彭罗斯和霍金斯等，在深入、严肃地反思了人工智能研究现状的基础上，对各种自然语言处理的理论和实践作了尖刻的批判和否定。如前所述，塞尔的中文屋论证有力地证明，人类语言处理的特点在于：这种处理包含对意义的理解，而机器或关于程序所实现的所谓语言加工，如“理解故事”根本就没有理解。如果理解、意向性、语义性是人类智能的根本特征，那么已有的语言处理系统根本就没有表现智能。这一类批评应该说抓住了已有研究的要害，后来许多专家的肯定性认同和评价及向语义学的转向都足以说明这一点。

第二，许多人开始从人工智能研究的形式主义迷梦中觉醒过来，而开始了向真实人类智能的“回归”。通过对塞尔等论证的冷静思考，通过对人类语言处理能力在新的起点上的再认识，人们终于发现：能处理语义是人类语言能力的最根本的特征和最关键的方面。我国学者李德毅和刘常星先生说：人工智能如果不能用自然语言作为其知识表示的基础，建立不起不确定性人工智能的理论和方法，人工智能也就永远实现不了跨越的梦想。[①]

① 涂序彦.《人工智能：回顾与展望》，科学出版社 2006 年版，第 46 页。

第三，人工智能的其他领域提出了向语义回归的客观要求。很显然，不攻克语义性这个瓶颈问题，知识工程、互联网、知识管理等领域的研究就不可能有实质性进步。西蒙的学生费根鲍姆（Feigenbaum）提出的知识工程，使知识信息处理进入了工程化阶段，同时也标志着人工智能从以推理为中心的阶段进入了以知识为中心的阶段。从此，知识科学、知识工程研究如火如荼地开展起来。进入20世纪90年代，这一研究因互联网的发展而变得更为迫切和重要。因为互联网的发展，既为知识共享提供了较好的平台，同时，互联网向纵深的发展又向知识共享提出了更高的要求。因为人们希望有更全面、更快捷、更高质量的知识共享。而要实现这个愿望，就必须解决语义学问题，必须从过去的以形式为中心的人工智能研究转向以内容为中心的研究。史忠植先生说：将语义网和网格计算的技术结合起来，构建语义网络，可能是实现基于Internet知识共享的有效途径。[①]

20世纪80年代以后，自然语言处理进入了一个新的发展阶段，其特点之一是关注对大规模真实文本的处理。第13届国际计算语言学大会明确提出了处理大规模真实文本这样的目标。这标志着语言信息处理迈入了一个新的阶段。其特点之二是强调以知识为基础。新的理论认为，要让机器完成自然语言理解，必须让其有多多益善的知识。基于这一理解，便产生了许多以知识为基础的自然语言理解系统。本体论语义学、语料库语言学（corpus linguistics）等就是其范例。其特点之三是向实用化、工程化方向发展，其标志是一大批商品化的自然语言人机接口和机器翻译系统出现在国际市场上。如美国的人机接口系统Intellect，机译系统SYSTRAN，加拿大蒙特利尔大学开发的与天气预报有关的英法机译系统，日本和我国也都分别开发了英日、中英机译系统。特别是在搜索引擎方面，自然语言理解程序也有很大的发展，并得到了广泛的应用。

一、一般的方法论问题

人之所以为人，一个根本的特点是他有创造和使用语言的能力。有鉴于此，许多哲学家把人定义为符号动物。人由于有了自己所创造的语言，在许多方面就大大优于其他自然事物，如走到餐馆想点菜吃饭，就没有必要亲自到储藏室一个

---

① 史忠植.《智能科学》，清华大学出版社2006年版，第3-4页。

一个地点，而只需把想吃的东西的名称报出来就行了。反事实思维告诉我们：如果没有语言，我们将碰到无穷无尽的麻烦，如我们想叫人带一辆出租车过来，就必须去搬一辆车过来。

语言之所以有如此神奇的作用，原因在于它不是纯粹的符号。我们的语言交流之所以能顺利进行，那是因为我们说出的话不是纯粹的符号，而是有它的关于性或关联性。用哲学的话说就是，有派生的意向性。换句话说，人交流所用的符号携带着意义，或者说有语义性。所谓语义性，即符号所具有的有意义、有指称、有真值条件的性质。有这种性质，实即符号上被捆绑着符号以外的东西，即它要表示的东西。从发生学上说，符号在被人们创造出来时，人们订了一个契约，达成了一项协议，或制定了一个规则，即让这个符号表示某一对象。我们学习语言，就是学习它可以表示什么，亦即学习语言被创造时被人们所确立的规则。朱夫斯凯等以哲学的睿智明确指出：人在生活中，必不可少的事情是要活动，要与外界打交道。要如此，他们的语言就不能只停留于从形式到形式的转换上，而必须关涉世界上的事态。这也就是说，必须能够使用意义表征来决定句子的意义和我们所知道的世界之间的关系，这是意义表征的基本要求。人类造出计算机之类的东西及自然语言处理系统，不是为了好玩，而是为了更好地认识、利用外部世界。因为它只有有关联世界的能力，才会被人创造出来。既然如此，人工智能的自然语言处理系统如果真的想模拟人类的语言能力，那么就不能只关注句法处理，而必须进到语义的层面，这无疑已成了大多数专家的共识。但问题是：怎样让机器有语义处理能力呢？

这里首先会碰到这样的方法论问题：尽管我们的目的是让机器具有人的语言能力，但是否一定要模拟人的语言生成和理解的过程及机制呢？是否一定要以人的语言能力为样板、参照呢？对这些问题，主要有两种不同的回答，一种观点强调：只有理解了人类对于自然语言的处理，我们才能建立更好的语言处理的机器模型。另一种观点认为，对于自然的算法的直接模仿在工程应用中没有多大作用，就像飞机用不着模仿鸟通过摆翅膀而飞行一样。一般来说，大多数研究者赞成和选择了前一种观点。朱夫斯凯等概括说：人工智能不仅意识到语义性的必要性、重要性，而且为了让人工系统也有语义性，在师法自然上也迈出了有价值的步子。例如，深入到人类心智之中及人类所使用的深层结构之中去探讨语言为什么有意义。就后一个方面来说，已取得了一些积极成果，甚至可以说："我们已经知道了人类语言负载意义的各种方法。"[①]例如，就底层来说，人类语言之所以能负载意义，根源在于它有谓词变元结构（predicate-argument structure），即在构成句子的单词和短语成分的底层，各概念之间存在着特定的关系。正是它，从输入的各个部分的意义，构造出了一个组合性的意义表示。例如，有这样几个句子：①我想要意大利食物；②我只想花费 5 美元以下的钱；③我想它就在附近。这三个句子包含三种句法变元框架：①NP（名词短语）想要 NP（名词短语）；②NP 想要 inf-VP（动词短语）；③NP 想要 NP inf-VP。

这些构架表明，句子要有意义，首先一定有谓词，如动词。其次，有一定数量的谓词变元，如 NP 和 VP 等。此外，它们都有特定的语义角色，如动词前的变化起着动作主体的作用，动词后的变化起着动作之对象或内容的作用。最后，还有语义的限制，即动词对主词和宾词都有限制作用，如"想象"就限制了它的主词表示的是有生命的东西。不仅包含动词的句子有谓词变元结构，而且不包含动词的名词性、介词性句子，其实也有这样的结构，如"书在桌子上"等。

自然语言处理研究中的另一个不可回避的方法论问题是：如果我们承认自然语言处理研究必须走"师法人类"的道路，那么由于人们对人类语言处理的条件、机制、原理、实质的看法不尽相同，怎样判断我们的模拟真的是对人类语言能力的模拟呢？从效果检验的角度说，怎样判断机器对人的语言能力的模拟？怎样判断它们是否有语言处理能力？有无这种能力的判断标准是什么？或者说，判断机器有无语言理解能力的标准是什么？一般都赞成美国认知心理学的下述四标准说：①能回答与语言材料有关的问题；②能对大量材料形成摘要；③能用一种不同的语言复述另一种语言；④能将一种语言转译为另一种语言。一些人认为，如果机器的自然语言理解能符合上述标准，那么就可将它们应用到下述方面：①机器翻译；②文件理解；③文件生成；④其他应用，如给大型系统配上自然语言接口。

当然也有不同的看法，如有些人认为，应从效果上加以判断，即看机器的语言输出的因果性效果。如果一个符号的意义能使系统产生变化，能达到或影响某种内部或外部的状态，那么就可认为它有对语义的正确理解。按照塞尔等的观点，

① 朱夫斯凯.《自然语言处理综论》，冯志伟，孙乐译，电子工业出版社 2005 年版，第 323 页。

这些都是行为效果标准，即使强调它们有合理性，也不充分。因为关在中文屋中的不懂中文的塞尔，尽管通过了从行为效果上的所有检验，如将输入中文正确转换成了输出，但其实他对中文一字不识。既然如此，在塞尔看来，真正的标准应是看机器在句法转换过程中，有没有理解或觉知过程发生。这当然是一个正确的但相当高的标准，可看作是自然语言处理的最高目标。

尽管塞尔的上述思想受到了许多人工智能领域专家的诟病，但也不是完全没有赞成者。史忠植、王文杰概述说：自然语言理解成为人工智能研究的中心课题，很多人都意识到在自然语言处理中“理解”的必要性。为了使机器理解语言，不只是考虑句子，还要考虑语义，利用知识，引进一般社会的知识，以及利用上下文信息。①

二、语义分析

在自然语言的应用系统中，如在对话系统中，系统要能将对话顺利进行下去，一个必要的环节是对输入的句子作出合理的理解，即要把握符号后的意义。而要理解输入句子的意义，又有两方面的工作得做：一是形成意义表征，二是将这表征指派给输入的句子形式。两者合在一起就是所谓的语义分析。正如朱夫斯凯等所说：语义分析是生成意义表示，并将这些意义表示指派给语言输入的一种处理。语义分析一般是由语义分析机器完成的，如图 17-1。

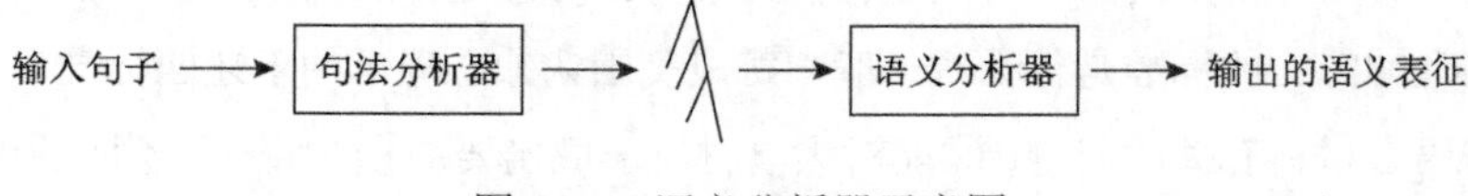

图 17-1　语义分析器示意图

这就是说，输入句子首先要经过句法分析器的分析，所得的结果再传送到语义分析器。其分析的结果就是要赋予输入句子以意义表征。

语义表征或意义表征是机器获得自然语言处理能力的第一步。它关心的是怎样将句子的意义表征出来。这里的灵感和办法是基于对人的语言理解的观察而形成的。人们通过深入人类语言的结构底层，探讨这种语言为什么有语义表征能力，

---

① 史忠植，王文杰.《人工智能》，国防工业出版社 2007 年版，第 305-306 页。

最终发现：人类语言的意义表征能力根源于它之下的谓词变元结构。基于这一认识，有关专家试图模仿人类语言表征意义的结构和方法。

让机器获得自然语言处理能力的第二步是让它有语义表征能力。这也是消除语义之歧义的必要条件。自然语言的特点是有歧义性。如果不能正确对待歧义性，就不能使用自然语言。而要有这种能力，就得有语义能力。因为要对语言输入的意义进行推理，并且要根据它来采取行动，所以一个输入的意义的最后表示必须与任何歧义没有关系。[①]另外，日常语言还有这样的特点，即一个意义可由不同的句子来表示，而一个句子又可表示不同的意义。要让机器有自然语言处理能力，就必须有理解这类句子的能力，而要如此，其又必须有语义能力。目前的理论主要是通过意义表征来解决这里的问题的，即在知识库中为每一种输入提供尽可能多的意义表征。因为如果在系统的知识库中只有一个意义表示，那么这些不同的意义表示将不能进行正确的匹配[②]。

什么是意义表征呢？朱夫斯凯等说：在计算语言学中，意义表征的主要方法是建立形式意义表示法，以便捕捉与语言输入有关的意义。这些意义表征的目的是在语言和关于世界的普通知识之间建立一座桥梁。[③]意义表征的形式很多，如一阶谓词演算、语义网络等。在抽象层次上，它们都有一个共同的概念基础，即意义表征是由符号集合所组成的结构构成的。在他们看来，一元谓词演算就是其中的一种较好的选择。朱夫斯凯等认为，这是一种灵活方便的、容易理解的、在计算上可行的方法，用这种方法表示知识能够满足……对意义表示语言提出的要求……可以为意义表示的确实性验证、推论和表达能力等方面提供坚实的计算基础[④]。

因为有这样的好处，所以在自然语言处理中，一阶谓词演算是一种常见的表征意义的方法。众所周知，人类的语言之所以有意义，是因为它有对于它以外的事物的关于性。同样，一阶谓词演算之所以被看作表征意义的一种方式，也是因为它可以用来表达外在的对象、性质及关系。在一些学者看来，它之所以有表征意义的能力，又是因为它有一些原子要素，如谓词词项、联系词、函数、变量等。

① 朱夫斯凯.《自然语言处理综论》，冯志伟，孙乐译，电子工业出版社 2005 年版，第 320 页。
② 朱夫斯凯.《自然语言处理综论》，冯志伟，孙乐译，电子工业出版社 2005 年版，第 321 页。
③ 朱夫斯凯.《自然语言处理综论》，冯志伟，孙乐译，电子工业出版社 2005 年版，第 342 页。
④ 朱夫斯凯.《自然语言处理综论》，冯志伟，孙乐译，电子工业出版社 2005 年版，第 325 页。

这种表示方法是围绕谓词而组织起来的。所谓谓词，是一种符号，其作用是引述对象，表现特定领域内的对象之间的关系。例如，“某餐馆供应的是绿色食品”，这里的“供应”就是谓词，它对有关的关系作了编码，如它涉及两个位置，即“餐馆”和“绿色食品”，同时标出了它们之间的关系。

一阶谓词演算中的另一个原子要素是词项。它是这种表征方式表示对象的一个重要设置，可以看作是一种命名方法，一种表示世界上的对象的手段，因此可看作是一个信息块。而它又是用三种方式来表示的，即常量、函数和变量。常量通常用大写字母，如 A 或 B 等来描述，引述的是世界上的特定对象。函数也是引述对象的方法，比常量更方便。变量常用小写字母表示，也是引述客体的机制的组成部分，其作用是允许我们对对象作出判断和推论。

有了引述客体的能力，以及把一些客体与另一些客体关联在一起的能力，一阶谓词演算就能构造出组合表示，如借助逻辑连词（“和”“或”等）可以把不同的意义表征组合在一起，形成更大的意义单位。在倡导者看来，借助这种方式，不仅可以表征意义，而且还可以根据它们所编码的命题是否与外部世界相符而被指派“真”或“假”值[①]。

在语义网络表征中，语言所指对象可用图的节点来表征，对象之间的关系可用有名字的连接边来表征。在框架表征中，可用特征结构表征对象。而特征被称为槽，这些槽的值既可用填充者（filler）来表示，又可用原子值来表示，还可以用一个嵌套的框架来表示。因此，这种方法又被称作槽填充表示法。

在建立语义表征时，一项必不可少的工作是建立关于非语言世界的表征。因为人之所以有语义能力，除了有关于语言规则的知识之外，还有关于相关世界的知识。既然如此，就必须注重建立这方面的表征。朱夫斯凯等说：我们所需要的意义表达能够在从语言输入到与语言输入意义有关的各种具体任务所需的非语言知识之间架起一座桥梁。[②]显而易见，简单地使用音位表示、形态表示和句法表示，并不能帮助我们解决这些问题。为了解决这些问题，需要把包含在这些问题中的语言因素与用于成功地完成这些任务所需的非语言的世界知识结合起来。[③]

① 朱夫斯凯.《自然语言处理综论》，冯志伟，孙乐译，电子工业出版社 2005 年版，第 327 页。
② 朱夫斯凯.《自然语言处理综论》，冯志伟，孙乐译，电子工业出版社 2005 年版，第 318 页。
③ 朱夫斯凯.《自然语言处理综论》，冯志伟，孙乐译，电子工业出版社 2005 年版，第 318 页。

什么是知识表示？知识是人们在长期的实践过程中所形成的对世界的认识和经验，是通过对信息的关联、统一而形成的。而信息是一定的表示形式所携带的内容或含义，这种表示形式即数据。因此，数据是表示信息的一组符号。它们的关系是：数据是记录信息的符号，是信息的载体和表示，而信息是对数据的解释，是数据在特定场合的含义。同一种数据可表示不同的信息，同一种信息可由不同数据表示。有时，数据并不包含信息，只有那些有格式的数据才有意义。机器并不能直接加工知识和信息，它们只有通过一定的数据表示出来，或转化为数据才能为机器加工。所谓知识表示，就是对知识作出描述，或作出约定，让什么样的数据表示什么样的信息。因此，知识表示的过程就是把知识编码成数据的过程。与此相应，数据经过机器处理之后产生的还是数据，这种数据有什么意义，还需人的解释。

知识表示的方法主要有一阶谓词逻辑表示法、产生式表示法、框架表示法，语义网络表示法、面向对象表示法、状态空间表示法等。究竟用什么方法来表示知识，要考虑这样一些因素：①在选择知识的表示方法时，要考虑它能否充分表示领域知识；②是否有利用知识的必要；③是否便于知识的组织、维护和管理；④是否便于理解和实现。

这里，试对语义网络表示法作一粗浅分析。它其实是通过概念及其语义关系表示知识的一种网络图，是一种带标注的有向图。其中，有向图的各节点表示的是各种概念、属性、状态，弧表示语义关系，即表示它所连接的各节点的语义关系。节点和弧都有标识，其作用是区分各种不同对象以及对象间的不同关系。这种表示法有这样一些特点：第一，结构性，即它是一种结构性的知识表示方法，有表示事物间关系的作用。第二，自然性，它表示事物间的关系有便于理解、易于转换的特点。第三，联想性，由于它表示了语义关系，因此通过这种关系可找到与某一节点有关的信息。第四，非严格性，通过推理网络而实现的推理不一定有正确性。应看到的是，尽管经过这种表示法所形成的符号串反映了概念、事物、属性、情况、动作、状态及其关系，数据似乎有关于性、语义性，但是由于这种表示法仍未改变知识表示的下述本质特征，即在数据和信息之间建立了约定关系，因此这里的数据仍没有本原性的语义性。

随着知识表征研究的深入，人们逐渐认识到，要建立科学的知识表征，还要研究大规模真实文本处理。众所周知，人们之所以有理解自然语言的能力，是因为他们有各种各样的知识。因此，要让机器有这种能力，就要让它们有相应的知识。而要如此，就必须首先弄清楚人的语言理解能力以什么样的知识为必要条件。大规模真实文本处理就是基于这一共识而被第13届国际计算语言学大会的组织者提出的。

要弄清人的语言知识，就必须研究大量的真实文本，因为语言知识就蕴含于其中。因此，只有通过对真实文本的分析找到理解自然语言必需的知识，然后建立相应的知识库，才有望建立以知识为基础的自然语言理解系统。根据这样的认识，现在研究的重点便集中到了真实文本之上。所谓真实文本，就是研究语言知识所用的材料，亦即语料，而大量的语料集合在一起就是语料库。因此，这个研究的第一步就是建立语料库。目前已出现了许多语料库。例如，普林斯顿的专家研制的系统，不同于传统词典的地方在于：它按词义而非词性来组织词汇信息。另外，还有以汉语和英语语词所代表的概念为描述对象的常识知识库。

语料库语言学的诞生为自然语言处理研究带来了希望，增添了活力，但它也有局限性，如从大规模语料库获取知识的统计模型显示有片面性，因此从中采集、整理、表示和应用的知识仍有一定的限制。另外，基于大规模语料库的方法主要是统计学的方法和别的简单方法，而它们在自然语言处理中的应用潜能似乎已挖掘殆尽，因此下一步如何向前发展，就是一个难以回答的问题。史忠植、王文杰说：如何对语料库进行更有效的加工、处理，如何从中抽取语言知识，如何在自然语言理解的方法上实现突破等问题，还需不断深入地进行研究。①

要让机器有语义处理能力，除了要建立语义表征和知识表征之外，还要建立相应的语义分析器。语义分析器多种多样，其功能各有千秋。例如，利用词典和语法中静态知识的语义分析器能够生成文本的字面意义，由句法驱动的语义分析，能够在分析句子的诸组成部分的意义的基础上，借助组合原则的作用，生成整个句子的意义表征。语义语法分析的优势在于：能对一些不见诸字面的意义作出较好的理解。例如，“意大利食品”“意大利餐馆”，如果把这类短语的意义理

① 史忠植，王文杰.《人工智能》，国防工业出版社2007年版，第301页。

解为两个词的意义的合成，即意大利的食品、意大利的餐馆，就失去了其最重要的方面，因为这里的地点名词强调的是食品制成的风格或方式。语义语法分析器中设计了直接对应于所讨论领域的实体及关系的语义规则，同时还设计了一定的预测规则，因此借助这些规则，它能“理解”字词后面的意义。①

从行为主义的观点看，已有的语义分析器的加工过程在输入与输出两端已非常接近于人类的语言加工过程，在许多情况下，语言分析器的实际表现也是令人满意的。它们能将对话进行下去，有时还能在变化的环境下作出巧妙、幽默的应对，这些表明它们有一定的语义能力。至少从解释主义或投射（归属）主义的角度看，我们可以把“理解了意义”“有语义理解、加工能力”等话语归属给这些机器，即用这类语言来描述、解释、预言机器的言语行为。但是一旦进到输入与输出的中间环节，那么就能发现：机器内部并没有真的发生人那样的意义理解过程。它们既不知道意义，又不直接处理意义，而只是按规则进行匹配、转换，所转换的只是形式，而非意义或语义。例如，它们对名词短语（“飞机票”）、形容词短语（“价格便宜的”）等的语义分析就有这类问题。在这些规则中，序列中的后一个名称按规则被分析为短语的中心语，表示一个主体，其所谓的语义通过未指明的方式与序列前面的其他名词关联在一起。经过逻辑的演算，它们就被转化成了一定的意义表征。

从上述语义分析的事例可以看出，已有的语义分析器没有名副其实的语义能力，如在命名时不能有意识地把符号与所指关联起来，在“理解”语义时不能由符号联想到它的所指、真值条件，而只是按规则进行形式、符号转换，因此尽管它有一些表面的成功，但是在具体实施时仍存在许多技术上的困难，如由句法驱动的语义分析，到目前为止，我们还不具备直接实现上述机理（即 VP 语义附着必须具备的两方面的能力，一是必须清楚地知道动词变元的语义将替换的是动词语义附着中的哪个变量；二是实现这种替换的能力）的技术设备。②

再来看所指判定。在人机对话中，甚至在信息检索中，机器要理解对方的话语，一项必不可少的工作是所指判定。例如，对方会用到一些名称、代词、动词等，要让对话顺利进行下去，必须对这些词所指称的东西作出判断。例如，当计

① 朱夫斯凯.《自然语言处理综论》，冯志伟，孙乐译，电子工业出版社 2005 年版，第 363 页。
② 朱夫斯凯.《自然语言处理综论》，冯志伟，孙乐译，电子工业出版社 2005 年版，第 347 页。

算机听到这样的话语“我在那里看到了一只猫和一个小孩，它很狡猾”时，就要判定这里的“它”指的是什么，这对于一般的人来说是再简单不过的事情，而机器则不那么容易。

现在，人们对此已作了一些研究，认识到：为了成功地生成并解释所指语，系统需要两个部分，一是构造话语模型的方法，该模型能够随着它所表示的话语的动态变化而变化，一是各种所指语暗含的信息与听话人的看法之间的映射方法，后者包括该话语模型。[①]当然，要具体地让机器作出判定，还必须解决一些技术上的问题，如制定相应的判定算法。这里以代词判定算法为例作一说明。据拉平（Lappin）等的一项研究，这样的算法应包括这样的步骤：①收集可能的所指对象；②排除与代词在数和性上不一致的可能的所指对象；③排除不能通过句内句法共指称约束的可能的所指对象；④通过将在话语模型更新阶段计算出的显著值与可应用的值相加，计算所指对象的总的显著值；⑤选择显著值最高的对象，在出现平分的情况下，再根据字符串的位置，选择最靠近的对话。例如，约翰在那商铺看到了一个漂亮的礼物。他指给鲍勃看。他买下了它。这里的两个“他”和一个“它”的所指就需要判定。不然，对话就无法进行下去。据说，这样的算法与其他的过滤算法一起使用，在判定时，可以获得较高的精度。[②]

其实，指称判定算法仍是以句法分析为基础的，因此并没有真正的语义性，如它并未像人的判定那样真的根据符号与外部世界的关系来确定语义，而只是根据语法分析来确定指称。朱夫斯凯等在评述一种代词判定算法时说：它以当前句子以前的几个子句子（包含当前句子）的句法表示为输入，并在这些句法树中执行先行名词短语的查询。[③]中心算法也是一种判定指称的算法，尽管它采用了话语模型，并引入了这样的主张：在话语中的任何给定点都有一个单独的实体作为“中心”，但是它仍是以句法分析为基础的，而没有涉及外在的所指。朱夫斯凯等说：在该算法中，代词的优先所指对象是通过相邻句子向前看中心和向后看中心之间的关系来计算的。[④]

---

① 朱夫斯凯.《自然语言处理综论》，冯志伟，孙乐译，电子工业出版社 2005 年版，第 416 页。
② 朱夫斯凯.《自然语言处理综论》，冯志伟，孙乐译，电子工业出版社 2005 年版，第 427 页。
③ 朱夫斯凯.《自然语言处理综论》，冯志伟，孙乐译，电子工业出版社 2005 年版，第 427 页。
④ 朱夫斯凯.《自然语言处理综论》，冯志伟，孙乐译，电子工业出版社 2005 年版，第 428 页。

三、新计算主义的改进与“爱尔兰屋论证”

如前所述，新生代计算主义者承认，传统的计算主义及以此为基础建立起来的自然语言处理系统的确疏忽了语义性，至少没有真正解决语义问题，因此其处理系统只是一种句法机，而非语义机。根据他们的理解，一方面，计算主义所阐释的计算不应是纯句法转换，而应具有语义性；另一方面，据此所建立的处理系统应真正具有人那样的语义理解能力。[①]针对语言加工系统缺乏对语义的理解、把握处理能力，只会形式转换塞尔的中文屋论证所提出的问题，许多人作出了新的探索。马科尼（Marconi）认为，语言处理系统之所以不能理解，是因为它们在用符号表征自然语言概念时没有视觉图式的作用加入进来。沿着这一思路，许多人作了大胆的探索。如威尔克斯（Wilks）讨论了语言、视觉和隐喻的关系，强调应把它们结合起来，认为隐喻与意义的外延有联系，只有符号才能有意义。[②]

许多句子有歧义性，如 I saw the man on the hill with the telescope。对这个句子中的 with 的理解不同，整个句子的意义也不同，至少有三种情况：①拿望远镜看那个山丘上的人；②看到山丘上拿望远镜的人；③看见山上有个人，还有一个望远镜。对这样的句子如不加处理，机器就无法翻译好。尚克等认为，如果给这句子配上一幅图，机器就可理解其语义，如图 17-2。

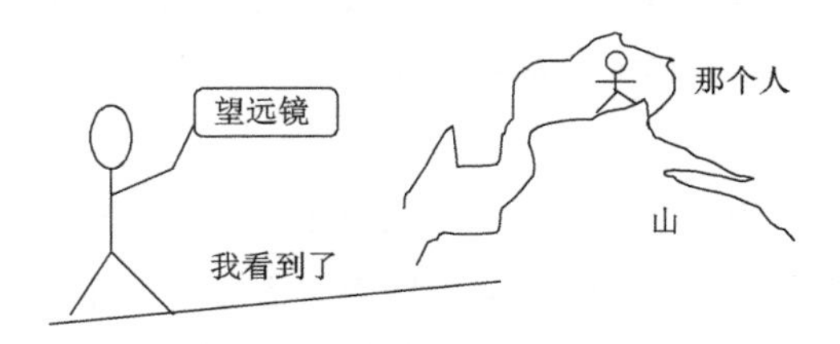

图 17-2　歧义语句的图式化

集合人工智能系统是人工智能研究中的一个新的热点。人工智能专家按照有关思路研制出了集中处理词典。这种词典又有多种形式，其中之一就是用空间表征来表示单词。有的人作了这样的尝试，用动画片来描述自然语言中的原概念。

① Marconi D. “On the referential competence of some machines”. *Artificial Intelligence Review*, 1996, 10: 21-35.
② Wilks Y. “Language, vision and metaphor”. *Artifical Intelligence Review*, 1995, 9(4-5): 273-298.

还有纳拉亚南（Narayanan）等在 1994 年提出了这样的构想，即用动态的视觉原词来表示语言原词，即用动力学的方法将语言原词视觉化。而语言原词又可表征像进入一个建筑物这样的动态过程。他们用尚克[1]的概念发展原词，然后来说明简单的故事怎样映射为图画序列。

集合人工智能系统的研究还出现在文档处理研究之中。拉贾戈帕兰（R. Rajagopalan）定义了一种图画语义学，其作用是，能说明用在示意图和城市规划图中的模式和颜色等之间的关系。斯里诃里（Srihari）等定义了一种带空间语义学的词典，其作用是能解决文件理解中的问题，在这里，上下文说明文字可用作对应图片解释中的附属信息。他们把他们的系统用作句法/语义词汇库。凯维特（Kevitt）等在《从中文屋到爱尔兰屋：语言视野中的新词》（"From Chinese Rooms to Irish Rooms: New Words on Visions for Language"）一文中对这方面的成果作了集中的描述，可参阅。[2]

还有一种方案，就是试图将单词和句子表征还原为原词，如尚克为他的概念发展机定义了 14 个这样的原词。在凯维特等看来，这种尝试有三大问题。第一，用于原词的一般推理规则在用于特殊情境时并不能被遵守。第二，根据问题：原词怎样以世界为根据？或者说，是什么使原词有其意义？第三，循环问题：某些词是根据原词定义的，而这些原词又是根据最初的词定义的。[3]对第二个问题及人们诉诸塞尔中文屋论证所作的批评，威尔克斯作了这样的回应：自然语言的原词不存在任何明显的视觉对应物，原词也用不着定义，只需根据它们在作为整体的语言中的程序作用来定义。[4]

再来看意向分析理论与 OSCON（Operating System Consultant）。凯维特等认为，要想让自然语言处理系统有像人那样的语义理解能力，进而让它们彼此或与人自由、恰当地对话，必须使它们有意向识别和分析能力。为了解决这样的问题，他们创立了"意向分析理论"，它是一种关于自然语言融洽对话的模型，

---

① Schank R C. "Conceptual dependency: a theory of natural language understanding". *Cognitive Psychology*, 1972, 3(4): 552-631.

② Nualláin S, Kevitt P M, Aogain E M(Eds.). *Two Sciences of Mind*. Amsterdam: John Benjamins Publishing Company, 1997: 179-196.

③ Wilks Y. "Good and bad arguments about semantic primitives. *Communication and Cognition*, 1977, 10(3-4): 181-221.

④ Wilks Y. "Good and bad arguments about semantic primitives. *Communication and Cognition*, 1977, 10(3-4): 181-221.

其核心原则是："自然语言对话的融贯性可以通过分析意向序列来建模。"[①]他们还认为，这个理论可通过一个计算机程序而具体化为一种计算模型。这种模型已为许多人研究出来了，被称作 OSCON 其倡导者主要有凯维特、威尔克斯和加思里（Guthrie）等。他们认为，他们的计算模型有分析意向序列的作用。当然，要作出分析，还要有这样的条件：第一，意向有可能被识别；第二，意向有可能被表征。一般来说，自然语言交流中的意向是可以被识别和表征的，因为自然语言话语的句法、语义性和语用性有助于人们识别其后的意向。同样，其表征也不是没有可能性的，因为对话中的意向可以借助于他们所说的"意向图表"（intention graph）来表征，如用这种图表表征对话中意向序偶出现的频率，一组意向如果出现在与意向序列的结合中，就可指示对话中说者的专门知识是局部的还是全部的，其程度如何。就 OSCON 系统来说，它由六个基本模块和两个扩展模块组成。六个基本模块分别是：①Parse CON，即自然语言句法语法分析器，其作用是分辨问题类型；②Mean CON，即语义语法分析器，其作用是确定问题的意义；③Know CON，即一种知识表征，包含的是理解所需的关于自然语言动词的信息；④Data CON，即另一种知识表征，包含的是关于操作系统指令的信息；⑤Solve CON，即解答器，它根据知识表征，解答问题表征；⑥Gen CON，即自然语言发生器，其作用是用英语作出回答。如果使用者的询问是独立地给出的，或与情境关系不大，那么六个模块的工作会令人满意。

新计算主义者关于"爱尔兰屋论证"所作的讨论，较好地表达了他们在语义处理问题上的见解与方法。这个论证是哈纳德（Harnad）等分别于 1990 年和 1993 年为反击塞尔的中文屋论证而提出的一个论证[②]，后在 1996 年得到了许多人的详细讨论，其操作和论证在许多方面与中文屋论证是相同的。在这里，也有一个屋子，即爱尔兰屋，里面有一个矮妖精 Séan。他不懂英文，而递给他的句子恰恰是英文写的。其内容是："what are the directions of lexical research?"（什么是词汇研究指南？）。与中文屋论证中的情况不同的是，这个句子被附上了起注释作用的图画。被关在爱尔兰屋中的矮妖精的任务与中文屋中的塞尔有一点相同，

① Wilks Y. "Good and bad arguments about semantic primitives. *Communication and Cognition*, 1977, 10(3-4): 188.

② Harnad S. "The symbol grounding problem". *Physica D:Nonlinear Phenomena*, 1990, 42(1-3): 335-346; Harnad S. "Grounding symbols in the analog world with neural nets: a hybrid model". *Think*, 1993,2(1): 12-20.

即要借助规则理解一个句子。所不同的是，它的规则书是用苏格兰的盖尔语写成的，要理解的句子是英文而不是中文。每个词都附有一个图片或图片序列。在外面的观察者看来，Séan 像中文屋的塞尔一样能理解被递进来的句子，因为他们只需按规则书进行匹配就能如此。[①]所不同的是，Séan 的“理解”既有规则书的帮助，又有文字所附图片的帮助，因此他似乎是根据词语的意义完成他的理解的。在哈纳德等看来，如果在计算机理解符号时，也为它提供相应的图画，那么它也会有同 Séan 一样的理解语句的能力。不仅如此，声音、气味甚至触觉信号都可附在文字之后，以便帮它理解文字。总之，只要附上有助于理解意义的东西，那么机器所实现的智能将会像人类智能一样理解语言的意义，亦即有意向性或语义性。

凯维特在讨论“爱尔兰屋论证”时对爱尔兰屋作了一点改进，如让它有点像中文屋，因为被递进屋中的句子是中文，目的也是想检验不懂中文的人能否理解中文。凯维特想回答的问题是：纯句法的加工能否具有语义性？在凯维特的实验中，被关在屋中的是凯维特，他只懂英语。他邀请北京大学和清华大学的几位人工智能专家一同来做这个实验。他让他们用中文写几个句子，每个句子下画上相应的与内容有关的图画，然后从爱尔兰屋的窗口递进去。第一句是“你很强大”，下面画了两幅画；第二句是“猫子很强大”，也附有图画。凯维特得到句子后，在图画的帮助下，对第一句作了这样的猜测：“某人或某物很大”（some person or something big），对第二个句子的猜测无误。基于这一实验，凯维特等断言：“我们可以预言，借助更好组织的图画、录像、音响和别的感觉信息，实验的结果会更理想。”[②]

凯维特等认为，借助他们上面的方案可解决自然语言处理中令人头疼的循环问题，并使处理系统具有根据所指去把握语义的能力。所谓循环问题，是指自然语言处理系统这样的问题，即借助语词来定义语词，然后又借助别的语词来定义用来定义的语词，还有可能用被定义的语词来定义刚用来定义的语词。例如，在某类自然语言处理系统中，表示 disease（疾病）的原词被定义为 disorder 或 illness

① 爱尔兰民间传说中的人物，据说捉住后，可让它指点宝藏埋在什么地方。

② Nualláin S, Kevitt P M, Aogain E M(Eds.). *Two Sciences of Mind.* Amsterdam: John Benjamins Publishing Company, 1997: 186.

（有病），而在对后面词的定义中，用的定义又是 disease。如果是这样，就不能说这类系统有语义理解能力，因为它们只是停留在无休无止的句法转换过程中。凯维特等认为，用他们的系统就不会有这类问题。

四、自然语言处理中的意识建模与“速写板模型”

许多新计算主义者意识到：不管是原有的理论和实践，还是后来为回应塞尔挑战所创立的新的理论和人工系统，包括新计算主义的探索，都面临着一个致命的问题，即没有涉及作为人类意向性、语义性之根本特征的意识或觉知或理解。不错，许多新的系统的确有对环境的关于性，且在语言交流中有不凡的表现。这些当然能说明它们具备了意向性的部分特征，即把机器的符号加工与所指对象关联起来，如基于它们的内在表征说明它们的所指和意义。但是它们充其量只有派生的意向性，因为符号与所指的捆绑、它们之间约定关系的建立、对语义规则的遵循，都依赖于人的编码、解码、解释。而人在语义处理过程中，能指与所指关系、约定关系的建立和遵守，都是“自己”独立自主地完成的，是主动做出的，而非按程序命令他律地完成的。更为重要的是，这些过程都是有意识地进行的，尤其是在语义理解时，人有真正的理解，如清楚明白地“晓得”符号指的是什么，进而不是根据形式规定、规则而是根据对意义的把握来进行交流，来完成对歧义句的处理，等等。所有这些都说明自然语言处理中还存在着一个更为棘手的问题，即意识的建模问题。

麻烦在于：人的语言理解中的意识、觉知能否被研究、建模呢？许多人认为，这是不可能的。而纽曼（Newman）和巴尔斯（Baars）等则认为，意识不比语言复杂。既然语言已受到了深入的、有成效的研究，那么意识也应能够如此。事实上，巴尔斯所阐发的“全局工作空间模型”（global workspace model）就是关于有意识经验的一种认知神经模型。另外，20 世纪 70 年代以来，雷迪（Reddy）等建立的黑板模型、速写板（sketchboard）模型等都有深化对意识的认识的作用。从工程实践上说，这类模型在人工智能实践中的应用也十分活跃，而且成果显著。[①]

① Newman J, Baars B J, Cho S. “A neurocognitive model for consciousness and attention”. In Nualláin S, Kevitt P M, Aogain E M (Eds.). *Two Sciences of Mind.* Amsterdam: John Benjamins Publishing Company, 1997: 394.

纽曼等承认：他们的意识模型可能有不完善之处，有许多观点还只是猜想，有些看法还需实践的进一步验证。而且他们也不完全排斥这样的可能性，即计算机不能完全理解人的语言。他们说："我们无法保证我们能够建构可以完全理解人类语言的计算机程序。"①但是他们又否认人的意识能力不能被建模的观点。他们说："意识并不像有些人所主张的那样是人工智能建模能力所不可企及的。"②

萨巴赫（Sabah）也持类似的看法，他说："我一直认为，意识是自然语言理解的关键方面。"③"为了把控制过程和非控制过程这两个范畴结合起来，显然要让意识发挥关键的作用。"④为此，他提出了一个关于意识的新的模型，即CARAMEL。这一模型的理论基础是这样一个假定："语言是智能必不可少的一种能力。"⑤就思想渊源来说，它受到了下述思想的启发，一是巴尔斯关于意识的"经济"观点。在后者看来，意识主要与三个因素有关，即工作空间、专门化的无意识过程和情境（目的等级结构）。在这一思想的启发下，萨巴赫认为，下述因素对意识至关重要。①有一个作为工作空间的黑板，上面写的是有意识的数据。②解释性情境组成的结构和断裂的处置。③无意识过程之间的冲突。④关于随意控制和注意的模型。

第二种对他有影响的理论是哈思（Harth）的非二元论、非多元论。哈思强调：大脑中不存在能审视、检查大脑诸状态的小人，大脑本身是作为观察者而起作用的。根据这些思想，萨巴赫形成了这样的看法：①关于无意识过程之间的反馈观念；②无意识过程的先天评估；③意识活跃于处理的初始层次，而不是其终端。

另外，萨巴赫还受到了著名脑科学家，如艾克尔斯、埃德尔曼等的科学意识论思想的启发。从他们那里，他形成了语义根源于概念、感性输入和符号之间的相互作用的思想。

萨巴赫认为，要建模语义理解中的意义，首先，要弄清意识、理解的条件。

---

① 笛卡尔.《第一哲学沉思集：反驳和答辩》，庞景仁译，商务印书馆1986年版，第88页。
② 笛卡尔.《第一哲学沉思集：反驳和答辩》，庞景仁译，商务印书馆1986年版，第88页。
③ Sabah G. "Consciousness: a requirement for understanding natural language". In Nualláin S, Kevitt P M, Aogain E M(Eds.). *Two Sciences of Mind.* Amsterdam: John Benjamins Publishing Company, 1997: 361.
④ Sabah G. "Consciousness: a requirement for understanding natural language". In Nualláin S, Kevitt P M, Aogain E M(Eds.). *Two Sciences of Mind.* Amsterdam: John Benjamins Publishing Company, 1997: 362.
⑤ Sabah G. "Consciousness: a requirement for understanding natural language". In Nualláin S, Kevitt P M, Aogain E M(Eds.). *Two Sciences of Mind.* Amsterdam: John Benjamins Publishing Company, 1997: 362.

他说："理解不仅基于逻辑的标准，而且还是非理性认知过程的一种突现结果，后一个过程是不能用算法方式描述的。"[1]同样，思维过程也离不开意识和无意识过程。其次，要知道意识的决定因素。他认为，有这样几方面的决定因素，一是"感觉到"，即当对象出现在自主体面前时，它能觉察到。只有有这种能力，才有可能有意识。而觉察又有多种形式，如基于理解的觉察、基于矛盾的觉察和模棱两可的觉察。二是注意。所谓注意，是使结果被意识到的一种过程。三是反射性。一个自主体只有在能对刺激对象作出响应的前提下，才可能是有意识的。四是心理表征有新颖性和信息内容。他说："心理表征越新奇，越有信息，那么它越有可能被意识到，这说明了这样的事实，即新颖性或与期望的距离是一种刺激被意识到的主要理由。"[2]

最重要的是，要建模意识，无疑要知道意识的特点。在他看来，意识的特点主要是：第一，选择性。并非一切神经活动都能被意识到，只有被挑选出来的东西才能被意识到。意识的选择性的作用在于：在多种随机事件中作出选择。第二，排他性。一个对象被意识到了，就会阻止其他事情被思考。第三，关联性。意识中的事项彼此套接在一起，其关联的纽带就是联想和推理。第四，统一性。意识能把有意识的人和他的意识内容统一起来，而且还为把分散经验统一为自我意识提供了链条。

在已有认知模型的启发下，萨巴赫提出了自己的速写板模型。根据这一模型，自主体 A 为自主体 B 提供了一个输入，B 除了形成自己的结果之外，还把 R（s）反传给 A。这里 B 所作的反应，目的是指导 A，以使它形成更进一步的结果。

萨巴赫自认为，他的模型的特点在于："不存在来自系统的'输出'，因为速写板是为工作在它之上的诸模块读取的，理解的感觉来自整个系统的稳定性。应注意的是：某些模块可用计算期望值予以描述。因此被写入速写板的某些结果可说明这样的事实，即系统正期待特定的数据与意识。一种与意识有关的特殊过程可能晓得被计算的东西和被期望的东西之间的差别。"[3]

① Sabah G. "Consciousness: a requirement for understanding natural language". In Nualláin S, Kevitt P M, Aogain E M(Eds.). *Two Sciences of Mind*. Amsterdam: John Benjamins Publishing Company, 1997: 364.
② Sabah G. "Consciousness: a requirement for understanding natural language". In Nualláin S, Kevitt P M, Aogain E M(Eds.). *Two Sciences of Mind*. Amsterdam: John Benjamins Publishing Company, 1997: 384.
③ Sabah G. "Consciousness: a requirement for understanding natural language". In Nualláin S, Kevitt P M, Aogain E M(Eds.). *Two Sciences of Mind*. Amsterdam: John Benjamins Publishing Company, 1997: 373.

他认为，这一模型可以应用于自然语言的理解之中。他认识到，这一模型在应用中有这样的问题，即既然不同模块是以不可预测的方式影响最终的决定的，那么就有一个如何加以控制的问题。通过研究，他认为有办法解决这个问题，即使在自然语言理解中也是这样。他的方案是：首先，承诺模块性，因为这一原则对于实践是必不可少的；其次，要有一个独立的控制因素，即选择一个最有用的自主体，让它在特定的条件下起作用；最后，为了让该自主体的行为适应于环境，这种控制作用就应分布于诸自主体之中，使它们有能力表征自己。这样的过程都是动态的，如动态的选择加工过程、动态的计算。

萨巴赫一直在完善他的速写板模型，如在借鉴别人思想、改进自己的看法的基础上，他还提出了所谓的“修改的 CARAMEL”。他试图让它有这样的特性，即“不仅能理解和产生自然语言，而且还能成为关于智能行为的模型”[①]。要让这种系统有理解自然语言的能力，关键是得让它具有意识的特性。因为系统的关于性特征要成为人所具有的那种意向性，关键是必须有意识的特性。怎样实现这一特性呢？他认为，人的意识可以这样来建模，即把它“建模成一种能驱动各种子过程的控制过程。它的数据储存在黑板上，且是固定不变的……各种子过程的职责是管理和评价那些固定的目标，评价从速写板而来的候选者的相关性，维护自身的表征等”[②]。不同模块对最终结果是以不同的秩序产生影响的，因此为了目的能够被实现，由这些模块组成的系统就存在着如何予以控制的问题。在分布式的人工智能系统中，这种控制是不难实现的，只要让每个自主体成为一种反射性系统就行了。所谓反射性系统，就是能根据关于自己的表征推出自己该做什么行动的系统。因此，这样的控制也可叫显控制，其系统可称作反应性系统。另外，要完成控制，还得有一种元系统。所谓元系统，就是能控制几个自主体的系统，而它本身又可看作是自主体，其特点在于：它本身能在元层面被表征。

对于萨巴赫关于意识建模的上述理论和实践探讨，许多人可能提出这样的否定意见：他所说的及被他建模出来的所谓意识压根就不是意识。当然有的人可能会认为，这就是意识。很显然，这里的争论涉及意识的标准问题。萨巴赫也知道

---

① Sabah G. “Consciousness: a requirement for understanding natural language”. In Nualláin S, Kevitt P M, Aogain E M(Eds.). *Two Sciences of Mind.* Amsterdam: John Benjamins Publishing Company, 1997: 380.

② Sabah G. “Consciousness: a requirement for understanding natural language”. In Nualláin S, Kevitt P M, Aogain E M(Eds.). *Two Sciences of Mind.* Amsterdam: John Benjamins Publishing Company, 1997: 380.

这个问题是不可回避的。因此，他作了自己的回答。在他看来，说一种数据被意识到或没被意识到，其标准在于要看它是否被读取和写入。他说："意识可看作是速写板上的读取和对短期记忆中的写入的管理。只有稳定的结果——值得得到它们才会写入黑板之上。"①这里的"值得得到"（deserving）有三种意思，一是基于理解的觉得，二是模糊地觉得，三是矛盾地觉得。第一种感觉会导致能被意识到的结果的产生。后两种感觉也有这种作用。在他看来，这三种感觉都是意识出现的标准。他说："这些标准意味着，只有通过有意识知觉获得的结果才能为其他知识源泉所利用。"②总之，意识可以被建模为一种反射性的过程。

第三节　语义机建构的心灵哲学探索

由上叙述和分析不难看出，已有的自然语言机器处理程序或系统的共同问题是缺乏对意义的自主的处理能力，充其量只是句法机，而非像人类那样的语义机。这一问题用著名语言哲学家塞尔的话说，就是语义或意义缺失难题。他针对尚克等的语言（故事）理解程序一针见血地指出：已有计算机所实现的所谓智能"本身所做的"只是"形式符号处理"，它们没有任何意向性；它们是全然无意义的。……用语言学的行话来说，它们只是句法，而没有意义。③

20 世纪 80 年代后，自然语言机器处理在经历了因一些人的否定而出现的短暂阵痛之后，发生了极富革命意义的语义学转向，即从原来的以句法为中心的研究（至少在实际效果上是这样）转向了以语义为中心的研究。其表现是，有关研究的确从句法层面进到了语义层面，不仅关心单词、短语、句子、语音的形式加工问题，而且着力探讨意义的形式表示及从语段到意义表示的映射算法，为此，又深入到了言语的意义分析之中，探讨语素的意义怎样结合到这一级语言单位的意义之中。基于大量的探讨，各种关于语义分析的理论和方法便诞生了。另外，

① Sabah G. "Consciousness: a requirement for understanding natural language". In Nualláin S, Kevitt P M, Aogain E M(Eds.). *Two Sciences of Mind*. Amsterdam: John Benjamins Publishing Company, 1997: 381.

② Sabah G. "Consciousness: a requirement for understanding natural language". In Nualláin S, Kevitt P M, Aogain E M(Eds.). *Two Sciences of Mind*. Amsterdam: John Benjamins Publishing Company, 1997: 382.

③ 塞尔.《心灵、大脑与程序》//博登.《人工智能哲学》，刘西瑞，王汉琦译，上海译文出版社 2001 年版，第 113 页。

如何消解单词意义之歧义性、如何将信息检索从句法级提升到语义级等应用问题也受到了特别关注。

一、意向分析理论：意向识别和分析能力

如前所述，凯维特等认为，要想让自然语言处理系统有像人那样的语义理解能力，进而让它们彼此或与人自由、恰当地对话，必须使它们有意向识别和分析能力。为了解决这里的问题，他们创立了“意向分析理论”，它是一种关于自然语言融洽对话的模型，其核心原则是：“自然语言对话的融贯性可以通过分析意向序列来建模。”[①]他们还认为，这一理论可通过一个计算机程序而具体化为一种计算模型。

尚克等也是这一方案的倡导者和实践者之一。他们强调：要在世界中完成某种任务，就要有理解，而理解不过是把视觉、语言输入并与来自任务的意向（目的、计划和信念）关联起来。[②]他们说：“在用一个定义来规定一个词时，人们在诉诸别的语词的同时还可用上空间和视觉构造。这些构造将对那些被定义词给出部分定义，由此，即使有循环，也只是局部循环，有时甚至完全没有循环。”[③]基于上述论证，他们认为，通过为自然语言处理系统增加图画辅助，有望使这些系统超越句法机而成为语义机。他们说：“空间和图画或动画序列可以作为语词意义的符号，自然语言说明的基础，进而在它们的定义中消除循环性。我们的解决方案不是偶然得到的。多年来……已有人作了这样的论证：大多数语言运用像隐喻一样，是以空间关系和心理类比映射为基础的。”[④]

二、解释主义：彻底的解释与真值条件能力

著名语言哲学家戴维森对语言中的彻底的或从零开始的解释的追问既可帮助我们探寻人的自然语言加工的内在机制与奥秘，又向我们暴露了语言的深层结构和一般本质。

---

① Wilks Y. “Language, vision and metaphor”. *Artificial Intelligence Review,* 1995, 9(4-5): 288.

② Schank R, Fano A. “Memory and expectations in learning, language, and visual understanding”. *Artificial Intelligence Review,* 1995, 9(4): 261-271.

③ Schank R, Fano A. “Memory and expectations in learning, language, and visual understanding”. *Artificial Intelligence Review,* 1995, 9(4): 261-271.

④ Schank R, Fano A. “Memory and expectations in learning, language, and visual understanding”. *Artificial Intelligence Review,* 1995, 9(4): 261-271.

戴维森毕生所关注的核心问题之一就是解释问题，他的兼有哲学和语言学双重性质的理论被称作解释主义。他说：“像别的许多人一样，我也想回答‘什么是意义’之类的问题”，只不过他把这个问题转换成了这样的解释哲学问题：“一个解释者要理解一个使用他国语言的说者的话语，得具备什么样的知识才行？”[①]围绕这一课题，他发表了大量影响深远也激起热烈争论的成果。鉴于此，戴维森研究专家卡罗说：“可以毫不夸张地说……戴维森的哲学几乎成了一种纯粹的解释哲学。”“正像伽达默尔和利科是当代大陆哲学中的解释哲学家一样，戴维森是分析世界的解释哲学家。”[②]

在观察人际交流时，人们都不难发现这样一个事实：人们能相互理解对方的言语和行为，每个人既是说者、被解释者，又是听者、解释者。不仅如此，人们还能理解自己完全不熟悉的另一种语言。对这种语言的解释就是戴维森所谓的彻底或从零开始的解释。因为在解释之前，解释者对说者的语言和心理状态一无所知。要理解这种话语（哪怕是其中一个句子），解释者就必须学到理解所需的一切条件或知识，尤其是非语言的条件。而这一点是可以做到的，因为现实生活中有许多人掌握了母语以外的一种或多种语言。即使是完全不懂外语的人，面对一种完全陌生的语言，在具备了相应的条件时，也能对使用这种语言的人的言语和行为作出理解和解释。也就是说，彻底的理解是可能的。问题是：理解、解释他人的话语和行为是如何可能的？换言之，要得到这种解释，需要什么样的条件或知识？这个问题是戴维森的解释理论的出发点。他说：解释理论是要由语言学家、心理学家和哲学家协力完成的一项工作。它的研究课题是一个或多个说话者的语言行为，它告诉我们这个或这些说话者的某些表达式的含意是什么。最后解释理论能被用来描述每一个解释者所具备的知识。[③]要揭示说者话语的可能性条件，首先要认识到解释是一项本体论的事业。解释就是要根据说者与其所处世界的关系来考察说者。因为这种关系不只是认识的、表征的或命题的关系，而且还涉及许多与意义相关的现实的、潜在的关系。因此解释的本体论不只是关于信念与愿

---

① Davidson D. “Radical interpretation interpreted”. *Philosophical Perspectives*, 1994, 8: 126.

② De Caro M. “Davidson in focus”. In De Caro M(Ed.). *Interpretations and Causes: New Pespectives on Donald Davidson's Philosophy*. Dordrecht: Kluwer Academic Publishers, 1999: 1.

③ 戴维森.《真理、意义、行动与事件：戴维森哲学文选》，牟博编译，商务印书馆 1993 年版，第 82、127 页。

望的理论，而且还是这样的理论：它认为人是由行为、态度、情感、能力及由事件、他人和世界复合而成的统一体。

另外，解释说者的话语，首先是要理解话语的意义，而意义具有整体论的性质，它与信念、别的态度和行动形成了一个相互联系的整体。这个观点既是关于心理生活的整体论观点，也是关于信念、别的态度和行为的一般本质的观点，它要求我们从整体论上理解自己和他人。因为任何一种态度只有相对于别的信念、行为和态度的背景才能被确认。把一个信念归属于说者也是如此，它预设了也为我们所具有的、别的信念的集合。归属信念要求我们分辨出被归属的信念，而分辨又意味着有关的信念与我们所具有的信念集合在一起，它要求我们把说者的信念状态与我们所具有的信念状态加以比较。因此，归属特定的信念总是与归属有关的信念网络联系在一起，在把一个信念归属给他人时，我们实际上也设想他还有许多别的信念。换言之，如果我们要把“相信树上有一只鸟”的信念归属给某人，我们必须同时注意他是否有与之相关的其他信念，如他是否相信鸟能飞、树上能站鸟、树上有东西吃等。

基于上述分析，戴维森认为，解释最好被理解为一种动力学的、末端开放的对话过程。这一过程既涉及个体，又与广泛的共同体、环境背景相关。解释作为一种对话，至少包括如下这些层面的对话：说者与解释者的对话、解释理论诸要素之间的对话、一种解释理论与别的解释理论的对话、对个体的解释与对环境的解释的对话等。

戴维森认识到，解释者能完成对自己以前一无所知的语言的理解，其条件是很多的，就语言能力本身而言，解释者对说者话语的理解是离不开这个能力内在所包含的许多预设的。他讨论的主要有三个，一是强调说者是有理性的；二是强调主体间性，即说者与解释者有共同的、主体间的世界，说者的话语就是指向这个世界的；三是关于共同的价值观的预设。这三者合在一起就是在人的语言理解后面起作用的所谓宽容原则。它阐明了语言理解的可能性基础。如果没有这些设定，语言理解就是不可能的。就第一个预设而言，解释者之所以能判定说者的言语行为有意义，根源在于前者断言后者有这样或那样的信念，因为有信念才会赋予言语以意义。而这又是因为承认说者是有理性的。因此，我们在不具备关于说者的信念的大量知识或没有作出这种假设的情况下甚至无法迈出朝向解释的第一步。[1]

另外，要理解语言，要彻底解释语言，离不开复杂的能力，特别是能把听到的话语与真值条件关联起来的能力。这种能力是一种技术，它包含一系列原则，这些原则让解释者把被解释者的话语与真值条件联系起来。也就是说，解释者要理解说者话语的意义，第一个条件是要有把句子与成真条件联系起来的能力，知道句子为真时存在的事实是什么。例如，要理解“天在下雨”的意思，你就得知道天真的在下雨，用更专门的术语说就是“天在下雨”为真，当且仅当天在下雨。换言之，你要理解说者话语的意义，你首先得有关于待理解话语的真值理论，你得能把真值条件归于说者所说的或可能说出的句子。总之，理解话语的第二个条件是解释者能为一种语言的每个可能句子系统地提供真值条件，或把它们与相应的真值条件关联起来。另外，你领会一个句子的意义不仅离不开对许多句子意义的领会，而且有赖于弄清由用来产生 T-句子（S 为真，当且仅当 P）的规则所引起的那类句子之间的全部关系。戴维森说：“对于说者而言，真值理论就是一种意义理论……因为关于那种理论的明确知识足以使人理解那个说者的话语。”[2]

三、本体论语义学：人的语言能力中有天赋的本体论构架

本体论语义学是一种旨在建构关于自然语言加工的理论和方法，其建模基础是关于智能自主体的模型。它承认智能自主体能完成有目的和有计划的活动，承认他有对于实在的态度。要模拟这样的自主体，又必须进到这样的语境，即说者与听者或语言的生产者与消费者相互交流的语境。他们是社会成员，有目的指向性，能知觉，能从事内部符号加工，直至作出各种行动。本体论语义学要模拟的就是这样的自主体及其语境。这种模拟不同于以往各种模拟的地方在于：它不是形式或句法模拟，而是进到了语义模拟或意义的处理。尼伦伯格（Nirenburg）和拉斯金（Raskin）说：“本体论语义学是一种关于自然语言意义的理论，一种关于自然语言加工的方案，它把经构造而成的世界模型或本体论作为提取和表述自然语言文本意义的基本源泉，作为从文本中推出知识的前提。这种方案也想根据自

① 戴维森.《真理、意义、行动与事件：戴维森哲学文选》，牟博编译，商务印书馆 1993 年版，第 82、127 页。

② Davidson D. “The structure and content of truth”. *The Journal of Philosophy*, 1990, 87(6): 312.

然语言的意义形成自然语言的文本。”[①]

本体论语义学研究和处理的对象是自然语言的意义，这种意义既可以是动态的，又可以是静态的。静态的意义存在于字词单元之中，通过与本体论概念的关联，可以得到澄明。动态的意义存在于文本意义的表征之中，如从句、句子、段落和大块文本的意义就属此类。人类肯定能产生和处理这类意义，尤其是能将静态意义结合为表征意义。而现在的计算机一般没有语义表征能力。但人工智能、计算机科学和认知科学要解决的问题恰恰是让它有这种能力。这项任务有点类似于戴维森所说的“从零开始”或“彻底的”解释，即一个完全不懂一种土著居民语言的人，面对这种语言所要作的解释活动。戴维森所设想的解释条件有助于人们揭示语言理解所需要的条件。同样，本体论语义学所提出的任务无疑向着揭示意义何以可能、意义依赖于什么条件迈出了关键的一步。

要完成对人类自然语言加工的模拟，首先必须解决的问题是：人的自然语言加工如何可能？人的有意义的交流如何可能？根据本体论语义学家的研究，可能的条件不外是：有外部世界存在，有将它与语言关联起来的能力，有别的技能，有情感和意志之类的非理性方面，因为人们赋予语词的意义常带有情感色彩，另外，就是活动的目的、计划及程序，最后就是知识资源。这是本体论语义学目前比较关心的，我们重点予以剖析的。

知识资源有静力学和动力学两个方面。所谓静力学的知识资源，是指指导描述世界所用方法的理论，它有自己的范围、对象、前提、原理体系和论证方法，主要包括这样一些知识。第一，关于自然语言的知识，它又有多方面，一是句形学、生态学、语音学知识，二是关于语义理解、实现的方法及规则的知识，三是语用学知识，四是词汇知识。第二，知识是关于世界的知识，其中又有本体论知识，即关于世界的分类知识，指的是解释一定世界现象的一个特定系统，或者说是关于一定范围内现象的概念体系。从知识共享的角度来说，指的是对客观存在的概念和关系的明确刻画。本体论的目标是捕获相关领域的知识，提供对该领域知识的共同理解，确定该领域内共同认可的词汇，并从不同层次的形式化上给出这些词汇（术语）和词汇之间相互关系的明确定义。[②]就语义 Web 来说，本体论

① Nirenburg S, Raskin V. *Ontological Semantics*. Cambridge:The MIT Press, 2004: xiii.

② 刘大有.《知识科学中的基本问题研究》，清华大学出版社 2006 年版，第 406、407 页。

Web 语言能够清晰地表达词汇表中术语的含义以及词条之间的关系，这种词条和它们之间的关系的表达就称作本体论[①]。

在意义的生成过程中，最重要的条件是本体论知识。尼伦伯格等说："本体论提供的是描述一种语言的词汇单元的意义所需的原语言，以及说明编码在自然语言表征中的意义所需的原语言。而要提供这些东西，本体论必须包含对概念的定义，这些概念可理解为世界上的事物和事件类别的反映。从结构上说，本体论是一系列的构架，或一系列被命令的属性-价值对子。"[②]它的作用在于为要表征的词项的意义作本体论的定位，即说明它属于哪一类存在，其特点、性质、边界条件是什么。例如，当有一个词 pay 输入进来，首先就要经过本体论这个环节，换言之，该词首先要被表征为一个本体论概念，要被放进本体论的概念体系之中，一旦这样做了，它的属性、值便被规定了，如它有这样的定义，即由人体所从事的一项活动，它的主体是人，参与者也是人，等等。如果这思路是正确的，那么人工智能、计算机的自然语言处理的前进方向就比较清楚了，那就是为它们建立更复杂、更丰富、更切近实际、更可行的本体论概念框架。

四、认知语义学：语言的指称力离不开内在图式

认知语义学动机有二：一是试图根据心理学、认知科学研究的有关成果，解决传统语言哲学的意义问题，如语言符号为什么及怎样获得其意指能力等；二是试图通过对人类加工处理有意义符号的机制和条件的科学揭示，解决计算机科学、人工智能中所面临的如何让机器加工也具有语义性、意向性这项工程学难题。从个性特征上来说，认知语义学是逻辑主义或客观主义语义学的直接对立面。后者之所以被称作是客观主义的，主要是因为它强调必须根据真值条件、指称之类的东西解释意义。而在认知语义学看来，客观语义学"是一种有碍于研究有意义思想的错误的哲学理论"。[③]因为符号取得其意义绝不像客观语义学所说的那样，把它与外在事态关联起来就够了。这是因为，一种状态意指什么，除了与客观的

① 刘大有.《知识科学中的基本问题研究》，清华大学出版社 2006 年版，第 406、407 页。

② Nirenburg S, Raskin V. *Ontological Semantics*. Cambridge: The MIT Press, 2004: 191.

③ Lakoff G. "Cognitive semantics". In Eco U, Santambrogio M, Violi P (Eds.). *Meaning and Mental Representations*. Bloomington: Indiana University Press, 1988: 149-150, 151.

事态有关以外，还离不开认知主体的一系列内在图式和主观经验。既然如此，语义学的主要任务就应是描述和研究头脑之中决定意义的主观的东西。

当今的认知语义学有许多不同的样式，如有一种认知语义学特别强调原型、图式、定型和构架之类的概念，认为它们是人类语言的内在有机构成。菲尔莫尔（Fillmore）的构架语义学就是这种认知语义学中的一种形式。他认为，词语的意义只有相对于构架才能被定义。构架是指类似于认知模型、图式、原型等的东西，它表现的是对一定范围的经验的统一的、观念化的理解。从起源上看，构架是人的创造性思维的产物，存在于作为专门文化构架之集合的大众理论之中。他论证说：意义一定要根据这种理论来定义，而不能根据真值条件来定义。例如，“今天”就只能相对于“周”的图式才能被定义。①

拉考夫的经验语义学试图说明的是：意义不是符号与外物的关系，意义不在外部世界之中，也不在符号与它的关系之中，而在人脑之内，具体地说，它以对经验的理解为基础。相对于客观主义语义学而言，这应该说实现了一种“哥白尼式转变”。

程序语义学是认知语义学中最有影响的一种理论。其倡导和支持者主要是伍兹（Woods）等。伍兹认为，有两种语言，一是自然语言，二是内部语言。什么是程序语义学呢？他认为，可以设想存在着一种抽象的程序，它是自然语言语义学描述的媒介，在原则上，它也能用来说明语句意义与我们关于物理世界感性经验的相互作用。②什么是作为意义的抽象程序？为什么要如此设想？莱尔德说：“要建造一种智能机（或说明智能系统），仅假定有某种直观的或直接的理解或‘命题’是不够的。我认为，仅承认有关于命题、个体及作为所与集合之类的概念是远远不够的，而必须把它们作为需要根据主机的更基本的心理计算能力加以说明的实在本身。”莱尔德带着与伍兹一样的致思取向，提出了自己的“程序内涵主义”或“心理模型理论”。莱尔德认为，有一个深层的问题是许多语义学理论没有注意到的，那就是：“怎样通过心理的构架把语言与世界关联起来。”③换

① Lakoff G. “Cognitive semantics”. In Eco U, Santambrogio M, Violi P (Eds.). *Meaning and Mental Representations*. Bloomington: Indiana University Press, 1988: 149-150, 151.

② Woods W. “Problems in procedural semantics”. In Pylyshyn Z, Demopoulos W(Eds.). *Meaning and Cognitive Structure*: Issues in the Computational Theory of Mind. London: Ablex, 1986: 55-85.

③ Johnson-Laird P N. “How is meaning mentally represented?”. In Eco U, Santambrogio M, Violi P(Ed.). *Meaning and Mental Representations*. Bloomington: Indiana University Press, 1988: 115.

言之，语言与世界的关联如何可能实现。要实现这种关联，无疑不能靠语言和世界本身，也不能靠其他的客观手段，而只能靠内在的心理的东西。这既是语义学的关键课题，也是人工智能研究不可或缺的基础理论问题。因为只有搞清楚人类将语言与世界关联起来的条件和内在机制，才有可能让人工智能表现这种关联能力。

总之，自然语言的机器处理与语言学的语言本质探讨具有互利互惠的关系，一方面，语言学对于语言所有具有的表示外物、表达说者思想的作用的内在条件与机制的探讨，为自然语言的机器处理提供了理论指导；另一方面，自然语言机器处理中碰到的问题又为语言学的进一步发展提供了出发点和前进的动力。已有的自然语言处理理论和实践都取得了不容小视的进步和成果，并在改变我们的认识和生活中发挥着积极的作用，但当今机器自然语言能力仍亟待改进和提高。就文书理解来说，目前的人工系统的理解能力尚不能真正对大规模真实文本作出处理，而只能对某些有限的子语言作有限的处理。其根源在于，人类处理自然语言的能力依赖的资源、条件极其复杂。比如，除语言学知识外还要有非语言学知识；除逻辑的、有序的知识之外，还要有非逻辑的、经验的知识。即使是知识，很多都无法用形式规则加以表征、表示。而自然语言研究的“语义学转向”为此问题提供了解决的希望和方向，如文中的意向分析理论、解释主义、本体论语义学、认知语义学就让人类在自然语言的机器处理研究上迈出了有重要意义的一步。

第四节　哲学的自主体研究与人工智能的自主体建模

“自主体”一词译自英文的 agent。该词的本来意义是“施动者”“作用物”“可以产生作用或效应的东西”。在我国哲学和当今的人工智能研究中，还有很多异译，如“动原”“行动者”“主体”“代理”等。鉴于该概念强调的是一种独立自主地产生作用的东西，我们这里统一译为“自主体”，以便与哲学中相近的概念“主体”区别开来。在哲学中，自主体既是一个与自我、自我意识、人格同一性问题密切联系在一起的经典问题，又是一个崭新的同时具有学理和实践意义的问题。在心灵哲学中，受东西方心灵哲学跨文化视野和比较研究成果的推动，自我、自主体已成了一个持续升温的研究对象，涌现了不计其数的崭新理论。与之相呼应，计算机科学、认知科学、人工智能等前沿科学出于各自的理论建构和工程学实践的需要，也加入了对自主体的研究之中，一方面积极利用已有的哲学的自主体研究成果进行自主体建模，另一方面又对实践中提出的有关问题作基础性的理论探讨，如对自然自主体作解剖性研究。这些成果无疑有反哺哲学自主体研究的作用。

一、自主体在古今哲学中的遭遇

自主体是哲学中的一个古老的、与自我密切相关的研究课题。一般而言，自我有所有者、施动者或动原、主宰、主人、人的历时性和共时性同一性的最后根据等多种意义或所指，而自主体包含的是其中的部分意义。就此而言，哲学的自我研究包括了自主体研究。早在亚里士多德那里，它就成了一个重要的哲学难题。他发现：在人身上有两种行为，一是某种强制性的东西引起的行动，其特征是不自由的、非随意的，引起和决定它的东西不是行动者自己的意志，而是外在的力量。二是自由的、有意的行动。两种行为无疑是有区别的，但是是什么把它们区别开来的呢？他的回答是，后者不同于前者的根本之处在于：它后面有它内在、自主的动力源泉，那就是意志的决定，而意志的决定又根源于人的理性的深思熟虑。因此，决定行动的施动者是一种理性的决定力量。基于此，"自主体"一词常与"理性"连用，即理性自主体。以至于到了现代还出现了这样的命题："没有理性就没有自主体。"[①]亚里士多德的问题和回答成了后来哲学研究的重要课题，以至于到了现代派生出了一个专门的哲学子学科，即行动哲学。行动哲学中最有影响的观点是浸透着FP和传统哲学观点同时又从理论上作了提升的所谓"标准的观点"。其基本思想是：有意的行动是一种结果，是独立的行为事件，由前面的另一独立事件所引起，可把它称作自主体，它有感知和理性能力，能创造性地形成思想和信念，能深思熟虑地作出选择，能自己生成意图、愿望、目标。面对具体的环境，自主体究竟选择何种行动，取决于这些因素的相互作用。这个观点得到了大多数哲学家的支持，如著名加拿大哲学家邦格认为，自愿行动是由自由意志决定的行动。不过他又作了这样的限制性说明：当行动是出自自由意志时，

① Cherniak C. "Rational agency". In Wilson R, Keil F(Eds.). *The MIT Encyclopedia of the Cognitive Sciences*. Cambridge: The MIT Press, 1999: 698-699.

当且仅当，（1）它的行动是自愿的，（2）它能自由选择自己的目标，即并不处在已规定的或来自外部、旨在得到某种被挑选目标的压力之下。[①]

二元论历来是哲学自主体研究中的重要角色，在当今心灵哲学中更是如此。在鲁梅林看来，存在着一个经验主体，它是有意识属性的存在，不同于身体、大脑或由任何事物构成的系统，也不是抽象实在，毋宁说："一个经验主体所是的东西……一个有特殊本体论地位的东西，有跨时间的同一性和跨可能世界的同一性。"[②]著名心灵哲学家麦金别出心裁提出的自然主义二元论认为，人的心理是具有深浅层次的构造，甚至在无意识之后还有心理，这正是隐结构、自我、自主体所居住的地方。他说："意识正是借助这样的隐蔽结构，才与客观空间中不可知的构造发生沟通。"[③]他认为，承认隐结构或隐本质，这既是对人尤其是对人的意识的认识向前发展的表现，又是各门科学中通过行的原则。例如，各门自然科学向纵深的突进就体现在认识到越来越多的隐结构，如原子、亚原子粒子的隐结构等。

现象学的自我、自主体研究极有个性和深度。它一方面否认常识和二元论所说的作为独立实在的自主体，另一方面又对特定意义的自主体发表了独到的看法。早在《逻辑研究》中，胡塞尔就明确指出，自我是存在的，但不是意识流之上、之外或外在于它的东西，而是意识本身的明见性特征。新现象学新的研究结论是，自主体不是人身上的一个统一的、寻求幸福的、连续存在的、本体论上特殊的有意识主体，不是经验的所有者、思想的思想者、行动的自主体。传统哲学所说的自主体是幻觉。过去赋予自主体的那些作用，如统一性、因果性、连续性、不变性，都是意识本身的性质。扎哈维明确指出：在特定意义上可以承认有自主体或自我，但它既不是主动地统一分散经验的东西，也不是附加于意识流之上保证其意识同一性的额外要素，而是意识流的所与性的关键方面，即意识本身的自身所与性特点。[④]

在塞尔等哲学家看来，人类之所以能组成社会，在社会中，人与人之所以有交往行为，有竞争和协作的行为，其原因在于，每个人都不仅把自己看作自主体，

① 本格.《科学的唯物主义》，张相轮，郑毓信译，上海译文出版社 1989 年版，第 87 页。

② Nida-Rümelin M. "Dualist Emergentism". In McLaughlin B P, Cohen J D(Eds.). *Contemporary Debates in Philosophy of Mind*. Oxford: Blackwell, 2007: 272.

③ McGinn C. *The Mysterious Flame:Conscious Minds in a Material World*. New York: Basic Books, 1999: 153.

④ Zahavi D."Unity of consciousness and the problem of self". In Gallagher S(Ed.). *The Oxford Handbook of the Self*. Oxford: Oxford University Press, 2011: 330-335.

而且同时也把别人看作自主体。他说："当你要有合作意向或据此作出行动时，你反问一下自己，你必须承认什么？你要承认的不外是，他人也是像你一样的自主体，而他人又同样知道你也是像他们一样的自主体，你和他的这种认识最终又结合成这样的意识，我们是可能或现实的集体自主体。"什么是自主体呢？所谓自主体，不过是有目标、有意识、有对环境作出反应能力、能自己决定自己行为的行动主体。而所有这些特性又可归结为意向性，或被看作是意向性的标志及特征。塞尔说："集体意向性预设了把别人看作有协作动因的候选者的背景认识，就是说，它预设了这些的意思，他人不过是有意识的自主体。"[①]

在现当代，随着人们对 FP 和传统哲学的批判性反思的深入推进，出现了许多带有叛逆甚至另辟新径的观点。例如，戴维森和丹尼特等与认知科学中的玛尔的视觉理论相呼应，提出了一种带有工具主义、反实在论色彩的解释主义。其基本观点是，的确应该诉诸自主体的信念、愿望等前态度来解释人的包括言语在内的行为。戴维森说：理由要对行动作出合理化解释，唯一的条件就是，理由能使我们看到或想到自主体在其行动中所看到的某事——自主体的某种特征、结果或方面，它是自主体需要、渴望、赞赏、珍视的东西。[②]但是，我们又应注意到：戴维森并不像传统的意向实在论那样，而认为自主体是解释者为了解释他人的言语行为而"强加"或"投射"于人的。

在现代哲学中，自主体研究曾经历过"语言学转向"，即否定原来的对自主体的形而上学研究，或只关注自主体的形而上学问题的倾向，而强调从语言学角度提出和解决问题。其根据是，所谓的自主体、意志、行动问题是由于语言的使用而产生的，因此澄清问题的最好办法就是分析语言，找出所用的语词及句子是代表什么的。在维特根斯坦等分析哲学家看来，行动是身体完整的、复杂的、既有内在过程又有外在标志的动作。尽管可以用自主体、"意志"之类的概念来描述和说明行动，但它们要么是行动本身，要么是行动的倾向。

最近的对自主体的心灵与认知研究呈现出百花齐放的特点。有的强调自我是心理性自我，如是通过人的经验而建立起来的一种模式，即自我模式。这些自我模式仅仅只是大脑中的信息加工过程。有的强调的是经验性自我，即基于经验材

① Searle J R. *Consciousness and Language*. Cambridge: Cambridge University Press, 2002: 104.
② 高新民，储昭华.《心灵哲学》，商务印书馆 2002 年版，第 959 页。

料及研究而形成的概念。有的强调的是现象学自我，即前反思性觉知。这个理论从我们在意识中经验到的东西出发，认为意识是与对我的觉知一同发生的，这种觉知就是前反思的觉知。除这些之外，还有很多花样翻新的理论，如物质自我论、社会自我论、精神自我论、生态学自我论、人际间自我论、延展性自我论、私人自我论、概念性自我论、自传性或叙事自我论、认知性自我论、情境化自我论、核心自我论、对话性自我论、具身自我论、经验自我论、中枢自我论等。其中最有影响的是最低限度自我论和叙事自我论。它们内部又各有许多理论形态。前者强调的作为自明性（前反思自我觉知）的我是点状的，即只存在于一个经验之中，而不是指贯穿于一切经验乃至人的一生的连续性、统一性。叙事自我论认为，自我就镶嵌在原先就存在的社会-文化叙事的网络之中。这些叙事、故事有它们自己的历史，独立于我们的存在。我自己现在的自我理解正是这些故事的产物。就此而言，我自己所是的当下的我，其实是由故事形成的。

值得注意的是，最近又出现了一种新的转向，即“认识论转向”。它不满传统的对自主体、自我的形而上学或本体论研究，因为后者对自主体的本质、构成等的研究预设了自主体的存在，而这恰恰是有待澄清的问题。加之，自我是一个极为复杂的概念，如有的研究者认为它有 20 多种用法或指称。[①]认识论转向的倡导者认为，自主体研究应优先关注有关的认识论问题。例如，①自我意识、自我认知问题。②人都有关于自我、自主体的认知、信念，有现象学经验，或有自我感。这是客观的认识事实。问题是，这个事实是怎样形成的，其认识论和现象学根源是什么？人的自我感是什么？如何产生？人具有自我感，其最起码的条件是什么？在什么意义上可以说，自我感依赖于人的语言活动？第二类问题正是认识论转向要回答的问题。这一转向有激进和温和之分。前者只承认认识论问题的合法性，后者则认为，即使关于自主体的本体论问题有合理性、必要性，但也放在认识问题之后，因为解决认识论问题是解决本体论问题的出发点或前提。小斯特劳森认为，研究自主体或自我的正确的程序或步骤应该是：运用现象学方法研究人所具有的关于自我的经验，或从认识论角度研究人们客观上具有的自我感或关于自我的认知、信念。在此基础上，再回答关于自我的形而上学问题。通过对自

---

① Gallagher S, Zahavi D. *The Phenomenological Mind: an Introduction to Philosophy of Mind and Cognitive Science*. New York: Routledge, 2008: 197.

我感的现象学考察，他发现自我感有其概念结构。他的结论是，自我或自主体是一个独立的、单个的事物，在本体论上不同于别的一切事物，然而作为一种时间函数又有自己的非连续性，即以断片、点状的形式存在。同时，他还承认自我中有心理的、非心理的、现象学的、具身的因素。他把这种自我论称作唯物主义的自我论。[①]

当前的自我、自主体研究还有这样一个特点，即它同时成了哲学、心理学、社会学、脑科学、认知科学等多学科的焦点问题。大脑成像技术的倡导者认为，对自我的科学研究正以前所未有的速度向前发展。已出现了这样的一种共识，即单靠某一学科，甚至单靠某种文化，都不可能真正解决自主体问题，而必须多学科携手、多文化结合，即在跨文化背景下展开研究。[②]

二、人工智能的自然自主体解剖与理论建模

在人工智能研究中，agent 一词有多种译法，如代理、主体、智能体、智能主体、智能自主体构架。有关学者对它的定义也五花八门：①能感知所处环境，并根据自身的目标作用于环境的计算机实体。②在没有人的干预的情况下也能自主完成给定任务的对象。③具有感知能力、问题求解能力、与外界通信能力的完全自治或半自治的实体。④处于某种环境并且有灵活自主行为能力以满足设计目标的计算机系统。[③]罗森沙因（Rosenschein）则说："智能自主体是能够以变化的、有目的指向性的方式与环境相互作用的装置。为了取得预期结果，它既能认识环境的状态，又能对之产生作用。"[④]

人工自主体构造不再是人工智能的理想，而已是一种现实。需进一步探讨的是，如何让它在性能上逼近乃至超越人类身上运行的自然自主体。要如此，尽管必须探讨一系列的工程学问题，如怎样构造能体现一系列自主体特性的自主体？应该用什么软件和硬件予以实现？怎样对自主体进行编程？自主体应由哪些模块组成？如何用软件或硬件的方式把这些模块组合成一个有自主性的系统？这

① Martin R, Barresi J(Eds.). *Personal Identity*. Oxford: Blackwell, 2003: 336.
② Gallagher S, Shear J(Eds.). *Models of the Self*. Thorverton: Imprint Academic, 1999: xi.
③ Jennings N R, Sycara K, Wooldridge M. "A roadmap of agent research and development ". *Autonomous Agents and Multi-Agent Systems*, 1998, 1(1): 7-38.
④ Rosenschein J. "Intelligent agent architecture". In Wilson R, Keil F(Eds.). *The MIT Encyclopedia of the Cognitive Sciences*. Cambridge:The MIT Press, 1999: 411-412.

些模块如何交换信息？等等，但无疑必须优先解决这样一些带有哲学性质的基础理论问题，即人类自主体究竟是什么？有哪些特性？其动作过程、条件、机制、原理是什么？应怎样予以研究，怎样从形式上加以表示？质言之，要解决自主体建模中的工程技术问题，首先必须师法自然，即学习大自然的心灵建筑术，解剖人身上客观存在着的且运行稳定成熟的自主体及其生成过程和原理。

人工智能专家在看待人类自主体时，不同于哲学的地方在于：不是到心中去寻找作为主宰、施动者、所有者的自主体，而是把整个的人作为自主体加以看待和解剖。当然，在这个过程中，他们也很重视对心中起主宰作用的东西的研究。一般认为，人类自主体的结构可从静态和动态两个角度去描述。从静态上说，它不外四大部分，即环境、感知系统、中枢系统、效应系统。从动态上说，它是一个从感知环境刺激，接受信息到信息内部交互、融合、处理、作用、交互的过程。有的研究者认为，自主体实际上是一个自主自动的功能模块。而要有功能，它又必须有独立的内部和外部设备，有输入和输出模块，有自主决策的模块，同时它还必须能够接受信息，并根据内部工作状态和环境变化及时作出决断。

关于人类自主体所具有的能力和特性，人工智能从不同方面作了探索和概括。综合地说，它具有这样一些特性，如自主性、学习性、协调性、社会性、反应性、智能性、能动性、连续性、移动性、友好性。从能力上说，它有在环境中行动的能力，有能与其他自主体直接通信的能力，有由倾向驱动的能力，有能有限地感知环境的能力，有能提供服务的能力，以及自我复制的能力。而它要有上述能力，还必须有这样的知识，即必要的领域知识、通信知识、控制知识。另外，自主体还有信念、愿望、意图或意向、义务、情感等因素。[①]

人类自主体之所以是自主的，尤其是创造性地自主，主要原因是它有智能。而智能又有这样的关键特性，即有自治性或自主性，其表现是：第一，它有自己的内部状态，有自己决定自己行动的能力，或者说，在决定行动时，它可以不受其他主体和环境的左右。第二，人类自主体之所以能对变化的环境作出及时的响应，能在特定环境下灵活地、自主地活动，是因为人类自主体有这样的能力，即能把自己内部的状态变化与环境关联起来，即有像人一样的关于性、关联性或语

① Wooldridge M, Jennings N R. "Intelligent agents: theory and practice". *The Knowledge Engineering Review*, 1995, 10 (2): 115-152.

义性。由于有这一特点，它就不再是纯粹的句法机，而成了语义机。第三，它有前-能动性（pro-activeness）。这种能力是指：自主体不仅可以根据环境变化作出反应，还能根据系统预定的目标主动地、超前地作出计划，采取超前的行动。第四，有社会能力（social ability）。这种能力是指：自主体能使用自主体的通信语言与其他自主体交互，如通过协调、合作达到求解目的。第五，有主动或自动学习的特性。因为智能自主体要有自主性、适应性等特点，很显然要有对环境的敏感性，即有能力获取新的变化着的信息，并能学习。第六，自主体还有时间连贯性（能在较长的时间内连续地、一贯地运行）、实时性（在时间和资源受到苛刻限制的情况下，能及时采取相应的行动）和个性等特征。

自然智能离不开智慧，而智慧又离不开人心中的自主体，那么以自然智能为原型的人工智能的自主体建构和健康发展显然必须模拟人的自主体。唯其如此，才能使各种人工智能系统或程序有主动性、目的性、自关联、自意指等意向性作用，真正表现出名副其实的智慧特性。而要模拟自主体，首先无疑要建构关于它的模型。科学方法论告诉我们：要认识复杂对象，一种有效方法就是建构关于它的模型。对心智的认识也是这样。心智建模不仅是认识心智的一个途径，而且也是人工智能发展的需要。因为要获得类似或超过人类智能的人工智能，首先必须有关于人类心智的正确认识，形成关于它的模型。众所周知，模型是复杂对象的一个简化的摹本，其作用是帮助我们把握复杂的对象。它借助抽象，将对象中的非主要的方面过滤剔除掉，只剩下主要的、值得关注的方面。在此基础上，再通过理想化，让对象得到进一步过滤和简化。要认识自然智能中的自主体，也必须用这种方法去建构关于它的模型。

要建构像自然自主体一样的人工自主体，首先要解决的理论问题是，必须对自主体的形式进行逻辑建模。人们已从不同方面作了探讨。作为运用形式逻辑手段为自主体建立理论模型的开创者之一，《关于知识与行动的形式理论》一文用模态算子表示知识，用时态逻辑表示行动，并探讨了如此表示的知识与行动之间的关系。还有人根据线性时序逻辑和可能世界逻辑，分层引入形式模型，并以之表示时间、事件、行动、目标、信念和意图之类的概念及其关系。在此基础上，他们还进一步描述了这类关系的演化规则和约束条件，探讨了它们的演算问题。在意向概念中，他们最为关注的是信念、愿望和意向（BDI），因此他们的主要工作是用有关逻辑手段建立关于 BDI 的形式化模型。

米尔纳（Milner）等建立了关于自主体的 π 演算模型。他们认为，已有的描述自主体的形式化方法尽管作出了有益的尝试，但存在着深层的问题。例如，自主体内部和自主体之间的行为具有并发的特点，自主体是一种类似于进程性的、并发执行的实体，而用经典和非经典逻辑方法对自主体所作的形式化描述都难以反映这一点。另外，多自主体系统的体系结构是动态的，而已有的形式化描述基本上是静态的，而且还不能很好表现自主体间的交互，如通信和合作。米尔纳等认为，他们提出的 π 演算有这样的描述能力，因此能避免上述问题。[①]所谓 π 演算指的是一种刻画通信系统的进程演算方法，是基于命名概念的并发计算模型，其作用是能自然表现具有动态结构的进程内及进程间的交互。在 π 演算中，系统是由若干相互独立的通信进程组成的，而进程间又可通过连接一对互补端口的通道来进行通信。从构成上说，进程由名字按一定语言规则组成，而名字是最原始的要素，端口和通道或链路都可看作名字。根据关于自主体的 π 演算模型，自然的生物自主体是自主的、有种种心理或意向状态的实在，人工智能试图建构的自主体也应如此，应是一种拟人性的自主系统。它们要有自主性，应该像人一样有种种心理状态，如知识、能力、感知、情感、信念、愿望、意图等。其中最重要的是意图。既然如此，他们的模型不仅要体现这些特点，而且要特别关注对它们的形式化描述。在定义目标时，π 模型强调：目标是自主体希望进入的状态，也可理解为一种进程。在刻画这种进程时，既要表明自主体要达到的状态，又要表明自主体为此所具备的必需的知识。米尔纳等认为，生物自主体的一个特点是：能够通过学习新知识、建构新能力适应变化了的环境。人工的自主体要成为真正的自主体，也应有这种特性。现在的问题一是要弄清自适应有哪些表现或标志，二是要弄清怎样让它有自适应的能力。众所周知，自适应能力主要表现在能自我调整目标，能自我更新知识和能力。怎样让它有这样的表现呢？他们认为，可通过两种方式更新知识，一是请求外界提供知识，二是通过与外界互动自己形成知识。能力的更新实质上是一样的。因为当自主体获得了某些知识，能据此向外界提供新的服务时，就表明它获得了新的能力，因此更新能力是通过更新知识实现的。

---

① Milner R. “The polyadic π-calculus: a tutorial”. In Bauer F L, Brauer W, Schwichtenberg H(Eds.). *Logic and Algebra of Specification*. Berlin: Springer, 1993: 203-246.

自主体的建模形式还有很多。可以说，有多少种类的人工自主体，就有多少种理论建模。自主体的种类很多。首先，从功能的角度看，自主体可分为反应式自主体（其功能是对环境及变化作出及时的应变）、认知式自主体（是能根据环境信息在知识库支持下按目标要求制定决策、作出系列行动的系统），此外还有跟踪式、复合式等类别。其次，从作用方式来说，有慎思自主体、反应自主体和混合型自主体之别。再次，从是否表现动态性看，有静态和移动自主体之别。最后，从系统的构成上看，有单自主体和由若干单自主体组合成的多自主体系统之别，而后者中又有移动多自主体、协作多自主体、协作移动多自主体之别。此外，还可把自主体分为本地自主体与网络自主体、集中式自主体与分布式自主体、固定的自主体与迁移的自主体等。①

三、典型自主体形式与BDI结构

下面，我们将考察几种典型的人工自主体形式，以为后面关于自主体的哲学思考和发展方向选择提供条件。

先看慎思式自主体（deliberative agent）。这种模型在某种程度上既受FP的影响，又以物理符号系统假说为基础，因此是一种按符号主义原则设计的显式符号模型，或以知识为基础的系统。根据物理符号系统假说，通过形成关于环境的符号表示，进而通过对它们的语法操作、逻辑运算，可以使有此能力的系统产生出智能的、对环境有关于性的行为。这种模型认为，智能自主体有这样一些子系统，即储存符号、命题表征的子系统，这些表征对应于信念、愿望和意图，还有加工子系统，它们的作用是感知、推理、计划、执行。这种模型也有对FP的超越，其表现是把抽象的推理和表征过程形式化为计算解释过程。在这种自主体中，环境模型一般是预先实现的。它对环境的观察能力可用感知函数see表示。如果用s表示环境，用p表示感知，那么感知函数即为see:s→p。从结构上说，慎思自主体是一种具有内部状态的、能完成逻辑推理、问题求解、决定和别的智能行为的主动软件。从模拟基础上来说，它直接以人类意向心理学为建模基

① Boudriga N, Obaidat M S. "Intelligent agents on the web: a review". *Computing in Science and Engineering*, 2004, 6(4): 35-42.

础，试图体现人类从意向状态到行为产生的过程，因此它所采取的结构是布拉特曼（Bratman）所倡导的 BDI 结构（详后）。慎思式自主体似乎在形式上有清晰的语义性，即通过特定方式实现了人类智能所具有的自主性这一特点。但也有很多问题，如不能对变化着的环境作出及时的反应，如果决策的时间没有环境变化快时，这种自主体就无法选择与环境一致的动作，另外，也没有从根本上解决复杂、动态环境的表征和推理问题。

再看反应式自主体。为了克服慎思主体的局限性，让自主体在多变环境中表现出准确及时的灵敏性，布鲁克斯等基于他们的无符号、无表征、无推理智能的思想，提出了反应性自主体的构想。它以这样的直觉为出发点，即使符号主义模型有合理性，也不足以描述全部信息加工过程，尤其是那些模糊不定的信息加工过程。基于此，其倡导者强调要关注行为，把实时的行为反应作为建模的基础，把自主体和环境看作是一种耦合动力系统，即把一方的输入看作另一方的输出。这种理论还主张自主体应包含这样的行为模块，它们是自包含的反馈控制系统，每个模块都能根据感觉材料分辨环境状态，并产生相应的行为。这里有两种结构，一是阿格雷（Agre）等的模型。阿格雷等通过对人类行为的观察发现：人的大部分活动都是常规的，有些甚至根本不需要思考、推理的介入。[①]二是布鲁克斯等所倡导的模型。布鲁克斯关于自主体的理论和实践建立在他一系列关于心智、计算和人工智能等的大量的新思想的基础之上。他的著名口号是“快速、廉价、无控制”[②]，另外，他还提出了“无表征智能”的思想。他认为，一切既是中心，又是边缘，把表征作为中介看待纯属多余。[③]在上述思想的指导下，他建造了可动的、能规避的机器人。概括说，布鲁克斯的自主体结构具有结构简单、开发费用低、计算简单等特点，其算法也是可计算和可处理的。但也存在许多局限性，如根据这一思想设计的自主体不能从经验中学习，不能进化，不能改进自己的行为。

BDI 结构即使不是一切自主体建模的理论基础，但至少对这一领域的理论探

① Agre P, Chapman D. “PENGI: an implementation of a theory of activity”. *Proceedings of AAAI-87*, 1987: 268-272.
② Clark A. “Artifical intelligence and the many faces of reason”. In Stich S, Warfield T(Eds.). *The Blackwell Guide to Philosophy of Mind*. Oxford: Blackwell, 2003: 313.
③ 高新民，储昭华.《心灵哲学》，商务印书馆 2002 年版，第 581-582 页。

讨和多数建模产生了重要影响。根据这一结构，人类所表现出的自主体主要就根源于这三种心理状态及其关系，因此自主体的建模的任务就是对之作出模拟。史忠植先生在概括自主体建模的状况时指出：目前对自主体和多自主体系统的建模工作受布拉特曼的哲学思想的影响很大，几乎所有工作都以实现他的哲学分析为目标。[①]

布拉特曼是美国关心人工智能和认知科学的、颇有建树的哲学家。20 世纪 80 年代，他在斯坦福研究所工作，与同事一道承担了一个名为“理性自主系统”（rational agency）的研究项目，他的专著《意向、计划和实践性推理》又于 1987 年出版。该书系统表达了他关于意向性、自主体的基本看法，完整阐述了他关于信念-愿望-意向的模型。他的理论的出发点是计算主义，而基本立场是反计算主义。他指出：从刺激到行为输入的中间过程，绝不只是一个映射、纯形式的转换或理性计算的问题，因为它还涉及意向、计划、信念等的作用。他说：“根据这一概念，关于实践理性的理论绝不只是一种纯粹的关于理性计算的理论。确切地说，其他过程和习惯在理性系统中都起着重要的作用。”[②]他的目的就是要建立关于中间过程的、没有遗漏的全面的理论，以便为人工智能的建模提供理论基础。而他的理论又主要是以著名哲学家戴维森的行动理论为基础的。他说：“是戴维森唤起了我对行动理论的兴趣。”[③]当然，他有自己的创造性发展。其表现之一是，探讨了心灵哲学和行动哲学中涉及意向、意志、信念、行动等的哲学问题。二是为将这些理论成果转化为人工智能的应用研究作了大胆探索。他强调：他分析的直接对象是人类这样的智能自主体，但又间接地涉及类似于人的智能构造。在他看来，对人的分析有助于我们更好地理解其他的自主体，有助于建模这样的自主体。他说：“通过对意向的两面性的认识，我们便使自己更有条件把意向状态当作我们关于智能构造的概念体系中的独特的核心的要素。”[④]

布拉特曼特别重视计划在意向中的作用，因此他把他的意向理论称作关于意向的“计划理论”。他说：“一般来说，意向是像我们这样的有限自主体的更大的、

---

① 史忠植.《智能主体及其应用》，科学出版社 2000 年版，第 12-13 页。
② Bratman M E. *Intention, Plans, and Practical Reason*. Cambridge: Harvard University Press, 1987: 50.
③ Bratman M E. *Intention, Plans, and Practical Reason*. Cambridge: Harvard University Press, 1987: viii.
④ Bratman M E. *Intention, Plans, and Practical Reason*. Cambridge: Harvard University Press, 1987: 167.

有偏向性的计划的构成要素。”[①]从关系上说，它有两副面孔，一面关联着意向行动，另一面关联着计划。从构成上说，意向有值得注意的三个要素：第一，它是控制行为的前态度；第二，它有惯性；第三，它可看作是进一步的实践推理中的输入。“这三个事实是挑战信念-愿望的描述方面的根据，而这个挑战又是促使我们把意向看作特殊的心理状态的动因。”[②]从种类上说，有三种意向：一是慎思性意向，二是非慎思性意向，三是权谋（policy-based）意向，即临时性、应急性的意向，它介于前两种意向之间。意向的计划理论的最重要的内容就是说明意向与意向行动的关系。该问题之所以重要，是因为：要使人工智能表现出意向行为，必须研究它的决定因素，研究它与意向的关系。在两者的关系问题上，通常有两种解释说明方式，第一种是信念-愿望模型。它认为，意向行为并不会涉及独立的意向状态，因为只存在信念和愿望之类的状态，意向性存在于它们之中，由它们分别表现出来。第二种即简单的观点。它走向了另一个极端，认为任意意向行为永远离不开如此行动的意向。它承认意向的独立性，认为如果我有对 A 的意向，那么我一定意欲得到 A，在行动时我的心理状态一定是这样的，即 A 属于我意欲的事物中的一个。

基于上述分析，他提出了自己关于意向性理论模型的概念框架。它是基于对人类自主体的解剖而建构起来的。他提出：人之所以是有真正的自主性、意向性的自主体，是因为他有理性，并能自主决定、驱动自己的行为。他的行为与信念、愿望及两者所组成的计划有密切关系，但又不是直接由它们决定的。质言之，行为之所以产生，除了离不开上述因素之外，还依赖于意向。而意向以信念为基础，存在于愿望与计划之间。如果是这样，接下来要做的工作便是，研究信念、愿望、意图三要素的关系，探讨如何将它们形式化，最后再来建立关于这三要素的原始模型。布拉特曼也在自己的意向理论的基础上建立了关于意向的模型，即 BDI 模型或 BDI 自主体模型。这一模型的特点在于：通过简化、形式化，较清晰地揭示了人类自主体的结构。在他看来，这种结构是由信念、愿望、意图、计划、思考等因素构成的复杂动态系统，他将其称作 IRBMA（intelligent resource-bounded machine architecture），即以理智资源为基础的机器结构。后来，乔治夫等开发出

---

① Bratman M E. *Intention, Plans, and Practical Reason*. Cambridge: Harvard University Press, 1987: 27.

② Bratman M E. *Intention, Plans, and Practical Reason*. Cambridge: Harvard University Press, 1987: 27.

了“实践推理系统”，它被应用于空间飞行器反应控制系统的故障诊断和澳大利亚悉尼机场的航空管理系统之中，发挥了较大的商业价值。在BDI自主体中，基本的构成要素是信念、愿望和意向之类的数据结构和表示思考（确定应有什么意图、决定做什么）、手段-目的推理的函数。从构成上说，自主体的状态是信念、愿望、意图的三元组。从过程上说，自主体完成它的实践推理要经过7个阶段，如第一步是自主体作出行为的决定，最后的步骤是，在分析当前自主体的意图集合的基础上，借助行动选择函数，根据意图确定要付诸执行的行动。

四、关于自主体建模基础和发展方向的初步思考

人工智能研究向自主体领域的倾斜，的确是一种“回归”，即向人工智能要模拟的真实的原型的回归。但这种回归又不是简单的回复，而是一种否定之否定式、螺旋式的回复。因为在表面上，它好像重新回到了人工智能创立之初的那个认识起点，实则不然。经过几十年的曲折的理论和实践摸索，它对人类智能的认识大大深化了，主要表现：它既看到了自然智能的形式方面，又看到了其内容方面；既看到了它的纯内在主义的、封闭性的方面，又看到了它的关于性、关联性、超越性的本质；既看到了它的转换的被动性，又看到了它的有意识的主动性。如此等等，不一而足。因此，这次向自然智能的回归是名副其实的“衣锦还乡”。

从哲学上说，自主体概念的回归实质上意味着对意向性概念的默认。因为人们归之于自主体的种种特性实质上就是意向性的特性。在此意义上可以说，自主体就是或者应该是有意向性的系统。对自主体的回归，不仅意味着学界以一定的形式认可了塞尔、彭罗斯等从科学哲学、心灵哲学和语言哲学角度向传统的人工智能理论及实践的发难，而且意味着学界已经或正在对这个难题作出回应。因为大量的自主体研究事实上是在解决塞尔等所提出的这样的问题：以前的人工智能系统与人类智能相比，还差一个根本的东西，即作为智慧之必然标志的意向性或语义性。而人类之所以有此性质，又是通过其目的性、关联性、意识性、觉知性、主动性、自主性等特征表现出来的。只有同时具有这些特性，才能说有真正意义上的意向性。在已建构的自主体系统中，除了少数特征没有完全表现出来之外，大多数特征已为人工的自主体活灵活现地体现出来了。例如，许多面向自主体的

软件开发都在努力突出对现实世界的反映或与现实世界的关联。很显然，人们在定义自主体的任务和特性时，实际上是基于对人的意向系统的认识，试图把所设想的自主体系统建构成具有人的意向性的一系列特征的系统。这一考虑无疑是正确的，方向是对的，但也存在许多问题，如时序模态逻辑的可能世界语义学意味着逻辑全知，据此所建立的自主体应具有无限的推理能力，而实际的自主体并不可能具有这样的特性。另外，可能世界语义学没有现实的基础，因此自主体状态的抽象表示与具体计算模型不可能有直接的联系。由这些问题所决定，基于时序模态逻辑的形式化规格说明框架在现在条件下难以投入实际的应用之中。

不管怎么说，当前方兴未艾的自主体研究无论是在理论还是在实践上都有不可限量的意义，它至少为认识、模仿人类的智能找到了一种新的有一定可行性的方式。但应冷静地看到，自主体的研究还刚刚起步。作为智慧之必然特征的意向性尚不能说已为人工自主体完全具足了，更没有理由说，已有的自主体理论已充分掌握了人类智慧及其意向性的全部秘密和机理。例如，作为固有的意向性最根本特征的意识或觉知特性还无法为自主体体现出来。与此相应的是，我们对意识的认识仍处在十分幼稚的阶段。史忠植先生中肯地说：意识问题具有特别的挑战意义……在 21 世纪，意识问题将是智能科学力图攻克的堡垒之一。[①]

在建立自主体的理论模型的过程中，尽管有关专家从多方面、多角度开展其工作，如从逻辑、行为、心理和社会等方面去建构模型，但从思想根源来说，他们建模的灵感、思想火花则主要来自 FP。罗森沙因说："审慎的方案在很大程度上受到了 FP 的启发，把自主体建模为一种符号推理系统。"[②]其实，其他许多方案也莫不如此。以 FP 作为建模自主体的理论基础，在现在也许有其合理性，在一定时期内可能会指导智能自主体的理论研究，并使之取得一些成功。这是由 FP 有一定的合理性决定的。但如此进行理论建模风险很大，因为 FP 的前途、命运是什么，在今天是悬而未决的。最明显的理由是：FP 毕竟是一种常识的心灵理论，是原始人留给我们的遗产，自古以来几乎没有什么变化。如果它最终像乐观主义所坚持的那样，不会被取消，能作为解释、预言人的行为的理论框架，那当然可

① 史忠植.《智能科学》，清华大学出版社 2006 年版，第 408 页。

② Rosenschein J. "Intelligent agent architecture". In Wilson R, Keil F (Eds.). *The MIT Encyclopedia of the Cognitive Sciences*. Cambridge: The MIT Press, 1999: 411.

成为智能自主体理论建模的可靠的理论基础。但如果它有问题，最终会像激进的悲观主义，即取消主义所认为的那样，将像以太、燃素学说一样成为错误的理论而遭淘汰，那么智能自主体的前途就惨极了。

根据现有的认知科学和心灵哲学对FP和心理现象的认识，去反思已有的自主体理论和建模，可以发现它们的共同问题在于：①都以FP为建模的理论基础，而FP所提供的主要是关于人的内部世界和行为原因的错误地图；②即使根据稍微温和的观点，承认FP概念在诚实运用时有真实所指，但是两种情况下所用的意向心理学概念（即用在人类自主体和拟人自主体上的概念，如“信念”等）有根本的差异，因为描述人的意向概念所述的状态有意识、意向、本原性自主性的特点，而用在拟人自主体上的同类概念根本没有这类信息，是真正的有名无实。它们所表示的过程纯粹是一种按事先规定的指令而运行的机械过程。已有的自主体结构都被安排了这样或那样的功能模块，如有的有信念的作用，有的有计划、决策的作用，有的有调控、缓和冲突的作用，有的有通信的作用等。从根本上说，尽管它们在形式上类似于人的作用，在效果上与人的相应的过程差别不太大，但仍不能同日而语，因为这些功能模块并没有自主的功能作用。这从定义可略见一斑。史忠植说：这些功能模块都是预先编译好的可执行的文件，自主体内核也是一个可执行文件。这些功能模块都是预先编译好的可执行代码。[①]很显然，这些模块的功能作用不过是按指令被动地被执行罢了，并不包含人所具有的那种真正的自主性、主动性。

当然，说FP有问题，并不意味着我们一定要投入取消论的怀抱。客观地说，从一个极端走向另一极端，既无必要，也不现实。因为在现在的认识水平之下，我们完全抛弃FP的意向习语是不可能的，如果抛弃了，将像福多等所说的那样，我们人类将面临最严峻的理智灾难。因为最明显的是，我们的人文社会科学尤其是人与人的相互交流将变得不可能。之所以说没有必要抛弃，是因为意向习语只要诚实地运用，还是有其所指和意义的，因此这些概念并非纯粹的虚构。既然如此，正确的态度一是继续保留这些术语，二是在使用时一定要抛弃过去的FP加之于它们的错误构想，即抛弃对于心理世界的拟人式、人格化构想或观念，三是在多科学的通力合作下，重构关于人及其心灵的正确的地形学、地貌学、结构论、

① 史忠植.《智能主体及其应用》，科学出版社2000年版，第45页。

运动论、动力学。

最后，值得特别注意的是，人工智能专家在利用西方哲学家的有关心灵哲学理论时一定要慎之又慎。例如，戴维森表面上肯定了意向状态的存在及其对行为的原因作用，表面上像我们一样大量使用意向习语，但他的骨子里是否定 FP 和意向实在论的，而倾向于取消主义。因为他们的理论是以解释主义、行为主义为基础的，并用语言分析这种没有建议性作用，只有破坏性、颠覆性作用的工具建立起来的，稍不小心，就会犯方向性错误。最明确的例子是：被视作自主体建模之理论基础的布拉特曼的关于意向的计划理论，在本质上与戴维森的解释主义、玛尔的三层次描述理论是一脉相承的，充满着反意向实在论色彩，但我们一般将其理解为意向实在论。这显然有点南辕北辙。

布拉特曼的 BDI 模型是当今有关领域讨论得最多的理论之一，在人工智能的理论建构和工程实践中享有重要地位，已成了许多工程实践的理论基础。但应看到，这一模型至少有两大问题。第一，它的理论基础是 FP，而这种心理学在本质上是一种关于心理现象的错误的地形学、地貌学、结构论和动力学。不加批判地利用这种资源，将把人工智能的理论建构和工程实践引入歧途。第二，布拉特曼对戴维森意向理论的解读存在着误读的问题。而这又是他误用常识心理学的一个根源。在戴维森那里，所谓心理事件不过是我们用意向术语，如“信念”等所描述的事件。对这同一个事件，我们还可以用物理术语来描述，如果是这样，它便成了一个物理事件。因此，事件究竟是以心理事件还是以物理事件表现出来的，取决于我们用什么方式去描述和解释它。质言之，世界上本无心理的东西，我们说某某事件是心理的东西，完全是我们所作的一种“归属”“投射”或“强加”。这是一种巧妙的取消主义，至少是心灵观上的反实在论。而布拉特曼并未看到这一点，以为戴维森所说的“信念”等是不同于物理语言的另一种指称。换言之，布拉特曼对信念等意向状态坚持的是实在论路线。

第五节　联结主义与具身认知及其心灵观意义

本节的任务是从心灵哲学角度考察联结主义和具身认知研究的兴起与最新

发展，探讨里面所隐藏的心灵哲学意义。

一、联结主义及其最新阐释

联结主义有许多相近或相关的术语，如并行分布式处理（parallel distributed processing，PDP）、人工神经网络、神经计算等。之所以有这么多的术语，是因为不同的学科使用不同的词来描述相似的方法。这些术语中包含着相同的精神实质：分布式表征信息以及对信息进行大规模并行处理。联结主义仍然属于计算主义的范畴，不过是改良主义的计算主义。

联结主义理论从提出到现在已过去了大半个世纪，时间虽然不算很长，却经历了几番起伏跌宕的过程，大体经历了五个阶段。20 世纪 40 年代的奠基阶段、第一次高潮阶段（20 世纪 50、60 年代）、坚持阶段（20 世纪 70 年代）、第二次高潮阶段（20 世纪 80 年代）、新发展阶段（20 世纪 90 年代至今）。

从 20 世纪 90 年代开始，神经网络的研究进入一个新的发展阶段。神经网络的发展已到了一个转折的时期，它的范围正在不断扩大，其应用领域几乎包括各个方面。半个世纪以来，这门学科的理论和技术基础已达到了一定规模。20 世纪 90 年代，神经网络理论日益变得更加外向，注视着自身与科学技术之间的相互作用，不断产生具有重要意义的概念和方法，并形成良好的工具。

（一）联结主义的特点和优势

联结主义有不同于经典计算主义的独特特征。这主要表现在以下几方面。

第一，联结主义提出了自己新的认知观、智能观。如前所述，经典主义是在符号水平上模拟认知的。它认为，符号是自然智能的基本元素，人的认知过程是以符号的核心的序贯的符号处理过程。因此，要认识和模拟这种过程，用不着深入细节，用不着关注结构，只需从宏观上研究它的输入和输出的映射或功能过程就行了。而联结主义则是要在细胞水平上模拟认知。

第二，与此相关的是如何看待理性思维的问题。联结主义者认为最重要的是要认清理性的本质。联结主义反对经典主义把理性看作线性处理行为的观点，而突出它的并行性、生态性、复杂性。这复杂性表现在人的理性活动涉及的因素、所不可缺少的条件可能不只是局域的、基于句法的推理，因为它还必然会涉及语义内容，有些推理过程还会受到情绪的影响等。

第三，尽管联结主义也承认认知的本质属性是计算，但它对计算的理解发生了革命性变化。联结主义理解的计算不是指电子数字计算机的权值计算，而是指模拟计算或神经计算，即神经计算模型中的神经信息运动变化过程。而神经计算模型则是从细胞水平模拟生物神经系统结构和功能的人工系统。

第四，尽管联结主义像经典主义一样承认表征及其作用，但又对之作了新的规定。联结主义认为，它的表征不可能像经典主义的表征那样能被形式化，不可能以单子式的形式存在，而只能以分布式方式存在于神经元的动态联结之中。

第五，从描述方式上说，联结主义模型的描述是连续的，而符号模型的描述是非连续的。福多和皮利辛认为，“亚符号模型的分析最有力的描述是连续的描述，而符号模型的描述则是非连续的描述”，即分立或分离的。[①]

第六，两者的纲领性口号也判然有别。早期人工智能的“战斗口号”是“计算机不是单调地处理数字，它们是操作符号”。而联结主义试图将此倒转过来，强调它们不是操作符号，它们是单调地处理数字。[②]由这一纲领性口号所决定，联结主义完成了解释方式的转换。这里的转换是指对经典主义方法的颠倒。经典主义强调对先于算法编写和贯穿于算法编写的任务作出某种高层次的理解。而联结主义者成功地倒转了这项策略。他们从对任务的最低限度的理解开始，训练网络去完成这个任务，然后用各种方式寻求获得有关网络正在做什么和为什么这样做的较高层次的理解。[③]

相比于其他研究心智的方案，尽管联结主义有它的软肋，但也有它的不可否认的优势。联结主义强调，它的网络及理论不仅不存在经典计算主义者所说的那些缺陷和难题，而且有经典计算主义所没有的许多殊胜之处。例如，欣顿认为，联结主义系统强调分布性储存，因此不仅能顺理成章地说明表征的存在，而且表征也是分布式的。分布式表征有效地利用了由简单的、似神经元的计算元素构成的网络的加工能力[④]。除此之外，它还有这样一些特点：本质上有构成性，有

① Macdonald C, Macdonald G(Eds.). *Connectionism: Debates on Psychological Explanation.* Oxford: Blackwell, 1995: 68-71.
② 博登.《人工智能哲学》，刘西瑞，王汉琦译，上海译文出版社 2001 年版，第 414 页。
③ 博登.《人工智能哲学》，刘西瑞，王汉琦译，上海译文出版社 2001 年版，第 413 页。
④ 博登.《人工智能哲学》，刘西瑞，王汉琦译，上海译文出版社 2001 年版，第 338 页。

自动概括新情况的能力，有适应环境变化的能力等。在记忆中，其优点在于提供了一个使用并行硬件去实现最佳配合搜索的有效方法。[①]比如，存储一个新条目，就是调整有关硬件单元之间的相互作用，以创造新的稳定的活动模式。

从作用上说，分布式系统还有经典主义系统所没有的概括能力。众所周知，自然智能的一个重要特点是能从个别属性中抽象概括出其共性。联结主义自认为其系统有概括能力。在使用分布式表征的网络里，这种概括是自动完成的。

人工网络表现出的这种能力似乎具有意向性的外观。但只要看一看它是怎样实现的，就能了解其实质。联结主义者概述说：一个条目的表征是由两部分组成的，一部分表征类型，而另一部分则表征这个特定例子区别于同一类型的其他例子的方式。所有类型本身几乎都是更一般的类型中的例子。通过把表征这一类型的模式分成两个子模式就可以实现这一点。在这两个子模式中，一个代表更一般的类型……另一个代表把这一特定类型与同一个一般类型的其他例子区分开来的特征。因而一个类型与一个例子之间的关系就可以由一组单元和包含着它的一个更大的组之间的关系来实现。[②]这里完成的概括表面上像人一样有主动的关于性，其实不然，因为网络只是按固定的模式完成了一种模式匹配。

联结主义者还认为，人工网络还有传统符号系统所没有的语义处理能力。欣顿等指出：如果我们把问题限制于单语素结构的单词，那么从知道何种字母串意指什么无助于我们预测一个新字母串意指什么的意义上，从字母串到意义的映射具有任意性的特点。从字母到意义的映射中的这种任意性，把似然性赋予了具有显式词单元的模型。显然，如果存在这样的单元，任意映射就能实现。一个字母串正好激活一个词单元，而这又激活了我们希望与之联系的任何一种意义。于是相似的字母串的语义可能是完全独立的，因为它们是由分离的词单元作中介的。

他们还认为，联结主义系统可以有概念学习能力。所谓概念学习，就是经过一定的过程得到一个开始所没有的概念，并让它在系统中被表征。[③]传统的计算主义是不能很好解决这个问题的。例如，传统的定位方案，首先是独立地决定应在何时形成一个新概念，然后它必须找寻一个备用的硬件单元。其问题在于：在

① 博登.《人工智能哲学》，刘西瑞，王汉琦译，上海译文出版社 2001 年版，第 342 页。
② 博登.《人工智能哲学》，刘西瑞，王汉琦译，上海译文出版社 2001 年版，第 347 页。
③ 博登.《人工智能哲学》，刘西瑞，王汉琦译，上海译文出版社 2001 年版，第 349 页。

假如由 100 万个单元构成的集合中，这种新概念的表征是无法完成的。因为每个单元随机地同另一万个单元相联结，这时，任一单元同包含另外 6 个单元的特定组相联结的机会只有百万分之一。根据欣顿等的联结主义的新的方案，要做的只不过是调整单元的相互作用，以创造一个新的稳定的活动模式。[①]

（二）联结主义的新阐释及其心灵观

斯莫伦斯基认为，联结主义对计算提出了不同于经典计算主义的新的理解。这就是它把计算所离不开的符号界定为亚符号，相应地，把联结主义方案称作亚符号方案。他说："在亚符号方案中，如果说隐含着新的计算理论的话，那可能是来自它对计算作了根本不同的、连续的阐释。"在他看来，亚符号计算在本质上是连续的，而不是孤立、分离的，不是以全有或全无的形式进行的。

斯莫伦斯基提出了一种取代符号主义假说的新的假说，他把它称作联结主义动力学假说。其内容可这样表述："直观加工器在任何时刻的状态可用数字值的矢量来明确定义。直观加工器的动力学是由不同的方程决定的。方程中的参数构成了加工器的程序或知识。在学习系统中，这些参数是根据另一个不同方程而变化的。"[②]

在单元的语义性问题上，他自己的取代假说是："直观加工器中的具有关于任务领域的有意识概念的语义性的东西是许多单元之上的激活模式，每个单元都加入到这些模式之中。"[③]这也就是说，单元本身没有语义性，只有复杂的激活模式之间才具有概念语义性。而概念语义性又不能直接用亚符号模型的形式定义来描述，只能由分析器来计算。

斯莫伦斯基强调要正确理解联结主义，还要注意分析和理解的层次。层次选择错误，就会导致对联结主义的风马牛不相及的理解。联结主义的解释层面不能理解为符号主义者所说的符号层面，也不是在神经层面，因此介于符号和神经之间。质言之，理解这些原则的合适的层面是亚符号层面。

如果承认亚符号这个层次，那么就必须对它的存在及本质作出进一步的说明，尤其是要说明这个系统的语义学。而要予以说明，又必须回到表征问题上来，

---

① 博登.《人工智能哲学》，刘西瑞，王汉琦译，上海译文出版社 2001 年版，第 350 页。

② Smolensky P. "On the proper treatment of connectionism". In Macdonald C, Macdonald G(Eds.). *Connectionism: Debates on Psychological Explanation*. Oxford: Blackwell, 1995: 40.

③ Smolensky P. "On the proper treatment of connectionism". In Macdonald C, Macdonald G(Eds.). *Connectionism: Debates on Psychological Explanation*. Oxford: Blackwell, 1995: 42.

因为有语义性就是有关的实在有表征能力。对此，联结主义内部有不同的看法。

从亚符号层次与符号层次的关系看，斯莫伦斯基认为，两者都适合对认知作出描述，因此都可看作是关于认知的模型。只是描述的角度、层次有不同罢了。他说："亚符号层次和符号层次的关系更像量子力学与经典力学关系。亚符号模型准确地描述了认知的微观结构，而符号模式提供的是关于宏观结构的描述。亚符号理论的一项重要工作就是说明：似符号的东西在什么条件下、在哪些方面是有效的，并解释为什么是这样。"①这也就是说，亚符号层次的描述比符号层次的描述要低一些，要具体一些，但又没有进到神经层次。

再从亚符号层次与神经层次、符号层次的关系看，斯莫伦斯基认为，在神经层次和符号层次之间存在着亚符号层次。他说："亚符号范型的基本层次，即亚概念层次存在于神经层次和概念层次之间。"②

他还强调：联结主义承认有亚符号层次，因此对计算有新的不同的理解。根据这种理解，计算这一过程既可在亚符号层次又可在符号层次予以描述。他认为，计算的表现形式有推理、学习等。对于推理，联结主义可从亚符号层次提出如下新的理解和描述。①亚符号计算中的知识被形式化为大量的软约束。所谓软约束，就是软联结。因为知识储存在联结之中，而联结有正联结和负联结之分。说从a到b的正联结是软联结，就等于说，如果a被激活了，那么b也是如此。说从a到b的负联结是软联结，指的是如果a未被激活，那么b也是如此。②用软约束所做的推理是并行的过程。③用软约束所做的推理是非单调推理。④某些亚符号系统可看作是运用统计推理的系统。

面对"意向性缺失难题"，斯莫伦斯基认为联结主义系统不像符号主义系统那样，不具有意向性，而肯定它们有意向性。但问题是，它们是如何获得意向性和真假条件的呢？

为回答这一问题，他提出了他的"亚符号语义学"假定，即"亚符号系统在各种环境条件下可以采取各种相应的内在状态，以至于：认知系统可在各种环境条件下满足它的各种目的条件，因此它的内在状态基于特定的目的条件而成了对

---

① Smolensky P. "On the proper treatment of connectionism". In Macdonald C, Macdonald G(Eds.). *Connectionism: Debates on Psychological Explanation.* Oxford: Blackwell, 1995: 53.

② Smolensky P. "On the proper treatment of connectionism". In Macdonald C, Macdonald G(Eds.). *Connectionism: Debates on Psychological Explanation.* Oxford: Blackwell, 1995: 49.

应环境状态的真实表征”。[①]有这样的表征当然意味着这些状态有其意义，有其真值条件。不难看出，联结主义系统的状态有语义性的根源在于它们有各种不同的目的条件，外在的环境状态被输入进来，通过匹配，对号入座，于是就使这些被激活的内在状态成了对应环境状态的表征。

亚符号系统在加工过程中获得的语义保真性也是根源于目的这一内在条件的。他说：“为机器编制的特定程序能满足某些目的，尤其是学习程序能满足根据事例作出预测这样的适应性目的。”[②]他承认：亚符号的内在加工能让语义关系保持不变，靠的不是对环境状态的依赖性。他说：“就亚符号系统来说，内在的加工机制（可恰当地被称作推理程序）自然不能直接地、因果地依赖于能被内在地表征的环境状态，或依赖于那种表征的有效性。这就是说，它们像句法符号处理一样是形式的。”[③]

联结主义的心灵观主张要在细胞水平上模拟认知。它认为，智能的基本元素是神经元，人的认知过程是生物神经系统内神经信息的并行分布处理过程，是一种整体性的活动，因此要认识和模拟认知，就要从微观层次入手。可见在总的倾向上，联结主义不是要修补古典的模型，而是创建新的、能取代它的认知模型。其具体表现是，它把心灵看作网络。而网络由大量互相关联的单元所构成。在网络中，不存在中央加工单元。每个单元都有自己的作用。它们结构上简单，数量上不定。网络的基本属性是：①单元之间的连接在类型和强度上是不同的。②单元的激活是由刺激量和该单元的状态共同决定的。③网络的信息以单元之间的权重的形式得到编码。④网络中的单元、结点自动地代表着环境中被确认的因素或特征。就此而言，可把它们看作表征。表征的储存是分布式的。⑤当结点具有表征意义时，它们是简单的。所谓简单，一是指它们表征的东西很简单，如简单特征等；二是指结点没有句法结构。⑥对于任何认知任务来说，网络一定是由大量的单元构成的。随着单元数量的增加，联结的数量不是按线性方式而是呈指数形式增加。⑦单元之间的联结可理解为因果地遵循一系列规则的系统。

---

① Smolensky P. “On the proper treatment of connectionism”. In Macdonald C, Macdonald G(Eds.). *Connectionism: Debates on Psychological Explanation*. Oxford: Blackwell, 1995: 64.

② Smolensky P. “On the proper treatment of connectionism”. In Macdonald C, Macdonald G(Eds.). *Connectionism: Debates on Psychological Explanation*. Oxford: Blackwell, 1995: 65.

③ Smolensky P. “On the proper treatment of connectionism”. In Macdonald C, Macdonald G(Eds.). *Connectionism: Debates on Psychological Explanation*. Oxford: Blackwell, 1995: 65-66.

二、具身认知及其心灵观变革

第一代认知科学采用计算机隐喻，将认知过程视作离身的抽象信息加工过程，这样的计算机隐喻导致它对意识的研究最终失败，并且长期对于意向性、创造力等重要的心理现象要么视而不见，要么束手无策。第二代认知科学强调身体在认知中发挥着关键作用。其中心含义包括：认知过程的进行方式和步骤实际上是被身体的物理属性所决定的；认知的内容是身体提供的；认知、身体、环境是一体的，认知存在于大脑中，大脑存在于身体中，身体存在于环境中。具身认知最初仅仅是一种反二元论的哲学思维方式，有其深刻的哲学思想渊源，但是现在这种哲学思考已经开始走向实证领域，认知科学家开始从具身的角度看待认知，形成了具身认知研究的思潮。

（一）具身认知的兴起

20世纪末，认知科学研究经历了一次深刻的范式转变，即从基于离身心智的计算主义的第一代认知科学向基于具身认知观念的第二代认知科学的转变。观念的转变导致认知研究的方法和主题的变化。第二代认知科学将认知主体视为自然的、生物的、活动于日常环境中的适应性的主体，认知就发生于这样的状况中。

自20世纪80年代起，一些新的认知观念开始逐渐凸显和成熟起来，其基本观点表现在以下几个方面。

（1）具身的：人的心智不是无形质的思维形式，心智本质上是具身的生物神经现象，是神经系统整体活动的显现，机体的认知能力是在身体-脑活动的基础上实现的。

（2）情境的：认知是情境性的，因为具身心智镶嵌在自然和社会环境的约束中。认知不是具身心智对环境的单向投射，而是必须相应于环境的状况和变化。环境对于机体不是外在的、偶然的，而是内在的、本质的。

（3）发展的：认知不是一开始就处于高级的认知水平。对人而言，认知不是一开始就处于言语思维的认知水平，而是经历了一个发展过程。

（4）动力系统的：认知不是一个孤立在头脑中的事件，而是一个系统的事件。

有学者甚至认为，只有第二代认知科学才是所谓“真正的认知科学”。第二代认知科学大约起源于20世纪70年代，随后与盛行于20世纪80年代的具身主义运动同步发展。20世纪70年代后期，西方思想界对传统的哲学观、信息加工理论和生成语法提出了一系列新的不同观点，其基本的思考路线是质疑认知主义，批判各种形式的客观主义，如二元论、先验论、形式主义、符号主义等，转而强调研究认知（心智）及语言与身体经验的关系。认知科学中的各个学科都开始了向身体（包括脑）及其经验的回归。认知神经科学的蓬勃发展更是与此直接有关。《认知科学》的出版和第一次认知科学年会的召开是其发展史上重大的标志性事件。这一具身主义运动在哲学上集中反映在拉考夫提出的新经验主义的思想中。后来他又将这一新经验主义在他与约翰逊合写的名著《肉身哲学：具身心智对西方思想的挑战》中更明确地表述为一种新的哲学体系，即所谓具身哲学（the embodied philosophy），或称体验哲学。

（二）第二代认知科学的核心特征：心智的具身性

心智的具身性是第二代认知科学的核心特征，也是拉考夫和约翰逊所总结的20世纪认知心理学和认知语言学研究所获得的三大成果之一。心智的具身性意指：心智有赖于身体之生理的、神经的结构和活动形式。如果说活动实际上是主客体的相互作用，那么，也可以说，把心智理解为深植于人的身体结构及身体与世界（环境）的相互作用之中。

对相互作用活动的重视，必然引发对主体经验的重视。我们不妨取其本意把这种主体经验称作“体验”（身体所经验到的）。具身性就是体验性。因为认知是具身的，就是说认知源于身体与世界的相互作用。依此观点，认知依赖于主体的各种经验，这些经验出自具有特殊的知觉和运动能力的身体，而这些能力不可分离地相连在一起，它们共同形成一个记忆、情绪、语言和生命的其他方面编织在一起的机体（matrix）。

瓦雷拉（Varela）等认为，具身认知有两点含义：其一，与西伦的观点类似，认知依赖于主体经验的种类，而这些经验乃是出自具有各种感觉运动能力的身体；其二，这些感觉运动能力本身根植于或嵌入于一个更广泛的生物的、心理的和文化的情境中。拉考夫和约翰逊也有类似的表达。他们认为人的认知（理性）不是非具身的，相反，它源自我们的大脑、身体和身体经验的本性；认知结构本身来自我们具身化的细节，即人类的视觉、运动系统及一般的神经绑定（binding）机制的细节。

具身性（或曰涉身性）是第二代认知科学最重要的特征，这本不应成为问题。人的心智不是某种离身的智慧“偶然而恰巧地”发生在人的身上于是才有了所谓的“人的心智”。人的心智源自温软肉身而不是冰冷的机器，自然会受到脑的、生理的、神经的甚至身体的约束。学者们疾呼“回到生物学中去找约束”，其含意就是指大脑的活动本质上是不同于计算机的活动的。

关于具身认知的理解多而琐碎，我们把主要的精神梳理一下，可以看到具身认知特别强调以下三点。

第一，认知不是脱离身体的精神性存在，认知依赖于有机体的物理性身体。身体状态可以导致认知状态，而且身体的物理结构对认知具有直接的塑造作用。

第二，身体的感觉-运动系统经验及其心理模拟在认知加工中扮演着关键角色。认知表征并非由一些无意义的符号构成。神经科学的研究从来没有证实神经系统具有将感官刺激转换成抽象表征的能力。相反，许多实验却证明了感觉-运动系统的经验及其心理模拟对认知过程的影响。

第三，对于具身的理解不能仅仅局限于身体。身体是整个世界的一个部分。身体与世界的互动塑造了认知的种类和方式。因此，具身认知的另一层理解是认知依赖于身体，扎根于环境。认知、身体和世界构成了有机的整体，这就是具身认知的基本含义。在这里，身体和心理不再是相互独立的二元，而是一体的过程。

（三）具身认知的心灵观变革

具身认知强调身心一体，不能把身与心分离开来。在西方，身心一体论最早可以追溯到古希腊的亚里士多德。他认为，身体和灵魂是统一不可分割的，灵魂是身体的本质和形式，身体是灵魂的载体和质料[①]，灵魂不能脱离肉体而存在。梅洛-庞蒂继承和发展了这一思想，认为身体兼具被心理认识或经验着的客体现象和经验着、意识着或认识着的主体二重性。心灵哲学继承和发展了梅洛-庞蒂的思想，提出身心一体论思想，激发了具身认知科学的兴起。它认为，心智与身

---

① 车文博.《西方哲学心理学思想史》，首都师范大学出版社，2010年版，第69-70页。转引自李炳全.《形体化心理治疗：基于身心关系的理论思考》，《医学与哲学(A)》2013年第5期，第43-46页。

体是一体的，身体在成为身体之时就具有心理，进而使得它具有单纯物质肉体所不具有的东西；心理孕育并蕴含于身体之中，正是身体使它得以产生和表现。这就突破了传统认知科学的基石——身心二元论，引发了认知科学的变革。

随着人们认识的深入和哲学、神经科学、心理学等学科的发展，人们逐渐认识到身心是统一的，它们相互影响、相互作用，由此形成了身心的辩证统一观。它认为，身与心是统一于人身上的矛盾的两个方面，即一体两面，二者既相互对立，但又相互影响、相互作用。具身认知科学以此为思想基础，突破传统认知科学的身心分离观，否定了传统认知科学的离身认知这个基本假设。在它看来，身与心是不同的，不能把二者等同或混淆起来，但二者又是相互作用的，不能把二者割裂开来。换言之，心理事件与物理事件、生理事件既根本不同，但它们在相互作用时又密不可分。由此，就不能把具身性视为心理具有身体或以身体为组成部分，而应当视为心智在获得存在和发挥自己独特作用的过程中离不开身体，必然要涉及并动用身体资源[①]；心理不是心理之外的别的东西，心理经验不可能还原为物理或身体的东西，但又不能独立于或离开身体而存在。不能因为心智离不开身体或是身体的活动模式就把两者等同起来。因为心智或活动模式一经形成，它就具有自己的独立性、独特性，具有不同于物质、身体的质，有自己的独立存在和作用。[②]心智产生并依赖于身体，但又具有不同于身体的特性，它可以处在与不存在、不曾发生、不会发生以及已逝、尚未发生的东西的关系之中，而任何物理事件不具有这种特性，它们只能存在于真实存在的东西之间。

---

① 高新民，严莉莉，张卫国.《笛卡尔式二元论的重新解读与最新发展——从现代心灵哲学的视域看》,《哲学动态》2011 年第 12 期，第 91-98 页。

② 高新民，严莉莉.《新二元论的突现论路径》,《自然辩证法通讯》2012 年第 3 期，第 88-93 页。

第十八章

脑科学与心灵哲学

生活中人们常感叹："人心难测！"其实，无论是从科学、哲学还是从宗教的视角，说人心难测都不为过。心灵宇宙浩瀚无比，何其古奥！几千年来，有多少大家为此而殚精竭虑地终其一生，可谁敢宣称"心"已说清！迄今，心灵或灵魂仍是世界上最深奥、最神秘的现象。心灵和意识问题不仅是传统哲学的基本问题，更是当代心灵哲学与脑科学研究的前沿性课题。20世纪以来，在对意识研究的潮流中，许多著名的哲学家及相当一批顶尖的脑科学家都卷入其中，倾注了巨大的热情和努力，从而使我们对大脑的认识不断向前推进，获得了关于大脑的结构论、地貌学、运动论和动力学的一幅全新图景，也形成了各种各样的、"科学的"心灵哲学，并对传统的意识理论及马克思主义意识论产生了多方面的重要影响。

第一节　脑科学及其历史发展

脑科学，或称神经科学，是专门以脑为研究对象的科学。它是在心理学、生理学、生物学、信息科学、计算机科学、人工智能、医学、哲学等多学科交叉层面上开展的对大脑的结构、功能、活动过程与机制（包括感知觉、运动、记忆、语言、思维、情绪、意识等）的综合研究。概言之，就是研究大脑如何思维的。

人类脑科学的心灵探索经历了漫长的历史发展过程，大致上可分为脑科学的萌芽时期、脑科学的启蒙时期、脑科学的发展时期及脑科学的最新发展时期四个阶段。

一、脑科学的萌芽时期

人类对脑科学的心灵探索的历史漫长。考古学、人类学等研究表明，史前时期，尽管我们的祖先还不知道灵魂、意识、思想的居所是大脑，但那时的人们已经知道大脑对于生命的重要性。

据考证，5000多年前，古埃及医生就已认识到脑损伤会导致许多症状。公元前5世纪，地中海科斯岛上托名希波克拉底的一群医生认为脑是神智的载体。[①]公元前4世纪，古希腊的希波克拉底业已认识到大脑不仅是感知器官，而且是智力的中心。只可惜，这种观点在当时太过超前，与普遍盛行的“心是智力的中心”的观念格格不入而不被人们所接受。

脑科学早期研究的科学基础（主要是生物学）的概念框架是由亚里士多德建构的。这要追溯到亚里士多德对psyche或noos的设定。[②]Psyche是古希腊语，原指肺或呼吸、气息，后变为灵魂、精神或神灵。Noos即后来的nous，指的是有意识的心灵。在亚里士多德的生物学概念框架中，psyche不仅保有古希腊语原意，更赋予了多重创新意义。在灵魂观念上，亚里士多德对柏拉图的学说作了许多重大的修正。他反对柏拉图的灵魂不朽说，认为灵魂不是一种独立的实体，而是一组功能、能力或属性的组合。这种对灵魂的新规定产生了一条不同于柏拉图的思想进路，从而引发了对灵魂、心灵研究的重大调整，即从对实体的构成本质的探讨转到了对具体心理能力、属性、作用、相互关系、本质的探讨。尽管亚里士多德对神经系统几乎一无所知，但他对psyche的设定及由此而奠定的框架体系对人的认知、思维、情感和意志力乃至脑科学、神经科学都产生了深远的影响。

公元2世纪，盖仑接受了亚里士多德的灵魂概念，认定人类的心理能力与整个脑有关系，特别是与脑的理性灵魂有密切关系。他通过大量的临床观察和细致的动物解剖实验，发现了大脑和小脑之间存在十分显著的结构性差别，由此推断：

---

① 陈宜张.《神经科学的发展历史》，《科学》2012年第4期，第22-26页。

② 贝内特，哈克.《神经科学的哲学基础》，张立，高源厚，于爽，等译，浙江大学出版社2008年版，第11页。

大脑是感觉、记忆的中心，小脑是控制肌肉运动的中枢。他还引入了“感觉神经”与“运动神经”的概念。他认为感觉的接受或运动的发动，都是通过体液经条条神经流入或流出脑而实现的。盖仑的脑功能定位与脑室学说不仅重新复活了希波克拉底关于脑功能的观点，还享有绝对权威的地位达上千年，对人类对脑的认识产生了深远的影响。

二、脑科学的启蒙时期

欧洲的文艺复兴运动推动了脑科学的革新与启蒙，从许多方面来看，文艺复兴是联系中世纪和现代社会的天然桥梁。[①]其间，涌现出了 4 位学者——达·芬奇、维萨留斯、威利斯和笛卡儿，堪称“文艺复兴时期的神经科学四杰”，他们各自在神经科学史上作出的贡献，为 20 世纪神经科学的兴起打下了重要的基础。

达·芬奇素以“美术三杰”之一闻名于世。但随着达·芬奇札记的不断问世，人们惊讶地发现，达·芬奇不仅仅是一位艺术家，他还是一位科学和工程方面的全才。在科学史上，达·芬奇还是解剖学家和神经科学家。最早可以确定他对解剖学产生兴趣的素描和笔记作于 15 世纪 80 年代末……就他的实际贡献或影响力来说，他在解剖学方面取得的成绩要远大于他在工程、发明和建筑方面的成绩。[②]在脑科学史上，达·芬奇的贡献在于他进行了脑解剖的实验，通过亲自解剖人的大脑，准确地画出了具有四个脑室的脑室图，推动了人们对脑的认识。如果说，彼特拉克是文艺复兴时期文学方面的前驱，达·芬奇就是其他部门的开路先锋。[③]21 世纪，普通民众对达·芬奇在科技方面的贡献仍然缺乏了解，如果他当初发表这些著作的话，科学一定会一下子就跳到一百年以后的局面。[④]尽管如此，达·芬奇那些独创的思想，那些在科学与技术多个领域的贡献，仍散发出熠熠的光辉，照亮着人类文明前进的道路。

维萨留斯（Vesalius）是文艺复兴时期少有的艺术家、人文主义者和博物学家。他身上既具有学者的风范，又具有科学家的品质。他以无畏的勇气冲破禁锢的樊

① 丹皮尔.《科学史——及其与哲学和宗教的关系》，李珩译，商务印书馆 1975 年版，第 91 页。
② 尼科尔.《达·芬奇传——放飞的心灵》，朱振武，赵永健，刘略昌译，长江文艺出版社 2006 年版，第 221-222 页。
③ 丹皮尔.《科学史——及其与哲学和宗教的关系》，李珩译，商务印书馆 1975 年版，第 163 页。
④ 丹皮尔.《科学史——及其与哲学和宗教的关系》，李珩译，商务印书馆 1975 年版，第 168 页。

笼，抛弃了传统的腐朽知识。特别是他通过亲自对人体解剖的研究，揭开了人体结构的神秘面纱。

维萨留斯的《人体结构》是部伟大的著作，它发表于 1543 年。这本书系统地阐述了维萨留斯多年来的人体解剖实践与研究，并以大量准确、生动、精美的插图揭示了人体内部结构的奥秘，指出了流传 1000 多年的盖仑学说中的 200 多处错误。维萨留斯更是一个亲自作脑解剖的学者，他对大脑结构的描述接近于今日神经解剖学教科书上的描述。在《人体结构》第四卷中，维萨留斯专门论述了神经系统。他指出，神经的作用是传递直觉的灵气。维萨留斯接受了当时流行的意见，认为事物在肝里获得了“天然元气”，到了心脏里天然元气变为“生命元气”，在大脑中成为“动物元气”，动物元气则是最活泼最精微的东西……一方面，大脑利用这种元气来发挥灵魂的作用，另一方面它又不断地利用神经把这种元气分给感官与运动的工具。[①]他还指出，把某个神经切断或紧缚，就可以使相应的肌肉不起作用。他不畏传统势力，客观公正地评述了当时占统治地位的脑室学说，绘制了人类脑室的详图。无疑，他在神经科学发展史上占有重要的一席之地。

威利斯（Willis）是英国著名的医师，也是英国医学化学学派的领袖。威利斯毕生进行了大量的解剖研究，尤其在神经系统方面卓有成就，著有《大脑解剖》《脑解剖学》及《脑病理学》等名作。《脑解剖学》一直被作为教科书沿用至 18 世纪末。威利斯把颅神经分为 10 对，前 6 对与现在的说法完全相同，沿用至今。他对这些神经的来源、走向、功能和支配范围进行了详细的探索，提出了神经系统功能定位论，对神经系统作了完整、精确的描述。“他把人的记忆和意志定位在脑的沟回内，把某些情绪定位在人脑的基部，同时对想象和感官知觉也作了相应的定位。”[②]

威利斯是最早用现代科学方法对人脑进行研究的解剖学家。《大脑解剖》是威利斯对大脑进行解剖的杰作。在书中，他广泛地讨论了脑的生理、解剖、化学和临床神经学。书中的插图与当代神经解剖学书上的解剖结构图已基本相同。威

① 丹皮尔.《科学史——及其与哲学和宗教的关系》，李珩译，商务印书馆 1975 年版，第 186 页。

② Molnár Z. “Thomas Willis(1621-1675), the founder of clinical neuroscience”. *Nature Reviews Neuroscience,* 2004(5): 329-335.

利斯还以发现脑基底部的血管环而著名。在研究了脑及追踪通向脑的神经的基础上，威利斯成功地把感觉、记忆、想象、意志等复杂的心理现象归之于脑的具体结构，指出了人类各种心理属性在功能上依赖于脑皮层而非脑室。他提出了第一个关于肌肉组织控制和反射控制的脑皮层理论，使人类的注意力1000多年来首次完全从脑室移开，转而关注脑皮层的研究。他把人类心理能力的依赖因素从脑室转向了脑物质，他认同笛卡儿的二元论，承认存在非物质的灵魂或心灵，但它们与身体的联系在于脑皮层或者胼胝体中而不是松果腺。[①]此外，威利斯对小脑的认识，后来被证明是准确的。他是讨论神经控制是否有不同水平这一问题的第一人，也是一系列神经病和精神病症状的第一个描写者。毫无疑问，威利斯是一个真正的医学大家，被认为是神经病学真正意义上的奠基者。诺贝尔生理学或医学奖获得者谢灵顿以崇敬之情写道：牛津的威利斯事实上重新建造了脑的神经解剖学和生理学，威利斯把脑和神经系统置于现代基础之上。

笛卡儿不仅是著名的哲学家，还是著名的物理学家、数学家、神经科学家。在神经科学方面，尽管笛卡儿几乎完全接受了盖仑的理论，但他同时也认为，盖仑的理论不能解释人类的脑和行为的全部。

在笛卡儿那里，脑也只是一个器官而已，与其他器官并无两样，脑的活动可比拟为机械的动作而加以描述和探究。他甚至把人体看作与机器是相类似的。他接受了哈维关于血液在动静脉里循环的理论，并在当时的争论中为这种理论辩护，但他不相信血液是在心脏的收缩的推动下循环的。[②]在他看来，人体这台机器之所以能做功，是靠自然过程在心脏里所产生的热。他认为灵魂（有理性的灵魂）与其所居住而且控制的肉体（地上的机器）是完全不同的。[③]此前，盖仑认为，血液在脑中产生“一种极微妙的气或风”，叫作“动物元气”，但是笛卡儿不把这种动物元气看作灵魂。虽然有了这种元气，脑才能接受灵魂的印象和外界物体的印象，然后这种元气就由脑通过神经，而达于肌肉，使四肢活动。[④]实际上，笛卡儿把精神与肉体分开来看，他是第一个彻底的二元论者。这种把心与物明确

① 贝内特，哈克.《神经科学的哲学基础》，张立，高源厚，于爽，等译，浙江大学出版社2008年版，第31-33页。
② 丹皮尔.《科学史——及其与哲学和宗教的关系》，李珩译，商务印书馆1975年版，第203页。
③ 丹皮尔.《科学史——及其与哲学和宗教的关系》，李珩译，商务印书馆1975年版，第204页。
④ 丹皮尔.《科学史——及其与哲学和宗教的关系》，李珩译，商务印书馆1975年版，第204页。

区分的学说，成为后世的一种普遍的信仰和极为重要的哲学。而笛卡儿试图用力学的理论来解释人体的内部活动，也使他成为近代西方神经科学二元论的开山祖。从此，关于人的“躯体”和“精神”相互关联的研究被推到了中心地位。笛卡儿在神经解剖学上的重要贡献在于开创了脑功能的分析与实验研究，对后世产生了极为深远的影响。①

文艺复兴时期的“神经科学四杰”作出的历史贡献为神经科学的发展打下了坚实的理论基础。得益于这些基础，当代神经科学的研究和发展才有章可循。

三、脑科学的发展时期

从 18 世纪末期到 20 世纪 60 年代，人类对脑的认识取得了许多重大的进展。18 世纪末 19 世纪初，意大利科学家伽伐尼和德国生物学家雷蒙分别发现了神经的电活动。随后，苏格兰医生贝尔和法国生理学家弗卢朗应用实验性损毁的方法（即通过损毁大脑某个特定的部位，以观察和认识这个部位的破坏效应的方法，也叫脑损伤法）发现，正如盖仑脑功能认为的那样，大脑参与感知功能，小脑在运动协调中则起着重要的作用。以后，布罗卡、弗里施和希齐希、费里尔、蒙克等分别发现了大脑的语言区、运动区、视觉功能区，这说明，脑内不同部位具有不同的功能。1838～1839 年，统一的细胞学说得以建立起来。在此基础上，意大利科学家卡米洛·高尔基（Golgi）创立了神经组织染色法（银染色技术），使脑细胞的形态结构得以精确鉴定和细致描述。1900 年，拉蒙-卡哈尔（Ramón y Cajal）终于确定，神经细胞是神经系统和脑的基本结构与功能单位，这标志着神经元学说的诞生。总之，到近现代，神经科学的许多重要理论基础得到了确立，其中包括动物电的发现、神经元学说、神经系统整合作用理论、脑功能定位学说等。

四、当代脑科学的最新发展

20 世纪，科学狂飙突进，硕果累累。自 20 世纪六七十年代起，脑科学无论是在研究的方法和技术、深度、广度、力度还是成果上，都取得了令人瞩目

---

① 陈宜张.《神经科学的发展历史》，《科学》2012 年第 4 期，第 22-26 页。

的成就。

从研究的方法和技术上说，脑科学在揭示心脑的奥秘方面发生了重大的变革，解决了神经学家埃德尔曼所说的传统内省方法不能揭示隐藏在它前后的脑的工作机制。然而，仅仅研究脑本身也不能使人明白意识究竟是怎么回事的矛盾。[①]20 世纪 60 年代，随着认知科学和神经科学的兴起，人们对意识的跨学科、多学科的研究趋向增多，形成了多种并行不悖的研究进路和方法论策略。其主要可分为四种：一是认知心理学的研究进路，二是人工神经网络研究进路，三是认知神经科学的研究进路，四是具身-情境化认知研究进路。这些研究进路总体上是将心-身难题转化为身-身问题，以消解“解释鸿沟”。[②]与研究进路和方法策略相伴而行的是技术手段的革新。借助无创伤脑技术，脑科学家终于将研究领域推进到大脑的内部进行直接研究（以健康人为对象，深入人的大脑中直接观察大脑的结构、变化活动过程及其机制原理，揭示大脑的静态、动态结构）。这些新技术主要包括脑电图、脑磁图（MEG）、正电子发射断层照相术、功能磁共振成像技术等。

目前，脑科学越来越受到科学界和国际社会的高度重视。20 世纪 90 年代掀起过脑科学研究的第一次热潮。新世纪以来又形成了脑科学研究的第二次浪潮。2013 年，欧盟正式启动由 135 个研究机构参与的“人类大脑计划”。同年，加拿大也启动了历时 5 年的脑科学计划。我国 20 世纪 90 年代开始资助脑科学研究。“八五”计划、“攀登计划”、国家自然科学基金委员会等相继资助了多项重大研究计划。此外，我国先后成立了多个与脑科学相关的国家重点实验室，可见脑科学研究的重要战略地位。

第二节　当代脑科学心灵探索的几种意识理论

当代脑科学家在对意识、心灵的研究中，提出了许多新奇的意识假说，如意识的“剧场假说”“探照灯假说”“微管假说”“树突子-心理子假说”“心理神经

① 埃德尔曼，托诺尼.《意识的宇宙——物质如何转变为精神》，顾凡及译，上海科学技术出版社 2003 年版，第 7 页。

② 刘晓力.《当代哲学如何面对认知科学的意识难题》，《中国社会科学》2014 年第 6 期，第 48-68 页。

一元论”“惊人的假说”“动力核假说”等，它们是西方科学家、哲学家在现代科学背景下，特别是在脑科学基础上对人类自身宇宙之谜的一种最新解答，也体现了在意识研究问题上的跨学科的综合性。在此，仅选择其中几种较有影响的理论观点进行考释，以窥视当代脑科学的心灵探索的基本成就与走向。

一、艾克尔斯的心脑二元论的相互作用论

艾克尔斯（Eccles）是当代著名神经生理学家，因对突触传递的生物物理特性作了独创性研究，分享了 1963 年的诺贝尔生理学或医学奖。更难得的是，他还十分注重对相关问题的哲学探讨，发表了《理解大脑》《自我及其大脑》（与波普尔合著）等大量著作，阐述了其全新的心脑理论。他的《脑的进化：自我意识的创生》以达尔文进化论作为理论基础，融会吸收了达尔文进化论新近发展的成果，因而这本书为心脑问题描绘了一幅前所未有的总概观图。[①]

艾克尔斯的心脑理论可称为心脑二元论的相互作用论。这一理论中蕴含着多学科的资源，如比较解剖学、考古学、古文字学、脑生理学和哲学等，但其理论基调是二元论的。

第一，承认两种确实性或真实性：第一个事实是，我们每一个人都是独一无二的意识存在，第二个事实是，包括我们每个人的身体和大脑在内的物质世界是存在的。[②]他还从量子力学、神经科学（脑电位变化、裂脑人）、人的体验（人的精神的统一性、内心体验、情感、注意、想象、意志自由等）等多方面进行了论证。

第二，心灵的主体性及其与物质世界的相互作用。艾克尔斯认为：心理世界有两种特殊的存在，一是自我或灵魂，它是人格具有同一性、人的认识具有统一性的基础。由于它是各种心理活动的主体、心理属性的依托，因此可称作自我意识精神。二是自我对自己的认知或体验，也可称作自我意识。[③]自我不是一种属性、不是一个纯粹抽象的东西，而是一个有自主性的独立的主体，可自己作出期盼、计划、决定、思想和行动，并可意识到自己的所作所为，还可与自我以外的

① 埃克尔斯.《脑的进化：自我意识的创生》，潘泓译，上海科技教育出版社 2007 年版，第 7 页。
② 埃克尔斯.《脑的进化：自我意识的创生》，潘泓译，上海科技教育出版社 2007 年版，第 285 页。
③ 高新民.《心灵与身体：心灵哲学中的新二元论探微》，商务印书馆 2012 年版，第 418 页。

他者、世界，甚至作为自我所在地的大脑相互作用。[①]也就是说，心智和大脑是相互分开独立存在的，大脑属于世界Ⅰ，心智属于世界Ⅱ，两者之间有某种交互作用。因此世界Ⅰ和世界Ⅱ之间有一道边界，而跨越这道边界有双向的交互作用。可以想象这种交互作用是一种信息流而不是能量流。这样我们得出了一条不同寻常的教义：物质-能量世界不是完全封闭的。[②]

第三，人的二元结构性。艾克尔斯以波普尔三个世界理论为基础构筑出人的新的二元结构图景：人也由三个世界构成，但由于世界Ⅱ和世界Ⅲ就是通常所说的精神世界或心灵，因此人的三个部分可简化为心和身或大脑两部分，而大脑只是"我们个性的物质基础"，只是"有意识个性的载体"，而不是自我本身。因为大脑的某些部分可以移植或换掉，但人的自我不会变。[③]在此，艾克尔斯一方面承认心理事件对物理神经事件的依赖性（在起源、进化及时空存在上，心灵、意识对物质没有独立性），但又认为世界Ⅲ是有自主性的独立的主体，并决定了现代人和所有其他动物……有质的不同。世界Ⅲ已经改造和转变了人类的进化发展。[④]

二、克里克的意识的"惊人假说"

意识的"惊人假说"是由因发现 DNA 双螺旋分子结构而荣获诺贝尔生理学或医学奖的著名科学家克里克和他的年轻的合作者科赫提出的，是当代西方脑科学家在意识问题上的唯物主义研究纲领的典型代表。

克里克等认为，历经几千年的苦心思索，意识问题是现代科学中的一个主要的没有解决的问题，意识研究是一个科学问题，科学和意识之间没有不可逾越的鸿沟。现在是对意识问题研究的科学进攻的时候了，寻找解决这一个问题的方案将是非常令人满意的。他寻找到的解决意识问题的纲领性方案是意识的"惊人假说"。[⑤]

克里克是在还原论方法论策略和视觉意识假说的基础上提出意识的惊人假

① 高新民.《心灵与身体：心灵哲学中的新二元论探微》，商务印书馆 2012 年版，第 421 页。
② 埃克尔斯.《脑的进化：自我意识的创生》，潘泓译，上海科技教育出版社 2007 年版，第 208 页。
③ 高新民.《心灵与身体：心灵哲学中的新二元论探微》，商务印书馆 2012 年版，第 420 页。
④ 埃克尔斯.《脑的进化：自我意识的创生》，潘泓译，上海科技教育出版社 2007 年版，第 286 页。
⑤ 克里克.《惊人的假说：灵魂的科学探索》，汪云九，齐翔林，吴新年，等译，湖南科学技术出版社 2001 年版。

说的。他认为，"'惊人'的假说"如此惊人，其首要原因在于许多人还不愿意接受被称作"还原论"的研究方法。他解释道：惊人的假说是说，"你"，你的喜悦、悲伤、记忆和抱负，你的本体感觉和自由意志，实际上都只不过是一大群神经细胞及其相关分子的集体行为，正如卡罗尔书中的爱丽丝所说，"你只不过是一大群神经元而已"。这一假说和当今大多数人的想法是如此不相容，因此，它可以真正被认为是惊人的。[①]对于一个具有多种活动层次的系统，这一还原过程将不止一次地加以重复。比如，对于脑，我们可以用神经细胞的相互作用来解释，而神经细胞的行为又需要用组成它的离子和分子的行为来解释。那这种还原的终点又在哪里呢？克里克认为，我们非常地幸运，在自然界，存在着一个自然的中断点，这发生在原子的水平。每个原子有一个携带正电荷的重原子核，它被一个有组织的电子层所包围。电子既轻便又灵活且携带负电荷。这种客观的精细结构为我们揭示神经元活动提供了绝妙的研究平台。

以还原论为方法论策略，以感觉意识中的视觉意识作为意识研究的简易突破口，克里克最终确定意识是神经元群的集体行为，精神不过是一堆神经元。他认为，当我们"看"或是"注意"时，大脑中的神经元产生有节律的放电，频率为 35～40Hz 的振荡（也称 γ 振荡）。也就是说，当大脑中的特殊的神经元集团的某些成员以一个相当于为 35～40Hz 的频率发放时，"觉知便出现了"。[②]所以，意识是"神经元行为的另一种描述方式"，意识活动实际上是神经元活动。[③]这说明，意识不是别的，它是大脑神经元群的集体行为。换言之，意识是"神经元行为的另一种描述方式"。[④]所以，意识活动实质上是神经元的活动。同时，意识的产生是"捆绑"式的。因为每种神经元的发放是分散而独特的，它们分别应答的是客体的特殊特性。但我们"看到"一个物体时，对这个物体有一个统一的经验，这就必须把分散的神经发放捆绑在一起，才有可能使人觉知到一个较完整的物体对象，并报告出来。

---

① 克里克.《惊人的假说：灵魂的科学探索》，汪云九，齐翔林，吴新年，等译，湖南科学技术出版社 2001 年版。
② 克里克.《惊人的假说：灵魂的科学探索》，汪云九，齐翔林，吴新年，等译，湖南科学技术出版社 2001 年版。
③ 克里克.《惊人的假说：灵魂的科学探索》，汪云九，齐翔林，吴新年，等译，湖南科学技术出版社 2001 年版。
④ 克里克.《惊人的假说：灵魂的科学探索》，汪云九，齐翔林，吴新年，等译，湖南科学技术出版社 2001 年版。

综合众多实验成果发现，当视野内有某种刺激时，视皮层的一些神经元会活跃起来，并以 35～40Hz 的节律发放。这意味着当我们看到物体时，大脑中产生了神经元群的同步发放。通过这种同步的发放，同一个物体的所有不同特性，如形状、运动、颜色等都捆绑起来。因此，35～40Hz 的振荡放电是视觉意识的神经关联物，视觉意识的活动就是 35～40Hz 的振荡放电，它们之间不是依存、随附、先后或决定的关系，而是对同一个过程的两种不同的描述。当我们说“看见”一个物体的时候，用神经科学的语言描述，就是“我的大脑中出现了 40Hz 的神经振荡”。

由此，克里克的意识的“惊人假说”的基本点主要在于：第一，意识研究的全局观念。我们在观察的时候，脑中究竟发生了什么呢？这本质上是一个全局性的问题。对此，脑科学家应该从全局的角度去考虑意识的过程和大脑之间的关联，而不要陷入无休止的复杂细节的研究。第二，意识活动实质上是神经元的活动。研究表明，视知觉这种意识的产生就在于有不同的神经元的发放，而每种发放对应于被看物体的某一个方面的特征。第三，意识的产生是“捆绑”式的。每种神经元的发放是分散而独特的，而我们“看到”一个物体时，对这个物体有一个统一的经验。这就必须把分散的神经发放捆绑在一起，才有可能使人觉知到一个较完整的物体对象，并报告出来。第四，意识的神经关联物是同步的神经元的激发。当我们看到物体时，大脑中产生了神经元群的同步发放。通过这种同步的发放，同一个物体的所有不同特性如形状、运动、颜色等都捆绑起来。因此，可以说，35～40Hz 的振荡放电是视觉意识的神经关联物，视觉意识的活动就是 35～40Hz 的振荡放电，这是对同一个过程两种不同的描述。

三、埃德尔曼的“动态核心假说”

埃德尔曼撰写了《神经达尔文主义：神经元群选择理论》《拓扑生物学》等一系列带有浓厚实证色彩的心灵哲学著作，阐述了关于意识的“动态核心”和“神经达尔文主义”的大脑工作假说，从而把一个谜团转化成一个问题，并且朝解决这个问题的方向走出了很长的一段路。[①]

① 埃德尔曼，托诺尼.《意识的宇宙——物质如何转变为精神》，顾凡及译，上海科学技术出版社 2003 年版，第 1 页。

埃德尔曼认为，神经科学的发展最终会使我们知道：心灵是如何起作用的，什么主宰着我们的本质，以及我们是如何认识世界的。[①]但目前，现代科学面临着危机，或者说有许多的问题，问题之一就是它还无法清楚地知道意识的物质基础，如从分子、基因到微小的物质如何形成精妙、复杂的大脑，脑的反应，精神活动，等等。[②]他的研究目的旨在说明理解心灵从科学上说是有可能的。他的心愿就是让心灵回归自然。[③]为此，他在心灵哲学上创立了独树一帜的“动态核心假说”。

埃德尔曼认为，大脑是大自然赐予人类最珍贵的礼物，“达尔文的自然选择学说能够对这一演化进程作出解释和说明”。[④]人脑是世上独一无二的，科学研究表明，一个正常成年人的脑大约由1000亿个神经细胞或神经元组成[⑤]，由此形成了十分精妙的、复杂微观结构的大脑丛林。基于神经解剖学和神经动力学的研究，埃德尔曼认为，“大脑不是计算机”[⑥]，大脑是多样的，人脑的发育史和本身经历的结果都独一无二地印记于每个脑中。[⑦]而人脑最奇特的特性之一就是再进入。在宇宙中再也没有别的什么东西像大脑那样完全可以因为再进入回路而与其他东西区别开来。虽然大脑与像丛林这样的巨大生态实体有许多相似之处，但是在任何丛林中都找不出哪怕有一点儿像再进入这样的东西。[⑧]以此为基础，埃德尔曼认为，“可以从生物学、心理学、神经科学、哲学等维度上建立意识的假说，这是大脑工作的重要组成部分”。[⑨]当我们在思维或在产生、报告某个意识经验时，大脑中的一些神经元群能在几分之一秒内强烈地相互作用，形成与脑其余部分有明显功能性边界的神经元群聚类（functional cluster），这称作“动态核心”，它的形成及其作用的实现，就是信息的整合，形成统一的意识，这就是“动态核心假说”。依此假说，意识是分布性的，大脑无中心。因为动态核心不是一个位置，

---

① Edelman G M. *Bright Air, Brilliant Fire: on the Matter of the Mind*. New York: Basic Books, 1992: xiii.
② Edelman G M. *Bright Air, Brilliant Fire: on the Matter of the Mind*. New York: Basic Books, 1992: 65.
③ Edelman G M. *Bright Air, Brilliant Fire: on the Matter of the Mind*. New York: Basic Books, 1992: 9.
④ Edelman G M. *Bright Air, Brilliant Fire: on the Matter of the Mind*. New York: Basic Books, 1992: 7.
⑤ Edelman G M, Mountcastle V. *The Mindful Brain:Cortical Organization and the Group-Selective Theory of Higher Brain Function*. Cambridge: The MIT Press, 1977: 17.
⑥ Edelman G M. *Bright Air, Brilliant Fire: on the Matter of the Mind*. New York: Basic Books, 1992: 81.
⑦ 埃德尔曼，托诺尼.《意识的宇宙——物质如何转变为精神》，顾凡及译，上海科学技术出版社2003年版，第55页。
⑧ 埃德尔曼，托诺尼.《意识的宇宙——物质如何转变为精神》，顾凡及译，上海科学技术出版社2003年版，第57页。
⑨ Edelman G M. *The Remembered Present: a Biological Theory of Consciousness*. New York: Basic Books, 1989: 114.

是脑中分布广泛的许多神经元群间相互作用而产生的功能性的聚集。意识又是整体性的，“在给定的时间下，一个系统的某个子集内部元素彼此的相互作用要远比这些元素和系统其他部分之间的相互作用强得多，那么，我们就说这个子集合构成一个整体性过程。”①可见，统一的意识的产生不是由什么高阶的中心系统完成的。大量信息的整合，主要是由大脑中大量神经元群及其过程集合在一起，在共同构成一个功能性聚类的基础上，将不同时间间隔的信息从功能上统一起来。正是这种整体性的功能聚类及其作用，实现了对信息的整合，从而产生了统一的意识。因此，意识实际上是体现在每个个体中的一种物理过程。

综合观之，埃德尔曼的意识理论与心灵哲学的研究纲领和理论范式，克服了某种单一的，如还原主义、突现论或取消主义等的主张，结合了唯物主义、自然化的立场，同时又是与实证科学紧密相连而展开的对意识问题的综合研究，开启了意识研究的新进路，代表着当代西方心灵哲学在唯物主义框架下之“自然主义转向”的思想潮流。这是继克里克的“惊人的假说”尝试通过自然科学途径研究意识问题以来的另一位科学研究意识问题的领军人物。

四、利贝特的“有意识的精神场”

利贝特是美国著名的生理学教授，在人类意识和意志实验研究方面有开创性工作。

利贝特是最早采用实验手段对人的意识进行直接测量的神经科学家之一。利贝特用适度的电去刺激病人的大脑皮层的中央后回，实验发现病人在半秒以后才开始有皮层刺激的反应，这常被称作“意识经验半秒延迟”实验。利贝特又设计了一个实验：对大脑皮层适当的皮肤区进行直接的电刺激，以观察从皮层到唤醒反应的过程。实验显示：在皮肤刺激经验经过多次训练以后，实验者常常能够报道皮肤刺激经验先于皮层刺激经验。这个实验又被称为“意识经验提前实验”。利贝特还设计了一个有关自由意志检验的实验。实验主要是测量运动发生之前、决定行为的意志产生的瞬间及运动本身开始这三个事件的时间。运动发生之前有

① Edelman G M. *The Remembered Present: a Biological Theory of Consciousness*. New York: Basic Books, 1989: 114.

一个准备电位（readiness potential, RP）。运动发生之前和运动本身开始的时间主要是通过肌肉上的电极来记录并多次重复求取平均值而获得的。而相对较难测量和记录的是意志产生的瞬间时间（即意愿时间）。实验记录表明：RP 的时间通常发生在对行动的有意识的觉知前，而有意识的觉知发生于行动开始前。

上述实验结果意味着什么呢？利贝特作出了有利于二元论的解释。对“意识经验半秒延迟”实验，利贝特解释说，这个实验一方面证明了意识对大脑的依赖性，说明主观经验的产生离不开人的大脑，可用公式表示为大脑—主观经验—行为；另一方面，意识经验与大脑过程的不同步又证明了意识的独立存在性。在利贝特看来，适当的神经活动持续足够长的时间，是产生自发主观经验这个现象的根据。此外，“意识经验半秒延迟”实验还证明了人的自由意志。针对意识经验提前实验，利贝特认为，这一实验有力地证明了自由意志的存在。意志作出决定并将决定传到身体的相应部位是需要时间的，也就是说，意识经验的提前是为自由意志调整行为留出空间。这里，利贝特所说的自由意志不是说精神能够自由地决定去做什么，而是指它能够自由地决定不去做什么，即自由意志的本质是对行动的否决权，“自由意志能够阻止或否决行动，导致行为不发生”[①]。

为了更系统地说明自由意志的存在及其对行为的因果作用，利贝特提出了“有意识的精神场”（the conscious mental field，CMF）假说。他特别强调，“大脑产生的电磁场是意识经验的事实上的携带、传输者，意识经验从大脑的神经活动中突显出来，在有意识的精神场中被联合和表征，而在有意识的精神场中得到统一的意识经验反过来又能对神经活动施加影响，成为自由意志的基础”[②]。可见，有意识的精神场的建立理论上是基于物理学中的电磁理论，事实上是基于当神经元激活时，一个神经元会产生一个行动的潜能和突触后潜能，从而对周围的电磁场产生干扰并被编码在激活了模式的神经元信息之中，这又反作用于大脑的电磁场。利贝特指出，有意识的精神场既不同于传统物理学的场（甚至不能借助一些外在的物理方法和手段被观测和度量），又不同于波普尔的精神性力场（波普尔将意识的电磁场归属于物理世界 1 是错误的，因为这种场既属于主观经验，又与

① Libet B. “Can conscious experience affect brain activity?”. *Journal of Consciousness Studies*, 2003, 10(12): 24-27.

② Libet B. “Reflections on the interaction of the mind and brain”. *Progress in Neurobiology*, 2006, 78(3): 323.

物质性大脑有关），也不同于笛卡儿式的二元论，因为有意识的精神场不是独立的存在，它不能离开活着的脑，是人脑突现的属性。总之，有意识的精神场是一种新的“自然的”场，与意识经验一样，它只对那些具有经验场的主体开放，它的特征是众所周知的有意识的经验的主观性，只有拥有经验的主体才能够获得它。“人们必须认识到这样一种可能性，即有意识经验可能以一种独立于物理规律的方式控制神经活动。”[①]利贝特认同二元论的一个观点：主观经验只会显现给那些拥有它的个体，也就是人们常说的只能通过第一人称才能报告主观经验。利贝特的“有意识的精神场”假说中既有有利于唯物论的思想，认定主观经验与人脑、人的神经活动有关系，又强调大脑的成分及其结构只是意识的神经关联物，不是意识本身。意识是独立的、自由的，大脑与精神之间并不存在合规律的关联，有意识心理事件的发生并不完全依赖神经事件，这又与唯物主义分道扬镳，走向了二元论，由此引发了神经科学、哲学的大量争论。[②]

第三节 脑科学成果的多样性解读及其启示

20世纪末以来，脑科学的发展使我们对大脑的认识大大地向前推进了，使我们获得了关于大脑的结构论、地貌学、运动论和动力学的一幅全新图景。但这些认识终究还不是对意识更不是对心身关系（如果有的话）本身的认识。况且，对同一种科学材料基于不同的理解框架会有不同的解读乃至形成根本对立的理解。质言之，脑科学成果具有可多样解读性。事实上，当代西方科学界、哲学界在对现代脑科学成果的解读、消化和利用时，的确形成了不同的走向，其中，较为引人注目的是唯物主义与二元论两大走向。

一、唯物主义走向

一般地，在有关科学和哲学关系的理解上，在对脑科学成果的哲学解读、消

① Libet B. “Can conscious experience affect brain activity?”. *Journal of Consciousness Studies,* 2003, 10(12): 26.

② 松本修文.《心灵之谜多面观——脑与心理的生物物理学》，宋文杰，王钢，程康，等译，上海科学技术出版社2007年版，第38页。

化和利用上，只会导致和推进唯物主义的基本结论。的确，当代西方心灵哲学界在对脑科学研究成果的哲学解读、消化和利用时，进一步地论证、丰富和发展了唯物主义，如导致和推进唯物主义的结论或导致唯物主义在内容和形式上的飞跃等，从而诞生了许多不同形式的唯物主义或物理主义理论，像同一论、还原论、计算主义、功能主义、随附论、解释主义等，在使心灵自然化的过程中，“唯物主义、物理主义在心灵哲学领域取得了几乎决定性的胜利”[①]。唯物主义成了一种居主导地位、享有话语霸权的基本走向。尽管这些种类繁多的唯物主义或物理主义在形式、内容、方法、观点和立场上迥然不同，但也有一些共同点。其一，研究者往往是自然主义哲学家、科学实在论者、对传统分析哲学持怀疑和批判态度的哲学家，以及关心哲学事业的自然科学家。其二，因为研究理论旨趣多半是在实体唯物主义或自然主义的理论前提下对心的性质所作的形而上学的解释，所以唯物主义并不一概地否认传统的心身问题，而是主张对传统的心身问题进行转换，从而形成了心灵、心理、意识等现象研究的“自然化”潮流。其三，在对脑科学成果的解读、消化和利用时，他们普遍地重视哲学特别是心灵哲学的功能，认为心灵哲学就是“科学探讨与哲学反思相结合的产物”[②]。其四，由于立足于实体唯物主义或自然主义以提供大脑与意识问题的解决方案，现代唯物主义具有明显的“科学”与“实证”色彩。

二、二元论走向

在唯物主义凯歌行进之时，二元论却东山再起，以至于物理主义在心灵哲学领域取得几乎决定性的胜利的同时，“二元论获得新的信徒也是司空见惯的事情”。脑科学中的二元论走向是对当代脑科学不断涌现的成果进行的二元论解读，从而为二元论提供新的佐证与新的论证。这主要有两种倾向：一种是哲学家们依据脑科学的成果对二元论所作出的发展，另一种是脑科学家们依据自己和他人的成果对二元论所作的论证。其中就有一流的脑科学家、诺贝尔生理学或医学奖获得者斯佩里的突现论的相互作用论、艾克尔斯二元论的相互作用论、利贝特的“意

---

① Braddon-Mitchell D. “Against ontologically emergent consciousness”. In McLaughlin B P, Cohen J(Eds.). *Contemporary Debates in Philosophy of Mind.* Oxford: Blackwell, 2007: 287.

② Armstrong D. *A Materialist Theory of the Mind.* New York: Routledge, 1968: 356.

识延迟实验”的二元论解读、薛定谔的充满神秘气息的意识理论等。而在“自我”“意识的统一性”“感受性”等问题上，谢灵顿、薛定谔、埃德尔曼、克里克等神经科学家或物理学家都走向了二元论。至今，尽管认知神经科学取得了举世瞩目的进展，而对其一般性理论说明却并不尽如人意[①]，几乎都陷入了二元论。

神经科学中的二元论走向往往使神经科学中流行的理论陷入各种困境之中，这些困境主要有神经科学问题与哲学问题模糊不分、概念的混淆（赖尔所说的“范畴错误”）、变相的笛卡儿主义及“部分论谬误”。其中，神经科学家最明显的错误之一就是将心理属性、心理能力归于脑。比如，在谢灵顿的心灵观中，心灵、身体（及脑）与人的关系是混乱的。一方面，他似乎认定心灵有一个身体，另一方面又主张身体有一个心灵。事实上，有心灵的是人而不是身体，身体有感觉是因为有脑的思维。心灵既不能脱离脑又非等同于脑的实体，而谢灵顿及其门生将心灵实体化了。又如，克里克等将捆绑问题表述为形状、颜色、运动等信息以形成被感知物的意象，这也是概念混淆。克里克、埃德尔曼、达马西奥认为知觉是理解心中的意象，这还是概念混淆。概念混淆其实就是赖尔所说的“范畴错误”。而范畴错误就是它在表述心理生活的事实时，似乎把它们当成是属于某种逻辑类型或范畴的（或属于某个类型域或范畴域的），其实它们应属于另一种类型。[②]

三、脑科学成果多样解读性的几点重要启示

科学成果的可多样解读性是人类对科学事实进行理解和诠释时普遍存在的现象，是科学史的常态，就如量子力学建立以后，围绕着对它的物理意义的理解与诠释，以玻尔为首的哥本哈根学派和以爱因斯坦为首的著名科学家之间展开的激烈争论一样，其焦点就在于对微观粒子的本质特性的不同理解上。脑科学成果的可多样解读性给了我们几点重要的启示。

第一，宇宙之谜包括人自身的宇宙之谜太过深奥、太过复杂，而已有的科学尚不完备，因而它的可多样解读性为我们多样性的解读提供了客观基础和认识论根据。20世纪以来，包括希尔伯特、阿克曼、哥德尔、波普尔等数学家、逻辑学

---

① 贝内特，哈克.《神经科学的哲学基础》，张立，高源厚，于爽，等译，浙江大学出版社2008年版，第1页。
② 赖尔.《心的概念》，刘建荣译，上海译文出版社1988年版，第10页。

家和哲学家们从元数学、元逻辑学和哲学的角度都已证明：人类知识的确实性与完备性是不相容的，认识不能两全。[①]更何况，今天的科学还不完备。以这样尚不完备的科学为基础对新的、有待解释的事实与现象进行解释和说明，必定会形成多元化的解读。

第二，科学并非唯物主义独有的沃土，面临如此事实与现象，马克思主义哲学应发出自己的声音，作出自己的回答。目前，相较于西方心灵哲学中二元论的发展及其与唯物主义的论战，我们所坚持的马克思主义哲学唯物主义几十年来并未在有关自然科学发展的大好形势下取得进一步的发展与突破，马克思主义哲学的唯物主义面临着各种二元论的诘难与挑战（如感受性、意向性等）。如何立足于当代各门具体科学的最新成果，分析当代西方哲学、心灵哲学提出的新理论并加以借鉴从而丰富和发展马克思主义哲学的唯物主义已成为我们这个时代的重大课题。作为唯物主义高级形式的马克思主义哲学不仅要与社会实践、科学的发展相向而行，消化、吸收和利用科学成果，与时俱进，而且要回答当代二元论提出的难题与挑战，并且要借鉴、转化和提炼现当代特别是当代西方哲学理论有价值的资源，以更加广阔的视野来思考和解答意识之谜，推进马克思主义意识论的创新。

第三，哲学应与科学结盟，实现对意识的跨学科研究。事实证明，对意识问题的研究单靠哲学是不行的，但排斥哲学的科学也是独木难支的。科学家在对大脑科学研究的成果之上进行哲学反思时，基于不同的哲学信念、立场和方法，对于同样的数据、材料会有多样的或是恰恰相反的解读，这本身就说明在意识问题上如果只是依赖自然科学，就如同瞎子，是盲目的；但仅仅凭借哲学，那会像跛子，是残缺的。恩格斯说得好：随着自然科学领域的每一划时代的发展，唯物主义必然要改变自己的形式。[②]科学与唯物主义应携手共进，事实上，科学可促进唯物主义的发展，而唯物主义也能为科学服务。例如，当科学受到质疑、科学陷入二元论等困境之时，哲学应为科学提供辩护，这种辩护可表现在这样一些方面：①任何以实验事实为根据的科学理论，不管它与哪种哲学信条相冲突，哲学应为

① 杨足仪.《宗教与科学：终难解开的结》，《自然辩证法研究》2013 年第 7 期，第 97-100 页。
② 中共中央马克思恩格斯列宁斯大林著作编译局.《马克思恩格斯选集（第四卷）》，人民出版社 1995 年版，第 228 页。

它辩护以证明其无罪；②凡是按一定的科学程序提出的假说，哲学要为它的生存权利辩护，以证明它的合法性；③当一种新科学不被公众正确理解时，哲学家要努力消除已有的文化心理背景的障碍，为其正常发展开辟道路；④当某个科学的局限性被发现而引起某种反科学思潮时，哲学家应为科学的合理性进行辩护；⑤当科学成果被滥用从而损害科学的声誉时，哲学家应利用自己的工具作出必要的澄清和方法论探究；等等。因此，哲学应当有所作为，而哲学也是可以有所作为的。

后　　记

本书由刘明海、费多益和高新民策划组织，由诸多同仁合作完成。具体分工是，高新民撰写导论及第一、二、五、六、十、十一、十二章，同时撰写第八章的第一～四节、第十三章的第三节；刘占峰和陈丽撰写第四、七章；刘明海撰写第三章，同时撰写第八章的第五节，郭佳佳据刘明海手稿整理第十三章的第一、二、四、五节；费多益撰写第十五章；沈学君撰写第十四章；张卫国撰写第九章；李艳鸽撰写第十六章；商卫星撰写第十七章第五节后半部分；杨足仪撰写第十八章；张文龙撰写第十七章前四节及第五节前半部分；张文龙、胡嵩、柯文涌同学在后期统稿、校对中协助做了大量工作。博士生束海波、罗岩超、余涛、张尉琳、郭佳佳，硕士生刘凯、胡孝聪、李伟虎、吴燕、马明秀、陈帅、谭园园、李好笛等帮助做了大量校对和规范处理的工作。需特别说明的是，因本子课题负责人刘明海于 2016 年英年早逝，后期的主要工作遂由我们团队长期的合作者费多益教授和我接手完成。在此，对费教授的宝贵支持和帮助谨致真诚的谢意。

高新民

2021 年 11 月 20 日